ZES DAGEN

Jeremy Bowen

ZES DAGEN

De oorlog die het Midden-Oosten voorgoed veranderde

2004
UITGEVERIJ BALANS
UITGEVERIJ VAN HALEWYCK

Oorspronkelijke titel *Six Days – How the 1967 War Shaped the Middle East*
Uitgegeven door Simon & Schuster, U.K., 2003
Vertaald uit het Engels door Meile Snijders
Omslagfoto: gettyimages BV

Uitgeverij Balans, Amsterdam
ISBN 90 5018 626 2
NUR 689
www.uitgeverijbalans.nl

Uitgeverij Van Halewyck, Leuven
ISBN 90 5617 540 8
D/2004/7104/20

Voor Julia, Mattie en Jack – en mijn ouders

INHOUD

Het is gevaarlijk om buiten jezelf van vreugde te zijn als je hebt gewonnen, maar arrogant zijn is nog erger, want dan denk en leer je niet meer.

Uri Gil, gevechtspiloot, Israëliër

Ik wil vrede, maar hoe kan ik mijn kinderen leren anderen de hand te reiken, als mijn geheugen zo vol lijden zit?

Fayek Abdul Mezied, archivaris, Palestijn

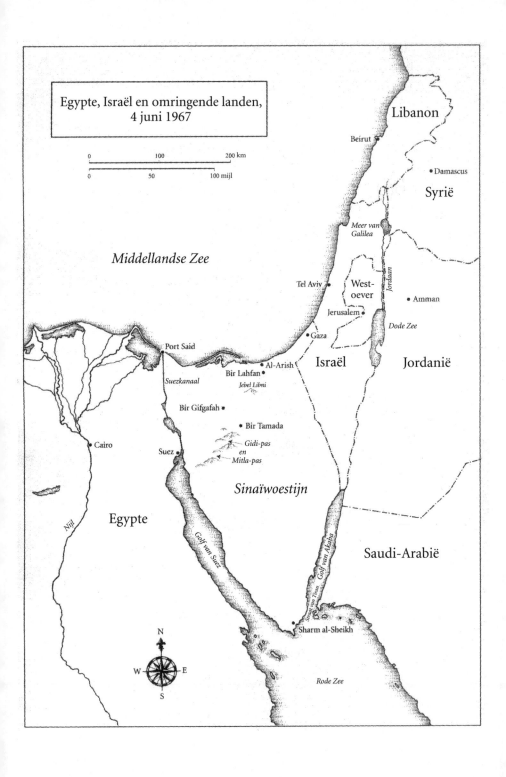

Egypte, Israël en omringende landen,
4 juni 1967

0   100   200 km

0   50   100 mijl

Libanon

Beirut

• Damascus

Syrië

Meer van
Galilea

Middellandse Zee

Tel Aviv •

West-
oever

Jordaan

• Amman

Jerusalem •

Dode Zee

• Gaza

Port Said

Suezkanaal

Bir Lahfan •

Al-Arish

Israël

Jordanië

Jebel Libni

Bir Gifgafah •

Bir Tamada

• Cairo

Suez •

Gidi-pas
en
Mitla-pas

Sinaïwoestijn

Nijl

Egypte

Golf van Suez

Golf van Akaba

Saudi-Arabië

N

W ⊕ E

S

Sharm al-Sheikh

Rode Zee

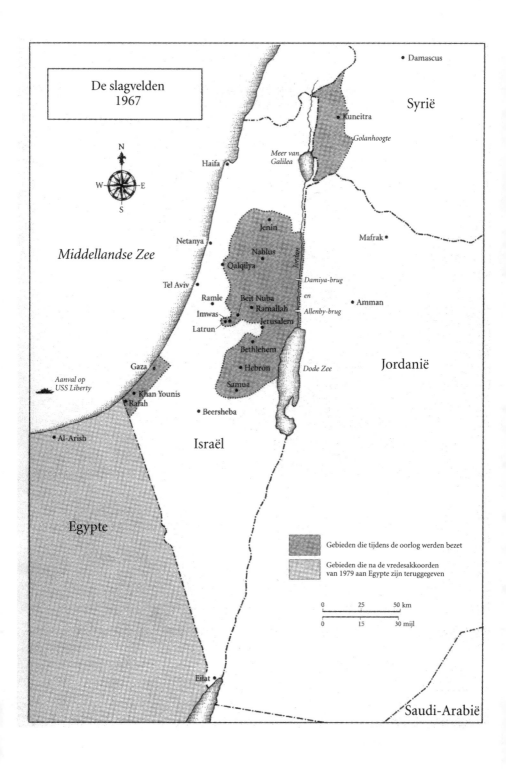

De slagvelden
1967

N
W • E
S

Middellandse Zee

Damascus

Syrië

Kuneitra

Golanhoogte

Haifa

Meer van
Galilea

Jenin

Netanya

Nablus

Qalqilya

Mafrak

Tel Aviv

Ramle

Beit Nuba

Damiya-brug

Imwas

Ramallah

en

Amman

Latrun

Jerusalem

Allenby-brug

Jordaan

Bethlehem

Gaza

Hebron

Dode Zee

Jordanië

Aanval op
USS Liberty

Samua

Khan Younis

Rafah

Beersheba

Al-Arish

Israël

Egypte

Eilat

Saudi-Arabië

Gebieden die tijdens de oorlog werden bezet

Gebieden die na de vredesakkoorden
van 1979 aan Egypte zijn teruggegeven

0   25   50 km
0   15   30 mijl

INLEIDING

Wegen in oorlogsgebied maken overal dezelfde indruk. Dat komt waarschijnlijk door de manier waarop tanks het asfalt en de bermen stuk rijden en gebouwen en geparkeerde auto's pletten. Bij nat weer zit alles onder de modder en bij droog weer hap je stof. Het normale burgerverkeer verdwijnt vanwege de oorlog, wegen worden onaards en primitief. Waar mensen liepen, boodschappen deden, stonden te praten, groeit nu onkruid. En overal kom je opgefokte, gewapende mannen tegen. De weg naar Jenin vertoonde in 2002 al deze kenmerken. De Israëlische soldaten bij de doorlaatpost waren agressief en vijandig. Toen ik uit mijn auto stapte om een van hen aan te spreken, richtte hij zijn geweer op me en dreigde hij me neer te schieten. Ik wist dat hij geen grapje maakte. De auto's van Palestijnen stonden urenlang te wachten in rijen waarin geen beweging zat, terwijl gewapende Israëliërs die op de Westoever in joodse nederzettingen woonden, voorbij raceten zonder gecontroleerd te worden.

De soldaten lieten zich uiteindelijk overtuigen door mijn perspas van de Israëlische regering en lieten me Jenin binnen. Ze hadden net zelf de stad bezocht, om het huis op te blazen van een man die ze de avond daarvoor hadden vermoord. Midden in Jenin ligt een vluchtelingenkamp. Of liever gezegd, dat lag er. Nu is er alleen een grote open vlakte, waar kinderen in schooluniform overheen slenteren als ik erlangs rijd. Dit was een arme, dichtbevolkte wijk, die door gepantserde bulldozers met de grond gelijk werd gemaakt nadat de Israëliërs op 3 april 2002 Jenin waren binnengevallen, als onderdeel van de grootste en meeste ambitieuze militaire operatie tot dan toe tegen de Palestijnse opstand. Ze waren op zoek naar Palestijnse militanten die volgens hen verantwoordelijk waren voor de dood van meer dan zeventig Israëlische burgers in de maand ervoor.

Op 27 maart 2002 was na een aantal bloedige en angstaanjagende weken de grootste Palestijnse aanslag gepleegd. Tweehonderdvijftig gasten zaten aan het paasdiner in het Park Hotel in Netanya, een stad aan de kust ten noorden van Tel Aviv. Er was een man binnengekomen met een langharige pruik op en een grote, zwarte jas aan, die van tafel tot tafel ging alsof hij naar zijn plaats zocht. Hij heette Abdel-Basset Odeh en zijn laatste daad was het laten exploderen van de bom die om zijn middel was bevestigd. De muren en het plafond werden door de explosie weggeblazen, 29 mensen werden gedood, 140 raak-

13

ten gewond, onder wie veel bejaarden en echtparen. Sommige slachtoffers waren al hun familieleden in de holocaust kwijtgeraakt en daarna naar Israël geëmigreerd. De aanval leidde in Israël tot geschokte, verontwaardigde gevoelens, vanwege het grote aantal slachtoffers, maar ook omdat een van de belangrijkste joodse feestavonden was ontheiligd. Met Pesach, het joodse paasfeest, wordt de uittocht van de Israëlieten uit Egypte ten tijde van de Farao's herdacht, maar het is ook een avond waarop families, godsdienstig of niet, traditioneel samen zijn, zoals christenen tijdens Kerstmis. De dader kwam uit de Palestijnse stad Tulkarem, die zo'n vijftien kilometer ten oosten van Netanya ligt, niet ver van Jenin.

Na deze bom was het duidelijk dat de Israëlische regering haar dreigement zou uitvoeren om grootscheepse strafmaatregelen op te leggen aan de Westoever, waarvan delen sinds 1995 onder Palestijns zelfbestuur vielen. Uiteindelijk bezetten ze de Westoever volledig. Toen het Israëlische leger Jenin binnenviel, waren de Palestijnen er klaar voor en boden ze felle tegenstand. Nadat ze op 9 april dertien Israëlische soldaten in een hinderlaag hadden gelokt en gedood, werden de gepantserde bulldozers aan het werk gezet. De Israëliërs zeiden dat het militaire noodzaak was en dat ze minimaal geweld gebruikten.

De Palestijnse leider Arafat riep dat er een massaslachting had plaatsgevonden, wat niet waar was, en dus een onverstandige beschuldiging. De algemeen gerespecteerde Amerikaanse mensenrechtenorganisatie Human Rights Watch vond er dan ook geen bewijzen voor. Wel ontdekte ze dat Israëlische soldaten ernstige schendingen van internationale humanitaire verdragen hadden begaan, die als oorlogsmisdaden zouden gelden als ze voor de rechtbank werden bewezen. Volgens Human Rights Watch werden er ten minste 52 Palestijnen gedood, onder wie 23 burgers, inclusief kinderen, bejaarden en invaliden. Een 37-jarige verlamde man kwam om in zijn huis toen de Israëliërs het met een bulldozer verwoesten. Volgens Human Rights Watch werden twee Palestijnse burgers, Kamal Tawalbi, een vader van veertien kinderen, en zijn veertienjarige zoon, als menselijk schild gebruikt tijdens een drie uur durend vuurgevecht. De Israëlische soldaten gebruikten de schouders van Tawalbi en zijn zoon om hun geweer op te rusten terwijl ze schoten.

Het conflict tussen joden en Arabieren begon meer dan een eeuw geleden, toen de eerste zionistische nederzettingen in Palestina werden gesticht. Maar het kreeg zijn huidige vorm pas na de oorlog van 1967, toen Israël grote stukken land van de Arabieren bezette, waarvan de meeste nog niet zijn teruggegeven. De Israëlische regering die in 1967 de oorlog begon, zei dat Israël geen territoriale ambities had en zich uitsluitend verdedigde. Maar sindsdien hebben zich honderdduizenden Israëliërs gevestigd in gebieden die door de Israëlische strijdkrachten werden bezet. De bezetting die in 1967 begon, werd de drijvende kracht achter het geweld dat de Israëliërs en Palestijnen elkaar aandoen. Ik heb dit boek geschreven omdat ik in de jaren dat ik als BBC-correspondent voor het Midden-Oosten in Jeruzalem woonde, merkte dat het huidige conflict het best te begrijpen valt door 1967 te begrijpen. De gevaren van de oorlog werden al vroeg onderkend door president Lyndon Baines Johnson, een van de loyaalste vrienden die Israël ooit in het Witte Huis heeft gehad. Op de derde dag van de oorlog, toen Israël de verovering van Jeruzalem en de Westoever bijna had voltooid, waarschuwde hij dat de Amerikanen zo lang bezig zouden zijn met de 'dooretterende problemen', dat ze zouden wensen dat de oorlog nooit had plaatsgevonden. De erfenis van de oorlog ettert nu al meer dan 35 jaar door. Vier dagen na het einde van de oorlog waarschuwde Johnsons minister van Buitenlandse Zaken, Dean Rusk, dat als Israël de Westoever bleef bezetten, de Palestijnen de rest van de twintigste eeuw zouden blijven proberen deze terug te veroveren. Aan het begin van de eenentwintigste eeuw is er nog niets veranderd.

De Zesdaagse Oorlog bracht een generatie Israëliërs en Arabieren voort van wie de kinderen nog steeds niet vreedzaam kunnen samenleven in een wereld die door de oorlog werd geschapen. De Israëliërs verdienen een vreedzaam, veilig leven. De Palestijnen, die van hun land en bezittingen werden beroofd als ze vluchtten, en vernederd en misbruikt werden als ze bleven, verdienen dat hun recht wordt gedaan. De klinkende overwinning die Israël behaalde, werd een vloek. De Israëlische staat heeft het land dat in 1967 werd veroverd, nooit goed kunnen besturen. Er werd geld gestoken in de kolonisatie van de bezette gebieden, wat een inbreuk betekende op het internationale recht, en onder de Israëliërs zelf tot verdeeldheid leidde. Zesendertig jaar na de zes dagen strijd met Jordanië, Egypte en Syrië, na duizenden doden en zes mislukte jaren van onderhandelen, vechten Israëliërs en Palestijnen nog steeds over de toekomst van de Westoever en de Gazastrook. Het is een oorlog op een laag pitje, maar als er weer een echte oorlog in het Midden-Oosten uitbreekt, dan liggen de wortels daarvan bij die zes dagen in 1967. Het Midden-Oosten zal pas vrede kennen als Israëliërs en Palestijnen als gelijkwaardige partners beslissen over de toekomst van het land dat in 1967 werd bezet en samen de consequenties van die oorlog ontrafelen.

Voor de oorlog

Israëliërs

De Zionsberg is een grootse naam voor het kleine heuveltje bij de zuidweste-lijke muren van de Oude Stad van Jeruzalem. Christenen vereren de Zions-berg omdat ze denken dat Jezus en zijn discipelen daar het laatste avondmaal gebruikten. Buiten de stadsmuren loopt in oostelijke richting de Hinnomval-lei, een nauwe, rotsige kloof waar de Kanaänieten ooit mensenoffers brachten aan hun god Moloch. Er brandden toen zo veel dodenvuren in deze vallei dat de hemel zwart zag van de rook.

Op 28 mei 1948 steeg er weer rook op boven Jeruzalem. Yitzhak Rabin, 26 jaar oud en reeds een van de hoogste militairen van Israël, stond op de Zions-berg en keek naar de huizen en synagogen in de Oude Stad. De joodse wijk stond in brand, maar hij was niet bij machte iets te doen. Zijn mannen had-den geprobeerd de stad in te komen. De dichtstbijzijnde ingang naar de stad, de Zionspoort- en toren, was gepokt met kogelgaten en zwartgeblakerd door explosies. Rabin voerde het bevel over de Har'el-brigade van de Palmach, de elitetroepen van de Hagana, het joodse leger. Twee weken daarvoor had Groot-Brittannië zijn laatste troepen teruggetrokken en het mandaat gean-nuleerd waaronder het sinds de Eerste Wereldoorlog Palestina had bestuurd. De joodse leiders hadden meteen de onafhankelijkheid van Israël uitgeroe-pen. De nieuwe staat werd snel erkend en als lid van de Verenigde Naties aan-vaard, omdat een aantal wereldleiders vond dat het joodse volk na de ver-schrikkingen van de Holocaust een eigen staat had verdiend. Arabische legers vielen het land binnen om de nieuwe staat in de kiem te smoren. Zo ontaardde een burgeroorlog tussen autochtone Arabieren en joodse kolonis-ten in een Britse kolonie in de eerste echte oorlog in het moderne Midden-Oosten.

Aan de voet van de Zionsberg, binnen de stadsmuren, speelde zich een drama af dat Rabin de rest van zijn leven zou bijblijven: de joodse wijk gaf zich over. Onder aanvoering van twee rabbijnen liep een menigte in optocht naar de plek waar, zo wist Rabin, zich de stellingen van het Jordaanse Arabi-sche legioen bevonden. De jonge joodse staat was zijn laatste steunpunt in de heilige stad kwijt. Negen dagen eerder, op de negentiende, was de Zionsberg bezet door mannen van de Palmach en fel verdedigd tegen een Jordaanse tegenaanval. Sommigen waren zo uitgeput dat ze, terwijl ze klaarlagen voor de volgende aanval die ieder moment kon komen, telkens in slaap vielen.

De mislukte inname van de Oude Stad, de plek waar zich de joodse, christelijke en islamitische heiligdommen bevinden, was de grootste Israëlische nederlaag van de oorlog van 1948. Een van Rabins officieren was de 23-jarige Uzi Narkiss uit Jeruzalem. Hij had de tegenaanval geleid op de Zionspoort, die toegang gaf tot de joodse wijk. Maar zijn eenheid was uitgeput en onderbemand en had een tekort aan versterkingen, dus werd ze uiteindelijk teruggedreven door Jordaanse troepen. Narkiss bleef zich net als Rabin jarenlang rot voelen over de nederlaag. Aan de vooravond van de oorlog van 1967 was Uzi Narkiss generaal, maar hij leed nog steeds aan 'schuldgevoelens dat Jeruzalem werd verdeeld, dat er geen joden meer in de Oude Stad woonden [...] Een nacht lang had ik de stadspoort in handen – maar hij werd me ontfutseld.' Narkiss had slechts één oorlogsdoel: teruggaan.

Palestijnen

In juli 1948 werden tienduizenden uitgeputte Palestijnse burgers uit hun huizen gezet en naar gebieden geloodst die het Jordaanse leger vanuit de heuvels op de Westoever in zijn macht hield. Een Israëlische inlichtingenofficier, Shmarya Guttman, zag ze vertrekken: 'De inwoners liepen in een lange optocht voorbij. De vrouwen hadden pakken en zakken op het hoofd, moeders sleepten kinderen achter zich aan [...] er klonken waarschuwingsschoten [...] af en toe ving je een doordringende blik op van een jongere [...] en die blik zei: "We hebben ons nog niet overgegeven. We komen terug om jullie te bestrijden."' Ze waren op last van Rabin door het Israëlische leger uit de steden Ramla en Lydda gezet. Tijdens de aanval op de stad waren er ongeveer 250 Palestijnen gedood door de Israëliërs, onder wie tientallen ongewapende gevangenen die in de kerk en de moskee zaten. Een Israëlische inlichtingenofficier, Yeruham Cohen, beschreef het als volgt: 'De inwoners van de stad raakten in paniek. Ze waren bang dat de Israëlische troepen wraak op hen zouden nemen. Het werd een afschuwelijke lawaaiige toestand. Vrouwen gilden zo hard ze konden en oude mannen zeiden gebeden alsof ze elk moment konden sterven.' In de dagen daarop werden alle 50 tot 70.000 inwoners van Ramla en Lydda op een stuk of duizend na gedwongen te vertrekken. Sommigen werden onderweg van hun waardevolle voorwerpen beroofd. Tijdens de lange, hete tocht naar de Jordaanse linies kwamen veel vluchtelingen om door uitputting en uitdroging. 'Niemand zal ooit weten hoeveel kinderen er omkwamen', schreef sir John Glubb, die 'Glubb Pasja' werd genoemd, de Britse bevelhebber van het Arabische legioen in Jordanië (dat grotendeels werd gefinancierd door en onder bevel stond van Groot-Brittannië). Ramla en Lydda, dat later Lod zou heten, zijn nu middelgrote Israëlische steden. Rabin was niet trots op zijn daden, maar beschouwde ze als noodzakelijk: 'We konden de gewapende, vijandige bevolking van Lod niet in onze rug hebben.'

Palestijnen gebruiken voor de oorlog van 1948 het Arabische woord *nakba*, dat 'catastrofe' betekent. Een maatschappij die zich daar in de loop van duizend jaar had gevormd, was vernietigd en over het Midden-Oosten verspreid. De Palestijnen vluchtten om hun leven te redden en hun kinderen te beschermen, wat burgers in oorlogstijd zo vaak doen, maar ook omdat Israël zich op sommige plaatsen bezighield met wat tegenwoordig 'etnische zuivering' wordt genoemd. In Deir Yassin, een dorp aan de rand van Jeruzalem, richtten joodse extremisten het beruchtste bloedbad van de hele oorlog aan. Ze schepten op dat ze 250 mensen over de kling hadden gejaagd. Naderhand hoefden joodse propaganda-eenheden de naam van dit dorp maar te noemen of de getraumatiseerde Palestijnse burgers vluchtten weg richting grens. De waarheid over Deir Yassin was erg genoeg, maar de verhalen die de Palestijnse radio erover vertelde waren overdreven gruwelijk. Hazem Nusseibeh, een jonge man van een vooraanstaande Palestijnse familie, berichtte voor de radiozender de Stem van Palestina over de moorden, verminkingen en verkrachtingen. Hij wijdde vooral uit over de verkrachtingen, in de hoop dat hij zo het Palestijnse verzet, dat bezig was in te storten, nieuw leven zou inblazen. Maar het tegenovergestelde gebeurde. Vanwege zijn verhalen meenden veel Palestijnen dat ontsnappen hun enige kans op redding was. Nusseibeh besefte dat hij een fout had gemaakt toen de groepen vluchtelingen die via de Jaffapoort de Oude Stad van Jeruzalem binnentrokken, hem keer op keer vertelden dat ze het vooruitzicht dat hun vrouwen onteerd zouden worden, erger vonden dan de dood.

In de zomer van 1949 waren er tussen de 600.000 en 760.000 Palestijnse vluchtelingen. Slechts een paar hadden genoeg geld om hun gezin elders te vestigen en een onderneming te beginnen. De meeste waren arme boeren of arbeiders die niets meer bezaten. De overgrote meerderheid eindigde in ellendige vluchtelingenkampen in de omringende Arabische staten. Hun bezittingen werden door de joodse staat geconfisqueerd. De huizen van gevluchte Palestijnen werden met bulldozers platgewalst of er kwamen nieuwe Israëlische immigranten in wonen. In de jaren zestig was de wrok van de vluchtelingen een belangrijke voedingsbodem voor het Palestijnse nationalisme. Wat Shmarya Guttman had gezien in de ogen van de vluchtelingen die uit Lydda werden verdreven, werd werkelijkheid. Ook de kinderen, kleinkinderen en achterkleinkinderen van de Palestijnse vluchtelingen vechten mee in de oorlog die al zo lang het Midden-Oosten beheerst.

Egyptenaren

Eind 1948 werd het restant van het Egyptische leger dat Palestina was binnengetrokken om de nieuwe joodse staat te vernietigen, ten zuidoosten van de havenstad Ashdod belegerd in de zogenaamde Faluja-enclave. De Israëliërs hadden met een bliksemsnelle actie, waarmee het VN-bestand werd geschonden, het Egyptische leger een vernietigende slag toegebracht. Ze hadden honderden vierkante kilometer terrein en Beersheba, de enige echte stad in de woestijn, veroverd. Maar de Egyptenaren die nog in de enclave zaten, vochten fel terug. Er werd een ontmoeting tussen de bevelhebbers geregeld om over een wapenstilstand te praten. Een van de Egyptische officieren was de jonge majoor Gamal Abdul Nasser. De Israëliërs stonden onder leiding van Yigal Allon, de Israëlische bevelhebber van het zuidelijke front, en Yitzhak Rabin, zijn hoofd operaties. Beide zijden waren hoffelijk en maakten elkaar complimenten over de dapperheid van hun soldaten. De Egyptenaren weigerden zich over te geven. Ze reden met hun jeeps en witte vlaggen terug naar hun eigen linies en de belegering van de Faluja-enclave ging nog een paar maanden door. Een indirect gevolg van de vernedering van 1948 was dat vier jaar later Nasser samen met een groep jonge officieren in Egypte de macht kon grijpen en president werd. Toen Nasser in 1956 tijdens de Suez-crisis Groot-Brittannië, Frankrijk en Israël trotseerde, werd hij beschouwd als de leider van de Arabische wereld. Allon verliet het leger, ging in de politiek en was in 1967 een van de belangrijkste haviken in het kabinet. Rabin zette zijn militaire carrière voort. In 1967 was hij stafchef, de hoogste functie in het Israëlische leger.

Jordaniërs

Op 20 juli 1951 nodigde koning Abdullah van Jordanië zijn toen zestienjarige kleinzoon, prins Hussein, uit om mee te gaan naar Jeruzalem. Hussein was opgetogen. Hij was dol op zijn grootvader, die hem net tot kapitein in het leger had benoemd ter ere van een prijs die hij op school met schermen had gewonnen. Hij moest van zijn grootvader tijdens de reis zijn nieuwe uniform dragen. Koning Abdullah ging naar Jeruzalem voor een geheime ontmoeting met joodse functionarissen met wie hij al dertig jaar in het geheim onderhandelde. Samen zorgden ze ervoor dat de Palestijnen geen kans kregen een eigen staat te vormen. Hoewel Abdullahs leger in 1948 fel tegen Israel had gevochten, vooral in en om Jeruzalem, beschouwden veel Arabieren hem als een verrader die met de joden samenspande en niet hard genoeg had gevochten. Abdullah wilde in Jeruzalem ook gaan bidden in de Aksa-moskee, het grote islamitische heiligdom van Jeruzalem. De Britse ambassadeur in Jordanië, sir Alec Kirkbride, een man van wie sommige mensen zeiden dat hij in Jordanië evenveel macht had als de koning, waarschuwde Abdullah voor zijn reis. Hij had geruchten gehoord over een ophanden zijnde aanslag. De koning wimpelde de waarschuwing weg. Hij was een afstammeling van de profeet Mohammed en liet zich niet door angst weerhouden om Jeruzalem te bezoeken. Bovendien had hij belangrijke zaken af te handelen.

Glubb Pasja stuurde extra troepen om de straten te bewaken. Het tweeduizend jaar oude complex met de twee grote islamitische heiligdommen zat vol militairen. De soldaten liepen rond in de Aksa-moskee, die het belangrijkste heiligdom is voor moslims na Mekka, Medina en de grote gouden Rotskoepelmoskee. Bij het betreden van de moskee zei Abdullah tegen zijn bewakers dat ze achter moesten blijven. Toen hij werd omringd door een dichte menigte, kwam er plotseling een jongeman genaamd Shukri Ashu met een revolver in zijn hand een deur uit en richtte. De eerste kogel raakte de koning achter zijn rechteroor en kwam bij zijn oog weer naar buiten. De koning was op slag dood. De moordenaar bleef schieten tot hij werd overmeesterd door de lijfwachten van Abdullah. Een van de kogels was afgeketst op een medaille op Husseins borst. In de verwarring werden nog eens twintig mensen gedood en raakten er honderden gewond. Prins Hussein werd snel weggevoerd en teruggevlogen naar Amman. 'De volgende dag', schreef hij, 'droeg ik voor het eerst een revolver.'

De continue oorlog

Net na 1948 was vrede mogelijk. Na bemiddeling van de VN werd er begin 1949 een wapenstilstand gesloten tussen Israël aan de ene, en Jordanië, Syrië, Libanon en Egypte aan de andere kant. Yitzhak Rabin nam deel aan de onderhandelingen, die op Rhodos werden gevoerd. Hij kreeg een kakikleurige das mee die hij op zijn uniform moest dragen. Het was zijn allereerste stropdas. Zijn chauffeur leerde hem de das te strikken, maar hij zou de kunst nooit onder de knie krijgen. Hij liet zijn dassen permanent in een knoop en als hij een das wilde afdoen, maakte hij alleen de knoop losser, deed hem over zijn hoofd en hing hem op bij zijn andere kleren. De VN hoopt dat de wapenstilstand tot een vredesregeling zou leiden. Er vonden diplomatieke contacten plaats tussen Israël en alle buurlanden. Het was een echte mogelijkheid. Maar men gaf elkaar over en weer de schuld en verknoeide zo de kans.

Het geweld nam geleidelijk weer toe en ontaardde in een reeks felle grensgevechten. In de eerste jaren na 1948 ging de kwaliteit van het Israëlische leger achteruit. De Israëlische premier David Ben-Gurion had de Palmach, de zeer effectieve, maar onafhankelijk denkende joodse militie, naar huis gestuurd. De eerste operaties die werden uitgevoerd door de nieuwe Israel

Defence Force (IDF) waren gênante mislukkingen. Pas nadat Israël vanaf begin jaren vijftig strijdkrachten en strategische doctrines begon te ontwikkelen die in overeenstemming waren met de problemen waarmee het land werd geconfronteerd, werd de IDF professioneler. De bestandlinies van 1948 hadden Israël opgezadeld met lange grenzen die op sommige plekken bijzonder kwetsbaar waren. Het midden van het land was slechts een kilometer of vijftien breed en Jeruzalem was met een 'flessenhals' met de rest van Israël en het zuiden verbonden. Jordaanse en Egyptische strijdkrachten zouden weinig moeite hebben samen Eilat af te snijden.

Israël besloot het gebrek aan strategische diepte te negeren en met flexibele, mobiele gepantserde grondtroepen, gesteund door de luchtmacht, de strijd op Arabisch grondgebied te voeren. De Israëliërs wachtten niet passief in statische verdedigingslinies af tot de vijand aanviel. Vanaf 1952 begon Israël een modern leger op te bouwen, een project waarvan de waarde in 1967 op spectaculaire manier werd bewezen. Maar eerst vond er in 1956 nog een echte oorlog plaats, die uitbrak nadat Israël in het geheim een overeenkomst met Groot-Brittannië en Frankrijk had gesloten om het Egypte van Nasser aan te vallen. De Israëlische tanks staken razendsnel de Sinaï over, een voorproefje van waar het zich snel ontwikkelende Israëlische leger toe in staat was. Toch was dat nog maar het begin. In 1956 werden de belangrijkste luchtacties door de Britten en Fransen uitgevoerd. Hoewel voor Israël de strijd succesvol verliep, had de diplomatieke voorbereiding tekortgeschoten. Israël en de twee tanende grootmachten werden door de twee opkomende supermachten, de VS en de Sovjet-Unie, van agressief optreden beschuldigd. Groot-Brittannië en Frankrijk werden vernederd en Israël moest het bezette Egyptische gebied weer prijsgeven. In ruil daarvoor moest Egypte schepen doorlaten die via de Straat van Tiran de Golf van Akaba in wilden, naar de Israëlische havenstad Eilat. Blauwgehelmde vredestroepen van de UNEF (de United Nations Emergency Force) werden ingezet aan de grenzen, in de Gazastrook en bij Sharm el Sheikh, een Egyptisch dorp dat uitkijkt over de Straat van Tiran.

Na 1956 kozen Egypte en Israël ervoor hun grenzen rustig te houden. Beide landen hadden veel te doen. Israël moest de economie ontwikkelen, een plaats in de samenleving bieden aan meer dan een miljoen immigranten en een leger opbouwen. Nasser leidde als de Arabische held die de imperialisten had verslagen een pan-Arabische nationalistische beweging die, zo meenden de aanhangers naar volle overtuiging, de Arabische wereld in volle glorie zou herstellen. De volgelingen van Nasser hadden een groot vertrouwen in Egyptes militaire macht. Ze waren al spoedig het pak slaag vergeten dat het Egyptische leger in 1956 had gekregen. De Sovjet-Unie leverde de wapens en Nassers propagandamachine klopte de militaire kracht van het leger verder op. Wie in de Arabische wereld naar Radio Cairo luisterde (en dat was zo'n beetje iedereen), dacht Egypte niet alleen Israël, maar de hele wereld de baas kon worden.

Maar dit was zeker niet het geval. De problemen begonnen aan de top, bij veldmaarschalk Abd al-Hakim Amer. Hij was weliswaar vijfsterrengeneraal en opperbevelhebber, maar werd niet vanwege zijn militaire ervaring voor die functie gekozen. Hij was alleen in die positie terechtgekomen omdat hij de man was die Nasser het meest vertrouwde. In 1948 had hij als jonge officier dapper meegevochten. Al snel was hij bekender om zijn voorliefde voor hasjiesj en het goede leven (dat hij altijd heel belangrijk zou blijven vinden), dan om zijn militaire kunde. Na 1950, toen hij als majoor de militaire academie bezocht, had hij in militair opzicht niets nieuws meer geleerd. Hij deed nooit enige moeite zich te bekwamen in de kunst om soldaten op het slagveld voor te bereiden en hen daar naar de overwinning te leiden. Zijn belangrijkste taak, waarvan hij zich uitstekend kweet, was zich verzekeren van de loyaliteit van het leger door complotten de kop in te drukken en de officieren tevreden te houden. De rebellie van de Vrije Officieren, waarbij door Nasser en andere officieren de koning werd afgezet, was wat hem betreft de laatste militaire coup van Egypte geweest. Majoor Abd al-Hakim Amer werd van de ene dag op de andere tot generaal-majoor benoemd. Zijn veldmaarschalkstaf liet niet lang op zich wachten.

In 1967 leidde Amer het Egyptische leger zijn ondergang tegemoet. In 1956 was hij tijdens de strijd zijn koelbloedigheid al eens helemaal kwijt geweest. Hij had Nasser gesmeekt zich niet tegen de Britten en Fransen te verzetten. Nasser had hem als verlamd aangetroffen in zijn hoofdkwartier. De tranen stroomden hem over de wangen en hij was niet meer in staat besluiten te nemen. Na de oorlog had Amer zijn ontslag aangeboden, maar Nasser had geweigerd dit te aanvaarden, vermoedelijk uit loyaliteit. Hij had zich vervolgens door Amer laten overtuigen om Sidqi Mahmoud niet te ontslaan, de bevelhebber van de luchtmacht die in 1956 de vliegtuigen aan de grond had laten staan, zodat de Britten en Fransen ze gemakkelijk hadden kunnen vernietigen. In 1967 deed hij precies hetzelfde voor de Israëliërs.

De officieren vonden Amer een fatsoenlijke, vriendelijke en genereuze man. En genereus was hij zeker. Als zijn officieren iets speciaals wilden, dan regelde hij het voor ze. Vertrouwelingen kregen luxeappartementen in de beste wijken van Cairo. Er werd goed voor de gezinnen van officieren gezorgd. Gepensioneerde generaals kregen goedbetaalde directiefuncties in de onlangs genationaliseerde staatsondernemingen. Tijdens het hoogtepunt van het pan-Arabisme in de jaren vijftig, toen Egypte en Syrië korte tijd een staatkundige unie vormden, importeerden Amer en zijn kornuiten met militaire vliegtuigen enorme hoeveelheden goederen vanuit Syrië, die ze verkochten of aan hun vrouwen en maîtresses cadeau deden. Toen iemand uit Nassers entourage tegen Amer waagde te zeggen dat hij Syrië niet als zijn privé-onderneming diende te beschouwen, werd hij door de veldmaarschalk afgeblaft. Aan het begin van de jaren zestig waren hij en Nasser zowel rivalen als vrienden. Wat populariteit betreft haalde Amer het niet bij de president, maar Nasser wist nooit of zijn vriend niet het leger tegen hem zou inzetten. Begin jaren zestig probeerde Nasser daarom een paar keer de controle over de strijdkrachten te herwinnen, maar telkens als zijn pogingen op verzet van Amer stuitten, ging hij een confrontatie uit de weg. Ook daarna kon Nasser om de oude redenen niet goed zonder Amer. Er bleef op een vreemde manier nog iets van vriendschap bestaan, maar Nasser vertrouwde hem niet meer.

Het Syrië-syndroom

Syrië had van alle Arabische landen die aan Israël grensden het slechtste leger. Het was er dan ook niet om te vechten, maar om politiek te bedrijven. Nadat Syrië in 1946 onafhankelijk werd van Frankrijk, werd het land de eerste drie jaar bestuurd door een wankele burgerregering en vervolgens nog eens twintig jaar door een al even wankele militaire regering. Na de nederlaag en vernedering van 1948 werden de politici er door ontevreden jonge officieren uitgeschopt. De laatste druppel was een schandaal over het bakvet dat door het leger werd gebruikt. Dat had een plaatselijk, van zure melk gemaakt product moeten zijn dat *samnah* heette en voor de Arabische soldaten even belangrijk was als *apple pie* voor Amerikaanse GI's. Maar er werd ontdekt dat het bakvet gemaakt was van botten en bij het bakken verschrikkelijk stonk. De Syrische president gaf niet de leverancier de schuld van het schandaal, maar een officier, die hij gevangen liet zetten. Hierop pleegde de opperbevelhebber van het leger, die bozer was over de bemoeizucht van de burgerpresident dan over het bedorven eten van zijn manschappen, een staatsgreep. Tegen lunchtijd was de officier die de schuld van het schandaal had gekregen vrij en zat de koopman die het vet had geleverd achter de tralies. In 1949 vonden nog twee coups plaats.

Het leger trok alle macht naar zich toe. De Syrische klasse van officieren was in hoge mate gepolitiseerd. De meesten kwamen uit arme gezinnen en waren in het leger gegaan om gratis onderwijs en regelmatig warm eten te krijgen en aan het armoedige bestaan in de bijna feodale provincie te ontsnappen. Een carrière in het leger werd door de Syrische bovenklasse van landeigenaren niet als een fatsoenlijke broodwinning beschouwd, zoals in Europa. Dit was hun grootste fout. Ambitieuze nationalistische officieren schaarden zich achter een nieuwe politieke ideologie, het ba'athisme, dat was ontwikkeld door Michel Aflaq, een Syrische christen uit Damascus. Het woord *ba'ath* betekent 'opstanding', en de volgelingen van het ba'athisme wilden de Arabische natie opnieuw opbouwen, maar dan zonder westerse kolonialisten en feodale landheren. In Syrië vormden de ba'athisten de best georganiseerde groep binnen de strijdkrachten.

Legerofficieren hielden zich vooral bezig met de kunst van het grijpen en vervolgens behouden van macht. De training voor de oorlog tegen Israël was veel minder belangrijk. Tegen 1966 had elke officier boven de rang van brigadier een politieke functie. Bijna de helft van het leiderschap van de Syrische Ba'ath-partij bestond uit legerofficieren. De Britse defensieattaché in Damascus, kolonel D.A. Rowan-Hamilton, vergeleek dit systeem als volgt met het Britse: 'Als het er in het Verenigd Koninkrijk net zo aan toeging als in Syrië, dan zouden het hoofd van de generale staf en de bevelhebber van de luchtmacht niet alleen parlementslid zijn, maar ook zitting hebben in het uitvoerend comité van de Labour Party. De hoogste militaire leiders zouden tevens luidruchtige parlementsleden zijn en onophoudelijk last hebben van de bemoeizucht en insubordinatie van een groep onervaren en onverantwoordelijke officieren, elk met een eigen aanhang in hun regiment en stuk voor stuk uit op een lucratieve functie.'

Syrië was geen partij voor een vijand die zo goed georganiseerd en vastbesloten was als Israël. Kolonel Rowan-Hamilton concludeerde smalend dat hoewel de moraal van de 'proletarische' officieren vrij hoog was, ze niet in staat waren een langdurige of mobiele oorlog te voeren. Officieren die voor liaisonwerk westerse landen bezochten, 'namen niet de gelegenheid te baat hun militaire kennis bij te spijkeren of nieuwe ideeën in zich op te nemen, maar vatten het bezoek op als een gratis vakantie'. Het Syrische leger was vanaf halverwege de jaren vijftig redelijk goed bewapend, vooral met tweedehandswapens van het Sovjetleger. Hoewel het geen hypermoderne wapens waren, was het niet gemakkelijk om te leren hoe ze te gebruiken en te onderhouden. Een aantal technici werd in de Sovjet-Unie getraind, maar niet veel mannen in het leger hadden ook maar iets van een opleiding genoten. Ook hier had Rowan-Hamilton iets over te zeggen: 'Als ik denk aan de problemen die zelfs een westers land ondervindt als het soldaten wil trainen in het gebruik en onderhoud van moderne wapens en apparatuur, dan wordt het me akelig te moede als ik denk aan de moeilijkheden die Syrië onder de ogen moet zien...'

Halverwege de jaren zestig was het conflict tussen Arabieren en joden het felst aan de Syrisch-Israëlische grens. Israël was veel sterker dan Syrië. Het agressieve gedrag van Israël bepaalde het tempo en begon in 1967 in een echte oorlog te ontaarden. Al in 1964 was er sprake van een patroon. De Britse ambassade in Damascus schreef toen: 'De Syriërs hadden ongelijk toen ze het vuur openden, maar de Israëliërs provoceerden duidelijk door patrouilles naar een gebied te sturen waarvan ze wisten dat het omstreden was en ze sloegen onevenredig hard terug.' Er ontstonden haatgevoelen aan dit Arabisch-Israëlische front die elders niet bestonden. Kolonel Israel Lior, militair adjudant van de Israëlische premier Levi Esjkol, meende dat het Israëlische leger aan een 'Syrië-syndroom' leed. Vooral twee mannen hadden daar volgens Lior last van: Yitzhak Rabin, die in de jaren vijftig het bevel had over het noordelijk front en in 1964 stafchef werd, en de generaal die de leiding had over het Northern Command, David Elazar. 'Door dienst aan dit front, tegenover het Syrische leger, worden uitzonderlijke haatgevoelens jegens het Syrische leger en volk aangewakkerd. De Israëlische houding tegenover het Jordaanse of Egyptische leger was totaal anders dan die tegenover het Syrische leger. We vonden het heerlijk ze te haten.' Rabin en Elazar gedroegen zich bij gevechtsoperaties 'bijzonder agressief', zo viel Lior op, als het om de belangrijkste strijdpunten ging: zeggenschap over het water en bezit van de gedemilitariseerde zones.

De haatgevoelens waren wederzijds. Voor de Syrische strijdkrachten was vernietiging van Israël het enige militaire doel. Maar omdat de officieren zo eenzijdig op de interne politiek gericht waren, hadden ze weinig aandacht voor de vraag hoe ze dat moesten aanpakken. Kolonel Rowan-Hamilton beschreef een typerend gesprek met een Syrische officier: 'Als ik hem vraag uit te leggen hoe de Arabieren Israël willen verslaan terwijl de Amerikaanse Zesde Vloot klaarligt om dat land bij een aanval te beschermen, zegt hij met wazige ogen en een blos op zijn gezicht: "Ik weet het niet, maar we zullen ze de zee in drijven."' De Amerikanen waren het met de Britse mening over het Syrische leger eens. In vredestijd voldeed het al nauwelijks 'en in oorlogstijd zou het totaal ongeschikt zijn'. Het was slecht getraind, de bevels- en controlestructuren schoten sterk tekort, het had een slecht functionerende logistiek en bezat nauwelijks elektronische en andere technische apparatuur. Het Syrische leiderschap wist hoe zwak het leger was. Op 8 september 1966 vond er een mislukte coup plaats, waarna er weer een golf ontslagen en deserties volgde. De Syriërs zagen overal vijanden. Ze dachten dat de koningen van Jordanië en Saudi-Arabië complotten tegen hen smeedden. Ze vertrouwden er niet op dat Egypte tussenbeide zou komen als het tot een gevecht met Israël kwam. De Britse ambassadeur vond in de herfst van 1966 dat de Syrische minister van Buitenlandse Zaken, dr. Ibrahim Makhus, 'er gestraft uitzag [...] getroffen door de hopeloosheid van het geheel'.

Maar Israël vond Damascus gevaarlijk. Syrië was een radicale, politiek agressieve staat geworden die de eerste Palestijnse guerrilla's onderdak verleende en aanmoedigde. Sovjetadviseurs hielpen bij de bouw van indrukwekkende verdedigingslinies op de Golanhoogte. Van achter deze linies schoot de Syrische artillerie van tijd tot tijd granaten af op de Israëlische nederzettingen langs de grens, vaak naar aanleiding van Israëlische provocaties. Er vielen weinig gewonden, maar het was een politiek probleem voor de Israëlische regering.

Water en land

Tijdens een koude nacht op 2 november 1964 zat op de berghelling dicht bij de Syrisch-Israëlische grens een groep Israëlische soldaten rond hun tanks te bibberen. De volgende dag zouden ze strijd moeten leveren. Het zou voor de Israëlische tankdivisie het eerste echte gevecht in zes jaar worden. Hun commandant, kapitein Shamai Kaplan, haalde zijn accordeon te voorschijn. 'Jongens, laten we wat zingen om warm te worden!' Hij begon te zingen, maar niemand viel in. 'Mannen,' riep de sergeant uit, 'een beetje meer energie, graag. Doe alsof jullie aan het picknicken zijn aan het strand.' Toen begonnen meer mannen te zingen. Hun stemmen droegen tot ver in de duisternis.

Ze waren daar vanwege het water. Israël had sinds 1959 gewerkt aan een watervoorzieningsysteem waarbij water van het Meer van Galilea in het noorden via pijpleidingen en kanalen naar het zuiden werd getransporteerd om de Negev-woestijn te bevloeien. In 1964 was het klaar. De verlate reactie van de Arabieren bestond uit een poging twee van de drie bronrivieren om te leiden die de Jordaan en uiteindelijk het Meer van Galilea voedden. De mannen van de s-brigade van de Israëlische tankdivisie moesten de Syrische bulldozers en de tanks die ze beschermden aanvallen.

Om vuur te ontlokken aan de Syrische kanonnen zorgden de Israëliërs de volgende dag voor een incident. Een patrouille reed over een onverharde weg, net over de grens van het Syrische dorp Nukheila. Toen de Syriërs zoals verwacht het vuur openden met twee oude Duitse tanks die waren ingegraven op de heuvelhelling, waren de Israëlische tanks er klaar voor. Ze beschoten anderhalf uur lang de Syrische stellingen en de Syriërs vuurden zo hard mogelijk terug. Rook, stof en de geur van kruitdamp vulden de lucht. Toen de VN erin was geslaagd een staakt-het-vuren tot stand te brengen, kwam generaal Israel Tal, de pas aangestelde commandant van de Israëlische tankdivisie, kijken hoe ze het ervan af hadden gebracht.

'Hoeveel Syrische tanks werden er uitgeschakeld?'

'Geen enkele, meneer... Eén is misschien licht beschadigd', antwoordde een luitenant-kolonel.

'Vuurden hun tanks continu?'

'We hebben geen enkele tank het zwijgen opgelegd, meneer. De Syriërs vuurden nog toen wij al waren opgehouden.'

'Hoeveel granaten hebben we afgeschoten?'

'98, meneer.'

De aanval werd als een mislukking beschouwd. Kapitein Kaplan, de man met de accordeon, kreeg de schuld. Tien dagen later, nadat Tal de voltallige leiding van de tankdivisie een schrobbering had gegeven, lokten de Israëliërs op dezelfde plek opnieuw een incident uit. Weer stonden de Syrische tanks klaar, maar deze keer vernietigden ze er twee. De Syriërs beschoten vervolgens Israëlische landbouwnederzettingen, waarop het Israëlische leger er de luchtmacht op af stuurde.

Tal gebruikte de Syrische grens als oefengebied om de Israëlische tankdivisie te vervolmaken – zodat het in 1967 een effectief, meedogenloos wapen was. Tal was in 1924 in een joodse agrarische nederzetting in Palestina geboren. Als tiener had hij een geweer gemaakt waarmee je mollen kon doodschieten en een soort onderzeeboot gebouwd om een plaatselijke waterput te verkennen. Tijdens de Tweede Wereldoorlog diende hij in het Britse leger en vocht hij bij het East Kents-regiment in de Libische woestijn en in Italië. Bij zijn demobilisatie was hij sergeant. Thuis gaf hij zijn militaire kennis door aan de Hagana, het joodse ondergrondse leger.

Tal maakte van de tankdivisie een professionele en gedisciplineerde eenheid. Het Israëlische leger heeft nooit al te moeilijk gedaan over uniformen en hiërarchische kwesties, maar Tal was een drilsergeant – niet alleen wat betreft het uniform, maar ook in alle andere opzichten. Hij maakte een eind aan het getreiter van soldaten (daarvoor moesten ze de 'zaksleutel' van hun tank, die vijf kilo woog, altijd bij zich hebben of midden in de nacht met alle militaire eer een sigaret begraven). Op de beschuldiging dat hij zijn soldaten in robots probeerde te veranderen, antwoordde hij dat paratroepers de militaire routine aan hun laars konden lappen, zolang ze maar dapper waren, maar dat mannen die met tanks werkten, een technische functie hadden, en dat daar rijen regels voor nodig waren, van de juiste manier om het vizier scherp te stellen tot een streng systeem om olie en brandstof te checken. Tal leerde de Israëlische tankbemanning beter schieten, zodanig dat ze doelen op elf kilometer afstand konden raken. Soms bediende hij de kanonnen zelf. Tegen 1965 deden de Arabieren geen pogingen meer om rivieren om te leiden.

Nadat Israël de strijd om het water had gewonnen, werd er vooral gevochten om de lapjes grond die tussen de bestandsgrens van juli 1949 en de oude Palestijnse grens lagen. Bij de wapenstilstand waren de partijen overeengekomen dat het gebied gedemilitariseerd zou worden en er pas bij het uiteindelijke vredesverdrag bepaald zou worden wie de soevereiniteit kreeg. Maar in de praktijk werd de gedemilitariseerde zone door beide partijen bezet en gecultiveerd. Israël ging daarbij agressiever en efficiënter te werk dan Syrië. De Israëliërs wisten door onophoudelijke acties de status quo in hun voordeel te beslechten. Militaire waarnemers van de VN die aan de grens waren geposteerd, merkten op dat 'de Syriërs vaak tegen VN-officieren liegen, maar later hun onwaarheden toegeven, terwijl de Israëliërs doen alsof ze volledig meewerken, maar nog vaker liegen en er alles aan doen VN-officieren om de tuin te leiden'. De militaire waarnemers waren bijna allemaal van mening dat de Israëliërs af en toe incidenten in scène zetten. Israël verwijderde Syrische boeren uit de gebieden die het bezette en gaf hun land aan joodse nederzettingen. Af en toe liep de spanning hoog op en vonden er vuurgevechten plaats. Volgens Matityahu Peled, in 1967 generaal in het Israëlische leger, was 'meer dan 50 procent van de grensincidenten [met Syrië] voor de Zesdaagse Oorlog het resultaat van ons veiligheidsbeleid van maximale vestiging in gedemilitariseerde gebieden'. (Peled was in 1967 nog een uitzonderlijk havikachtige generaal, maar werd uiteindelijk leider van een gezamenlijk Arabisch-joodse partij die campagne voerde voor de vrede.) In 1967 schreef een Britse diplomaat die de claims van de twee partijen op het land had onderzocht: 'Hoeveel juridische of pseudo-juridische haarkloverij er ook tegenaan wordt gegooid, er woont tegenwoordig geen enkele Arabier meer in dit land dat vroeger door Arabieren werd bewoond.' Generaal Odd Bull, die commandant was van de United Nations Truce Supervision Organization (UNTSO), een organisatie die naleving van de wapenstilstanden controleerde, waarschuwde dat de Israëlische activiteiten het wantrouwen aan de grens vergrootten.

Alleen zeer gemotiveerde mensen gingen in de Israëlische grensnederzettingen wonen. Het was er gevaarlijk en gezinnen moesten vaak lang in schuilkelders doorbrengen. Vaders reden rond in gepantserde tractoren (want er werd op hen geschoten) om de Israëlische aanspraken waar te maken op lapjes grond met vreemde namen als 'de Gaulles neus', het 'rodebietenland' en het 'bonenbedje'. Als een akker door de Syriërs met granaten was bestookt, vonden de kolonisten het des te belangrijker hem te bebouwen. Ze zeiden: 'De zaak van de vrede wordt niet gediend door concessies aan de Syriërs. Daarmee nodigen we hen juist uit ons recht op het volgend stuk land te betwisten.' In Israël denkt men tegenwoordig vaak dat de kolonisten van halverwege de jaren zestig onschuldige boeren waren. Maar ze zagen zichzelf minder als boeren dan als bouwers van een nieuwe natie. Toen Levi Esjkol, die David Ben-Gurion was opgevolgd als minister-president, een aantal nederzettingen bezocht die zwaar onder vuur hadden gelegen, kreeg hij de volgende verklaring te horen: 'Dit is ons thuis. We haten de verwoesting. Maar we hebben ons hier gevestigd om de soevereiniteit van Israël langs deze grenzen te bevestigen. We aanvaarden daarom alle risico's en vragen de regering toestemming het werk voort te zetten.' De Israëliërs wilden de gedemilitariseerde zones cultiveren om een staat op te bouwen, niet om landbouw te bedrijven. In april 1967 gaf een bewaker van een nederzetting toe: 'Het is duurder om hier noten te oogsten dan dat we ze per stuk in watten en cellofaan verpakt uit de Verenigde Staten importeren.'

Volgens Moshe Dayan, de bekendste Israëlische militair, die aan de vooravond van de Zesdaagse Oorlog minister van Defensie werd, lokte Israël 'minstens 80 procent' van de grensincidenten uit. 'Het ging als volgt. We stuurden een tractor de gedemilitariseerde zone in, naar een stuk land waar je niets mee kon. We wisten van tevoren dat de Syriërs gingen schieten. Als ze niet schoten, zeiden we tegen de tractorbestuurder dat hij door moest rijden, want op een gegeven moment raakten de Syriërs geïrriteerd en begonnen ze toch te schieten. En dan gebruikten wij onze artillerie en later onze luchtmacht. Zo ging dat.' Dayan zei dat hij de Syriërs uitdaagde, zoals ook Rabin en de twee voorgaande stafchefs, Chaim Laskov en Zvi Tsur, deden. Maar degenen die het meest van deze spelletjes genoot, was generaal David Elazar, die tussen 1964 en 1969 het bevel had over het noordelijke leger. Volgens Dayan ging het allemaal om de behoefte aan land. 'Langs de Syrische grens waren er geen boerderijen of vluchtelingenkampen. Er was alleen het Syrische leger. De kibboetsniks zagen de goede landbouwgrond [...] en droomden ervan.'

Israël bepaalde het tempo, maar de Arabieren deden hun best gelijke tred met het geweld te houden. Op de laatste dag van 1964 verscheen Yasser Arafat, de leider van de Palestijnse Al-Fatah-beweging, in het leven van de Israeliërs. Een groepje Palestijnen probeerde vanuit Zuid-Libanon Israël binnen te komen om een pompstation van de Israëlische watervoorziening op te blazen. Voordat ze de grens bereikten, werden ze gearresteerd door de Libanese geheime politie. De volgende nacht drong een andere groep Israël binnen en legde een bom die niet ontplofte. Tegenwoordig wordt nieuwjaarsdag 1965 door Palestijnse organisaties gevierd als het begin van de gewapende strijd. Toen Arafat na 1967 de macht greep binnen de Palestijnse Bevrijdingsorganisatie, strooiden zijn mensen het verhaal rond dat hij de eerste operatie over de grens had geleid, terwijl hij in feite (voordat hij zelf werd gearresteerd) in Beiroet had zitten werken aan het eerste militaire communiqué van de Al-Fatah-beweging, dat uit naam van de 'Asifah-stormkrachten' een overdreven verslag deed van de aanslagen.

Arafat en zijn vriend Khalil al-Wazir stonden in Palestijnse kringen bekend als 'de waanzinnigen' (Wazir, die ook wel Abu Jihad werd genoemd, was een van de weinige onafhankelijk denkende mensen rond Arafat; in 1988 werd hij in Tunis voor de ogen van zijn vrouw en kind door Israëlische commando's afgemaakt; zijn lichaam was met 150 kogels doorzeefd). Deze 'waanzinnigen' meenden dat ze hetzelfde voor het Palestijnse volk konden doen als de Vietnamese en Algerijnse bevrijdingsbewegingen voor hun volk hadden gedaan. Er waren nog andere groepen, zoals het Palestijnse Bevrijdingsfront, dat werd geleid door Ahmad Jibril. Hieruit kwamen de 'Wraakjeugd' en de 'Helden van de terugkeer' voort, die ten slotte samengingen onder de naam 'Volksfront voor de bevrijding van Palestina'.

Volgens de communiqués van Al-Fatah vochten ze een vernietigende guerrillaoorlog waarbij talloze Israëliërs het leven lieten en er ernstige schade werd toegebracht aan de infrastructuur van de joodse staat. Hoewel hun militaire slagkracht eigenlijk weinig voorstelde, was hun politieke en psychologische invloed wel degelijk belangrijk. Voor de Palestijnen hielden ze het idee van verzet levend. De Israëliërs beschouwden hen als terroristen die de staat wilden vernietigen en de joden wilden verjagen en dus moesten ze worden tegengehouden.

Nasser had in 1964 de Palestijnse Bevrijdingsorganisatie opgericht om de activiteiten van mensen als Arafat in de hand te houden. Het laatste wat hij wilde, waren guerrillastrijders die op eigen houtje operaties tegen Israël uitvoerden. Nasser wilde een lawaaiige, maar relatief onschuldige organisatie die zou voldoen aan het verlangen van alle Arabieren om iets tegen de Palestijnse catastrofe te doen, maar beheersbaar was. Hij had Ahmed Shukairy aangesteld als leider van de PLO. Shuqairy was een charlatan die vooral goed was in bombastische redevoeringen waarin hij riep dat Israël een bloederig einde te wachten stond. Nasser trok zich van de holle retoriek van Shuqairy niets aan. Hij zei telkens weer dat de Arabieren niet sterk genoeg waren om Israël aan te vallen. Ze moesten hun krachten opbouwen en wachten tot de tijd rijp was. Hij stond de oprichting toe van een Palestijns bevrijdingsleger, dat onderdeel van de strijdkrachten van Egypte en Syrië werd en dus onder stevige politieke controle stond.

Maar in 1966 begon Nassers strategie van rust aan de grenzen scheuren te vertonen. In Syrië vond de negende militaire coup in zeventien jaar tijd plaats. De architect van deze bloedige staatsgreep, waarbij honderden mensen omkwamen, was generaal Salah Jadid, maar hij benoemde Nureddin al-Atassi tot president. Jadid behoorde net als veel officieren tot de alawieten, een etnische en religieuze minderheid die een eigen vorm van de islam aanhing. De alawieten wilden de Syrische soennieten, die de meerderheid vormden, voor zich winnen en dat ging het best door de onrust aan hun grens met Israël verder op te stoken.

In de lente en zomer van 1966 nam het geweld verder toe. Er vonden over en weer artilleriebeschietingen plaats, er werden guerrilla-aanvallen uitgevoerd, en op het Meer van Galilea schoten Israëlische patrouilleboten en Syrische kustbatterijen op elkaar, waarna zowel de Israëlische als de Syrische luchtmacht verscheen. De Israëlische regering van Levi Esjkol kwam onder steeds grotere druk om terug te slaan. Op 16 oktober spraken de hoogste Israëlische militaire leiders tijdens een lunch voor een bezoekende Britse luchtmaarschalk over een wraakactie tegen Syrië. Rabin en Ezer Weizman, zijn tweede man, gaven niet mis te verstane hints dat ze bezig waren met 'een grootschalige operatie om de Syrische grenszone te bezetten, inclusief alle berghellingen [...] en maximale vernietiging van Syrische manschappen en apparatuur'.

Maar begin november tekende Syrië een wederzijdse defensieovereenkomst met Egypte. Voor de Syriërs was die meer dan een verzekeringspolis. Nu zouden de Egyptenaren, die zo vaak hadden gezegd dat ze niet klaar waren voor de confrontatie met Israël, naast hen tegen de vijand optrekken, of ze dit nu leuk vonden of niet. Nasser had gehoopt dat het pact de heethoofden in Damascus in toom zou houden, maar ze werden er alleen maar door aangemoedigd. Volgens een Israëlische inlichtingenofficier was Nasser 'de enige rabbijn die kon verklaren dat de Syriërs kosjere revolutionairen waren'. De Syrische junta vertrouwde de Egyptenaren niet voldoende om ze troepen in Syrië te laten stationeren. Maar ze wisten dat Israël zich grote zorgen zou maken over een alliantie tussen hun machtigste Arabische buurland, Egypte, en het buurland dat hun grootste vijand was, Syrië. De Israëliërs herzagen vanwege de overeenkomst inderdaad hun plannen voor een grootscheepse aanval op Syrië. In plaats daarvan vielen ze Jordanië binnen.

De aanval op Samua

Koning Hussein telde vanaf 13 november 1966, de dag waarop Israël het dorp Samua op de Westoever aanviel, de dagen af tot de volgende oorlog in het Midden-Oosten. Het leven in Samua was nooit gemakkelijk. Op de kale rotsige grond rond het dorp verbouwden kleine boeren al minstens tweeduizend jaar hun stoffige groenten en lieten ze hun schapen en geiten grazen. In de zomer spat de hitte er van de stenen en de dorre struiken. De winter is er kort, maar de harde wind en de regen kunnen bijzonder onaangenaam zijn voor de herders in de heuvels. Mensen die zo dwaas zijn door de diepe wadi's te lopen, worden als ze pech hebben door onverwachte vloedstromen meegesleurd. Samua ligt aan de rand van de Judea-woestijn in het oosten en de Negev-woestijn in het zuiden. Het lag na 1948 ook aan de Israëlische grens. Generaties Palestijnen hadden in Samua een manier gevonden om met de natuur om te gaan. De omgang met de joodse staat bleek lastiger.

De inwoners van Samua stonden vroeg op. De mannen gingen bij zonsopgang bidden in de moskee. De vrouwen stonden zelfs nog vroeger al in hun keukens te redderen. Ze hadden grote gezinnen. Er moest water worden gehaald, brood worden gebakken. Die morgen in november 1966 leek niet anders dan de andere. De eerste regenwolken van die winter verzamelden zich boven de uitlopers van de berg Hebron. Rond zes uur hoorden ze uit de richting van de grens, die maar vijf kilometer verderop lag, het geluid van tanks die granaten afvuurden. De dorpelingen grepen hun kinderen en vluchtten zo snel mogelijk naar de velden en kalkstenen grotten rond het dorp. Ze hadden al eerder ervaren hoe meedogenloos de wraakacties van de Israëliërs waren.

Ze hoorden het geluid van Israëlische tanks die de Jordaanse politiepost Rujim El-Madfa vernietigden die ongeveer een kilometer van de grens lag. Een groot aantal Israëlische tanks, gevolgd door infanterie in gepantserde halfrupsvoertuigen, was de grens overgestoken en kwam op hen af. Tankgra-

naten floten over het dorp. Ouragan-aanvalsvliegtuigen kwamen laag over-
vliegen en hoger in de lucht boden supersonische Mirage-straaljagers luchtdekking tegen de verwachte Royal Jordanian Air Force.

Het enige wat majoor Asad Ghanma, bevelhebber van de het 48ste infanteriebataljon van het Jordaanse leger, wist was dat de Israëliërs eraan kwamen
en dat hij ze moest tegenhouden. Zijn eenheid was de enige die zich op dat
moment in het gebied bevond. De Jordaanse grens met Israël was meer dan
zeshonderd kilometer lang en het leger lag langs die hele grens verspreid.
Het was groter dan in 1948, maar minder efficiënt, omdat koning Hussein in
1956 zijn Britse officieren had ontslagen.

De majoor en zijn mannen raceten de kazerne uit, de Israëliërs tegemoet.
Er waren al geruchten over een mogelijke aanval sinds saboteurs enige weken
daarvoor hadden geprobeerd een flatgebouw in het joodse deel van Jeruzalem
op te blazen en een Israëlische trein hadden laten ontsporen. Er was niemand
gedood bij deze aanslagen, maar een dag eerder, op zaterdag, was een grenspatrouille tijdens een routineronde op een mijn gereden, waarbij drie Israelische soldaten gedood en zes anderen gewond waren. De Israëliërs meenden dat de mijn geplaatst was door terroristen uit Samua. En nu kwamen ze
wraak nemen.

Het plan was Samua binnen te rijden, een aantal gebouwen op te blazen en
zich vervolgens weer terug te trekken. Generaal Rabin had uitgerekend dat
het zo'n anderhalf uur zou kosten om de boodschap over te brengen dat de inwoners van Samua en de andere 700.000 Palestijnen op de Westoever geen
terroristen onderdak mochten verlenen en dat koning Hussein meer moest
doen om landgenoten tegen te houden die de grens over wilden steken om joden te vermoorden. Het was de grootste Israëlische militaire operatie sinds
1956. Twee gevechtseenheden staken de grens over. De grootste, bestaande
uit acht Centurion-tanks, gevolgd door vierhonderd paratroepers in veertig
open halfrupsvoertuigen, reed naar Samua. Er volgden nog meer halfrupsvoertuigen, met zestig man genietroepen die de gebouwen zouden opblazen.
De tweede eenheid bestond uit drie of meer Centurion-tanks en honderd paratroepers en genietroepen in tien halfrupsvoertuigen. Deze groep had een
eigen opdracht die bestond uit het opblazen van huizen in twee kleinere dorpen, Kirbet El-Markas en Kirbet Jimba. De eenheden werden vanaf de Israelische kant van de grens gesteund door een aantal Super Sherman-tanks en
acht stuks veldgeschut. Daarachter bevonden zich sterke reserves, voor het
geval de gevechtseenheden in moeilijkheden zouden raken. De Ouragans waren bewapend met raketten om Jordaanse pantservoertuigen of artillerie te
kunnen aanvallen, mochten ze die tegenkomen.

De kleinere eenheid verjoeg de burgers uit Kirbet El-Markas en Kirbet
Jimba en begon huizen op te blazen. De drie compagnies van majoor Ghanma reden recht op een Israëlische blokkade af die zich op een heuvel ten

noordwesten van Samua bevond en werden daar opgevangen. Ook twee andere compagnieën, die vanuit het noordoosten het gebied probeerden te bereiken, werden door Israëlische troepen onderschept. Maar een peloton Jordaniërs met twee terugstootloze 106-mm-kanonnen trok Samua binnen en viel de Israëliërs aan. Er werden felle gevechten geleverd in het zuidelijke deel van het dorp en de Israëliërs wisten de Jordaniërs op een gegeven moment met hun tanks te verjagen. De Israëliërs vochten dapper, volgden bevelen op en pasten zich aan bij veranderende omstandigheden. Ook de Jordaniërs waren individueel dapper, maar ze misten een plan. Toen ze eenmaal waren verdreven, gingen Israëlische paratroepers van huis tot huis om te controleren of er niemand meer in het dorp was, terwijl de geniesoldaten de explosieven aanbrachten.

Om kwart voor tien 's morgens waren de Israëliërs weer terug aan hun eigen kant van de grens. Tijdens de aanval waren er drie Jordaanse burgers en vijftien soldaten omgekomen. Het Jordaanse leger, dat zichzelf als het beste van de Arabische wereld beschouwde, was vernederd. Aan Israëlische zijde was de bevelhebber van het bataljon paratroepers omgekomen en vielen er tien gewonden. Een missionaris genaamd Eric Bishop zag vier uur later de bewoners 'verdoofd en bang' naar het dorp terugkeren. De brug die toegang gaf tot het dorp was geblokkeerd door drie rokende, uitgebrande Jordaanse legervoertuigen. Bishop volgde de dorpelingen, die de droge rivierbedding overstaken. Op straat lagen overal niet-geëxplodeerde granaten en verwrongen stukken metaal. Het dorpsziekenhuisje en de meisjesschool waren in een puinhoop veranderd. De stadsbus was verpletterd onder het puin van een opgeblazen gebouw. Er waren in totaal 140 huizen verwoest. Het postkantoor en het koffiehuis lagen in puin. Bishop zag een echtpaar en hun vier kinderen. 'Ze waren bezig stenen weg te rollen van een berg waar hun huis had gestaan. Iemand schreeuwde dat ze moesten uitkijken voor niet-ontplofte granaten, maar ze sloegen er geen acht op.'

Koning Hussein was geschokt. Hij had in het geheim met de Israëliërs overleg gevoerd en op de morgen dat Samua werd aangevallen hadden zijn contacten in Israël hem ongevraagd laten weten dat ze niet van plan waren Jordanië aan te vallen. Hussein luchtte zijn hart bij de Amerikaanse ambassadeur, Findley Burns, en het hoofd van de CIA in Amman, Jack O'Connel (het Witte Huis sprak over 'een buitengewone onthulling'). Hij vertelde dat hij in de voorgaande drie jaar in het geheim met Abba Eban, de Israëlische minister van Buitenlandse Zaken, en met diens voorganger, Golda Meir, had gepraat en gecorrespondeerd. Ze hadden over vrede gesproken en hij had hen verzekerd dat hij al het mogelijke deed om terroristische aanslagen vanuit Jordanië te voorkomen.

'Ik zei tegen hen dat ik wraakacties van hun kant niet kon tolereren en in mijn land kon uitleggen. Ze zagen de logica daarvan in en beloofden dat er nooit meer wraakacties zouden plaatsvinden.' Burns en O'Connel zagen dat Hussein tranen in zijn ogen had toen hij zei: 'Deze aanval betekent een verraad op alles wat ik de afgelopen drie jaar heb geprobeerd te doen in het belang van de vrede, stabiliteit en matigheid. Voor dat streven heb ik grote politieke risico's gelopen. Vreemd genoeg heb ik hun bedoelingen jegens mijzelf of Jordanië, ondanks alle geheime overeenkomsten en verzekeringen, nooit helemaal vertrouwd.' De koning beëindigde het gesprek op bittere toon met de mededeling: 'Dat krijg je als je gematigd probeert te zijn, of moet ik zeggen, als je dom bent.'

De ambassadeur had hem nog nooit zo somber gezien. 'De koning stond duidelijk onder grote druk. Hij deed zijn uiterste best zijn emoties in bedwang te houden.' Hussein vroeg of zijn verzoek om de contacten met Israël geheim te houden, strikt kon worden gerespecteerd. Zijn grootvader was tenslotte vanwege dergelijke contacten vermoord.

De koning kwam tot de conclusie dat zijn troon ernstig in gevaar was en dat Israël nog steeds de Westoever wilde veroveren, net als meteen na de onafhankelijkheid. Veel Israëliërs dachten dat hun land pas veilig was als de rivier de Jordaan hun oostgrens was, wist Hussein. Tegen diplomaten had hij gezegd dat hij het altijd voor mogelijk had gehouden met Israël samen te leven. Maar nu was onherroepelijke vijandschap nog de enige mogelijkheid. De koning sprak zelfs emotioneel over de mogelijkheid zelf Israël aan te vallen, een dreigement dat de Amerikanen, gezien de zwakte van het Jordaanse leger, niet serieus namen.

Op de morgen van de aanval ontbood hij alle buitenlandse ambassadeurs die aan zijn hof geaccrediteerd waren in zijn paleis in Amman. Hij zei tegen hen dat dit laatste incident in de lange geschiedenis van zionistische agressie en expansionisme niet als een gewone wraakactie beschouwd kon worden. Het was de eerste slag in de campagne die Israël voerde om de Westoever te veroveren. Hij zei tegen hen dat als ze de agressor niet met morele argumenten en desnoods fysieke middelen tegenhielden, hun landen ook bij de crisis betrokken zouden raken. Groot-Brittannië en de VS geloofden Hussein toen hij zei dat hij al het mogelijke deed om infiltranten tegen te houden. Een van de organisatoren van de aanslag op de Israëlische grenspatrouille was gearresteerd voordat de Israëlische wraakactie plaatsvond. De Verenigde Staten waren zo bezorgd over de aanval dat ze een resolutie in de Veiligheidsraad steunden die de Israëlische acties veroordeelde. Hierna vond de nationale veiligheidsadviseur, Walt Rostow, nog steeds dat ze niet scherp genoeg hadden gereageerd. De VS brachten urgente militaire hulp naar Jordanië, een maatregel die door het Witte Huis noodzakelijk werd geacht om de troon van koning Hussein te redden. Ze vreesden dat als zij geen hulp zonden, koning Hussein de Egyptenaren om troepen zou vragen of er zelfs Russische adviseurs en apparatuur bij zou halen.

Koning Hussein was heel behoedzaam waar het zijn eigen positie betrof. Hij had als jongen de moord op zijn grootvader van nabij meegemaakt en was tijdens zijn eigen koningschap met een reeks complotten en mislukte aanslagen geconfronteerd. De nieuwste dreiging kwam nu vanuit Israël, zijn steeds machtiger wordende buurland. Hussein had van zijn grootvader geleerd dat hij met Israël zaken moest doen. Als dank was hij door Israël vernederd. Hij was vastbesloten zich er niet onder te laten krijgen en zijn regime te redden.

Jordanië bestond sinds 1948 uit twee helften. De Oostoever van de Jordaan, die voornamelijk uit woestijn bestond, was Husseins machtsbasis. Hij kon vertrouwen op de steun van de leiders van de bedoeïenenstammen, wiens mannen de ruggengraat van zijn leger vormden. Maar sinds 1948 waren er ook meer dan een half miljoen Palestijnse vluchtelingen. Verder woonden er 700.000 Palestijnen op de Westoever en in de Oude Stad van Jeruzalem. Goed opgeleide Palestijnen uit de stad keken vaak neer op de bewoners van de Oostoever, die ze boerenkinkels vonden. Hussein had leden van aristocratische Palestijnse families in zijn kabinet opgenomen. Maar de koning en zijn naaste adviseurs koesterden terecht grote achterdocht jegens de meerderheid van de Palestijnen. Ze werden beschouwd als een potentiële vijfde colonne die gemakkelijk beïnvloed werd door de heftige kritiek van Nassers regime in Cairo op Hussein en zijn dynastie van Hasjemieten. Je kon in Jordanië worden gearresteerd als je naar Nassers radiozender Saut al-Arab (de 'Stem van de Arabieren') luisterde.

Hussein was niet bang dat Israël van plan was naar Amman op te trekken om hem gevangen te nemen. Hij vreesde eerder dat de Israëlische acties zouden leiden tot problemen op de Westoever en dat ambitieuze legerofficieren daar gebruik van zouden maken. Als er door een coup een radicaal pro-Nasser-regime in Jordanië geïnstalleerd werd, dan zou dat Israël een excuus geven tussenbeide te komen. De CIA vond dit een realistische analyse. En welke kant het dan ook zou uitgaan, Hussein zou zijn troon verliezen en zijn dynastie, de Hasjemieten, zouden hun laatste machtsbasis kwijtraken. Ibn Saud was na de Eerste Wereldoorlog Mekka, Medina en de rést van de Hejaz kwijtgeraakt. In 1958 werd de Hasjemitische koning van Irak, een neef en vriend van Hussein, samen met zijn naaste familie afgeslacht. Hussein Ibn Talal, koning van Jordanië en afstammeling van de profeet, wilde niet de laatste Hasjemitische koning zijn.

Zoals Hussein gevreesd had, kookten de Palestijnen op de Westoever van woede na de Israëlische inval. De inwoners van Samua weigerden hulp in de vorm van voedsel, tenten en dekens. Ze eisten wapens. Een van hen vroeg aan een verslaggever van *The Los Angeles Times* die het dorp bezocht: 'Waarmee denken ze dat we moeten vechten? Met vrouwen? Met kinderen? Of met stenen?' Het leek een terugkeer naar begin jaren vijftig, toen Israël een reeks wrede en bijna volledig contraproductieve aanvallen op de Westoever uitvoerde. Twee dagen na de aanval op Samua bezetten demonstranten het centrum van Hebron, de grote Palestijnse stad dicht bij Samua. De gouverneur stuurde de brandweer erop af om de meute nat te spuiten, maar de brandweermannen werden teruggestuurd door de plaatselijke politiechef die zei dat dit de zaken alleen maar zou verergeren. Een politieman die met zijn revolver naar de demonstranten zwaaide, werd in elkaar geslagen. Er werden slogans geroepen tegen koning Hussein, tegen de vs die Israël beschermden, en tegen Syrië en Egypte die geen vliegtuigen stuurden om hen te beschermen. De demonstraties sloegen over naar Jeruzalem en Nablus en de koning kondigde de staat van beleg af in alle Palestijnse steden. Hij voelde de troon onder zich wankelen.

De overheid werd ervan beschuldigd het werkelijke aantal slachtoffers en de omvang van de nederlaag te verdonkeremanen. De Jordaniërs waren trots op hun doden, maar de officieren voelden zich vernederd. Een hoge functionaris van de inlichtingendienst vertelde de Amerikanen dat hun luchtmachtofficieren verbitterd waren omdat hun wapens, de ouderwetse, subsonische, door de Britten gebouwde Hawker Hunters 'totaal ongeschikt' waren en dat het gelijkstond aan zelfmoord om het in deze toestellen op te nemen tegen de Israëliërs. Tijdens de aanval op Samua leverden vier Jordaanse Hawker Hunters een luchtgevecht met Israëlische Mirages. Een van de Hawkers werd neergeschoten na een langdurig gevecht op geringe hoogte, waarbij de Jordaanse piloot indruk maakte op de Israëliërs. Bij zijn begrafenis oefenden de officieren flinke kritiek uit op koning Hussein. Ze vonden dat hij in plaats van de grens te beschermen geld 'over de balk smeet' voor eigen pleziertjes en dat hij meer waarde hechtte aan zijn troon dan aan de verdediging van zijn land. Het was volgens hen niet mogelijk in vrede te leven met Israël. Sommige officieren vonden dat Jordanië Israël meteen moest aanvallen, wat de consequenties ook mochten zijn. Koning Hussein kreeg lucht van de kritiek van zijn officieren en meende dat het leger alleen nog achter hem stond omdat de bedoeïenen hem zoals altijd trouw bleven.

Husseins problemen speelden in de kaart van zijn vijanden in de radicale Arabische regimes in Egypte en Syrië. Steunbetuigingen uit Cairo bleven uit. En Damascus was opgelucht dat het er zo gemakkelijk vanaf was gekomen. De Israëliërs beschouwden de guerrillagroepen als handlangers van Syrië. De Britse ambassadeur in Damascus dacht dat het gecompliceerder lag: 'Zelfs de Syrische regering heeft geen zeggenschap over deze groepen. Ik twijfel er zelfs aan of ze voldoende controle hebben om op dagelijkse basis de terroristische acties te kunnen afstemmen op de militaire acties aan de grens.' Toch werden in Damascus de Palestijnse aanslagen vrij openlijk aangemoedigd en gesteund – en Syrië werd niet door Israël aangevallen. Stafchef generaal Suwaydani gaf opdracht land te bebouwen in delen van de gedemilitariseerde zone die volgens Syrië Arabisch waren. Laat de Israëliërs maar op ons schieten, zeiden ze. We schieten net zo hard terug. Met Samua kwam er geen einde aan de aanslagen over de grens, hoewel de Jordaniërs wel harder hun best deden om infiltratie in Israël via de Westoever tegen te houden. Het geweld escaleerde. Het Israëlische leger stond te popelen om een robbertje te vechten en de zionistisch ingestelde premier Esjkol verzette zich wat betreft de betwiste gedemilitariseerde zone tegen elke concessie aan Syrië. Daarbij kwam er steeds meer politieke druk, vooral van de nederzettingen in de grensstreek, om ferme maatregelen te nemen. En dat alles kwam op 7 april 1967 tot uitbarsting.

Jullie sturen aan op oorlog

Israëliërs in kibboets Gadot, vlak bij de Syrische grens, stonden op hun erf te kijken naar de gevechten in de heuvels boven hen. De hele middag had de luchtmacht Syrische posities gebombardeerd. Het was al bijna een week duidelijk dat er een grote aanval op komst was. En nu waren ze losgebrand.

Om 09.30 uur reden er twee Israëlische tractoren uit. Een kwartier later waren er tanks, houwitsers en zware machinegeweren aan het schieten. De strijd nam in hevigheid toe. Israëlische duikbommenwerpers bombardeerden Syrische posities met bommen van 250 en 500 kilo. De Syriërs voerden granaataanvallen uit op Israëlische grensnederzettingen. Israëlische straaljagers sloegen terug door het dorp Sqoufiye te bombarderen, waar alleen burgers zaten en veertig huizen werden verwoest. Waarnemers van de Verenigde Naties meenden dat er meer doden waren gevallen dan de vijf waar Damascus over sprak.

Om 15.19 uur kwam kibboets Gadot onder artillerievuur te liggen. Er kwam een granaat dicht bij het huis van de kinderen terecht (kinderen woonden bij elkaar op de kibboetsim en bezochten op vaste uren hun ouders en sliepen apart in hun eigen accommodatie). De volwassenen renden het gebouw in, grepen de kinderen en sleepten ze mee de schuilkelders in. De schuilkelder van de kinderen was uitgerust voor een langdurig verblijf. Er waren kinderbedjes, een keuken en veel speelgoed. Plotseling was het heel vol omdat de ouders die hun kinderen ernaartoe brachten niet meer weg konden. Ze begonnen te zingen om de aandacht van de kinderen af te leiden van de ontploffende granaten buiten. In veertig minuten tijd landden er driehonderd granaten op het erf van de kibboets. Een moeder die haar kind kwijt was, wilde tijdens het bombardement naar buiten rennen en moest worden tegengehouden. Toen ze de schuilkelder uitkwamen, bleken alle kinderen uiteindelijk veilig, maar hun huizen lagen in puin. Vanuit heel Israël werd hulp aangeboden, van melkkoeien tot een ploeg arbeiders van de kerncentrale in Dimona die hielp bij de wederopbouw.

De Israëlische Mirages brachten de Syrische MiG-21s een zware nederlaag toe. Twee werden terug naar Damascus gejaagd en boven de buitenwijken neergeschoten. De Mirages bulderden laag over de Syrische hoofdstad
om de nederlaag extra in te wrijven. Vier andere Syrische MiG-21s werden
neergeschoten, waarvan drie boven Jordanië. Het viel de Britse luchtvaartat-
taché die de wrakken onderzocht op hoe dicht ze bij elkaar lagen. Hij concludeerde: 'Of de Israëlische piloten voerden de aanval ongelooflijk behendig uit
en schoten de drie vliegtuigen bijna gelijktijdig neer, terwijl ze in formatie
vlogen, of de Syrische piloten verlieten zelf hun vliegtuigen in plaats van het
gevecht met de Israëliërs aan te gaan.' Omdat er geen duidelijke kogelgaten in
de wrakken zaten, werd hij gesterkt in zijn vermoeden dat de Syriërs, die zich
allen met hun schietstoel hadden gered, discretie boven moed hadden verko-
zen. Volgens de Jordaniërs gaven de Syrische piloten die in het ziekenhuis lagen dit ook toe en klaagden ze dat ze geen kans hadden gehad tegen de goed
getrainde Israëlische piloten die een betere vluchtleiding hadden. De militaire zwakte van de Syriërs was duidelijker dan ooit. Op het hoogtepunt van de
strijd werd een van de belangrijkste Syrische luchtmachtbases, het vliegveld
Mezze, nauwelijks verdedigd tegen luchtaanvallen. Er lag een garnizoen
landmachttroepen met vijf tanks en vijf pantserwagens. Maar alle vierentwintig MiG-17-gevechtsvliegtuigen stonden nog op het platform en slechts
vier van de zes 54-mm-luchtdoelkanonnen waren bemand.

De volgende morgen waren jonge Palestijnen in Jeruzalem 'vol verbaasd
ontzag over de competentie van de Israëliërs en de hulpeloosheid van de
Arabieren'. Ze vroegen: 'Waar blijven de Egyptenaren?' Cairo had na de vernedering bij Samua niets voor Jordanië gedaan. Nu werd Syrië vernederd,
een land waarmee Egypte een wederzijds defensieverdrag had gesloten. Deze
keer had Nasser geen keus. Hij moest iets doen.

Israël koesterde zich in de overwinning. In Israëlische bioscopen werden
voor een enthousiast publiek beelden vertoond van het neerhalen van de
MiG's, die door geschutscamera's van de Mirages waren gefilmd. Het leger
versterkte de noordelijke grens en bracht er vijfendertig tanks, hoofdzakelijk
Centurions, en ten minste vijftien 105-mm-kanonnen naartoe. In een gang
van de Israëlische Knesset liep voormalig stafchef en toen parlementslid
Moshe Dayan het voormalige hoofd van de luchtmacht en nu tweede man
van het Israëlische leger, generaal Ezer Weizman, tegen het lijf. 'Zijn jullie
gek geworden?' zei Dayan tegen Weizman. 'Jullie sturen aan op oorlog!'

Na de gevechten van 7 april deden Syrië en de door Syrië gesteunde
guerrilla's nog harder hun best om de Israëliërs te provoceren. De Israëliërs
waren hun graag terwille en ging op iedere provocatie in. De Britse ambassadeur in Damascus schreef vermoeid: 'De Syriërs zijn duidelijk schuldig aan
laksheid inzake het voorkomen van infiltratie, maar de Israëlische reactie op
de Syrische speldenprikjes – want meer zijn het eigenlijk niet – is buiten ie-

dere proportie.' Rabin en Esjkol gebruikten de interviews en uitzendingen voor Onafhankelijkheidsdag om Damascus te waarschuwen dat ze nog erger in petto hadden. Volgens de Britse overheid waren de Israëlische dreigementen 'het beginpunt van een keten van gebeurtenissen die tot oorlog zullen leiden'. De CIA had ook van de dreigementen gehoord en zei tegen president Johnson dat er acties tegen Syrië op komst waren. De Egyptenaren trokken dezelfde conclusie. 'Israël denkt aan een aanval op Syrië [...], bereidt de wereldopinie erop voor en vraagt om hulp.'

United Press International (UPI) publiceerde op 12 mei het ernstigste dreigement: 'Een hoge Israëlische bron zei vandaag dat als de Syrische terroristen doorgaan met hun sabotagedaden in Israël, er beperkte militaire actie zou worden ondernomen om het militaire regime in Damascus ten val te brengen. Militaire waarnemers zeiden dat een dergelijk offensief bijna op een echte oorlog neerkwam en de Syrische regering een enorme slag zou toebrengen.'

Zowel in het Westen als in de Arabische wereld ging iedereen er meteen vanuit dat de ongenoemde bron Rabin was en dat hij het meende. Maar de opmerking was afkomstig van het hoofd van de militaire inlichtingendienst, brigadegeneraal Aharon Yariv, en het verhaal van het persbureau was aangedikt. Yariv had inderdaad gesproken over een 'totale aanval op Syrië en de verovering van Damascus', maar alleen als de extreemste van een reeks mogelijke maatregelen. Maar de schade was al aangericht. De spanning was zo hoog opgelopen dat de meeste mensen, en niet alleen Arabieren, meenden dat er een grotere actie dan gewoonlijk tegen Syrië werd voorbereid. Het Israëlische Engelstalige dagblad de *Jerusalem Post* vatte de dreigementen en waarschuwingen op als een gezaghebbend ultimatum. Een jaar later zei de Israëlische minister van Buitenlandse Zaken Abba Eban (die een van de eersten was geweest om die maand uit te varen tegen de door Syrië gesteunde 'plunderaars'): 'Volgens sommigen waren deze waarschuwingen te frequent en te weinig samenhangend [...] terwijl iedereen in feite net zo goed op de hoogte was geweest als er wat meer stilte had geheerst.'

De boodschap die buiten Israël werd ontvangen, was dat Damascus door het Israëlische leger op de korrel zou worden genomen. Nasser was er vast van overtuigd dat de Israëlische leiders hadden gezegd dat ze Syrië zouden aanvallen, Damascus zouden bezetten en het Syrische regime ten val zouden brengen. De Egyptenaren beweerden een Israëlisch plan te hebben gezien voor de bezetting van de heuvels rond het Meer van Galilea. Israël zou zich daar pas weer terugtrekken als ze werden vervangen door vredestroepen van de UNEF.

Ook de Syriërs dachten dat de Israëliërs elk moment hun land konden binnenvallen. Het staatshoofd, president Atassi, deed een beroep op het gezamenlijke defensiepact en vroeg militaire steun aan Cairo. De Syrische leiders zagen er niet tegenop Israël te provoceren, maar wilden geen echte oorlog. Ze hadden op 7 april een harde les geleerd. Het regime wist maar al te goed dat degenen die door middel van een coup de macht grijpen, die macht vaak door een tegencoup weer kwijtraken, vooral als ze een oorlog verliezen. De bevelhebber van de Syrische luchtmacht, generaal Hafez al-Assad, was voor 7 april 'bijzonder nerveus en angstig vanwege het vooruitzicht van een belangrijk incident'. Toch verstomde door de ijskoude werkelijkheid de Syrische retoriek niet. Israël zat in de tang, zo zeiden ze, van Egyptische, Syrische en Palestijnse commando's. Amerika kon 'dit pleegkind van bandieten' niet langer beschermen. De Groot-Moefti ging de frontlinies inspecteren en verklaarde dat de geestelijke leiders klaarstonden zich bij het leger te voegen en te strijden tegen Israël, 'de vijand van de islam, het arabisme en de mensheid'. Er werden bijeenkomsten gehouden waar slogans werden geroepen en redevoeringen afgestoken. Volgens het redactioneel commentaar van een krant zou binnenkort aan Israël 'de laatste klap' worden uitgedeeld.

Kort daarop 'werd de Egyptische ezel geprikt door de Russen', zoals het Britse ministerie van Buitenlandse Zaken schreef. Moskou waarschuwde Cairo dat Israël troepen had samengetrokken aan de Syrische grens en het land binnen een week zou aanvallen. Op 13 mei werd Anwar El Sadat, de voorzitter van het Egyptische parlement, op de internationale luchthaven van Moskou uitgezwaaid door Vladimir Semjonov, de Russische onderminister van Buitenlandse Zaken, en door Nikolaj Podgorny, voorzitter van het presidium van de Opperste Sovjet. Sadats vliegtuig was te laat en tijdens het uur dat hij moest wachten spraken ze vooral over Syrië. 'Ze vertelden me specifiek dat er tien Israëlische brigades aan de Syrische grens waren geconcentreerd.' Hij gaf deze boodschap door aan Nasser, die het al had gehoord van de Sovjetambassade en de KGB. Tegen de avond ontving generaal Muhammad Fawzi, de Egyptische stafchef, een soortgelijke boodschap van generaal-majoor Ahmad Suwaydani, zijn Syrische tegenhanger.

Het is niet duidelijk waarom de Sovjets deze waarschuwing lieten uitgaan. Waarschijnlijk dachten ze dat deze informatie juist was en waren ze misleid door het Syrische regime, dat in bepaalde opzichten een ideologische boezemvriend was van Moskou, veel meer dan Egypte ooit kon zijn. De Sovjets wilden hun onhandige protégés beschermen, die niet alleen Israël, maar ook de soennitische meerderheid in Syrië zelf tegen zich in het harnas hadden gejaagd met een krantenartikel dat de soennieten als anti-islamitisch beschouwde. Tienduizenden gingen de straat op om te protesteren. Het regime-Atassi werd zo onpopulair dat het uitkeek naar een goede aanleiding om het land weer tot een eenheid te smeden. Het spook van een Israëlische aanval was daar heel geschikt voor.

Een Sovjetfunctionaris van het middelste echelon zei tegen de CIA dat de Sovjet-Unie de Arabieren had opgestookt om de Verenigde Staten in problemen te brengen. Ze hoopten dat de VS, die ook al in Vietnam in oorlog waren, in een tweede langdurige oorlog verzeild zouden raken. Misschien was dat voor de Sovjethaviken reden genoeg, maar er waren grenzen aan de streken van het Kremlin. Tijdens de crisis ging noch de CIA noch het Amerikaanse ministerie van BZ noch het Witte Huis er vanuit dat de Sovjets uit waren op oorlog, de Arabieren opstookten om oorlog te voeren of militair zouden ingrijpen als de zaken uit de hand liepen. Een KGB-officier zei tegen een informant van de CIA: 'Ik denk dat de Arabieren dit moeilijk kunnen begrijpen, maar niemand buiten hun regio vindt de kwestie-Palestina belangrijk genoeg om er een wereldoorlog voor te beginnen.'

De boodschap die Moskou aan Cairo stuurde, baarde de regering-Esjkol zorgen. Was er een lek? Op 7 mei had het kabinet 'beperkte represailles' tegen Syrië goedgekeurd (wat een rekbaar begrip was – ook de aanval op Samua werd 'beperkt' genoemd). Er bestonden geheime plannen die in het kantoor van de premier en bij de generale staf waren besproken. Maar het grootste probleem met de waarschuwing van de Sovjets aan Egypte was dat ze niet klopte. Israël dacht aan een grote inval in Syrië, maar had geen grote troepenmacht aan de grens samengetrokken. Volgens Damascus stonden daar vijftien brigades, maar het totale gemobiliseerde Israëlische leger telde er niet veel meer.

Het Witte Huis dacht net als de Arabieren en de Russen dat Israël iets groots van plan was. Volgens de informatie van president Johnson hadden de Sovjets gelijk dat ze Syrië waarschuwden voor een Israëlische aanval, hoewel ze de omvang overdreven. 'De Israëliërs plannen waarschijnlijk wel een aanval, maar geen invasie.' Een andere functionaris was het daarmee eens. 'Waarschijnlijk maakten de Sovjetagenten gebruik van een inlichtingenrapport over een geplande Israëlische inval in Syrië. De berichten zijn waarschijnlijk ten minste voor een gedeelte waar. De Israëliërs hebben al eerder dergelijke aanvallen uitgevoerd. Ze worden flink geprovoceerd. Maar omdat ze goed voor geheimhouding zorgen, komen geplande aanvallen ons niet altijd ter ore. De inlichtingendiensten weten zeker niet alles. Waarschijnlijk hebben de Sovjetagenten de omvang van de aanval niet goed ingeschat en de omvang en het doel ervan overdreven.'

Jeruzalem

Tussen 1948 en 1967 was Jeruzalem verdeeld. Twee vijandige werelden stonden tegenover elkaar, gescheiden door prikkeldraad, landmijnen en machinegeweren. In november 1947 werd de verdeling van Palestina met resolutie 181 van de Veiligheidsraad vastgelegd. Jeruzalem zou een aparte status onder internationaal bestuur krijgen, maar Israël en Jordanië negeerden deze regeling en de grootmachten dwongen haar niet af. De enige grensovergang was de Mandelbaumpoort, de Checkpoint Charlie van Jeruzalem. Alleen buitenlanders met speciale toestemming konden van de Arabische wereld naar de joodse reizen. Af en toe kregen gescheiden Palestijnse families na veel bureaucratische rompslomp permissie elkaar te bezoeken. De twee kanten wierpen af en toe begerige blikken – en soms schoten ze op elkaar – maar in Jeruzalem werd nooit iemand gedood omdat hij van de ene naar de andere kant probeerde te komen. Veel mensen zouden blij zijn geweest als de mensen aan de andere kant verdwenen, maar ze wilden in hun eigen wereld wonen, en niet in die van de vijand.

De ommuurde Oude Stad bevond zich aan de Jordaanse kant, zodat de Israëliërs de historische joodse heiligdommen niet konden bezoeken. De Jordaniërs hadden ook de Olijfberg in handen, die vanuit het oosten over de Oude Stad uitkijkt. Op de hellingen ligt de tuin van Getsemane, waar volgens de Bijbel Jezus bloed zweette op de laatste avond voordat hij door de Romeinen gevangen werd genomen. Wat hoger op de berg ligt de belangrijkste joodse begraafplaats. De Jordaniërs lieten de weg met een aantal grafstenen van deze begraafplaats plaveien. In de jaren zestig maakten rijke Jordaniërs een tochtje met de auto naar het gloednieuwe, op de Olijfberg gebouwde Intercontinental Hotel, om daar te gaan lunchen. Voor hen was Jeruzalem een mooi symbool, in plaats van een hoofdstad of een plek om te wonen. Het was een kort ritje van een kilometer of veertig vanuit Amman, de rivier de Jordaan over, langs Jericho en de Judea-woestijn door. Ze luchten met uitzicht op de heilige stad en de mysterieuze en sinistere Israëliërs in de heuvels ertegenover.

Het Jordaanse Jeruzalem was een rustig oord: traditioneel, godsdienstig en arm. Ondertussen veranderde koning Hussein met hulp van gevluchte Palestijnse ondernemers zijn hoofdstad Amman in een moderne stad. Na 1948 was Jeruzalem het vroegere achterland kwijt, het rijke landbouwgebied tussen de bergen en de Middellandse-Zeekust. De Palestijnen in Jeruzalem mopperden niet alleen omdat ze arm waren, maar ook omdat ze zich in de steek gelaten en soms zelfs onderdrukt voelden door Amman. Een generatie later, na meer dan dertig jaar Israëlische bezetting, keek een aantal Palestijnen sentimenteel terug op wat gouden jaren leken. 'We waren toen baas in eigen huis en bezaten elke centimeter goede, heilige aarde van ons Jeruzalem. Toch klaagden we altijd en waren we nooit tevreden. We wilden altijd meer en beter en waardeerden nooit het goede dat we hadden.'

Het Israëlische deel van Jeruzalem was zelfs nog rustiger. Het centrum bestond uit de 'nieuwe stad', het winkelcentrum rond de Jaffastraat en de Koning George v-straat, die tijdens het Britse mandaat waren gebouwd. Er woonden ook veel verarmde ultraorthodoxe joden in West-Jeruzalem, in de wijk Mea Shearim en in de groene buitenwijken waar ooit de Palestijnse middenklasse had gewoond die in 1948 was gevlucht of verbannen. Israël had Jeruzalem tot hoofdstad uitgeroepen, maar geen enkel ander land had dit erkend. Het deed er voor de visionairs aan Israëlische zijde weinig toe dat herders nog steeds hun kudden weidden naast hun parlement of dat de parlementsleden elke gelegenheid te baat namen om de stad te verlaten. Het belangrijkste was dat de maatregelen waren genomen en daden gesteld. Zoals de joodse staat alleen gevestigd kon zijn in het land dat God aan het joodse volk had gegeven, zo was Jeruzalem, de stad die tijdens de vele eeuwen van ballingschap zo'n belangrijke rol had gespeeld in de joodse gebeden, de enige ware hoofdstad.

Toch was Jeruzalem tussen 1948 en 1967 voor de meeste Israëliërs een onbekende, wat onbehaaglijke plek. De stad lag hoog in de bergen en daarom was het er 's winters koud, nat en naar – in tegenstelling tot de Middellandse-Zeekust tussen Tel Aviv en Haifa, waar de meeste Israëliërs woonden. Jeruzalem was oud en rook naar geschiedenis die niet alleen joods was, maar ook aan anderen toebehoorde. De Israëlische schrijver Amos Oz, die in de jaren veertig en vijftig in West-Jeruzalem opgroeide, schreef over 'de treurige hoofdstad van een triomfantelijke staat', waar het klimaat zelfs in de zomer winters was. ''s Nachts hoorde je er het buitenlandse geluid van kerkklokken, rook je exotische geuren, zag je weidse vergezichten. De stad was aan drie kanten omringd door vijandige dorpen: Sha'afat, Wadi Jos, Issawia, Silwan, Azaria, Tsur Bacher, Bet Tsafafa. Het leek alsof ze hun vuist maar hoefden dicht te knijpen of Jeruzalem werd verpulverd. Op een winterse avond voelde je hun kwade intenties bijna naar de stad toe stralen.'

De Israëlische regering had besloten in deze halve stad op 15 mei 1967 een optocht en militaire parade te houden ter gelegenheid van de negentiende verjaardag van de Onafhankelijkheid. Onafhankelijkheidsdag was altijd iets speciaals in dit land dat nooit de kans had gehad van vrede te genieten. De Israëliërs trokken zo ook een lange neus in de richting van de Arabieren die hadden geprobeerd de joodse staat in de kiem te smoren en dat meteen weer zouden doen als ze de kans kregen. In 1967 waren de Israëliërs door de wol geverfde soldaten. Mannen van beneden de veertig, en zelfs beneden de vijftig, hadden hun leven lang weinig anders gedaan dan vechten. Ze hadden in 1948 en 1956 tegen de reguliere Arabische legers gestreden en tussendoor regelmatig aan militaire campagnes deelgenomen. Sinds 1948 had zich meer dan een miljoen immigranten in Israël gevestigd, vaak na een traumatisch vertrek uit de puinhopen van Europa, of uit een van de Arabische landen die, als ze hen al lieten vertrekken, bijna altijd hun eigendommen confisqueerden. De jongste overlevenden van de Duitse concentratiekampen waren nauwelijks dertig.

De swingende jaren zestig gingen aan de joodse staat voorbij. Maar in 1967 zou er voor Onafhankelijkheidsdag een speciaal concert plaatsvinden in het grote stadion aan de kust bij Tel Aviv. De grootste attracties waren de Shadows, Nana Mouskouri en Pete Seeger. Overal in het land waren podia opgericht, werd er gedanst en vuurwerk afgestoken. En in Jeruzalem hield het leger een parade. De vn meenden dat de spanning tussen Israël en Jordanië te veel zou toenemen door deze militaire parade. Generaal Bull, de commandant van de militaire waarnemers van de untso en de hoogste vertegenwoordiger van de vn in Jeruzalem, werd daarom afgeraden hem bij te wonen. De meeste buitenlandse ambassadeurs sloegen de uitnodiging beleefd af. Ook de cia maakte zich zorgen en waarschuwde president Johnson: 'De parade is een duidelijke schending van de wapenstilstand van 1949 en kan tot vervelende incidenten in de verdeelde stad leiden.'

Twee parades

Op 14 mei, twee dagen na de waarschuwing van de Sovjets, wilden de officieren van het Egyptische militaire commandocentrum net gaan lunchen toen ze onverwacht nieuws kregen. De hoogste bevelhebber, veldmaarschalk Abd al-Hakim Amer, gaf opdracht tot mobilisatie van het leger. Het diende zich voor te bereiden op oorlog. Toen het hoofd operaties, luitenant-generaal Anwar al-Qadi, vroeg waarom, kreeg hij te horen dat de Syrische grens met Israël op springen stond. Amer liet een oorlogszuchtige 'gevechtsorder nummer 1' uitgaan. Er waren 'enorme troepenconcentraties langs de Syrische grenzen' gesignaleerd en Egypte zou pal staan. Luitenant-generaal al-Qadi was verbaasd en bezorgd. Hij zei tegen Amer dat het Egyptische leger niet klaar was voor een oorlog met Israël. De veldmaarschalk zei dat hij zich geen zorgen hoefde te maken. Hij wilde geen oorlog, maar een 'demonstratie' als reactie op de Israëlische dreigementen aan het adres van Syrië. Op 15 mei vertrok de stafchef, generaal Fawzi, naar Syrië, maar hij zag nergens Israëlische troepen. 'Ik zag geen concrete bewijzen voor de ontvangen informatie. Op luchtfoto's die op 12 en 13 mei door Syrische verkenningsvliegtuigen werden genomen, zijn geen afwijkingen van de normale militaire posities waar te nemen.'

Luitenant-generaal al-Qadi had gelijk. In mei 1967 was Egypte geen partij voor Israël. Er was eerder dat jaar vanwege economische problemen bezuinigd op het defensiebudget. De training, altijd al stiefmoederlijk bedeeld, had nog minder prioriteit gekregen. In 1967 zat meer dan de helft van het Egyptische leger in Jemen, waar een burgeroorlog woedde. De oorlog in Jemen had op het Egyptische leger dezelfde fnuikende uitwerking als de Vietnamoorlog op het Amerikaanse. Een van de beste Egyptische commandanten, generaal Abdel Moneim Khalil, zei over die oorlog: 'We leden enorme verliezen, het defensiebudget raakte uitgeput, discipline en training hadden te lijden, wapens en uitrusting verslechterden, moraal en gevechtskracht werden ernstig aangetast [...] Zo waren we heel slecht voorbereid op de strijd met het uitstekend getrainde en goed georganiseerde Israëlische leger.'

In 1967 hield het Egyptische opperbevel zich al vijf jaar onafgebroken met Jemen bezig. Het had niet geoefend of zich voorbereid op een oorlog met Israël. Eind 1966 beseften de militaire planners hoe slecht de zaken ervoor stonden. Ze waarschuwden dat er geen offensieve actie tegen Israël gepland moesten worden terwijl Egypte nog in Jemen vocht. Stafchef Fawzi keurde dit rapport goed, maar het werd in mei 1967 door Amer genegeerd. Hij verzekerde Nasser dat het leger als het nodig was tegen Israël kon vechten.

De troepen marcheerden demonstratief door de straten van Cairo voordat ze naar de Sinaïwoestijn en de Israëlische grens werden gezonden. Door dit openbare machtsvertoon werd de CIA in het vermoeden bevestigd dat het om een reactie ging op Israëlische dreigementen in de richting van Syrië. 'Nasser doet er alles aan om te laten zien dat de Israëliërs zijn defensiepact met Syrië serieus moeten nemen [...] Hij denkt waarschijnlijk dat hij uiteindelijk niet tegen de Israëliërs zal hoeven vechten, maar dat zijn prestige in de Arabische wereld een gevoelige knauw krijgt als hij werkeloos blijft toekijken wanneer Syrië weer op zijn donder krijgt van Israël.' Ook de Britten meenden dat de troepenbewegingen 'meer defensief en als afschrikking bedoeld waren, en om blijk te geven van solidariteit met de Syriërs na de Israëlische dreigementen'.

In Jeruzalem waren de politieke leiders en hoge militairen op weg naar de parade voor Onafhankelijkheidsdag. Ze kwamen samen in het chicste hotel van West-Jeruzalem, het King David. De grote zalen die over de Oude Stad uitkeken waren afgeladen. Rabin lichtte Esjkol in over de Egyptische troepenbewegingen. Er waren 's nachts nog meer eenheden naar de grens gestuurd. Israël zou reservisten moeten oproepen. 'We kunnen het zuiden niet zonder versterkingen laten zitten', waarschuwde Rabin. Ze maakten zich niet al te veel zorgen. In 1960 was er iets soortgelijks gebeurd toen Egypte tanks naar de Sinaï had verplaatst na problemen bij de Syrische grens. Ook Israël had toen versterkingen aangevoerd. Zo was de eer aan beide zijden gered en de crisis overgewaaid.

Het was tijd voor de parade. Er zaten 18.000 mensen te wachten in het Givat Ram-stadion in West-Jeruzalem. En er stonden 200.000 mensen langs de wegen, van wie sommigen al sinds zonsopgang. Esjkol, zijn vrouw Mirjam en Rabin werden langzaam door de volle straten naar het stadion gereden. Ze namen plaats op het podium waar ze een bescheiden parade van zo'n 1600 militairen langs zouden zien marcheren. Kolonel Israel Lior, Esjkols militaire adjudant, vond het net een optocht van de padvinderij. De parades op Onafhankelijkheidsdag werden gewoonlijk gebruikt om te laten zien hoe

sterk Israël militair was. Meestal trilden de straten door alle pantservoertuigen. Maar Israël had vanwege de internationale kritiek besloten geen tanks
aan de parade in Jeruzalem te laten meedoen. Voor het stadion zwaaiden demonstranten uit protest met kartonnen tanks.

Er werden telefoons onder de zitplaatsen van de hoogste Israëlische leiders geïnstalleerd. Die onder de stoel van generaal Yeshayahu Gavish rinkelde. Hij nam op en kreeg te horen dat het Egyptische leger oprukte in de
Sinaïwoestijn. Hij verliet zo snel mogelijk de parade en reed naar zijn hoofdkwartier in Beersheba.

UNEF

Twee dagen na de gok om te mobiliseren raakte Egypte nog verder in een
crisis verzeild. Er was een koerier van Cairo naar de Gazastrook gestuurd met
nieuws voor generaal Indar Jit Rikhye, de bevelhebber van de vn-vredestroe-
pen, de United Nations Emergency Force (UNEF). De UNEF zat al meer dan
tien jaar in de Gaza en de medewerkers hadden er een prettig bestaan opgebouwd. Als ze niet op patrouille waren of op waarnemingsposten zaten, dan
vermaakten ze zich op de mediterrane stranden of in de duinen, speelden ze
squash of tennis, zaten ze in de mess of in de bar. De UNEF had zelfs een golfbaan laten aanleggen op een vliegveldje dicht bij de Middellandse Zee. Het
was geen klassieke duingolfbaan. Ze speelden op stukjes deurmat die hun Palestijnse caddies voor hen meesjouwden. Toch had Rikhye, die generaal was
in het Indiase leger, op 16 mei echt zin in een partijtje golf. Het was warm,
drukkend en bewolkt, en hij hoopte dat er een briesje vanuit zee zou opste-
ken. Maar bij de eerste tee ging de telefoon. Het was generaal Ibrahim Sharkaway, stafchef van het Egyptische liaisonteam dat het contact met UNEF verzorgde. Er was een speciale koerier onderweg en generaal Rikhye moest zich
gereedhouden hem te ontvangen. Rikhye was trots op zijn groep van 1400
lichtbewapende vredeshandhavers. De UNEF was oorspronkelijk ingezet om
na de oorlog van 1956 toezicht te houden op de aftocht van Britse, Franse en
Israëlische troepen uit Egypte. Na hun vertrek bleef de UNEF echter op zijn
post en kreeg een nieuwe rol als symbolische buffer aan de grens. Egypte beloofde vijfhonderd meter achter de grens te blijven die bij de wapenstilstand
was overeengekomen en tweeduizend meter achter de oude internationale
grens tussen Egypte en Palestina. De ruimte ertussenin was het terrein van
UNEF. Israël wilde de vredesmacht niet binnen de landsgrenzen hebben.

Rikhye besloot zijn partijtje af te breken. Dat had hij beter niet kunnen
doen, want het was zijn laatste kans op deze golfbaan en de koerier zou pas die
avond om tien uur aankomen. De generaal ging 's avonds naar het kantoor
van Sharkaway, een kakikleurig gebouw dat achter het witgeverfde UNEF-

hoofdkwartier lag, en besefte meteen dat het om iets heel belangrijks ging. De koerier was een brigadegeneraal genaamd Eiz-El-Din Mokhtar. Hij overhandigde Rikhye een brief.

Bevelhebber UNEF (Gaza)

Ter informatie: Ik heb de strijdkrachten van de Verenigde Arabische Republiek [Egypte] opdracht gegeven zich voor te bereiden op militaire acties tegen Israël en aan te vallen zodra dit land daden van agressie pleegt tegen een Arabisch land. Vanwege deze instructies zijn onze troepen reeds geconcentreerd in de Sinaï aan onze oostelijke grens. Ik verzoek u, voor de veiligheid van de VN-troepen die waarnemingsposten langs onze grenzen bemannen, deze troepen meteen terug te trekken. Instructies over deze kwestie zijn reeds doorgegeven aan de bevelhebber van de oostelijke zone. Gaarne terugrapporteren over uitvoering van dit verzoek.

Hoogachtend,
Farik Awal (M. Fawzi)
Stafchef Verenigde Arabische Republiek

Nasser en Amer hadden in 1964 al overlegd over de mogelijkheden zich van de UNEF te ontdoen. In december 1966 stuurde Amer vanuit Pakistan een gecodeerde boodschap aan Nasser waarin hij er weer op terugkwam. Ze hadden te lijden onder de kritiek van Jordaanse radiostations die Egypte ervan beschuldigden zich achter de UNEF te verschuilen en de vredesmacht als excuus te gebruiken om niet voor de andere Arabische landen op te komen. Amers boodschap uit Pakistan was openbaar genoeg om te worden opgepikt door Britse diplomaten in Jordanië. Toch was Rikhye volkomen ondersteboven van het nieuws dat hij ontving. 'Verschrikkelijk... oorlog is onvermijdelijk.' Hij wilde de Egyptische officieren vertellen dat ze op een ramp afstevenden, maar in plaats daarvan zei hij alleen stijfjes dat hij de boodschap door diende te geven aan de secretaris-generaal van de VN, Oe Thant. Daarna dronken ze koffie, zoals de Arabische gastvrijheid voorschreef. Rikhye vroeg of ze beseften waaraan ze begonnen. 'Zeker, meneer!' antwoordde Sharkaway. 'We hebben dit besluit na rijpe beraadslaging genomen en zijn op alles voorbereid. We zien elkaar tijdens de oorlog weer in Tel Aviv.'

Rikhye ging terug naar zijn hoofdkwartier om naar New York te telegraferen. Daarna riep hij de hogere VN-medewerkers ter plaatse bijeen. Het was al ver na middernacht. 'Generaal, waarom komen we bij elkaar?' vroeg een van hen. 'Is het oorlog?' 'Nog niet,' antwoordde Rikhye, 'maar het zal niet lang meer duren.'

De Syriërs waren opgetogen over deze ontwikkeling. De Britse ambassadeur in Damascus dacht dat de Syriërs bij een Israëlische aanval de Egyptenaren 'er goedschiks dan wel kwaadschiks bij wilden betrekken'. De Syrische minister van Buitenlandse Zaken Makhus bracht een bezoek aan Cairo en kwam terug met de mededeling dat de progressieve krachten nu echt een eenheid vormden. Dit was een code waarmee de Syriërs blijk gaven van hun tevredenheid dat Egypte nu ook in de frontlinie lag.

Poppenkast

Aanvankelijk had het Israëlische leger opmerkelijk veel begrip voor het Egyptische optreden. Nog steeds in de ban van het Syrië-syndroom, concentreerde het zich vooral op Damascus. Op 17 mei zat Shlomo Gazit, hoofd analyse van de militaire inlichtingendienst, in Tel Aviv ontspannen aan de eettafel, waarvan de borden net waren afgeruimd. Ja, zo gaf hij toe tegenover de Amerikaanse diplomaten die zijn gastheren waren, het Israëlische leger was verrast door de aanval. Maar het was eigenlijk niet meer dan een 'uitgebreide poppenkast'. Het zou pas ernst worden als Egypte de Straat van Tiran blokkeerde en daarmee de havenstad Eilat afsloot. Dan zou het meteen oorlog zijn. De Israëlische pers hield zich aan het standpunt van het leger dat inhield dat Nasser een psychologisch spelletje speelde om indruk te maken op de Syriërs. De militaire attachés van alle belangrijke ambassades in Israël probeerden de troepenconcentraties te ontdekken die volgens Egypte een bedreiging vormden voor Syrië, maar ze vonden niets.

Abba Eban, de Israëlische minister van Buitenlandse Zaken, waarschuwde dat 'een ongewenste keten van gebeurtenissen' tot ongelukken kon leiden die misschien oorspronkelijk helemaal niet de bedoeling waren. Eban wilde wachten tot Londen en Washington een diplomatieke strategie hadden ontwikkeld 'alvorens unilaterale actie te ondernemen'. Maar andere leden van de regering waren minder geduldig. Zij meenden dat er geen diplomatieke uitweg was. De Amerikanen verwachtten half dat Israël tot militaire actie zou overgaan en deden wat ze konden om dit te voorkomen. Johnson schreef op 17 mei aan premier Esjkol: 'Ik vraag u met klem [...] niet aan acties te beginnen die het geweld en de spanning in uw gebied verder doen toenemen. [...] Namens de Verenigde Staten kan ik geen verantwoordelijkheid aanvaarden voor situaties die ontstaan ten gevolge van handelingen waarover wij niet zijn geconsulteerd.' Om de pil te vergulden werd er een pakket hulpgoederen gestuurd dat al veel eerder geleverd had zullen worden.

Propaganda

Nasser zag veel eerder dan de meeste politici van zijn generatie in hoe belangrijk de media waren. De Egyptische radiozenders bazuinden zijn daden trots in het hele Midden-Oosten rond. Veruit de invloedrijkste zender was Saut al-Arab, de 'Stem van de Arabieren', die met behulp van vier in Tsjecho-Slowakije gemaakte zenders van 150.000 watt vanuit Cairo de hele Arabische regio bestreek. Als deze zender ergens aandacht aan besteedde, werd dit onderwerp automatisch belangrijk. De Britten waren daarom bijvoorbeeld bezorgd en boos over een programma dat elke avond op de radio was waarin hun aanwezigheid in de Golfstaten werd bekritiseerd. Een journalist van Reuters zei geruststellend tegen Anthony Parsons, de Britse regeringsadviseur in Bahrein, dat het programma gemaakt werd in een 'haveloze ruimte met vijf stoelen en een tafel in een vervallen gebouw in Cairo'. Maar dat deed er niet toe. Het feit dat het door Saut al-Arab werd uitgezonden maakte het gevaarlijk.

Terwijl Egypte vaak chaotisch was en belangrijke legereenheden onderbemand en slecht getraind waren, kreeg Radio Cairo voldoende geld en was alles er uitstekend georganiseerd. Er waren lessen getrokken uit de oorlog van 1956, toen de RAF de Egyptische radiozenders hadden gebombardeerd. Nu beschikten ze over een jaarlijks bijgewerkte handleiding met precieze instructies voor wat ze moesten doen als het oorlog werd. Er bestonden eventualiteitenplannen voor het geval de ultramoderne radio- en televisiestudio's aan de Nijl werden gebombardeerd. Radio Cairo was het best op de oorlog voorbereide onderdeel van Nassers regime.

De stem van Ahmed Said, de belangrijkste politieke commentator van Saut al-Arab, was de bekendste van de Arabische wereld na die van Nasser zelf en die van de legendarische Egyptische diva Umm Kulthum. In de Golfstaten werden radio's ook wel 'Ahmed Said-kistjes' genoemd. In 1959 waren er 850.000 radio's in Egypte en een half miljoen in Marokko. Ze stonden in cafés of op het dorpsplein, zodat één radio vaak door een man of tien werd beluisterd. Voor het eerst bestond er een openbare mening in de Arabische wereld.

Het probleem voor de Arabieren was dat Ahmed Said en zijn collega's al te overtuigend waren. Naarmate de oorlog in 1967 naderbij leek te komen werd de toon van Saids uitzendingen oorlogszuchtiger. Zijn luisteraars geloofden zijn verhalen over een gemakkelijke overwinning. Said meende dat hij voor de Arabieren de rol kon spelen die de BBC tijdens de Tweede Wereldoorlog voor het bezette Europa had gespeeld: 'Je vraagt mensen om te vechten, niet om te dansen. Ik moest de soldaten motiveren. Velen van hen hadden een radio. En we vroegen de Arabische wereld ons te steunen [...] Wij meenden dat de uitzendingen ons krachtigste wapen waren [...] veel van de luisteraars waren analfabeet, dus was de radio het belangrijkste medium om hen te bereiken.'

Arabieren zeggen vaak dat de uitzendingen van toen vooral uit slogans en retoriek bestonden die niet bedoeld waren letterlijk te worden genomen. Maar in 1967 lieten zelfs Arabische luisteraars met voldoende opleiding om beter te kunnen weten zich door alle opwinding meeslepen. De grote massa der Arabieren, vooral de ontheemde Palestijnen in de vluchtelingenkampen, geloofden alles wat Ahmed Said en zijn collega's zeiden. Toen ze keihard met de werkelijkheid werden geconfronteerd, maakte het vertrouwen in hun leiders de nederlaag des te traumatischer.

Een gok

Nasser had hoog ingezet. Volgens de Amerikanen was het 'massaal machtsvertoon dat, als het succes heeft, de grootste overwinning sinds de Suezcrisis zal worden, ook al wordt er geen enkel schot gelost [...] als de Israëliërs niet terugslaan, zal Nasser hen hebben teruggedrongen en de eerste Arabische overwinning op Israël hebben behaald, en trouwens ook op de VS, in Arabische ogen [...] Hij probeert duurzaam voordeel te behalen, daarin moeten we ons niet vergissen.'

De volgende dag, maandag 22 mei, verdubbelde Nasser de inzet. Israël had hem rustig laten bluffen toen hij het leger mobiliseerde en de Sinaï versterkte. Maar nu verbood hij Israëlische schepen nog langer gebruik te maken van de Straat van Tiran, die toegang gaf tot de Golf van Akaba, waarmee de blokkade van de havenstad Eilat, die in 1956 was opgeheven, opnieuw werd ingesteld. Nasser koos een luchtmachtbasis in de Sinaïwoestijn als de plek om dit nieuws aan te kondigen. 'Geen Israëlische vlag zal de Golf van Akaba nog passeren', zei hij. 'Onze soevereiniteit over de toegang tot de Golf is onbetwistbaar. Als Israël met oorlog wil dreigen, laat ze dan maar komen.'

Bij de persbureaus ging een foto rond van Nasser, opgewekt als altijd, omringd door al even opgewekte jonge piloten. Sommige droegen een pak om zich tegen luchtdrukverschillen te beschermen, dat ze normaalgesproken in de cockpit aanhadden. Op de korrelige zwart-witfoto schitterden hun tanden extra wit. De foto werd de hele wereld rondgestuurd. Het was een beeld van hoe Nasser zichzelf graag zag: als de leider van de Arabieren die de joodse staat uitdaagde, omringd door hoog opgeleide experts die klaarstonden om in actie te komen. Nasser ziet er opgewonden uit, als een kind dat helemaal ondersteboven is van wat hij net heeft gepresteerd.

Tweeënveertig minuten na het rapport uit Cairo liet Johnson Nasser een brief sturen waarin stond dat de Verenigde Staten Egypte niet onvriendelijk gezind waren en halfslachtig werd gesuggereerd dat Washington wel degelijk oog had voor Nassers problemen. Het belangrijkste deel van de brief ging over een eventueel bezoek door vice-president Hubert Humphrey, 'mits we deze dagen zonder vijandelijkheden doorkomen'. Johnson wilde geen nodeloze plichtplegingen en streepte de woorden 'met het grootste respect' door alvorens de brief goed te keuren.

De aankondiging van de blokkade bracht Oe Thant, de secretaris-generaal van de VN, in verlegenheid. Hij was voor een verlate vredesmissie per vliegtuig onderweg naar Cairo toen hij het nieuws hoorde. Toen zijn toestel van Pan American op Cairo International Airport op het platform tot stilstand kwam, werd het groepje dat hem officieel kwam verwelkomen verdrongen door een grote menigte die slogans schreeuwde en Nasser verheerlijkte. De meute drong het platform op om Oe Thant te verwelkomen en de wachtende journalisten verlieten het voor hen bestemde gedeelte om zich bij hen te voegen. Generaal Rikhye keek vol afgrijzen toe terwijl Mahmoud Riad, de Egyptische minister van Buitenlandse Zaken, zich een weg naar hen toe vocht, 'langs zwetende, deinende, armenzwaaiende lijven'.

Op de avond van 24 mei dineerden Oe Thant en generaal Rikhye in Nassers villa in het militaire kwartier van Cairo. Nasser woonde daar al sinds begin jaren vijftig, toen hij als jonge luitenant-kolonel complotten smeedde om aan de macht te komen. Hij zat nog steeds in dezelfde, betrekkelijk bescheiden woning, hoewel er een vleugel aan was gebouwd die als kantoor en officiele ontvangstruimte dienstdeed. De VN-delegatie werd ontvangen in een ruimte die gemeubileerd was met gouden stoelen en sofa's in Louis XIV-stijl, die erg populair was bij de Cairese middenklasse. Nasser was op de gebruikelijke manier charmant en verklaarde ontwapenend dat hij de Straat van Tiran opzettelijk voor de komst van de secretaris-generaal had laten afsluiten, omdat hij wist dat deze hem zou verzoeken die open te houden. Hij was niet uit op oorlog. Hij wilde alleen dat Egypte terugkreeg wat het land in 1956 was kwijtgeraakt toen het slachtoffer werd van de Britse, Franse en Israëlische agressie. Hij hechtte geen geloof aan de Amerikaanse verzekering dat Syrië niet door Israël zou worden aangevallen. De CIA wilde hem vermoorden en de VS hadden hoe dan ook bijna hetzelfde gezegd toen Egypte in 1956 door Israël werd aangevallen.

Nasser ging hen voor naar de eetkamer. De muren hingen vol familiefoto's. Tijdens het eten gaf hij toe dat er in de lagere rangen van het leger wel sprake was van enige 'roekeloze bravoure'. Maar op hoger niveau was men realistisch, zei hij. Egypte was in 1956 verslagen. Dat was nog maar kort geleden. Maar het leger zou zijn taken uitvoeren als dat nodig was. Hij beloofde Oe Thant hetzelfde als hij de Sovjets en Amerikanen had beloofd: Egypte zou niet als eerste schieten, maar als het werd aangevallen, zou het zich verdedigen. Na afloop van het diner ging Oe Thant terug naar zijn suite in het Hilton Hotel, die uitkeek over de brede Nijl en de lichten van de hoofdstad, en overlegde daar met zijn adviseurs. Als ze de blokkade niet op een of andere manier konden omzeilen was oorlog onvermijdelijk.

Generaal Yariv, het hoofd van de Israëlische militaire inlichtingendienst, belde in de vroege morgen van 23 mei naar Rabin om hem te vertellen dat Nasser de doortocht naar Eilat weer had geblokkeerd. Rabin was ziek van bezorgdheid. Het nieuws stond in de ochtendkranten en niemand deed meer of het om poppenkast ging. Het populaire dagblad *Maariv* vergeleek Nasser met Hitler en schreef dat hij de oorlog had verklaard. Volgens *Yediot Aharonoth*, het andere grote dagblad, was 'de beslissende dag' gekomen. 'De grootmachten laten de landen die zwak lijken in de steek en moedigen landen aan die ze als sterk beschouwen.' Dit hadden ze ook in 1938 in München gedaan toen Hitler Tsjecho-Slowakije wilde aanvallen.

Rabins verantwoordelijkheid

De dag nadat Nasser de blokkade van de Straat van Tiran instelde, besloten Esjkol en het kabinet tot volledige mobilisatie van de Israëlische strijdkrachten. Israël was daar goed op getraind. Binnen 48 uur konden 250.000 man gevechtsklaar zijn. Israëlische soldaten worden aan het eind van hun verplichte militaire dienst ingedeeld bij een eenheid reservisten, die jaarlijks wordt opgeroepen voor training en in geval van oorlog wordt gemobiliseerd. De mobilisatie begon met een telefoontje naar de bevelhebbers van de belangrijkste eenheden. Een bevelhebber die in het burgerleven advocaat was, meldde zich met zijn eigen secretaresse en chauffeur en 'was binnen negentig minuten bezig zijn brigade vanuit de kaartenbak op de been te krijgen'. De bevelhebbers belden de officieren, die de onderofficieren belden, die op hun beurt weer de soldaten belden. Er werden auto's en vrachtauto's op uitgestuurd om van deur tot deur soldaten op te halen. Er werden ook manschappen opgeroepen door middel van codewoorden die door de radio werden uitgezonden. De Israëlische schrijver Abba Kovner, die tijdens de Tweede Wereldoorlog de opstand van de joden in het getto van Vilna leidde, maakte het mee.

Ik leunde over de toonbank van de krantenkiosk, en op het moment dat de krantenverkoper zijn hand uitstrekte naar de krant die ik gevraagd had, werd zijn aandacht getrokken door de stem. Meteen sperde hij zijn ogen wijd open. Hij keek door me heen in plaats van naar me en zei met verbaasde stem: 'Hé, ze hebben mij ook opgeroepen.' Hij rolde zijn kranten op en vertrok. Het winkelmeisje uit de zaak ertegenover kwam bruusk naar buiten, bleef voor de deur staan, trok nerveus haar bloes recht, klapte haar handtas dicht en liep weg. Een groep mannen schoolde samen rond een transistorradio in het midden van een grasperk. Toen een van hen de radiopresentator zijn codewoord hoorde noemen, maakte hij zich los van de groep en vertrok [...] er daalde een unieke stilte neer over het stadje.

Binnen een paar dagen waren de meeste Israëlische mannen van beneden de vijftig in uniform. Bij sommige eenheden meldde honderd procent van de manschappen zich. Bejaarde mannen verschenen bij kazernes om te vragen of ze mee konden vechten. Een hardnekkige 63-jarige veteraan uit het Britse leger kreeg van de mannen van zijn vroegere eenheid te horen dat ze hem alleen terugwilden als hij hun een jeep kon bezorgen. De dag daarop verscheen hij met een jeep die hij bij Hertz had gehuurd.

Door de volledige mobilisatie leek de oorlog veel dichterbij gekomen, want door de uittocht van mannen was de economie bijna tot stilstand gekomen, en Israël kon het niet lang stellen zonder economie. De kranten schreven vol lof over de Israëlische burgers 'die weigeren in paniek te raken'. Maar toen Nasser de Straat van Tiran liet blokkeren, sloegen Israëlische huisvrouwen aan het hamsteren. Op 23 mei was er 's avonds in de meeste supermarkten niets meer te krijgen. Een columnist schreef over 'hongerige beesten die zich op de schappen met blikjes storten [...] gieren met boodschappentassen die zo vol zijn dat ze over de vloer slepen'. Sommige winkeleigenaren verdienden goudgeld door hun prijzen te verhogen. De overheid opende haar magazijnen en zorgde dat de winkels weer vol voedsel kwamen te liggen. Er volgden nog een paar dagen van furieus hamsteren, maar tegen de 26ste was de situatie weer normaal.

Rabin werd ondertussen bijna verpletterd onder de druk. De man die verantwoordelijk was voor de planning van de campagne, maakte een ernstige crisis door. Hij was er, ondanks alle militaire bewijzen van het tegendeel, van overtuigd dat hij Israël de afgrond in leidde. Urenlang vergaderde hij met het kabinet en de militaire elite, waarbij veel werd geschreeuwd en ruzie gemaakt. Sommigen wilden oorlog. Anderen konden niet geloven dat het Israël niet was gelukt de crisis af te wenden. Rabin rookte het ene na het andere pakje sigaretten en sliep nauwelijks. Op 23 mei, na een hectische dag die om vier uur 's morgens begon, besloot hij een bezoek te brengen aan David Ben-Gurion die in 1948 leiding had gegeven aan de onafhankelijkheidsstrijd. Hij had op advies of troost gehoopt, maar in plaats daarvan schreeuwde Ben-Gurion tegen hem: 'Jij hebt de staat in deze gevaarlijke situatie gebracht. Het is jouw schuld! We kunnen geen oorlog beginnen. We zijn helemaal geïsoleerd!'

Rabin was geschokt. Haim Shapira, de minister van Binnenlandse Zaken en leider van de Nationale Religieuze Partij, had tijdens de kabinetsvergadering geschreeuwd: 'Hoe durf je een oorlog te beginnen? Hoe durf je? We moeten ons ingraven!' En nu zei Ben-Gurion, de meest gerespecteerde man van Israël, hetzelfde.

'En als hij nu eens gelijk heeft?' vroeg Rabin zich af terwijl hij voor zijn huis heen en weer liep.

Hij was uitgeput en gek van ongerustheid. Toen hij weer binnen was, stortte hij volledig in. Om acht uur 's avonds belde hij zijn plaatsvervanger, het hoofd van de generale staf generaal Ezer Weizman, en vroeg hem onmiddellijk bij hem langs te komen. Toen Weizman binnenkwam, zat Rabin als een gebroken man op het puntje van zijn sofa. Hij zei dat hij fouten had gemaakt, dat het zijn schuld was dat Israël nu 'de grootste en moeilijkste oorlog ooit' moest voeren. Toen vroeg hij of Weizman de functie van stafchef van hem wilde overnemen. Weizman wilde graag stafchef worden, maar antwoordde dat hij zijn aanbod niet kon accepteren (en Rabin zijn functie niet zelf kon overdragen). Hij zei tegen Rabin dat hij zich moest vermannen. Door zijn ontslag zouden de politici nog meer gaan aarzelen over de oorlog. Het zou Nasser in de kaart spelen, een zware slag betekenen voor de Israëlische troepen en hemzelf de rest van zijn leven parten blijven spelen.

Tien jaar later schreef Rabin zijn instorting toe aan 'een combinatie van spanning, uitputting en de enorme hoeveelheid sigaretten die ik de dagen ervoor had gerookt (ik had twee keer eerder een zware nicotinevergiftiging gehad). Maar het was meer dan de nicotine die me de das omdeed. Het schuldgevoel waardoor ik toen geplaagd werd, was op 23 mei ondraaglijk geworden. Ik kon Ben-Gurions woorden niet vergeten: jij draagt de verantwoordelijkheid...'

Rabin heeft nooit verteld waarover hij zich zo schuldig voelde. Misschien was het zijn eigen beleid aan de Syrische grens dat de agressie aanmoedigde. Rabin was een introverte man die zijn zorgen voor zich hield. Hij sprak er niet eens met zijn vrouw Leah over. Ze schreef na zijn dood dat het vooruitzicht van duizenden doden 'een verpletterende last' voor hem was. Ruhama Hermon, die Rabins kantoor leidde, denkt dat hij instortte omdat hij zich in een geïsoleerde positie bevond. 'De politici aarzelden verschrikkelijk en de generaals waren vastberaden en besluitvaardig. Rabin zat daar tussenin. Toen hij terugkwam van zijn bezoek aan Ben-Gurion, was er nog een zware molensteen om zijn nek bijgekomen. Zijn schouders zakten elke dag wat meer naar beneden. Hij stuurde jonge mannen de oorlog in en hij wist niet hoevelen er niet zouden terugkomen...'

Als Rabin eens had geweten... De blokkade was niets dan bluf, zoals zoveel in het Egypte van Nasser in 1967 bluf was. Brigadegeneraal Abdel Moneim Khalil was op 19 mei met vierduizend paratroepers naar Sharm el Sheikh gestuurd. Op 22 mei kreeg hij vanuit Cairo opdracht een blokkade in te stellen, maar hij vond de opdracht tegenstrijdig en onuitvoerbaar. Hij diende Israëlische koopvaardijschepen met een schot voor de boeg tot stoppen te dwingen. Er was een krachtige batterij artilleriegeschut aan de kust geïnstalleerd, maar verder dan dat ging de blokkade niet. Generaal Khalil diende alle marineschepen te laten passeren, zelfs Israëlische. Koopvaardijschepen die in konvooi voeren en door de marine werden geëscorteerd, moesten eveneens worden doorgelaten.

Klaar voor de strijd

De Israëlische generaals meenden dat oorlog onvermijdelijk was. Ze hadden vertrouwen in de overwinning en wilden daarom de knoop doorhakken. Eind mei zei een commandant tegen zijn paratroepers dat ze tegen dezelfde legers zouden vechten als in 1956, 'met dezelfde diepe kloof tussen officieren en manschappen, dezelfde inferieure gevechtshouding, dezelfde neiging te desintegreren zodra er iets misgaat in hun planning [...] Ze zullen al snel instorten, zoals hun broeders dat tien en twintig jaar geleden ook deden.'

In 1967 had Israël veruit het beste leger van het hele Midden-Oosten. Uit Amerikaanse en Britse militaire inlichtingenrapporten blijkt dat Israël nooit ook maar een moment echt in gevaar was. De Arabische landen hadden gezamenlijk meer wapens dan de Israëliërs, maar waren niet in staat een goed offensief op te zetten. De enige manier waarop het Israëlische leger had kunnen verliezen, was door niet te vechten.

Door vijftien jaar hard werken was het Israëlische leger de snelle, mobiele strijdmacht geworden die men in de jaren vijftig voor ogen had gehad. De infanterie en de zware wapens konden snel worden verplaatst en de bevelsstructuur was gestroomlijnd. De land-, zee- en luchtmacht waren volledig geïntegreerd, in tegenstelling tot wat in 1967 bij de meeste westerse legers het geval was. Ze werden aangestuurd vanuit één hoofdkwartier, dat onder leiding stond van stafchef Rabin. Egypte had ongeveer evenveel tanks, pantserwagens, artilleriegeschut en mobiele kanonnen, terwijl Jordanië, Syrië en Egypte samen ongeveer twee keer zo veel zware wapens hadden als Israël. Egypte en Israël hadden ongeveer evenveel gevechtsvliegtuigen, maar Egypte twee keer zo veel bommenwerpers. Dat overwicht werd echter tenietgedaan 'door de superieure training en doelmatigheid van de Israëliërs' en door de aanvalsmogelijkheden van hun luchtmacht. Israël had nog meer voordelen. Het kon sneller en effectiever troepen in de strijd werpen dan de Arabische legers. Het volledige Israëlische leger van zesentwintig brigades (waaronder vier pantserbrigades en vier gemechaniseerde) kon binnen 48 uur worden gemobiliseerd. In die tijdspanne kon Egypte maximaal tien brigades mobiliseren, Syrië zes en Jordanië acht. Maar tegen die tijd moest de oorlog volgens de Israëlische plannen al voorbij zijn.

Net voordat de oorlog uitbrak, meenden de gezamenlijke Amerikaanse stafchefs dat Israël nog minstens vijf jaar militair onverslaanbaar was door welke combinatie van Arabische landen dan ook. 'Met de huidige training en uitrusting is het Israëlische leger wat betreft doelmatigheid en vuurkracht verre superieur aan alle potentiële tegenstanders, afzonderlijk of tezamen.' Volgens een ander rapport dat van vlak voor de oorlog dateert, afkomstig van het Amerikaanse National Military Command Center, had Israël 'het doelmatigste leger van het hele Midden-Oosten. Het is hoog opgeleid, heeft betrekkelijk jonge bevelhebbers, is zeer gemotiveerd en vaderlandslievend. Veel officieren en onderofficieren hebben gevechtservaring. Het Israëlische leger moet in staat worden geacht de strijdkrachten van elk van de Arabische buren afzonderlijk of in combinatie te verslaan. Het zou zelfs de opmars van grondtroepen van een grootmacht aanzienlijk kunnen vertragen.' Het rapport voorspelde correct de tactiek die Israël zou gebruiken: 'Israël, dat minder gevechtsvliegtuigen heeft dan de tegenstanders en over onvoldoende terrein en bases beschikt voor een adequate spreiding, zal preventieve aanvallen moeten uitvoeren om een overwichtsituatie in de lucht tot stand te brengen. Israël kan met een verrassingsaanval de Egyptische en Syrische vliegtuigen en faciliteiten zo veel schade toebrengen dat er geen doelmatige aanvalsacties meer mee uitgevoerd kunnen worden.' Zelfs als de Israëliërs hun luchtmacht uitsluitend defensief zouden gebruiken, 'zijn ze in de lucht waarschijnlijk even sterk'.

De schattingen van de Britten kwamen hiermee overeen. Zes weken voor het begin van de oorlog vergeleek de Joint Intelligence Committee van het Britse kabinet de strijdkrachten van Israël met die van de belangrijkste Arabische vijanden, Egypte, Jordanië en Syrië. Israël kwam in alle opzichten als sterkste uit de bus. Volgens het onderzoek was het 'onvoorstelbaar' dat de Arabieren hun doelmatigheid en moraal zodanig zouden verbeteren dat ze Israël konden verslaan. De Britse defensieattaché in Tel Aviv, een beroepsmilitair, meende dat 'het Israëlische leger wat betreft bevelhebbers, training en krijgsmachtonderdelen beter dan ooit tevoren voorbereid is op oorlog. De Israëlische soldaat is goed getraind, gehard en zelfstandig; hij heeft de juiste gevechtshouding en is graag bereid oorlog te voeren om zijn land te verdedigen.' Voordat generaal Rabin door paniek werd overmand, vond ook hij zijn land goed verdedigd. 'Israël is nog vele jaren verzekerd van superioriteit', schreef hij. De Britse inlichtingendiensten vonden de inschatting van generaal Rabin 'behoudend'.

Het grote strategische doel van Israël was de ontwikkeling van een kernwapen. In 1967 verdachten de Amerikanen de Israëliërs ervan reeds een bom te hebben gebouwd. Israël had een contract voor de aanschaf van MD-620-grondraketten van de Franse firma Dassault. In 1967 was er nog niet één geleverd, maar de Amerikanen gingen er vanuit dat de raketten aangeschaft werden om met kernkoppen te worden uitgerust. De Israëliërs lieten de Amerikanen geregeld voor inspectie toe tot hun kerncentrale bij Dimona in de Negev-woestijn. Ze vonden hier geen bewijzen dat er bommen werden gemaakt, maar maakten zich wel zorgen dat dit elders gebeurde. Hun achterdocht werd nog vergroot doordat de Israëliërs weigerden te zeggen wat er was gebeurd met de 80 tot 100 ton uranium die ze in 1964 van Argentinië hadden gekocht. Ze dachten dat Israël een chemische isotopenscheidingsfabriek had, een belangrijke stap in de ontwikkeling van een atoombom. Als Israël in mei 1967 al geen kernwapen had, was het land volgens de Amerikanen ten minste heel snel in staat er een te bouwen. De topmilitairen en hoofden van inlichtingendiensten verschilden van mening over deze conclusie. De directeur van de CIA, Richard Helms, wist zeker dat er geen kernwapens in het gebied waren, terwijl generaal Earle Wheeler, voorzitter van de gezamenlijke stafchefs, sceptisch was.

De Egyptenaren waren niet in staat een kerncentrale, laat staan een kernwapen te bouwen. In de jaren vijftig had Egypte een aantal Duitse natuur- en scheikundigen ingehuurd om een Arabisch superwapen te ontwikkelen. Maar die waren in 1967 vertrokken en de Egyptische superwapens waarover zoveel ophef was gemaakt, waren op zijn best mooie rekwisieten bij militaire parades. Experts van het Amerikaanse National Military Command Center analyseerden de Egyptische sterkte aan de vooravond van de oorlog. Ze kwamen tot de conclusie dat het Egyptische leger in de verdediging zou blijven. Hoewel het anderhalf keer zo veel tanks had, achtten ze dit 'onvoldoende om een succesvolle aanval op de Israëliërs te kunnen uitvoeren als ze niet tevens overwicht in de lucht hebben'. De kwaliteit van de soldaten was een probleem. 'Het Egyptische leger kan vanuit een statische defensieve positie koppig verzet bieden, maar heeft moeite met de flexibele, snel veranderende mobiele oorlogsvoering die tegen de Israëliërs nodig zal zijn'. De Egyptenaren hadden ook 'chronische problemen' met de logistiek. 'De dienstplichtigen zijn vaak analfabeet en laten zich slecht opleiden tot monteur of reparateur.'

Eban

De Israëlische generaals wisten hoe sterk het Israëlische leger was en hoe zwak de vijandelijke strijdkrachten. Ze waren boos en gefrustreerd omdat ze van de politici niet in actie mochten komen, en kookten van woede toen minister van BZ Abba Eban naar Washington ging om met de Amerikanen een uitweg uit de crisis te zoeken. De generaals legden thuis de laatste hand aan de oorlogsplannen die ze kort daarop dachten toe te passen.

Abba Eban was in de hele wereld een bekend gezicht op de televisie. Zijn collega's vonden hem soms irritant en pompeus, vooral voor de televisie, waarop hij opvallend graag verscheen. Sinds 1948 was hij het publieke gezicht van de Israëlische diplomatie, aanvankelijk als de eerste Israëlische ambassadeur bij de VN en vervolgens als ambassadeur in Washington. Hij werd in 1915 in Kaapstad als Aubrey Solomon geboren, maar groeide op in Groot-Brittannië. Hij genoot een klassieke opvoeding in Londen, studeerde in Cambridge cum laude af in de Klassieke en Oosterse talen. Het was een lange, volumineuze man met een grote algemene ontwikkeling. Ebans zionistische kwalificaties waren net zo uitgebreid als zijn academische. Toen hij twee was, vertaalde zijn moeder de Balfour-declaratie over de belofte van een joodse staat in Palestina in het Frans en het Russisch. Eban werd een actieve zionist, maar toen hij in 1942 zijn eerste bezoek aan Jeruzalem bracht, was hij majoor in het Britse leger en verbindingsofficier tussen de Britse commandotroepen en het joods agentschap voor Palestina.

Eban kwam op donderdag 25 mei in Washington aan, na tussenstops in Parijs en Londen. In Parijs werd Ebans argument dat Nasser de vijandelijkheden was begonnen door de Straat van Tiran af te sluiten weggewimpeld door president Charles de Gaulle. Hij zei dat Israël niet het eerste schot mocht lossen. In Londen sprak hij in de Cabinet Room van Downing Street 10 met premier Harold Wilson, die een pijp opstak en een stuk tegemoetkomender was. Beide landen bleven wapens leveren aan Israël. Een paar dagen daarvoor had Groot-Brittannië voorgesteld een einde te maken aan de crisis door samen met de Amerikanen een internationale vloot te vormen die de Straat van Tiran open kon houden. Alleen het dreigement al zou Nasser op andere gedachten brengen, hoopten ze.

Eban dacht uitgebreid na tijdens de zeven uur durende vlucht over de Atlantische Oceaan. Hij wilde vooral vermijden dat Israël na een eventuele oorlog te boek zou staan als agressor en gedwongen zou worden de veroverde gebieden terug te geven, zoals in 1956 was gebeurd. Als Israël aan een oorlog begon, dan moesten de Amerikanen er toestemming voor geven. Op het vliegveld stond de grootste menigte journalisten en cameramensen die hij ooit had gezien hem op te wachten. Ze vroegen of hij Amerikaanse soldaten kwam vragen hun leven te wagen voor Israël – wat een belangrijke kwestie was, want de Verenigde Staten hadden al een half miljoen soldaten in Vietnam. Nee, antwoordde Eban, hij wilde alleen dat Washington het Israëlische recht op zelfverdediging zou respecteren.

De Israëlische ambassadeur, Avraham Harman, bracht hem naar het Mayflower Hotel in het centrum van Washington. In de auto overhandigde hij hem een zeer geheim telegram van Esjkol. Eban las het. Het was schokkend nieuws, maar hij zei niets. In het hotel aangekomen, 'ijsbeerde hij geagiteerd door de kamers [...], las het telegram nogmaals, gooide het op tafel, zoals hij vaker deed met papieren die hem absoluut niet aanstonden, en riep op een bevelende toon die hem volkomen vreemd was: "Lees dit."' In het telegram stond dat Egypte binnen vierentwintig uur zou aanvallen. Esjkol schreef dat hij geen contact met Israël moest opnemen om de boodschap te bespreken, omdat dit te riskant was. In plaats daarvan diende hij president

Johnson meteen om 'praktische, ik herhaal praktische maatregelen' te vragen ten behoeve van de 'verwachte explosie'. Johnson moest in het openbaar verklaren dat een aanval op Israël als een aanval op de Verenigde Staten zelf opgevat zou worden. Maar Eban had op het vliegveld net tegen de wereldpers gezegd dat hij dat niet zou doen.

Terwijl Eban de oceaan overstak, zetten de Israëlische generaals en Yigal Allon, hun belangrijkste bondgenoot in het kabinet, premier Esjkol onder druk. Allon was minister van Arbeid, voormalig commandant van Rabin in de Palmach en een nationale held vanwege zijn optreden in de onafhankelijkheidsoorlog. De generaals en Allon vormden samen een machtige militaire lobby. Ze stonden te popelen om aan te vallen en wisten zeker dat Israël zou winnen. Generaal Hofi, het hoofd operaties van de generale staf, vatte op 24 mei de stemming als volgt samen: 'We hebben geen problemen op de grond. Wat de Jordaniërs doen, is afhankelijk van de mate waarin we de Egyptenaren op hun donder geven.' Tanks, artillerie en troepen stonden opgesteld waar ze nodig waren, en daarboven bevond zich de luchtmacht. Hofi maakte zich zelfs geen zorgen over het gifgas van de Egyptenaren. Volgens de Britse inlichtingendienst had het Egyptische leger in Jemen in 1967 een tiental aanvallen uitgevoerd met fosgeen- en mosterdgas, waarbij achthonderd mensen waren omgekomen, onder wie veel vrouwen en kinderen. Hofi wimpelde het gevaar weg. De Egyptische gifgasteams konden snel door hun luchtmacht worden uitgeschakeld – 'de piloten zijn onze beste gasmaskers'. Zijn enige zorg was dat de strijd vanwege het uitstel meer slachtoffers zou eisen. Allon en de generaals haalden Esjkol over om Eban een telegram te sturen met de mededeling dat de Egyptische tanks zich positioneerden voor een aanval. Rabin, die na zijn instorting weer aan het werk was gegaan, herschreef het telegram, zodat het nog urgenter leek. Het zou 'een totale, ik herhaal totale strijd' worden.

Eban zei koeltjes dat Rabin wellicht nog wat zenuwachtig was na zijn instorting. 'Het was een hypochondrisch telegram [...] onverstandig, onwaarachtig en tactisch onhandig.' Eban dacht dat Nasser een overwinning wilde zonder oorlog te hoeven voeren, en daarin had hij gelijk. Hij meende dat Rabin hem onder druk zette om van Johnson beloften los te krijgen die hij niet zou kunnen maken, zodat Israël niet de schuld van de oorlog zou krijgen. Als diplomaat wilde hij Johnson overhalen zijn land te helpen en hem niet in verlegenheid brengen door onredelijke druk uit te oefenen. Maar de Israëlische generaals werden ongeduldig. Zij wilden niet langer praten. Ze wilden actie.

Israël was op de hoogte van het Egyptische plan, dat 'Operatie Leeuw' was genoemd. Het idee was om op te rukken in de Negev-woestijn om Eilat van de rest van Israël te isoleren. Eilat zou ook gebombardeerd worden. Veldmaarschalk Amer had dit plan sinds het begin van de crisis al verscheidene keren bij Nasser aanbevolen. Na een reeks valse starts en aanvalsplannen die

door Nasser waren afgeblazen, had Amer de aanvalsdatum op 27 mei bepaald. Maar toen Nasser vernam wat Amer precies van plan was, verbood hij
meteen de aanval. Hij wilde zich houden aan de vermaning van Washington
en Moskou dat zijn land niet het eerste schot mocht lossen. Vlak voor Ebans
vertrek naar Washington was de Jordaanse stafchef, luitenant-generaal Amer
Khammash, in Cairo. Volgens hem hadden de Egyptenaren geen echt aanvalsplan. 'Ze speelden een politiek spel in plaats van zich op oorlog voor te
bereiden [...] ze verwachten niet dat een echte oorlog noodzakelijk zou zijn.'

Washington

President Lyndon Baines Johnson had een ongemakkelijk gevoel toen de
Amerikaanse marinehelikopter vanaf luchtmachtbasis Andrews opsteeg. Hij
was net terug van een dag op de EXPO 67 in Montreal en vloog nu door naar
het Witte Huis. Johnson wist dat Eban in Washington was om steun te vragen. Hij zou het voorzichtig moeten aanpakken. De Verenigde Staten waren
nog niet de ongeëvenaarde supermacht die ze aan het eind van de eeuw zouden worden. De oorlog in Vietnam knaagde aan het vertrouwen in de Amerikaanse militaire overmacht en Moskou was nog een gevaarlijke, dynamische
vijand. Johnson was persoonlijk zeer pro-Israël, maar hij wilde precies weten
welke verplichtingen de Verenigde Staten hadden en hoe gevaarlijk de situatie voor Israël was. Het laatste waaraan hij behoefte had, was nog een oorlog.

Tijdens de tien minuten durende vlucht naar de South Lawn van het Witte Huis vroeg Johnson om een compilatie van uitspraken van vorige presidenten over Israël. Hij wist dat president Eisenhower in 1957 had beloofd de
Golf van Akaba open te houden als een van de maatregelen om Israël ertoe te
bewegen zich na de laatste oorlog tegen Egypte terug te trekken uit de Sinaïwoestijn. Het was moeilijk beloften te verdoezelen die zo openlijk waren gedaan. Bovendien hadden de Verenigde Staten meer in het algemeen de garantie gegeven dat Israël niet zou worden vernietigd. Johnson diende dus te
weten hoe gevaarlijk de situatie voor Israël precies was.

Johnson had het vervelende idee dat de Verenigde Staten er bij deze crisis
geheel alleen voorstonden en dat de bondgenoten het zouden laten afweten,
net als in Vietnam, waar alleen Australië troepen naartoe stuurde. Toen ze op
de South Lawn waren geland, ging Walt Rostow meteen naar zijn kantoor in
de kelder. Hij was Johnsons voornaamste buitenlandadviseur. Ze spraken
doordeweeks wel een uur per dag met elkaar. De president belde hem of piepte hem op en Rostow haastte zich meteen naar het Oval Office. In Rostows
kantoor zaten de minister van Buitenlandse Zaken, Dean Rusk, en de directeur van de CIA, Richard Helms, op zijn terugkeer te wachten. Helms had het
laatste rapport van de inlichtingendienst bij zich. Hierin werd informatie ge-

analyseerd van de Israëlische geheime dienst, de Mossad, die zei dat Israël zich 'op een keerpunt' bevond en dat Egypte en Syrië klaarstonden voor de aanval.

De CIA verwierp de waarschuwing van de Mossad als 'een weinig serieuze beoordeling van het soort dat ze aan hun hoge ambtenaren sturen. We denken dat het waarschijnlijk om een tactische zet gaat om de Verenigde Staten over te halen een of meer van de volgende acties te ondernemen: a) meer militaire voorraden te sturen; b) meer publieke steun te verlenen aan Israël; c) Israëlische militaire initiatieven goed te keuren; d) meer druk uit te oefenen op Nasser.' Twintig minuten nadat de presidentiële helikopter was geland, gaf Rostow de informatie van de Mossad en de evaluatie van de CIA door aan het Oval Office. Hij krabbelde een briefje voor Johnson. De Israëlische angst en de behoefte van Nasser en de Russen om hun prestige op te vijzelen, vormden een explosief mengsel.

Voordat ze met de president spraken zei Helms dat hij het eens was met wat zijn mensen hadden geschreven, al zeiden de Israëliërs iets geheel anders. Rusk zuchtte: 'Tja, ik wil alleen maar zeggen, als dit een fout is, dan is het een hele goeie.' Boven, in het Oval Office, zat Johnson in zijn schommelstoel aan het hoofd van de koffietafel voor de open haard. De andere mannen namen plaats op de crèmekleurige sofa's aan weerszijden van hem. Er zat een schuifla in de tafel, waarin de meest geavanceerde telefoon zat die er in 1967 bestond. Dicht bij zijn bureau stonden twee hoge kasten met glazen deuren, waarin berichten van persbureaus werden bewaard. Naast hem stonden drie glanzende kastjes met zwart-wittelevisies erin, een voor elk nationale televisiezender.

De president liet zich niet meteen overtuigen. Uit Vietnam had hij zo vaak overenthousiaste rapporten ontvangen dat hij voorzichtig was geworden met conclusies van inlichtingendiensten. Hij vroeg Helms en generaal Earle Wheeler, de voorzitter van de gezamenlijke stafchefs die zich bij hen had gevoegd, om de informatie grondig na te trekken. In de loop van die dag probeerden de CIA, het Amerikaanse Defense Intelligence Agency en de Britten elk afzonderlijk na te gaan wat er precies gaande was in de Sinaï. Ze kwamen allemaal tot de conclusie dat de Egyptische troepenbewegingen defensief van aard waren. Ook Israël leek niet meteen van plan aan te vallen, maar in de dagen erna kwamen er meer inlichtingenrapporten binnen die benadrukten dat Israël zonder waarschuwing kon aanvallen als het dat wenste. Minister van Defensie Robert McNamara zei over de rapporten: 'Het enige verschil tussen de Britse inschatting en de onze betrof de tijd die de Israëliërs nodig zouden hebben om de Egyptenaren te verslaan. Ik ben vergeten of wij dachten dat ze dit in zeven dagen konden klaren en de Britten het op tien dagen hielden, of juist andersom.' Volgens de CIA kon Israël zijn Arabische buurlanden binnen een week op de knieën hebben. Richard Helms vatte het als volgt samen: 'Als de Israëliërs als eerste aanvielen, werd het een korte oorlog. Als de Egyptenaren als eersten aanvielen, werd het een langere oorlog, maar het leed geen enkele twijfel wie er zou winnen.'

De CIA analyseerde ook het gedrag van Nasser en kwam tot de conclusie dat hij niet op last van Moskou handelde. Hoge Sovjetfunctionarissen benadrukten dat Nasser uit eigen beweging de Golf van Akaba had gesloten. De conclusies van de CIA, die op 26 mei 1967 werden geschreven en pas eind 2000 werden vrijgegeven, staan nog steeds overeind. Nasser reageerde volgens de CIA op de Israëlische dreigementen richting Syrië en wilde vrijwel zeker geen oorlog. Nasser was nog altijd van mening (net als Moskou en de CIA zelf) dat de Arabische landen Israël niet konden verslaan. Maar hij gokte erop dat zijn leger een Israëlisch offensief zou kunnen afslaan als hij tijdig genoeg manschappen en apparatuur naar de Sinaï kon verplaatsen. Nasser hoopte op een grote politieke overwinning om de politieke druk thuis te verminderen. De Egyptische economie stond er slecht voor en de betrekkingen met de Verenigde Staten waren rampzalig. Mogelijk was er sprake van de 'fatalistische opvatting dat een confrontatie op den duur onvermijdelijk was en dat deze maar het best uitgelokt kon worden voordat Israël over kernwapens beschikte'.

Nasser had volgens de CIA de eerste ronde gewonnen. Israël moest nu 'ontstellende keuzes' maken. Het had nagelaten 'meteen de militaire tegenmaatregelen te nemen die het doelmatigst waren'. Israël kon een eventuele oorlog nog steeds snel winnen, maar alleen ten koste van zware verliezen. Oorlog was weinig aantrekkelijk voor Israël, maar niets doen evenmin. Aanvaarding van een permanente blokkade van de Straat van Tiran was 'een economische en politieke terugslag die men niet binnen afzienbare tijd te boven kon komen'. De CIA waarschuwde dat als de Verenigde Staten en andere grootmachten de straat niet heropenden, de Israëliërs zich gedwongen zouden voelen een oorlog te beginnen.

President Johnson ging die avond toch nog enigszins gerust slapen. Hij wist dat Israël ernstig in de problemen zat, maar dat het voortbestaan niet in gevaar was. Aan het eind van de avond had hij nog aan Harold Wilson geschreven: 'Wij zijn minder verontrust dan ze zelf lijken te zijn.' Het grootste gevaar voor de Amerikaanse belangen was dat Israël de zaak op eigen houtje zou beslissen, een punt dat hij wilde bespreken met Eban, die hem de dag erop zou bezoeken. 'We drukken Eban op het hart dat een preventieve actie van hun kant zeer gevaarlijk is en zowel in het Midden-Oosten als in de Verenigde Staten tot een onmogelijke situatie zal leiden.'

Eban en zijn team gingen naar een receptie en een diner in het ministerie van Buitenlandse Zaken, in de wijk Foggy Bottom, dicht bij de rivier de Potomac in het noordwesten van Washington. Er stonden in de lobby van het ministerie in C Street zo veel reporters en cameramensen te wachten dat Eban via de kelder het gebouw werd binnengeloodst.

Terwijl minister van BZ Dean Rusk een drankje inschonk, waarschuwde hij Eban alvast dat hij hem geen garantie kon geven op de manier van de NAVO. Dit verraste Eban niet: 'Volgens mij sloten de Verenigde Staten nieuwe, gecompliceerde defensiealliantie zelden tussen het aperitief en de eerste gang van het diner.' Aan de eettafel, die vanwege de milde zomeravond op het dakterras van het ministerie was opgesteld, hadden de Israëliërs ook een waarschuwing voor Rusk. Nasser had Israël de oorlog verklaard door de Straat van Tiran te blokkeren. Dit was een tijdbom en de stemming in het Israëlische kabinet was 'apocalyptisch'. De keuze was tussen overgave of oorlog voeren.

De volgende dag riep president Johnson even na halftwee 's middags zijn belangrijkste diplomatieke en militaire adviseurs bijeen. Wat moest hij tegen Eban zeggen? Hij wilde advies en wel meteen. De man uit Texas keek de tafel rond. 'Tegen zonsondergang zal ik dit varkentje gewassen moeten hebben. Ik moet weten wat ik hem kan beloven.' President Johnson was gerustgesteld dat Israël geen gevaar liep dat het niet zelf kon bezweren. Maar Johnson was de sluwste politicus van Amerika, die voordat hij vice-president van John F. Kennedy werd al een dominante rol speelde op Capitol Hill. Hij wist dat hij Eban iets moest bieden om mee aan te komen voor het Israëlische kabinet.

Maar het kostte tijd om te besluiten wat. De Israëliërs wachtten 's middags zenuwachtig op een telefoontje van het Witte Huis. Ephraim Evron, de nummer twee van de Israëlische ambassade, kende Johnson sinds hij senator was. Hij ging naar het Witte Huis om een tijd te regelen voor Ebans bezoek. Johnson zei in het Oval Office tegen hem dat hij niets kon doen zonder de goedkeuring van het Congres. 'Zelf ben ik niets meer dan een wat lang uitgevallen Texaan die jullie goedgezind is.' Met hulp van Groot-Brittannië en andere bevriende maritieme naties kon de Straat van Tiran worden heropend, maar de Israëliërs mochten beslist geen 'unilaterale actie ondernemen, want daar zou Israël veel schade door ondervinden'. Eban werd nog steeds op de voet gevolgd door een menigte reporters. Het idee was dat Eban en ambassadeur Harman om de pers te vermijden het Witte Huis via de diplomateningang zouden binnengaan, maar ze kwamen bij de verkeerde deur terecht, waar de bewakers hen niet wilden binnenlaten. De Israëlische minister van BZ behield zijn waardigheid toen de bewaker naar de controlekamer belde met de mededeling: 'Er staat hier een figuur die Eban heet en zegt dat hij een afspraak heeft met de president.'

Om kwart over zeven 's avonds werden ze ten slotte het Oval Office binnengeleid. Beide partijen, de Israëliërs en de Amerikanen, waren gespannen. Johnson wilde op een tactische manier het midden houden tussen zijn oprechte betrokkenheid bij Israël en het verlangen de Verenigde Staten buiten een oorlog te houden. Eban moest ergens mee thuiskomen voor de on-geduldige generaals. Hij begon met te zeggen dat zich nog nooit in de ge-schiedenis van Israël een dergelijke situatie had voorgedaan. Nasser probeer-de Israël te wurgen, maar Israël zou vechten en overwinnen in plaats van zich over te geven. Een Arabische aanval werd binnenkort verwacht. Wat deden de Verenigde Staten? Zou de Amerikaanse regering haar belofte gestand doen de Straat van Tiran open te houden? Werd er gewerkt aan het plan om met een internationale vloot de doorgang naar Eilat veilig te stellen?

Johnson zei dat hij zich geen zorgen hoefde te maken. Israël liep geen gro-te risico's. Als de Arabische landen Israël aanvielen, dan zouden de Israëliërs ze 'op hun donder geven'. Maar Israël moest niet zelf de vijandelijkheden be-ginnen. Johnson sprak vervolgens 'plechtig en nadrukkelijk', zo schreef de officiële notulist van het Witte Huis. Israël zou uitsluitend alleen staan als het land daar zelf voor koos. Hij herhaalde de zin om er zeker van te zijn dat de Israëliërs hem begrepen. Johnson en zijn medewerkers hoopten dat deze zorgvuldig verwoorde formule de Israëliërs ervan zou weerhouden als eerste een aanval uit te voeren. De president gooide alle overtuigingskracht in de strijd die hij zich tijdens zijn langdurige politieke carrière had aangeleerd. Hij zou de steun van het Congres weten te krijgen. Hij overhandigde hun zijn aantekeningen. 'Kopieer ze maar als u wilt', zei hij.

Nu was het Ebans beurt om langzaam en precies te spreken. Wat gingen de Verenigde Staten ondernemen om de doortocht naar Eilat open te houden? Nasser zou niet snel een schip aanhouden dat onder Britse of Amerikaanse vlag voer. Johnson aankijkend vroeg hij: 'Kan ik mijn premier vertellen dat u er alles aan zult doen om te zorgen dat de Straat van Tiran en de Golf van Akaba openblijven voor schepen met onschuldige bedoelingen?' Johnson zei slechts: 'Ja.' En hij zei nogmaals dat Israël zich geen zorgen hoefde te maken over Egypte. Een aanval viel binnenkort niet te verwachten. En als de Egyp-tenaren wel aanvielen, 'dan zou u ze verschrikkelijk op hun lazer geven'.

Bij het diner die avond in het Witte Huis dacht Johnson dat hij de Israeli-ers misschien niet helemaal had gegeven wat ze wilden, maar toch voldoende om ze tegen te houden. Hij was opgetogen en kraaide. 'Ze kwamen hier om beren te schieten, maar ik dus ook! Ik heb ze eerst een uur laten praten en ver-volgens de zaak in het laatste kwartier geklaard. McNamara zei dat hij zin had om zijn pet in de lucht te gooien en George Christian [de voorlichter van het Witte Huis] zei dat het de beste vergadering van deze soort was die hij ooit had meegemaakt.'

Eban ging onmiddellijk naar huis. Op de terugweg ging hij langs bij het Waldorf Astoria Hotel, waar hij twee uur lang overlegde met de Amerikaanse ambassadeur bij de VN, Arthur Goldberg, die opzettelijk probeerde de op-merkingen van de president wat af te zwakken. 'Vergeet niet', zei hij, 'dat Johnson bij alles wat hij onderneemt de steun van het Congres nodig heeft.'

Dat betekende dat Eban er vanuit moest gaan dat de steun van de president altijd voorwaardelijk was. En Washington accepteerde geen verrassingen. Eban en zijn team kwamen op zaterdag 27 mei 's avonds laat in Tel Aviv aan. Ze werden meteen naar het kantoor van de premier in Tel Aviv gereden, waar het kabinet was begonnen aan een vergadering die de hele nacht zou duren. Het leger stond klaar om de volgende morgen aan te vallen. Ook Rabin was erbij. Hij waarschuwde Moshe Raviv, Ebans politieke assistent, dat het 'bijzonder moeilijk' zou zijn geen oorlog te beginnen. Eban drukte de ministers op het hart zich te houden aan het Amerikaanse verzoek om te wachten totdat ze de Straat van Tiran met behulp van een internationale vloot zouden openhouden. Na een fel debat stemden negen ministers voor Ebans voorstel en negen voor een onmiddellijk begin van de oorlog. In de loop van de nacht kwam er een boodschap van president Johnson die waarschuwde tegen preventieve acties. De volgende morgen, 28 mei, sprak het kabinet af de Amerikanen nog twee weken de tijd te geven.

Yigal Allon knapte haast van frustratie. Israël had beloofd zich aan de Amerikaanse aanpak te houden, zei hij met tegenzin. Maar zijn land zou meteen een oorlog beginnen als ze geloofwaardige bewijzen in handen kregen dat Egypte op het punt stond de Israëlische luchtmacht aan te vallen. De Amerikaanse ambassadeur Walworth Barbour, een gesloten, uitzonderlijk lange en ongelooflijk dikke man met chronische longemfyseem, onderhield nauwe banden met generaal Yariv, het hoofd van de militaire inlichtingendienst. Hij rapporteerde: 'De Israëliërs denken dat ze Nasser kunnen afmaken [...] ze zijn bereid een paar weken te wachten, maar blijven volledig gemobiliseerd, wat ze niet lang kunnen volhouden zonder ernstige consequenties voor de Israëlische economie.' Dat Eban de vertraging had veroorzaakt was extra frustrerend. Zijn klassieke opleiding, vaak bombastische stijl en grootsteedse manieren deden het fantastisch in het Westen, maar hadden altijd al op de zenuwen gewerkt van de nuchterder *sabra's*, de autochtone Israëliërs die in hun jeugd koeien hadden gemolken en wacht hadden gelopen in plaats van Homerus te lezen. Ze vonden dat hij gewoon ongelijk had. Waarom verspilde hij tijd aan de belofte van de Amerikanen de zeeweg naar Eilat open te houden, waar ze zich misschien wel, misschien niet aan zouden houden, als de Egyptische divisies in de Sinaï het grootste probleem waren? Generaal Yariv was woedend. Wat hem en de andere generaals betreft had Eban zich niet aan zijn opdracht gehouden. Tiran was niet belangrijk. Het ging om het algemene beeld. Nasser zette de Arabische wereld op tegen Israël. Eban had het telegram dat Rabin hem had geschreven serieuzer moeten nemen. Door Ebans vijanden werd vervolgens het bericht verspreid dat hij zou worden vervangen door Golda Meir.

Nassers populariteit

De Egyptische hoofdstad was rustiger dan voorheen. De overheid had de bevolking via de kranten opgeroepen een dag loon in te leveren voor het leger en bloed af te geven bij de pas geopende donorcentra in Cairo. Er volgde geen toeloop van vrijwilligers. De minister van Cultuur stuurde intellectuelen de provincies in om redevoeringen te houden en patriottische verzen te declameren om de massa's te inspireren. Voor de weinige buitenlanders die er nog waren, werd Cairo een deprimerende stad. De Amerikaanse ambassade, die reikhalzend uitkeek naar iets positiefs, was blij dat in de pers en op de radio de kritiek op het Westen, die 'is opgeschroefd tot het maximale aantal decibel [...], de Britten tegenwoordig als onze handlangers in het complot afschildert, zodat we niet langer alleen zijn'.

Voor Nasser was 28 mei een schitterende dag. Vol zelfvertrouwen liep hij naar de ronde, door filmlampen verlichte raadskamer van het presidentiële paleis, waar de wereldpers op hem wachtte. De Britse buitenlandcorrespondente Sandy Gall van ITN vond Nasser een charismatische man. 'Hij was fysiek indrukwekkend, groot voor een Egyptenaar, goedgebouwd, knap en met de verschijning van een filmster. Hij was het middelpunt van de aandacht en werd door iedereen aangestaard. Maar het opvallendst aan zijn verschijning was de glimlach om zijn mond vol blinkend witte tanden, die hij kon laten schitteren alsof hij een lichtknop omdraaide.' Zijn prestige onder Arabieren bevond zich op een absoluut hoogtepunt.

Het werd een zelfverzekerd optreden dat live op de Egyptische radio en, via Saut al-Arab, over de hele Arabische wereld werd uitgezonden. De crises over de UNEF en de Straat van Tiran stonden volgens Nasser symbool voor de Israëlische agressie tegen de Palestijnen. Was het niet volkomen normaal dat Egypte hierop reageerde? Hij zou 'onvoorstelbare schade' aanrichten in landen die het waagden inbreuk te maken op 'de rechten van de Egyptische soevereiniteit'. Al pratend werd Nassers betoog gloedvoller. De Israëliërs hadden zichzelf een rad voor de ogen gedraaid met hun 'valse overwinning' van 1956. Palestijnen en Israëliërs konden niet meer samen in één land leven omdat de Israëliërs de Palestijnen hadden beroofd en hun eigen land hadden uitgezet. De Palestijnse rechten moesten in ere worden hersteld en Esjkol zou zijn verdiende loon krijgen omdat hij gedreigd had 'naar Damascus op te marcheren, Syrië te bezetten en het Syrische Arabische regime omver te werpen'. Winston Burdett van CBS News meende dat Nasser klonk als 'een slaapwandelaar in een fatalistische trance', terwijl een Britse diplomaat die luisterde juist vond: 'Nasser heeft veel succes en is ijskoud en listig bezig.'

Amerikaanse diplomaten in Cairo hoorden Nasser onthutst aan. Ze wisten nu zeker dat de crisis op een ramp zou uitdraaien. De Amerikaanse positie in de Arabische wereld, die al zwak was, zou worden weggevaagd. Ze dachten niet dat Nasser nog zou inbinden, tenzij hij rechtstreeks met een veel sterkere tegenstander werd geconfronteerd. Maar zelfs dan zou hij een terugtocht voor de Amerikaanse overmacht als een belangrijke politieke overwinning uitleggen. Hij zou het eerste schot niet lossen. Hij hoopte alleen maar dat zijn positie in de Arabische wereld door een confrontatie met Israël zou worden versterkt. De Amerikaanse diplomaten in Cairo geloofden niet in het verhaal van een aantal Nasser-experts in Washington, die meenden dat Nasser olie naar Eilat zou doorlaten zolang die zonder ruchtbaarheid in neutrale tankers werd vervoerd.

De privé-secretaris van koning Hussein, Ziad Rifai, had op de radio in zijn kantoor in Amman naar Nassers rede geluisterd. Nassers woorden en de manier waarop hij ze had uitgesproken, maakten een oorlog onvermijdelijk, meende hij. De koning, die in zijn vleugel van het paleis had zitten luisteren, dacht hetzelfde. Hussein vond de blokkade van Eilat aanvankelijk 'onbegrijpelijk en bijzonder gevaarlijk'. Maar hij besloot dat een herstel van de betrekkingen met Nasser zijn enige kans was. Met het vrijgeven van een aantal CIA-documenten werd er onlangs nieuw licht geworpen op Husseins redenen voor deze beslissing. De CIA had een speciale verstandhouding met koning Hussein. Jarenlang werden er in het geheim fondsen naar de koning doorgesluisd, en de standplaatschef van de CIA in Amman, Jack O'Connel, was zijn vertrouwensman. O'Connel rapporteerde dat de koning en zijn generaal er meer dan ooit van overtuigd waren dat bezit van de Westoever Israëls 'strategische doel' was. De Jordaanse generaals oefenden veel druk uit om de defensieplannen af te stemmen op die van andere Arabische staten. Als het Jordaanse leger dat niet deed, betoogden ze, dan zouden ze nog meer soldaten en gebied kwijtraken. Volgens de CIA was het Jordaanse leger 'vastbesloten, waren hun argumenten onweerlegbaar en zou de koning ernstige problemen krijgen met de moraal en loyaliteit als hij er niet op inging'.

Hussein waarschuwde de Amerikanen dat ze met hun unilaterale steun aan Israël hun 'traditionele Arabische vrienden' (waarmee hij onder andere zichzelf bedoelde) van zich verwijderden. Hij waarschuwde hen dat hij zich – 'om de Arabische woede te overleven' – misschien tegen hen zou moeten verzetten. Door zijn vriendschap met de VS was hij nu hoe dan ook waarschijnlijk 'te kwetsbaar om te overleven'.

Hussein besefte dat Nasser weliswaar slecht was voorbereid op een oorlog, maar dat zijn populariteit onder Arabieren, vooral de Palestijnen van de Westoever, enorm was gestegen. Voor Hussein ging het nu vooral om overleven. De massale Arabische steun voor Nasser was uitgegroeid tot een Arabische beweging die nu dreigend op hem afkwam. Als hij er niet aan meedeed, zou hij erdoor worden verpletterd. Het werd oorlog en hij zou zich er niet aan kunnen onttrekken. Hij zat te dichtbij.

Een verbond met het fel anti-Hasjemitische regime in Syrië leek onmoge-lijk. Jordanië had zelfs geen diplomatieke betrekkingen met Damascus. De koning had zijn ambassadeur teruggeroepen nadat op 21 mei bij Ramtha, aan de Jordaanse kant van de grens met Syrië, een vrachtauto vol explosieven was opgeblazen waarbij eenentwintig Jordaniërs om het leven waren gekomen. Syrië beschuldigde de mannen van de koning van de aanslag. Aan het hof van Hussein raakte men ervan overtuigd dat Syrische radicalen niet Israël, maar de koning als de ware vijand zagen. Het enige wat Hussein nog kon doen, was zich met Nasser verzoenen. Husseins interpretatie van de Israëlische bedoe-lingen en de druk die werd uitgeoefend door zijn generaals en de protesteren-de bevolking, onder wie vooral Palestijnen, lieten hem geen keus. Als hij zich afzijdig hield, zou zijn regime door een uitbarsting ten val komen, 'wat tot een Israëlische bezetting van de Westoever of zelfs meer dan dat zou leiden'. Als Jordanië meedeed, zou de Egyptische luchtdekking de Israëlische op-mars naar de Westoever misschien lang genoeg kunnen vertragen dat de vn tussenbeide kon komen. Hussein gaf de indruk dat hij in zijn officiële betrek-kingen 'een eenzaam man' was geworden.

Op dinsdag 30 mei vertrok koning Hussein even na zonsopgang naar Cai-ro. Hij schreed van zijn auto naar het vliegtuig en zette nog even snel zijn handtekening om zijn jonge broer prins Mohammed tijdens zijn afwezigheid tot regent te maken. Hij zei dat hij met de lunch weer terug zou zijn. Hussein was gespannen, opgewonden en gehaast. Hij was gekleed in een kaki ge-vechtsuniform met veldmaarschalkinsignes en had een Amerikaanse auto-matische Magnum-revolver in een canvasholster op zijn rechterheup. Hij nam plaats in de pilotenstoel van de Jordaanse Caravelle (zelf vliegen kal-meerde hem) en vloog het toestel zuidwaarts over de woestijn, over Petra, Wadi Rom en de Rode Zee, naar Cairo.

Nasser wachtte hem op bij de luchtmachtbasis, zoals gewoonlijk onberis-pelijk in het pak, in een uitstekend humeur en in de stemming voor een grapje. Hij keek naar de koning.

'Ik zie dat je gewapend bent en een uniform draagt.'

'Dat heeft niets te betekenen', zei de koning. 'Zo lopen we al meer dan een week rond.'

'Je bezoek is geheim, is het niet?' zei Nasser. 'Wat denk je dat er zou ge-beuren als we je nu arresteren?'

Hussein die met zijn eerste ministers en generaals, maar zonder zijn lijf-wachten naar Egypte was gereisd, glimlachte. 'Ik heb zelf nooit maar aan de mogelijkheid gedacht.'

Het grapje leidde tot een wat ongemakkelijk gevoel. Ze namen plaats in een zwarte Cadillac en zoefden weg naar het Koubbeh-paleis. Nasser en Hussein gingen naar een kleine zitkamer op de eerste verdieping om te over-leggen. Even later voegde veldmaarschalk Abd el-Hakim Amer zich bij hen.

Hij was in een havikachtige bui en zei tegen Hussein dat Egypte niets van hem nodig had. 'We willen dat u gewoon toekijkt wat we met ze doen. We zullen ze vernietigen.' De koning vond Amers gesnoef absurd. Hij probeerde Amer en Nasser ervan te overtuigen dat Israël te sterk was en dat ze op een ramp afstevenden. 'Maak je geen zorgen', antwoordden ze. 'We weten wat we doen.' Zowel Nasser als Hussein dacht fatalistisch. Ze zeiden, schijnbaar oprecht, dat er niet meer aan strijd viel te ontkomen, of ze die konden winnen of niet. De Arabische waardigheid stond op het spel. (De CIA schreef: 'Waardigheid heeft een grote prioriteit gekregen in het scala overwegingen van de Arabieren'.) De koning vroeg of hij het pact kon zien dat Egypte in april met Syrië had getekend. 'Ik las de tekst vluchtig door en zei tegen Nasser: "Maak er een kopie van, vervang het woord 'Syrië' door 'Jordanië', en de zaak is geregeld."'

Ze ontspanden zich. Nasser en Hussein kwamen overeen dat de leider van de PLO, Ahmed Shukairy, met hem mee terug zou vliegen. Maar de koning was vol afschuw over de 'kale, onverzorgde figuur in kakibroek en zonder stropdas om' die binnenkwam. Shukairy had in zijn felle toespraken Hussein uitgemaakt voor de 'Hasjemitische hoer' die Palestijnen in 'zijn torens' opsloot. Nu was hij een en al glimlachende serviliteit en noemde hij Hussein de ware leider van de Palestijnen. Nasser wendde zich tot de koning. 'Neem Shukairy alsjeblieft mee. Als hij lastig wordt, gooi hem dan maar in een van je torens, dat is voor mij ook een probleem minder.'

Om halfvier 's middag onderbrak Radio Cairo het programma om het nieuws van het pact met Jordanië aan te kondigen. De Jordaniërs en Palestijnen in Jordanië waren verrast en dolblij. De koning werd tijdens de rit van het vliegveld naar zijn paleis omspoeld door een uitgelaten menigte die er meer dan ooit van overtuigd was dat ze zouden winnen. Ze haatten de Israëliërs en geloofden in Nassers propaganda. Hussein liet zich echter niet op het verkeerde been zetten door zijn nieuwe aanhangers, die probeerden zijn Mercedes op te tillen om hem naar het paleis te dragen. Nasser was de echte winnaar. De Hasjemieten hadden door de deal alleen uitstel gekregen. De menigte was dol op hem omdat Nasser hem had geaccepteerd, en niet andersom. 'Ik wist dat oorlog onvermijdelijk was en dat we zouden verliezen. Maar we hadden de keuze tussen deze koers of niet meedoen, maar dan zou het land worden gespleten en zou Israël de Westoever kunnen bezetten en nog meer ook.'

Na zijn terugkomst uit Cairo bezocht Hussein samen met zijn neef prins Zaid Ben Shaker de Jordaanse legereenheden op de Westoever. Ze begonnen met een pantserbrigade waarover Ben Shaker het bevel voerde. Ben Shaker riep zijn hoogste officieren bijeen en de koning sprak hen toe zonder een blad voor de mond te nemen: 'Deze oorlog zullen we zeker niet winnen. Ik hoop dat we er niet bij betrokken raken, maar als dat wel het geval is, vraag ik u al-

leen om uw uiterste best te doen, respect te tonen voor uw tradities en te ont-
houden dat u voor uw land vecht.' Volgens Ben Shaker zei hij dit bij elke eenheid die ze op de Westoever bezochten. En terwijl ze in de auto van de ene
naar de andere legerplaats reden, zei hij tegen Ben Shaker: 'Ik hoop bij God
dat er geen oorlog komt, maar ik ben bang dat deze onvermijdelijk is.' Hij
wist vanaf het begin dat ze op een nederlaag afstevenden.

Angst

De Israëlische generaals konden vanwege de strenge militaire censuur niet
laten blijken dat ze veel vertrouwen hadden in de overwinning. Hierdoor
maakte de Israëlische bevolking zich des te grotere zorgen. De Arabische radiostations tetterden hun bloeddorstige dreigementen, die door Israëlische
kranten werden overgenomen. De holocaust was nog maar 22 jaar geleden en
het was dus niet vreemd dat de Arabische propaganda tot grote angst leidde.
De officiële militaire lijfwacht die aan de Britse journalist Winston Churchill
was toegewezen, zei tegen hem dat hij zijn vrouw en babydochter liever zelf
doodde dan ze in handen van de Arabieren te laten vallen. De crisis was vooral beangstigend voor de joden in de diaspora, die Israël op de landkaart zagen
liggen als piepklein staatje omringd door enorme buren. In Europa en de
Verenigde Staten leek het alsof een vriendelijke democratie werd bedreigd
door een moordzuchtige meute fanatiekelingen en het aantal Israël-sympa-
thisanten nam sterk toe.

De dreigementen op de Arabische zenders waren in vertaling bloedstol-
lend. Geen wonder dat veel Israëliërs zich een ongeluk schrokken. Ahmed
Said van Saut al-Arab zei in een typerende uitzending tegen zijn publiek:
'Voor Israël hebben we alleen oorlog in petto – totale oorlog [...] we marcheren op tegen hun bendes, we vernietigen de zionisten en het hele zionistische
bestaan [...] het is ons doel de mythe te ontzenuwen dat Israël hier op de lange
duur kan blijven bestaan [...] alle 100 miljoen Arabieren hebben hier de afgelopen negentien jaar maar één hoop gekoesterd, namelijk de dag te beleven
dat Israël wordt geliquideerd. Voor de zionistische bendes is er geen leven,
geen vrede, geen hoop mogelijk in het bezette land.' Geconfronteerd met de
gruwelijk duidelijke dreigementen van hun grootste buurland vormden de
Israëliërs een gezamenlijk front.

In mei 1967 heerste er in Israël een noodlotsstemming. Er was veel zwarte
humor over het naderend einde: 'Kan de laatste op het vliegveld het licht uit-
doen?' 'Na de oorlog zien we elkaar weer. Waar dan? In een telefooncel.' Een
kibboetsnik die op de grens met Syrië woonde, zei: 'Plotseling sprak iedereen
over München, over de Holocaust, over de joden die aan hun lot werden
overgelaten. In Israël leek een nieuwe holocaust veel minder waarschijnlijk

dan in Europa. Voor ons was het een concreet beeld van de overwinning van een vijand en we besloten dat hoe dan ook te voorkomen.' De jongste holocaustoverlevenden waren pas in de twintig en stonden niet in aanzien in de Israëlische maatschappij waar alles draaide om militaire kracht. Autochtone Israëliërs waren in de jaren vijftig en zestig opgegroeid met het idee dat joden die niet hadden gevochten toen de nazi's kwamen, passief en zwak waren.

De overheid bereidde zich in het geheim voor op zware verliezen. Er werden duizenden doodskisten besteld. Rabin wees parken aan die als noodbegraafplaats dienst konden doen. In mei werden er nog meer mannen opgeroepen voor militaire dienst. Kinderen brachten de post, de krant en de melk rond, groeven loopgraven en deden luchtalarmoefeningen op school. De dienst bescherming burgerbevolking, die op 26 mei volledig was gemobiliseerd, plakte affiches met instructies voor burgers en voor eerste hulp op de straatmuren. Er werden voorraden medische goederen aangelegd en er werd gezorgd dat de schuilkelders schoon waren en goed functioneerden. Burgers die niet in het leger zaten, werden tewerkgesteld in onmisbaar geachte bedrijfstakken. De werkweek werd van 47 uur verruimd tot een maximum van 71. Auto's werden gevorderd voor het landsbelang en kregen een gele plakker met de tekst 'gemobiliseerd voertuig' op de voorruit. Bussen en vrachtauto's werden met hun chauffeurs naar het front gestuurd om troepen te vervoeren. Voor burgers werd liften de normale manier om zich over langere afstanden te verplaatsen. Verzekeringsmaatschappijen spraken af dat lifters voortaan ook onder de polis van de chauffeur vielen. In Tel Aviv reden er vrijwilligerstaxi's op de opgeheven busroutes, in Haifa leenden verkopers van tweedehandsauto's voertuigen en chauffeurs uit voor de strijd. Er werden vrijwillig vervoersdiensten van en naar legerbases georganiseerd en vrouwen met een auto verzorgden vrijwillig de bevoorrading van winkels. Op 1 juni, de laatste donderdag voor de oorlog, waren er zo weinig gezonde mannen over die niet in het leger zaten, dat een Amerikaanse bezoeker in Tel Aviv vond dat de stad eruitzag als een 'zonnig, spaarzaam bevolkt invalidenoord. Zelfs de taxichauffeur had een kunsthand die werd bedekt door een leren handschoen.'

In Israël werden er tienduizenden liters bloed gegeven. In het Arabische Jeruzalem ging het er ontspannener aan toe. Eind mei hoorde een plaatselijke journalist een oproep voor donaties op de radio. Toen hij bloed ging geven in het centrum van de Rode Halvemaan in de Oude Stad, snapte niemand van de aanwezige verplegers waarom hij kwam. 'Was er iemand gewond in de familie? In welk ziekenhuis lag de patiënt? Het duurde 45 minuten voordat Nabil zijn patriottische halve litertje kon geven.'

In de fabrieken stonden kantoormensen aan de lopende band. Mensen maakten onbetaalde overuren. Vrouwen namen de baan van hun man en zoons over die in het leger zaten. Belastingbetalers betaalden belastingen over inkomsten die zij eerder niet opgaven of betaalden hun belasting vooruit. Er waren ook mensen die de overheid gewoon geld stuurden. Politiemannen die niet in het leger zaten, leverden vrijwillig tien procent van hun loon in. Buitenlanders die in Israël aan een godsdienstige instelling studeerden, vroegen om militaire training. Godsdienstige joden, die niet in militaire dienst hoefden en vaak heftig in conflict waren met de Israëlische seculiere overheid, kondigden hun eigen staakt-het-vuren af voor de duur van de oorlog: ze zouden voorlopig niet meer demonstreren tegen auto's die op zaterdag in Jeruzalem reden en tegen autopsieën in Haifa. De rabbi's vertelden de soldaten dat de sabbatverplichtingen voorlopig waren opgeschort.

Esjkol

Op zondagmorgen 28 april was premier Levi Esjkol volkomen uitgeput, maar met zijn overvolle agenda kreeg hij geen kans om te rusten. Hij moest op de radio spreken. Het Israëlische volk moest door zijn leider worden gerustgesteld. Esjkol zei alles wat een premier in die omstandigheden hoort te zeggen. Hij prees de kracht van het leger en de instelling van de bevolking. Maar hij sprak slecht. Hij had een haastig geschreven tekst, vol doorhalingen, toevoegingen en militair jargon. En hij had niet de moeite genomen zijn toespraak van tevoren door te nemen. Hij was gewoon begonnen toen het rode licht ging branden en had zich er stotterend en stamelend doorheen geslagen. Het was een ramp, een dieptepunt in zijn politieke loopbaan. Het ironische was dat Esjkol helemaal gelijk had met wat hij zei. Het Israëlische leger stond er uitstekend voor. Die dag kwam er in het Witte Huis een rapport van de inlichtingendienst binnen waarin stond: 'Er is niets veranderd wat betreft de conclusie van 26 mei van de Special Watch Committee. Er zijn nergens bewijzen gevonden voor een mogelijke aanval door Egypte, terwijl de Israëliërs nog steeds zonder waarschuwing kunnen aanvallen als hun dat goeddunkt.'

Esjkols vrouw Mirjam luisterde ook naar de uitzending. Ze beval haar chauffeur rechtstreeks naar de studio te rijden. Haar man was boos, 'zijn adviseurs renden rond als muizen'. De uitzending was erg genoeg, maar het zou voor Esjkol allemaal nog veel erger worden. Hij had om acht uur 's avonds een afspraak met het opperbevel van het Israëlische leger. Hij was te laat. De generaals hadden naar de radio geluisterd en waren zeer ontevreden. Tijdens het wachten nam de spanning verder toe. Brigadegeneraal Ariel Sharon was boos over de politici die geen ideeën meer leken te hebben. 'We hadden het gevoel dat alles op onze schouders rustte.' Sharon was een bekende militair sinds hij in de jaren vijftig eenheid 101 had opgericht, een commando-eenheid die represailleacties uitvoerde in de Gazastrook en de Westoever, wrede methoden gebruikte, waarbij burgers vaak het slachtoffer werden. Nu voerde hij het bevel over een divisie die klaarstond de Sinaïwoestijn in te racen. Toen

Esjkol arriveerde, zaten de generaals in een vergaderkamer dicht bij de ruimte die als controlekamer tijdens de oorlog dienstdeed. Hun gezichten zagen bleek en grimmig onder het nieuwe tl-licht dat net was geïnstalleerd. De lucht stond stijf van de sigarettenrook en de sfeer was vijandig en emotioneel. Niemand bood Esjkol wat te drinken aan.

De generaals waren woedend. Ze stonden te popelen om in actie te komen, voelden zich vernederd door het wachten en hadden het volste vertrouwen in de overwinning. De een na de ander leverde genadeloze kritiek op de premier. Aharon Yariv, het hoofd van de militaire inlichtingendienst, begon: 'Door eigen toedoen is het Israëlische leger niet meer afschrikwekkend. We hebben afstand gedaan van ons voornaamste wapen – de angst die we de vijand inboezemden.' Israel Tal zei: 'We willen een duidelijke oorlog [...] Het besluit van de regering is niet helder genoeg. We hebben recht op duidelijke instructies.' Uzi Narkiss dreef de spot met de Egyptenaren: 'Het zijn zeepbellen – één speldenprik en ze barsten uit elkaar [...] Ik weet niet wat u van het leger vindt. Wij hier zitten er al twintig jaar of langer in, en ik kan u vertellen, het is een fantastisch leger. Er is geen reden om u zorgen te maken.' Avraham Yoffe, die van pensioen was teruggeroepen om een divisie te leiden, zei dat de premier het leger ervan weerhield de taken uit te voeren waarvoor het was opgericht. Hij en brigadegeneraal Matityahu Peled, de kwartiermeester-generaal, die tegen Esjkol zei dat hij het Israëlische leger beledigde door het geen oorlog te laten voeren, gebruikten agressieve, pejoratieve taal en vergeleken de overheid met de leiders van de joodse gemeenschap in de diaspora, die als slaven moesten bedelen.

Esjkol probeerde greep op de situatie te krijgen. 'We moeten even de tijd nemen om na te denken [...] We moeten geduldig zijn. Dat het Egyptische leger zich in de Sinaï bevindt, betekent niet automatisch dat we oorlog moeten voeren [...] Moeten we dan eeuwig blijven vechten?' Hij begon te zeggen wat hij niet allemaal voor het leger gedaan had. 'Jullie hadden meer wapens nodig? Prima. Honderd vliegtuigen erbij? Jullie krijgen ze. Jullie hebben tanks. Jullie hebben alles in huis om het Egyptische leger te verslaan. Maar dat hebben jullie niet gekregen om op een dag te kunnen zeggen: nu kunnen we het Egyptische leger vernietigen, dus laten we dat maar eens doen.'

Esjkol wilde het burgerlijke gezag laten gelden bij de generaals, maar de vergadering liep uit op een ramp. De sfeer was 'bijzonder hard, bijna onverdraaglijk'. De mannen die Esjkol aanstaarden, waren op Yoffe na eind dertig, begin veertig. Esjkol was oud en zag er oud uit. Hij sprak graag Jiddisch en Russisch, de talen van zijn jeugd. De meeste generaals waren in Israël geboren en hadden in alle Israëlische oorlogen meegevochten. Esjkol stond in de weg. Ze associeerden hem met de zwakte van de diaspora. Dat was verschrikkelijk onbillijk, omdat hij als jongeman naar Palestina was gekomen en zijn hele volwassen leven had ingezet voor de opbouw van de joodse staat. Maar hij maakte een zwakke indruk en in de wereld van de generaals kon zwakheid uitsluitend op minachting rekenen. Er waren bedreigingen die ze het hoofd moesten bieden en vijanden die verslagen moesten worden. Generaal Elad Peled, een van de vier divisiecommandanten, was bij de vergadering aanwezig. 'De mentale generatiekloof was heel belangrijk. Wij waren de cowboys, de stoere pioniers, en keken neer op de oudere generatie, mensen die volgens ons niet vrij, niet bevrijd waren [...] De minister van Onderwijs vroeg: "En als jullie het nu eens bij het verkeerde eind hebben? Jullie spelen met het voortbestaan van de staat." Ik zei tegen hem dat ik honderd procent zeker wist dat wij de oorlog zouden winnen.' Yitzhak Rabin wilde over een oorlogsverklaring praten. Esjkol weigerde. Yigal Allon stelde voor een korte pauze te houden. Esjkol stond op en liep woedend en aangeslagen de kamer uit. Hij vond het gedrag van de generaals 'bijna openlijke muiterij'.

Volgens Yeshayahu Gavish deden ze alleen maar hun plicht door de harde waarheid aan de burgers over te brengen: 'Mijn puur militaire mening was dat we het ons niet konden veroorloven Egypte de oorlog te laten beginnen. We moesten de regering flink onder druk zetten. Dit was niet prettig, maar het was geen putsch. We hebben er nooit zelfs maar over gepraat om de zaak over te nemen. Maar als officieren dienden we de regering duidelijk te maken hoe we erover dachten – als we dat niet hadden gedaan, was het op een ramp uitgelopen. [...] wij waren sabra's en barstten van het zelfvertrouwen. De ministers waren stuk voor stuk immigranten en twijfelden voortdurend.' Rabin bleef na Esjkols vertrek bij de generaals zitten. Vóór Esjkols uitzending werkte het wachten op het begin van de oorlog op de zenuwen van de militairen. Nu dachten ze een ernstig probleem met het moreel te hebben.

Het leek alsof heel Israël naar Esjkols uitzending had geluisterd. Zijn stotterende, incoherente voordracht had hun ergste vrees bevestigd. In de woestijn ten zuiden van Beersheba lag een aantal soldaten onder een gecamoufleerde Centurion-tank naar een transistorradio te luisteren. Ze waren enorm gefrustreerd, zo vertelde later een van hen, Amos Elon. Toen Esjkol was uitgesproken, zei een officier dat niet Nasser het grote probleem voor Israël was, maar Esjkols generatie van Oost-Europese pioniers, die sinds de jaren twintig het politieke leven in het joodse Palestina en in Israël beheersten. Esjkols kantoor ontving talloze brieven met kritiek op zijn optreden. Iemand die zijn brief ondertekende met 'een trouw burger' raadde hem aan zijn toespraken door een radiopresentator te laten voorlezen. Mevrouw Miriam Smolansk schreef: 'Dat is de ramp die ons boven het hoofd hangt [...] onze staat en ons volk gaan te gronde. Met uw geestloze en krachteloze speeches vergiet u misschien het bloed van duizenden of van ons allemaal. Geef alstublieft het bevel over aan een krachtig iemand die de mensen kan inspireren.' Yael, de dochter van Moshe Dayan, hoorde Esjkols rede op de autoradio terwijl ze door de woestijn naar het hoofdkwartier van generaal Ariel Sharon reed, waaraan ze als militair journalist was verbonden. Ze voelde zich gegeneerd door Esjkols optreden. 'Langzaam, onzeker, oninspirerend, lauw. Luisteraars kregen geen antwoord, zelfs geen voorlopig. Ze konden er geen moed uit putten om langer te wachten.' De meeste Israëliërs dachten dat haar vader wel voor de benodigde moed kon zorgen.

Dayan

Volgens Moshe Dayans naaste bondgenoot Shimon Peres werd het leiderschap van de natie van de ene dag op de andere een groot probleem. Hij was al bezig met een meedogenloze politieke campagne om Esjkol als minister van Defensie en mogelijk zelfs als premier aan de kant te zetten, op grond van het idee dat zijn weigering Israël een oorlog te laten beginnen de staat in gevaar bracht. Ook de pers stortte zich op Esjkol. In hoofdartikelen werd geëist dat Moshe Dayan minister van Defensie werd. Voor de buitenwereld en veel Israëliërs was generaal Dayan met zijn zwarte ooglapje en stoere optreden hét voorbeeld van de geharde Israëlische militair. Dayan merkte met enig leedvermaak op dat Esjkols radiotoespraak een ramp was geweest. 'De twijfel en lacherigheid bij het publiek maakten plaats voor bezorgdheid.' Het Israëlische volk wilde een sterke militair aan de top. Esjkol voldeed niet aan dat beeld, Dayan wel. Dayan was een oorlogsheld, een flamboyante, manlijke en charismatische figuur met twee hobby's: vrouwen en archeologie. Hij was een goede vriend, maar alleen voor mensen die hem niet in de weg stonden. Dayan had een reputatie als strateeg die niet helemaal verdiend was. Ook zonder Dayan had Israël de oorlog van 1967 wel gewonnen.

Moshe Dayan was 52. Hij was het eerste kind dat in de eerste Israëlische kibboets, Degania, werd geboren. Zijn ouders waren vanuit Rusland geëmigreerd. Hun leven was hard. In 1921 verhuisden ze naar een nieuwe landbouwnederzetting die Nahalal heette, waar malaria en trachoom heersten en ze werden aangevallen door Palestijnse Arabieren. Als tiener sloot Dayan zich aan bij de Hagana, de ondergrondse joodse militie. Tijdens de 'Arabische opstand', een guerrillaopstand tegen joodse kolonisten en Groot-Brittannië, werkte de Hagana samen met het Britse leger.

Op een lenteavond in 1938 kwam er tegen zonsondergang een Britse officier genaamd Orde Wingate op bezoek bij Dayans Hagana-groep. Hij kwam binnen 'met een zware revolver op zijn heup en een bijbeltje in zijn hand'. Wingate was een diepgelovige christen die meende dat het zijn plicht was voor God en vaderland de joden te leren zich tegen de Arabieren te verdedigen. Hij vertelde hun alles over guerrillatactieken en nachtelijke aanvalsmethoden en stelde vervolgens voor het geleerde in de praktijk te brengen door diezelfde nacht een echte hinderlaag te leggen. Hiermee werd hij een held voor Dayan en de andere jonge joodse strijders. Hij leerde hen hoe ze 's nachts moesten vechten en zich verplaatsen, hoe ze het terrein konden gebruiken en hoe belangrijk de elementen snelheid en verrassing waren. Voor een aanval las Wingate stukken in de Bijbel die iets te maken hadden met het strijdtoneel. Als ze van een nachtelijke actie waren teruggekeerd en de jonge joodse soldaten bezig waren omeletten en tomatensalades voor het ontbijt te maken, zat Wingate spiernaakt in een hoekje van de keuken in zijn bijbel te lezen en 'op uien te kauwen alsof het sappige peren waren'. Wingate werd in 1939 naar Groot-Brittannië teruggeroepen omdat men zijn banden met de zionisten te hecht vond en men dacht dat hij onbeheersbaar was. Hij kwam in 1944 om bij een actie van de Chindit-divisie tegen de Japanners in Birma, waarna hij ook in eigen land als held werd vereerd.

Dayan leerde veel van Wingate. Hij raakte in 1941 zijn ene oog kwijt toen hij samen met de Australiërs in Libanon tegen de Fransen van de Vichy-regering vocht. De verrekijker waardoor hij keek werd geraakt door een geweerkogel, waardoor de lens en het metalen frame zich in zijn oogkas boorden. David Ben-Gurion, die begon met de traditie dat de premier tevens minister van Defensie was, maakte hem in 1953 tot stafchef van het Israëlische leger. Tijdens de begrafenis van Roy Rothberg, die in 1956 in een kibboets bij Gaza werd gedood, sprak Dayan een grafrede uit waarin hij onder andere zei: 'Het is het lot van onze generatie dat we altijd gewapend en voorbereid, sterk en vastbesloten moeten zijn, want als het zwaard ons uit handen wordt geslagen, moeten we sterven.' Voor Dayan was militaire macht niet alleen de beste optie voor Israël, het was de enige kans die het land had.

Dayan was in mei 1967 op zoek naar een baan. Het leger had hem een jeep en een chauffeur gegeven. Hij droeg een uniform zonder zijn generaalsinsignes en bezocht eenheden die stonden opgesteld in de Negev-woestijn, besprak de gevechtsplannen met de commandanten en schudde handen met de manschappen. Esjkols militair adjudant, Israel Lior, was meteen achterdochtig. 'Hij was duidelijk met een politiek spel bezig en greep de kans de legereenheden te bezoeken aan om in de publiciteit te komen en te proberen een hoge functie bij het leger of in de regering te bemachtigen.'

Het oppercommando van het leger steunde openlijk de campagne Esjkol als minister van Defensie te vervangen door Dayan. De druk werd ondraaglijk en Esjkol gaf de voorkeur aan Yigal Allon. Maar stoomwals Dayan liet zich nergens door tegenhouden. Ministers en parlementsleden wilden alleen hém. Vrouwen, die door Esjkol de 'merry wives of Windsor' werden genoemd, betoogden dagelijks ten gunste van Dayan voor het hoofdkwartier van de Mapai, de grootste partij in Tel Aviv. De partijfunctionarissen die binnen zaten, hoorden hen slogans roepen.

Esjkol vocht voor zijn ministerschap. Op 30 mei sprak hij 's avonds zijn parlementaire factie toe, volgens adjudant Lior 'met donderende stem, als een gewonde, brullende leeuw'. Het had allemaal geen zin. Esjkol bleef nog één dag aan. Hij bood Dayan de functie van vice-premier aan, maar de generaal weigerde. Hij wilde Defensie of een functie als bevelhebber in het leger. Uiteindelijk besloot Esjkol Yigal Allon minister van Defensie te maken. Hij zei op 31 mei tegen het kabinet dat Dayan het zuidelijke leger zou overnemen van brigadegeneraal Gavish.

Gavish was niet op de hoogte. Hij was een populaire bevelhebber, een knappe man van 42, die met zijn been trok vanwege een ernstige verwonding die hij in de oorlog van 1948 had opgelopen. Hij had er geen idee van dat Dayan zijn baan wilde. Rabin ontbood hem op 1 juni voor zonsopgang naar het hoofdkwartier in Tel Aviv. Generaal Ezer Weizman, het hoofd operaties, en generaal Chaim Bar Lev, de pas aangestelde plaatsvervangend stafchef, durfden hem niet aan te kijken. Gavish ging Rabins kamer binnen, salueerde en ging zitten. Rabin en hij waren collega's sinds de tijd van de Palmach in de jaren veertig. Rabin zei dat het hem speet. Dayan wilde het zuidelijke leger. Gavish slaagde er ondanks de schok in te zeggen dat Dayan tien keer zo veel soldaat was als hij en dat hij daarom zijn commando maar moest overnemen als hij dat wilde. Maar toen Rabin hem vroeg aan te blijven als Dayans plaatsvervanger, snauwde hij dat daar natuurlijk geen sprake van kon zijn.

De generaals die buiten wachtten, vroegen wat er gebeurd was. 'Jullie weten best wat er gebeurd is', zei hij kwaad en liep naar buiten. Bar Lev volgde hem en vloog met hem in de helikopter mee terug naar Beersheba. Hij leefde met Gavish mee en zei dat Dayan behoorlijk meedogenloos kon zijn, maar dat het een ramp zou zijn als hij niet aanbleef als Dayans plaatsvervanger. Gavish had minstens drie jaar gewerkt aan plannen voor een campagne in de Sinaï, terwijl Dayan eigenlijk al met pensioen was en niets wist. Gavish weigerde nog steeds. Hij belde zijn vrouw en zei tegen haar dat hij thuis zou komen voor het avondeten.

Gavish maakte een laatste ronde langs zijn front. Hij bezocht zijn divisiebevelhebbers Sharon, Tal en Yoffe en keurde zonder hun te vertellen wat er was gebeurd hun laatste plannen voor de aanval goed. Maar Esjkols plan zichzelf te redden door Gavish op te offeren, werkte niet. De ministers van de Nationale Religieuze Partij in zijn coalitieregering wilden Dayan als minister van Defensie, niet Allon. Esjkol werd gedwongen zijn beslissing te herzien.

Miriam Esjkol was op weg van Jeruzalem naar Tel Aviv in de officiële auto van haar echtgenoot toen de telefoon ging. Het was Esjkol. 'Hij zei dat ik snel naar Tel Aviv moest komen, dus ik dacht dat hij een hartaanval had gehad of zoiets. [...] Maar toen ik bij het kantoor in Tel Aviv kwam, zei hij: "Wees niet boos, maak je geen zorgen. Ik zal het ministerie van Defensie aan Moshe Dayan moeten overdragen, maar ik denk dat we wel kunnen samenwerken." Toen vroeg hij of ik Dayan voor hen wilde opsporen, want ze konden hem niet vinden. Ik wist precies waar hij zat. Bij een vriendinnetje...' Het verlies van het ministerie van Defensie aan de vooravond van de oorlog was een politieke en persoonlijke slag die Esjkol nooit meer te boven zou komen. Volgens zijn weduwe betekende het zijn einde. Hij overleed twee jaar later.

Esjkol benoemde niet alleen Dayan, maar ook twee rechtse ministers en vormde zo een regering van nationale eenheid. Een van de nieuwe ministers was Menachem Begin, die door de Britten als terrorist werd beschouwd. Hij had in 1946 opdracht gegeven tot de bomaanslag op het Britse hoofdkwartier in het King David Hotel, waarbij meer dan negentig mensen om het leven kwamen. Volgens de Britse politiecommissaris van Haifa was Al Capone een groentje vergeleken met de meedogenloze Begin. Tijdens de eerste vergadering in het nieuwe kabinet leek Begin zich prima op zijn gemak te voelen. 'Hij kwam heel natuurlijk over, alsof hij al jaren aan die tafel zat.'

Generaal Gavish was opgelucht dat hij zijn baan terughad. Maar hij was aangeslagen door het idee dat politiek blijkbaar belangrijker was dan de veiligheid van zijn land. 'Het was niet alleen persoonlijk. Er stonden duizend tanks in de Sinaï, klaar om ons aan te vallen. Hoe haalden ze het in hun hoofd om aan de vooravond van de oorlog de bevelhebber te vervangen?'

Esjkol voelde zich ook erg onrechtvaardig behandeld. Hij had zijn verantwoordelijkheden als minister van Defensie heel serieus genomen. Generaal Weizman, die net als de rest tegen Esjkol had geschreeuwd omdat hij de oorlog telkens uitstelde en zelfs vol walging de insignes van zijn schouders had gescheurd en op tafel had gegooid, herinnerde zich later, wellicht wat schuldig, dat Esjkol in de jaren voor de oorlog 'ons herhaaldelijk in verrukking bracht met zijn alertheid, gevoeligheid en grote belangstelling voor logistieke problemen'. Net voor het begin van de oorlog stuurde de directeur-generaal van het ministerie van Defensie hem een briefje. 'Het Israëlische leger is nog nooit zo goed uitgerust geweest. Ik heb net de afdeling van de kwartiermeester bezocht en er zijn geen problemen. De luchtmacht heeft bijna geen problemen. Het enige waar om werd gevraagd, was een zestal motoren.' Maar door Dayans benoeming steeg het ingezakte moreel in het leger en aan het thuisfront met sprongen. Zelfs kolonel Lior, Esjkols trouwe militaire adjudant, merkte dat de kabinetsvergaderingen sinds Dayans benoeming een nieuw soort vastberadenheid uitstraalden.

Arabische dromen en nachtmerries

Veel Arabieren droomden in de week voor de oorlog van de feesten die ze zouden bouwen als ze eenmaal hadden gewonnen. In deze koortsachtige sfeer was er geen ruimte voor twijfel aan de overwinning. Abdullah Schliefer was een tot de islam bekeerde Amerikaanse jood die als journalist in het Jordaanse Jeruzalem werkte. Hij was geschokt door de zelfgenoegzaamheid van de Palestijnen, die als in trance naar Saut al-Arab zaten te luisteren. 'Het Arabische vertrouwen in de overwinning hing onheilspellend in de lucht [...] Niemand voerde iets uit. Mensen hingen rond, feliciteerden elkaar en prezen Gamal Abdul Nasser. Deze ene man zou uitsluitend door zijn enorme durf de vijand op een verbazingwekkende manier verslaan, zonder dat de mensen die aan de strijd moesten deelnemen er nadelen van zouden ondervinden.' Schliefer schreef voor zijn Engelstalige krant een redactioneel commentaar waarin hij de burgerbevolking opriep zich tegen de Israëlische invasie te verzetten, waarna hij prompt van defaitisme werd beschuldigd. Zijn commentaar werd niet gepubliceerd.

Koning Hussein maakte zijn twijfels niet buiten zijn eigen kleine kring bekend. Adnan Abu Odeh, een majoor bij de Jordaanse inlichtingendienst, probeerde alarm te slaan. Sinds de aanval op Samua was hij ervan overtuigd dat er oorlog zou komen en dat de Israëliërs de Westoever zouden bezetten. Hij was te onervaren om te beseffen dat koning Hussein dat allang had begrepen. Odeh was zo zeker van de naderende oorlog dat hij zijn vrouw en vier kinderen in januari 1967 uit zijn geboortestad Nablus op de Westoever naar de andere oever van de Jordaan had laten overbrengen. In het laatste weekend voor de oorlog schreef hij een rapport waarin hij waarschuwde dat Jordanië een ramp tegemoet ging en dat de Westoever verloren was. Hij ging met dit rapport naar het kantoor van de directeur van de inlichtingendienst, salueerde en overhandigde het. De directeur had op dat moment een minister op bezoek. Terwijl Abu Odeh stond te wachten, bladerde de directeur het rapport door en maakte sarcastische opmerkingen over de inhoud. Hij overhandigde het aan de minister, die eveneens een paar grappen maakte over die eigenwijze figuren die dachten dat de overwinning hun nog kon ontgaan en gooide het vervolgens over zijn bureau heen terug naar zijn ondergeschikte. Abu Odeh verliet vernederd en boos het kantoor en gooide zijn rapport in de papiervernietiger.

De cafés en restaurants in Beiroet waren even vol als altijd. De zomer was begonnen en de beste stranden waren afgeladen. De rijke wijken van de Libanese hoofdstad waren eind jaren zestig kosmopolitische oases waar geld werd verdiend en plezier werd gemaakt (en niet altijd in die volgorde). De seismische schok van de junicrisis droeg eraan bij dat het land acht jaar later zou afglijden naar een burgeroorlog en jaren van isolement en bloedvergieten tegemoet ging, waarbij het oude Libanon verdween. Maar in 1967 was Beiroet nog het kruispunt van de culturen van het Midden-Oosten. Een van de velen die op doorreis waren in deze stad was Robert Anderson, een Amerikaanse zakenman die in de regering-Eisenhower had gediend en nu als president Johnsons onofficiële afgezant een zeer geheime ontmoeting zou hebben met Nasser. In Beiroet begreep Anderson pas goed hoeveel steun Nasser genoot. Hij ontmoette er niet alleen Libanezen, maar ook Saudi-Arabiërs, Koeweiti's

en Irakezen, het soort mensen dat gewoonlijk met rijke Amerikaanse zaken-
mannen of diplomaten omgaat. Al deze invloedrijke personen stonden vierkant achter Nasser. Anderson rapporteerde: 'Ik ben meer onder de indruk
van de kwaliteit van de mensen die zeggen dat ze achter Nasser staan dan van
dat feit op zich.' Ze waren 'over het algemeen gematigd en hadden de neiging
het met Nasser oneens te zijn'. De middenklassen, de mensen van wie de
Amerikanen dachten dat het hun natuurlijke bondgenoten waren, geloofden
evenzeer in Nassers optreden als de ongeletterde massa's. Andersons vrienden zeiden dat sluiting van de Golf van Akaba gerechtvaardigd was en dat het
beleid van de Verenigde Staten door Israël werd gedicteerd. De Arabieren
wilden dat het evenwicht op de een of andere manier werd hersteld. In de
laatste week voordat de oorlog uitbrak, leek Nasser hun redder.

Anderson reisde verder naar Cairo en had op 31 mei een ontmoeting met
Nasser, die 'sportkleding aanhad', ontspannen was en veel praatte. Hij leek er
alle vertrouwen in te hebben dat hij de juiste informatie kreeg over de kracht
van het Egyptische leger. Hij herhaalde zijn bekende uitspraak dat hij zijn
troepen had gemobiliseerd omdat Israël op het punt stond Syrië aan te vallen.
Johnson had vice-president Zakkaria Mohieddin uitgenodigd naar Washington te komen. Nasser wilde dat hij al op 4 of 5 juni zou gaan, omdat hij wist
dat de oorlog dichterbij kwam. Hij voorvoelde dat een openbare dialoog met
de Verenigde Staten de laatste kans was een Israëlische aanval te voorkomen.

Andersons bezoek was zo geheim dat hij naar Lissabon moest reizen om
zijn rapport te laten coderen en naar Washington te sturen. Tegen die tijd was
het 2 juni. Nasser besefte dat zijn gok bezig was verkeerd uit te vallen. Zijn
oude vijand Dayan was minister van Defensie geworden. Israël had geen moment angst getoond. Het was nu de vraag of Mohieddin in Washington kon
zijn voordat Israël aanviel. Als dat lukte, dan had Egypte een kans oorlog te
voorkomen en blijvende politieke munt uit de crisis te slaan. Nasser moest
tijd zien te winnen en zijn bevelhebbers moesten zich schrap zetten voor de
oorlog.

Hij riep veldmaarschalk Amer en zijn hoogste generaals bijeen, onder wie
de stafchef van de landmacht, generaal Fawzi, het hoofd van de luchtmacht,
generaal Sidqi Mahmoud, en de commandant van de luchtverdediging, generaal Ismail Labib. De oorlog zou over twee of drie dagen, op zondag 4 of
maandag 5 juni, beginnen, zo hield hij hun voor. Zijn berekening was gebaseerd op de vorderingen van de Iraakse troepen die de woestijn overstaken en
Jordanië binnenreden. De Irakezen wilden een grote troepenmacht van ten
minste drie infanteriedivisies en een versterkte pantserdivisie sturen. Het
zou hen twee tot drie dagen kosten om zich op te stellen. Nasser begreep dat
de Israëliërs over dezelfde informatie beschikten en een dergelijke verstoring
van het evenwicht aan hun oostgrens niet zouden toelaten. Ze zouden dan zeker aanvallen.

Nasser ontnam zijn generaals iedere hoop dat ze als eerste mochten aanvallen om zo het initiatief te verkrijgen. Zelfs van een beperkte aanval kon volgens hem geen sprake zijn. Zowel president Johnson als de Sovjetambassadeur had gezegd dat Egypte niet het eerste schot mocht lossen en daaraan zou hij zich houden. Waar het nu om ging, zei hij, was hoe ze het Israëlische offensief konden opvangen, hoe ze de klap konden absorberen en vervolgens terugslaan. Sidqi zei dat de luchtmacht was ingesteld op de aanval en niet kon wachten totdat de Israëlische oorlogsvliegtuigen hun kant op kwamen. Tijdens de oorlog van 1956 hadden Britse en Franse vliegtuigen de Egyptische luchtmacht vernietigd en daarom had de Egyptische militaire inlichtingendienst voorspeld dat Israël de volgende oorlog met een verwoestende aanval op de luchtmacht zou beginnen. Sidqi had een aanvraag ingediend om bunkers voor de oorlogsvliegtuigen te bouwen, maar dit was te duur bevonden. Egypte kon natuurlijk zelf ook een preventieve aanval uitvoeren, betoogde Sidqi nu.

Nasser was er niet aan gewend te worden tegengesproken en behandelde Sidqi als een brutale schooljongen. Wie gaf hier de bevelen, vroeg hij, de politici of de militairen? Veldmaarschalk Amer kwam met een vraag tussenbeide. Wilde Sidqi Israël treffen om vervolgens door de Verenigde Staten en Israël samen te worden aangevallen? Sidqi mompelde vernederd dat hij natuurlijk nooit ofte nimmer de president zou durven bevelen en dat het heel afschuwelijk zou zijn als de Verenigde Staten de kant van Israël kozen. Goed dan, ging Nasser verder, vertel me eens hoe groot de verliezen zouden zijn als we de eerste klap moeten opvangen. Sidqi, die de zaak voor zichzelf niet nog erger wilde maken door defaitistisch te klinken, antwoordde dat de luchtmacht waarschijnlijk 20 procent van zijn sterkte zou verliezen als Israël een verrassingsaanval uitvoerde. Prima, zei Nasser tegen de vergadering. Dat betekent dat we 80 procent over hebben om mee terug te slaan.

Diezelfde avond probeerde Mahmoud Riad, de Egyptische minister van Buitenlandse Zaken, nog of Egypte niet nog op een of andere manier de regels van het spel in de Straat van Tiran en de Sinaï permanent kon veranderen zonder een rampzalige oorlog met Israël te hoeven voeren. Ter voorbereiding van het bezoek van de vice-president aan Washington sprak hij met Charles Yost, een Amerikaanse speciale gezant die aan de ambassade van Cairo was verbonden, een man die hij al jaren kende. Volgens Yost zei Riad dat Egypte niet van plan was een oorlog te beginnen, maar hij voer daarna nog anderhalf uur 'op een weinig typerende, zeer bittere toon' tegen hem uit over Israël en het feit dat dit land altijd werd gesteund door de Verenigde Staten. Hij zei dat er verschillende regels leken te gelden voor Israël en voor de Arabische landen. Riad deed vervolgens een aanbod. De Straat van Tiran zou gesloten blijven voor Israëlische schepen, omdat Egypte bepaalde 'oorlogsrechten' had. Egypte was immers sinds lang officieel in staat van oorlog met

Israël. Maar alles zou worden doorgelaten (behalve olie) als het door buitenlandse schepen werd aangevoerd. De Israëlische problemen met de beperkingen van het gebruik van de haven van Eilat waren dus 'niet economisch, maar psychologisch'.

Riad had min of meer gelijk wat Eilat betreft. Hoewel Israël over een haven aan de Middellandse Zee beschikte, zou het land zeker economische schade lijden als het geen Iraanse olie meer kon importeren via Eilat. Maar dat was minder belangrijk dan de psychologische en strategische factoren. Israël had in de voorgaande negentien jaar nooit ook maar één keer toegestaan dat de status quo veranderde door politiek of militair ingrijpen van een Arabische staat. De algemeen aanvaarde zionistische stelling was dat als Israël ook maar één stap naar achteren deed, het vermogen vijanden af te schrikken zou beginnen af te brokkelen. De Israëliërs lieten zich leiden door het principe dat er continu druk uitgeoefend moest worden om de status quo in hun voordeel te veranderen. Deze strategie had goed gewerkt. De kleine stapjes in hun voordeel die ze ondanks Arabisch verzet en internationale kritiek hadden weten te zetten, waren belangrijke nieuwe feiten geworden. Egypte probeerde nu deze trend te keren door op de Israëlische manier te proberen de status quo te veranderen. Riad had moeten begrijpen dat Israël dat nooit zou toelaten.

In het Witte Huis werd president Johnson die avond gewaarschuwd door Efraim Evron, zijn meest vertrouwde Israëlische contactpersoon, dat de politieke en militaire druk in Israël hoog opliepen. Evron had een voorstel. De internationale vloot moesten ze maar vergeten. Israël zou een schip de Straat van Tiran in sturen om de blokkade te testen. Als Egypte dan het vuur opende, kon Israël een oorlog beginnen en zouden de Verenigde Staten buiten schot blijven. Het enige wat de Verenigde Staten hoefden te doen, was de Sovjets rustig houden en verklaren dat de Israëliërs uit zelfverdediging handelden. Walt Rostow zag wel wat in Evrons idee. Het ministerie van Buitenlandse Zaken had een week daarvoor iets soortgelijks met de Britten besproken. De gedachte dat Israël het risico zou nemen was aantrekkelijk, hoewel het ook op een 'verschrikkelijk bloedbad' kon uitlopen, zo verklaarde hij tegenover de president.

Het laatste weekend

Meir Amit, het hoofd van de Mossad, was zich maar al te bewust van de politieke en militaire druk waarover Evron in Washington sprak. Het bezorgdst was hij over de economie, die door de mobilisatie bijna tot stilstand was gekomen. Op 31 mei ging Amit onder een andere naam en met een vals paspoort aan boord van een vliegtuig naar Washington om zijn goede vriend Richard Helms, de directeur van de CIA, te bezoeken.

Er waren geen vorderingen gemaakt met het plan voor een internationale vloot (de planners spraken over 'de Rode-Zee-regatta'). Het was het enige politieke en diplomatieke idee van de Britten en Amerikanen geweest om de oorlog af te wenden. Maar de admiraals en politici hadden er absoluut geen zin in. In het Pentagon twijfelden ze of ze wel voldoende vuurkracht hadden voor nog een oorlog. De Amerikaanse gezamenlijke stafchefs waarschuwden dat als ze een internationale vloot moesten samenstellen met behulp van Amerikaanse en Britse schepen die zich reeds ten oosten van Suez bevonden, 'het twijfelachtig is of deze een grootscheepse Egyptische aanval kan weerstaan'. Wat hun betreft was het een slecht militair plan.

De Israëliërs hadden door dat de internationale vloot een doodgeboren kind was. Op 2 juni, de laatste vrijdag voordat de oorlog uitbrak, legden de Israëlische generaals de argumenten om een oorlog te beginnen voor aan de defensiecommissie van het kabinet. Het hoofd van de militaire inlichtingendienst, Yariv, zei dat ze zich geen zorgen hoefden te maken over de Amerikanen. 'Washington weet dat we in actie zullen moeten komen.' De Verenigde Staten waren immers niet van plan zelf de blokkade van Eilat te breken. Voortbordurend op het signaal dat Rostow via Evron had gegeven zei Yariv dat als Israël snel handelde, de Verenigde Staten opgelucht zouden zijn en 'ons niets in de weg zouden leggen'. Rabin voegde eraan toe dat 'er een militair-politieke strop om onze nek zit die niet door iemand anders losgemaakt zal worden'.

Hij zei nogmaals tegen de politici dat ze de Egyptenaren zouden verslaan, maar dat dit moeilijker zou worden naarmate ze langer wachtten. Generaal Gavish, die weer gewoon hoofd van het zuidelijke leger was, drong aan op onmiddellijke actie omdat hij had begrepen, 'uit de allerbetrouwbaarste bronnen', dat het Egyptische leger nog steeds geen partij was voor de Israëlische strijdkrachten. Delen van het leger hadden al in geen 48 uur voedsel of water gehad. Soldaten kwamen in galabia's omdat er geen uniformen voor hen waren.

Andere, meer gematigde generaals herhaalden de woorden die ze tijdens de confrontatie met Esjkol hadden gebruikt. Sharon waarschuwde dat 'aarzeling en uitstel' afbreuk deden aan het beste Israëlische afschrikmiddel, 'de angst die we de Arabieren inboezemen'. Peled, het hoofd logistiek, zei: 'We weten dat het Egyptische leger nog niet klaar is voor de oorlog [...] ze hopen op aarzeling bij de Israëlische regering. Ze vertrouwen erop dat we niet durven aanvallen [...] Nasser heeft een onvoorbereid leger aan de grens en trekt daar profijt van. Wat in zijn voordeel werkt, is dat de Israëlische regering niet bereid is hem aan te vallen. Wat heeft het leger misdaan dat de politiek twijfelt aan onze militaire slagkracht? Wat kan een leger nog meer doen dan voortdurend winnen om het vertrouwen van zijn regering te verdienen?'

Dezelfde dag presenteerde Moshe Dayan zijn oorlogsplan aan Esjkol, Eban, Allon, Rabin en Ya'acov Herzog, het hoofd van het kantoor van de premier. Dayan wilde het Egyptische leger in de Sinaï verpletteren, maar zonder Gaza in te nemen of naar het Suezkanaal te gaan. Allon, die al heel lang een hekel had aan Dayan en zich des te meer aan hem ergerde sinds hij minister van Defensie was geworden, had zijn eigen ideeën. Hij wilde optrekken naar het Suezkanaal en er honderdduizenden vluchtelingen overheen jagen. Dayan vond dit plan 'barbaars en onmenselijk'.

Op dat moment bezocht Meir Amit in Washington zijn vriend Helms op diens kantoor bij de CIA. Helms bevestigde dat zijn idee de Straat van Tiran met behulp van een internationale vloot open te houden, weinig kans meer maakte. Op dat moment kwam de minister van Defensie, Robert McNamara, binnen. 'Hij was heel indrukwekkend, zonder das of jasje', vertelde Amit later. 'Ik zei tegen hem dat ik zijn standpunt begreep, maar dat hij nu naar het onze moest luisteren. Ik vertelde hem dat ik oorlog zou adviseren. McNamara stelde slechts twee vragen. Hij vroeg hoelang het zou gaan duren, en ik antwoordde: een week. En hij vroeg hoeveel doden er zouden vallen, en ik zei: minder dan bij de onafhankelijkheidsoorlog, waarbij zesduizend doden vielen. McNamara zei: ik snap het volkomen.'

'Nu stelde ik een vraag: moet ik hier een dag of twee blijven rondhangen? Maar hij zei: nee, ga maar naar huis, daar hebben ze je nu nodig.'

De Amerikanen hadden een duidelijk signaal gegeven. Ze hoorden van de Israëliërs dat hun land een oorlog zou beginnen en deden geen poging hen tegen te houden. Amit reisde terug naar Israël in een vliegtuig vol gasmaskers en militaire apparatuur. Ambassadeur Harman, die Amit had beschuldigd van oorlogszuchtigheid en voor uitstel en matigheid pleitte, ging met hem mee. Ze landden op zaterdag 3 juni 's avonds bij Tel Aviv. Ze werden meteen per auto naar Esjkols appartement in Jeruzalem gebracht, waar hij en zijn belangrijkste ministers wachtten.

Het was bijna middernacht toen ze er aankwamen. Harman en Amit spraken. Amit zei dat oorlog noodzakelijk was en dat de Amerikanen er 'niet om zouden Shiva-en' (met andere woorden: er niet om zouden rouwen). Hij had begrepen dat de Amerikanen zich er niet in zouden mengen. Harman wilde dat Israël nog een week of twee zou wachten. Dayan was het daar niet mee eens. 'Als we nog eens zeven tot negen dagen wachten, zullen er duizenden extra doden vallen. Het is niet logisch om te wachten. Wij beginnen de oorlog. Laten we eerst aanvallen en vervolgens naar de politieke kant kijken.'

Alle aanwezigen wisten dat de beslissing was gevallen. Israël zou de oorlog beginnen. Esjkol vroeg aan Amit de volgende ochtend op de kabinetsvergadering een toelichting te geven. Alle ministers stemden voor de oorlog, op twee linkse ministers na, die zich van stemming onthielden. Naderhand gingen Amit en Dayan naar het ministerie van Defensie in Tel Aviv om te bespreken wat er op maandag moest gebeuren. Amit zei tegen Dayan dat het 'gesmeerder zou lopen' als Israël eerst een reactie uitlokte bij de Egyptenaren voordat ze zelf hun grote offensief openden. 'Doe geen moeite', zei Dayan. 'We beginnen gewoon.'

In het Jordaanse deel van Jeruzalem ontaardden het felle Arabische nationalisme en het geloof dat Israël nu snel vernietigd zou worden in een algemeen anti-westerse stemming. Zes mannen gingen naar de directeur van de Britse School of Archeology in Oost-Jeruzalem en zeiden dat hij 'voor zijn eigen veiligheid' beter kon vertrekken. Op 4 juni was hij vertrokken, om iets urgents te regelen in het buitenland. Een Canadees echtpaar dat in het Intercontinental Hotel op de Olijfberg verbleef, was zo onverstandig te klagen over de dienstverlening. De politie werd gebeld en ze werden gearresteerd en ondervraagd. Volgens de Britse consul-generaal leek de sfeer erg op die in Syrië net voordat de Suez-crisis uitbrak.

Laat in de middag van 4 juni, de laatste dag voor de oorlog, riep Rabin generaal Narkiss en generaal Elazar bij zich, bevelhebbers van respectievelijk het centrale en het noordelijke leger. Het viel Narkiss op dat generaal Gavish van het zuidelijke leger niet aanwezig was. 'Maar toen ik het gezicht van Rabin zag, begreep ik meteen dat het was begonnen. Hij was heel vrolijk.' De vergadering duurde slechts een halfuur. Narkiss was jaloers op de twee andere bevelhebbers, want Gavish zou 'pootjebaden in het Suezkanaal' en Elazar zou 'zijn voeten op de Syrische hoogvlakte planten'. Maar Rabin zei telkens tegen Narkiss dat ze moesten wachten met acties tegen Jordanië. Narkiss stond te popelen om Jordaans Jeruzalem in te nemen. Hij was ervan overtuigd dat dit zou lukken, maar was erg bang dat het er niet van zou komen. Rabin hield voet bij stuk. Het zuidelijke front ging voor. Later, na een paar laatste briefings van hoge officieren, aan wie hij niet kon vertellen dat de oorlog de volgende morgen zou beginnen, kwam de chauffeur van Narkiss binnen om te vragen of hij naar huis ging. 'Ik dacht dat ik het geheim zou verraden als ik me anders gedroeg dan op andere avonden en dus zei ik: "Ja, naar huis."'

Het was een warme, mediterrane avond. De generaals Rabin en Hod maakten een praatje met hun buren, slenterden door de tuin en speelden met hun kinderen. Ze woonden niet ver van elkaar, in Tsalha, een kleine, groene voorstad van Tel Aviv waar veel hoge legerofficieren een huis hadden. Rabin en Hod probeerden normaal te doen en gedroegen zich zelfs nonchalant, hoewel hun hoofd vol details zat van het plan voor de komende strijd. Ze waren thuis en zorgden dat ze goed zichtbaar waren om de vijand te misleiden. Hods logica was eenvoudig: 'Als de stafchef en het hoofd van de luchtmacht thuis zijn, dan denkt iedereen dat het morgen rustig blijft.'

In dat laatste weekend voor de oorlog deden de Israëliërs alle mogelijke moeite hun oorlogsplannen te verdoezelen. Hun misleidingscampagne was zeer succesvol. Zelfs Winston Churchill, de kleinzoon van de Britse oorlogspremier, die als journalist in Israël verbleef, werd op het verkeerde been gezet. Op zaterdag was hij door Moshe Dayan, die ook in Tsalha woonde, thuis voor de lunch uitgenodigd. Hij betaalde zijn taxi, liep de tuin in en struikelde bijna over iemand die aan een Egyptische mummie werkte. Hij dacht dat het de tuinman was, maar het bleek Dayan zelf. 'Hij deed zijn uiterste best ontspannen over te komen. Hij zei: "Kom, Winston, we drinken wijn uit Tiberias."' Toen ik zei dat de oorlog volledig door de luchtmacht beslist zou worden, zei hij dat de dingen niet altijd zwart-wit zijn, maar grijs, en dat het hem heel onwaarschijnlijk leek dat een van de twee partijen volledig overwicht in de lucht zou krijgen.' Churchill liet zich overtuigen. De volgende dag vloog hij terug naar Londen. Dayan hielp ook mee de Britse ambassadeur Michael Hadow wijs te maken dat de Israëliërs nog diplomatieke stappen wilden ondernemen. Duizenden soldaten kregen weekendverlof, zodat de stranden bij Tel Aviv vol zaten. Hadow liet zich misleiden. Hij telegrafeerde naar Londen dat de Israëlische strijdkrachten 'uitgebreid verlof' kregen. In zijn rapport van 4 juni schreef hij: 'Ik stel voor pas weer te rapporteren als er iets van belang gebeurt.' De soldaten keerden 's nachts weer naar hun eenheden terug.

Vanuit de Britse haven Felixstowe vertrok die avond na het invallen van de duisternis stilletjes het Israëlische vrachtschip *Miryam* met kisten machinegeweren en 105-mm-tankgranaten in het ruim en rijen pantservoertuigen vastgesjord aan dek. Journalisten die lucht van het transport hadden gekregen, werden weggehouden bij de kade. In de haven werden loodsen met militaire voorraden bewaakt door Amerikaanse MP's. De *Miryam* verzorgde de laatste van een reeks transporten van wapens die in het geheim uit Britse en Amerikaanse reserves waren geleverd. Israëlische vrachtvliegtuigen hadden een luchtbrug verzorgd vanuit de luchtmachtbasis Waddington in Lincolnshire, een extra beveiligd vliegveld en een van de grootste bases van de Britse vloot van strategische bommenwerpers. De Britse premier Harold Wilson had Esjkol geschreven dat hij blij was te kunnen helpen, maar dat 'de grootste geheimhouding moet worden betracht'. De Verenigde Staten hadden een zending wapens aan Jordanië tegengehouden, maar contracten met Israël werden gewoon nageleefd.

De bewoners van kibboets Nachshon besteedden de zondagavond aan het leggen van mijnen. De kibboets was een grensnederzetting dicht bij de zogenoemde Latrun-enclave, een stuk Jordaans grondgebied dat in Israël uitstak. De kibboetsniks wisten niet dat de oorlog over een paar uur zou uitbreken, maar ze voelden wel dat het niet lang meer zou duren. 'Het leggen van mijnen was serieus en zwaar werk, zwaarder dan onze militaire trainingen. We zaten in het pikkedonker in een uitgestrekt, met manshoge doornstruiken overgroeid gebied, waar in geen jaren iemand geweest was. We werkten hard die nacht [...] en waren tot zonsopgang in de weer met pikhouwelen.' Ze waren hondsmoe. Net voordat het licht werd liet iemand zijn pikhouweel op een mijn vallen. Ze schrokken zich een ongeluk van het gekletter van metaal op metaal.

Ran Pekker van de Israëlische luchtmacht werd opgeroepen voor een vergadering van squadronleiders. Hun bevelhebber stond op en schreef 07.45 op het bord. Dit was de tijd dat de volgende morgen de eerste luchtaanvallen in Egypte zouden plaatsvinden. Daarna viel er niet veel meer te zeggen dan dat geheimhouding en de verrassingsfactor belangrijker waren dan ooit. Pekker reed terug naar zijn squadron en sloot zich met de map voor Operatie Focus op in de briefing room. Hij nam keer op keer de details door en bereidde de verklaring voor die hij de volgende morgen voor de piloten zou afleggen. Hij kwam om middernacht thuis. Zijn vrouw, Heruta, werd wakker en vroeg wat er aan de hand was. Hij antwoordde dat ze zich geen zorgen hoefde te maken, hij zou het 's morgens wel vertellen. Hij zette zijn wekker op 03.30 uur.

De piloten kregen het pas 's morgens te horen, vanwege de noodzaak tot geheimhouding en omdat hun bevelhebbers wilden dat ze goed zouden slapen. Er waren een paar uitzonderingen, zoals Herzl Bodinger, de 24-jarige piloot van een in Frankrijk gebouwde Vautour-gevechtsbommenwerper. Hij zou een squadron Toepolev-16-bommenwerpers moeten aanvallen op het vliegveld Beni Sweif, dat op het maximale vliegbereik van de Vautour lag en daarom moest hij een avond eerder zijn toestel van het Ramat David-vliegveld in Noord-Israël naar Tel Nof in het zuiden vliegen. Elke kilometer dichter bij Egypte telde. Als iemand in Tel Nof vreemde vragen stelde, moesten de vier piloten zeggen dat ze instructeurs waren die een routinevlucht hadden uitgevoerd. Hoewel ze de exacte datum en tijd nog niet hadden gehoord, wisten ze dat ze over een paar uur, op maandagmorgen, hun jaren van training in de praktijk zouden brengen.

Israël mobiliseerde rond Eilat een spookeenheid. Radioverkeer werd nagebootst en er reden loze voertuigen door een gebied waar alleen het normale garnizoen was gelegerd. Maar de uitgebreide operaties die een leger moet uitvoeren voor het begin van de strijd, zijn moeilijk stil te houden. De Egyptenaren vingen dus wel signalen op dat er iets stond te gebeuren, maar deze werden allemaal genegeerd. Waarnemers op vooruitgeschoven posten dicht bij de Gazastrook zagen op zondagavond Israëlische legereenheden die zich gereedmaakten voor een aanval. Maar de waarschuwing die ze om halfelf 's avonds stuurden ('Israël zal naar verwachting op 5 juni bij zonsopgang een aanval op de landstrijdkrachten in de Sinaï openen'), werd genegeerd. De inlichtingendienst van de Egyptische luchtmacht was zo'n chaos dat luchtmaarschalk Abdel-Hamid El-Dighidi, die het bevel had over de luchtmacht in de Sinaï, een paar dagen daarvoor alle medewerkers van zijn inlichtingendienst had ontslagen omdat ze hem zouden bespioneren. Maar hij had niemand om hen te vervangen. Een van Dighidi's mannen had zondagavond laat aan zijn bureau moeten zitten op de commandopost, maar was vroeg naar huis gegaan. Koning Hussein had eveneens informatie van zijn inlichtingendienst dat de oorlog op het punt stond te beginnen met een luchtaanval op Egypte. Hij stuurde een dringende boodschap naar Cairo, en de Egyptenaren antwoordden dat ze van de aanval op de hoogte waren en klaarstonden. Koning Hussein bracht de uiterst kleine Jordaanse luchtmacht in de hoogste staat van paraatheid.

De Egyptische luchtmacht had het ondertussen druk met andere zaken. De volgende morgen zou veldmaarschalk Amer naar de Sinaï vliegen voor een ontmoeting met de bevelhebbers van zijn legers en het hoofd van de luchtmacht, Sidqi Mahmoud. Op zondagavond verlieten de Egyptische bevelhebbers hun posten in het veld om naar het vliegveld Bir Tamada in de Sinaï te gaan, zodat ze de veldmaarschalk de volgende morgen op tijd konden begroeten.

Op zondag hadden de Amerikanen het idee aanvaard dat Israël de aanval zou openen – ze verwachtten het zelfs. President Johnsons formule dat Israël uitsluitend alleen zou staan als het land daar zelf voor koos, leek vergeten. Toen Johnson op vrijdag 2 juni met Harold Wilson sprak, leek hij zich al bij de oorlog te hebben neergelegd. Walt Rostow, zijn adviseur nationale veiligheid, schreef: 'Het wordt steeds duidelijker dat de Israëliërs niet langer dan een week zullen wachten voordat ze zelf de blokkade van de Golf van Akaba ongedaan gaan maken. Ze hopen duidelijk Nasser ertoe te bewegen het eerste schot te lossen. Ze zullen in de Sinaï beperkt terugslaan, maar zijn voorbereid het zonder hulp van buitenaf op te nemen tegen alle Arabische strijdkrachten samen.' Rostow sloot een plan voor een internationale vloot uit, omdat dit 'vrijwel zeker geen operationele steun krijgt'. Hij hoopte dat de crisis ertoe zou leiden dat Nasser 'een toontje lager gaat zingen' en dat 'twee extreme scenario's' vermeden konden worden: de vernietiging van Israël (wat door rapporten van de Amerikaanse inlichtingendiensten was uitgesloten en een militaire onmogelijkheid werd genoemd), en de vorming van een blok, verenigd door vijandschap jegens de joodse staat, 'zodat we gedwongen zijn Israël als een soort Hongkong in de regio te handhaven'.

De Sovjetambassadeur bij de VN, Nikolai Fedorenko, bevond zich op Glen Cove, een landgoed op Long Island gebouwd in de stijl van een Schots kasteel, dat de Sovjet-Unie in 1948 voor weinig geld had gekocht. Een tijd lang brachten de Sovjets er hun hele delegatie voor de VN onder om geld te besparen en het de KGB gemakkelijk te maken hen in het oog te houden. In 1967 was het een toevluchtsoord voor topdiplomaten geworden en Fedorenko was er gastheer. Hij zat met zijn expert wapenbeheersing, Arkadi Sjevtsjenko onder het genot van een glas cognac over het Midden-Oosten te praten. Ze hadden net een uiterst geheim telegram ontvangen waarin stond dat Moskou Nasser had geadviseerd geen oorlog te beginnen. Sjevtsjenko dacht niet dat Nasser er gehoor aan zou geven. 'Mijn eerdere ervaringen met vertegenwoordigers van Arabische landen hebben me geleerd dat onze overheid de Arabische lijn volgt, en niet omgekeerd.' Beide mannen dachten dat de oorlog niet lang meer op zich zou laten wachten.

In een huis bij Tel Aviv dat door de Mossad werd gerund, zat Levi Esjkol aan het avondeten met zijn vrouw Miriam. Hij zei tegen haar: 'Morgen begint het. Vrouwen zullen hun man verliezen, kinderen zullen wees worden, ouders hun kinderen kwijtraken – en dat heb ik op mijn geweten.' Mevrouw Esjkol zei later: 'Hij werd erdoor gekweld. Hij hield niet van oorlog. Het was wel het laatste wat hij wilde in zijn leven. Hij geloofde dat een goede voorbereiding noodzakelijk was als je vrede wilde.'

Later die dag probeerde de Amerikaanse ambassadeur in Amman, Findley Burns, zijn gedachten te ordenen. De oorlog leek onvermijdelijk. Washington leek niets meer te kunnen bedenken. Een terugkeer naar een aantal fundamentele principes voor het Midden-Oosten was misschien de enige oplossing. De crisis over de Golf van Akaba was 'symptomatisch voor de fundamentele confrontatie'. Alles viel terug te voeren op het Palestijnse probleem. Als dat opgelost kon worden, zou er geen oorlog hoeven komen. Burns zei tegen het ministerie van Buitenlandse Zaken dat de president, zonder iemand (behalve misschien de Britten) op de hoogte te brengen, meteen moest verklaren dat 'het Palestijnse probleem de basis van de crisis is'. Vervolgens zou de president een vredesconferentie voor het Midden-Oosten moeten organiseren om voor eens en altijd tot een oplossing van de kwestie te komen. 'Oorlogen eindigen met een vredesconferentie, dus misschien kunnen we daar beter meteen mee beginnen.' Wat betreft eerdere toezeggingen, zoals de belofte Eilat open te houden voor de Israëlische scheepvaart, die in 1957 was gedaan, die zouden in afzonderlijke gesprekken met de Israëliërs en Palestijnen afhankelijk gemaakt kunnen worden van hun opstelling tijdens de crises. Er kon duidelijk worden gemaakt dat 'de toezeggingen niet zouden gelden voor landen die vijandelijkheden beginnen en zich als agressor opstellen', tot het moment dat de vredesconferentie haar werk had kunnen doen.

Burns had gelijk. Alles was terug te voeren op het Palestijnse probleem, dat snel nog groter zou worden.

Dag een

5 juni 1967

Negev-woestijn, Israël, 01.00

Brigadegeneraal Ariel Sharon was zich aan het scheren. Toen hij klaar was, bekeek hij zichzelf eens goed in de spiegel en depte aftershave op zijn wangen. Sharon ving de blik op van luitenant Yael Dayan, de dochter van de nieuwe minister van Defensie, die in zijn trailer zat. Zij was als militair journaliste aan het hoofdkwartier van Sharon verbonden. 'We gaan de oorlog winnen', zei hij, blakend van zelfvertrouwen, tegen haar. 'Hij leek bijna gelukkig', schreef Yael later. 'De frustratie was verdwenen.' In de woestijn is weinig privacy. Ze had meegeluisterd toen Sharon met zijn vrouw Lily belde. Hij had gezegd: 'Wees kalm [...] geef de kinderen een zoen van me – en maak je geen zorgen.' Een uur later verliet Sharon het kamp voor een ontmoeting met de bevelhebbers van zijn brigades. Terwijl de militairen overlegden, proefde Yael Dayan een vastberaden, professionele sfeer, 'en een vleugje blijdschap'. Tegen vier uur 's morgens was Sharons divisie klaar om te vertrekken. De brigadegeneraal strekte zich uit op de grond tussen de halfrupsvoertuigen van zijn divisie, zei dat ze hem om 06.30 moesten wekken en viel in slaap.

Tel Aviv, 03.30

Het was generaal Mordechai Hod gelukt vier uur te slapen. Meer zou hij voorlopig niet krijgen. Hij reed voor zonsopgang naar het commandocentrum van de Israëlische luchtmacht, dat zich diep onder de grond in het ministerie van Defensie in Tel Aviv bevond. Hij bereidde de mededeling voor die onder zijn mannen verspreid zou worden als de oorlog begon: 'Gevechtsorder van de commandant. Israëlische luchtmacht. Urgent. Aan alle eenheden. Soldaten van de luchtmacht, het brallende, snoevende Egyptische leger rukt op om onze mensen te vernietigen. [...] Vlieg uit, vernietig de vijand, achtervolg hem, verspreid hem in de wildernis, zodat het volk van Israël in vrede in ons land kan wonen en toekomstige generaties veilig zijn.'

Geheimhouding en verrassing waren van het allergrootste belang. Onder geen beding mocht er op het laatste moment nog iets uitlekken. De dagploeg kwam om zes uur. De deuren werden achter hen gesloten en ze kregen te horen dat de oorlog op het punt stond te beginnen. De nachtploeg, die al wist wat er ging gebeuren, mocht niet naar huis. Twaalf jaar planning zou in praktijk worden gebracht met behulp van een operatie die Israël de overwinning zou bezorgen – daarvan was Hod overtuigd. De naam ervan – Operatie Moked (Hebreeuws voor 'focus') – stond zelfs al sinds een jaar vast.

Ran Pekker werd om 03.30 uur wakker door zijn wekker. Hij schoor zich, deed een schone, gestreken overall aan en poetste zijn zwarte luchtmachtschoenen. Hij kuste zijn slapende kinderen en draaide zich om bij de deur van hun slaapkamer om nog een blik op hen te werpen – het kon de laatste zijn, wist hij ondanks al zijn zelfvertrouwen. Toen vertrok hij naar zijn squadron, waar hij om 03.45 aankwam. Pekker wekte zijn assistent-operaties, die aanwezig was omdat hij nachtdienst had, en zijn twee plaatsvervangers. Toen de drie mannen er waren, vertelde hij dat de oorlog over drieënhalf uur zou beginnen. Ze moesten de piloten wekken en zorgen dat ze meteen naar de basis kwamen. Overal in Israël werden er op dat moment piloten opgeroepen. Omdat ze maar zelden wisten wat er ging gebeuren, hadden ze goed gerust. Alles verliep volgens plan.

Luchtmachtbasis Mafrak, Jordanië, 04.00

De waarschuwingen van koning Hussein waren wel doorgekomen bij zijn eigen luchtmacht. De 25-jarige gezagvoerder Ihsan Shurdom en andere piloten stegen bij zonsopgang op vanaf luchtmachtbasis Mafrak en vlogen patrouilles boven Amman en de omringende Jordaanse hoogvlakte, die steil afloopt naar de Dode Zee en de vallei van de Jordaan. Toen de zon opkwam, streek het licht over het dal beneden hen en weerkaatste op de torens van Jeruzalem in het westen. De meeste pilotengezinnen, ook dat van Shurdom, woonden op Mafrak, dat negentig kilometer buiten Amman lag, op de weg naar Damascus en Bagdad. Shurdom dacht dat de Israëliërs zouden proberen de basis aan te vallen en maakte zich zorgen over zijn gezin. Maar hij stelde zichzelf gerust door te denken aan de goede schuilkelders op Mafrak en de loopgraven die er tegen luchtaanvallen waren gegraven. Hij zou hoe dan ook geen burgers aanvallen en verwachtte dat de Israëlische luchtmacht, die hij respecteerde, dat evenmin zou doen.

Ihsan Shurdom was jong en vol zelfvertrouwen. Hij was in Engeland door de RAF opgeleid en in Jordanië in luchtgevechten getraind met instructeurs van de RAF. Shurdom had alle boeken gelezen over de fantastische Britse piloten uit de Tweede Wereldoorlog. Voor hem was het luchtgevecht sinds de Battle of Britain niet veel veranderd. Het enige verschil was dat ze nu veel sneller waren en straaljagers hadden. Zijn Hunter was bewapend met een 30-mm-kanon en had geen radar. Shurdom moest, net als de Spitfire-piloten van

toen, op zijn ogen vertrouwen. Hij was heel tevreden met zijn vliegtuig, al
was het oud en stond het op de nominatie te worden vervangen door de moderne supersonische F-104 Starfighter. Zes van deze toestellen waren een dag
eerder nog uit Jordanië weggehaald, samen met hun Amerikaanse instructeurs. Maar dat deed er niet toe. De Hunters waren minder snel dan de F-104s, maar ze waren betrouwbaar, krachtig en bijzonder wendbaar, vooral
met lage snelheid. De Jordaniërs waren klaar voor het gevecht, maar er was
geen spoor van de Israëliërs. Na een patrouillevlucht van vijftig minuten
landden ze weer op Mafrak.

De Jordaanse luchtmacht was efficiënt, maar bestond uit niet meer dan 24
Hawker Hunters. Vlak voor de oorlog werden de Syrische en Egyptische
luchtmacht door Amerikaanse experts doorgelicht. Hoewel de Egyptische
luchtmacht sterk leek en over 350 straaljagers beschikte, waren er daarvan
weinig operationeel. Slechts 222 waren toegewezen aan operationele gevechtssquadrons, waarvan er in naam achttien waren, hoewel er slechts twee
squadrons met MiG-21s en drie squadrons met MiG-17s echt operationeel
waren. Bij de overige squadrons was niet meer dan 30 tot 50 procent klaar
voor de strijd. De Egyptische bommenwerpervloot van 39 Tupolev-16- en 35
Ilyushin-28-toestellen was het sterkste strategische wapen. Syrië beschikte
over 58 gevechtsvliegtuigen en vier Ilyushin-28-bommenwerpers. Maar
daarvan was slechts één squadron van MiG-17s operationeel. De resterende
gevechtssquadrons en de vier bommenwerpers opereerden volgens de Amerikanen op een efficiencyniveau van 50 procent, dat wil zeggen dat ze de helft
van de tijd niet gebruikt konden worden. Beide landen hadden een tekort aan
gevechtsklare piloten. Egypte had in totaal 700 piloten, maar slechts 200 werden geacht direct inzetbaar te zijn voor luchtacties. Voor Syrië waren slechts
35 van de 115 piloten klaar voor de strijd.

Luchtmachtbasis Ekron, Israël, 04.30

Majoor Ran Pekker, bevelhebber van squadron 102, zorgde dat er koffie
klaarstond in de briefingruimte. Toen alle piloten er waren, draaide hij het
schoolbord om waar hij 07.45 op had geschreven. Naast de namen van de piloten stonden de doelen vermeld en de namen van de andere bemanningsleden. Hij nam de procedures door. Radiostilte was van het grootste belang. Als
een vliegtuig een mechanisch probleem had, diende de piloot dit aan de andere vliegtuigen duidelijk te maken door een vleugel te laten zakken en vervolgens zonder een woord te zeggen naar huis terug te keren. Als het vliegtuig neerstortte, mocht er geen SOS-signaal worden uitgezonden, maar
moesten ze zich met hun schietstoel boven zee zien te redden en vervolgens

wachten tot ze werden opgepikt. Pekker benadrukte voortdurend dat het niet om een oefening ging, maar dat ze echt in oorlog waren.

Soortgelijke briefings vonden overal in Israël op luchtmachtbases plaats. Ook kapitein Avihu Bin-Nun, plaatsvervangend bevelhebber op Tel Nof en commandant van een formatie Mystère-straaljagers, sprak zijn mannen toe. Hij legde de nadruk op timing en radiostilte. De briefing was overal hetzelfde, alleen de doelen verschilden. Bin-Nun vond het een plechtig moment, want hij was ervan overtuigd dat de toekomst van Israël afhankelijk was van de luchtmacht. Hij was een van de leiders van de komende aanval. 'We hadden lang getraind, geoefend, doelen uit ons hoofd geleerd. Iedere formatie had eigen doelen en had geoefend om deze in complete radiostilte aan te vallen. We hoefden niets meer tegen elkaar te zeggen. We konden het plan desnoods met de ogen dicht uitvoeren.'

Geen begin van een oorlog was ooit zo goed geoefend als Operatie Focus. Het idee erachter was eenvoudig. Als Israël de luchtmacht van de Arabieren kon vernietigen voordat de vijandelijkheden echt waren begonnen, was de oorlog eigenlijk al gewonnen. De Israëliërs dachten al vanaf het eind van de onafhankelijkheidsoorlog in 1949 over een verwoestende aanval op Egyptische luchtmachtbases. In die dagen beschikte de Israëlische luchtmacht nog alleen over een klein aantal Dakota's en Spitfires, die net in de plaats waren gekomen van de Messerschmidts. Dit tot grote opluchting van de eerste Israëlische gevechtspiloten, zoals Ezer Weizman, die vonden dat de Duitse gevechtsvliegtuigen eigenlijk 'duivelse machines' waren. Maar David Ben-Gurion achtte de luchtmacht in 1949 nog niet sterk genoeg, en bovendien hadden ze de oorlog tegen Egypte al bijna gewonnen. Frankrijk en Groot-Brittannië bewezen in 1956 dat het idee werkte door het grootste deel van de Egyptische luchtmacht te vernietigen. De vliegtuigen stonden netjes in rijen op de luchtmachtbases opgesteld. In 1956 was Weizman boos en gefrustreerd dat Groot-Brittannië en Frankrijk de leiding hadden genomen bij de luchtoorlog. Toen hij in 1958 hoofd van de luchtmacht werd, kende hij aan de preventieve luchtaanval een sleutelfunctie toe in de Israëlische strategie voor de volgende oorlog. Hij werkte continu aan dit idee, spoorde de overheid aan de juiste vliegtuigen te kopen en vroeg om de beste training. Om zich te ontspannen vloog hij rond in een zwarte Spitfire, die tot zijn pensionering na de oorlog van 1967 voor zijn persoonlijk gebruik op de luchtmachtbasis stond.

Toen de jonge, ambitieuze piloot Herzl Bodinger in 1963 afstudeerde van de pilotenopleiding, was deze strategie allang gemeengoed. Om de paar maanden moest Bodinger als onderdeel van de routinetraining gesimuleerde bombardementen op Arabische vliegvelden uitvoeren en geparkeerde vliegtuigen vernietigen. Om het halfjaar deed de hele luchtmacht mee aan een oorlogsoefening. De piloten maakten op basis van rapporten van de inlichtingendienst hun doelen na om hun tactiek te verbeteren. Ze bouwden landingsbanen en hangars en stelden er luchtdoelgeschut op. Toen de crisis in mei 1967 begon, werden deze oefeningen stopgezet. Reservisten werden gemobiliseerd en vliegtuigen van brandstof en wapens voorzien en klaargezet om meteen in actie te komen. Maar toen er na een tijdje nog niets was voorgevallen, waren de oefeningen weer begonnen, zodat de piloten nogmaals hun oorlogsmissies konden trainen. In aanvalsformatie vliegend maten ze precies op hoever het was naar hun doelen. Herzl Bodinger, die het vliegveld Beni Sweif in Egypte zou aanvallen, legde het vereiste aantal kilometers af door vanaf het vliegveld Ramat David naar het zuiden te vliegen, naar Eilat, daar om te keren en terug naar het noorden te vliegen, naar de Libanese grens, en vervolgens weer zuidwaarts naar Beersheba om een nagebouwde landingsbaan in de Negev-woestijn aan te vallen.

Bodinger was de avond ervoor al naar Tel Nof gekomen en werd op 5 juni net als de andere piloten om 04.30 uur wakker. Hij belde zijn vrouw om te zeggen dat de oorlog over een paar minuten zou beginnen. Hij zei dat ze de baby van hun gehuwdenverblijf op Ramat David naar haar ouders moest brengen, die in een buitenwijk van Tel Aviv woonden. 'Ze maakte zich geen zorgen. Ze had bij de inlichtingendienst van de luchtmacht gewerkt en had daarom net zoveel vertrouwen in het plan als wij.' Hod en zijn commandanten beschouwden Focus niet als een gok, maar als een verstandig, zij het gedurfd plan. Die morgen zette Israël 197 gevechtsvliegtuigen in. Slechts vier werden er achtergehouden om het Israëlische luchtruim te verdedigen. Een van de piloten die thuis moesten blijven, was Uri Gil. Hij had twee weken lange perioden achter elkaar klaargezeten in zijn jet om een eventuele Arabische tegenaanval te onderscheppen, terwijl de andere piloten aan het pingpongen waren. Gil was er trots op dat zijn vaardigheden als piloot werden erkend. Maar hij hoefde nooit in actie te komen. Hij was jaloers toen hij de piloten van de bommenwerpers zich op hun missies zag voorbereiden. Hun moment van glorie was nu aangebroken.

Commandocentrum van de luchtmacht, ministerie van Defensie, Tel Aviv, 06.00

De volgende fase van het misleidingsplan ging van start. Vijf Fouga Magister-vliegtuigen stegen op voor hun gebruikelijke trainingsvlucht, zoals ze elke dag deden. In het luchtruim boven Israël zonden ze gefingeerde, op de band opgenomen radiogesprekken uit tussen de piloten en verkeersleiders, via golflengten die normaal worden toegewezen aan militaire vliegtuigen. Het moest klinken als een normale training. Het radioverkeer werd elke morgen opgevangen door een krachtige Jordaanse radarpost in de bergen bij

Ajloun, hoog boven de Middellandse Zee. Ze bleven in de lucht tot 07.45, het uur U.

De Israëlische grens bij de Gazastrook, 06.00

De soldaten van de verkenningseenheid van de zevende Israëlische pantser-brigade waren voor zonsopgang opgestaan. Hun jeeps, panterwagens en tanks stonden langs een weg met eucalyptusbomen die naar de grens met de Gazastrook leidde. De commandant van de compagnie, Ori Orr, was de vori-ge nacht laat teruggekomen van een briefing op het hoofdkwartier van het re-giment en wist dat zijn mannen hem hadden zien terugkomen. Hij had al ver-teld dat hij een voorgevoel had dat de oorlog die morgen zou beginnen en wist dat ze zich afvroegen of hij gelijk had. Die morgen was het heel stil. Er vlogen geen vliegtuigen over en er werden geen granaten afgevuurd. De radiostilte was al van kracht. De enige walkie-talkie die er in de compagnie in gebruik was, bevond zich in Orrs gepantserde commandowagen en stond op 'alleen luisteren'. Orrs onderofficier, sergeant Bentzi Zur, bevond zich in de com-mandowagen voor een paar laatste controles. Alles was klaar.

Op het hoofdkwartier van het Egyptische leger in de Sinaï was het even-eens rustig. De commandant, generaal Muhsin, en zijn plaatsvervanger wa-ren naar de bespreking met veldmaarschalk Amer op het vliegveld Bir Tama-da. Kapitein Salahadeen Salim, die samen met de andere lage officieren was achtergebleven, voelde zich wat ongemakkelijk. Hij had het gevoel dat ze meer hadden moeten doen en dacht daarover na. Waarom werden er niet meer verkenningsmissies uitgevoerd? Hadden ze niet voor een betere coör-dinatie moeten zorgen tussen de verschillende eenheden onder Muhsins be-vel? Iedereen op het hoofdkwartier wist dat veel manschappen die naar de Sinaï waren gestuurd, niet klaar waren voor de strijd. Er waren duizenden slecht getrainde en slecht uitgeruste reservisten. Mannen die hun militaire dienst bij de artillerie hadden vervuld, waren bij tanks ingedeeld. Maar het enige wat Salim kon doen was discreet mopperen tegen collega's van gelijke rang. In het bijzonder hiërarchische Egyptische leger werd een 25-jarige ka-pitein, een van de laagste officieren op het hoofdkwartier te velde, niet geacht iets anders te doen dan gehoorzamen. Generaal Muhsin had bekendgemaakt dat ze geen haast hadden met hun voorbereidingen. Hij had hun verzekerd dat ze op tijd klaar zouden zijn.

De positie van Egypte was nog beroerder dan Salim dacht. Sommige een-heden in de Sinaï waren 40 procent onderbemand. Er waren pantsereenhe-den die slechts de helft van het aantal tanks hadden dat officieel was aangege-ven. Het Egyptische leger had een tekort van 30 procent aan kleine wapens en van 24 procent aan artillerie. Eenderde van het staande leger, 70.000 man, bevond zich in Jemen. Eind jaren zestig waren de Verenigde Staten militair zo sterk aanwezig in Vietnam dat ze betwijfelden of ze in staat waren elders een tweede conventionele oorlog te beginnen. Maar Egypte begon in juni 1967 wel aan een tweede oorlog. Er stonden 100.000 man, 950 tanks, 1100 pantserwagens en meer dan 1000 stuks artillerie opgesteld in de Sinaï. Het Egyptische leger bestond uit vier infanteriedivisies, twee gepantserde divisies, één gemechaniseerde infanteriedivisie en vier onafhankelijke brigades. Tegenover hen lagen 70.000 Israëlische soldaten, verdeeld over elf brigades, waarvan twee onafhankelijk waren, terwijl de rest was verdeeld over drie divisies. Er waren vier pantserbrigades met moderne Centurion- en Patton-tanks. Twee waren gemechaniseerd en hadden elk een bataljon Sherman-tanks en twee bataljons infanterie, die met Amerikaanse halfrupsvoertuigen uit de Tweede Wereldoorlog werden vervoerd. De twee infanteriebrigades werden naar het strijdtoneel gereden met honderden van burgers gevorderde bussen, vrachtauto's en bestelauto's. Israël had ook drie brigades paratroepers, waarvan een gemechaniseerd was en versterkt met een bataljon Patton-tanks.

Luchtmachtbasis Tel Nof, 06.30

Kapitein Avihu Bin-Nun en zijn piloten stonden klaar in hun Mystères. Het tijdstip waarop ze zouden opstijgen, was een uiterst belangrijk onderdeel van het plan. Bin-Nun en zijn mannen hadden te horen gekregen dat als hun vliegtuig een storing vertoonde waardoor het vertrek van andere vliegtuigen vertraagd kon worden, ze meteen de startbaan moesten verlaten, ook al zou hun toestel daarbij beschadigen. De Israëlische luchtmacht had vijf verschillende soorten gevechtsvliegtuigen, alle door Frankrijk geleverd: Mirages, Super Mystères, Mystères, Ouragans en Vautours. Dit was niet ideaal, maar in de jaren vijftig en de vroege jaren zestig kochten de Israëliërs wat ze konden en wanneer ze maar konden. Het aanvalsplan was toegesneden op de mogelijkheden van deze toestellen. De vliegtuigen van de eerste golf moesten zich om precies 07.45 Israëlische tijd boven hun doel bevinden. De tijden dat de vliegtuigen opstegen waren daarop afgesteld. Afhankelijk van de plaats waar ze vertrokken en waar ze naartoe moesten, zouden de vliegtuigen er tussen de 10 en 45 minuten over doen om hun doel te bereiken. Er zouden zoveel vliegtuigen op hetzelfde moment boven de Egyptische luchtmachtbases verschijnen dat Egypte in de eerste minuut van de eerste ronde al knock-out zou zijn. En alle piloten waren er goed van doordrongen dat ze onder geen beding hun radio mochten gebruiken voor het begin van de aanval.

Op weg naar zijn Mirage dacht Ran Pekker aan zijn gezin. Ze zouden binnen afzienbare tijd worden gewekt en van de luchtmachtbasis worden geëvacueerd naar een hotel. Toen hij eenmaal zat vastgesnoerd op zijn stoel, hoorde hij van grondpersoneel dat er ergens iets fout was gegaan. Er was iets niet klaar. Hij ontplofte bijna van woede. Ze zouden vijf minuten later opstijgen, wat betekende dat ze sneller moesten vliegen en dus meer kostbare brandstof zouden verbruiken.

Herzl Bodinger en zijn collega's flitsten op dertig meter hoogte over de Sinaïwoestijn. Bodinger maakte zich grote zorgen dat het plan doorzien was. Hij was gefrustreerd dat hij niet de radio kon aanzetten voor een geruststellend babbeltje met collega's – en was blij toen hij Egyptische soldaten in een groot konvooi pantserwagens voorbij zag rijden die enthousiast naar hen zwaaiden terwijl ze overscheerden. Tot dusver werkte de misleiding.

Luchtmachtcommandocentrum, ministerie van Defensie, Tel Aviv, 07.30

Generaal Ezer Weizman was in hoge staat van opwinding. 'De spanning was om te snijden [...] De vliegtuigen waren onderweg. Om 07.40 uur moesten ze op negen Egyptische vliegvelden de eerste klap uitdelen [...] Ik had eindeloos over dit plan gepraat, het uitgelegd, erop gebroed, ervan gedroomd, het stukje voor stukje in elkaar gezet, de mannen getraind om het uit te voeren. Nu zouden we binnen een kwartier weten of het alleen maar een droom was of dat het werkelijkheid zou worden.' In 1966 had hij tijdens een lezing voor de Israëlische militaire academie gezegd dat de luchtmacht die van alle Arabische landen binnen zes uur kon uitschakelen. Nu zou worden bewezen of hij gelijk had gehad.

De routes die de vliegtuigen namen, waren in de loop van een aantal jaren vastgesteld en aangepast. De meeste waren getest door piloten die opdracht hadden gekregen om ten behoeve van 'trainingsmissies' het Egyptische luchtruim te schenden. Ze kregen zelf niet te horen dat het de bedoeling was de efficiency van de Egyptische luchtverdediging, vooral de radar, uit te testen. Door deze continue speldenprikken werden de gebreken in het Egyptische militaire radarsysteem blootgelegd.

Een complicatie bij de Israëlische luchtmacht was dat bijna eenderde van de 197 Israëlische gevechtsvliegtuigen bestond uit Ouragans die een betrekkelijk kort bereik hadden en niet verder kwamen dan het Suezkanaal. In de maanden voor de oorlog was het Israëlische leger bezorgd als ze hoorden dat er meer Egyptische troepen het kanaal overstaken om zich in de Sinaï op te stellen, terwijl generaal Hod van de luchtmacht rede had voor vreugde als er weer een Egyptisch squadron naar een vliegveld in de Sinaï werd overgebracht. Het betekende dat er meer werk was voor de Ouragans en dat de Mirages en Mystères meer tijd zouden hebben voor andere missies.

Bin-Nun zwenkte zijn Mystère richting Middellandse Zee, gevolgd door vier andere toestellen. Ze vlogen zo laag mogelijk om de Jordaanse radar te ontwijken. Hun straalmotoren deden het water van de zee opwervelen, zo dicht bij het wateroppervlak zaten ze. Ze dienden heel precies hoogte te houden, want een klein beetje hoogteverlies kon al tot een ramp leiden. Bin-Nun maakte zich zorgen over zijn nummer 4, een onervaren piloot die moeite leek te hebben met de balans van zijn toestel. Maar door de radiostilte kon hij geen woord tegen hem zeggen. Toen hij weer achteromkeek, was nummer 4 verdwenen. Hij nam aan dat hij in zee was gestort en vloog door.

In Cairo was het een uur later dan in Tel Aviv. De aanvalstijd, 08.45 uur Egyptische tijd, was met opzet gekozen omdat bommenwerpers gewoonlijk bij zonsopgang of -ondergang aanvallen (want dan zijn ze slecht zichtbaar tegen de zon). De Israëliërs wisten dat de Egyptenaren dagelijks bij zonsopgang patrouillevluchten uitvoerden. Maar om 08.45 uur, als het gevaarlijkste deel van de dag voorbij was, waren ze weer op hun basis om te tanken en te ontbijten. Volgens rapporten van de Israëlische inlichtingendienst was dat ook het moment dat de bevelhebbers van de Egyptische luchtmacht op weg waren naar hun werk. Ze zaten in hun stafauto op de weg en hadden geen contact met hun squadron. Ook het weer was een factor. In de Nijldelta hing er in juni bij zonsopgang vaak lage bewolking die om kwart voor negen 's morgens gewoonlijk was verdwenen.

Herzl Bodinger maakte zich in zijn Vautour zorgen dat de weersvoorspellers het uitgerekend deze morgen bij het verkeerde eind hadden. De vier Vautours kwamen in laaghangende bewolking terecht terwijl ze over de Nijl vlogen, waarop vreedzaam de feloeka's (Egyptische zeilboten) voeren zoals op iedere andere dag. Bodinger was vooral bezorgd over het moment dat ze net even voor het vliegveld Beni Sweif tot 2000 meter hoogte zouden moeten klimmen om de bombardementsaanval in te zetten. Als het dichtbewolkt was, zou er van een accurate duikvlucht geen sprake kunnen zijn. Toen het vliegveld in zicht kwam, begreep Bodinger dat ze het geluk aan hun kant hadden. Beni Sweif was gebouwd op een aantal zandheuvels te midden van een landschap van geïrrigeerde akkers. Rond de basis steeg er in de morgenzon mist op van de vochtige velden, maar niet van de droge betonnen landingsbanen. Beni Sweif lag door een gat in de mist open voor hen.

Luchtmachtcommandocentrum, ministerie van Defensie, Tel Aviv, 07.30

Weizman kon de spanning nauwelijks meer verdragen. 'De minister van Defensie was hier, en de stafchef en zijn plaatsvervanger [...] de ademhaling ging moeilijk, de gezichten waren bleek.' Hoewel Mordechai Hod er kalm uitzag terwijl hij zat de wachten, had ook hij last van de enorme spanning. Hij dronk hele kruiken water tegelijk leeg. Hij nam ze in beide handen en goot ze achter elkaar naar binnen. Volgens Weizman leek hij op een reusachtige radiator.

Bin-Nun was met zijn groep op weg naar het vliegveld bij Fayed, op de westoever van het Suezkanaal. Van de inlichtingendienst wisten ze dat dit de basis was voor drie gevechtssquadrons MiG-19 en -21-jagers en Sukhoi-7-bommenwerpers. 'Het aanvalsplan was om boven het doel te klimmen, een duikvlucht uit te voeren waarbij de bommen werden gelost en we met onze 30-mm-mitrailleurs op de geparkeerde vliegtuigen schoten.' Israël had alles met opzet zo eenvoudig mogelijk gehouden. De vliegtuigen opereerden in golven, behalve op het moment van de aanval. Ze zorgden dat ze tot het moment van de aanval onzichtbaar bleven voor de Egyptische radar. Ze vielen geen Egyptische radarstations aan en probeerden ze niet te storen, zodat de aanval een verrassing bleef. Dankzij uitstekende, zeer uitgebreide inlichtingen van de geheime dienst konden ze de Egyptische luchtverdediging en luchtmachtbases vermijden die alarm konden slaan. Ze gebruikten bijzonder eenvoudige navigatiemethoden, 'de klok en het goede oude kompas', zoals Weizman zei. Ze hadden goede kaarten en accurate gegevens over het terrein dat ze overvlogen. In de loop der jaren had de Israëlische luchtmacht honderden fotoverkenningsvluchten uitgevoerd, zodat ze van elke luchtmachtbasis in Egypte, Syrië en Jordanië een precies beeld hadden. Piloten hadden een boek waarin de doelen en verdediging op en rond de luchtmachtbases gedetailleerd werden beschreven. Toen de Jordaniërs neergehaalde piloten fouilleerden, vonden ze deze boeken in hun overalls. Er stond precies in waar ze dienden aan te vallen, landingsbanen moesten bombarderen en waar het luchtverdedigingsnetwerk op zijn zwakst was. Met behulp van onderschepte radioberichten bouwden ze een stemherkenningsdossier op van de belangrijkste bevelhebbers.

Luchtmachtbasis Fayed, Egypte, 08.00

Tahsen Zaki was bevelhebber van een luchtgevechtseenheid die was gestationeerd op luchtmachtbasis Fayed. De groep was in de hoogste staat van paraatheid, want er dreigde een oorlog en die morgen zou een aantal vips de basis bezoeken. Om 08.00 uur waren er twee vliegtuigen opgestegen van luchtmachtbasis Maza, naast Cairo International Airport. Hierin zaten Hussein al Shafei, vice-president van Egypte en een van Nassers meeste vertrouwde adviseurs, en Taher Yahya, de vice-premier van Irak, die zich een dag eerder had aangesloten bij de defensieovereenkomst tussen Egypte en Jordanië. Tijdens de plechtige ceremonie in Cairo had Yahya gezegd dat hij het een eer vond 'zich in het kloppende hart van het arabisme te bevinden en deel te nemen aan de slag die bepalend zou zijn voor de toekomst van de Arabische natie'. Deze slag was nu dichterbij dan hij kon vermoeden. Shafei en Yahya gingen een Iraakse eenheid bezoeken die in de Sinaï stond opgesteld. De zoon van de Iraakse president was een van de officieren. Bij de nadering van vliegveld Fayed zag Shafei een aantal grijze gevechtsvliegtuigen dichtbij. Shafei was een belangrijk man in Egypte (hij had in 1952 met zijn medeofficieren bij de cavalerie aan Nassers coup meegedaan) en ging er dus van uit dat de vliegtuigen hem en zijn gast naar Fayed escorteerden. Hij wees Yahya dus op de vliegtuigen en leunde gerieflijk achterover.

Er vloog op dat moment nog een groep Arabische vips over de Sinaï. Om 07.30 uur waren veldmaarschalk Amer en luitenant-generaal Sidqi Mahmoud, de bevelhebber van de luchtmacht, ook net opgestegen van Maza voor hun bezoek aan Bir Tamada in de Sinaï, waar ze de bevelhebbers zouden ontmoeten van de troepen die tegen Israël stonden opgesteld. In Tel Aviv zagen de Israëliërs het radarsilhouet van de Ilyushin 14 van de Egyptische bevelhebbers boven het Suezkanaal. Mordechai Hod maakte zich zorgen dat de Ilyushin de Israëlische luchtvloot zou opmerken en alarm zou slaan. Maar hij kon wegens de radiostilte zijn piloten niet waarschuwen.

Tel Aviv, 08.00

De dochters van kolonel Mordechai Bar On vertrokken te voet naar school. Hun vader had de nacht op het hoofdkwartier in Tel Aviv doorgebracht. Hij had zijn gezin niet verteld dat de oorlog zou beginnen. Bar On had dit niet alleen verzwegen vanwege de geheimhouding, maar ook omdat hij van piloten had gehoord dat Egyptische bommenwerpers niet eens in staat zouden zijn om op te stijgen, laat staan Israëlische steden aan te vallen. 'Ik geloofde niet dat er gevaar dreigde. Een piloot die ik op het hoofdkwartier sprak, zei dat hij zijn woord gaf dat er niet één Egyptisch vliegtuig Tel Aviv zou bereiken. Ik herinner het me nog goed. Je kunt je niet voorstellen hoe arrogant ze waren, maar ze hadden gelijk.' In Israël hoorde men het luchtalarm eigenlijk alleen als het land een paar minuten stilte in acht nam ter herdenking van de slachtoffers van de Holocaust en de soldaten die in oorlogen zijn omgekomen. Toen Bar Ons dochters op weg naar school het luchtalarm hoorden, bleven ze dus stofstijf staan alsof ze twee minuten stilte in acht moesten nemen.

Cairo 08.45

Boven heel Egypte zette de eerste golf Israëlische gevechtsvliegtuigen de aanval in. Terwijl Bin-Nun laag over de Nijldelta en het Suezkanaal bulderde, had hij zich net als Bodinger zorgen gemaakt over de ochtendmist. Maar het was helder boven Fayed, zoals de weersvoorspellers hadden beloofd. Bin-Nun liet toen hij het vliegveld naderde, zijn Mystère klimmen. De Israëlische piloten zouden van een hoogte van 2000 tot 3000 meter in duikvlucht hun doel naderen, want zo waren ze moeilijker neer te schieten en de bommen moesten onder een hoek van 35 graden hun doel raken om effectief te zijn. Hij deed zijn radio aan, maar deze werkte niet. Deed er niet toe, hij had hem niet nodig. Hij begon aan een steile duikvlucht en wierp op 1300 meter zijn bommen af. Tegen die tijd hadden de Egyptenaren door dat ze door Israel werden aangevallen. Egyptische piloten die in onderscheppingsvliegtuigen zaten te wachten, probeerden op te stijgen. 'Toen ik dook om mijn bommen af te werpen, zag ik vier MIG-21s aan het eind van de startbaan in de rij staan om op te stijgen. Ik liet de bommen vallen en begon te vuren. Ik raakte twee van de vier vliegtuigen, die in vlammen opgingen.'

De radiostilte werd tijdens de eerste aanvalsgolf opgeheven. Hod luisterde in Tel Aviv naar het radioverkeer. 'Iedereen op het squadronkanaal begon door elkaar te praten en ik hoorde wat ze zeiden. Ik schakelde telkens over en kon mijn oren niet geloven. Resultaten!'

Vluchtleider: Twee MIGs op elf uur onder je, drie kilometer...
Piloot: Toestemming om de rechter te raken?
Vluchtleider: Kijk uit voor boven, ik ga naar beneden [...] ik neem de linker [...] let op je staart [...] open vuur [...] voltreffer [...] zwenk naar links...
Piloot: Ik neem de rechter ... ik heb hem...

Op het vliegveld Bir Tamada in de Sinaï bevonden zich op dat moment zo'n beetje alle uitvoerende Egyptische topmilitairen, die dus niet op hun post waren. Dit waren onder anderen het hoofd van het commandocentrum te velde, generaal Murtagi, zijn stafchef, generaal-majoor Ahmad Isma'il en de bevelhebber van het leger te velde, generaal Salah Muhsin. De erewacht voor de hoge bezoekers was zich net aan het opstellen toen de eerste Israëlische vliegtuigen aanvielen. Murtagi dacht eerst nog dat het Egyptische toestellen waren. Zelfs toen de eerste bommen ontploften meende hij nog even dat het om verraad van Egyptenaren zelf ging, een coup wellicht. Het laatste waaraan hij dacht, terwijl ze haastig dekking zochten, was een Israëlische aanval. Daarna werd het maar al te duidelijk waar de gevechtsvliegtuigen vandaan kwamen – maar waar was de Egyptische luchtmacht? Ze zaten in een loopgraaf te wachten, terwijl de Israëliërs hun karwei klaarden. 'We waren er zeker van dat onze Egyptische gevechtsvliegtuigen snel zouden verschijnen om er iets tegen te doen, maar we wachtten tevergeefs...'

Doordat alle hoge militairen naar Bir Tamada waren gekomen om met Amer te overleggen, zaten de Egyptische hoofdkwartieren in de Sinaï, te beginnen met die van het veldleger, zonder bevelhebbers. Op het hoofdkwartier van generaal Salah Muhsin hoorde kapitein Salahadeen Salim de gevechts- vliegtuigen krijsend overkomen. Er klonken explosies en kort daarop kwa- men er berichten binnen dat er grote aantallen Israëlische tanks in aantocht waren. Salim en andere officieren die op het hoofdkwartier waren achterge- bleven probeerden erachter te komen wat er aan de hand was en de troepen te verzamelen voor de verdediging. Maar zelfs hun commandopost was niet klaar. Hij was onvoldoende ingegraven en beschermd door zandzakken en dus kwetsbaar voor artillerie en luchtaanvallen. Maar voorlopig leken de Israëliërs hen daar met rust te laten. Salim had zijn bevelhebbers graag willen vertrouwen, maar in het eerste uur van de oorlog vervloekte hij hen. Muhsin was niet op zijn post vanwege de ontmoeting met veldmaarschalk Amer, op een verafgelegen luchtmachtbasis, terwijl de Israëliërs aanvielen. Het was krankzinnig. Amer en Muhsin hadden toch rekening kunnen houden met een verrassingsaanval? De crisis was tenslotte al drie weken aan de gang.

Israël, 08.00, Gaza, 09.00

Het was de laatste dag van de schoolexamens in Gaza. De 25-jarige leraar Ka- mel Sulaiman Shaheen verheugde zich op de zomervakantie. Zijn lokaal in het schoolgebouw in Gaza-stad zat vol en het examen was net begonnen, toen hij de eerste granaten hoorde ontploffen. Shaheens leerlingen waren jongens van dertien. Hij zei dat ze zo snel mogelijk naar huis moesten rennen en ver- trok vervolgens zelf naar zijn gezin in Deir al Balah, zo'n vijftien kilometer naar het zuiden. Hij nam zijn gezin mee naar een stuk landbouwgrond dat van hem was en ver weg lag van plekken die doelwit konden zijn. Hier voel- den ze zich veiliger. Ze hielden zich schuil in een gebouwtje dat onder de palmbomen stond en hoopten er het beste van. Onderweg zagen ze Egypti- sche en Palestijnse soldaten die hun post hadden verlaten en zuidwaarts trok- ken om naar Egypte te ontkomen. Shaheen had medelijden met hen. De Israëliërs leken over een onstuitbare militaire machine te beschikken, inclu- sief grote kanonnen, helikopters en straaljagers.

Ibrahim El Dakhakny, een 34-jarige majoor bij de Egyptische militaire in- lichtingendienst, was sinds 1965 in Gaza gestationeerd. Het was zijn taak Israëlische troepenbewegingen aan de andere kant van de grens in de gaten te houden en te zorgen voor verbinding met Palestijnen die guerrilla-acties in Israël uitvoerden. Dankzij de blauwhelmen van de UNEF was het al meer dan tien jaar rustig aan de grens. Maar niemand had de Palestijnse guerrillastrij- ders, die de *fedajien* ('zij die zich opofferen') werden genoemd, ooit officieel laten inrukken. De majoor maakte zich grote zorgen. Hij hield al twee jaar de Israëliërs in de gaten. Hij luisterde naar radioverkeer en kreeg informatie van de speciale waarnemingsposten die hij had laten inrichten om aan de grens te spioneren. Hij wist dat dit de juiste oorlog voor Israël was en totaal de verkeerde voor Egypte. De Israëliërs hadden zich er al vanaf 1956 op voorbereid en de politici in Cairo hadden hun de kans gegeven het Egyptische leger voor eens en altijd te vernietigen. Majoor Dakhakny wist als alle beroepsmilitairen dat de oorlog in Jemen zo veel van het leger had gevergd dat het niet sterk genoeg was voor een oorlog tegen Israël. Hij begreep niet waarom de Egyptische leiders het land in oorlog lieten komen met een vijand die hen zeker zou verslaan. Misschien dacht Nasser dat hij de nederlaag in een politieke overwinning kon ombuigen, zoals hij ook in 1956 had gedaan. Hij hoopte het maar, want oorlog zou slecht zijn. Heel slecht.

Op 5 juni werd hij gewekt door het geluid van luchtafweergeschut. Dicht bij zijn huis in Gaza-stad bevond zich een batterij die werd bemand door Palestijnen die deel uitmaakten van het Palestijnse Bevrijdingsleger (PLA). In Egypte bestond de PLA in totaal uit één brigade, die door Egypte werd getraind en uitgerust. Deze brigade heette Ein Galout, naar een slagveld waar de Egyptenaren in de Middeleeuwen binnenvallende Mongoolse legers hadden tegengehouden. Een koerier kwam majoor Dakhakny vertellen dat het luchtdoelgeschut een Israëlische Ouragan had neergehaald. Er was een boot onderweg om de piloot op te pikken, die zich met zijn schietstoel boven zee had gered. Er werd een kletsnatte Israëliër genaamd Mordechai Livon binnengebracht voor ondervraging. Livon vertelde majoor Dakhakny dat de Israëlische luchtmacht bezig was alle Egyptische vliegvelden en vliegtuigen te vernietigen. Hij werd in een auto gezet en naar Cairo gestuurd om nogmaals te worden ondervraagd.

Negev-woestijn, Israël, 08.15

De Israëlische stafchef Yitzhak Rabin belde brigadegeneraal Gavish in de Negev-woestijn. 'De Knesset komt bijeen', zei hij, wat de afgesproken code was om aan het grondoffensief in de Sinaï te beginnen. Gavish zei vervolgens 'rood laken' in zijn microfoon, het codewoord om dit bericht aan de bevelhebbers van zijn divisies door te geven.

Het plan was om langs drie routes aan te vallen. De divisie van brigadegeneraal Israel Tal, die bestond uit twee pantserbrigades, een brigade paratroepers versterkt met tanks en een paar onafhankelijke bataljons, zou de noordelijke route naar het Suezkanaal nemen, door de plaats Rafah, bij de grens van Egypte en Gaza, en vervolgens verder via Al-Arish naar Al-Qantarah. Tal beschikte over driehonderd tanks, honderd halfrupsvoertuigen en vijftig kanonnen. Ook de 7de pantserbrigade, het elitetankcorps van Israël, maakte deel uit van zijn divisie.

Verder naar het zuiden moest de divisie van brigadegeneraal Ariel Sharon, die uit een pantserbrigade, een brigade paratroepers en een infanteriebrigade bestond, de stellingen aanvallen bij Abu Ageilah, een strategisch kruispunt van wegen, en vervolgens westwaarts afbuigen naar Mitla- en Giddi-pas, de twee enige mogelijkheden om de verder onbegaanbare bergen van de Sinaï over te steken. Hij had ongeveer tweehonderd tanks, honderd halfrupsvoertuigen en honderd kanonnen. De derde divisie werd aangevoerd door brigadegeneraal Avraham Yoffe. Zijn divisie bestond voornamelijk uit reservisten en beschikte over twee pantserbrigades met tweehonderd tanks en honderd halfrupsvoertuigen, maar had geen kannonen. Yoffe diende eerst de zandwoestijn over te steken (waarvan de Egyptenaren dachten dat hij een onneembare barrière vormde) om de flanken van de divisies van Sharon en Tal te beschermen.

De ene golf Israëlische straaljagers na de andere bulderde over de hoofden van Ori Orrs verkenningseenheid bij de grens met Gaza. Hij zou Rafah aanvallen via Khan Yunis, een stad in de Gazastrook, een paar kilometer verder aan de Middellandse-Zeekust. Het codewoord, rood laken, kwam via de walkie-talkie. Het betekende dat de radiostilte verbroken mocht worden en er meteen aangevallen moest worden. Orr gaf zijn mannen de laatste instructies: 'Dit is het dan. We kennen onze taak, we hebben uitgebreid geoefend. Ik vertrouw op jullie. Iedereen naar de voertuigen, we vertrekken.' De mannen kregen nog een paar minuten de tijd om een briefkaart te schrijven. Ze stuurden eenvoudige berichten naar huis. 'Het is begonnen. Tot later.' Of: 'Probeer niet de held uit te hangen. Ga naar de schuilkelder als het luchtalarm klinkt. Pas goed op de kinderen.' Of: 'Als je later groot bent, hoef je niet te vechten.' De Israëlische soldaten dachten zonder uitzondering dat ze voor het voortbestaan van hun gezin streden. Een soldaat met gevoel voor humor stuurde premier Levi Esjkol een briefkaart.

Orr leidde zijn twee eenheden de grens over, tussen het bataljon Pattontanks en het bataljon Centurions in. Terwijl ze optrokken, zag Orr zijn twee administratieve medewerksters, Sara en Nira, 'in het stof achterblijven en de briefkaarten bij elkaar rapen. Ze wuifden vaarwel, met tranen in hun ogen. Een laatste herinnering aan een andere wereld, aan thuis.'

De slag om Rafah zou beslissend zijn. Tijdens de laatste instructie zei Tal tegen zijn officieren: 'Degene die deze slag wint, zal de geest van de overwinnaar over zich krijgen, en de verliezer zal de terugtocht in zijn ziel voelen [...] Het lot van ons land is van ons afhankelijk [...] deze slag moet gewonnen worden, al moeten we ons leven ervoor geven. Een andere weg is er niet. Iedere man valt aan tot het bittere einde, hoeveel verliezen we ook verduren. Van stilstaan of terugtrekken kan geen sprake zijn. We gaan alleen vooruit, we vallen uitsluitend aan.'

Amman, 08.50

Koning Hussein was thuis bij zijn gezin en wachtte aan de ontbijttafel op zijn vrouw, prinses Muna. Ze heette voor haar huwelijk Toni Gardiner, de dochter van een officier van de Britse militaire legatie in Jordanië. Ze had de koning op een gemaskerd bal ontmoet, waar hij als piraat verkleed rondliep, en had brutaal tegen hem gezegd dat hij er verlopen uitzag. Nu hadden ze twee zoons. Maar voordat de prinses aan het ontbijt verscheen, ging de telefoon. Het was de hoofdadjudant van de koning, kolonel Jazy. 'Majesteit, de Israëliërs vallen Egypte aan. Het werd net op Radio Cairo omgeroepen.' De koning belde het militaire hoofdkwartier dat meedeelde dat er een gecodeerd bericht van veldmaarschalk Amer was binnengekomen. Er stond onder andere in dat driekwart van de aanvallende Israëlische vliegtuigen was vernietigd en dat de Egyptenaren in de Sinaï in de aanval waren. Veldmaarschalk Amer gaf de opperbevelhebber van het Jordaanse front bevel eveneens aan te vallen. Hussein liet het ontbijt maar staan. Hij reed snel naar het militaire hoofdkwartier.

Op luchtmachtbasis Mafrak stond Ihsan Shurdom op korte afstand van zijn Hunter-gevechtsvliegtuig in een loopgraaf. Hij was zeer gefrustreerd. Toen het nieuws dat het oorlog was bekend werd gemaakt, had hij verwacht meteen te moeten opstijgen. Maar ze hadden alleen maar staan wachten en wachtten nu nog steeds. Dit lag aan het Egyptische militaire hoofdkwartier in Cairo, dat in de greep was van chaos en paniek, en aan het chronische gebrek aan onderling vertrouwen binnen de Arabische coalitie, die liet zien dat alle opschepperij over eenheid en kracht onzin was geweest. De Jordaanse piloten wachtten op de Syrische en Iraakse luchtmacht, zodat ze gezamenlijk konden aanvallen. Koning Hussein hield bij wat er misging. Om 09.00 uur werden de Syriërs gewaarschuwd. Ze zeiden dat ze waren verrast door het uitbreken van de oorlog en dat hun piloten nog bezig waren met een trainingsvlucht. 'Ze vroegen eerst om een halfuur uitstel, vervolgens om een uur, enzovoort. Om 10.45 uur vroegen ze weer om uitstel, dat we voor het laatst verleenden. Om elf uur konden we niet langer wachten.' De koning en de anderen op het hoofdkwartier zagen op de radarschermen grote aantallen vliegtuigen die richting Israël vlogen. Op dat moment hadden ze nog geen idee dat de Egyptenaren niet de waarheid spraken. Op Mafrak zagen ze het ook, maar Shurdom en zijn collega's meenden terecht dat het om Israëlische vliegtuigen ging die op weg terug waren naar hun bases om bij te tanken en zich opnieuw te bewapenen. 'Toen de ballon opsteeg, konden we de terugkerende Israëlische vliegtuigen op de radar zien. Wij zeiden: "Kom op, laten we ze aanvallen. Ze hebben bijna geen brandstof meer." Maar ze gaven geen toestemming omdat er mensen dachten dat het Egyptische vliegtuigen waren die Israël gingen bombarderen [...] we hadden de Israëliërs een slag kunnen toebrengen zodat ze niet meer zo veel missies konden vliegen.'

Tot een week voor de oorlog was de Royal Jordanian Air Force van plan meteen de Israëlische luchtmachtbases aan te vallen als het oorlog werd. Maar toen koning Hussein de overeenkomst met Nasser sloot, hadden de Egyptenaren gezegd dat hun vliegtuigen de grondaanvallen zouden uitvoeren, Jordanië zou zich alleen met luchtverdediging hoeven bezighouden. De Jordaniërs slikten hun twijfels weg en verwijderden de gronddoelraketten van hun Hunters (uiteindelijk lieten ze deze toch op zes toestellen zitten). Maar nu moesten ze samen met de Syriërs en Irakezen toch weer gronddoelen in Israël aanvallen. De Jordaniërs waren er klaar voor, maar de Syriërs en Irakezen waren nog steeds niet komen opdagen.

Herzl Bodinger en de drie andere Israëlische Vautour-piloten voerden elk twee bombardementen uit op Beni Sweif. Ze maakten de landingsbaan onklaar door hem aan de beide kanten op een derde van de lengte te bombarderen, zodat hij in drie stukken werd verdeeld. De laatste bommen waren uitgerust met een vertragingsmechanisme, zodat ze zouden ontploffen als er geprobeerd werd de baan te repareren. Nadat de Israëliërs al hun bommen hadden laten vallen, vlogen ze nog drie keer over om het vliegveld te mitrailleren. Pas toen waren de Egyptische luchtdoelbatterijen voldoende van de schok hersteld om te vuren. Elk van de vier Vautours vernietigde met kanonvuur een bommenwerper. Het was gemakkelijk de grote Tupolev te raken.

Op luchtmachtbasis Inshas liet Ran Pekker vanaf vijfhonderd meter hoogte zijn bommen vallen. Hij trok de stuurknuppel helemaal naar achteren en wachtte op de reactie van zijn vliegtuig in duikvlucht. Weer optrekkend scheerde hij laag over de landingsbaan. Achter hem klonk een harde explosie. Toen de andere drie Mirages van zijn vlucht hun bommen hadden laten vallen, vielen ze de vliegtuigen op de grond aan. 'Ik zag de MIGs beneden ons schitteren. Een korte duik en een salvo met de machinegeweren en de MIGs op de landingsbaan, die klaarstonden om te vertrekken, vlogen in brand met hun piloten nog in de cockpit.'

Squadron 102, de eenheid van Ran Pekker, schakelde tijdens de oorlog 23 vliegtuigen uit, de hoogste score binnen de Israëlische luchtmacht. Luitenant Giora schoot er in zijn eentje zes naar beneden. Slechts één vliegtuig ging verloren. De piloot werd per helikopter uit Syrië gered.

In Bir Tamada beseften de Egyptische generaals die in de loopgraaf zaten dat ze niet door hun luchtmacht zouden worden gered. De meesten hadden een lange autorit terug naar hun posten voor de boeg, terwijl de Israëliërs bleven aanvallen. Murtagi's commandopost lag slechts drie kilometer verderop. Hij vloekte de hele weg in zichzelf en gaf Amer en Nasser de schuld van de chaos. Toen hij zijn hoofdkwartier bereikte, kwamen de eerste berichten over de omvang van de Israëlische aanval binnen. In de daaropvolgende uren werd alles echt duidelijk. De problemen waren groter dan hij ooit had kunnen denken.

Een paar Egyptische piloten slaagden erin op te stijgen. Op films gemaakt door camera's die op de Israëlische boordkanonnen waren gemonteerd, is te zien dat de Egyptische piloten slecht waren getraind op luchtgevechten. De Israëlische jagers haalden ze op een afstand van twee- tot driehonderd meter neer met hun boordkanonnen. De Egyptische MiG-21s hadden onder de zitplaats van de piloot een kleine brandstoftank die werd gebruikt om de motor te starten, een ideale plek om op te mikken voor de Israëlische piloten, die precies wisten hoe de MiG-21 in elkaar zat en functioneerde. (Op 16 augustus 1966 was een Irakese piloot, kapitein Munir Rufa, naar Israël gedeserteerd in een MiG-21C, met de NAVO-codenaam 'Fishbed', destijds de modernste jager van de Sovjet-Unie. Het was een van de grootste successen van de Israëlische inlichtingendienst. 'Een ongeluk komt zelden alleen', merkte generaal Hod opgewekt op. 'We organiseerden oefeningen. Elk squadron kreeg een weeklang de MiG-21, om luchtgevechten mee te doen en al zijn kunstjes en mogelijkheden te leren kennen.')

Het Egyptische luchtverdedigingssysteem was tijdelijk uitgeschakeld, zodat veldmaarschalk Amer, generaal Sidqi en de andere vips er niet per ongeluk door zouden worden getroffen. De Egyptische soldaten die het luchtdoelgeschut bemanden, waren nog wel op hun post, maar hadden te horen gekregen dat ze uiterst voorzichtig moesten zijn. Maar zelfs als ze wel klaar waren geweest om op alles te schieten wat bewoog, dan had dat nog weinig verschil gemaakt. De Israëlische piloten kwamen op minder dan dertig meter hoogte aanvliegen, beneden de Egyptische radar en een stuk lager dan de hoogte waarop ze door SAM-2-raketten geraakt konden worden.

Tel Aviv

In Tel Aviv belde Weizman opgetogen naar zijn vrouw Re'uma. 'We hebben de oorlog gewonnen', schreeuwde hij. Zij antwoordde: 'Ezer, ben je gek? Heb je om tien uur 's morgens de oorlog al gewonnen?' Terwijl de Israëlische straaljagers in golven bleven komen, zat veldmaarschalk Amer nog steeds in de lucht. Zijn piloot kon geen plek vinden om te landen, want alle vliegvelden in de Sinaï en bij Suez werden aangevallen. De Israëlische bevelhebber van de luchtmacht, Mordechai Hod, overwoog Amers vliegtuig neer te halen, maar besloot dat daar geen noodzaak toe was. Hij was nu absoluut niet bang meer dat Amers piloot de Israëlische straaljagers zou opmerken en alarm zou slaan. Hod en zijn medewerkers zaten in hun bunker in Tel Aviv en zagen precies waar het vliegtuig van Amer naartoe ging. 'Ze lachten en waren benieuwd waar hij zou landen.' Uiteindelijk vloog Amers piloot terug naar Cairo International, dat ook werd gebombardeerd tegen de tijd dat ze er aankwamen, maar de betonnen landings- en taxibanen waren zo breed dat er nog ruimte was om te landen. Negentig minuten lang hadden de hoogste militair van Egypte en het hoofd van de luchtmacht geen contact met elkaar gehad. Dit werd later een van een reeks zwakke smoezen om de zwakte van de Egyptische luchtmacht te verklaren. Nassers naaste medewerker Mohammed Heikal schreef in de krant *al-Ahram* dat er 'veel dingen waren gebeurd terwijl ze in de lucht zaten, zodat ze onmogelijk snel konden handelen en een sterke tegenaanval konden uitvoeren'. Waarschijnlijk hadden ze sowieso weinig tegen de goed geplande aanval kunnen doen, al hadden ze wel achter hun bureau gezeten. Maar de afwezigheid van het hoogste bevel was zeker een meevaller voor de Israëliërs op deze morgen dat alles toch al fantastisch verliep.

Herzl Bodingers Vautour werd door granaatscherven geraakt terwijl hij wegvloog bij de rokende puinhopen van het vliegveld Beni Sweif. Hij keerde met schade terug naar Ramat David, zijn thuisbasis, en luisterde ondertussen eveneens naar de radio. Piloten gaven hun zendercode en rapporteerden hun resultaten. Het leek nu al op een fantastische overwinning uit te draaien. Na wat rust kreeg hij opdracht terug te keren en het vliegveld Luxor aan te vallen, omdat daar een paar Egyptische oorlogsvliegtuigen naartoe waren geëvacueerd. Het zou, in tegenstelling tot zijn eerste missie, een geïmproviseerde aanval worden. Ze hadden alleen toeristische wegenkaarten om op te navigeren. Op weg naar Luxor zouden ze langs een basis komen waar MiG-19- onderscheppingsvliegtuigen stonden opgesteld. Het idee was deze basis eerst met Mirages te vernietigen om de Vautours te sparen, die op grote hoogte vlogen en duidelijke condenssporen nalieten. Toen Bodinger langs de basis kwam, zag hij rookpluimen opstijgen waar de Mirages hun bommen hadden laten vallen. Hij had opdracht een nieuw, geheim apparaat te gebruiken om de Egyptische radar te storen waarmee geleide wapens werden aangestuurd. Om bij de schakelaar voor het apparaat te komen moest Bodinger een rode plastic deksel optillen die dichtzat en gezekerd was met staaldraad. Hij kreeg de draad er niet af en scheurde ten slotte maar het plastic kapot. De aanval op Luxor was een succes. Twaalf hypermoderne Tupolev-16-bommenwerpers werden vernietigd.

Op de terugweg van Luxor hoorde Herzl Bodinger over de radio van de squadronleider dat er brandstof uit een van zijn motoren sproeide. Ze besloten zo hoog mogelijk te klimmen nu hij nog twee motoren had, in de hoop dat hij door langzaam te dalen Israël nog kon bereiken. Zijn linker motor viel uit en hij zakte naar zeven kilometer hoogte, maar hij wist uiteindelijk Eilat, het zuidelijkste puntje van Israël, te bereiken. Met nog maar een paar druppels brandstof over landde hij op een korte, geasfalteerde landingsbaan. Mensen die langs de baan stonden, renden op de Vautour af. Omdat er geen ladder was, klom hij langs de achterkant van zijn straaljager naar beneden en sprong vanaf de vleugel in de menigte. Bodinger werd als held op de schouders genomen en kreeg een lunch aangeboden. Zijn gastheren zaten te springen om nieuws. De Israëliërs wisten dat de oorlog was begonnen en hadden op Radio Cairo opschepperige berichten gehoord over tientallen Israëlische vliegtuigen die waren neergeschoten. Van Israëlische kant waren er nog geen details meegedeeld. Bodinger vertelde hun dat het zijn tweede vlucht van die dag was. Hij zei dat Israël de oorlog al had gewonnen en dat er niets klopte van de Egyptische berichten. Het was twee uur 's middags.

Op de Egyptische basis Bir Tamada heerste op dat moment chaos. Het was ieder voor zich. Ali Mohammed, een negentienjarige chauffeur, was net als de andere soldaten dagenlang bezig geweest het bezoek van Amer voor te bereiden. Ze hadden zelfs een speciale bunker gebouwd, voor het geval de vip dekking moest zoeken. Deze was niet nodig geweest, aangezien Amer niet had kunnen landen. Maar de bunker was wel door een Israëlische bom getroffen. Mohammed wachtte op bevelen, maar die kwamen niet. Er verschenen nog meer Israëlische bommenwerpers om wat er nog van de basis en de vliegtuigen over was te bombarderen. Er vertrokken voertuigen vol mannen die uit de vuurlinie probeerden weg te komen. Ook Mohammed slaagde erin een vrachtauto te vinden. Hij vertrok, volgeladen met soldaten die even graag naar huis wilden als hij. De weg terug naar Suez was een racebaan. Militaire voertuigen reden met waanzinnige snelheid met aan het stuur in paniek geraakte dienstplichtigen die niets met de oorlog te maken wilden hebben. Er vonden aanrijdingen plaats, er vielen gewonden en doden. Niemand stopte. Mohammed kwam 's avonds veilig aan.

De Egyptenaren hadden ook hinder ondervonden van de ochtendmist, die zwaarder was geweest dan gewoonlijk. Een paar trainingsvluchten waren daarom met een uur uitgesteld. Toen het vliegtuig van vice-president Shafei om 08.45 uur op luchtmachtbasis Fayed landde, wilden de Sukhoi-piloten net aan hun uitgestelde trainingsvlucht beginnen. Zaki, de commandant van het Sukhoi-squadron, hoorde plotseling het geluid van straalmotoren snel naderbij komen en begreep dat er iets helemaal mis was. Er verschenen twee grijze Israëlische Super Mystères die bommen afwierpen boven de startbaan. Zaki kon alleen maar toekijken. Shafeis vliegtuig taxiede nog toen de eerste bom ontplofte. Er ontploften snel na elkaar meer bommen. De vips worstelden zich zo snel mogelijk de vliegtuigen uit en zochten dekking achter een kleine aarden wal. Het tweede vliegtuig van Shafeis groep werd door kanonvuur geraakt op het moment dat het wilde landen. De piloot slaagde erin een doorstart te maken en aan het strijdtoneel te ontkomen. Hij maakte uiteindelijk een noodlanding op een basis bij het Suezkanaal. Aan boord waren veel mensen gedood, vooral hoogwaardigheidsbekleders en lijfwachten.

De hoofdlandingsbaan op Fayed zat vol bomkraters en was onbruikbaar geworden. Maar de kleinere baan die ernaast lag, was alleen geblokkeerd door het brandende vliegtuig van Shafei. Een paar Sukhoi-piloten startten hun toestel om te proberen erlangs te manoeuvreren en op te stijgen. Hun commandant, Zaki, rende met zijn armen zwaaiend de baan op om hen tegen te houden. Vice-president Shafei zag vanuit zijn greppel precies wat er gebeurde. 'Ik zal dit schouwspel niet snel vergeten. Onze gevechtsvliegtuigen stonden in rijen opgesteld en de Israëliërs schoten ze één voor één met hun boordkanonnen aan flarden. Ze waren een makkelijk doelwit.' De Israëlische piloten vlogen zo laag dat Shafei hun gezicht kon zien. Zaki, het grondpersoneel en de bouwvakkers die op de basis aan het werk waren, probeerden een aantal Sukhois uit het zicht te duwen, achter gebouwen of onder bomen. 'Er klonken overal ontploffingen, maar we gingen door en slaagden erin een paar vliegtuigen te redden. Een paar mannen die hielpen duwen werden gedood.' Zaki stuurde er een piloot in een jeep op uit om Shafei en de Iraakse vice-premier uit de loopgraaf op te pikken en naar het kantoor van de basis te brengen. Toen de jeep met piepende remmen voor het gebouw tot stilstand kwam en Shafei het stof van zijn kleren schudde, werd hij begroet door een groep woedende Egyptische piloten die hadden moeten toekijken terwijl hun vliegtuigen kapot werden geschoten. Voor de aanval had de luchtmacht gegonsd van de zogenaamd geheime informatie dat Nasser de vrijdag ervoor Sidqi Mahmoud opdracht had gegeven om klaar te staan voor een onverwachte Israëlische aanval. Nu kregen ze op hun donder. Kijk eens wat u hebt gedaan, zeiden ze. Bent u nu tevreden? Waarom mochten wij niet als eersten aanvallen? Buiten waren de kanonniers van het luchtdoelgeschut weer voldoende bij hun positieven om het vuur te openen op de Israëliërs. Soldaten begonnen met geweren en mitrailleurs in de lucht te schieten. Een Israëlisch vliegtuig werd door een toevalstreffer geraakt. Zaki ging het wrak inspecteren. De dode piloot zat nog op zijn stoel vastgesnoerd.

'Hij zag eruit alsof hij sliep. Het was een knappe, elegante jongeman. Ik zei tegen de mannen dat ze hem meteen moesten begraven.' Zaki hoopte dat er niet al te veel schade was door de aanval. Maar toen hij op zijn controlekamer was, zag hij dat omvang van de verwoesting bij de eerste Israëlische aanvalgolf enorm was geweest – en werden telkens nieuwe aanvallen gemeld. Hij keek het vliegveld rond. Er stonden overal brandende toestellen, de landingsbanen waren kapot. Hij overwoog om de overgebleven gevechtsvliegtuigen vanaf de weg buiten de basis te laten opstijgen, maar daarvoor zou er een gat in de muur om de basis gemaakt moeten worden. Om 11.00 uur kreeg hij een telefoontje van veldmaarschalk Amer (het was de eerste keer in zijn leven dat hij de opperbevelhebber sprak). Zaki rapporteerde de schade. Alle MiG-21s waren vernietigd. Er waren twaalf Sukhois en drie MiG-19s gered. Goed, zei Amer, voer Operatie Luipaard uit (het plan om Israëlische luchtmachtbases aan te vallen). Zaki zei tegen Amer dat hij zou proberen de kleine landingsbaan vrij te maken. Hij zou over twee uur terugrapporteren. Amer was zo in paniek dat hij zijn directe ondergeschikten negeerde en rechtstreeks, via open telefoonlijnen, met luchtmachtbases belde om bevelen te geven. In de eerste uren van de oorlog was het Egyptische opperbevel al bezig in te storten.

Cairo, 09.00

Mahmoud Riad, de Egyptische minister van Buitenlandse Zaken, sliep uit. Hij werd om negen uur gewekt door een 'verpletterende explosie'. Hij besefte dat de Israëlische aanval was begonnen en haastte zich de deur uit, naar zijn ministerie. De meeste buitenlandse journalisten verbleven in het Hilton aan de Nijl, het modernste hotel van Cairo. Ook Trevor Armbrister van de *Saturday Evening Post* genoot van een luie morgen. Hij werd gewekt doordat de ramen van zijn hotelkamer rammelden. Hij dacht dat het de wind was en belde roomservice om ontbijt te bestellen, maar de telefonist zei: 'We kunnen u niets te eten brengen. We worden gebombardeerd.' De lift deed het niet, dus haastte Armbrister zich de trap af. Winston Burdett, een ervaren reporter die al sinds 1943 correspondent voor CBS News was, hoorde 'zwaar en moeizaam bonken'. Hij liep naar het balkon van zijn kamer om te zien wat er aan de hand was. Een paar minuten later loeide het eerste luchtarm van de oorlog over de stad. Er waren eerder luchtalarmoefeningen geweest, maar die werden altijd van tevoren aangekondigd. Deze niet. Burdett wist dat het dus om een echte aanval moest gaan. Het verkeer kwam voor het hotel tot stilstand op de boulevard langs de Nijloever. Het viel Burdett op dat de verkeerslichten nog gewoon werkten. 'Toen werd het stiller op straat, waardoor het gedempte gebonk van het luchtafweergeschut des te duidelijker klonk.'

Niemand op de Sovjetambassade had die morgen oorlog verwacht. Het personeel was bijeen voor de maandelijkse vergadering en de betaling van hun lidmaatschap van de Communistische Partij. Een militaire attaché onderhield de aanwezigen met zijn theorie over de komende oorlog. De strijd zou binnen een paar dagen losbarsten, zei hij, en Israël zou de vijandelijkheden openen. Hij was net klaar met zijn betoog toen een diplomaat de kamer binnen stormde: 'Zet de radio aan! Het is oorlog!' Ze hoorden de laatste zin van de officiële aankondiging. 'Egyptische troepen hebben de verraderlijke Israëlische agressie weten te weerstaan en rukken nu op langs het gehele front.'

Op straat leek het alsof iedere transistorradio in de stad aanstond en om elke radio stond een menigte trots, maar ook bezorgd kijkende Egyptenaren. Eerst speelde Radio Cairo alleen marsmuziek. Luisteraars die op de Arabische zender van Radio Israël hadden afgestemd, hoorden het nieuws het eerst, om 09.22 uur, zeventien minuten nadat de Hebreeuwse zender het had aangekondigd. 'Een woordvoerder van het Israëlische leger heeft meegedeeld dat er vanmorgen felle gevechten zijn uitgebroken tussen de Egyptische tanks en vliegtuigen die oprukten naar Israël en de Israëlische strijdkrachten die snel in actie kwamen om hen terug te dringen.' Op Radio Cairo verstomde de marsmuziek om tien voor tien. Een opgewonden presentator legde een korte verklaring af. 'Burgers, er is belangrijk nieuws. Israël is een oorlog begonnen tegen ons land. Onze strijdkrachten stellen zich teweer. Nadere berichten volgen.'

In de joodse wijken van Cairo en Alexandrië pakten de autoriteiten joodse burgers op. Er woonden ongeveer drieduizend mensen van joodse afkomst in deze steden en er werden driehonderdvijftig tot zeshonderd mannen van tussen de 18 en 55 gearresteerd, onder wie de opperrabbijnen. In Libië werden de joodse wijken van Tripoli en Benghazi meteen na het nieuws van de oorlog door een meute bestormd. Veel gebouwen en de meeste synagogen werden in brand gestoken. Het leger kwam tussenbeide om de orde te herstellen. Er werden duizend joden naar een legerkamp afgevoerd om ze tegen de meute te beschermen. De rellen gingen door tot 8 juni en er kwamen achttien joden bij om. Eind juli vluchtten 2500 joden naar Italië. Ze mochten alleen persoonlijke zaken en maximaal vijftig Britse ponden aan geld meenemen. Al het andere diende achter te blijven. In Tunis werden de Britse en Amerikaanse ambassade aangevallen door een menigte die vervolgens optrok naar de joodse wijk. Vijf synagogen en veel winkels werden in brand gestoken. De Tunesische president, Bourguiba, de meest verzoenende van alle Arabische leiders, verscheen die avond op televisie om de gebeurtenissen te veroordelen. Hij stuurde twee ministers naar de opperrabbijn om excuses aan te bieden en schadevergoeding te beloven. De volgende dag arresteerde de politie 330 relschoppers. In juli werden 113 van hen veroordeeld tot celstraffen van tussen de twee maanden en twintig jaar. In Aden kwamen Britse troepen tussenbeide om de joodse gemeenschap te beschermen die daar ooit omvangrijk was geweest, maar waar niet veel meer van over was. Er werd brand gesticht en na de oorlog werd er een joodse man doodgeslagen. Ook uit Aden vertrokken veel joden, naar Groot-Brittannië en Israël.

Sinaï, 09.00

De jonge officier Yahya Saad diende bij een Egyptische verkenningseenheid die zich bij Kuntilla in de Sinaï bevond. De eenheid had een patrouille naar Israëlisch grondgebied gestuurd en die was teruggekomen met de waarschuwing dat er een grote groep Sherman-tanks recht op hen afkwam. Dit was de pantserbrigade van kolonel Albert Mendler die in de dagen ervoor met veel tamtam langs de zuidgrens was gereden, samen met allerlei andere gecamoufleerde voertuigen, om de Egyptenaren te doen geloven dat Israël van plan was om net als in de oorlog van 1956 zuidwaarts naar Sharm el Sheikh op te rukken. Saads eenheid bood hardnekkig verzet tegen de tanks, maar het overwicht aan kanonnen was te groot. Ze probeerden de Shermans aan te vallen met RPGS (rocket-propelled grenades).

Ik lag te wachten tot er een tank dichtbij genoeg kwam. Toen er een binnen mijn bereik was, vuurde ik, maar het wapen weigerde. Het hele gebied werd één grote hel. De RPG van een andere soldaat werkte evenmin en een tank rolde vurend op hem af. Hij rende op de tank toe met het wapen in zijn handen en werd door de tank verpletterd. [...] Ze vuurden met machinegeweren en er werden nog meer soldaten gedood. Ik probeerde nogmaals de RPG, maar hij deed het gewoon niet. Ik wist niet of het wapen niet deugde, de ammunitie niet deugde of het leiderschap niet deugde. Tanks vuurden van korte afstand. We verwachtten door de tanks verpletterd te worden, zoals met zo veel mannen was gebeurd. Ik was geschokt dat mijn groep zo werd afgemaakt, terwijl we zo dapper hadden gevochten. Ik keek om en zag platgereden lichamen en gewonden die ik niet kon redden.

Het strijdtoneel verplaatste zich na verloop van tijd. Saad stond op en liep de woestijn in.

Gaza 09.00

Tals divisie begon aan de aanval. De 7de pantserbrigade reed westwaarts de grens over naar Khan Yunis. Zijn andere pantserbrigade, de 60ste, reed zuidwaarts de zandwoestijn in en maakte een omtrekkende beweging om de mijnenvelden, prikkeldraadversperringen, ingegraven artillerie en het anti-tankgeschut bij Rafah heen. Maar de pantserwagens liepen vast in het zachte zand en tegen zonsondergang hadden ze nog geen schot gelost. Tussen hen in bevond zich de brigade paratroepers die de Egyptische en Palestijnse troepen moesten aanvallen die Rafah bezet hielden. Aanvankelijk raakten ook zij de weg kwijt, samen met de tanks die ter ondersteuning meereden.

Het was een geluk voor Tal dat zijn 7de pantserbrigade de opdracht kon uitvoeren, hoewel deze op felle tegenstand stuitte van de verdediging van het stadje, die bestond uit de Egyptische 7de infanteriedivisie, een bataljon Palestijnen, negentig stuks artillerie en ongeveer honderdvijftig zware, maar verouderde Stalin-tanks uit de Tweede Wereldoorlog. De strijd was vaak verward en Tal of wie dan ook had weinig invloed op het verloop. Kolonel Rafael Eitan, commandant van de 202de paratroeperbrigade, leidde zijn mannen tijdens de 'man-tegen-mangevechten [...] We vochten voor ons leven. Ik vuurde onophoudelijk met mijn uzi.' De Patton-tanks van Ori Orr, de 7de gepantserde verkenningseenheid, nam de rechtstreekse route en voerde via de weg een frontale aanval uit op de buitenwijken van Khan Yunis. Orr, die in een halfrupsvoertuig achter zijn tanks aan reed, zag 'Egyptische soldaten die vol verbazing langs de weg naar onze colonne staan te kijken. Eentje wuift naar onze soldaten, die behoedzaam reageren. Is dit oorlog? Maar plotseling gaat de muil van de hel open.' Een radiotelegrafist vangt een stem op die in het Arabisch vraagt: 'Ze vallen aan. Twee grote stofwolken. Wat moeten we doen? Wat moeten we doen?' Maar de meeste Egyptische en Palestijnse soldaten waren klaar om te vechten. De Israëliërs kregen zware beschietingen te verduren. De Egyptische stellingen waren goed verdedigd met mijnenvelden en anti-tankversperringen, waar de Israëliërs alleen heel langzaam langs konden manoeuvreren. Een van Orrs tankcommandanten werd door een sluipschutter geraakt. De tankcommandanten zaten in de geschutskoepel op de uitkijk om goed zicht te hebben op het slagveld, maar daar waren ze heel kwetsbaar.

Er werden van twee kanten granaten afgevuurd op Orrs positie. Er werd een halfrupsvoertuig geraakt, waarbij alle acht inzittenden werden gedood. Orr en zijn mannen en tanks rukten op naar de Egyptische posities. Na honderdvijftig meter besefte Orr dat ze in een mijnenveld terecht waren gekomen. Zijn halfrupsvoertuig reed op een mijn en kantelde. Hij ging te voet verder, achter de tanks aan, 'want omdraaien zou veel slachtoffers hebben gekost'. Toen Yarkoni, een van de mannen die een briefkaart hadden geschreven toen ze vertrokken, in een loopgraaf sprong om die vrij te maken, werd er op hem geschoten door een gewonde Egyptenaar. 'Dit is het dan', zei hij tegen de mannen die hem wegdroegen en even later was hij dood. Sergeant Bentzi Zur, de hoogste officier in Orrs uitgeschakelde commandowagen, hield een jeep aan. Hij wilde meerijden om verder te kunnen vechten. Toen ze even later stopten om de bemanning van een uitgeschakelde tank te helpen, werd de jeep door een granaat getroffen en explodeerde. Zur en de twee andere inzittenden kwamen om.

De Israëliërs veranderden van tactiek en omsingelden Khan Yunis voordat ze het stadje probeerden te veroveren. Een aantal van hen, die hopeloos verdwaalden in de nauwe steegjes, zag dat de Beatles-film *Help* het hoofdprogramma was in de plaatselijke bioscoop.

Ramadan Mohammed Iraqi bestuurde een Egyptisch militair communicatievoertuig. Hij had op zondagavond gehoord dat de oorlog misschien de volgende morgen zou beginnen. Dit was hem verteld door een officier van een verkenningseenheid die de grens met Israël was overgestoken en de voorbereidingen had gezien. De twee radiospecialisten die de apparatuur in Ramadans truck bedienden zeiden dat het radioverkeer werd gestoord. Ze hadden gelijk. De chaos die in de hele Sinaï in het Egyptische leger heerste, werd nog verergerd doordat de Israëliërs het Egyptische communicatienetwerk stoorden. 's Morgens waren Ramadan en zijn kameraden optimistisch geweest over de oorlog. Maar toen het verhaal de ronde deed dat de Egyptische luchtmacht was uitgeschakeld, begonnen ze zich zorgen te maken. Aanvankelijk was het nog rustig in hun sector, bij Rafah. 'Daarna zagen we tot onze verbazing de Israëliërs komen. Ze vernietigden onze voertuigen.' Ramadan liet zijn communicatiewagen staan om te kijken hoe hij uit de gevechtszone kon ontsnappen. Toen hij terugkwam stond de truck in brand. Zijn twee vrienden die de radio hadden bediend, lagen dood in het zand. 'We werden aangevallen door hun luchtmacht. Het was ieder voor zich.'

De mannen van de UNEF kwamen in de vuurlinie terecht. Drie Indiase soldaten werden ten zuiden van Khan Yunis gedood toen hun colonne witgeschilderde voertuigen door Israëlische straaljagers werd beschoten. Om 12.30 uur werden er nog eens vijf Indiase militairen gedood en raakten er twaalf gewond door Israëlische artilleriegranaten die in hun kamp terechtkwamen. De secretaris-generaal van de VN protesteerde vanuit New York fel bij de regering-Esjkol over het 'tragische en onnodige verlies van mensenlevens'.

Maar de Israëliërs boekten een flinke terreinwinst. Majoor El Dakhakny van de Egyptische militaire inlichtingendienst was niet verbaasd. Hij wist allang dat een smal, plat stuk land als de Gazastrook onmogelijk tegen tanks en gemechaniseerde infanterie verdedigd kon worden, vooral niet wanneer deze werd gesteund door artillerie die veilig achter de Israëlische grens lag ingegraven. Hij stuurde zijn fedajien naar Israël, elk met een doel dat ze moesten vernietigen, maar verder kon hij niet veel doen. Hij vroeg via de radio toestemming aan Cairo om zich samen met zijn mannen terug te trekken op Al-Arish. Onmogelijk, kreeg hij te horen. Tals tanks waren van Khan Yunis verder getrokken naar Rafah. Van grote afstand, maar accuraat vuurden ze op de verdediging van dit stadje dat op instorten stond. Israël had de Gazastrook afgesneden. Dakhakny wist dat de strijd slecht verliep voor Egypte, maar de Israëliërs waren veel sneller opgetrokken dan hij had verwacht. Hij kreeg te horen dat hij per boot moest proberen te ontsnappen.

Qalqiliya, Westoever, 09.00

Fayek Abdul Mezied, een zeventienjarige Palestijn, was buiten zichzelf van opwinding. Saut al-Arab, de radiozender uit Cairo, had net aangekondigd dat de oorlog was uitgebroken. Het nieuws ging als een lopend vuurtje de stad rond. Israëlische vliegtuigen werden bij bosjes uit de lucht geschoten en de overwinning zou niet lang op zich laten wachten, zoals Ahmed Said en de andere commentatoren al hadden voorspeld. Fayek maakte deel uit van de bescherming burgerbevolking die artsen hielp bij de vier eerstehulpposten die waren opgezet. Een paar van zijn vrienden die zich hadden aangesloten bij Al-Fatah, de factie van Yasser Arafat, kregen wapens uitgereikt. Het waren oude geweren die in 1948 waren gebruikt, maar je kon ermee schieten. Eindelijk hadden ze dan de kans tegen de Israëliërs te vechten en hun land en waardigheid te heroveren.

De Israëliërs voelden zich kwetsbaar bij Qalqiliya, een stadje dat aan de voet van een berg op de grens met Jordanië ligt, in een uitstulping van het gebied van de Westoever. Van Qalqiliya is het slechts een kilometer of zestien naar de Middellandse Zee en de Israëliërs waren beducht dat Arabische troepen van Qalqiliya naar zee zouden doorstoten, want daardoor zou het land in tweeën worden gedeeld. Sinds 1948 hadden er veel grensincidenten plaatsgevonden in en rond het stadje. De bloedigste strijd had zich in 1956 afgespeeld, toen Israël een wraakactie had uitgevoerd in Qalqiliya en daarbij een versterkt politiebureau had opgeblazen. Zeventig tot negentig Jordaanse legionairs en achttien Israëlische paratroepers waren bij de gevechten omgekomen. Op 5 juni werd de Jordaanse grens tussen Qalqiliya en Tulkarem, een grensplaatsje vijftien kilometer verderop, slechts door twee bataljons van de prinses Alia-brigade verdedigd. Ze hadden ruwweg hetzelfde aantal Israëlische soldaten tegenover zich. De Jordaniërs hadden zeker een poging kunnen doen om Israël in tweeën te splitsen, maar ze namen deze kans niet waar. Ze bleven zitten waar ze zaten en vuurden salvo's over de grens met hun twee batterijen 25-ponds-artilleriegeschut en twee batterijen 155-mm-langeafstandsgeschut van het type 'Long Tom'. De Israëliërs beschouwden de grote kanonnen als een belangrijke bedreiging en stuurden er meteen nadat ze de Arabische luchtstrijdkrachten hadden verslagen oorlogsvliegtuigen op af.

Behalve het Jordaanse leger hadden zich rond Qalqiliya ook tweehonderd man van een plaatselijk detachement van de Nationale Garde ingegraven. Ze stonden onder leiding van de 39-jarige commandant Tawfik Mahmud Afaneh, die in 1948 ook tegen de Israëliërs had gevochten. De Nationale Garde bestond uit nauwelijks getrainde mannen uit de streek, die met lichte wapens waren uitgerust, en een aantal oudere soldaten. Ze waren een soort burgerwacht en moesten het leger helpen de grens te verdedigen en alarm te slaan als Israël aanviel. Na elke Israëlische aanval vroegen ze de Hasjemieten om wapens om zich verdedigen, zoals de Palestijnen langs de grens voortdurend deden. De koning weigerde altijd, omdat hij dacht dat Palestijnen met geweren zich al snel tegen hem of tegen de Israëliërs zouden keren, en hij wilde geen van beide. Zodoende hadden de mannen van Tawfik Mahmud Afaneh die zich op de morgen van 5 juni ingroeven, slechts met brenguns en stenguns (oude handwapens uit de Tweede Wereldoorlog) om zich tegen Israelische tanks en artillerie te verdedigen. Zwaardere wapens waren er niet, zelfs geen mortieren. Ze vochten dapper tegen een enorme overmacht. Na twee dagen aan het front waren vijfentwintig van Tawfiks mannen dood.

De Palestijn Memdour Nufel had altijd al graag tegen de Israëliërs willen vechten. Hij was opgegroeid tijdens de grensoorlogen van de jaren vijftig. Als jongen was hij vaak de grens over geglipt om stenen op de spoorrails te leggen, in de hoop dat er een trein zou ontsporen. Na 1965 besloot hij net als honderden andere jonge Palestijnen deel te nemen aan de gewapende strijd tegen Israël. Hij sloot zich aan bij twee groepen met dramatische namen, de 'Helden van de terugkeer' en de 'Jeugd van de wraak'. Hij kreeg een leidinggevende functie en liet veertien man van zijn vaders leeftijd spionneren bij Israëlische posities en troepenbewegingen, wat tot gefrons leidde in een maatschappij waarin de jongeren de ouderen hoorden te beschermen. Nufel had de mannen gekozen omdat ze het terrein aan de Israëlische kant van de grens goed kenden. Ze waren ervaren smokkelaars en veedieven en waren dus goed in infiltreren. Soms was het zelfs hun eigen land. In 1958 was 80 procent van het land rond Qalqiliya in Israëlische handen overgegaan. Nufel gaf hun informatie door aan de Palestijnen in het Jordaanse leger, die zeiden dat ze deze doorstuurden naar Cairo.

Op 5 juni kwamen Nufels guerrilla's van middelbare leeftijd naar zijn huis om de veel jongere man te vragen wat ze moesten doen. Hij zei dat ze hun wapens moesten halen (hij had een oud Karl-Gustav-machinegeweer gekocht) en het Jordaanse leger moesten gaan helpen. Dit vonden ze een slecht idee. De Jordaniërs zouden hen in de gevangenis gooien zodra de oorlog voorbij was. Die kans was inderdaad niet denkbeeldig. In juni 1967 zuchtten er honderden Palestijnse nationalisten in de gevangenissen van koning Hussein. De Hasjemitische leiders vonden hen gevaarlijke figuren – gevaarlijker voor hun Jordanië dan voor Israël. Het aantal gevangen aanhangers van Al-Fatah, de factie van Yasser Arafat, liep volgens verschillende schattingen uiteen van tweehonderdvijftig tot duizend man, ofwel 80 procent van het totaal. Tegen Abu Ali Iyad, de plaatselijke Fatah-leider, was een arrestatiebevel uitgevaardigd. Maar Nufel overtuigde zijn mannen dat de situatie nu anders was. Na een bezoek aan hun gezinnen, die zich buiten de stad in grotten en olijfgaarden schuilhielden, nam Nufels groepje een positie in aan het front.

Tel Aviv, 10.00

Israël wilde voorlopig geen ruchtbaarheid geven aan het succes. Het misleidingsplan voor het offensief was net zo precies gepland als het offensief zelf.

Helemaal in het begin moest er worden ontkend dat Israël Egypte had aangevallen. Volgens Meir Amit, het hoofd van de Mossad, deed 'generaal Moshe Dayan iets heel slims. Hij wierp een rookgordijn op, zodat niemand begreep wat wij deden op het moment dat Egypte over de enorme successen van het eigen leger berichtte. Zelfs mijn eigen vrouw zei tegen me: "Wat gebeurt er, maken ze ons af?" Dayan hield iedereen 48 uur lang in het onzekere. De hele wereld luisterde naar Egypte. Daardoor waren we nog meer in het voordeel.'

Er werd een eerste officiële versie vrijgegeven van hoe de oorlog was begonnen. Egypte had de vijandelijkheden geopend. 'Vanmorgen heeft Egypte een luchtaanval uitgevoerd en Egyptische pantsereenheden zijn bij zonsopgang opgerukt naar de Negev. Onze eigen strijdkrachten kwamen in actie om de aanval af te slaan. Tegelijkertijd werd er op onze radarschermen een groot aantal Egyptische straaljagers waargenomen die zich in de richting van de Israëlische kustlijn bewogen. In het gebied van de Negev werd een soortgelijke poging ondernomen. Vliegtuigen van de Israëlische luchtmacht zijn opgestegen om het land tegen de vijandelijke vliegtuigen te verdedigen. Er zijn nog steeds luchtgevechten gaande. De premier heeft met spoed een vergadering belegd met een aantal ministers.'

Maar een journalist was al op zoek naar het echte verhaal. Een Israëlische officier die in de woestijn was geweest, ging even bij het huis van een vriend in Jeruzalem langs om het stof weg te wassen voordat hij het kantoor van premier Esjkol bezocht om het kabinet in te lichten. De vriend was Michael Elkins, correspondent in Israël voor CBS, *Newsweek* en de BBC. De officier was vrolijk en stond onder de douche te zingen. Elkins was joods, afkomstig uit New York, en had in de oorlog van 1948 meegevochten. Hij kon zijn vriend er niet toe bewegen iets los te laten, maar hij had wel door dat er iets belangrijks was gebeurd. Na het bezoek haastte Elkins zich naar de Knesset, het Israëlische parlement, om te zien wat hij verder aan de weet kon komen. Hij ging naar de kelder en luisterde naar de opgewonden gesprekken tussen de politici.

Militair hoofdkwartier Jordanië, Amman, 11.30

Generaal Odd Bull van de Verenigde Naties werd met koning Hussein doorverbonden. Hij belde vanuit Jeruzalem met de volgende boodschap van Esjkol: Israël was begonnen aan een militaire actie tegen Egypte, en als Jordanië niet tussenbeide kwam, zou het niet worden aangevallen. Voor koning Hussein kwam deze boodschap veel te laat. De aanval op Samua (die plaatsvond nadat hij een dag eerder een geheime boodschap van Israël had ontvangen dat Jordanië met rust zou worden gelaten) had hem geleerd dergelijke beloften niet te vertrouwen. Zijn besluit stond al een paar dagen vast. En omdat er op dat moment uit Cairo berichten binnenkwamen dat de Israëlische luchtmacht werd verpletterd, leek het niet eens zo'n slecht besluit. Hussein zei tegen Bull: 'Zij zijn begonnen. Wij slaan terug vanuit de lucht.'

Jeruzalem

De Jordaniërs openden het vuur langs de confrontatielijn. Ze beschoten West-Jeruzalem met hun artillerie en richtten zich vooral, maar niet uitsluitend, op militaire stellingen. De waarnemers van de VN, die al een generatie lang een wapenstilstand hadden gehandhaafd, probeerden verscheidene keren zonder succes een staakt-het-vuren tot stand te brengen. Een hoge Britse diplomaat in Jeruzalem, consul-generaal Hugh Pullar, werd bijna geraakt toen zijn kantoor werd beschoten. Om 11.30 telegrafeerde hij: 'Zwaar vuur van automatische wapens [...] Jeruzalem één groot oorlogsgebied. Kanonnen en mortieren...' Pullar kwam net terug van een bespreking met een Jordaanse hoogwaardigheidsbekleder. Hij had hem gevraagd of de Arabieren van plan waren Israël te vernietigen. Op 'duidelijk ijskoude toon' had de man gezegd dat dit inderdaad het geval was.

De Palestijnse tandarts John Tleel had een hekel aan maandagen. Hij had zoals gewoonlijk sinds half zeven 's ochtends gewerkt in zijn praktijk in de christelijke wijk van de Oude Stad. Een van zijn patiënten was een lerares, Elisabeth Bawarshi, die binnenkort een reis naar Libanon ging maken en snel een kunstgebit nodig had. Om elf uur, toen de wachtkamer leeg was, besloot hij door de Oude Stad naar de tandtechnieker te wandelen om het gebit van juffrouw Bawarshi op te halen.

'Ben je gek?' vroeg zijn broer, die ook tandarts was. 'Heb je dan niet gehoord dat er oorlog is uitgebroken?'

Tleel zei tegen zijn broer dat hij zich geen zorgen hoefde te maken en ging de straat op. Het was kalm en vredig, vond hij, tot hij besefte dat alle winkels dicht waren en dat hij de enige op straat was. Het was uitgestorven. Garo, de Armeense goudsmid, Suleiman, de islamitische horlogemaker, en de andere winkeliers hadden allemaal hun zaak gesloten, terwijl ze normaalgesproken altijd open waren. Ook de straat naar de Heilige-Grafkerk, die is gebouwd op de plek waarvan de christenen denken dat Jezus er werd gekruisigd en begraven, was geheel verlaten. Toen zag hij twee mannen met automatische wapens die luid pratend over straat liepen. Ze kwamen van een politiebureau waar op het laatste moment nog wapens werden uitgedeeld. Het was nog steeds rustig, dus liep hij het grote open plein op bij de Jaffapoort. Er stonden veel mensen, die door Jordaanse soldaten werden gemaand tot doorlopen. Tleel stak het plein over om zijn postbus op het postkantoor te controleren. Deze was leeg.

Tegenover de Jaffapoort, aan de Israëlische kant, ligt een stuk heuvelopwaarts het King David Hotel. Tleel zag het 'als een reus' op de hoge helling staan toen er plotseling geweervuur losbarstte. De kogels floten Tleel om de oren. Hij vluchtte doodsbang weg, het plein af, en liep door de nauwe lege straatjes van de Oude Stad, soms schuilend voor de 'fluitende kogels', terug naar huis. Tleel en zijn broer, die vrijgezel waren, trokken zich samen met een paar buren terug in een kamertje waarvan ze dachten dat het er veiliger was. Ze plakten de ramen af met verbandpleister, zodat ze niet zouden versplinteren bij een explosie, en spanden een deken voor het raam. De elektriciteit werkte niet. Ze luisterden bij kaarslicht naar hun transistorradio's en zochten alle zenders af: 'Amman, Cairo, Israël, Londen, Voice of America. We probeerden zelfs Athene en Cyprus.' Ze hoopten op een objectief verslag van de gebeurtenissen. 'Al snel beseften we dat er winnaars en verliezers waren en de verliezende kant niet de waarheid vertelde over de radio. We spraken de hele tijd over wie er nu gelijk had, de Arabieren of de Israëliërs.'

Anwar Nusseibeh hoorde het nieuws dat de oorlog was begonnen op zijn autoradio. Hij behoorde tot een van de meest vooraanstaande Palestijnse families van Jeruzalem en bewoog zich in koninklijke Jordaanse kringen. Kort daarvoor had hij een tijdje als ambassadeur van koning Hussein in Londen gediend. Hij woonde in het Jordaanse deel van Jeruzalem en die dag was hij vroeg opgestaan om naar Amman te rijden. Toen hij hoorde dat het oorlog was, maakte hij meteen rechtsomkeert om zijn vrouw en kinderen op te halen. Hij had twee dagen voor de oorlog met zijn broer Hazem, die minister van Buitenlandse Zaken van Jordanië was geweest, zitten lunchen op het balkon van hun familiehuis dat uitkeek over Israëlische stellingen in West-Jeruzalem. Het was hun plotseling opgevallen dat er een groot artilleriestuk precies op hen stond gericht. Ze maakten zich er niet te veel zorgen over, omdat ze ervan uitgingen dat het Arabische leger sterker was dan het Israëlische, zoals op de radio werd beweerd. Hazem herinnert zich 'de opwinding, grote verwachtingen, enthousiaste en hoopvolle gevoelens. Angst leek niet te bestaan. [...] We zagen Israëlische helikopters overkomen en stonden glimlachend op ons balkon naar ze te kijken.'

Terug in Jeruzalem probeerde Nusseibeh telefonisch contact te krijgen met Ahmed Shukairy, de leider van de PLO, die in het Ambassador Hotel in de wijk Sheikh Jarrah logeerde. Maar Shukairy, die was gespecialiseerd in het opjutten van menigten en bloedstollende redes over de vernietiging van Israël, was vertrokken. Nu het uur waarover hij zo vaak had gesproken was aangebroken, was hij naar Damascus gevlucht. Hierna ging Nusseibeh zijn diensten aanbieden bij de Jordaanse gouverneur van Jeruzalem, Anwar al-Khatib, die zich op het politiebureau bevond. 'Ik ging naar het bureau, waar ze praatten over het organiseren van verzetsgroepen en geweren uitdeelden en dat soort dingen. En dat terwijl de oorlog al was begonnen! Als de zaken er zo voor stonden, was er weinig meer aan te doen. Ik zei tegen hen dat ik thuis zou zijn en dat ze me daar konden bellen. En ik ging weer naar huis.'

Een krankzinnig plan dat werd besproken was om de mannen van Isawiya, een Palestijns dorp dicht bij de Israëlische enclave op de Scopusberg, van wapens te voorzien. Met steun van de artillerie zouden ongetrainde burgers de heuvel beklimmen (die ten oosten van Jeruzalem ligt en uitkijkt over de Oude Stad), zich op de Israëlische verdediging werpen – en een zekere dood tegemoet gaan. Volgens de regels van de wapenstilstand van 1948 mocht Israël geen militaire voorraden leveren aan het garnizoen op de Scopusberg. Maar in de loop van negentien jaar hadden ze zo veel militaire contrabande met de tweewekelijkse bevoorradingskonvooien meegestuurd dat de enclave een waar fort was geworden. Ze hadden er zelfs jeeps uitgerust met antitankkanonnen in onderdelen naartoe gesmokkeld. Toen inspecteurs van de VN ooit een verdacht uitziend vat in beslag hadden genomen, had Israël gereageerd door het gebouw waarin het vat werd opgeslagen te confisqueren.

Jeruzalem, 11.30

De Israëliërs hielden de eigen successen stil omdat ze de Arabieren en hun vrienden niet wilden aanmoedigen een motie voor een staakt-het-vuren bij de VN te aanvaarden. Maar BBC-reporter Michael Elkins kwam achter het ware verhaal door de hele morgen in de kelder van de Knesset gesprekken af te luisteren en vragen te stellen. 'Ik hoorde genoeg stukjes en beetjes om het te snappen. Toen ging ik naar Ben-Gurion in de kelder van de Knesset en vertelde hem wat ik had ontdekt. Hij bevestigde mijn lezing. Ik vroeg hem of hij een boodschap voor het joodse volk had, want Esjkol was bezig en wilde me niet ontvangen. Het enige wat hij zei was: "Zeg het joodse volk dat het zich geen zorgen maakt."'

Terwijl Elkins informatie voor zijn artikel inwon, hadden de Jordaanse autoriteiten uiteindelijk hun schroom overwonnen om Palestijnen van wapens te voorzien. Ze gaven 260 Enfield-geweren, 20 stenguns (machinepistolen) en 20 brenguns (lichte machinegeweren) aan het verzetscomité dat was opgezet door Bahjet Abu Gharbiyeh. Het leger gaf nog eens honderd geweren. In het kantoor van de radiozender werd een dozijn stenguns aangetroffen die nog in het vet zaten. Een paar mannen bouwden geïmproviseerde verdedigingsstellingen in de tuin van het radiostation, terwijl de vrouwen kogels in de magazijnen laadden. Bijna niemand had enige militaire ervaring. Mannen namen posities in bij ramen die dichtzaten en niet waren afgeplakt met tape om de scherven op te vangen als het glas werd verbrijzeld. Amman had hen niets gestuurd om uit te zenden, dus speelden ze militaire marsen, opnamen van het geluid van machinegeweren en geïmproviseerde stukjes nationalistische retoriek. In Amman zat de Jordaanse minister van Informatie, Abd al-Hamid Sharaf, te lunchen met zijn vrouw. Hij zocht de verschillende radio-zenders af en hoorde plotseling een krijsende, hysterische stem oproepen tot mobilisatie van het volk en het behalen van de overwinning. Hij belde het station op en beval de medewerkers 'kalmer aan te doen en redelijker te zijn'. Sharaf, die in de twintig was, vereerde Nasser en vond hem de beste persoon om voorvechter te zijn voor de Arabieren. Nasser moest wel goed op de oorlog voorbereid zijn, zei hij tegen Leila, zijn Libanese vrouw, anders zou hij dit toch niet laten gebeuren?

In het Israëlische deel van Jeruzalem belde Michael Elkins zijn artikel door. 'Zo'n drie uur na het begin van de oorlog zei ik al tegen iedereen dat Israël had gewonnen. Ik wist van de luchtaanvallen op de Egyptische vlieg-velden en vliegtuigen. Het was duidelijk dat de Egyptenaren niet konden winnen als ze zonder luchtdekking in de Sinaï moesten vechten.' Meir Amit, het hoofd van de Mossad, negeerde Elkins moedige verhaal en de woordvoer-der van het Israëlische leger verklaarde de berichten over zware Egyptische verliezen 'prematuur, onduidelijk en absoluut niet officieel'. In Tel Aviv gaf Amit 's middags nadere uitleg aan de Amerikaanse ambassadeur Walworth Barbour en de gezant van president Johnson, Harry C. McPherson (die lich-telijk uitgeput was, doordat hij die morgen om drie uur was aangekomen van-uit Saigon). Amits briefing was een mengsel van waarheid, fictie en overdrij-ving, zoals alle goede desinformatie. Het verhaal was nauwkeurig afgesteld op de luisteraars, die hun eigen informatiebronnen hadden, zo wist Amit. Hij vertelde de Amerikanen dat Nasser op zijn intuïtie vertrouwend een bewe-ging op gang had gebracht die zo veel vaart had gekregen dat zij niet meer viel te stoppen. Egypte had Israël omsingeld en de Israëliërs hadden toegeslagen omdat de Arabieren op het punt stonden de aanval te openen. In de afgelopen 48 uur hadden de Egyptische 4de pantserdivisie en de uit elitetroepen be-staande Shazli-brigade, die samen over vierhonderd tanks beschikten, Eilat omsingeld en zo een verbinding over land met Jordanië tot stand gebracht.

Volgens Amit hadden de Egyptenaren die morgen drie Israëlische neder-zettingen bij de Gazastrook met granaten bestookt. Op hetzelfde moment waren vijandige Egyptische oorlogsvliegtuigen het Israëlische luchtruim binnengedrongen. Er waren geen Egyptische troepen de grens overgestoken. Een dag eerder, zo vertelde Amit, had Israël besloten 'alle knoppen in te drukken' als het werd aangevallen. Amit drukte vervolgens de koude-oor-logsknop in, want hij wist dat de Amerikanen daar gevoelig voor waren. Nas-ser, zei hij, was een proces begonnen dat ertoe kon leiden dat de Sovjet-Unie zware druk op Iran en Turkije zou uitoefenen om de kant van de Arabieren te kiezen. Het was een dominotheorie voor het Midden-Oosten, taal die de Amerikanen in de jaren zestig goed begrepen. Nu opperde Amit de mogelijkheid dat het regime van Nasser zou vallen, wat volgens hem tot stabiliteit zou leiden.

Op het moment van de briefing met de Amerikanen wist Amit al meer dan twee uur dat Israël de oorlog in feite al had gewonnen. Toch verweet hij de Amerikaanse ambassadeur brutaalweg dat de Amerikaanse pogingen hen tegen te houden de taak van de Israëlische soldaten, matrozen en piloten aanzienlijk had bemoeilijkt. Barbour, die het als zijn rol zag de band tussen de VS en Israël te verstevigen, zag deze gotspe aan voor 'volledige openhartigheid'. Amits klacht sloeg nergens op, zoals Israël die morgen al had laten zien. Maar het laatste wat hij wilde was dat de Amerikanen begrepen hoe goed Israël ervoor stond. Hij vroeg om politieke steun, geld, wapens en medewerking om de Sovjets uit de buurt te houden.

Tijdens Amits briefing ging het luchtalarm af. Toen Harry McPherson aan het hoofd van de inlichtingendienst vroeg of ze niet naar de schuilkelder moesten, keek deze op zijn horloge en zei: 'Dat is niet nodig.' Toen McPherson de dag daarop in de buurt van de grens met de Gazastrook uitgeputte Israëlische soldaten in de schaduw zag liggen slapen, zei de Israëlische kolonel die hem vergezelde dat de mannen hun rust wel hadden verdiend. 'Ze rijden al sinds zondagmiddag. Het zag er hier zondagnacht uit als in Detroit.' Dat was twaalf uur voor de zogenoemde Egyptische aanval, besefte McPherson.

Overheden die niet over zulke goede middelen beschikten om informatie in te winnen als de Amerikanen, waren wekenlang bezig te ontdekken wat er in werkelijkheid was gebeurd. Eind juni vroeg een buitenlandse militaire attaché nog aan de commandant van de luchtmacht, brigadegeneraal Hod, hoe ze zo effectief hadden kunnen optreden terwijl de aanval onverwacht was gekomen. Daar was normaalgesproken toch minstens een halfjaar voorbereidingstijd voor nodig? Hod deed niet al te zeer zijn best om het geheim te bewaren. Hij antwoordde: 'Meneer, u hebt gelijk, maar niet helemaal. We hebben ons achttien en een halfjaar op een aanval voorbereid.'

Washington D.C., 04.30

Washington werd wakker. Om 04.30 uur was de nationale veiligheidsadviseur Walt Rostow klaar om de president te wekken. De Amerikaanse regering had via de persbureaus over het uitbreken van de oorlog gehoord. Een van de medewerkers van de nachtploeg in de Situation Room van het Witte Huis zag het laatste nieuws van de persbureaus en begon te bellen. Hij wekte Rostow om 02.50 uur. Rostow zei slaperig dat hij terug moest bellen als de berichten waren bevestigd. Vijf minuten later rinkelde de telefoon weer en werd er meegedeeld dat bevestiging binnen was. Rostow was om 03.20 in het Witte

Huis. Hij belde de minister van Buitenlandse Zaken, Dean Rusk, die al op zijn ministerie was. Rusk stelde voor nog een uur meer informatie af te wachten voordat ze de president wakker maakten. Om 04.35 liet Rostow zich doorverbinden met Johnsons slaapkamer. Met een volgekrabbelde bladzijde aantekeningen voordat zijn neus vertelde hij de president wat ze wisten. Johnson stelde weinig vragen en gaf geen commentaar. Hij bedankte Rostow na afloop, die het nu plotseling allemaal heel gewoon vond klinken, niet anders dan hun andere gesprekken. Er was verwarring over het tijdsverschil met het Midden-Oosten. Was Cairo nu om 08.00 of 09.00 uur plaatselijke tijd aangevallen? De adviseurs van de president waren een tijdje bezig uit te zoeken hoe laat het in Cairo en Tel Aviv was.

Tegen de tijd dat Rostow weer met Johnson sprak, om 06.15 uur plaatselijke tijd, was er exacte militaire informatie binnengekomen, afgeleid uit berichten die waren onderschept door het Bureau voor de Nationale Veiligheid. Het leger in Cairo had te horen gekregen dat 'ten minste vijf' van de vliegvelden in de Sinaï en rond het Suezkanaal onbruikbaar waren. De CIA herinnerde eraan dat 'de Israëlische oorlogsplannen een hoge prioriteit toekenden aan snelle acties tegen de Egyptische luchtmacht, aangezien die een bedreiging vormt voor de eigen vliegvelden en andere essentiële punten'.

Johnson bevond zich nog steeds op zijn slaapkamer en werd via de telefoon op de hoogte gehouden door Rostow en andere topfunctionarissen. Johnson vroeg Rostow de specialisten op het gebied van het buitenlandbeleid bijeen te roepen. Hij belde eerst McGeorge Bundy, die een van belangrijkste adviseurs van Kennedy was geweest. Bundy nam de rechtstreekse verantwoordelijkheid voor de coördinatie van het beleid in het Midden-Oosten van Rostow over. (Rostow diende zich op Vietnam te concentreren, maar bleef in de praktijk sterk betrokken bij de nieuwe oorlog. Later ontkende de voorlichter van het Witte Huis dat Rostow de verantwoordelijkheid was ontnomen omdat hij joods was.) Vervolgens belde Rostow met Dean Acheson, die minister van Buitenlandse Zaken was geweest onder Harry Truman, en met Clark Clifford, advocaat en regeringsadviseur, die sinds het begin van de Koude Oorlog nauw betrokken was bij het Amerikaanse buitenlandbeleid. Er werd een speciale commissie van de Nationale Veiligheidsraad gevormd waarvan Bundy uitvoerend secretaris en Rusk voorzitter werd. Het idee voor een dergelijke commissie was gebaseerd op de Executive Committee of 'ExCom' die zich in 1961 met de Cuba-crisis had beziggehouden. Net als destijds bij ExCom namen de buitenlandspecialisten plaats rond de grote tafel in de Situation Room, het crisiscentrum in de kelder van het Witte Huis.

Cairo, 10.30

Een groep buitenlandse correspondenten haastte zich van het Hilton Hotel, waar ze verbleven, naar het tv-centrum, een indrukwekkend, ultramodern gebouw met een ronde gevel en een hoge toren dat een paar straten verderop aan de Nijl-boulevard ligt. Er stond een menigte voor de deur. 'Tja, dit is het dan, oorlog met Israël', zei iemand terwijl ze naar binnen dromden. Trevor Armbrister van de *Saturday Evening Post* zag Kamal Bakr, de pr-chef van Egypte, 'mollig en stilletjes onprofessioneel', het eerste militaire communiqué op een mededelingenbord prikken. Het luidde: 'Israël begon vanmorgen aan zijn agressieve daden door Cairo en verschillende delen van de UAR [Egypte] aan te vallen. Militaire vliegtuigen van de UAR gaan de confrontatie aan met de agressors.' Volgens het tweede communiqué, van 10.20, had Radio Tel Aviv een Egyptische aanval op hun stad aangekondigd. Tien minuten later lazen de mensen die rond de telex van persbureau het Midden-Oosten stonden dat er 23 Israëlische vliegtuigen waren neergehaald.

Er volgde een waar pandemonium. '23 Israëlische vliegtuigen,' riep iemand. 'Er zijn 23 Israëlische vliegtuigen neergehaald.' Volgens Amerikaanse diplomaten heerste er grote opwinding en klapten de mensen in hun handen toen dit nieuws zich verspreidde. De radio speelde vervolgens weer patriottische liederen, 'afgewisseld met oproepen tot terugkeer naar Palestina en het maken van een afspraak in Tel Aviv'. Niemand leek te weten waar de vliegtuigen waren neergehaald. De hemel buiten was helder en leeg. Even voor elven waren er kleine wolkjes witte rook te zien, waarschijnlijk luchtdoelgeschut, dacht men.

Het Egyptische opperbevel produceerde een grote stroom leugens die werd doorgegeven via Radio Cairo en via Kamal Bakr in het perscentrum, die telkens nieuwe communiqués op het prikbord hing. Om 11.10 uur zei Bakr dat er geen 23, maar 42 Israëlische vliegtuigen uit de lucht waren geschoten. En Egypte zelf was niet één vliegtuig kwijtgeraakt, verkondigde hij trots. In het perscentrum bleven de militaire communiqués 'binnenstromen [...] stuk voor stuk gesteld in superlatieven'. En telkens als er een op het mededelingenbord werd geprikt steeg er gejuich op. Uit niets bleek dat de oorlog slecht ging voor de Arabieren. Eric Rouleau van *Le Monde* was de straat op gegaan. 'We waren getuige van buitengewone vreugde-uitbarstingen. Ondanks het luchtalarm en het luchtdoelgeschut was iedereen op straat. Mensen schreeuwden: "Nasser, we zijn voor jou, Nasser, maak Israël af." Telkens als er door de luidsprekers het neerhalen van een vijandelijk vliegtuig werd aangekondigd, omhelsden de mensen elkaar, stonden ze van vreugde te springen en in hun handen te klappen.' Amerikaanse cameraploegen die probeerden de opgewonden menigte te filmen, werden aangevallen. Er volgde een nieuw emotioneel hoogtepunt toen een Israëlisch vliegtuig dat door luchtdoelgeschut was geraakt, in het centrum neerstortte. Eromheen verzamelde zich een menigte die 'Nasser, Nasser' riep. Ze dachten dat hij de Israëliërs vernederde zoals hij in 1956 de Fransen en Britten had vernederd.

De voorzitter van het Egyptische parlement, Anwar El Sadat, was in een uitstekend humeur. Hij had via de radio gehoord dat Israël zijn land had aangevallen. 'Mooi zo', dacht hij terwijl hij zich stond te scheren. 'Nu krijgen ze een lesje dat ze niet snel zullen vergeten.' Hij nam de tijd om een geschikt kostuum en bijpassende das uit te zoeken en reed vervolgens naar het hoofdkwartier. Hij had een 'onwankelbaar vertrouwen' in de Egyptische overwinning. Bij het gebouw van het hoofdkwartier aangekomen zag hij dat de auto van de Sovjetambassadeur er al stond. 'Dus ik dacht dat hij langskwam om ons te feliciteren. "Is er nog nieuws?" vroeg ik. Een paar officieren zeiden dat we tot dusver veertig vliegtuigen hadden neergehaald. "Prachtig", zei ik.'

Luchtmachtbasis Mafrak, Jordanië, 11.50

De Jordaniërs wachtten niet langer op hun onbetrouwbare bondgenoten. Zestien Hawker Hunters van de Royal Jordanian Air Force stegen op om Israëlische bases te bombarderen, waaronder die bij Netanya, een kuststadje ten noorden van Tel Aviv. Ze kwamen een halfuur later terug met de mededeling dat ze vier vijandelijke vliegtuigen op de grond hadden vernietigd zonder zelf verliezen te lijden. Het waren de enige vliegtuigen die ze hadden gezien, want de Israëlische luchtmacht hield zich nog steeds vrijwel alleen met Egypte bezig. Maar de planners in Tel Aviv stonden op het punt hun aandacht elders te richten. Hod gaf het bevel de volgende fase van Operatie Focus te beginnen, de aanval op Syrië en Jordanië.

Damascus, 12.00

De sfeer in Damascus was 's morgens heel gespannen. Nadat het nieuws van de Israëlische aanval op Egypte bekend was gemaakt, waren de mensen van de bescherming burgerbevolking naar hun posten geroepen. Havens en vliegvelden werden gesloten. Studenten die examen kwamen doen, kregen te horen dat het niet doorging. Mensen liepen rond op straat en wachtten tot er iets gebeurde. Dit duurde niet lang, want een uur later werd het vliegveld van Damascus door Mirages gebombardeerd. Er werd zwaar teruggeschoten door luchtdoelgeschut. De grens tussen Syrië en Israël was het minst actieve front tijdens de eerste vier dagen van de oorlog, maar er vonden over en weer zware artilleriebeschietingen plaats. De Syriërs begonnen te schieten en de Israëliërs antwoordden met luchtaanvallen.

De Israëliërs gingen nog steeds door met hun misleidingscampagne. In de Verenigde Staten belde de Israëlische ambassadeur bij de VN, Gideon Rafael, om vijf uur 's morgens naar zijn Amerikaanse tegenhanger Arthur Goldberg om hem te vertellen dat de Egyptische strijdkrachten de Negev waren binnengetrokken. De Israëlische minister van Buitenlandse Zaken, Abba Eban, zei tegen de Amerikaanse ambassadeur Barbour dat de Egyptische grondtroepen de vijandelijkheden waren begonnen door Israëlische grensdorpen met granaten te beschieten. Beide Israëliërs logen voor hun land, net als premier Esjkol, die een brief stuurde aan president Johnson waarin hij schreef over de Egyptische agressie 'die uitmondde in het treffen en de bombardementen die vanmorgen op Israëlisch grondgebied plaatsvonden'.

Cairo, militair hoofdkwartier, 12.00

Sidqi Mahmoud en Amer waren van Cairo International Airport, waar ze eindelijk hadden kunnen landen, teruggereden naar het hoofdkwartier. Sidqi zat nog maar nauwelijks achter zijn bureau of hij werd overspoeld door berichten over verwoestende Israëlische aanvallen. Een paar minuten later belde hij Nasser om hem te vertellen wat er gebeurde. De volle omvang van de ramp werd duidelijker met elk nieuw bericht over de verwoestingen dat op het hoofdkwartier binnenkwam. Nasser kreeg het gevoel dat de strijd al verloren was voordat hij goed en wel was begonnen.

Anwar El Sadat ging naar de kelder van het hoofdkwartier. Hij trof daar veldmaarschalk Amer, die midden in zijn kantoor stond 'en met dwalende ogen rondkeek. Ik zei goedemorgen, maar hij leek me niet te horen. Ik zei nogmaals goedemorgen, maar het kostte hem bijna een minuut voordat hij mijn groet beantwoordde.' Sadats goede humeur verdween. Hij begreep dat er iets helemaal verkeerd was gegaan. Van andere officieren hoorde hij dat de Egyptische luchtmacht volledig was vernietigd terwijl hij nog aan de grond stond. Nasser kwam uit een andere kamer. Amer begon te praten en gaf de schuld aan de Amerikanen. Nasser antwoordde: 'Ik geloof dit pas en ben pas bereid een officiële verklaring af te leggen waarin ik zeg dat de Verenigde Staten ons hebben aangevallen, als u me ten minste één vliegtuig kunt tonen met een Amerikaans embleem erop.' Nasser vertrok.

Omstreeks elf uur kreeg Amer bezoek van Abdul Latif Boghdady, die tijdens de oorlogen van 1948 en 1956 bevelhebber van de luchtmacht was geweest en nu een van Nassers vice-presidenten was. Boghdady wilde vooral niet in de weg lopen. Hij zei dat hij als de veldmaarschalk het te druk had om hem bij te praten later wel zou terugkomen. Amer nodigde hem met een breed gebaar uit plaats te nemen. Natuurlijk had hij tijd. De bevelhebbers in de Sinaï hadden alles onder controle. 'Als we de luchtoorlog achter de rug hebben,' riep Amer, 'dan hebben we niets meer te doen.' Boghdady zag dat luitenant-generaal Sidqi Mahmoud, zijn opvolger als bevelhebber van de luchtmacht, ondertussen de hele tijd zat te bellen. Het leek, voor zover de vice-president kon zien, alsof hij huilde. Amer zei meer dan eens tegen hem dat hij zich moest beheersen.

'Hij bleef maar vragen hoeveel vliegtuigen er tot dusver waren neergeschoten. Hij antwoordde met een cijfer dat Abdul Hakim [Amer] luid herhaalde, zodat we het konden horen. Hij vroeg: "Waarom ben je dan zo overstuur?" Sidqi belde nogmaals en herhaalde dat er de ene na de andere aanval op onze vliegvelden werd uitgevoerd. Hij zei dat de Israëliërs vast werden geholpen door de Britten en Amerikanen, want al die vliegtuigen konden nooit allemaal Israëlisch zijn. Abdul Hakim zei dat hij bewijzen moest zien te vinden voor wat hij zei.'

Veldmaarschalk Amer hield zich wanhopig vast aan het idee dat de grootmachten meededen aan de aanval op zijn land. Als er daardoor een situatie als bij de Suez-crisis zou ontstaan, dan was er misschien nog een uitweg. Amer was in paniek en verstrikt in de leugens en vluchtte weg in een fantasiewereld. Er werden vanuit het hoofdkwartier geen coherente orders meer gegeven. De strijdkrachten in de Sinaï wisten niet of ze moesten aanvallen of verdedigen en bleven in hun stellingen zitten, waar de Israëliërs ze de een na de ander konden uitschakelen.

Het volgende telefoontje kwam van Nasser die naar zijn villa was teruggegaan en daar de volgende twee dagen zou blijven. Hij vroeg hoeveel vliegtuigen ze verloren hadden en Amer antwoordde ontwijkend. Toen Nasser aandrong, zei hij: '47, waarvan er 35 in geval van nood nog te gebruiken zijn'. De rest kon nog worden opgelapt. Het was een flagrante leugen, want Egypte had op 5 juni tegen lunchtijd alle lichte en zware bommenwerpers en de meeste gevechtsvliegtuigen al verloren.

Volgens Mohammed Hassanein Heikal, de redacteur van *al-Ahram*, de grootste krant van Cairo, een man die in nauw contact stond met Nasser en als zijn spreekbuis werd beschouwd, durfde niemand de president te vertellen wat er precies was gebeurd. Heikal zegt dat Nasser op het hoofdkwartier dezelfde overdreven cijfers over de aantallen neergehaalde Israëlische vliegtuigen kreeg te horen als het publiek. Hij zou rond vier uur 's middags hebben ontdekt wat er werkelijk aan de hand was en pas 's avonds de immense omvang van de problemen echt hebben ingezien. Maar Nasser wist vast al veel eerder van de problemen. Volgens generaal Hadidi wist hij het al 'binnen een paar minuten'. Hoewel het hoofdkwartier in Cairo Amers domein was, had Nasser er zijn eigen mensen zitten, zoals stafchef-generaal Fawzi die door hem persoonlijk was aangesteld. Als Amer had geprobeerd de werkelijkheid voor hem te verbergen toen hij het hoofdkwartier bezocht, dan zou

Fawzi de president zeker hebben ingelicht, want Fawzi was een professionele militair die zijn verantwoordelijkheden bijzonder serieus nam.

Bovendien kreeg Nasser om twee uur 's middags al een persoonlijk verslag van een ooggetuige. Vice-president Shafei, wiens vliegtuig kort na de landing op de luchtbasis Fayed was gebombardeerd, was vanuit de Sinaï rechtstreeks naar Nassers huis in Cairo gereden en onderweg langs drie grote luchtmachtbases gekomen die alle in brand hadden gestaan. Shafei bonsde op Nassers voordeur. De president deed zelf open. Op de stoep staand vertelde Shafei wat hij had gezien. Nasser zei dat hij Amer moest opzoeken en ging terug naar binnen. Shafei reed naar het hoofdkwartier, waar volgens hem een totale chaos heerste. Amer maakte volgens hem de indruk 'volkomen onverschillig' te zijn. Hij leek moeite te hebben zich te concentreren. Wat mensen tegen hem zeiden, leek niet tot hem door te dringen.

Shafei kreeg Amer tenminste nog te spreken. Mahmoud Riad had de hele morgen vanuit het ministerie van Buitenlandse Zaken vergeefs geprobeerd hem aan de telefoon te krijgen. Uiteindelijk slaagde hij erin een van zijn adjudanten te spreken. Riad stelde voor een communicatielijn op te zetten tussen zijn ministerie en het militaire hoofdkwartier. Maar zijn verzoek werd genegeerd door het hoofdkwartier, waar 'paniek en verwarring de boventoon voerden'. Riad had geprobeerd door naar de radio op zijn kantoor te luisteren inzicht te krijgen in wat er gebeurde. Als minister van BZ wist hij evenveel van de oorlog als de journalisten in het perscentrum en de opgewonden menigte op straat. Hij moest net als zij vertrouwen op de communiqués van het militaire opperbevel, waarin werd beweerd dat er grote aantallen Israëlische vliegtuigen werden neergehaald. Maar hij wilde precieze informatie, zodat hij een politieke strategie kon ontwikkelen. Uiteindelijk werd hij gebeld door Nasser, die hem 'de schok van zijn leven' bezorgde toen hij vertelde wat er werkelijk was gebeurd.

Sinaï, 13.00

Het opperbevel aan Israëlische kant functioneerde veel beter. Generaal Gavish, de bevelhebber van de Israëlische legers in de Sinaï, leidde de gevechtshandelingen vanuit een mobiel hoofdkwartier dat onderdeel was van een klein commandokonvooi. Als het nodig was, bracht hij per helikopter een bezoek aan zijn divisiecommandanten. Gavish had zijn oorlogsplan tegen Egypte uitgebreid getest tijdens grote militaire oefeningen. Ze hadden niet lang daarvoor een divisie van 10.000 man en 250 tanks drie dagen lang in het veld gezet om alles te controleren wat ze maar konden bedenken: de mobilisatie en de opstelling, het vechten zelf, de voedselvoorraden, ammunitie en brandstof. De scenario's voor de oorlog tegen de voornaamste Arabische vijanden werden continu verbeterd, soms op landkaarten, soms tijdens veldoefeningen en soms met behulp van een paar commandowagens die elk een pantserformatie moesten voorstellen. Ze hadden zo veel geoefend dat toen Gavish' mannen eindelijk in de Sinaï zaten, een van hen tegen hem zei dat hij het gevoel had er al eens eerder te zijn geweest.

Gavish zat aan een klein tafeltje vol landkaarten, omringd door staf en communicatie-experts. Waar het Egyptische opperbevel via paniekerige telefoontjes van veldmaarschalk Amer bevelen gaf, kon Gavish meteen worden doorverbonden met zijn divisiecommandanten en de eenheden aan het front. Een verslaggever van de Israëlische legerkrant volgde hem de hele dag. 'Uit de radio's klinken oorlogsgeluiden: tanks die aanvallen, mijnenvelden die worden overgestoken, man-tegen-mangevechten bij het opruimen van verzetshaarden, een uitputtende tocht van een infanteriedivisie die door diep zand ploetert [...] De generaal belt met de commandant van de zuidelijke as: "Met wie spreek ik [...] waar zit je [...] heb je contact gehad met de vijand?" De generaal luistert en zegt: "Okay, ga niet dichterbij. Wacht tot ze komen en open dan meteen het vuur."' Gavish stond ook in contact met stafchef Rabin in Tel Aviv. Hij belde indien nodig om luchtsteun: 'De vijand rukt op [...] als we hem met wat vliegtuigen kunnen kalmeren, dan is dat prima voor de joden.'

Terwijl het team van Gavish strak georganiseerd en mobiel was, had Egypte twee ploegen concurrerende generaals in de Sinaï. Generaal Salah Muhsin had de leiding over het ervaren oostelijke leger, dat het terrein kende en offensieve en defensieve plannen had gemaakt. Maar vlak voor de oorlog had Amer plotseling besloten dat Muhsin alleen niet voldeed. In plaats van hem te ontlasten richtte hij een nieuw hoofdkwartier op in de Sinaï, dat onder leiding stond van een vertrouweling, generaal Murtagie. Murtagie had geen strijdkrachten en geen ervaring als bevelhebber in de Sinaï. Zijn precieze verhouding tot Muhsins oostelijke leger is altijd onopgehelderd gebleven. Muhsin had alle gevechtseenheden. Murtagi had opdracht gekregen een vooruitgeschoven hoofdkwartier voor de veldmaarschalk op te zetten, die het commando zou overnemen als de strijd eenmaal was begonnen. Amer ging er altijd vanuit dat hij na het uitbreken van de oorlog nog zeker 48 uur zou hebben om met zijn staf naar de Sinaï te reizen. De verwarring die er vanwege de twee hoofdkwartieren ontstond, was een belangrijke oorzaak van de ineenstorting van het Egyptische leger. De twee rivaliserende generaals probeerden beide per telefoon hun plannen aan Amer te verkopen. De andere Egyptische generaals keken wanhopig toe terwijl de chaos toenam en hun collega's elkaar in de haren vlogen. Na de oorlog probeerde Murtagi zich vrij te pleiten door toe te geven dat zijn rol en die van zijn eenheden onnodig waren geweest.

Een andere grote zwakheid was dat het allang bestaande plan voor de verdediging van de Sinaï, codenaam 'Qaher', vlak voor het begin van de oorlog door Nasser was geannuleerd. Onderdeel van Qaher was om binnenvallende Israëlische strijdkrachten naar een gebied in het midden van de Sinaï te lokken waar zich goed verdedigde posities bevonden. Hoewel niet alles klaar was, leek Qaher vanuit militair oogpunt verstandig. Maar omdat er als onderdeel van het plan terrein opgeofferd moest worden om de Israëliërs te lokken, vond Nasser het op het laatste ogenblik toch niet aanvaardbaar. Hij beval een voorwaartse verdediging aan de landsgrens, waarvoor een chaotische reorganisatie en een nieuwe opstelling nodig waren op het moment dat het Egyptische leger zich eigenlijk had moeten ingraven.

Door de Egyptische incompetentie kon het efficiënte Israëlische leger des te meer schade aanrichten. Zes Tupolev-bommenwerpers hadden het luchtruim weten te kiezen en waren ontsnapt toen hun basis werd aangevallen, maar in plaats van naar een vliegveld van een bevriende natie uit te wijken – Soedan werd voorgesteld – kregen de piloten bevel bij Luxor te landen. De boodschap werd onderschept en kort daarop werden de Tupolevs samen met nog eens acht Antonovs, op de grond vernietigd door Israëlische gevechtsvliegtuigen, waaronder dat van Herzl Bodinger.

Elders in het Midden-Oosten werd de situatie voor westerlingen bijzonder vervelend. In Libië werd de Amerikaanse ambassade in Benghazi aangevallen. Binnen verbrandden diplomaten papieren en stuurden ze een bericht dat ze inderhaast niet codeerden: 'Meute ambassade binnengedrongen. Personeel opgesloten in de kelder. Traangas gegooid om de meute op afstand te houden.' Twee uur later berichtten ze, wat gekalmeerd, dat er Britse troepen op weg waren om te zorgen dat ze de kelder weer veilig konden verlaten. Het volgende bericht kwam de telex uit gerateld: 'Vernietiging archieven voltooid en bezig met controle om te zien of we niets zijn vergeten.' In Jemen namen Jemenitische en Egyptische soldaten posities in voor de Amerikaanse ambassade in Sanaa toen het nieuws van de aanvallen bekend werd. De weg naar de ambassade werd door twee pantserwagens bewaakt. De radio zond nationalistische liederen en marsmuziek uit en riep de bevolking op de wapens op te nemen. In Basra, in het zuiden van Irak, bestormde een meute de compound van het Amerikaanse consulaat en sloeg alles kort en klein. De autoriteiten herstelden de orde.

Op het militaire hoofdkwartier in Tel Aviv maakte de generale staf zich nog steeds zorgen om een Egyptische grondaanval. Aharon Yariv, het hoofd van de militaire inlichtingendienst, zei om 13.00 uur tegen Rabin dat 'veel aandacht geschonken moet worden aan de strijdkrachten van Shazli, die mogelijk zullen proberen de Negev in tweeën te delen'. Saad el Shazli was een 43-jarige generaal-majoor die het bevel voerde over een tankbataljon, een infanteriebataljon en twee bataljons commandotroepen, in totaal vijftienhonderd man. De Israëliërs maakten zich al een tijdje zorgen over deze leger-groep. Maar terwijl Yariv de waarschuwende woorden tegen Rabin sprak, was Shazli nog met de auto onderweg naar zijn troepen. Hij was per helikopter naar de fatale bijeenkomst met veldmaarschalk Amer op luchtmachtbasis Fayed gereisd. Nadat de Israëliërs een einde hadden gemaakt aan dit 'leuke weerzien', zoals Shazli later zei, was hij tot drie uur 's middags bezig zijn mannen weer te bereiken. Hij hoorde van hen dat ze slechts twee luchtaanvallen te verduren hadden gehad, waar nauwelijks gewonden bij waren gevallen. Er waren geen orders uit Cairo binnengekomen. Via de radio probeerde hij contact te maken met het opperbevel, maar slaagde daar niet in. Shazli liet zijn troepen oprukken tot net over de grens met Israël, waar ze in een L-vormige nauwte, goed beschermd tegen luchtaanvallen, posities innamen. Ze bleven er tot de middag van 7 juni. Uit Cairo kwamen verder geen bevelen. Shazli wist dat zijn mannen door Israëlische vliegtuigen zouden worden afgemaakt als ze het waagden de open woestijn in te gaan. Hij besloot zelf maar geen geïmproviseerde initiatieven te ontwikkelen.

Luchtmachtbasis Mafrak, Jordanië, 12.30

Ihsan Shurdom wachtte nog steeds in zijn pilotenpak in een loopgraaf niet ver van zijn vliegtuig, stand-by om in actie te komen. Hij had niet meegedaan aan de aanval op Netanya en was nog steeds woedend dat hij de stipjes op het radarscherm niet had mogen aanvallen waarvan hij terecht dacht dat het Israëlische vliegtuigen waren die met weinig brandstof en ammunitie aan boord naar hun basis terugkeerden. Alle piloten hadden hun transistorradio's continu afgestemd op de berichten over de Arabische overwinningen die 's morgens in Cairo waren opgesteld en zich vervolgens over de regio hadden verspreid. Shurdom werd aangesproken door een van zijn vrienden. 'Hij zei dat we de vervloekte oorlog aan het verliezen waren. Ik vroeg waarom. Hij zei: "Omdat ze claimen twee keer zo veel Mirages te hebben neergeschoten als Israël in werkelijkheid heeft."'

De veldtelefoon in Ihsan Shurdoms loopgraaf rinkelde. Er kwamen Israëlische vliegtuigen aan. Shurdom rende zijn loopgraaf uit, naar zijn Hawker Hunter die klaarstond voor vertrek. Hij wilde zo snel mogelijk opstijgen in plaats van in een aluminium doodskist met straalaandrijving op de landingsbaan te staan. Shurdoms Hunter was bewapend met 24 raketten voor luchtaanvallen of ondersteunende taken. Maar hij moest nu het luchtruim verdedigen en binnenkomende Israëlische jagers onderscheppen. Allereerst, dacht hij, moet ik de raketten zien kwijt te raken. Zodra hij in de lucht was, vuurde hij ze af, de grond in. Toen keek hij om zich heen en zag hij de Israëlische vliegtuigen naderen. Hij dacht aan de technieken die hij van de RAF had geleerd. Hij kende de 'schaarbeweging' en wist waar je moet richten om de vijand in het vizier van het boordkanon te krijgen en hoe hij de 'speed breaks' moest gebruiken. Hij kon de Hunter manoeuvreren door de vleugelkleppen te gebruiken en de zon gebruiken om zich uit de voeten te maken. Het belangrijkste echter was de vijand te zien voor hij jou zag, 'dan was je in het voordeel omdat je dan meteen kon beginnen te klimmen of te manoeuvreren ... een luchtgevecht wordt vaak binnen een minuut beslist'. Volgens Shurdom schakelde hij die dag twee Israëlische vliegtuigen uit, allebei Mystères. Een ontplofte boven het vliegveld, de andere stortte iets verder naar het noorden neer. Maar volgens de Israëliërs raakten ze boven Mafrak maar één Mystère kwijt en wist een andere Mystère met veel schade de thuisbasis te bereiken. Later haalde een andere Jordaanse piloot nog twee vliegtuigen neer.

Ondertussen waren de vliegtuigen die Netanya hadden gebombardeerd bezig bij te tanken en nieuwe wapens aan boord te nemen. In vredestijd was er een plan gemaakt om de vliegtuigen over verschillende landingsbanen in de woestijn te verspreiden, maar door alle opwinding die morgen had niemand eraan gedacht het uit te voeren. De onderhoudsploegen hadden naar de radio geluisterd en meenden dat er boven Cairo zoveel Israëlische vliegtuigen waren neergeschoten dat Israël nauwelijks nog vliegtuigen over kon hebben. Toen ze de Israëlische jets zagen naderen, dachten ze aanvankelijk dat het eigen vliegtuigen waren. Pas toen ze het vuur openden, begrepen ze dat het om een Israëlische aanval ging. Jordanië beschikte niet over bunkers voor de vliegtuigen. De meeste Jordaanse Hawker Hunters werden op de grond vernietigd. Majoor Firass Ajlouni, de bevelhebber van het squadron die een uur eerder de aanval op Netanya had geleid, probeerde achter Shurdom aan weg te komen, maar werd terwijl hij opsteeg door kanonvuur getroffen en gedood. De volgende piloot op de landingsbaan sprong uit zijn vliegtuig en rende naar de loopgraaf om dekking te zoeken terwijl de Israëliërs het vliegveld bombardeerden en mitrailleerden. In een paar minuten tijd werd de enige straaljagerbasis van Jordanië vernietigd.

Tijdens het tweede luchtgevecht dat Shurdom leverde, werd zijn vliegtuig in de staart getroffen. Hij besloot zijn toestel op schade te controleren, waarvoor hij op een voorgeschreven lage snelheid moest vliegen. Hij zei tegen zijn wingman: '"Houd mijn staart in de gaten, ik wil een slow-speed check uitvoeren." Hij vroeg: "Ben je niet bang?" Ik zei: "Natuurlijk ben ik bang."'

De controle wees uit dat de Hunter beschadigd was en Shurdom besloot te landen. Vanuit de cockpit zag hij dat basis Mafrak in brand stond. Hij vroeg via de radio of de landingsbaan nog bruikbaar was. Hij sprak Engels, want al het radioverkeer van de Jordaanse luchtmacht ging in die taal. Er werd bevestigend geantwoord. Shurdom herkende de stem niet en werd achterdochtig. Hoe kon de landingsbaan na een dergelijke aanval nog bruikbaar zijn? Shurdom vroeg nogmaals om bevestiging en toen hij die had gekregen, vroeg hij de man of hij wist hoe zijn hond heette. Iedereen op Mafrak wist hoe Shurdoms hond heette. Het bleef stil aan de andere kant en Shurdom begreep dat de Israëliërs probeerden hem erin te laten lopen. Hij vloog verder, naar Amman.

Cairo 13.45; Jordaans militair hoofdkwartier, 12.45

Nasser was weer terug op het kantoor in zijn villa, waar hij veel te regelen had. Hij belde koning Hussein, voor het eerst sinds het begin van de oorlog. Hij wist tegen die tijd precies wat zijn luchtmacht was overkomen, maar zei dit niet tegen zijn nieuwe bondgenoot. Net als Amer sprak hij met geen woord over wat er werkelijk gebeurd was. 'Israël heeft onze bases gebombardeerd, waarna wij hun bases hebben gebombardeerd. We beginnen een groot offensief in de Negev.' Toen vroeg hij de koning snel zo veel mogelijk land te bezetten, want hij had gehoord dat de Veiligheidsraad van de VN die avond een einde zou maken aan de oorlog. Koning Hussein had geen idee van de schade die Israël al had aangericht. Na de oorlog heeft hij Nasser nooit in het openbaar beschuldigd van bedrog, maar een jaar later bevestigde zijn privésecretaris tegen de Amerikanen dat ze destijds hadden beseft – maar wel te laat – dat Nasser de koning had aangeraden zijn troepen dieper in te zetten terwijl zijn eigen luchtmacht al was vernietigd.

De gevechten in Jeruzalem escaleerden. Na de Egyptische verzoeken om hulp lieten de Jordaniërs hun reeds lang bestaande oorlogsplan voor Jeruzalem varen. Onderdeel van dit plan, Operatie Tariq, was de verovering van de joodse wijk van de stad door middel van een tangbeweging. De Jordaniërs hadden bedacht dat hun kleine leger van negen infanteriebrigades en twee onafhankelijke pantserbrigades, de 40ste en 60ste, niet sterk genoeg was om de 630 kilometer lange bestandslijn met Israël te verdedigen. Operatie Tariq was bedacht om Jordanië diplomatiek voordeel te verschaffen door joods West-Jeruzalem in gijzeling te houden, waarmee de Jordaniërs hoopten een staakt-het-vuren en teruggave van land dat Israël zou hebben veroverd af te dwingen. Het was een realistische strategie. Maar Operatie Tariq, die al sinds 1949 een integraal onderdeel was van het Jordaanse oorlogsplan, werd geschrapt.

De boodschap vanuit Cairo was dat er een Egyptische divisie in de Negevwoestijn oprukte om Beersheba aan te vallen. Riad, de Egyptische generaal die de leiding had gekregen over het Jordaanse leger, wist niet dat de aanval alleen in Amers fantasie bestond. Niemand in Jordanië had enig idee wat er werkelijk aan de hand was in de Sinaï. Een paar Jordaanse stafofficieren op het militaire hoofdkwartier in Amman hadden felle meningsverschillen met hun Egyptische collega's over het schrappen van Operatie Tariq. Op een gegeven moment wilde de chef operaties, generaal Atef Majali, zelfs de kamer uit stormen. Maar Riad, die de steun had van de koning, had het laatste woord. De 60ste pantserbrigade ging naar het zuiden, naar Hebron, terwijl de 40ste van het noordelijke deel van de Westoever oprukte naar de omgeving van Jericho om haar te vervangen. Cairo vroeg of een Syrische pantserbrigade achter de 40ste aan kon oprukken. Dit leek de koning en Riad een goed plan op papier. Riad werd door de Jordaniërs, de Egyptenaren en zelfs de Israëliërs als een van de competentste Egyptische bevelhebbers beschouwd. Maar het uitgangspunt van de operatie berustte slechts op Amers fantasie. En als de slecht getrainde en nauwelijks operationele Syrische divisies al in staat waren naar de Westoever op te rukken, dan was Damascus nog niet echt van plan om Hussein te helpen.

Amman, 13.10

Shurdom en twee collega's waren nog maar net op het vliegveld van Amman geland, of een golf Israëlische oorlogsvliegtuigen begon het vliegveld te bombarderen en te beschieten. Een van de Jordaanse piloten, Hanan Najar, werd in de hand geraakt. Shurdom greep de film uit de mitrailleurcamera en rende naar een greppel om dekking te zoeken. De aanval duurde tweeënhalf uur. Toen hij was afgelopen had de Royal Jordanian Air Force geen bruikbare landingsbanen en geen aanvalsvliegtuigen meer. Er waren nog slechts twee in Frankrijk gebouwde Alouette-helikopters over. Ook het koninklijk paleis werd aangevallen. Volgens Ziad Rifai, een van de naaste adviseurs van koning Hussein, slaagden de Israëliërs erin het kantoor van de koning te raken. 'De muur achter het bureau en de stoel van de koning werd door de explosie weggeslagen.'

Jeruzalem, 13.30

Generaal Uzi Narkiss droomde ervan heel Jeruzalem te veroveren sinds Israel in 1948 bij de poorten van de Oude Stad was verslagen. Hij deed er alles aan om toestemming te krijgen de Jordaniërs aan te vallen en was 'in een continue staat van opwinding, alsof hij wist dat dit grootse moment nabij was'. Narkiss probeerde generaal Eber Weizman, de chef operaties, te overtuigen van 'deze prachtige kans om iets fantastisch te ondernemen tegen de Jordaniërs', maar hij kreeg die morgen geen toestemming. Aan het begin van de middag boden de Jordaniërs hem de opening die hij nodig had. Eerst berichtte Radio Amman om 12.45 uur dat de Scopusberg door het Jordaanse leger was ingenomen. Vervolgens stuurden de Jordaniërs twee compagnieën om het hoofdkwartier van de VN in Jeruzalem, het Government House, te bezetten. Dit was 'een geschenk uit de hemel' voor Narkiss.

Generaal Odd Bull van de VN zag het gebeuren. Het was 'een van de grootste verrassingen van zijn leven'. Jordaanse troepen kwamen de beboste compound van het Government House binnen. Het was het enige grote openbare gebouw dat door de Britten in Palestina was achtergelaten, een herenhuis voor de High Commissioners, gebouwd van Jeruzalemse steen. Het lag op de Jabel Mukkaber (de 'heuvel van de slechte raad'), die uitkijkt over de Oude Stad. Bij de wapenstilstand was de heuvel tot VN-gebied verklaard. Het was een gedemilitariseerde zone, waar Israëliërs noch Jordaniërs mochten komen. Na een verhitte discussie wisten ongewapende VN-medewerkers, wier gezinnen binnen zaten, de Jordaniërs te overtuigen het gebouw niet te bezetten. Maar ze bleven wel in de bossen eromheen.

Bij de wapenstilstand was ook overeengekomen dat Jordanië noch Israël met tanks Jeruzalem binnen mocht. Israël hield een bataljon tanks net buiten de stadsgrens gereed en er stonden er stiekem ook een paar in Jeruzalem zelf opgesteld. De leiding over deze tanks had Aaron Kamera, een veteraan uit 1948 die, zo zei hij zelf, als 'terrorist' tegen de Britse bezetting had gestreden. Toen hij schieten en het luchtalarm hoorde, nam hij zelfstandig de beslissing zijn tanks Jeruzalem in te sturen. Kamera was rijschoolhouder en genoot plaatselijke bekendheid. Terwijl zijn tanks het Israëlische deel van Jeruzalem binnenrolden, juichten de mensen en gooiden ze sigaretten en cakejes naar hem. Een verzekeringsman uit de buurt rende zijn kantoor in toen hij de tanks zag en schreef een levensverzekeringspolis voor hem uit. Kamera reed met de tanks naar het militaire hoofdkwartier in het centrum van de nieuwe stad, dat was gevestigd in de Russische compound, een reeks barakken buiten de stadsmuren die de tsaren voor Russische pelgrims hadden laten aanleggen. Kamera vroeg wat hij precies moest ondernemen en hoorde tot zijn afschuw dat er een staakt-het-vuren was afgekondigd. Als hij met zijn tanks voortijdig Jeruzalem was binnengetrokken, had hij diep in de penarie gezeten. Maar het staakt-het-vuren duurde niet lang, zoals alle gevechtspauzes die morgen al snel weer werden opgeheven. Het nieuws van de Jordaanse actie tegen het Government House werd bekend. Kamera kreeg te horen dat hij er zo snel mogelijk heen moest met zijn tanks.

Kibboets Nachshon, 14.00

In kibboets Nachshon, die aan de grens lag tegenover het Jordaanse garnizoen bij Latrun, zat een groep mannen in een observatiepost te wachten. Het was een warme, windstille middag. Ze zagen de Jordaanse mortieren inslaan die over de grens werd afgevuurd. In de verte klonk een zwaar gerommel, als de donder in de zomer. Het was het geluid van granaten die in en rond Jeruzalem ontploften. Ze hadden continu de transistorradio aan om naar het nieuws te luisteren. Er werden op alle fronten gevechten gemeld. Soms draaiden ze de wijzer van de Voice of Israel naar de Hebreeuwse zender van Radio Cairo, die maar bleef razen: 'De dood zal u 's nachts overvallen [...] in een zwart gewaad'. Ze lachten nerveus en maakten grapjes, zonder enige idee te hebben hoe de oorlog voor Israël verliep. Ondanks hun bravoure maakten ze zich grote zorgen.

Damascus 14.15

Uri Gil, een van een handvol Israëlische piloten die niet aan de luchtaanvallen van die morgen hadden meegedaan omdat zij het Israëlische luchtruim moesten verdedigen, kon eindelijk in actie komen. Zijn team kreeg opdracht naar het zuiden van Syrië te vliegen om een aantal MIGs te onderscheppen die net waren opgestegen. Terwijl de Mirages boven het Zuid-Syrische landschap van zwart basalt vlogen, kregen ze de laatste informatie van de Israëlische vluchtleiders. Nog dertig kilometer, nog twintig, nog tien... Gil en de andere piloten zagen nog geen vijandelijke vliegtuigen. Toen kwam er een waarschuwing via de koptelefoon: de MIGs zaten op drie kilometer afstand recht voor hen. De manier waarop de vluchtleider het zei, leek Gil op een of andere manier verdacht. Hij zwenkte naar rechts. Zeshonderd meter achter hem bleek zich een Syrische MIG te bevinden. Hij had geen idee hoe die daar was gekomen. Als hij de Syriër twee seconden later in de gaten had gekregen, zou hij door hem zijn neergeschoten.

Gil oefende continu luchtgevechten en beschouwde zichzelf als expert. Maar dit was de eerst keer dan het menens was. De twee gevechtsvliegtuigen probeerden zich zwenkend en wentelend in een voordelige positie te manoeuvreren. Gil voelde zich kalm, zelfs een beetje vrolijk. Eindelijk kon hij zijn vaardigheden echt toepassen. Op drieduizend meter hoogte wist hij de MIG de pas af te snijden. Een kort moment konden de piloten elkaar zien, zo dichtbij waren ze. De Syriër droeg een bruine leren helm. Gil minderde snelheid om zich achter hem te manoeuvreren en schoot. Hij voelde geen woede of haat toen hij de piloot doodde. 'Kalm richtte ik het vizier van mijn kanon op hem en vuurde een salvo van een halve seconde. De piloot moet dood zijn geweest, want er verscheen geen parachute. Ik had er geen moeite mee hem zo te doden, hij was een doel, net als ik. Als ik niet naar rechts was gezwenkt, had hij mij te pakken gekregen. De moeilijke beslissing was de zwenking naar rechts, weg van de groep. De formatie verbreken is een belangrijke stap.'

Het was tijdens het luchtgevecht stil geweest in Gils cockpit. Nu hoorde hij een van zijn drie collega's schreeuwen over de radio. Later tijdens de oorlog werd Meir Shahar, de piloot die geschreeuwd had, boven een Syrische basis door luchtdoelgeschut getroffen. Zijn broer Jonathan werd dezelfde dag boven Egypte neergehaald, maar werd gered.

Tijdens de eerste oorlogsdag werden de Egyptische, Syrische en Jordaanse luchtmacht door Israël vernietigd en de Iraakse grotendeels geneutraliseerd. Er werden negentien Israëlische vliegtuigen neergeschoten, 10 procent van het totaal (wat er verhoudingsgewijs meer zijn dan er tijdens de oorlog van 1973 verloren gingen). Negen Israëlische piloten werden gedood. De onervaren collega van Avihu Bin-Nun die bij de eerste aanvalsgolf in zee leek te zijn gestort, bleek ongedeerd. Hij was teruggevlogen naar de basis omdat hij problemen had met de brandstoftoevoer.

Tel Aviv, 14.30

Ava Yotvat zat met haar twee dochters in de schuilkelder onder hun flat in Tel Aviv. Eigenlijk dacht ze dat het allemaal wel in orde zou komen. Ze was in de weken voor de oorlog heel bezorgd geweest om haar dochters en haar man, die officier was in het leger. De Arabische propaganda was heel angstaanjagend. Haar ouders waren in 1927 uit Nederland geëmigreerd, de rest van de familie was in Auschwitz vermoord. Ze was opgegroeid met voedseltekorten en rantsoenen en daarom zat haar voorraadkast altijd vol, zoals bij veel vrouwen van haar generatie het geval was. Ze was nooit bang geweest dat het de Arabieren zou lukken genocide op de joden te plegen. Ze had altijd gedacht dat Israël de enige plek op aarde was waar ze echt veilig was. Een granaat van een van de Jordaanse Long Toms ontplofte in de Frishmanstraat. Ava Yotvat zat tussen haar dochters in, sloeg haar armen om hen heen zei: 'Kom, laten we zingen.' Ze begon het refrein van 'Jeruzalem, stad van goud' te zingen, het lied dat de hit van de oorlog werd voor de Israëliërs. Iedereen in de schuilkelder zong mee.

De 55ste Israëlische paratroeperbrigade lag in de zon op het gras naast de landingsbaan van het vliegveld Tel Nof. De mannen waren in volledig gevechtstenue en wachtten op de Noratlas-transportvliegtuigen die hen naar het oorlogsgebied zouden brengen. Ze hadden weken getraind op de sprong die ze zouden gaan maken in vijandig gebied, bij Al-Arish, de Egyptische stad in de noordoosthoek van de Sinaïwoestijn, bij de Middellandse Zee. Alles was in pakken van twintig kilo verpakt. De Israëlische paratroepers hadden slechts één keer eerder in een oorlogssituatie gesprongen. Dat was in

1956, toen de mannen van Ariel Sharon bij de Mitla-pas in de Sinaï waren geland. Veteranen van die actie droegen een parachute-insigne met een rode achtergrond, omdat ze in een oorlogssituatie hadden gesprongen. De mannen op vliegveld Tel Nof hoopten dat deze eer hun nu ook ten deel zou vallen. Ze hadden de straaljagers 's morgens zien vertrekken en hadden te horen gekregen dat de acties goed waren verlopen. De soldaten hoorden de granaten van de Jordaanse Long Toms op Tel Aviv en Kfar Saba neerkomen. Mannen die uit deze steden kwamen, maakten zich zorgen om hun gezin.

Ze waren gespannen. Toen rinkelde de veldtelefoon. De aanval op Al-Arish verliep sneller dan verwacht. Ze waren niet meer nodig, de sprong was afgelast. In plaats daarvan zouden ze naar Jeruzalem gaan. Veel mannen waren teleurgesteld. Ze zouden het speciale parachute-insigne niet kunnen verdienen en in Jeruzalem was het niet eens echt oorlog. Ze zouden een soort politieagenten zijn, dachten ze. Arie Weiner dacht dat het nog erger zou worden. Hun rivalen van de 202de paratroeperbrigade waren al in actie gekomen in de Sinaï, dus was het een dubbele teleurstelling. De 21-jarige student Jacov Chaimowitz was een van de weinigen die het zich niet erg aantrok. Hij hoorde de anderen klagen. 'Ik was niet teleurgesteld. Er waren er een paar die altijd met een mes tussen hun tanden rondliepen. Ze wilden het insigne. Maar ik vond mezelf niet zo'n vechtjas.'

Er arriveerden oude stadsbussen om de paratroepers naar Jeruzalem te vervoeren. Ze klommen aan boord met hun handwapens en wat ze maar konden dragen. De zwaardere apparatuur werd in de springzakken gepakt en zou later gebracht worden. Ze hadden geen kaarten van waar ze naartoe gingen. Velen van hen waren nooit in Jeruzalem geweest. Ze namen mopperend plaats op de krappe zitplaatsen. Maar Hanan Porat, een godsdienstige paratroeper van begin twintig, was ervan overtuigd dat zijn eenheid eindelijk de wil van God ging uitvoeren. Ze gingen de verovering van Jeruzalem afmaken die in 1948 onvoltooid was gebleven. Porat studeerde aan de talmoedschool in Jeruzalem, die de leer volgde van rabbijn Abraham Isaak Kook, een van de invloedrijkste joodse figuren van de twintigste eeuw. Hij was de eerste rabbijn die het orthodoxe judaïsme in verband bracht met het zionisme. Dit was niet gemakkelijk, want de meeste zionistische pioniers waren atheïsten of stonden onverschillig tegenover de godsdienst. En de orthodoxe joden in het heilige land hadden zelden enige belangstelling voor het zionisme. Ze geloofden dat God wel voor een joodse staat zou zorgen en dat de Oost-Europese immigranten daar weinig invloed op hadden. Rabbijn Kook verkondigde dat wie zich inzette voor de terugkeer van het joodse volk naar het land van Zion, Gods wil uitvoerde. En dat was precies wat Hanan Porat dacht dat zijn paratroepereenheid, bataljon 66, in Jeruzalem ging doen. Op Onafhankelijkheidsdag, toen de eerste waarschuwingen klonken dat Egypte bezig was troepen naar de Sinaï te verplaatsen, had Porats mentor, rabbijn Zvi Yehudah

Kook, zoon van de oprichter van de school, vol passie gesproken. Hij had gehuild toen Palestina door de VN was verdeeld, had hij gezegd, en vervolgens
geroepen: 'Waar is ons Schechem [Nablus]? Waar is ons Jericho? Waar is
onze Jordaan?' Nu zaten Porat en zijn medestudenten in het leger en zouden
ze de plaatsen die ze waren kwijtgeraakt gaan heroveren.

Porat had nog een reden om verheugd te zijn. Hij had een deel van zijn
jeugd in de joodse nederzetting Kfar Etzion doorgebracht, op ongeveer vijftien kilometer ten zuiden van Jeruzalem, niet ver van Bethlehem. In 1948 was
de nederzetting na een bloedige strijd door de Jordaniërs veroverd. Veel van
de verdedigers waren gedood en voor de Israëliërs was het een symbool geworden van de offers die waren gebracht om de joodse staat te stichten. Het
was Porats droom eerst Jeruzalem te veroveren en vervolgens terug te keren
naar het huis van zijn kindertijd. Want als Israël de Oude Stad in Jeruzalem
kon veroveren, dan was Kfar Etzion toch nog maar een klein stapje?

Jeruzalem, 14.50

Generaal Bull van de VN wilde net het Government House verlaten om iemand te vinden die de Jordaanse troepen opdracht kon geven zich terug te
trekken, toen een Israëliër de compound binnen kwam stormen en op iedereen begon te schieten. Generaal Rabin had op het hoofdkwartier in Tel Aviv
geprobeerd de aanval uit stellen om Bull de tijd te geven met de Jordaniërs te
onderhandelen. Maar Rabin kreeg te horen dat ze de mannen niet meer te
pakken konden krijgen en hen niet meer konden tegenhouden. De aanval
werd geleid door luitenant-kolonel Asher Drizen, commandant van bataljon
161, een van vier reserve-eenheden in het Israëlische Jeruzalem die uit mannen van tussen de vijfendertig en veertig bestonden. Een ander bataljon, met
jongere mannen, werd in reserve gehouden voor een eventuele tegenaanval.
Die maandagmorgen had Drizen eigenlijk willen uitslapen. Er was de avond
ervoor een feestje voor de soldaten geweest. Toen hij hoorde dat het Government House door de Jordaniërs was ingenomen, bevond hij zich op anderhalve kilometer afstand in de oude Britse Allenby-kazerne, vanwaar hij met
mortiergranaten op Jordaanse stellingen schoot.

De Israëliërs hadden een plan het Government House te veroveren dat ze
jarenlang hadden geoefend. Drizen stuurde er meteen twee compagnieën
heen en vertrok toen zelf. De commandanten van de Jeruzalem-brigade handelden die dag vooral intuïtief. Uitleg kwam later wel. Ze voerden het plan
het Government House te veroveren uit en vertelden daarna pas aan het
hoofdkwartier van Narkiss wat ze hadden gedaan. Narkiss had haast, dus
stoorde hij zich niet aan de voortvarendheid van zijn ondergeschikten. En
Drizen had ook haast. Zodra hij de tanks zag van Aaron Kamera (die even-

eens stond te popelen om de strijd te beginnen die volgens hem al te lang was uitgesteld), rende hij onder vuur naar hem toe om hen te bevelen in actie te komen. Een paar minuten later verscheen er een commandant van een verkenningseenheid die een overzicht van de Israëlische posities wilde, om de kans dat er op eigen mensen werd geschoten te verkleinen. Drizen ontplofte haast vanwege het slome gedoe van de man. Hij zei dat hij hem zou neerschieten als hij niet onmiddellijk oprukte. Een korporaal van de verkenningseenheid stapte naar voren en zei dat hij Drizens keel zou doorsnijden als hij niet kalmeerde. Uiteindelijk gaf Drizen de informatie die ze nodig hadden en ging de aanval verder. Terwijl Drizen zijn mannen de compound van het Government House binnenleidde, haastten de Jordaniërs zich naar hun landrovers die waren uitgerust met machinegeweren en antitankwapens. Drizen greep het zware machinegeweer op zijn halfrupsvoertuig en schoot de landrovers aan flarden. Meteen daarop werd hij zelf door een granaatscherf in de arm getroffen. Het was een nare wond, maar na verpleging door een legerarts kon hij weer verder, met zijn rechterhand tegen zijn lijf gebonden. Bijna al Kamera's verouderde Sherman-tanks liepen vast op het ongelijke terrein, maar de Jordaniërs bleken niet in staat dit voordeel uit te buiten. Ze schoten artilleriegranaten af, maar richtten slecht, zodat een deel op hun eigen posities viel. En hoewel de mannen van de Jordaanse infanterie zich volhardend van hun taak kweten, waren ze niet in staat tot een tegenaanval.

De Israëlische korporaal genaamd Zerach Epstein voerde in zijn eentje een soort veegoperatie uit. Hij was de man die gedreigd had Drizens keel door te snijden. 'Ze schoten op me vanuit een loopgraaf en ik schoot terug. Ik gooide een handgranaat de loopgraaf in en rende verder. Plotseling merkte ik dat ik nog de enige was die daar tussen de bomen liep. Achter een van die bomen kwam onverwachts een Jordaniër vandaan. Ik schoot hem neer en rende verder. Iemand riep me. Ik bleef staan en draaide me om. Ik zag een Jordaniër twee meter bij me vandaan. We haalden bijna op hetzelfde moment de trekker over, maar ik was een fractie sneller.' Naderhand vonden ze de lichamen van negen Jordaanse soldaten langs de route die hij had genomen.

Even voor vieren 's middags bliezen de Israëliërs de zware houten toegangsdeuren van het Government House open. 'We werden voor de tweede keer binnen twee uur bezet', klaagde generaal Bull. 'Bij deze gelegenheid werden we door de Israëliërs van onze mogelijkheden beroofd om contact te maken met New York.' Om te zorgen dat alle kamers veilig waren, werkten de Israëlische soldaten ze op de standaardmanier af. Ze gooiden er een handgranaat in en besproeiden ze na de ontploffing nog eens met hun uzi's. Medewerkers van de VN wisten hen ten slotte te overtuigen ermee op te houden, omdat er vrouwen en kinderen in het gebouw verscholen zaten.

Abu Agheila, Sinaï, 15.00

Abu Agheila lag op de weg die door het midden van de Sinaïwoestijn voerde. Tanks kunnen goed in de woestijn vechten, maar niet zonder brandstof en ammunitie. De bevoorrading gaat over de weg. Daarom draait alles bij een woestijnoorlog om wie de wegen in handen heeft, en Abu Agheila, dat ongeveer dertig kilometer van de grens met Israël vandaan ligt, is een van de belangrijkste kruispunten van de Sinaï. In 1967 werd het beschermd door vier versterkte posities met prikkeldraadversperringen en mijnenvelden ertussen. Tijdens de oorlog van 1956 probeerde Israël herhaaldelijk Abu Agheila in te nemen, maar de stelling viel pas toen de Egyptische troepen bevel kregen zich terug te trekken op het Suezkanaal. De Israëliërs brachten het gebied uitgebreid in kaart voordat ze zich na de oorlog terugtrokken en maakten er foto's van. In de daarop volgende tien jaar versterkten de Egyptenaren de verdediging. Het Israëlische leger deed ondertussen uitgebreid onderzoek naar de beste manier om de stellingen aan te vallen en hield er uitgebreide oefeningen voor, tot op divisieniveau. Gewoonlijk werd er 's nachts geoefend en vooral op methoden om zich door de stellingen heen te vechten.

De verdediging van Abu Agheila draaide om een zwaar gefortificeerd heuveltop genaamd Um Katef. Achter een mijnenveld van zo'n driehonderd meter diep lagen 16.000 man van de Egyptische 2de infanteriedivisie in drie parallelle rijen loopgraven van vijf kilometer lengte, compleet met betonnen verdedigingsstellingen. Egypte had de positie in en rond Um Katef versterkt met nog eens negentig tanks en mobiele kanonnen en zes regimenten zware artillerie, die alle goed waren ingegraven. Sharon had een uitstekend aanvalsplan dat op jaren van planning was gebaseerd. Toch vond brigadegeneraal Gavish van het zuidelijke leger dat hij de aanval moest uitstellen tot de volgende morgen, want dan kon hij op luchtsteun rekenen. Maar Sharon wilde graag 's nachts vechten en meende dat de Israëlische troepen dan in het voordeel waren. Aan het eind van de middag bevond Sharons divisie zich in de uitgangspositie voor de aanval boven en onder Abu Agheila, die om tien uur 's avonds zou beginnen met de grootste artilleriebeschieting die Israël ooit op touw had gezet.

Ramla, Midden-Israël, 15.30

Het mobiele hoofdkwartier van generaal Narkiss reed langzaam, maar wat hem betreft in de juiste richting: naar Jeruzalem. Zijn wens werd vervuld. Israël was in oorlog met Jordanië. Hij had niet alleen een tegenaanval laten uitvoeren op het Government House, maar ook tanks de heuvels ten noordwesten van Jeruzalem laten aanvallen. En hij had net te horen gekregen dat er een elite-eenheid paratroepers naar hem onderweg was om de stad zelf aan te vallen. Nu wist hij zeker dat het karwei dat in 1948 was blijven liggen, kon worden afgemaakt. Hij zou Jeruzalem veroveren. 'Ik was buiten mezelf van blijdschap. Ik wist zeker dat deze drie machtige stromen zouden samenvloeien tot één machtige vloedgolf die de gijzelnemers van Jeruzalem zouden overspoelen en verdrinken.'

Washington D.C., 07.15

In het Pentagon, het enorme vijfhoekige militaire hoofdkwartier van de Verenigde Staten, ging de telefoon in het kantoor van minister van Defensie, Robert McNamara. Het was de generaal van dienst van de oorlogskamer. 'Excellentie, Kosygin belde via de hotline en wil de president spreken. Wat moet ik tegen hem zeggen?'

Een van de innovaties die na de Cuba-rakettencrisis werden ingevoerd, was de 'hotline' tussen Washington en Moskou. Het was een beveiligd telexsysteem, met aan beide kanten zowel Amerikaanse als Russische apparatuur. Het was de eerste keer dat de hotline, die sinds 1963 bestond, bij een echte crisis werd gebruikt. McNamara vroeg de generaal waarom hij hem belde. De premier van de Sovjet-Unie, Alexej Kosygin, wilde toch de president Johnson spreken? 'Tja', antwoordde de man. 'De hotline loopt nu eenmaal naar het Pentagon.'

McNamara vond het verschrikkelijk dat de lijn die de supermachten hadden laten installeren om rechtstreeks te overleggen bij een crisis (ook bij crises die op een atoomoorlog konden uitdraaien), niet doorliep naar het Witte Huis. 'Generaal, we geven jaarlijks 60 miljard dollar uit aan defensie. Kunt u niet voor een paar duizend dollar die vervloekte lijnen over de rivier naar het Witte Huis laten aanleggen? Belt u de Situation Room maar op, dan probeer ik de president aan de lijn te krijgen en dan zien we wel wat we doen.'

Ze verbonden de lijn door met het Witte Huis. Het eerste wat de Rus vroeg was of de Amerikaanse president dicht bij de machine stond. Johnsons antwoord begon met 'kameraad Kosygin', omdat de Amerikanen die de hotline bedienden hun Russische collega's hadden gevraagd hoe ze Kosygin dienden aan te spreken. Maar de Russen die aan de andere kant van de lijn de boodschap voor 'kameraad' Kosygin zagen binnenkomen, keken er met grote ogen naar. Hield Johnson hen voor de gek?

Om 07.30 uur klopte een presidentiële secretaris op Johnsons deur. De machtigste man ter wereld was, zo viel hem op, 'rustig tv aan het kijken en maakte niet de indruk dat het een andere dag was dan de andere. Hij nam een douche, schoor zich en ging naar de Situation Room.' Johnson ontbijtte met thee, grapefruit en flintertjes rundvlees, een delicatesse die de soldaten tijdens de Tweede Wereldoorlog met toast kregen geserveerd, en 'poep op het kiezelstrand' noemden.

Luchtmachtbasis Mafrak, Jordanië, 15.30

Hassan Sabri, een onderhoudsmonteur die op Mafrak werkte, keek naar de rokende puinhopen die na de Israëlische aanval waren achtergebleven. De landingsbaan was onbruikbaar. De magazijnen en de werkplaatsen waren grotendeels verwoest. In de bomkraters in de landingsbaan lagen tijdbommen die op willekeurige tijden afgingen. Sabri, die op het RAF-trainingscentrum in Cranwell een eenjarige cursus vliegtuigbewapening had gedaan, ontdekte dat de tijdbommen ook een kwikschakelaar hadden die de bommen deed ontploffen als je ze aanraakte. Ze konden alleen op de plek zelf tot ontploffing worden gebracht.

De sfeer op de basis was volledig veranderd. Iedereen was sinds het begin van de crisis in mei opgewonden en vol verwachting geweest. Tot die morgen hadden ze de triomfantelijke verhalen over de Egyptische strijdkrachten die de radio verkondigde geloofd. De vernedering van 1948 zou gewroken worden. Maar aan het begin van de middag was de oorlog voor de luchtmacht al verloren. Officieren en luchtmachtpersoneel die met hun gezin op de basis woonden, haastten zich om vrouw en kinderen in veiligheid te brengen. Sabri wist wat de Israëlische aanvallen betekenden. De radioberichten waren leugens geweest. En er moest iets soortgelijks met de luchtmacht van Egypte en die van Syrië zijn gebeurd. Het Jordaanse leger had geen luchtdekking meer. Sabri was wanhopig. Wat kon het leger op de grond nog doen als Israël het luchtruim beheerste?

Jeruzalem, 16.00

Na de inname van het Government House ruimden Israëlische troepen verzetshaarden op in de 'Worst', een grote Jordaanse stelling die Zuidoost-Jeruzalem bestreek. Israëlische soldaten sprongen aan één kant een loopgraaf in en liepen er voor zich uit vurend doorheen tot alle verdedigers waren uitgeschakeld. Zo doodden ze dertig Jordaniërs, zonder zelf ook maar geraakt te worden. Vervolgens rolden ze een ander uitgebreid loopgravensysteem op dat de 'Bel' werd genoemd. Ze vielen het van de achterkant aan. Weer vochten de Jordaanse soldaten dapper, vaak met verlies van eigen leven, maar ze waren niet in staat zich effectief genoeg te hergroeperen om de Israëlische aanval uit onverwachte richting af te slaan. Net toen luitenant-kolonel Drizen en zijn mannen dachten dat de hele Bel was opgeruimd, liepen ze in een hinderlaag van vier of vijf Jordaniërs. Drizen werd op de rand van een loop-graaf in zijn goede hand geraakt, terwijl de twee mannen die aan weerskanten van hem stonden, werden gedood. Een pelotonscommandant werd door zijn oog geschoten. Korporaal Zerach Epstein schoot terug op de Jordaniërs, waardoor de andere soldaten genoeg tijd kregen om handgranaten te gooien en ze uit te schakelen.

Jeruzalem, 17.00, Cairo, 18.00, Washington D.C., 10.00

Teddy Kollek, burgemeester van het Israëlische Jeruzalem, haalde Ruth Dayan, de vrouw van de minister van Defensie, op bij het King David Hotel. Ze had de dag in een van de comfortabelste schuilkelders van West-Jeruzalem doorgebracht, in restaurant La Regence, dat twee verdiepingen onder de grond lag en met zandzakken was afgeschermd. Ze reden naar de Knesset, een rit van anderhalve kilometer door de verlaten straten van Jeruzalem. De gangen van de Knesset stonden vol journalisten, parlementsleden en minis-ters. De grote vraag was of Israël nu Oost-Jeruzalem zou innemen. 'Iedereen was doordrongen van de grootsheid van het moment [...] een aanval op het door de Jordaniërs bezette deel van Jeruzalem was natuurlijk meer politiek dan militair riskant. Iedereen van ons wist in zijn hart dat als we de Oude Stad eenmaal in handen hadden, we die nooit meer zouden teruggeven.' Mensen stonden in de lobby van de Knesset in de rij om aan David Ben-Gu-rion te vragen wat hij ervan vond. Hij wilde dat Israël deze kans benutte.

Aan de Arabische kant van Jeruzalem hadden de Palestijnen de hele dag naar de zender Saut al-Arab uit Cairo geluisterd die zei dat de Arabieren aan de winnende hand waren. Op een vooruitgeschoven commandopost werd een oude aristocraat naar binnen gedragen die niet meer kon lopen vanwege de jicht. Hij droeg een kniebroek en had een geweer, pistolen en een dolk bij zich. 'We dineren binnenkort in Tel Aviv', verkondigde hij.

Kolonel Uri Ben Ari had andere ideeën. Hij was de commandant van de mobiele brigade die Narkiss in het noorden om Jeruzalem heen had laten trekken. Hij wilde in een van de dorpen rond Jeruzalem ontbijten als daar tijd voor was. Ben Ari was in 1939, op zijn veertiende, als Heinz Banner, naar Israël gekomen. Hij had de Duitse nationaliteit gehad. Zijn hele familie, be-halve een tante die in de jaren twintig met een Duitse officier was getrouwd, was door de nazi's vermoord. Ben Ari was erbij geweest toen de joodse wijk in 1948 in handen viel van de Jordaniërs, net als Narkiss en Rabin. Ook hij had een karwei af te maken in Jeruzalem, waar hij moedig had gevochten. Ben Ari was een van de beste tankcommandanten van Israël. Hij was goed op de hoogte van de theorieën van de Duitse generaal Heinz Guderian, de beden-ker van de *Blitzkrieg*, de oorlog die wordt gewonnen door bliksemsnelle acties van pantserdivisies met ruggensteun van gemechaniseerde infanterie. In 1956 had hij Guderians theorieën met groot succes toegepast in de Sinaï, maar hij had daarna voortijdig het leger verlaten om uitgever te worden. Ben Ari was in 1967 door Narkiss teruggeroepen en had binnen korte tijd zijn brigade zodanig gedrild dat ze binnen vijf minuten in actie konden komen. Op vijf juni begonnen ze om 17.00 uur aan de beslissende aanval op Jeruzalem.

Ben Ari had opdracht de heuvels ten noorden van Jeruzalem in te nemen. Als hij slaagde, had het Israëlische leger alle toegangswegen ten noorden, oosten en westen van de stad in handen en kon Jordanië geen versterkingen meer sturen. Maar er lagen zwaar verdedigde stellingen bij Sheikh Abdul Aziz, Beit Iksa en de Radarheuvel, stellingen die in 1948 herhaaldelijk Israëlische aanvallen hadden afgeslagen. Ben Ari deelde zijn tankbrigade op in vier groepen die elk via een eigen route de heuvels in zouden rijden. In plaats van aan de voet van de heuvels te stoppen om te hergroeperen liet hij ze meteen doorrijden. Het was tenslotte moeilijker een bewegend doelwit te raken. De routes bestonden deels uit onverharde paadjes, bezaaid met mijnen en binnen het bereik van Jordaanse kanonnen, maar ze waren voor de oorlog goed in kaart gebracht. Aanvankelijk werd er hard gevochten en langzaam terreinwinst geboekt. Een Israëlische tankcommandant die vooral in de woestijn had geoefend zei: 'We vochten met twee vijanden, de Jordaniërs en het terrein, en ze waren allebei even erg.'

De Jordaniërs vuurden van bovenaf op de Israëlische tanks. Er zaten soldaten op die eraf sprongen als er mijnen geruimd moesten worden. Alle tien de Israëlische Centurion-tanks werden uitgeschakeld en een heel stel Shermans. Maar Ben Ari wist zijn pantserbrigade achter de Jordaanse posities te manoeuvreren. Het was een onorthodox idee geweest zijn brigade op te splitsen, maar het werkte. Hij had gedacht langs twee routes te kunnen doorbreken. Uiteindelijk lukte het via alle vier. Veel Jordaanse officieren gaven zich over. Onder de Jordaanse doden bleek zich later niemand te bevinden met een hogere rang dan die van sergeant.

Op de tweede dag van de oorlog waren de mannen van Ben Ari bij dageraad ten noorden van Jeruzalem, waar ze volgens de planning de wegen blokkeerden.

De weg naar Al-Arish, Sinaï, 17.00

Om ongeveer vijf uur reed luitenant Avigdor Kahalani van de 7de Israëlische pantserbrigade met zijn tank over de weg naar Al-Arish. Hij wilde als eerste in de stad aankomen. Maar eerst moesten ze de Jirardi-pas over. Plotseling sprong er een soldaat voor de tank. Kahalani wilde schieten, maar zag net op tijd dat het een Israëliër was. De soldaat gebaarde dat hij moest stoppen en waarschuwde dat er verderop Egyptische tanks stonden. Kahalani reed een heuveltop op om zelf te kijken. Plotseling maakte de tank een sprong en vloog in brand. Kahalani brandde zelf ook. Hij vond niet de kracht om zichzelf eruit te wringen. 'Een intense brandgeur en hittegolf sloegen door de tank heen [...] "Wat gebeurt er?" schreeuwde ik.' Met een laatste enorme krachtsinspanning wrong hij zichzelf naar buiten. Hij rolde over de motorkap en riep "Moeder, ik sta in brand, ik sta in brand."' Hij wierp zich in het zand en rolde rond om het vuur te doven. Daarna bleef hij uitgeput liggen en wilde slapen, maar het drong tot hem door dat er tanks langs hem reden en er granaten ontploften. Zijn kleren waren bijna volledig verbrand. Hij had nog alleen een stuk onderbroek en overhemd aan. De sok in een van zijn laarzen brandde. Hij trok zichzelf in de laadruimte van een Patton-tank die hem, nu volledig naakt, naar een medische hulpdienst bracht.

De Patton achter Kahalani werd door een antitankgranaat geraakt. Twee andere liepen op mijnen. Sergeant Dov Yam, de commandant van een van de tanks in het mijnenveld, bleef vuren totdat ook zijn tank door een antitankgranaat werd geraakt, waarbij zijn hand werd afgerukt. Hij rende terug naar het halfrupsvoertuig van de brigadecommandant, viel neer op een stretcher en mompelde: 'Ik denk dat ik alles heb gedaan wat ik kon.' Majoor Ehud Elad, de bataljonscommandant, ging voorop en beval zijn mannen zich te verspreiden en te proberen om de positie heen te komen. Elad zat rechtop in de geschutskoepel, zoals alle Israëlische tankcommandanten in 1967 deden, zodat hij zeer kwetsbaar was, maar wel een volledig beeld had van het strijdtoneel. 'Sneller', riep hij door de intercom. Toen hoorden zijn mannen een bons en viel Elads lichaam naar beneden, zijn hoofd finaal van zijn lichaam geschoten. De bataljonscommandant, drie compagniecommandanten en de officier operaties werden gedood, maar de Israëliërs wisten na een frontale aanval over de hoofdweg met een paar tanks door de pas heen te komen. De Jirardi-pas achter hen was echter nog steeds in handen van de vijand. Het kostte vier uur van man-tegen-mangevechten in de loopgraven om de Egyptische verdedigers uit te schakelen.

Bij Al-Arish zei brigadegeneraal Tal tegen zijn brigadecommandanten dat ze tijdens de eerste dag, terwijl ze via Rafah tot in Egypte waren opgerukt, een beslissende overwinning op de Egyptische 7de infanteriedivisie hadden behaald. Voor de slag had Tal bevolen alles in de strijd te gooien. Het was bijzonder belangrijk een doorbraak tot stand te brengen en te zorgen voor psychologisch en fysiek overwicht op de Egyptenaren, 'hoeveel slachtoffers dit ook kost'. Nu zei hij dat ze voorzichtiger moesten zijn. Ze moesten eerst proberen wat ze met hun langeafstandskanonnen konden bereiken en slechts één bataljon tegelijk naar voren laten gaan. Hij wilde geen gewaagde acties meer zonder zijn uitdrukkelijke toestemming. Tal beval kolonel Shmuel Gonen, de commandant van de 7de pantserbrigade, naar het zuiden af te buigen om de belangrijke Egyptische defensiepositie B'ir Lahfan aan te vallen.

Onschuldige Egyptische burgers kwamen tussen de strijdende partijen terecht. Mevrouw Fathi Mohammed Hussein Ayoub was die middag op weg naar Al-Arish. Haar auto werd geraakt, ze dacht door Israëliërs. Haar dochters van vier en vijf en haar zoon van acht werden gedood. De chauffeur werd door de explosie in twee stukken gereten.

Veldmaarschalk Amer was na de verlamde, zwijgzame eerste uren in een spraakwaterval veranderd. Hij belde de ene na de andere divisiebevelhebber. Al zijn telefoontjes werden afgeluisterd door de Israëlische inlichtingendienst. Amer negeerde zowel generaal Muhsin, de bevelhebber van zijn veldleger, als generaal Murtagi, de opperbevelhebber van het front. Hij belde Murtagi pas toen hij versterkingen nodig dacht te hebben voor Abu Agheila en Al-Arish. De veldmaarschalk had Plan Qaher uit de kast kunnen halen, dat was ontwikkeld voor het soort van aanval door de Sinaï waar Israël op dit moment mee bezig was, maar hij leek het te zijn vergeten.

Ministerie van Buitenlandse Zaken, Washington D.C., 10.00

Op het ministerie van Buitenlandse Zaken in Foggy Bottom hield de woordvoerder Bob McCloskey een persconferentie. Iemand vroeg of de Verenigde Staten neutraal waren wat betreft de oorlog in het Midden-Oosten. McCloskey antwoordde: 'We proberen een objectieve koers te varen. Onze stellingname is neutraal in gedachte, woord en daad.'

Het leek een gewoon antwoord op een eenvoudige vraag, maar dat was het niet. De aanhangers van Israël waren diep verontwaardigd. Tijdens een vergadering van een joodse vakbond werd er gesist toen men hoorde dat de regering zei dat de Verenigde Staten neutraal waren. De Amerikanen dienden Israël te steunen, vonden ze. Mevrouw Arthur Krim, een goede vriendin van de president, zei tegen hem dat het leek alsof de regering de handen aftrok van de oorlog, terwijl de Amerikaanse joden Nasser als een tweede Hitler zagen. Ze vond dat de Verenigde Staten nooit meer diplomatieke banden mochten aanknopen met een regering die door Nasser werd geleid. David Brody van de joodse orde B'nai B'rith, die onder andere ijvert tegen discriminatie, gebruikte zijn contacten in de regering-Johnson om te protesteren. Hij wilde een belofte dat de Verenigde Staten Israël niet zouden dwingen zich terug te trekken uit land dat het bezette als daar geen harde afspraken over vrede tegenover stonden.

VN-Veiligheidsraad, New York

De Sovjetdelegatie had net gehoord dat de oorlog voor zonsopgang was uit-gebroken, toen Hans Tabor, de Deense ambassadeur wiens beurt het was de rol van voorzitter van de Veiligheidsraad te vervullen, naar het Sovjetland-goed Glen Cove belde. Nikolaj Fedorenko, de Sovjetambassadeur bij de VN, stemde toe in een vergadering van de Veiligheidsraad en reed samen met zijn adviseur wapenbeheersing, Arkadi Sjevtsjenko, naar hun consulaat in Man-hattan, waar hij verwachtte instructies van Moskou te krijgen. Ze wachtten bij de beveiligde telexapparatuur, maar er kwam niets. Dus gingen ze maar naar hun kantoor in het VN-gebouw. Ze spraken met de Egyptische ambassa-deur, Mohammed el-Kony, die volgens Sjevtsjenko 'een volstrekt middelma-tige figuur' was. El-Kony had veel vertrouwen in de afloop: 'We hebben de Israëliërs erin laten lopen. Ze hebben nagemaakte vliegvelden gebombar-deerd, waar we vliegtuigen van triplex hadden neergezet. We zullen zien wie de oorlog wint.'

De Israëlische ambassadeur bij de VN, Gideon Rafael, wist heel goed wat de luchtmacht van zijn land had aangericht. Hij had via een geheim telegram het 'opwekkende nieuws' vernomen dat Israël tegen lunchtijd al tweehon-derdvijftig Egyptische vliegtuigen had vernietigd. Hans Tabor snapte niet waarom Rafael zo zorgeloos deed, terwijl verder iedereen zich grote zorgen maakte over Israël. Rafael had instructie gekregen een 'diplomatieke vertra-gingsactie' uit te voeren. 'Het was een race tussen ruimte en tijd. Onze pant-serdivisies veroverden zo snel mogelijk ruimte en onze diplomaten moesten zorgen dat ze de tijd kregen om hun doelstellingen te bereiken.' Voor het ge-val hij behoefte had aan aflossing was de Israëlische minister van Buitenland-se Zaken Abba Eban onderweg. Terwijl deze voor zijn deur in Jeruzalem zijn vrouw ten afscheid kuste, sloeg er fluitend een granaatscherf in de grond naast hem in. Het kostte hem drie uur om het vliegveld te bereiken, omdat de weg verstopt zat met tanks en troepen. Het enige beschikbare vliegtuig was klein en ongeschikt voor intercontinentale vluchten. Het vertrok maandag-avond laat vanaf Tel Aviv en vloog bijna even laag over de Middellandse Zee als de gevechtsvliegtuigen die 's morgens Egypte hadden gebombardeerd. Toen Eban dacht dat het veilig genoeg was om uit het raam te kijken, zag hij de dageraad aanbreken boven de Akropolis van Athene.

In de Verenigde Staten hadden miljoenen mensen het debat in de Veilig-heidsraad op de televisie gezien. De ambassadeurs van de supermachten (Goldberg van de VS en Fedorenko van de Sovjet-Unie) waren bekende figu-ren. Arthur Goldberg was voordat hij ambassadeur werd vakbondsadvocaat, minister van Arbeid en rechter in het Hooggerechtshof geweest. De Russen van de Sovjetdelegatie spraken onderling over 'die gladde jood die de duivel zelf een oor kan aannaaien', maar ze hadden respect voor zijn welsprekendheid en vonden hem een 'krachtige, ontzagwekkende tegenstander'. Fedo-renko was een gunsteling van Stalin geweest. Hij was China-expert en sprak zo goed Chinees dat hij bij ontmoetingen tussen Mao en Stalin als tolk was opgetreden. Andrej Gromyko, die sinds lang minister van Buitenlandse Za-ken was, had een hekel aan hem. Naar de preutse Russische maatstaven was zijn haar te lang en zijn kleding te uitbundig. Bovendien droeg hij zo'n aan-stellerige bourgeois vlinderdas. Hij was al sinds het begin van de crisis in de verdediging. Hij vermeed leden van de Veiligheidsraad die wilden overleg-gen en maakte alleen soms een sarcastische, van Russische humor getuigende opmerking voor de tv-camera's. Toen de Canadese afgevaardigde de koers kwijt leek te zijn, zei Fedorenko tegen hem dat hij zich gedroeg als de man in het oosterse gezegde: je wijst hem de maan en hij kijkt uitsluitend naar je vin-ger.

Fedorenko's optreden tijdens de eerste twee dagen van de oorlog speelde de Israëliërs in de kaart. Dit was niet zijn schuld. Moskou beschikte niet zoals Washington over de nieuwste communicatietechniek, dus wisten Fedorenko en zijn collega's in de Sovjet-Unie niet hoe de Israëliërs ervoor stonden. Aan-vankelijk konden ze alleen afgaan op de Egyptische opschepperij. Het Egyp-tische opperbevel was toen al in zo'n staat van paniek en verlamming dat het eigen ministerie van Buitenlandse Zaken niet eens te horen kreeg wat er echt aan de hand was, laat staan de Sovjets die de wapens hadden geleverd die nu door Israël werden vernietigd. Daarom kregen de Sovjetdiplomaten bij de VN geen nieuwe instructies en was hun enige opdracht om, zoals altijd, reso-luties tegen Egypte, Jordanië en Syrië weg te stemmen. Toen er uiteindelijk instructies vanuit Moskou kwamen, 'waren die in de sfeer van "wacht maar af", maar in het algemeen ten gunste van de Arabische positie. We kregen op-dracht met de Arabieren te overleggen en Israël in zo krachtig mogelijke ter-men te veroordelen.'

Moskou nam ook militaire voorzorgsmaatregelen. Het bracht eenheden bommenwerpers en MiG-21s in paraatheid. Een van de betrokken officieren was ervan overtuigd dat ze zich op een echte gevechtssituatie voorbereidden. Ze werden naar een luchtmachtbasis aan de Russisch-Turkse grens gebracht en de daaropvolgende drie dagen verscheidene keren opgeroepen voor actie. Ze zouden naar Syrische luchtmachtbases vliegen en vandaaruit opereren. De Sovjets lieten de Iraakse regering de volgende dag toestemming aan Tur-kije vragen met de MiG-21s het Turkse luchtruim over te vliegen. Deze werd geweigerd.

Fedorenko en zijn delegatie hadden geruchten gehoord, maar kregen niet de harde informatie die ze broodnodig hadden. De Sovjetambassade in Cairo kreeg wat informatie rond de tijd dat de inwoners van New York aan het ont-bijt zaten, maar gaf deze niet door. Tijdens de eerste uren van de oorlog had-den de Sovjets net als iedereen alleen de radio als informatiebron. Ze begrepen dat de opschepperige berichten van Radio Cairo niet konden kloppen, maar gingen ervan uit dat de Egyptenaren overdreven, niet dat ze echt logen. Maar toen kregen ze een verslag uit de eerste hand van een groep Sovjettechnici die de grootste Egyptische luchtmachtbasis, Cairo-West, hadden willen bezoeken. Sergej Tarasenko, attaché bij de ambassade, zag hen terugkomen. De mannen waren uitgeput en hun kleding was gescheurd en vies. De hoogste in rang legde de situatie uit. 'Egypte heeft geen luchtmacht meer en Cairo-West heeft opgehouden te bestaan.' De bus met de Sovjettechnici was bijna bij de luchtmachtbasis toen de eerste golf Mirages aanviel. Ze moesten de bus uit en dekking zoeken. Na de eerste aanval waren er nog een twaalftal vliegtuigen over. Volgens de Sovjets hadden de piloten kunnen opstijgen en wegwezen. Maar dat deden ze niet en bij de volgende aanvalsgolf werden ook deze toestellen vernietigd.

Rond de tijd dat de Sovjettechnici terug waren bij hun ambassade, was een oproep tot een eenvoudig staakt-het-vuren al op niets uitgelopen. India protesteerde tegen het buitensporige Israëlische geweld in de Gazastrook, waarbij drie Indiase UNEF-soldaten waren omgekomen. Nadat India een resolutie had ingediend, waarin werd opgeroepen tot een terugkeer naar de posities van 4 juni, besloot de Veiligheidsraad een kort reces te houden om verder nieuws van het slagveld af te wachten. De Israëliërs, die precies wisten wat er gebeurde, en de Amerikanen, die bijna evengoed op de hoogte waren, hielden hun mond. Een aantal afgevaardigden bleef zitten in de zaal van de Veiligheidsraad. Anderen gingen naar de foyer, waar ze werden ondervraagd door journalisten die wilden weten wat er nu precies gebeurde. De Veiligheidsraad kwam pas om 10.20 uur plaatselijke tijd weer bijeen.

Het kostte ambassadeur Goldberg uren om een ontmoeting met Fedorenko te regelen. De Rus meed hem tot laat in de middag. Goldberg en de Amerikanen waren tot de conclusie gekomen dat ze hun standpunten wat moesten afzwakken. Een eenvoudige oproep tot een staakt-het-vuren leek niet genoeg voor de Russen, die daar vast hun veto tegen zouden uitspreken. Goldberg wilde contact met Fedorenko om hem behalve een staakt-het-vuren, de terugtrekking van de troepen aan te bieden, een idee waartegen Israël zich fel verzette. Knarsetandend zei de Israëlische afgevaardigde tegen de Amerikanen dat hun voorstel 'ijskoud' was.

Terwijl Goldberg met Fedorenko overlegde, was het al bijna middernacht in het Midden-Oosten. Tijdens de eerste oorlogsdag had Israël grote terreinwinst geboekt in de Sinaï en bij Jeruzalem. Fedorenko was de hele dag niet bereikbaar geweest. Goldberg had een nieuwe tekst, die opriep tot 'onmiddellijke terugtrekking, zonder claims of aanspraak op rechten, van alle gewapende manschappen naar hun eigen gebieden, en andere maatregelen om de strijdkrachten uit elkaar te houden en de spanning in het gebied te verminderen'. Fedorenko verwierp dit conceptvoorstel, omdat de terugtrekking naar 'eigen gebieden' betekende dat de Iraakse militairen die nu in Jordanië waren en troepen van andere Arabische landen allemaal weer naar huis moesten. In plaats daarvan stelde hij voor de soldaten zich te laten terugtrekken achter de grenzen die waren overeengekomen bij de wapenstilstand. Ze vertrokken om erover na te denken.

Fedorenko hield Goldberg aan het lijntje. Maar tijdens een privé-gesprek dat kort daarna plaatsvond zei hij tegen de ambassadeurs van Egypte, Jordanië en Syrië dat dit de beste deal was die ze konden krijgen. Goldberg en Fedorenko spraken elkaar om negen uur 's avonds plaatselijke tijd weer. Tegen die tijd waren de Verenigde Staten nog meer opgeschoven naar de positie van de Sovjet-Unie. In het nieuwe voorstel hadden de Amerikanen het plan van de Sovjets overgenomen om de partijen zich achter de lijn van de wapenstilstand te laten terugtrekken. Maar weer ontweek Fedorenko de kwestie. Hij kon pas de volgende morgen antwoord geven.

In één dag waren de Verenigde Staten drastisch van stellingname veranderd. Aanvankelijk hadden ze een resolutie gesteund die de partijen alleen opriep tot een staakt-het-vuren, maar nu riepen ze op tot een terugkeer naar de grenzen van voor 4 juni. Als de Sovjets het voorstel hadden aanvaard, dan zouden ze een diplomatieke overwinning hebben behaald namens hun Arabische bondgenoten. Bovendien had dit tweedracht kunnen zaaien tussen Israel en de Verenigde Staten. Maar ze deden niets en speelden daarmee – extra zuur voor de Arabieren – Israël in de kaart.

Witte Huis, Cabinet Room, 11.30

President Johnson riep zijn speciale commissie van wijze mannen op die was samengesteld om zich over de crisis te buigen. Ze wisten dat de Israëliërs, wat ze in het openbaar ook zeiden, de oorlog waren begonnen, maar niet wie er aan de winnende hand was. McGeorge Bundy, de secretaris van de commissie, maakte zich zorgen over de 'afschuwelijke toestand waarmee we geconfronteerd worden als de Israëliërs verliezen. We weten eigenlijk niets van de situatie op de grond.' De commissie wist dat de Verenigde Staten tussenbeide moesten komen als Israël bezig was te verliezen, omdat de Israëliërs anders 'in zee zouden worden gedreven of worden verslagen. Dat zou bijzonder pijnlijk zijn, en met de Sovjet-aanwezigheid in het Midden-Oosten ook een groot algemeen gevaar.'

Toen ze aan het eind van de middag op de hoogte waren van wat de Israelische luchtmacht had aangericht, veranderde de sfeer op slag. Bundy was opgelucht dat 'de aanval een Israëlisch idee was geweest [...] en dat het werkte. Dat is een stuk beter dan als zich het omgekeerde had voorgedaan.' De Amerikanen beschermden de Israëliërs. Ze wisten dat een preventieve aanval controversieel was, vooral omdat Washington luidkeels had geroepen dat diplomatieke initiatieven meer tijd moesten worden gegund. Volgens het Amerikaanse ministerie van Buitenlandse Zaken had Israël met de aanval waarschijnlijk inbreuk gemaakt op het handvest van de Verenigde Naties. Walt Rostow vond het maar beter niet meteen vast te leggen 'dat Israël dit begonnen was en ervoor in de startblokken had gestaan'. Hij veranderde een conceptbrief van president Johnson voor de Britse premier Wilson en schrapte de suggestie dat Israël de oorlog was begonnen. De Amerikanen waren blij dat de mensen tot wie ze zich instinctief voelden aangetrokken aan de winnende had waren en dat hun informatie dat een snelle Israëlische overwinning mogelijk moest zijn, klopte. En ze waren opgetogen dat ze zich dankzij Israël niet meer aan de eerder gedane belofte hoefden te houden. Johnson had de belofte die Eisenhower in 1957 had gedaan om de Golf van Akaba open te houden serieus genomen, maar het idee van een vloot had hem niet aangestaan, omdat deze zo weinig internationale steun kreeg dat het op Amerikaanse kanonneerbootdiplomatie ten gunste van Israël zou lijken. Het was nu wel oorlog, maar de Amerikanen hoefden tenminste niet zelf te schieten.

Imwas, Westoever, 18.30

Twee detachementen Egyptische commando's bereidden zich voor om de grens met Israël over te steken bij Imwas, een grensdorp dicht bij de hoofdweg van Jeruzalem naar Tel Aviv. Ze hadden opdracht de internationale luchthaven bij Lod en een luchtmachtbasis bij Hartsour aan te vallen. Ze werden door Jordaanse gidsen de grens overgebracht, maar daarna moesten ze met behulp van een klein formaat luchtfoto's en veel eigen inzet hun weg zien te vinden. Bij het laatste licht van de avond liepen ze stil door de akkers en langs boerderijen en dorpen. Ali Abdul Mursi, een van de officieren, besefte dat het hele land in oorlog was. De meeste mannen vochten mee. Als Egypte beter georganiseerd was geweest, had het met grootschalige guerrilla-acties veel schade kunnen aanrichten in Israël. Stil sjokten de mannen verder over de akkers.

Abu Deeb, de *moukhtar* of dorpsoudste van Imwas, zat die avond met zijn broer Hikmat Deeb Ali voor hun familiehuis te praten. Crisis of geen crisis, Hikmat was op maandagmorgen dertig kilometer met de bus naar Jeruzalem gereisd voor zijn werk als bouwvakarbeider. Hij had het geld hard nodig. Maar al snel hoorde hij op de radio dat het oorlog was. Toen Hikmat het geluid van geweervuur en ontploffende granaten in Jeruzalem zelf hoorde, ging hij, net als de andere werklui, terug naar huis. 'Thuis wachtten de buren en keken elkaar aan. Niemand wist hoe het verder moest.'

Sinaï, 18.30

Om zes uur 's avonds ploeterden de tanks van brigadegeneraal Avraham Yoffe al negen uur door de zandwoestijn. Deze werd nauwelijks door de Egyptenaren verdedigd, omdat ze ervan uitgingen dat hij onbegaanbaar was. Af en toe stapten geniesoldaten uit om, tastend met stalen prikkers, mijnenvelden op te ruimen. Tegen zonsondergang waren ze in B'ir Lahfan, waar ze onder vuur kwamen en stilhielden. Yoffes tanks blokkeerden de weg van Jebel Libni en Abu Agheila naar Al-Arish. Er werd de hele nacht gevochten, want Yoffes mannen hielden de versterkingen tegen die naar Al-Arish onderweg waren. Bij Rafah waren de gevechten tegen middernacht voorbij. Ori Orr telde de mannen die hadden gevochten 'om te zien hoeveel doden en gewonden er waren'. De overlevenden zagen eruit als 'kinderen die waren gedwongen in één dag volwassen te worden'.

De bevelhebber van het zuidelijke Israëlische front, brigadegeneraal Yeshayahu Gavish, zat in een helikopter die op weg was naar het vooruitgeschoven hoofdkwartier van brigadegeneraal Yoffe in het zuiden. Hij was vermoeid en had bloeddoorlopen ogen vanwege het woestijnzand. Amos Elon die met hem mee reisde, vond dat de gecamoufleerde militaire voertuigen onder hen eruitzagen als een bedoeïenenkamp. Toen ze geland waren, sloeg Gavish het stof van zich af en ging hij met Yoffe naar de commandopost. Deze was gemaakt van netten die tussen twee trucks waren gespannen. Terwijl de zon onderging, klonk er 'vanuit het zuiden, over de donker wordende heuvels, de donder van kanonnenvuur'. Rabin belde Gavish en stelde voor Abu Agheila de hele nacht te bombarderen, zodat ze er 's morgens konden binnentrekken. Zo zou het aantal Israëlische slachtoffers minimaal blijven. Gavish was het er niet mee eens (en Sharon evenmin). Gavish wilde de posities met zijn tanks aanvallen. Sharon zei dat hij al halverwege een aanval was, geen tijd om zijn operatie af te breken. Hij vond dat hij gebruik maakte van de sterke kanten van het Israëlische leger (en daar had hij gelijk in). 'De Egyptenaren houden niet van man-tegen-mangevechten en vechten liever niet 's nachts – wij zijn in beide gespecialiseerd.'

Om 22.00 uur brandden de kanonnen van twee Israëlische brigades los op de Egyptische stellingen bij Um Katef en Abu Agheila. Ariel Sharon wreef in zijn handen. 'Zo'n spervuur heb ik nog nooit meegemaakt.' In twintig minuten tijd landden er zesduizend granaten op Um Katef. In het westen hadden helikopters Israëlische paratroepers afgezet die nu door het zachte zand ploeterden. Ze trokken om de Egyptenaren heen en vielen hun artillerie in de rug aan. Ze bliezen kanonnen en ammunitie op en dwongen de manschappen tot de terugtocht. Sharons infanterie en pantserbrigades trokken in het noorden verder op tot achter de versperringen. Ze werden voorafgegaan door machines om mijnen op te ruimen. Veel infanterie werd naar de strijd toegebracht in stadsbussen die met modder waren ingesmeerd. Volgens Sharon was dit 'niet zozeer om ze te camoufleren, maar om ze nog een beetje een militair uiterlijk te geven'. De soldaten gingen de laatste paar kilometer te voet en droegen een gekleurd licht mee om te vermijden dat ze op elkaar zouden schieten.

De Israëlische infanteristen vochten zich langs de Egyptische loopgraven. Sommigen stonden in de loopgraven, anderen schoten vanaf de rand de loopgraaf in. Tijdens de gevechten bij Abu Agheila probeerde Egypte vanuit Jebel Libni, in het zuidwesten, versterkingen te sturen, maar de divisie van brigadegeneraal Yoffe lag al bij B'ir Lahfan om hen tegen te houden. De tanks vochten de hele nacht. De Egyptenaren werden definitief verslagen toen de Israëlische gemechaniseerde infanterie vanuit Al-Arish snel werd overgebracht om ze in hun westelijke flank aan te vallen.

Er kwamen gewonde Israëliërs binnen van de paratroeperunit die de verdedigingslinie op de weg naar Abu Agheila hadden aangevallen. Een van de artsen was bang, 'totdat ik de eerste gewonden moest behandelen [...] Er lagen soldaten zonder benen, met verpletterde handen, een kogel in hun nek of granaatscherven in hun maag. We hadden maar tien stretchers en sommige gewonden riepen dat ze best konden lopen of hinken en geen hulp nodig hadden. Het was lastig om de naalden van de infusen op hun plaats te houden terwijl we onder vuur optrokken.'

De Egyptenaren vochten zoals gewoonlijk dapper vanuit hun vaste stellingen. Maar ook hier waren de officieren niet flexibel genoeg om hun mannen de Israëlische aanval in de rug te laten afslaan. De lagere officieren waren niet in staat een goede tegenaanval te organiseren tegen de Israëliërs die hun posities aanvielen. Maar de belangrijkste reden voor de Israëlische overwinning bij Abu Agheila was uiteindelijk dat het Egyptische leger de reserves pas in de strijd gooide toen het al te laat was. De reservisten waren dichtbij genoeg om de strijd te horen, maar ze bleven het grootste deel van de nacht zitten luisteren, totdat Israël ze helemaal had omsingeld en aanviel. Egypte had een pantserbrigade in een goede positie staan om een groep Israëlische Centurion-tanks aan te vallen die erin geslaagd was de zogenaamd onneembare zandwoestijn ten noorden van Um Katef over te steken. Maar de brigade deed niets, waarschijnlijk omdat niemand het bevel gaf om aan te vallen. De commandant van de Centurions, luitenant-kolonel Natke Nir, raakte zwaargewond aan zijn benen, maar zijn tanks trokken om de noordelijke punt van de Egyptische verdediging heen en vielen in de rug aan. Tegen acht uur 's morgens was de slag gewonnen. Rook van brandende voertuigen en exploderende Egyptische munitie steeg op boven de woestijn. Een van Yoffes brigades liep vast op de achtergelaten burgervoertuigen die waren gebruikt om Sharons infanterie naar de stellingen te brengen en nu de weg met honderden tegelijk blokkeerden. Ze werden het zand in geduwd, zodat Yoffes mannen verder konden naar hun volgende doel, Jebel Libni.

Cairo, avond

Menigten stroomden vanuit de provincie naar Cairo om de grote overwinning te vieren. Ze kwamen in bussen en vrachtauto's die waren georganiseerd door de regeringspartij, de Arabische Socialistische Unie. Velen van hen hadden transistorradio's. Om 20.17 uur zei Radio Cairo dat er 68 vliegtuigen waren vernietigd en dat Egyptische tanks Israël waren binnengetrokken. Op het hoofdkwartier van het Sinaï-front luisterde generaal Gamasy 'met toenemende ontsteltenis' naar deze leugens. Ondertussen zat generaal Hadidi op het centrale hoofdkwartier ingezakt en peinzend op zijn stoel. Hij wist dat de oorlog ten minste voor de helft verloren was. Op de Amerikaanse ambassade hadden ze weinig vertrouwen in 'de vage, voortdurend herhaalde communiqués, die steeds van klinkende overwinningen spraken' op de radio. De diplomaten gaven Washington advies 'er de gebruikelijke onwaarheidscoëfficiënt van tien op los te laten, waardoor het totaal aantal neergehaalde vliegtuigen iets van negen zal bedragen'.

Anwar El Sadat had de Amerikanen kunnen vertellen dat ze niet achterdochtig genoeg waren. Hij had zich net als Nasser teruggetrokken in zijn villa, waar hij probeerde te volgen wat er in de lucht en aan het front gebeurde en telefonisch contact onderhield met Nasser en Amer. Toen hij laat in de avond weer met Amer belde, vertelde deze hem 'kortaf en geërgerd' dat de Israëliërs Al-Arish hadden veroverd. Sadat was danig van zijn stuk gebracht en maakte een lange wandeling door Cairo. In de Pyramidenstraat zag hij aanhangers van Nasser op en neer lopen. Sadat keek 'verbijsterd en aangeslagen' naar de mannen die slogans riepen en stonden te dansen als er weer een klinkende Egyptische overwinning werd aangekondigd.

Jeruzalem, avond

De BBC had geweigerd het exclusieve verslag van de eigen correspondent Michael Elkins uit te zenden. Hij werkte nog maar pas voor de Britse omroeporganisatie en hij was Israëliër. De redacteuren van de nieuwskamer in Londen dachten dat hij misschien, zoals ze het eufemistisch stelden, 'met de tong van de profeten had gesproken'. 's Avonds werd Elkins verhaal alsnog gebracht, maar toen was het in de Verenigde Staten al landelijk door CBS uitgezonden. Hij versloeg de militaire censuur door voorzichtig te formuleren: 'Minder dan vijftien uur nadat de vijandelijkheden vanmorgen bij zonsopgang begonnen, lijkt alles erop te wijzen dat Israël de oorlog al heeft gewonnen, hoewel de partijen nog vechten [...] Ik mag niets zeggen over de plekken waar de Israëlische strijdkrachten zich op dit moment bevinden, maar de plaatsnamen zullen iedereen bekend in de oren klinken die een verslag heeft gelezen van de Sinaï-campagne van 1956. Het lijkt erop dat Israël dit keer de snelste overwinning heeft geboekt die ooit door de moderne wereld werd aanschouwd.'

De Jordaanse commandopost aan de oostkant van de stad lag onder zwaar artillerievuur. De lucht leek te vibreren. Brigadier Atta Ali, de Jordaanse bevelhebber, en Hazim Khalidi, die tot een aristocratische familie uit Jeruzalem behoorde en officier in het Britse leger was geweest, spraken over de versterkingen die mogelijk in aantocht waren. Uit Amman werd bericht dat er vier brigades naar Jeruzalem onderweg waren, maar via de radio konden ze het hoofdkwartier van het Jordaanse leger op de Westoever niet te pakken krijgen. Ze wisten niet dat dit al was teruggetrokken op de andere Jordaanoever. Versterkingen die probeerden Jeruzalem via de Jerichoweg te bereiken, werden door de Israëliërs aangevallen en vernietigd. De commandobunker was overvol. Tientallen politiemannen probeerden zich naar binnen te dringen om dekking te zoeken voor de granaten. Niemand had hun geleerd loopgraven te maken om zichzelf te beschermen.

Tel Aviv was volledig verduisterd. De Britse journalist James Cameron schreef: 'Dit lijkt misschien wat overdreven gezien hun bewering dat ze de Arabische luchtmacht volledig uitgeschakeld hebben, maar de Israëliërs leven al zo lang op het scherp van de snede dat ze geen risico's nemen.' Volgens Cameron waren de Israëliërs nog steeds gespannen omdat ze niet precies wisten wat er aan het front gebeurde. 'Het was een dag van grote angst en smart, want bijna iedereen heeft wel een zoon of een vader die in uiterst gevaarlijke omstandigheden verkeert.'

Washington D.C., 's avonds

De nationale veiligheidsadviseur, Walt Rostow, sprak al sinds het begin van de middag met president Johnson over hoe het Midden-Oosten er na de oorlog uit moest komen te zien. Na een lange werkdag zat Rostow achterover in zijn stoel in zijn kantoor in de kelder van het Witte Huis een brief aan Johnson te dicteren. Hij straalde van opluchting en plezier. De eerste dag was een 'kalkoenenjacht' geweest. Hij schreef: 'De sleutel tot beëindiging van de oorlog is hoe goed de Israëliërs het op de grond doen.'

Dag twee

6 juni 1967

Jeruzalem, 01.00

De inderhaast aangevoerde Israëlische paratroepers kwamen in een echte stadsoorlog terecht. Ze moesten van huis tot huis, dicht bij de vijand strijd leveren. Dit was heel iets anders dan de oorspronkelijke opdracht, de vernietiging van de kanonnen bij Al-Arish, want daarop hadden ze geoefend tot ze ieder detail uit hun hoofd kenden. Ze hadden geen plattegrond van Jeruzalem en beschikten niet over de juiste wapens voor straatgevechten. Maar generaal Narkiss wilde hen snel aan de strijd laten deelnemen, voor het geval de Jordaniërs 's morgens een tegenaanval zouden uitvoeren of er in de Veiligheidsraad een staakt-het-vuren werd overeengekomen voordat ze Oost-Jeruzalem hadden bezet. Kolonel Mordechai Gur, de commandant van de 55ste paratroeperbrigade, had in een gevorderd schoolgebouw zijn hoofdkwartier ingericht. Generaal Narkiss vond met moeite zijn weg door de zwak verlichte gang die vol stond met 'paratroeperofficieren in gevechtstenue'. Hij ging naar het biologielokaal, waar Gur en zijn officieren bezig waren de aanval te plannen naast 'flessen en potten met hagedissen, sprinkhanen, kippeneieren, een foetus van een geit of misschien een lam, alles zwemmend in de formaline'.

Er werd besloten dat paratroeperbataljon 66 de Ammunitieheuvel en de Politieschool (twee versterkte Jordaanse stellingen) zou aanvallen. Deze onderling verbonden posities blokkeerden de weg naar de Israëlische enclave op de Scopusberg en de noordelijke routes naar de Oude Stad. Twee andere bataljons, het 71ste en 28ste, zouden de wijken Wadi Joz en American Colony in het Jordaanse deel van Jeruzalem binnenvallen. Narkiss was nog steeds zeer gefrustreerd omdat hij maar geen orders kreeg zich binnen de stadsmuren te begeven. Toch ging iedereen er vanuit dat als alles volgens plan verliep, de Oude Stad zou worden ingenomen.

Maar eerst moesten ze stukken terrein vol mijnen en prikkeldraadversperringen oversteken om het Jordaanse deel van Jeruzalem te bereiken. Het opperbevel in Tel Aviv was minder ongeduldig dan Narkiss. Nu de paratroepers in de startblokken stonden voor de aanval, spraken ze over uitstel tot zonsopgang, wanneer luchtdekking mogelijk was. Terwijl ze overlegden, kregen de Jordaniërs het Israëlische bataljon 28 in de gaten dat op het startsein voor de aanval wachtte, en begonnen dit met bijzonder accuraat artillerie-vuur te bestoken. Bataljon 28, dat bestond uit mannen die de oorlogen en ac-ties uit de jaren vijftig hadden meegemaakt, kreeg het zwaar te verduren door het granaatvuur. Minstens zestig man raakten gewond en acht kwamen om voordat ze zelfs maar op weg konden gaan. Narkiss en Gur bevonden zich in een observatiepost op een dak, hoog boven bataljon 28, toen de aanval plaats-vond. De borstwering werd getroffen door een Jordaanse 25-pondsgranaat. De granaatscherven floten hun om de oren. Yoel Herzl, de adjudant van Nar-kiss, zat op straat in zijn jeep te wachten en zag het dak in een grote stofwolk verdwijnen. Hij was ervan overtuigd dat de bevelhebbers waren omgekomen, maar hij hield zich aan de order om bij zijn jeep te blijven en naar de radio te luisteren die hun enige verbinding vormde met het hoofdkwartier in Tel Aviv. Er ontploften nog voortdurend nieuwe granaten. Terwijl de paratroe-pers schreeuwden, rondrenden en gewonden evacueerden, kroop hij onder zijn jeep. Hij nam een koptelefoon mee die met een lange kabel met de radio was verbonden.

Er lagen dode en gewonde soldaten op straat. Een jonge officier schreeuw-de tegen Herzl dat hij de jeep wilde om gewonden naar het ziekenhuis te brengen. Toen Herzl weigerde, dreigde de officier, omringd door zijn man-schappen, hem dood te schieten. Herzl zei dat de jeep van generaal Narkiss was en dat de radio hem met de generale staf in Tel Aviv verbond. De officier rukte woedend de koptelefoon los en beende weg. Herzl ging op weg om ge-reedschap te lenen van burgers in een schuilkelder. Tegen de tijd dat Narkiss stoffig, maar ongedeerd weer naar buiten kwam, had Herzl de koptelefoon weer gerepareerd.

Bataljon 28 had slechts een paar minuten om zich te reorganiseren. Arie Weiner werd sergeant-majoor en zijn vriend Shimon Cahaner plaatsvervan-gend bataljonscommandant. Ze waren beide veteranen van eenheid 101, een corps irreguliere troepen dat in 1953 door Ariel Sharon was opgericht om re-presaillemaatregelen aan de andere kant van de grens uit te voeren. Weiner was als kind uit Roemenië ontsnapt, waar het grootste deel van zijn familie door de nazi's was vermoord. De Britten hadden de joodse immigratie in Pa-lestina streng aan banden gelegd. Hij werd samen met duizenden andere jo-den die de Holocaust hadden overleefd in een kamp in Cyprus geïnterneerd en uiteindelijk het beloofde land binnengesmokkeld. De overlevenden van de concentratiekampen werden geen warm welkom geheten door de sabra's, de in Israël geboren Israëliërs die zichzelf als echte vechters beschouwden. De sabra's waren vaak opgegroeid in een wrede, niet-godsdienstige machocul-tuur waarin je geacht werd onder alle omstandigheden voor jezelf te zorgen. Volgens hen hadden de Europese joden zich 'als lammeren naar de slacht-bank laten leiden'. Weiner besloot zich bij de paratroepers aan te sluiten om dit beeld van de zwakke Europese jood teniet te doen (toen de bekende

Israëlische militair Cahaner dit vijfendertig jaar later hoorde, mompelde hij instemmend: 'Arie droeg het beeld van de diaspora-jood op zijn rug').

Jeruzalem, 02.00

De Ammunitieheuvel was zwaar verdedigd. Er liepen concentrische cirkels van loopgraven omheen, afgezet met prikkeldraad en mijnenvelden. Hiertussen stonden tientallen goed gecamoufleerde betonnen bunkers met een elkaar overlappend schootsveld. Toch wilden de Israëliërs een frontale aanval uitvoeren, ondersteund door tanks. Israël beschikte over goede informatie over de stellingen van Ammunitieheuvel, maar deze bevond zich op het hoofdkwartier van de Jeruzalem-brigade en bereikte de troepen niet voordat ze in actie kwamen. Daarom gingen ze er ten onrechte vanuit dat de Politieschool ernaast, die ook zwaar gefortificeerd was, hun moeilijkste obstakel zou worden. Jacov Chaimowitz was 'doodsbenauwd. Mijn keel was uitgedroogd. We moesten honderd meter mijnenveld oversteken. Ik wist dat ze nooit alle mijnen opgeruimd konden hebben, dus rende ik er op mijn tenen doorheen. Er was lawaai, er werd geschoten en geschreeuwd. We liepen in ganzenmars achter onze commandant aan en concentreerden ons op kleine karweitjes, zoals controle van onze wapens en zorgen voor de juiste afstand tot de anderen.' De Jordaniërs van het tweede bataljon van de Koning Talal-infanteriebrigade onthaalden hen vanuit hun bunkers op een verwoestend vuur. De meesten van hen waren bedoeïenen, maar hun commandant, kapitein Sulamin Salayta, was een Palestijn. Aan het begin van de strijd zei Salayta (die al licht gewond was geraakt) tegen zijn mannen: 'Vandaag is jullie geluksdag. Jeruzalem roept jullie. God roept jullie. Luister en gehoorzaam! Leef lang, maar kies liever voor de hel dan voor de schande.'

De slag was voor beide partijen een hel, maar voor geen van beide een schande. De Israëliërs drongen voorwaarts en velen werden neergemaaid door het accurate vuur van Jordaanse schutters. De meeste Jordaniërs vochten zich dood. Voor kolonel Gur was het 'een strijd zoals ik nog nooit had meegemaakt. De mannen moesten over minsten vijf barrières heen voordat ze de bunkers bereikten [...] er werd gevochten in de loopgraven, in de huizen, op de daken, in de kelders, overal.' Toen de Israëliërs ten slotte heel dichtbij waren, vroegen de Jordaniërs om artillerievuur op hun eigen posities. Het lawaai was oorverdovend. Abdullah Schliefer, die zich op anderhalve kilometer afstand in de Oude Stad bevond, dacht dat de muren van Jeruzalem werden aangevallen. 'We slapen niet meer', telegrafeerde de Britse consul, Hugh Pullar. 'Bijzonder zwaar vuur van raketten, mortieren en automatische wapens...'

Na twee uur strijd voelde Chaimowitz zich 'als een robot – ik voelde niets – ik dacht alleen aan goed vechten om te overleven'. Zijn commandant was gedood en hij had het bevel over zijn sectie overgenomen. Hij keek om de hoek van een loopgraaf en zag de silhouetten van vier mannen met platte helmen in Britse stijl. Hij schoot er een neer. De anderen doken weg. Plotseling voelde hij de angst weer toeslaan. 'Even was ik zo bang dat ik het gevoel had me in zee te bevinden – ergens waar ik niet meer kon staan. Ik vuurde twee kogels af om mijn zelfvertrouwen terug te krijgen.' Maar hij ging verder, schietend en granaten in bunkers gooiend. Toen hij geen handgranaten meer had, liet hij de man achter zich voorgaan en trok hij zich terug in een bunker om meer handgranaten te zoeken. Binnen was het een chaos. Overal lagen gewonde Israëliërs. Een van hen zei dat hij de bunker was ingekropen omdat iedereen anders in zijn sectie dood was. Er waren geen handgranaten in de bunker, maar wel een zwaar Jordaans machinegeweer. Chaimowitz had zin ermee een loopgraaf in te springen en vanaf de heup in het rond te gaan schieten. 'Dat had ik Audie Murphy in een film tegen de Japanners zien doen. Het ding woog tien kilo. Ik probeerde er in de bunker mee te schieten, maar hij deed het niet en het lukte me niet hem aan de praat te krijgen.' Chaimowitz verliet de bunker zonder het machinegeweer en liep een tijdlang alleen verder. Een paar paratroepers hadden een tasje met twintig kilo explosieven bij zich die ze die morgen hadden meegekregen om de kanonnen bij Al-Arish op te blazen. Chaimowitz kroop onder zwaar vuur naar de ingang van de bunker. Hij overhandigde ze aan een andere soldaat die achter de bunker stond. Ze bleven op de bunker schieten terwijl ze de lading aanbrachten, om de Jordaniërs te beletten naar buiten te gaan. Toen de ontsteker was aangebracht, trokken ze zich terug om dekking te zoeken en bliezen ze de bunker op. Chaimowitz stormde de nog brandende puinhoop binnen en doodde iedereen die nog in leven was.

Toen de slag al verloren was, slaagde de Jordaanse commandant, kapitein Salayta, erin te ontsnappen met drie van zijn mannen. Stafonderofficier Ahmed al-Yamani was de laatste Jordaanse soldaat die was overgebleven. Hij bleef schieten totdat ook hij werd gedood. Chaimowitz ging terug naar het achtergelaten Jordaanse machinegeweer en probeerde erachter te komen waarom het niet werkte. Zijn respect voor de Jordaanse militairen nam nog verder toe toen hij merkte dat het wapen bewust onklaar was gemaakt door de soldaat die het had achtergelaten.

Beide zijden vochten bijzonder moedig. Het doorslaggevende verschil tussen de twee was uiteindelijk de tactische flexibiliteit van de Israëliërs. Met vindingrijkheid en durf wisten ze het hardnekkige Jordaanse verzet ten slotte te breken. Als de Jordaniërs in staat waren geweest versterkingen naar het gebied te sturen en als ze erop hadden getraind hun posities te verlaten en een tegenaanval uit te voeren, had de slag anders kunnen aflopen – ten minste tot de volgende morgen, toen de Israëliërs van hun luchtmacht gebruik konden maken.

Toen de slag was afgelopen en de zon opkwam boven Jeruzalem, waren er 106 Jordaniërs dood en minstens evenveel gewond. Israël had 37 man verloren. Uit de smeulende bunkers steeg de geur van verbrand vlees op. Majoor Doron Mor, de plaatsvervangend commandant van bataljon 66, begon de Israëlische doden te verzamelen, onder wie zich veel vrienden van hem bevonden. Paratroepers die de slag hadden overleefd zaten op de grond, maar boden niet aan om te helpen. Ze keken toe terwijl Mor en een monteur de lichamen in een Jordaanse aanhangwagen tilden. 'Het was bijzonder zwaar werk. De soldaten waren in shocktoestand. Ze waren moe en boos. Ik gaf dus maar geen bevel om te helpen. Het kostte twee uur om de lichamen te verzamelen.'

Een aantal Israëlische officieren vond dat hun soldaten onnodig waren opgeofferd en dat de aanval op de Ammunitieheuvel gehaast en slecht voorbereid was geweest. Kolonel Uri Ben Ari, die met zijn tanks vanuit het oosten de Ammunitieheuvel naderde, was bijzonder kritisch. 'Als we ze met onze tanks onder vuur hadden genomen, had de slag om de Ammunitieheuvel binnen een minuut voorbij kunnen zijn. Het was fout dat de mannen werd verteld dat ze moesten doorgaan tot ze erbij neervielen. Je moet je plannen aanpassen als het slagveld anders blijkt dan gedacht. De paratroepers hebben er een hoge prijs voor betaald.'

In de tijd dat bataljon 66 bij de Ammunitieheuvel en de Politieschool vocht, braken bataljons 71 en 28 ongeveer een kilometer dichter bij de Oude Stad door de vijandelijke linies heen en bereikten ze de wijk Sheikh Jarrah. Ze hadden opdracht om langs de Nablusweg op te rukken naar de muren van de Oude Stad. Sheikh Jarrah was een dichtbebouwde wijk en de Jordaniërs verdedigden elk huis. Als de Israëliërs probeerden sneller op te rukken en om een huis heen te trekken, werden ze in de rug beschoten. Toen het donker was, gebruikten de Israëliërs de grote schijnwerpers op het dak van het vakbondsgebouw, het hoogste van West-Jeruzalem. Het licht scheen dwars door de rook van strijdtoneel heen. Yoseph Schwartz, een van de paratroepers, was zich ervan bewust dat er in de kelders en trappenhuizen van de verder lege straten burgers zaten. 'Je naderde een huis en wilde er een handgranaat in gooien, maar dan hoorde je een baby huilen. Het is heel moeilijk als je burgers wilt sparen.'

Een van de Israëlische paratroepers die aan de straatgevechten deelnam, stond plotseling oog in oog met een Jordaanse soldaat. Hij beschreef naderhand hoe afschuwelijk hij het vond om voor het eerst van zijn leven iemand te doden.

We keken elkaar een halve seconde aan en ik wist dat hem zelf moest doden, want er was niemand anders. Het kan niet langer dan een seconde geduurd hebben, maar het staat in slow motion in mijn geheugen gegrift. Ik
vuurde vanaf mijn heup en ik zie nog voor me hoe de kogels ongeveer een
meter links van hem op de muur uiteenspatten. Ik bewoog mijn uzi langzaam, heel langzaam leek het, totdat ik hem in zijn lichaam raakte. Hij viel
op zijn knieën en keek vervolgens omhoog, met een afschuwelijk verwrongen gezicht, vol pijn en haat, ja, verschrikkelijke haat. Ik schoot nogmaals en raakte hem op een of andere manier in het hoofd. Er was zo veel
bloed... ik moest overgeven. We waren machines die moesten doden. Je
gezicht stond verstijfd in een grimmige uitdrukking en er kwam een diep
grommend geluid uit je buik...

In de Chaldeanstraat, eigenlijk een zijsteegje van de Nablusweg, hadden de
Jordaniërs een versterking vanwaaruit ze op Israëliërs schoten die probeerden de ingang tot de steeg over te steken. Ze doodden vier Israëlische soldaten en verwondden veel anderen. Uiteindelijk werden de Jordaanse verdedigers door een Israëlische tank gedood. Een paar Israëlische paratroepers
noemden de Chaldeanstraat de 'dodemanssteeg', maar Yoseph Schwartz
sprak over het 'kruispunt der dwalingen', omdat er zo veel mensen stierven.
Zijn eenheid was die nacht met 107 man begonnen. Tegen de tijd dat ze bij de
anglicaanse kathedraal in Jeruzalem, de Saint-George, aankwamen, waren er
nog 34 over. De aartsbisschop, zijn personeel en hun gezinnen zaten in de catacomben, waar ze de hele nacht naar de gevechten en de granaatinslagen
luisterden. Een van hen schreef later: 'Het lawaai was oorverdovend, de elektriciteit viel uit en er vielen steeds meer granaten. Het joeg ons de stuipen op
het lijf, dat gerommel in de verte en vervolgens een paar seconden later die
enorme klap.' Ze hoorden tanks over de Nablusweg rijden en soldaten die
Hebreeuws spraken. Van de mensen die zich schuilhielden in de catacomben
van de kathedraal waren vooral de Palestijnen doodsbenauwd, zoals een huis-
houdelijke hulp van de aartsbisschop, die in 1948 het bloedbad in Deir Yassin
had meegemaakt. Een leraar van de kathedraalschool was zo bang dat hij zich
in een kast opsloot. Toen ze tijdens een gevechtspauze naar buiten keken, zagen ze dode soldaten op de Nablusweg liggen en gebouwen die in brand stonden. Voordat de Israëlische troepen het hele gebied tussen Sheikh Jarrah en
de Oude Stad hadden uitgekamd, wisten Anwar al-Khatib, de gouverneur
van Jeruzalem, brigadier Atta Ali, de Jordaanse bevelhebber, en Hazim Khalidi, de Palestijn die officier in het Britse leger was geweest, te voet de Oude
Stad te bereiken. De laatste 25 meter renden ze onder zwaar geweervuur naar
de Herodespoort, maar ze haalden het alle drie. De volgende man die het
probeerde, werd gedood.

Latrun, 03.00

Moshe Yotvat (wiens vrouw Ava in de schuilkelder in Tel Aviv het lied 'Jeruzalem, stad van goud' had aangeheven) was terug in Latrun, waar hij in 1948 aan de bloedigste slag van zijn jeugd had deelgenomen en waar Israël een van de ergste nederlagen van de oorlog had geleden. De Israëliërs die toen de aanval op de posities bij Latrun uitvoerden, dachten dat deze alleen door plaatselijke Arabische milities werden bemand. Een paar eenheden, waaronder die van Yotvat, waren overhaast aan een slecht voorbereide aanval begonnen, terwijl andere eenheden te laat aankwamen. De posities werden niet verdedigd door een stel bewapende boeren, zoals men gedacht had, maar door een goed ingegraven bataljon professionele infanterie van het Jordaanse Arabische legioen. De Jordaniërs hadden overtuigend gewonnen en grote aantallen Israëliërs waren omgekomen. Yotvat had de gewonden van het slagveld helpen dragen, onder wie een jonge Ariel Sharon, toen reeds een zware man. In 1967 was kolonel Yotvat 43 en voerde hij het bevel over een brigade reservisten. Drie dagen voor de oorlog had hij het bevel gekregen Latrun te veroveren zodra de strijd in Jeruzalem losbarstte. Het was een karwei dat in 1948 was blijven liggen en de Israëliërs waren vastbesloten dit nu af te maken. Yotvat was er zeker van dat hij de enclave bij Latrun op de Jordaniërs kon veroveren. De enclave stak midden in Israël uit en bestreek de hoofdweg naar Jeruzalem. Hij dacht niet dat hij verder zou komen dan Latrun, want het leger had hem alleen plaatselijke plattegronden gegeven.

Yotvat herinnerde zich de richting vanwaaruit ze in 1948 hadden aangevallen. Hij dacht dat de Jordaniërs daar eveneens rekening mee hielden en besloot daarom het tegenovergestelde te doen. Om 03.00 opende een Israëlisch artilleriepeloton het vuur op de Jordaanse posities bij Latrun. Vervolgens werd er vanuit een aantal plaatselijke landbouwnederzettingen een afleidingsaanval gestart. Een van de mensen die daaraan meededen was Yossi Ally die in kibboets Nachshon woonde, de nederzetting die het dichtst bij Latrun lag. Om middernacht werd hij gewekt en kreeg hij te horen dat hij met de auto naar Yotvats brigadehoofdkwartier moest komen. Het idee was de Jordaniërs te laten geloven dat er een colonne pantservoertuigen hun kant opkwam. Er gingen twee militaire voertuigen voorop. De rest waren privé-auto's, op vier tot vijf meter van elkaar, met hun koplampen aan, die van de kibboets langs een grensweg zouden rijden. Ally reed in zijn 'Susita', een Israëlisch voertuig dat van fiberglas was gemaakt (van deze kwetsbare autootjes werd gezegd dat ze door kamelen werden opgegeten als je ze in de woestijn achterliet). Naderhand vroeg hij zich af of hij niet gewoon kanonnenvoer was geweest, maar op het moment zelf was hij enthousiast. Nadat het nepkonvooi de Jordaanse posities was gepasseerd, reed hij weer terug naar de kibboets om de rest van de operatie op veilige afstand te volgen.

Een kwartier na de afleidingsmanoeuvre zetten de Israëliërs grote zoeklichten op de Jordaanse verdediging van het oude Britse politiefort, een vierhoekig gebouw van beton en staal, van het soort dat de Britten overal in Palestina hadden achtergelaten. Dit fort vormde de kern van de Jordaanse verdediging. Het werd bestookt door de Israëlische artillerie, samen met de stellingen op de heuvel erachter die naar Jeruzalem en de Westoever leidde. In het trappistenklooster van Latrun, dat zich op anderhalve kilometer van het politiefort bevond, zochten de monniken dekking terwijl de granaten in de heuvels eromheen insloegen. Hikmat Deeb Ali, die in Imwas woonde, een van de drie Palestijnse dorpjes in de enclave Latrun, hoorde de artilleriebeschieting ook en begreep dat het bezig was verkeerd af te lopen voor de Arabieren.

Yotvats aanval was nog maar nog nauwelijks begonnen of de Jordaniërs trokken zich al terug. Kort na het begin van het artilleriebombardement stopten er twee auto's in Imwas. De bevelhebber van het plaatselijke Jordaanse garnizoen stapte uit. 'We trekken ons terug', zei hij. 'Zorg goed voor jezelf.' Hij werd gevolgd door ongeveer zestig soldaten van de Jordaanse Hashimi-brigade. Ze volgden hun commandant het dorp uit. Toen de Israëliërs het oude politiefort binnengingen, dat in 1948 een ondoordringbaar obstakel was geweest, vonden ze borden met half opgegeten maaltijden. De Jordaniërs waren er plotseling gehaast vandoor gegaan. Kolonel Yotvat, de Israëlische brigadecommandant, gaf via de radio aan Narkiss' hoofdkwartier door dat hij Latrun had kunnen innemen na een beschieting van slechts een uur. Yotvat was verrast dat het zo snel en makkelijk was gegaan. Als de Jordaniërs het bij Latrun lieten afweten, dan werd de Westoever waarschijnlijk nauwelijks verdedigd. Hij vroeg om toestemming verder op te rukken naar Ramallah, maar Narkiss zei dat hij voorzichtig moest zijn. Yotvat vroeg vervolgens om plattegronden. Deze werden per helikopter gebracht.

Hikmat Deeb Ali en zijn broer hadden gedacht dat de Jordaanse soldaten hen zouden beschermen, zoals ze in 1948 hadden gedaan. Maar deze oorlog, negentien jaar later, leek heel anders te gaan worden Ze besloten zelf iets te ondernemen. Ze laadden tientallen mensen, verwanten en buren, in de dorpsbus om verderop langs de weg in het trappistenklooster bescherming te zoeken. Net toen de bus wilde wegrijden, begon er een artilleriebombardement. De mensen in de bus drongen zich naar buiten om dekking te zoeken. Kort daarop vielen de Israëliërs het dorp binnen. Hikmat Deeb Ali, die zich in de kerk verborg, zag hen uit hun voertuigen komen. Ze begonnen te zingen en te dansen.

In het buurdorp Beit Nuba was de familie van Abdul Rahim Ali Ahmad klaarwakker. Ze hoorden het geluid van de strijd. Op een gegeven moment besloten ze dat het veiliger was het dorp een tijdje te verlaten. De moeder pakte twee dekens, vouwde ze op en legde ze op haar hoofd. Er was geen tijd om eten mee te nemen. Blootsvoets leidde ze haar kinderen het dorp uit. Achter zich zagen ze de lichten van Israëlische jeeps en tanks. Omdat ze de weg wilden vermijden, liepen ze zo veel mogelijk door de velden. Ze waren doodsbang voor de Israëliërs. De moeder sloeg een hand voor de mond van haar kinderen als er Israëlische soldaten langskwamen, bang dat ze hun aanwezigheid zouden verraden.

Jenin 03.00

Een Jordaanse gevechtseenheid lag in de rotsige olijfboomgaarden rond de stad op het oprukkende Israëlische leger te wachten. De Jordaanse troepen waren dungezaaid rond Jenin en in het noordelijke deel van de Westoever, maar ze waren goed georganiseerd voor de verdediging en hadden goed geraden welke weg de Israëliërs zouden gebruiken. De dag ervoor waren de Israëlische troepen in het noorden van Israël vooral tegen Syrië ingezet. Maar toen Jordanië aan de oorlog was gaan meedoen en duidelijk werd dat de Syriers zo min mogelijk wilden vechten, werd er een reeks orders gegeven om de gehele Westoever te bezetten. Plannen die al jaren in de maak waren, werden uitgevoerd. De luchtmacht was om vijf uur de vorige middag begonnen met het bombarderen van Jordaanse posities, terwijl er Israëlische troepen van het zuiden van het Syrische front werden overgebracht voor de aanval.

Rond Jenin hadden de Jordaniërs drie gecoördineerde verdedigingslinies, met veel antitankkanonnen. In de laatste linie bevond zich een bataljon Patton-tanks, die goed waren ingegraven en de toegangswegen bestreken en vanwege het terrein niet in de flank of van achteren konden worden benaderd. Israël was dus gedwongen frontaal aan te vallen. De Jordaniërs vochten goed vanuit hun posities en sloegen twee aanvallen af. Het beslissende moment in de slag kwam net na zonsopgang. De Israëliërs deden alsof ze zich terugtrokken en lieten hun defecte tanks achter. Toen de Jordaanse tanks zonder infanteriesteun uit hun posities kwamen om hen af te maken, draaiden de Israëliërs zich om en begonnen te schieten. De Israëlische Super Sherman-tanks dateerden van de Tweede Wereldoorlog, maar ze waren met betere motoren en moderne 105-mm-kanonnen uitgerust. Ze manoeuvreerden beter dan de Pattons en wisten deze op zwakke plekken te raken. Veel Patton-tanks werden vernietigd. De ingegraven Jordaanse infanterie bleef vechten, maar maakte geen enkele kans zonder hulp van tanks of vliegtuigen.

Al-Arish, Sinaï, 04.00

Twee van Israel Tals pantserbrigades waren na een 'meedogenloze veldslag' in Al-Arish aangekomen. Tals mannen hadden de Egyptische antitankkanonnen uitgeschakeld die in betonnen bunkers in de zandheuvels verborgen zaten. Deze kanonnen vuurden altijd tegelijk. 'Het was als een lijn bliksemflitsen langs het slagveld', zei Tal. 'Je kon niet zien waar ze waren en er werden er maar weinig door vuur van onze tanks vernietigd. We reden uiteindelijk gewoon op de flitsen af met onze tanks en verpletterden ze.'

's Nachts kreeg de Egyptische 4de pantserdivisie opdracht Tals divisie bij B'ir Lahfan in de linkerflank aan te vallen. De Russische tanks van de Egyptenaren waren met veel betere nachtapparatuur uitgerust dan de Israëlische tanks. Toch kreeg de 4de pantserdivisie het zwaar te verduren. Nadat er negen Egyptische tanks waren uitgeschakeld, tegen één Israëlische, trok de 4de zich terug om de dageraad af te wachten. Bij het eerste licht zagen ze dat er veel minder Israëlische tanks tegenover hen stonden als ze 's nachts gedacht hadden. Ze lanceerden een frontale aanval. Maar weer wisten de Israëliërs de tegenstander te verslaan door beter te manoeuvreren, door hun langeafstandskanonnen goed te benutten en door steun van hun luchtmacht. Ze trokken zich terug op Bir Gifgafah, achtervolgd door de Israëlische luchtmacht. Tijdens de slag verloor de Egyptische 4de pantserdivisie tussen de dertig en tachtig tanks.

Gaza

Het 'Palestijnse Bevrijdingsleger' klonk indrukwekkend, maar stelde in de praktijk weinig voor. Het was geen echt leger, maar een groep van tienduizend enthousiaste, maar slecht getrainde Palestijnse infanteristen en een paar Egyptische tanks. Luitenant Omar Khalil Omar, die afkomstig was uit de streek ten noorden van Gaza-stad, voerde het bevel over honderd man die voornamelijk met kalasjnikovs en semi-automatische wapens waren uitgerust. Zwaardere wapens hadden ze niet. Omar vroeg zijn Egyptische superieur om antitankwapens, maar kreeg als antwoord dat hij geduldig moest zijn, de moed erin moest houden en niet zoveel vragen moest stellen. De Palestijnen hadden verwacht dat de Israëliërs vanuit het noorden zouden komen. Toen ze uit het zuiden kwamen, waren ze stomverbaasd. De antitankwapens kwamen niet. Er kwamen evenmin orders over wat ze moesten doen. Het Palestijnse Bevrijdingsleger vocht dapper bij Khan Younis, maar toen de Israëlische tanks de Gazastrook binnenrolden, waren Omars mannen niet bereid hun leven te geven voor een strijd die ze onmogelijk konden winnen.

Ze stemden met hun voeten. 'Mijn soldaten wilden vechten. Maar wat moesten ze tegen tanks? De meesten van hen renden weg.'

Majoor Ibrahim El Dakhakny van de Egyptische militaire inlichtingendienst hoorde in zijn kantoor in Gaza-stad de Israëliërs dichterbij komen. Het was tijd naar het strand te gaan, waar hij samen met een paar collega's een boot had laten klaarleggen. Ze wilde via zee ontsnappen en ver genoeg naar het zuiden varen om de oprukkende Israëliërs te ontlopen. Maar El Dakhakny vertrok te laat. Toen hij via de stoffige straatjes naar de kust probeerde te komen, stuitte hij op Israëlische tanks en soldaten. Hij was afgesneden van het strand. Via de radio maakte hij contact met de mannen die hem daar opwachtten en zei dat ze moesten vertrekken. Hij zou een andere manier moeten vinden om te ontsnappen.

In een zanderige, droge vallei bij Gaza-stad sloot El Dakhakny zich aan bij vijftien Palestijnse strijders die evenmin van plan waren zich over te geven. Ze vertelden hem dat ze naar Jordanië konden ontsnappen. Het was maar één nacht lopen, zeiden ze, en dan waren ze bij de Jordaanse troepen op de Westoever. El Dakhakny twijfelde. Hij dacht dat de Israëliërs op de Westoever waarschijnlijk net zo snel zouden oprukken als ze in Egypte deden. De majoor ging op zoek naar een goede plek om zich te verbergen. Hij hoopte nog steeds ergens een boot te vinden, want de zee leek hem het veiligst.

Ramadan Mohammed Iraqi was op de vlucht sinds zijn radiowagen de eerste dag tijdens een luchtaanval was vernietigd. Hij zat verborgen op een akker naast de hoofdweg, samen met twee andere Egyptische soldaten van wie er een zijn arm was kwijtgeraakt. De gewonde man zag op een gegeven moment soldaten op de weg lopen. Hij was ervan overtuigd dat het Koeweiti's waren. 'Toen hij besefte dat het Israëliërs waren, was het al te laat. Hij werd doodgeschoten.' De Israëliërs vuurden met een machinegeweer over de akker. De andere man werd in beide benen geraakt. Ramadan kreeg een schampschot in zijn laars, maar was verder niet gewond. Hij stond langzaam op. 'Ik wist dat ze zouden schieten als ik probeerde weg te rennen', zei hij. 'Ze schreeuwden in het Hebreeuws en ik legde mijn handen op mijn hoofd. Vervolgens bonden ze mijn handen en deden ze me een blinddoek voor. Ik dacht dat ze me dood zouden schieten en begon gebeden te zeggen. Ik moest de hele tijd aan mijn vrouw denken die net in verwachting was van ons eerste kind. We waren pas getrouwd. Ze fouilleerden me en namen me mijn ID, geld en foto's af. Zonder blinddoek, maar nog steeds met gebonden handen lieten ze me voor de tank uit rennen, tot de plaats waar ze de gevangenen verzamelden.' Toen hij later die dag naar een plek dichter bij Al-Arish werd gebracht, zei een Israëlische soldaat tegen hen dat ze van de vrachtauto moesten springen en door de woestijn naar Port Said moesten lopen. Een andere soldaat onderbrak hem en zei dat hij ze dood zou schieten als ze dit probeerden. Ze bleven in de vrachtauto zitten.

Amman 5.30

Het Jordaanse leger was nauwelijks meer in staat tot vechten. Generaal Riad zei tegen koning Hussein dat hij twee keuzen had: een staakt-het-vuren overeenkomen of het restant van het leger van de Westoever geheel op de oostelijke oever terugtrekken om die te verdedigen. 'Als u niet binnen 24 uur besluit,' ging hij verder, 'dan betekent dit het einde van uw leger en van Jordanië. De Westoever is al zo goed als verloren. Onze strijdkrachten zullen geheel worden geïsoleerd en vernietigd.' Koning Hussein vroeg geschokt aan Riad wat president Nasser ervan vond.

Generaal Riad sprak een halfuur later met Nasser en verbond hem vervolgens door met koning Hussein. Het verenigd Arabisch opperbevel had een nieuw beveiligd radiosysteem gekocht voor gevoelige gesprekken tussen de leiders. Maar alle apparatuur stond nog steeds in Cairo. Niemand had eraan gedacht de benodigde spullen naar Amman te sturen. Dus spraken ze via een gewone telefoonlijn. De Israëliërs, die telefoontjes van de vijand onderschepten terwijl die van henzelf geheim bleven, namen het gesprek op en gaven twee dagen later een transcriptie vrij.

Eerst zegt generaal Riad tegen Nasser dat niet alleen de Verenigde Staten, maar ook Groot-Brittannië vliegdekschepen bezit. Hierna komt koning Hussein aan de lijn. Na wat schertsende opmerkingen die niet erg uit de verf komen (de lijn was heel slecht), zeggen ze het volgende.

NASSER: We vechten eveneens fel. We hebben de hele nacht aan alle fronten gevochten.
HUSSEIN: (onduidelijk)
NASSER: Als in het begin iets misgaat, dan is dat niet zo erg. We doen het gewoon later beter. God staat aan onze kant. Is Uwe Majesteit van plan een verklaring af te leggen over de betrokkenheid van de Amerikanen en de Britten?
HUSSEIN: (onduidelijk)
NASSER: Volgens mij zou het voor ons beter zijn een verklaring af te leggen. Ik leg een verklaring af en u ook. We laten ook de Syriërs een verklaring afleggen dat we door Amerikaanse en Britse vliegtuigen worden bestookt die vanaf vliegdekschepen opereren. We geven een verklaring af. Zo krijgt het onderwerp denk ik meer gewicht.
HUSSEIN: Okay.
NASSER: Is Uw Majesteit het daarmee eens?
HUSSEIN: (onduidelijk)
NASSER: Duizendmaal dank. Sta pal. In ons hart zijn we bij u. Onze vliegtuigen bevinden zich vandaag boven Israël. Ze vallen sinds vanmorgen Israëlische vliegvelden aan.

HUSSEIN: (onduidelijk)
NASSER: Duizendmaal dank.
HUSSEIN: Dank u, Abdel Nasser.
NASSER: Vaarwel.

Nasser had grote behoefte aan een zondebok en daarom had hij samen met de koning besloten de Verenigde Staten en Groot-Brittannië de schuld te geven van de naderende nederlaag. De achterdocht van de Arabieren was des te groter doordat Israël met meer vliegtuigen leek aan te vallen dan ze voor mogelijk hielden. Dit kwam doordat de Israëliërs dankzij goed getraind grondpersoneel hun oorlogsvliegtuigen binnen tien minuten konden bijtanken en klaarmaken voor de volgende vlucht. Sommige vliegtuigen vlogen zes missies op een dag, sommige piloten vier.

Leila Sharaf, de vrouw van de Jordaanse minister van Informatie, luisterde in haar villa in Amman, niet ver van het hoofdkwartier van Hussein, naar de zender Saut Al-Arab. Er werd een hoorspel uitgezonden over de helden van de oorlog tegen Israël. Natuurlijk wonnen de Arabieren.

Syrisch-Israëlische grens, 05.45

Het enige Syrische grondoffensief van de oorlog ging van start. De Syrische artillerie bombardeerde 45 minuten lang de grensnederzettingen bij Shear Yusuv en Tel Dan, waarna een twaalftal T-34-tanks (waarmee de Russen de Duitsers hadden verslagen) oprukten. Om 07.00 trokken een paar honderd infanteristen van bataljon 243 op om de nederzettingen te gaan veroveren. Hun officieren 'wezen hun mannen waar de Israëlische verdedigingswerken zich bevonden en bevalen hun aan te vallen'. Ze werden in hun opmars gestuit door de militia van de kibboets, die bestond uit de boeren, winkeliers en de plaatselijke buschauffeur. Twintig minuten later maakte de Israëlische luchtmacht het karwei af met napalm en kanonvuur. De aanval was alles wat er over was van een veel ambitieuzer plan, 'Operatie Nasser', waarbij twee hele divisies hadden moeten aanvallen. Operatie Nasser was de avond ervoor afgelast, maar zou ook zijn mislukt, want tot zo'n ingewikkelde operatie was het Syrische leger niet in staat. Na de oorlog leidde de Israëlische inlichtingendienst uit onderschepte documenten af dat de Syriërs niet eens hadden gecontroleerd of de bruggen over de Jordaan breed genoeg waren voor hun tanks. Dat bleek namelijk niet het geval te zijn.

Het Syrische leger telde ongeveer 70.000 soldaten, in tien brigades. Zeven daarvan bestonden uit infanterie (waarvan de helft gemotoriseerd), twee hadden tanks en er was één artilleriebrigade. Syrië beschikte tevens over een divisie luchtdoelgeschut, die over het hele land was verspreid, en een nationale garde, die zich in kleine reguliere eenheden langs de Israëlische grens bevond. Volgens majoor Ibrahim Ali, commandant van een 'Volksleger' van duizend burgers, was deze bewapend en klaar voor de strijd. Maar in een Amerikaans rapport stond: 'Het valt te betwijfelen of [de nationale garde] in een oorlogssituatie effectief is.'

Aan de vooravond van de oorlog was het Syrische leger druk bezig met een grote reorganisatie. Deze was in september 1966 begonnen, na de zoveelste mislukte militaire coup. Toen deze rebellie eenmaal was neergeslagen, begonnen Salah Jadid, de president van Syrië, en zijn rechterhand, generaal-majoor Hafez al-Assad, bevelhebber van de luchtmacht en minister van Defensie, aan de grootste schoonmaak ooit binnen de Syrische strijdkrachten. Daar waren ze in 1967, aan de vooravond van de oorlog, nog steeds mee bezig. Salim Hatum, die de couppoging had geleid en in ballingschap was gegaan, verscheen aan de grens en zei dat hij thuiskwam om mee te vechten. Hij werd gearresteerd en gemarteld. Het hoofd van de geheime politie, kolonel Abd al-Karim al-Jundi, brak zijn ribben en schoot hem vervolgens dood.

Een andere couppleger, generaal-majoor Fahd al-Sha'ir, was afgestudeerd aan een Russische militaire academie en was plaatsvervangend stafchef. Bovendien was hij bevelhebber van het zuidwestelijke leger, het enige dat voor het Syrische leger belangrijk was, omdat dit tegen Israël stond opgesteld. Hij werd gearresteerd en moest allerlei vernederingen ondergaan, onder andere 'als een beest op handen voeten door vuil water lopen met een van zijn beulen op de rug'. Vierhonderd officieren werden ontslagen. Terwijl Israël nieuwe officieren opleidde en zorgde dat deze regelmatig oefenden met de soldaten aan wie ze tijdens de strijd leiding zouden geven, hielden de Syriërs zich onledig met politieke manoeuvres.

Imwas, 08.00

Hikmat Deeb Ali keek bij zonsopgang vanuit de kerk toe hoe de Israëlische soldaten van huis tot huis gingen. Ze gingen behoedzaam te werk. Er werd niet geschoten. Israëlische jeeps met luidsprekers riepen de bevolking op zich in het dorpscentrum te melden. Een soldaat die Arabisch sprak, zei: 'Er is maar één weg waarlangs u het dorp kunt verlaten, de Ramallahweg. We willen niet dat u nog langs huis gaat. U vertrekt meteen langs deze weg.' Een oude man vroeg een soldaat of hij thuis zijn schoenen mocht halen omdat hij blootsvoets was. 'Als u dat doet,' zei de soldaat tegen hem, 'dan schieten we u dood. U moet meteen naar Ramallah vertrekken.' Niemand mocht bezittingen pakken of verwanten die men kwijt was gaan zoeken.

In Beit Nuba zag Zchiya Zaid, de vrouw van de *moukhtar* of dorpsoudste, de buren uit hun huizen komen toen de soldaten het dorp binnenkwamen.

'De soldaten deden hen geen kwaad en deelden eten, snoepjes en sigaretten uit. Degenen die niet uit zichzelf vertrokken, werden gedwongen. De soldaten riepen: "Ga maar naar Hussein, ga maar naar Hussein." We mochten niets meenemen, alleen onze kinderen.'

Een lange stoet vluchtelingen liep het dorp uit. Vanuit de kerk zag Hikmat Deeb Ali zijn vrouw en zes kinderen vertrekken tussen twee rijen soldaten. Zijn jongste kind was een week oud. Toen ze weg waren, slopen Hikmat en twee neven terug naar het huis van hun familie. Het was nog intact. Ze werden opgemerkt door een patrouille en moesten eveneens vertrekken. 'Aan de rand van het dorp zagen we de hel. Peuters, bejaarden, kinderen die niet konden lopen, gehandicapten, een oude vrouw, iedereen werd het dorp uit gestuurd. Ik word gek als ik eraan denk. De mensen vertrokken zoals ze hun bed waren uitgekomen, in pyjama, in pak in wat ze ook maar aanhadden, zo vertrokken ze.' Hij hoorde dorpelingen bij een Israëlische soldaat protesteren. 'Als er iemand achterblijft, worden jullie doodgeschoten', zei de soldaat.

Cairo, 09.00

Radio Cairo zond nog steeds voornamelijk verzonnen nieuws en dreigementen uit. In het ochtendjournaal zei de presentator: 'We hebben Israël op de eerste dag van de oorlog verslagen en we zullen het land altijd en overal verslaan. We zullen het in de lucht overwinnen en op land, het voor altijd vernietigen [...] neem maar afscheid van het leven, Israël.' Na een onrustige nacht kregen de Amerikaanse journalisten in het Hilton geen ontbijt. De hotelmanager zei dat de Israëlische vliegtuigen terugkwamen, dus werden er voorlopig geen maaltijden geserveerd. Op iedere straathoek stonden luidsprekers te blèren: 'Val aan, val aan, val aan.' De journalisten gingen naar het perscentrum en bekeken de ochtendkranten. *Al Akhbar*, een dagblad uit Cairo, kopte: 'Onze pantserdivisies dringen diep door in vijandelijke linies.' De Engelstalige *Egyptian Gazette* had soortgelijke koppen en in het binnenkatern stond een foto met het onderschrift: 'een vliegtuigwrak van de wrede agressor'. In de horoscoop werd de lezers aangeraden 'te zorgen voor technische verbeteringen als u vandaag meer dan gemiddelde vooruitgang wilt boeken'.

Om 09.05 begon er weer een luchtaanval. Een paar minuten later kwam er een telexbericht binnen dat afkomstig was van het persbureau Middle East, 'een communiqué met het opschrift "urgent, urgent" dat luidde: "Er is definitief bewezen dat de Verenigde Staten en Groot-Brittannië zijn betrokken bij de Israëlische militaire agressie. Amerikaanse en Britse vliegdekschepen ontplooien op grote schaal activiteiten om Israël te helpen."'

Het plan van Nasser en Hussein begon vruchten af te werpen. In de volgende twee uur werden er in Amman en Damascus soortgelijke berichten bekendgemaakt. Dan Garcia, een diplomaat van de Amerikaanse ambassade, hing in het perscentrum meteen een bericht op waarin stond dat de beschuldiging 'volledig verzonnen' was. Terwijl een groep journalisten het stond te lezen, drong de Egyptische voorlichter Kamal Bakr naar voren en scheurde het weg. De journalisten hadden Bakr aan zijn hoofd gezeurd om hoge Egyptische officieren te spreken te krijgen. Ze wilden bewijzen zien voor de militaire successen waarover de communiqués spraken. Nu kregen ze te horen dat er geen persconferenties meer gegeven zouden worden en dat ze zonder begeleiding niet meer naar buiten mochten. De beschuldiging dat de Verenigde Staten en Groot-Brittannië bij de oorlog waren betrokken, was groot nieuws. De journalisten belden hun verhaal door. Maar de westerlingen in Cairo begonnen nu heel achterdochtig te worden. In Washington rapporteerde de CIA aan de president: 'Cairo bereidt wellicht een campagne voor om de Amerikaanse belangen in de Arabische wereld te schaden. Tijdens Egyptische en Syrische binnenlandse nieuwsuitzendingen werden vanmorgen de "Arabische massa's" opgeroepen alle Amerikaanse en "imperialistische" belangen in de Arabische wereld te vernietigen.'

Nadat ze hun verhaal hadden doorgebeld, volgden de journalisten hun professionele instinct en liepen ze het perscentrum uit dat ze officieel niet mochten verlaten. Een man in een landrover spuugde naar hen. Ze zagen dat de politiebewaking bij de Amerikaanse ambassade was verdubbeld. Binnen was het personeel bezig geheime documenten te verbranden. De spanning in het gebouw steeg nog meer toen Radio Cairo om 10.40 uur berichtte dat de Verenigde Staten en Groot-Brittannië 'zonder de geringste twijfel' ten behoeve van de Israëliërs tussenbeide waren gekomen en vanaf vliegdekschepen gevechtsmissies hadden uitgevoerd tegen Israël en Jordanië. Ze dachten dat de menigte buiten zou proberen de ambassade te bestormen. Een uur later stak een meute het Britse consulaat en de Amerikaanse bibliotheek in Alexandrië in brand.

Het nieuws dat Israël werd geholpen door de Britten en Amerikanen ging als een lopend vuurtje de wereld rond. Britse diplomaten spraken meteen over 'de grote leugen'. De Britse ambassadeur in Koeweit ging naar het ministerie van Buitenlandse Zaken om uit te leggen dat het verzinsels waren. Hij was 'met stomheid geslagen' toen de hoogste ambtenaar van het ministerie de berichten bleek te geloven. Het feit dat Groot-Brittannië in 1956 met Frankrijk en Israël had samengezworen om een oorlog tegen Egypte te beginnen, maakten ze des te waarschijnlijker. Vertegenwoordigers van de Arabische olieproducerende landen kwamen in Bagdad bijeen en besloten geen olie meer te verkopen aan landen die Israël steunden. In Damascus ging de Amerikaanse ambassadeur naar het ministerie van Buitenlandse Zaken om de beschuldigingen te ontkennen. Hij werd begroet door een functionaris die twee kleine handgeschreven bladzijden te voorschijn haalde. Het was een verklaring die de man begon voor te lezen: zijn land verbrak de diplomatieke betrekkingen met de Verenigde Staten omdat de VS met Israël samenzwoeren en vanwege de 'historische' negatieve Amerikaanse stellingname jegens de Arabieren. Het ambassadepersoneel kreeg 48 uur de tijd om het land te verlaten. Een jonge administratieve medewerker mocht vijf dagen langer blijven 'om op te ruimen'.

Amman, 09.00

Koning Hussein was uitgeput. Die nacht was voor Jordanië rampzalig verlopen en hij had niet geslapen. Er waren nauwelijks nog strohalmen om zich aan vast te klampen. Na 24 uur oorlog kon hij weinig meer doen dan proberen de nederlaag zo beperkt mogelijk te houden. Hij waarschuwde de Amerikanen dat Egypte hen zou beschuldigen de oorlog te zijn begonnen. Hij zei niets over zijn kant van het gesprek met Nasser. De koning had voortdurend contact met buitenlandse ambassades, vooral die van de Britten en Amerikanen, zijn belangrijkste buitenlandse bondgenoten. Als zij eens met de Israëliërs zouden gaan praten, dan kon er misschien nog wat gered worden. Hij zei tegen de Amerikanen dat zijn leger de nacht ervoor te lijden had gehad onder 'pure wraakacties'. Als ze niet ophielden, zou het afgelopen zijn met Jordanië, zei hij. Van zijn commandanten te velde kwamen berichten over verschrikkelijke verliezen. Het aantal slachtoffers werd consequent overdreven, in de verwarring van de strijd of misschien als smoes voor het Israëlische succes.

Gewone Jordaniërs hadden nog steeds geen idee hoe slecht de oorlog verliep. Leila Sharaf ging samen met haar vriendin mevrouw Shakir bloed doneren. Er heerste een opgewonden sfeer op straat. Wilde geruchten en overspannen praatjes deden de ronde. De bewering dat Israël bijna de hele Egyptische luchtmacht had vernietigd werd afgedaan als belachelijke propaganda. Iemand vertelde mevrouw Sharaf dat Nasser ondergrondse startbanen voor vliegtuigen had laten aanleggen vanwaar nieuwe aanvalsgolven op de Israëliërs zouden worden uitgevoerd. Iemand anders zei dat het Syrische leger tot diep in Noord-Israël was doorgedrongen. Mevrouw Sharaf hoorde de verhalen geschokt aan. Haar man, de minister van Informatie, zat bijna continu in het commandocentrum en had haar verteld hoe slecht de situatie was. Geen van de mensen die ze hoorde praten twijfelde aan wat ze op de radio hadden gehoord over de Egyptische overwinning. Het verhaal dat de radiozender Saut al-Arab vanuit Cairo over de Arabische wereld had verspreid – dat Nasser, hun grote inspiratiebron, een machtig leger had gevormd – zat er diep in. Leila Sharaf hoorde explosies in de buurt van haar huis en dacht dat ze van vuurwerk afkomstig waren, afgestoken ter ere van de overwinning die vast behaald zou worden als de Arabieren er maar hard genoeg in geloofden. Haar echtgenoot moest haar mee naar binnen trekken. Het was geen vuurwerk, maar antitankgeschut en er naderden laagvliegende Israëlische vliegtuigen.

De Arabische delegaties bij de VN in New York waren net zo slecht geïnformeerd als de mensen in de straten van Amman. Sinds het begin van de oorlog op maandag hielden de diplomaten de transistorradio afgestemd Saut al-Arab in Cairo. Ze geloofden de berichten en waren blij dat de Arabieren bezig waren te winnen. In Amman besefte de Jordaanse minister van Buitenlandse Zaken, Ahmed Toukan, dat de strijd zo snel mogelijk moest worden gestaakt, wilde Jordanië niet zowel Jeruzalem als de Westoever kwijtraken. Dr. Muhammad al-Farra, de Jordaanse ambassadeur bij de VN, wilde hem niet geloven toen hij dit nieuws telefonisch doorgaf. Aanvankelijk weigerde hij bij de VN op een wapenstilstand aan te dringen, omdat Radio Cairo verkondigde dat ze binnenkort een geweldig overwinningsfeest konden vieren.

De Britse militaire attaché in Amman, kolonel J.F. Weston-Simons, was verontwaardigd over de gebeurtenissen van de voorgaande drie weken. De Arabische propaganda had 'de luisteraars steeds meer opgezweept, tot een soort godsdienstige vervoering. Krijgshaftige muziek en oproepen tot deelname aan de heilige oorlog schalden uit de radio's. De Jordaanse strijdkrachten wilden ten strijde trekken als ridders op witte paarden.' Stafchef-generaal Khammash was een van de weinige 'moderne, vooruitziende officieren'. De rest was 'dronken' vanwege het pact met Nasser, 'verblind door hun ongelimiteerde vermogen tot zelfdeceptie [...] en ging er zonder een grein bewijs van uit dat ze de Israëliërs gemakkelijk aankonden'.

Op de tweede morgen van de oorlog koesterde men geen illusies meer bij de generale staf. De oorlog was verloren. De koning was wanhopig, maar durfde zijn volk niet de waarheid te vertellen. 'We moeten de strijd staken, maar de Israëliërs moeten er om godswil niets in het openbaar over zeggen, of het wordt hier één grote anarchie', zei hij tegen de Amerikaanse ambassadeur.

Jeruzalem, 10.00

Narkiss bleef druk uitoefenen op de Israëlische generale staf om de Oude Stad te mogen innemen. Hij zei dat hij later van nalatigheid beschuldigd zou worden als hij nu niet aanviel. De Israëliërs hadden het grootste deel van Oost-Jeruzalem buiten de stadsmuren in handen. Er werd nog wel her en der gevochten door Jordaanse troepen die van hun eenheden waren afgesneden en weigerden zich over te geven, en door een handvol Palestijnen dat wapens gebruikte die op het laatste moment waren uitgereikt. Er stierven ongeveer honderd Palestijnse burgers bij de gevechten. De stadsmuren werden nog steeds bemand door soldaten en vrijwilligers die voortdurend op de Israëliërs beneden hen schoten.

De achtjarige Israëlische Rubi Gat zat met zijn vader, moeder, broertjes en zusjes in hun kelder. Hij was opgewonden. Het was oorlog, zijn oorlog, waarover hij zou kunnen meepraten. Hij was altijd jaloers geweest op zijn oudere zussen die verhalen vertelden over de oorlog van 1956 en wisten hoe hun vader eruitzag toen hij vertrok om zich bij zijn eenheid te voegen. In de voorgaande weken was Rubi op school geïnstrueerd wat hij moest doen als de oorlog begon. De kinderen hadden geoefend hoe ze naar huis moesten lopen, snel en dicht langs de huizen, voor het geval er granaten neerkwamen. De dag ervoor was een granaat dicht bij Rubi's huis ingeslagen en hij had later een paar scherven opgeraapt. Hij liet nu stukjes door zijn handen gaan terwijl hij naar het gedempte geluid van explosies luisterde dat van de Olijfberg kwam.

Aan de Jordaanse kant van Jeruzalem had de Amerikaanse journalist Abdullah Schliefer zijn gezin ondergebracht in drie kamertjes in de kelder van zijn appartementencomplex in de Oude Stad. De straten waren zo goed als verlaten. Soms zag hij een legerpatrouille of leden van de burgerbescherming die rennend kisten ammunitie overbrachten naar plaatsen waar er behoefte aan was. Binnen de oude ommuurde stad leek de situatie middeleeuws, als 'een ouderwets garnizoen dat wordt belegerd tijdens een oorlog die met supersonische straaljagers, tanks en napalm wordt uitgevochten'.

Amman, 12.30

Generaal Riad en koning Hussein waren het erover eens dat ze drie keuzemogelijkheden hadden: hopen dat de VN-Veiligheidsraad snel een staakt-het-vuren zou opleggen, de komende nacht de Westoever evacueren, of nog 24 uur op de Westoever blijven, wat tot 'de totale vernietiging van het Jordaanse leger' zou leiden. Het was een gruwelijk dilemma. Riad en de koning stuurden elk afzonderlijk een telegram aan Nasser. De koning schreef: 'De situatie verslechtert snel. Jeruzalem wankelt. Behalve zware verliezen aan mensen en materieel door het ontbreken van luchtdekking, wordt er elke tien minuten een van onze tanks uitgeschakeld.' Hussein had terecht weinig vertrouwen in Nasser. Hij wilde dat de Egyptische president werd betrokken bij elk besluit dat hij moest nemen, en niet via generaal Riad, maar persoonlijk. Net toen zijn gecodeerde boodschap naar Cairo werd doorgestuurd, kwam veldmaarschalk Amers antwoord op Riads telegram binnen: 'We zijn het eens met de aftocht uit de Westoever en de bewapening van de burgerbevolking.' Koning Hussein en zijn stafchef Amer Khammash dachten aan een valstrik. Khammash waarschuwde de koning dat de Egyptenaren de terugtocht van de Jordaniërs als excuus konden gebruiken om zich uit de Sinaï terug te trekken. De Egyptenaren zouden hun nederlaag vervolgens kunnen toeschrijven aan verraad van de Jordaniërs. Als dat verhaal geloofd werd, zou de troon van koning Hussein nog wankeler worden. Terugtrekken uit de Westoever leek de minst slechte optie voor de Jordaniërs. Maar als ze dat op bevel van Cairo deden, zouden ze wel eens een ernstige fout kunnen maken. Daarom besloten ze langer te blijven. Zelfs tijdens belangrijke crises konden de Arabische leiders elkaar niet vertrouwen.

Hussein riep de ambassadeurs van het Verenigd Koninkrijk, de Verenigde Staten, Frankrijk en de Sovjet-Unie naar zijn paleis en gaf hun dezelfde boodschap als hij aan Nasser had gestuurd. Hij smeekte hen om zelfstandig of via de Veiligheidsraad voor een wapenstilstand te pleiten, maar zei erbij dat hij nog steeds liever niet had dat een staakt-het-vuren openlijk werd aangekondigd. Maar als de Israëliërs dit in het openbaar wilde doen, dan was dat prima. Toen de Amerikaanse ambassadeur het paleis uitliep, ging het luchtalarm en moest hij dekking zoeken. Er vond weer een Israëlische aanval plaats.

Jeruzalem, 12.30

De generaals Narkiss, Dayan en Weizman reden Oost-Jeruzalem binnen met een konvooi van twee halfrupsvoertuigen en een jeep. Dayan had zijn zwarte ooglapje afgedaan en een zonnebril opgezet, zoals hij gewoonlijk deed als hij in een open voertuig rondreed. Narkiss werd begroet door majoor Doron Mor, de plaatsvervangend commandant van paratroeperbataljon 66, een oude vriend van de generaal. Narkiss zei dat hij naar de Scopusberg wilde, maar volgens Mor was de weg ernaartoe nog niet vrijgemaakt en dus niet veilig. Narkiss zei: 'Laat ze hem dan nu vrijmaken.' Maar Mors mannen waren elders bezig. Ze besloten het risico maar te nemen. Mor had twee jeeps waarop terugstootloze geweren waren gemonteerd. De majoor stapte in de ene. 'Hij nam wat handgranaten mee en zei tegen de chauffeur dat hij zo hard mogelijk moest rijden.' Narkiss, Dayan en Weizman volgden in de andere jeep. De weg was leeg, er werd niet op ze geschoten en de rit duurde slechts een minuut. 'Toen we bij de slagboom op de Scopusberg aankwamen, werden we door de soldaten gekust.'

Mor bewonderde het uitzicht – het was de eerste keer dat hij Jeruzalem vanuit het oosten zag. Ondertussen hoorde hij Narkiss en Dayan praten over de inname van de Oude Stad.

Ook Dayan genoot van wat hij zag. Narkiss dacht dat dit zijn moment was. Terwijl ze tijdens die prachtige dag naar het adembenemende uitzicht op Jeruzalem stonden te kijken, zei Narkiss zacht: 'Moshe, we moeten de Oude

Stad in.' Dayan was meteen weer bij de les. 'Geen sprake van', zei hij. Hij wilde het centrum omsingelen en wachten tot de Jordaniërs zich overgaven, 'als een rijpe vrucht die van de boom valt'. Hij gaf Narkiss opdracht de heuvels achter Jeruzalem in te nemen die uitkeken over de noord- en oostkant van de Oude Stad.

Ook vanuit het zuiden trokken er Israëlische troepen op naar de Oude Stad. De wijk Abu Tor, die vlak bij het Government House op de grens tussen Oost- en West-Jeruzalem ligt, viel 's middags. De Jordaniërs vochten fel tijdens de aftocht. Een compagnie van de Israëlische Jeruzalem-brigade kwam in een artilleriebeschieting terecht toen de mannen de Hebronweg bij het spoorwegstation overstaken. Overal op straat lagen gewonden. Alle vier de leden van een machinegeweerteam werden door een sluipschutter gedood toen ze de weg overstaken. Een soldaat met een bazooka, die erbij werd gehaald om de schuilplaats van de man (die slechts tien meter van hen vandaan lag) aan puin te schieten, werd toen hij aanlegde door de sluipschutter doodgeschoten. Pas nadat ze een handgranaat door een schietgat van zijn versterking hadden gegooid, was de scherpschutter uitgeschakeld. Ze trokken verder Abu Tor binnen. Bataljonscommandant luitenant-kolonel Michael Paikes ging met zijn mannen een Jordaanse loopgraaf in die al veroverd was. Plotseling sprong er een Jordaniër met een geweer tussen hen in. De man was net zo verbaasd als zij. De inlichtingenofficier van het bataljon, Johnny Heiman, greep het geweer van de man. Er sprongen nog drie Jordaniërs de loopgraaf in. Twee zagen wat er aan de hand was en vluchtten. De derde schoot Michael Paikes dood en viel vervolgens Heiman aan. Er volgde een hevige worsteling op de bodem van de loopgraaf. Uiteindelijk slaagde Heiman erin met zijn uzi de Jordaniër neer te schieten.

Jenin, noordelijke Westoever, 13.00

Het duurde tot in de middag voordat het laatste Jordaanse en Palestijnse verzet in Jenin was gebroken. De Israëlische troepen waren sinds halfacht in de stad, na een nacht van felle en verwarrende gevechten. De Sherman-tanks volgden de Israëlische standaardprocedure voor de strijd in stedelijk gebied, dat wil zeggen dat ze in alle richtingen vurend heen en weer reden, met infanterie achter zich aan. Op dat moment kwam de beste commandant van Jordanië, brigadegeneraal Rakan al-Jazi, met zijn 40ste pantserbrigade aan ten zuiden van Jenin. Hij keerde terug uit Jericho, waar hij naartoe was gestuurd om de 60ste, de andere Jordaanse pantserbrigade, af te lossen en deel te nemen aan het Egyptische offensief tegen Beersheba, dat uiteindelijk werd afgelast. De Jordaniërs bezetten dezelfde posities die ze eerder hadden verlaten voor hun niet geplande uitstapje naar Jericho. Vandaaruit controleerden ze een belangrijk kruispunt van wegen bij Qabitiyah.

De meeste burgers van Jenin waren naar de grotten en heuvels rond de stad gevlucht. Maar niet allemaal. Haj Arif Abdullah sloot zich met vijf andere gewapende mannen aan bij de 40ste brigade om mee te vechten. Hij was een grote, potige kerel van 45 jaar, met zeventien kinderen, en had tijdens de Britse bezetting bij de politie van de RAF gediend. De Jordaniërs hadden hem commandant gemaakt van een plaatselijke nationale garde, maar vanwege zijn fel nationalistische opvattingen was hij nogal eens in problemen gekomen. Hij steunde de Ba'ath-partij, de pan-Arabische linkse politieke beweging die in de jaren vijftig veel aanhangers won in Syrië en Irak en hetzelfde in Jordanië dreigde te doen. Tussen 1957 en 1961 zat Abdullah een paar keer gevangen. Een keer zat hij zelfs twee jaar vast, vanwege een poging de monarchie omver te werpen. Hij werd vervroegd vrijgelaten toen de spanning in het Midden-Oosten opliep en had toen besloten dat niet koning Hussein, maar Israël de vijand was. Een jaar eerder had een plaatselijke Jordaanse commandant, die vond dat Haj Arif Abdullah niet gemist kon worden in Jenin, hem zijn eigen brengun en twaalf kisten ammunitie gestuurd.

De 40ste pantserbrigade was twaalf uur eerder klaar dan de Israëliërs hadden verwacht en lokte de pantserbrigade van brigadegeneraal Eled Peled in een hinderlaag. De verdedigers in Jenin, die nog steeds vochten, hoorden de tanks vuren en dat inspireerde hen tot een tegenaanval. Peled stuurde een konvooi om zijn tanks te redden die vastzaten en bijna geen brandstof en ammunitie meer hadden. De verkenners van Al-Jazi zeiden dat ze eraan kwamen. Vijftig tot zestig Patton-tanks stonden op een heuveltop, klaar om hen te ontvangen, de geschutskoepel benedenwaarts gericht. Ze vuurden op een andere groep Israëlische tanks die via de weg op hen af reed. Er werden zeventien Israëlische Super Shermans uitgeschakeld. Haj Arif Abdullah was teleurgesteld dat de Israëliërs geen infanterie met de tanks hadden meegestuurd. Hij vuurde op de Israëlische tankcommandanten die zoals gewoonlijk rechtop in de geschutskoepel zaten, het bovenlichaam naar buiten. Later die middag werd nog een aanval van de Israëliërs afgeslagen. De Jordaniërs probeerden hen te achtervolgen, maar werden door artillerie en luchtacties weer teruggejaagd. Tegen de avond controleerden de Jordaniërs nog steeds het kruispunt. Ze blokkeerden de voornaamste doorgangsroute door het hoogland van de Westoever van het noorden naar het zuiden en een belangrijke doorgang van oost naar west.

Amman, 's middags

Generaal Riad was ondanks alle rampen kalm genoeg om af en toe een tukje te doen in de speciale ruimte die voor hem was gereserveerd in het gebouw van het militaire hoofdkwartier. Koning Hussein was klaarwakker, hoewel de dag 'een droom, of liever gezegd een nachtmerrie' leek. Hij had het gevoel dat hij op het militaire hoofdkwartier onvoldoende zicht had op het verloop van de strijd. 'Ik stond voor de landkaarten in het operationele centrum en alles leek abstract, vaag en weinig overtuigend.' Hij vertrok met zijn lijfwachten in een jeep met radio, om zelf in de Jordaanvallei te gaan kijken.

Ik zal nooit de hallucinerende aanblik van die nederlaag vergeten. De wegen waren verstopt met gedeukte, verwrongen jeeps, vrachtauto's en andere voertuigen die nog smeulden en die typische metaal- en verfgeur afgaven die door exploderende bommen wordt veroorzaakt – een stank die alleen door buskruit wordt teweeggebracht. Te midden van deze ravage waren groepen van dertig, veertig gewonde en uitgeputte mannen bezig een pad vrij te maken in de puinhopen van de monsterlijke genadestoot, hun toegebracht door de Israëlische Mirages die langs de wolkenloze hemel en blakerende zon voorbij bulderden.

Terug in Amman belde koning Hussein meteen Findley Burns, de Amerikaanse ambassadeur, om te vragen hoe Israël op het aanbod van een wapenstilstand had gereageerd. Burns kwam meteen naar het paleis om het slechte nieuws door te geven. De Israëliërs hadden geen belangstelling voor een staakt-het-vuren. Hussein had op maandagmorgen de kans gekregen om oorlog te vermijden en ervoor gekozen de Israëlische waarschuwing in de wind te slaan. De koning was er nu meer dan ook van overtuigd dat de Israëliërs zijn leger wilden vernietigen. Hij vertelde Burns over zijn bezoek aan het front van die middag. Zijn leger had in feite opgehouden te bestaan. Sommige eenheden vochten nog, hoewel ze het al 24 uur zonder luchtdekking moesten stellen. De grote vraag was of ze de Westoever moesten ontruimen. 'Als we vanavond evacueren, verliezen we de helft van de manschappen en kan er slechts een beperkte hoeveelheid materieel worden gered. Als we ons niet vanavond terugtrekken, dan worden we afgemaakt. Morgen kunnen we nog alleen maar opdracht geven het materieel te vernietigen en de mannen vertellen dat het ieder voor zich is.' Generaal Riad vond dat hij zich moest terugtrekken. Ze zouden snel een besluit moeten nemen.

Gaza

De Egyptenaren en Palestijnen hadden fel gevochten en veel Israëlische soldaten gedood. Toch hadden twee Israëlische brigades op de eerste dag van de oorlog een deel van de stad veroverd die door 10.000 man werd verdedigd. Israëlische troepen waren nu bezig de overgebleven verzetshaarden op te ruimen. Veel daarvan waren Palestijnse burgers die wapens hadden gekregen van de Egyptische autoriteiten. Sommigen vochten zich dood, anderen werden doodgeschoten nadat ze zich hadden overgegeven. Van de familie Abu Rass uit de wijk Zaytoun in Gaza werden 28 jonge mannen gevangengenomen, afgevoerd, geëxecuteerd en in een massagraf gedumpt. Na de oorlog werden hun lichamen door de familie elders herbegraven.

Maar ook jonge mannen die niet de wapens hadden opgenomen werden doodgeschoten, zo vertellen familieleden. Dit gebeurde bijvoorbeeld in Khan Younis, waar bitter werd gevochten. Shara Abu Shakrah, een vrouw van veertig, was thuis met haar man, Zaid Salim Abu Nahia, die op de markt tomaten, aardappelen en okra verkocht. Ook aanwezig waren Zaids dertigjarige broer Mustafa en diens vrouw, nog een broer, Ghanem, en Mohammed, Zaids zoon uit een eerder huwelijk. Ze hielden zich binnen schuil en hoopten alleen maar dat de strijd zich snel verderop zou verplaatsen.

Plotseling hoorden ze buiten stemmen die in gebroken Arabisch riepen dat de mannen naar buiten moesten komen. Ze gehoorzaamden. De vrouwen waren doodsbang, want ze dachten dat de Israëliërs hun mannen wilden doodschieten. Dit was ook gebeurd tijdens de oorlog van 1956, toen binnenvallende Israëlische troepen een reeks bloedbaden hadden aangericht in Khan Younis. Toen waren er tussen de vijf- en zevenhonderd Palestijnen, voornamelijk burgers, geëxecuteerd. Onder de doden waren ook kinderen en bejaarden en ergens werden eenentwintig leden van dezelfde familie doodgeschoten.

Shara en de andere vrouwen in het huis schreeuwden en probeerden zich naar buiten te dringen, de binnenplaats op. Ze dachten dat het weer zou gebeuren. De Israëlische soldaten duwden hen terug naar binnen en blokkeerden de deur. Toen hoorden de vrouwen schieten. Ze duwden harder tegen de deur en probeerden naar buiten te komen. Een paar minuten later ging de deur open en betraden ze de binnenplaats.

Mustafa lag dood op de grond. Hij liet een vrouw, drie zonen en twee dochters achter. Naast hem lag Mohammed, die een wond in zijn maag had die hevig bloedde. Een paar meter verder vonden ze het lichaam van Ghanem. Shara vond haar man Zaid na enig zoeken aan de andere kant van het huis. Hij was door het hoofd geschoten.

De vrouwen wasten de lichamen en wikkelden ze in lappen ter voorbereiding van de begrafenis. Maar volgens de moslimwet mochten ze hen niet begraven. Ze wachtten drie dagen op verlenging van de avondklok zodat er buren konden komen helpen. Maar voordat het zover was, lagen de lichamen in het warme, vochtige klimaat van Gaza te ontbinden. Er kwamen later nogmaals Israëlische soldaten naar het huis. Ze vroegen Shara waar de mannen waren gebleven. 'We schreeuwden en gooiden zand naar ze, we schepten met de hand zand van de grond en gooiden het in ons gezicht en zeiden: "Kom zelf maar kijken, ze zijn dood."' Mohammed stierf twee dagen later. De wond in zijn maag bleef bloeden. 'We hadden geen dokter, geen medicijnen. We waren vrouwen en wisten niet wat we moesten doen.'

Cairo, 16.30

Dinsdagmiddag, anderhalve dag na het begin van de oorlog, kreeg Amer op het hoofdkwartier in Cairo het ene na het andere bericht over de nederlagen 's nachts in de woestijn. Volgens generaal Fawzi, de Egyptische stafchef, was veldmaarschalk Amer 'psychisch uitgeput [...] bijna ingestort'. Amer riep Fawzi plotseling bij zich op kantoor en gaf hem twintig minuten om een plan te maken om het Egyptische leger in de Sinaï op de westelijke oever van het Suezkanaal terug te trekken. Het was de eerste rechtstreekse order die Amer zijn stafchef sinds het begin van de oorlog gaf. Zich vechtend terugtrekken is een legitieme en effectieve militaire tactiek. Er is een goede organisatie voor nodig en een dappere achterhoede, die blijft schieten totdat de rest van de strijdkrachten zich op een verdedigbare positie heeft teruggetrokken. De Egyptische officieren hadden op de militaire academie uitgebreid de manier bestudeerd waarop het Britse leger zich in 1942 bij El Alamein had teruggetrokken. Montgomery en zijn bevelhebbers hadden de troepen samengetrokken en stellingen laten verdedigen tot ze voldoende kracht hadden opgebouwd voor het offensief dat het tij in Noord-Afrika deed keren. Een paar hogere Egyptische officieren hadden Montgomery in mei 1967 zelf ontmoet, want toen had hij ter gelegenheid van de vijfentwintigste verjaardag van de slag bij El Alamein hun land bezocht. Er waren nog veel Egyptische eenheden intact. Een vechtende aftocht moest dus mogelijk zijn.

Na het bevel van Amer stelde Fawzi samen met twee generaals een plan op om zich in vier dagen en drie nachten terug te trekken op het Suezkanaal. In zijn memoires beschrijf Fawzi precies wat er gebeurde toen ze Amer hun plan presenteerden en vertelden hoe lang het zou duren. 'Hij verhief zijn stem en zei: "Vier dagen en drie nachten, Fawzi? Ik heb al bevel tot een snelle aftocht gegeven, en daarmee basta." Zijn gezicht was rood geworden en hij liep met een licht hysterische blik in zijn ogen naar zijn slaapkamer, die zich achter zijn kantoor bevond. Wij drieën bleven achter, geschokt door zijn toestand.'

Amer zei later dat Nasser zijn besluit had goedgekeurd, terwijl Nasser zei dat Amer de beslissing had genomen. Wie er ook verantwoordelijk was, Amer gaf de order op de hem eigen willekeurige manier door. Hij bracht iedereen die hij in het veld sprak ervan op de hoogte. Volgens vice-president Abdul Latif Boghdady zei Amer tegen de officieren dat ze de zware wapens moesten dumpen en zich 's nachts moesten terugtrekken om voor zonsopgang de westzijde van het kanaal te bereiken. Toen Boghdady op dinsdag Amer bezocht en hoorde wat er gaande was, zei hij tegen Amer dat het een schande was. Amer antwoordde: 'Het is geen kwestie van eer of dapperheid, maar van het redden van onze jongens. De vijand heeft al twee van onze divisies vernietigd.' De ergste fout die de Egyptenaren in 1967 maakten, op het feit dat ze überhaupt bij de oorlog betrokken raakten na, was de wanordelijke terugtocht uit de Sinaï, waarbij duizenden Egyptische soldaten omkwamen en er voor miljoenen dollars aan materieel verloren ging.

Veldmaarschalk Amer, de voor de hand liggende zondebok voor het fiasco in de Sinaï, klampte zich vast aan de beschuldigingen tegen Groot-Brittannië en Verenigde Staten. Hij riep de Sovjetambassadeur bij zich voor een schrobbering. Waarom had de USSR niet hetzelfde voor Egypte gedaan als het Westen voor Israël? Was dit vanwege de détente tussen Washington en Moskou? Als dat het geval was, dan spanden de Sovjets eigenlijk ook met Israël samen. En hoe zat het met het incident in de vroege uren van 26 mei, toen de Sovjetambassadeur om drie uur 's morgens Nasser had gewekt met een urgente boodschap van Kosygin met de waarschuwing dat Egypte niet mocht aanvallen? Moskou had Egypte praktisch voorbestemd voor de nederlaag. 'U heeft ons belet als eerste aan te vallen', ging Amer verder, die wanhopig op zoek was naar iemand om die de schuld te kunnen geven. 'U hebt ons van het initiatief beroofd door samen te spannen!'

De Egyptenaren stuurden officiële rapporten naar hun ambassades in het buitenland met bewijzen die volgens hen de beschuldigingen staafden. Een gevangengenomen Israëlische piloot had 'vrijuit bekend' dat de luchtmachtbasis waarvan hij was opgestegen ook door Britse vliegtuigen was gebruikt. De Syrische radio had verzoeken om hulp in het Engels onderschept die afkomstig waren van Amerikaanse vliegdekschepen. Franse gevechtsvliegtuigen uit Zuid-Afrika waren naar Israël overgebracht. En koning Hussein had persoonlijk de Britse oorlogsvliegtuigen in actie gezien. Volgens een Egyptische diplomaat werd er 'tot in de hoogste Arabische kringen' geloof gehecht aan deze verhalen.

Op het hoofdkwartier van de militaire wijk in Cairo geloofde het hoofd van het Egyptische opperbevel, generaal Salahadeen Hadidi, allang niet meer wat hij op de radio hoorde. Hij zat meestal aan de telefoon met andere hoge officieren om erachter te komen wat er werkelijk op het slagveld in de Sinaï gebeurde. Er werd een deserteur naar zijn kantoor gebracht, een soldaat die op het hoofdstation van Cairo door de militaire politie was gearresteerd. Hadidi had van 1964 tot 1966 het bevel gehad over het westelijke leger in de Sinaï-woestijn en kende het Qaher-plan voor de verdediging van het gebied. De generaal ondervroeg de uitgeputte soldaat wat zijn eenheid was, waar hij geweest was en wat er was gebeurd. De man vertelde dat hij aan het front had gezeten en vertelde een naargeestig verhaal van een hels landschap waar Israëlische oorlogsvliegtuigen als roofvogels op de mannen waren neergedoken. Volgens hem hadden ze er niks tegen kunnen doen. Zijn eenheid was, net als de eenheden om hen heen, al snel uit elkaar gevallen. Iedereen vluchtte om aan de Israëlische straaljagers te ontsnappen. De situatie was zo slecht als de generaal had gevreesd. De soldaat verscheen voor de krijgsraad en werd naar de militaire gevangenis gestuurd. Generaal Hadidi was de rest van de oorlog bezig de uitgeputte en gedemoraliseerde mannen die uit de woestijn terugkwamen weer tot samenhangende eenheden samen te voegen. 'Ik was geschokt. Het hele land was geschokt.'

Om acht uur 's avonds was de Amerikaanse pers terug in het Hilton voor het avondeten. Kamal Bakr, het hoofd van het perscentrum, stormde de eetzaal binnen met belangrijk nieuws. De Amerikaanse journalisten vroegen beleefd of hij niet iets wilde eten. Bakr antwoordde: 'Geen tijd. U moet het land vanavond nog verlaten.' Ze moesten hun ambassade bellen, maar die adviseerde hun te blijven waar ze waren. Weer loeide het luchtalarm. Uit de richting van de piramiden kwamen er flitsen en explosies. De Egyptische luchtdoelbatterijen schoten terug.

Sinaï

Het Egyptische leger in de Sinaï stortte zo snel in dat niemand een expeditieleger van 1250 man opmerkte dat was gestuurd door de emir van Koeweit. Meer dan de helft van de troepen werd veilig in reserve gehouden bij het Suezkanaal en 550 commando's werden per trein naar de Sinaï gestuurd. Toen zij bij aankomst hun spullen uit de trein laadden, werden ze door de Israëliërs gebombardeerd. In de nacht van 5 juni probeerden ze het Egyptische regiment te bellen waarbij ze zich hadden moeten aansluiten, maar dat lukte niet. Op 6 juni reden ze 's morgens naar de plek waar de Egyptenaren zich hadden moeten bevinden, maar ze waren verdwenen. De Koeweiti's besloten zich ook maar op het kanaal terug te trekken. Twee weken later waren er nog tussen de honderd en honderdvijftig van hen zoek in de Sinaï. Hun commandant, generaal Mubarak, zei tegen een Britse diplomaat in Koeweit dat hij 'zich geen zorgen maakte over hun lot, omdat het bedoeïenen zijn en die weten wel te overleven, daarvan is hij zeker. Begrijpelijkerwijs heeft hij weinig te zeggen over de Egyptenaren.'

Luitenant Mohammed Shaiki el-Bagori hoorde bij de Egyptische 6de divisie die zich in de woestijn bevond, niet ver van de plek waar de Koeweiti's ingezet hadden zullen worden. De pantservoertuigen en bevoorradingstrucks van zijn divisie hadden de hele dag te lijden gehad onder aanvallen van de Israëlische luchtmacht. El-Bagori lag op de grond, probeerde dekking te vinden en luisterde naar een kleine transistorradio die hij van thuis had meegenomen. Terwijl hij zich klein maakte en zijn eenheid door de Israëliërs werd afgemaakt, luisterde hij naar Radio Cairo die een overwinning voorspelde. 'Het Egyptische leger bestormt de zionistische concentraties [...], rukt op en treft de vijand.' Hij besefte dat hij werd voorgelogen, maar kon niet geloven dat Nasser daar iets mee te maken had.

Tegen vijf uur 's middags had het Egyptische garnizoen bij El Kuntilla al hun materieel begraven of achtergelaten. Een uur eerder hadden ze bevel tot de aftocht gekregen. Korporaal Kamal Mahrouss, een beroepsmilitair, voelde zich persoonlijk vernederd. De soldaten stapten in vrachtauto's die langzaam wegreden om te proberen Ismailiya aan het Suezkanaal te bereiken. Ze waren schietschijven voor de Israëliërs. Toen het donker was, werden ze al snel met zoeklichten beschenen en begonnen Israëlische tanks op hen te vuren. Een andere Egyptische colonne voor hen lag ook onder vuur. Achter hen bevonden zich nog meer Israëlische tanks. De mannen die konden sprongen uit de vrachtauto's en renden weg.

Brigadegeneraal Gavish bevond zich in de speerpunt van de Israëlische aanval en besefte dat de Egyptenaren zich terugtrokken. 'Het duurde anderhalve dag voordat de Egyptenaren begrepen dat hun luchtmacht was vernietigd en de Israëliërs drie divisies hadden in de Sinaï. We hadden nu twee dingen te doen: hen beletten de Sinaï te verlaten en de tanks uitschakelen die overal in de woestijn verspreid waren.' Gavish en zijn divisiecommandanten besloten dat ze het Egyptische leger in de Sinaï het beste konden vernietigen door het in te halen tijdens de race naar de bergpassen in de westelijke woestijn. Dat betekende dat de gepantserde eenheden snel langs de drie hoofdwegen door de woestijn moesten oprukken, recht door het Egyptische leger heen, om blokkades op te werpen bij de toegang naar de passen, voordat de Egyptenaren er aankwamen. De rest van de Israëlische strijdkrachten zou over een breed front oprukken en de Egyptenaren naar de kanonnen drijven die hen stonden op te wachten.

Moskou

Bij de Oostenrijkse ambassade in Moskou kwam een onverwacht bericht binnen. Eerste onderminister van Buitenlandse Zaken Koeznetsov aanvaardde een uitnodiging om bij de ambassadeur te lunchen waarover een paar weken eerder vaag was gesproken. Dit was een verrassing. Onverwachte lunches met hogere Sovjetfunctionarissen waren niet de norm in Moskou in de jaren zestig. Ze spraken tweeënhalf uur met elkaar. De minister vertelde dat hij op maandagmorgen op zijn kantoor kwam (Moskou ligt in dezelfde tijdzone als Cairo) en daar volkomen verrast werd door het nieuws van de oorlog, vooral omdat hij gedacht had dat er bijna een overeenkomst was over de Golf van Akaba. Hij kon niet geloven dat de Israëliërs hadden aangevallen zonder garanties van de Amerikanen. De vraag was nu hoe de oorlog te beëindigen. Koeznetsov, die vol zelfvertrouwen leek, hoopte dat de Veiligheidsraad in New York zou oproepen tot een staakt-het-vuren, gevolgd door terugtrekking van de troepen. De Rus hoopte dat deze ongelukkige kwestie geen belemmering zou vormen voor de ontspanning tussen Oost en West.

Moskou stuurde hiermee een weloverwogen boodschap de wereld in. Oostenrijk was in 1967 een neutrale Midden-Europese staat die regelmatig als contact tussen Oost en West fungeerde. Koeznetsov leek niet te beseffen dat hij een informeel contact met het Westen gebruikte om het soort overeenkomst te stimuleren dat de Verenigde Staten bij de VN aanboden en dat de Sovjetambassadeur, zonder duidelijke instructies van Moskou, bezig was af te wijzen.

De Verenigde Naties, New York, 10.00 (Israël, 17.00, Cairo, 18.00)

VN-ambassadeur Arthur Goldberg had een ontmoeting met zijn Sovjettegenhanger Nikolaj Fedorenko. Deze verwierp opnieuw het aanbod van een VN-resolutie die opriep tot een staakt-het-vuren en terugtrekking tot de posities die de partijen hadden ingenomen op zondag 4 juni, voor het uitbreken van de oorlog. Het probleem was deze keer dat Goldberg zei dat beëindiging van de blokkade van de Straat van Tiran een onderdeel was van de terugtrekking. In het rapport van 13.15 uur aan het Witte Huis stond: 'Het feit dat het bijeenroepen van de Veiligheidsraad voortdurend wordt uitgesteld, is zeer in het belang van Israël zolang de Israëlische strijdkrachten spectaculaire militaire successen blijven boeken [...]. De Russen zijn zeer in het nadeel omdat ze langzamer en over grotere afstand communiceren dan wij. Ze lijken zich te willen aanpassen bij de veranderende situatie op de grond in het Midden-Oosten, maar die pogingen houden nog geen gelijke tred met de verslechterende positie van hun bondgenoten.'

Een kwartier later belde Fedorenko met Goldberg. Hij was via een niet-beveiligde telefoonlijn uit Moskou gebeld, wat op zichzelf al een bijzondere gebeurtenis was. Het telefoontje kwam van de onderminister van Buitenlandse Zaken, Vladimir Semjonov. Nieuwe instructies waren onderweg. Zodra die er waren, benadrukte hij, diende Fedorenko dadelijk een ontmoeting met Goldberg te regelen. Eindelijk beseften de Sovjets dat de Arabieren een pak slaag kregen en dat Israëlische troepen naar het Suezkanaal raceten en Jeruzalem bijna hadden veroverd. De nieuwe instructies hielden in dat Fedorenko het Amerikaanse plan voor een staakt-het-vuren en terugtrekking van de troepen diende te aanvaarden. Als dat om een of andere reden niet mogelijk was, diende hij terug te gaan naar de oorspronkelijke resolutie van de Veiligheidsraad die opriep tot een eenvoudig staakt-het-vuren.

Fedorenko probeerde contact te maken met Goldberg om hem op de hoogte te brengen van de Russische bedoelingen. Maar nu zorgden de Amerikanen ervoor dat ze slecht bereikbaar waren. Om drie 's middags spraken ze elkaar. Fedorenko zei nogmaals dat hij de Amerikaanse resolutie zou steunen, maar dat hij niet kon accepteren dat ook de blokkade van de Straat van Tiran beëindigd moest worden. Het compromis dat Goldberg aanbood was een staakt-het-vuren gevolgd door 'urgente besprekingen' over terugtrekking. Dit vond Fedorenko een nog slechter voorstel en hij stelde voor terug te gaan naar de oorspronkelijke resolutie die op maandagmorgen bij de Veiligheidsraad was ingediend. Deze resolutie riep alleen op tot een staakt-het-vuren en beëindiging van alle militaire activiteiten. In de resolutie was alleen aan de opmerking dat het een eerste stap betrof te merken dat er verdere maatregelen dienden te volgen. Er werd niet gesproken over terugtrekking naar de positie van 4 juni. Om halfzeven 's avonds werd deze resolutie unaniem aanvaard.

Maar er was nog iets. 's Morgens om 10.02 uur had Johnson via de hotline Kosygin benaderd en er bij hem op aangedrongen de Amerikaanse resolutie te aanvaarden die opriep tot een onmiddellijk staakt-het-vuren en terugtrekking naar de grenzen die tijdens de wapenstilstand waren overeengekomen. Kosygin deed er acht uur over om te antwoorden. Hij zei tegen Johnson dat hij akkoord was en dat er instructies aan Fedorenko waren gestuurd om de resolutie te aanvaarden die door Johnson was beschreven. Kosygins aanvaarding van Johnsons voorstel was even na zessen binnengekomen via de Washingtonse kant van de hotline, die de 'Molink' werd genoemd. De Amerikanen hadden om 18.12 uur een ruwe vertaling klaar van het telexbericht. Drie minuten later was het in handen van de president. Maar terwijl Johnsons adviseurs het bericht lazen, zagen ze op de televisie de Veiligheidsraad voorbereidingen treffen om over een gewoon staakt-het-vuren zonder terugtrekking te stemmen. In de Situation Room vond een snelle discussie plaats over de vraag of ze de Russen aan Johnsons aanbod moesten herinneren of gewoon de gebeurtenissen in de VN moesten afwachten. Iedereen was het erover eens dat ze moesten proberen te profiteren van de diplomatieke blunder die de Sovjets hier leken te begaan. Er was nog tijd om Goldberg bij de Veiligheidsraad te bereiken. Ze zaten in de Situation Room naar de tv te kijken om te zien hoe Fedorenko zou stemmen. Toen hij voor de resolutie stemde, juichten ze. Ze vroegen zich af of Fedorenko niet in Siberië zou eindigen.

De Amerikanen hadden de USSR veel meer geboden dan de Israëliërs wilden geven. Maar door de incompetentie van Russische zijde kregen de Israëliërs precies wat ze nodig hadden. Toen de Egyptische luchtmacht eenmaal was uitgeschakeld, waren de Israëliërs banger voor diplomatieke druk vanuit de VN om de strijd te staken voordat ze hun militaire doelen hadden verwezenlijkt, dan voor het verloop van de gevechten in de woestijn. Het ergst zou een herhaling zijn van wat er na de oorlog van 1956 was gebeurd, toen ze waren gedwongen zich uit de bezette gebieden in de Sinaï terug te trekken. Door het geklungel van het Kremlin werd het wapen waar de Israëliërs het bangst voor waren, geneutraliseerd. Op dinsdag, de tweede dag, hadden ze ruwweg een kwart van de Sinaï in handen en was Jeruzalem bijna helemaal veroverd. Als de Sovjet-Unie niet de mogelijkheid voorbij had laten gaan van een akkoord met een wapenstilstand en terugtrekking van de strijdkrachten naar de posities van voor 4 juni, dan hadden grote delen van het Egyptische leger in de Sinaï kunnen blijven bestaan. Egypte had dan de blokkade van de Straat van Tiran moeten opheffen, maar dat zou gezien de omstandigheden geen al te hoge prijs zijn geweest.

Volgens realistische Amerikaanse VN-functionarissen was het 'geen doorslaggevende resolutie en verwachtte niemand dat er gevolg zou worden gegeven aan de oproep'. De Israëliërs zouden een staakt-het-vuren dat hun niet beviel waarschijnlijk zo lang mogelijk hebben genegeerd. Maar dan zouden er meer resoluties zijn gevolgd en was de internationale druk op Israël toegenomen. Dan zouden de Israëliërs aan het eind van de oorlog vrijwel zeker niet in staat zijn geweest de veroverde gebieden lang vast te houden. Want de Veiligheidsraad was op zich in staat Israël onder druk te zetten, zoals een week later bleek toen Israël een oproep tot een staakt-het-vuren aan het Syrische front negeerde.

Gazastrook

In Khan Younis waren enkele Israëlische soldaten nog steeds bezig burgers te vermoorden. Ongeveer honderd meter bij het huis van de familie Abu Nahia vandaan, waar vier Palestijnse mannen in koelen bloede waren neergeschoten, hielden Abd al-Majeed al Farah en zijn vrouw Faika, beiden eind dertig, zich samen met hun zes zonen en zes dochters al twee dagen schuil in de kelder van hun huis. Toen kwamen de Israëliërs en bevalen Abd al-Majeed om mee te komen om, net als de andere mannen uit de buurt, in een schoolgebouw vlakbij te worden ondervraagd. De mannen liepen er in ganzenmars naartoe, onder schot gehouden door Israëlische militairen.

'Sommige soldaten waren goed', vertelde Abd al-Majeed later. 'Anderen waren slecht en agressief. Iemand van ons die een beetje Hebreeuws kende, hoorde een van hen zeggen: "Dit zijn soldaten, we moeten hen doodschieten." Iemand anders zei: "Dat kunnen we niet doen, we moeten het hoofdkwartier in Beersheba bellen."'

Een paar mannen die in de school gevangenzaten, werden naar buiten geleid en doodgeschoten, waaronder de zoon van zijn broer. De rest werd aan elkaar geketend in de school vastgehouden. Ze werden niet losgemaakt als ze moesten plassen, maar gingen samen. Een van de gevangenen werd losgemaakt zodat hij de gulp van de anderen kon openknopen. Na drie dagen werden de meeste mannen vrijgelaten. Toen Abd al-Majeed thuiskwam, trof hij de vrouwen huilend op het erf aan. De lichamen van twaalf familieleden lagen dood op de grond. Het waren allen jongens van tussen de veertien en achttien, doodgeschoten, zeiden de vrouwen, omdat ze het bevel zich bij de school te melden niet hadden opgevolgd. Een tante had geprobeerd haar zeventienjarige zoon te verbergen, maar hij werd uit de kelder naar buiten gesleept en door een Israëlische soldaat op straat doodgeschoten. Volgens Abd al-Majeed had geen van de jongens aan de strijd deelgenomen. Vanwege de avondklok konden ze de twaalf jongens en de vier soldaten die op hun erf waren doodgeschoten, niet begraven. Ze roken binnenshuis de lichamen die begonnen te ontbinden. Na drie dagen, toen de stank ondraaglijk begon te worden, kregen ze toestemming de mannen te begraven. De Israëliërs kwamen elke dag terug om de mensen in huis te tellen. Sommige soldaten lieten toe dat ze bij de bron van de buren water gingen halen. Een van de vrouwen kreeg toestemming boodschappen te gaan doen voor haar kinderen.

Er werd nog gevochten in Gaza-stad en op een gegeven moment werd het hoofdkwartier van de UNEF door granaten geraakt. Het vredeskorps van de UNEF was bij het begin van de gevechten nog bezig te pakken en te vertrekken. Bij het eerste ochtendlicht had de bevelhebber van de UNEF, generaal Rikhye, geprobeerd terug te gaan naar zijn zwaar beschadigde hoofdkwartier om geheime papieren van de Verenigde Naties veilig te stellen, maar hij was tegengehouden door een van de oprukkende Israëlische tankeenheden. Een aantal van Rikhyes soldaten werd gedood. Ten zuiden van Khan Younis kwamen drie Indiase militairen om toen ze door Israëlische vliegtuigen onder vuur werden genomen. En later die dag werden er door Israëlische artilleriebeschietingen nog eens vijf Indiase soldaten gedood en een tiental gewond.

Qalqilya

Onder de vele vluchtelingen die vanuit het stadje Qalqilya de bergen in waren getrokken bevond zich de tienjarige Maa'rouf Zahran met zijn familie. De ouders waren heel bezorgd over hun negenjarige dochter die ze in de paniek waren kwijtgeraakt, maar gingen toch maar op weg naar Nablus, in de hoop dat een ander gezin zich over het meisje had ontfermd. Maa'rouf was bang en moe en had honger. Zijn voeten deden pijn, want hij was ergens zijn schoenen kwijtgeraakt. Hij liep, als veel anderen, blootsvoets naar Nablus.

Memdour Nufel, de jonge Palestijn die zo graag guerrillaleider wilde worden, zag dat de oorlog verloren was. Hij had zijn verouderde Karl-Gustav-machinegeweer niet één keer gebruikt, want hij wist dat dit zinloos was tegen de Israëlische tanks. Zijn moeder en zuster, die hij opzocht in de olijfgaarden boven de stad waar ze zich verborgen hielden, smeekten hem het machinegeweer weg te gooien. Hij zette het wapen in het vet, pakte het in en begroef het in een grot (in 1969 vertelde hij aan strijders van het Volksfront voor de Bevrijding van Palestina waar ze het konden opgraven). Voordat Nufel en zijn gezin zich aansloten bij de lange stoet vluchtelingen die de bergen overtrokken naar Nablus, ging hij terug naar Qalqilya om thuis kleren en eten te halen. Zijn grootmoeder was te zwak geweest om mee te vluchten en was dus, zoals veel oude mensen, thuisgebleven. Nufel trof haar huilend en doodsbang aan. Het huis was geplunderd, alles van waarde was meegenomen. Volgens de grootmoeder waren de plunderaars Israëliërs geweest. Toen ze de stad eenmaal in handen hadden, bevalen ze de overgebleven burgers naar de moskee te gaan, waar bussen klaarstonden om hen naar de rivier de Jordaan af te voeren.

Fayek Abdul Mezied, de zeventienjarige Palestijnse jongen die zo enthousiast was over de oorlog, vertrok met zijn moeder, een zuster, vier broers, vrienden en buren uit Qalqilya. Ze waren met zijn negentienen. 'Het moment dat we de stad verlieten, was een van de treurigste van mijn hele leven. We voelden ons verloren en diep vernederd. We hadden het gevoel dat er voor ons geen plaats meer was onder de zon.'

Ze liepen het steile pad de bergen in, waar ze dachten veilig te zijn. Honderden mensen zeulden naar boven. Een oude man vlak bij hen sleepte zijn transistorradio met zich mee. Fayek hoorde de stem van presentator Ahmed Said die vanuit Cairo nog steeds een Arabische overwinning en rampspoed voor de joden voorspelde. De oude man vloekte en smeet zijn radio in een cactusbosje. De bergpaden waren veiliger dan de hoofdweg. Ten oosten van Qalqilya, bij het dorp Azoun, werd een vrachtauto vol vluchtelingen aangevallen door Israëlische vliegtuigen. Twaalf mensen werden gedood, vooral vrouwen en kinderen. Oude mensen die niet hadden kunnen en anderen die niet hadden willen vertrekken, kwamen om door bommen en artilleriegranaten. Hun lichamen lagen begraven in het puin van hun ingestorte huizen. In totaal kwamen er 74 inwoners van Qalqilya om.

Sharm el Sheikh, Egypte

De Rode Zee werd verlicht door het rode licht van de ondergaande zon. Brigadier Abdel Moneim Khalil, commandant van de Egyptische paratroepers bij Sharm el Sheikh, stond op een lage heuvel te kijken naar de posities van zijn troepen. Hij had geen idee wie er in de oorlog aan de winnende hand was. De dag ervoor was de helikopter die iedere morgen van Hurgada, aan de andere kant van de Rode Zee, naar hun stellingen vloog, niet komen opdagen. Er was niets uit Cairo vernomen. Ze kregen alleen nieuws via de radio en die sprak over grote Egyptische successen. Maar op 6 juni kwam er 's morgens een bericht binnen van veldmaarschalk Amer, waarin stond dat er Egyptische luchtmachtbases waren getroffen, zonder dat er details werden gegeven. Khalil was achterdochtig. Hij vermoedde dat het fout liep, maar hij beschikte niet over meer informatie dan zijn soldaten die net als hij naar de radio luisterden. Khalil had zijn mannen opgesteld om een Israëlische aanval op Sharm el Sheikh af te slaan, maar hij had een voorgevoel dat ze gehaast de aftocht zouden moeten blazen, zoals de Egyptische troepen in 1956 ook hadden gedaan. Hij zei tegen zijn mannen dat ze klaar moesten zijn om op ieder willekeurig moment snel te verrekken.

Sinds 19 mei lag hij met zijn paratroepers bij Sharm el Sheikh. Hun aanwezigheid bij de kleine nederzetting die uitkeek over de Straat van Tiran had tot een internationale crisis geleid. Toch was het een van de vreemdste opdrachten geweest in Khalils militaire carrière. Om te beginnen was zijn eenheid van vierduizend man niet berekend op hun taak, meende hij. Het waren paratroepers, getraind om in de voorhoede van een aanval te vechten, niet om een afgelegen kustgarnizoen te vormen. Het grootste probleem was niet Israël, maar het vinden van water. In Sharm el Sheikh was geen druppel te vinden. De troepen van de UNEF hadden voor hun vertrek hun ontziltingsinstallaties vernietigd. De Egyptenaren beschikten niet over dergelijke apparatuur en zelfs niet over watertankers. Ze moesten voor vierduizend man water halen uit een oase die 150 kilometer verderop lag. Bijna alle voertuigen van Khalils eenheid waren dagelijks bezig jerrycans met water over te brengen. Hij smeekte Cairo om een drijvende watertanker te sturen. Het enige wat hij tot zijn ontsteltenis ontving, waren twee transportvliegtuigen van Amerikaanse makelij die werden gevlogen door Saudische piloten. Deze landden op 28 mei bij Sharm el Sheikh. Uit de toestellen kwamen een paar honderd Egyptische commandotroepen die alleen handwapens bij zich hadden. Amer

1. Menigte in de straten van West-Jeruzalem op Onafhankelijkheidsdag, 15 mei 1967.

2. President Nasser voor de wereldpers in de ministerraadkamer in Cairo, 28 mei 1967. Een plechtig moment, maar volgens Sandy Gall van ITN kon Nasser zijn glimlach 'laten schitteren alsof hij een lichtknop omdraaide'.

3. Kort voor de oorlog begroet de Egyptische veldmaarschalk (rechts) generaal Murtagi op het commandocentrum in de Sinaï.

4. Israel Tal, 'meneer Tank' van het Israëlische leger, voor de oorlog bezig met de details.

5. Brigadegeneraal Yeshayahu Gavish, hoofd van het zuidelijke leger van Israël. Vlak voor het uitbreken van de oorlog gaf premier Esjkol zijn functie aan Moshe Dayan.

6. Koning Hussein van Jordanië net voor de oorlog op bezoek aan het front. Hij wist al zeker dat Israël zou winnen. De vraag was of het hem zijn troon zou kosten.

7. Mobilisatie van de diaspora: kinderen in de Londense wijk Golders Green zijn bezorgd om Israël, net als andere joden overal ter wereld.

8. Mordechai Hod, bevelhebber van de Israëlische luchtmacht, spreekt vlak voor het begin van de vijandelijkheden een groep cadetten toe.

9. De eerste slag in Jeruzalem. Israëlische troepen bezetten Government House, het VN-hoofdkwartier.

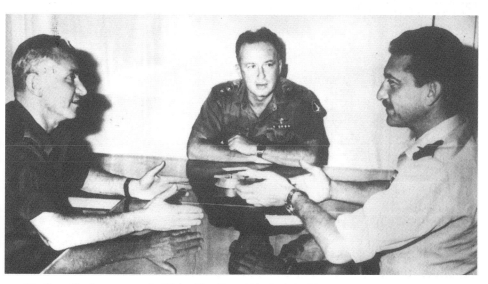

10. De Israëlische generaals Haim Bar Lev, Yitzhak Rabin en Ezer Weizman aan het begin van de oorlog.

11. Israëlische soldaten die op 7 juni zich naar de Mestpoort toe vechten, gefotografeerd door Don McCullin.

12. Opgetogen Israëlische soldaten op 7 juni voor de Rotskoepelmoskee na de inname van de Oude Stad.

13. David Rubinger nam een paar minuten na de verovering van de Klaagmuur deze foto van brigadegeneraal Shlomo Goren, opperrabbijn van het Israëlische leger, blazend op een shofar, een van een ramshoorn gemaakte trompet. Onder zijn arm thorarollen.

14. Een Israëlische soldaat bij de Klaagmuur op 7 juni.

15. Uzi Narkiss, Moshe Dayan en Yitzhak Rabin komen op 7 juni via de St. Stefanuspoort de Oude Stad binnen. Dayan, zich als altijd bewust van het nageslacht, had fotografen meegenomen.

6. Israëlische soldaten vol zelfvertrouwen in de Sinaï in halfrupsvoertuigen uit de Tweede Wereldoorlog, 8 juni 1967.

17. De beschadigde USS Liberty meert op 8 juni na de Israëlische aanval af in Valetta in Malta.

18. Palestijnse gevangenen in Jeruzalem, gefotografeerd Don McCullin. Sommige soldaten van koning Hussein wilden zo graag burgerkleren aan dat ze zelfs met een pyjama genoegen namen.

19. De Mitla-pas in de Sinaï na een Israëlische aanval op terugtrekkende Egyptische troepen. Volgens een veteraan uit de Tweede Wereldoorlog die de slachting zag was het erger dan de Duitse terugtocht uit El Alamein.

20. Nederlaag: gedode Egyptenaren op 9 juni.

21. Overwinning: Israëlische soldaten steken hun handen in het Suezkanaal.

22. Palestijnen klaute-
ren over de overblijf-
selen van de Allenby-
brug om vanuit de pas
bezette Westoever de
Jordaan over te steken.

23. Een lange tocht
naar een harde toe-
komst. Een Palestijnse
vluchteling op weg
naar de Oostoever.

24. De Israëlische premier Esjkol (midden) bezoekt kort voor het staakt-het-vuren de troepen aan het Syrische front.

25. Generaal Munam Abdul Husaini, de Egyptische gouverneur van de Gazastrook, tekent op 10 juni de overgave.

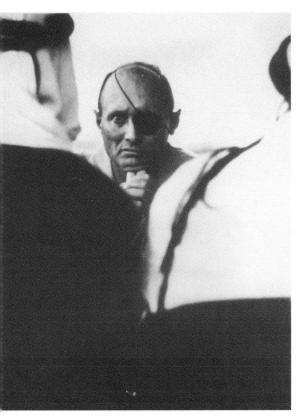

26. Moshe Dayan met Palestijnse oudsten in het vluchtelingenkamp Kalandiya, tussen Ramallah en Jeruzalem. Dayan bepaalde al snel het beleid voor de bezette gebieden.

27. Golanhoogte, 12 juni. Israëlische soldaten onderzoeken uitgeschakelde Syrische tanks.

28. In oktober 1967 broeide er een nieuwe oorlog langs de Egyptisch-Israëlische bestandslijn. Een Israëlische soldaat kijkt naar de brandende Egyptische olieraffinaderij
bij Port Suez, die door het Israëlische leger werd vernietigd nadat de Egyptenaren
het Israëlische oorlogsschip Eilat tot zinken hadden gebracht.

29. Tegen 1969 hadden Palestijnse gewapende groepen een stevige basis in de uitgestrekte vluchtelingenkampen in Jordanië. Deze Palestijnse jongens zetten de eerste
schreden op een weg die vaak tot een leven van geweld zou leiden.

had ze zonder iets te zeggen naar hem toe gestuurd. Voor Khalil waren het alleen maar meer dorstige monden die water nodig hadden dat hij niet had.

Amers order zich terug te trekken kwam net na zonsondergang binnen. Khalil riep zijn officieren bij elkaar om ze te vertellen dat ze die nacht naar El Tour zouden vertrekken, de oase waar ze iedere dag water haalden en waar zich ook een logistieke basis bevond. Daarna zouden ze zich op de westoever van het Suezkanaal terugtrekken. Een van de officieren, Mohammed Abd-el Hafiz, een veteraan die tijdens de oorlog in Jemen zo ernstig gewond was geraakt dat hij (na een vier dagen durende vlucht op een ezel) elf keer aan zijn been was geopereerd, zei later: 'We waren verdrietig en geschokt. De radio zond nog steeds overwinningsliederen uit en claimde successen. Ik hoorde een presentator zeggen dat we binnenkort in Tel Aviv zouden staan.' Een paar officieren drongen er bij Khalil op aan zich niet terug te trekken, maar Eilat aan te vallen. Ze waren goed uitgerust en gereed om te gaan. Er lagen schepen voor hen klaar. Als de aanval mislukte konden zich altijd terugtrekken in Akaba, de Jordaanse haven op slechts een paar kilometer afstand van Eilat. Khalil weigerde. Ze dienden de bevelen te gehoorzamen.

Maar voordat ze zich konden terugtrekken, moesten ze de 15.000 ton munitie vernietigen die een paar dagen eerder door een schip aan land waren gezet. Hier waren ook zeemijnen bij die bedoeld waren voor de Straat van Tiran, maar nooit waren gelegd. Toen ze de ammunitie opbliezen, dachten een paar soldaten dat de Israëliërs aanvielen en raakten in paniek. De orde werd met moeite hersteld. Brigadier Khalil was de laatste die Sharm el Sheikh verliet. Dit was net voor zonsopgang, een paar uur nadat de eerste troepen waren vertrokken. Omdat velen per vliegtuig naar Sharm el Sheikh waren gekomen, waren er niet voldoende voertuigen voor alle mannen. Bovendien was een aantal vrachtwagens nog bezig water te halen. De soldaten werden in de beschikbare voertuigen gepropt. Hafiz reisde in een jeep die voor vijf man was bedoeld, maar die twaalf man en een zware mortier vervoerde. Hij sleepte een aanhangwagen mee met een 120-mm-mortier waarop nog meer mannen zaten. Andere soldaten klemden zich vast aan drie amfibievoertuigen die niet veel sneller reden dan marstempo. Khalil hoopte bij zonsopgang dat het feit dat zijn paratroepers over zo veel kilometers waren verspreid, ze minder opvallend maakten voor de Israëlische luchtmacht, waaraan ze waren overgeleverd. Een detachement mannen dat per helikopter naar het eiland Tiran was gestuurd, bleef daar achter. Ze werden gered door een visser, die hen naar Sharm el Sheikh bracht, in plaats van naar Hurgada, aan de andere kant van Rode Zee. Op woensdagmorgen om elf uur landden de Israëlische troepen in Sharm el Sheikh. De soldaten en de visser werden gevangengenomen.

Jeruzalem

Het kleine vliegveld van Jeruzalem, dat net buiten de stad lag, werd zonder slag of stoot door de brigade van kolonel Moshe Yotvat veroverd. Ze trokken verder richting Ramallah. Yotvat beval een oude Palestijnse man in te stappen in zijn halfrupsvoertuig om hen de weg te wijzen. De wegen achter hem waren verstopt door alle Israëlische troepen. In de file stonden een pantserbataljon en een bataljon paratroepers van zijn brigade. Yotvat was gefrustreerd dat hij ze niet kon bereiken, maar reed verder naar Ramallah met zijn verkenningseenheid. Hij zou daar op hen wachten.

Op een gegeven moment werden ze beschoten. Yotvat raakte zwaargewond in zijn arm en schouder en verloor het bewustzijn. Toen hij bijkwam, lag hij op de weg. Zijn eerste gedachte was dat hij dood was. Als dit de dood is, dacht hij, dan valt die wel mee.

Uzi Narkiss was ondertussen bijzonder tevreden over de gebeurtenissen. Hij stelde een dagorder op die de volgende morgen verspreid moest worden. 'Vandaag wordt Jeruzalem bevrijd. De stad van onze voorouders is in het zuiden en noorden reeds in onze handen. Ons leger staat klaar. Mannen, wees vastberaden en aarzel niet.'

Israëlische strijdkrachten trokken ten noorden van Jeruzalem op. Die avond veroverden ze de stad Ramallah op de Westoever, 22 kilometer ten noorden van de Oude Stad. Uri Ben Ari werd ongeduldig en stuurde zijn eenheid de stad in zonder te wachten tot er eerst was gebombardeerd om de verdediging te verzwakken. Het was niet gemakkelijk een grote stad in het donker in te nemen. Eerst ging een tankbataljon naar binnen, gevolgd door de verkenningseenheid. Kolonel Ben Ari zei later: 'We besloten Ramallah binnen te trekken met een bataljon tanks dat naar alle kanten om zich heen schoot. Ze reden een paar keer de stad door en toen werd het langzaam stil.' Ze verdwenen voor de rest van de nacht. 's Morgens ontmoetten ze geen verzet meer.

Tegen middernacht vonden er felle gevechten plaats aan de voet van de Olijfberg, bij de tuin van Getsemane, de plaats waar Jezus volgens de Bijbel bloed zweette in de nacht voor zijn aanhouding. Net na een brug over een droge rivierbedding leidt een steile weg de heuvel op, langs de poort naar de tuin. Bataljon 71 van de Israëlische paratroeperbrigade moest, geholpen door tanks, de heuvels boven de Oude Stad aanvallen. Maar het nam een verkeerde afslag en werd van beide kanten beschoten door Jordaniërs, vanaf de Olijfberg en vanaf de muren van de Oude Stad. Van de stadsmuur werden lichtkogels op de weg geschoten, zodat de tanks zeer zichtbaar werden en de volle laag kregen. De commandant van de voorste tank werd in het voorhoofd geraakt. Zijn ogen zaten zo vol bloed dat hij niets meer zag. Hij gaf de tank achter hem bevel om voorop te rijden.

De situatie werd voor de Israëliërs steeds slechter. Soldaten van de verkenningseenheid werden afgemaakt toen ze in hun jeeps probeerden de tanks te bereiken die hen naar een veiliger plek konden leiden. De tanks probeerden zich terug te trekken. Een werd er opgeblazen, een ander stortte van een brug af. De bemanning van deze tank raakte buiten bewustzijn, maar overleefde de val. Op een andere plek probeerde een verpleger genaamd Shindler een gewonde man te redden die in brand stond. De man, bij wie de vlammen uit zijn rug sloegen, werd nogmaals geraakt en overleed terwijl Shindler bezig was met zijn handen het vuur uit te slaan. De kogels sloegen om Shindler heen in de weg, maar hij redde zichzelf door van de brug de duisternis in te springen. Gelukkig voor hem was het er niet diep. Hij kwam ervan af met een verstuikte enkel en brandwonden aan gezicht en handen.

Micha Kapusta, de commandant van de verkenningseenheid, slaagde erin onder de brug te komen, waar hij zich buiten het zicht van de Jordaniërs bevond. Bij hem was Meir Har Zion, die door veel Israëlische soldaten als hét voorbeeld voor de joodse militair werd beschouwd. Volgens Moshe Dayan was hij de beste joodse strijder sinds Bar Kochba, de leider van de tweede opstand tegen de Romeinen in de tweede eeuw na Christus. In de jaren vijftig was Har Zion een goede vriend van Ariel Sharon: 'Hij vermoordde gemoedereerd Arabische soldaten, boeren en stedelingen, bezeten van een soort woede zonder haat. Hij bleef maandenlang koelbloedig en efficiënt zijn werk doen, en dat deed hij goed, twee of drie keer per week.' Hoewel hij zwaargewond was geraakt en daar nooit helemaal van was hersteld (hij had onder andere op het slagveld een tracheotomie – een luchtpijpsnede – met een zakmes ondergaan), was hij als vrijwilliger teruggekeerd bij de eenheid waarvan hij ooit commandant was. Har Zion en Kapusta klauterden langs een pijp aan de zijkant van de brug omhoog om de mannen te bereiken die daar, dachten ze, vastzaten. De tank op de brug stond in brand en gaf genoeg licht om de drie mannen te zien die op de brug lagen. Ze konden niet dicht bij hen komen, omdat de ammunitie van de tank ontplofte en de Jordaniërs nog steeds op de brug schoten. Kapusta 'kroop zo dichtbij mogelijk en riep de namen van de mannen. Niet een van hen gaf antwoord.'

DAG DRIE

7 JUNI 1967

Jeruzalem, 00.30

De explosies en lichtflitsen van de strijd waren dichtbij genoeg om angstaan-jagend duidelijk gehoord en gezien te worden in Jeruzalem. Een Jordaanse colonne die een wanhopige poging deed de steile weg van Jericho naar Jeru-zalem op te komen, werd afgemaakt door Israëlische artillerie en tanks, ge-holpen door vliegtuigen. De Jordaanse soldaten en gewapende Palestijnse burgers die de muren van de Oude Stad verdedigden, kregen de volle laag. Tijdens de twee uur dat ze werden bestookt, zongen ze *'Allahu akbar, Allahu akbar'* ('God is groot'). Op de Olijfberg dromden meer dan honderd bur-gers, meest moslims, samen bij de Apostolische Delegatie, de officiële ver-blijfplaats van de pauselijke vertegenwoordiger in Jeruzalem. Veel officieren die de stadsmuren verdedigden, gingen er 's nachts vandoor en lieten hun mannen in de steek. Om halfeen 's nachts ging de Jordaanse commandant, brigadier Atta Ali, naar het kantoor van de Waqf, de islamitische religieuze autoriteit, waar de gouverneur van Jeruzalem, Anwar al Khatib, zijn hoofd-kwartier had. De brigadier zei tegen hem dat de stad verloren was. De man-nen op de stadsmuur waren uitgeput, hongerig en gedemoraliseerd. Ze had-den sinds het begin van de slag om Jeruzalem geen voedsel meer gekregen van het leger. Er was voldoende ammunitie in de Oude Stad, maar dit kwam niet bij de mannen op de muren terecht. Ze werden niet bevoorraad. Op de eerste dag van de oorlog hadden Jordaanse soldaten bij de vooraanstaande Pa-lestijn Anwar Nusseibeh aangeklopt om hem te vertellen dat de ammunitie opraakte. Op de derde dag was de situatie kritiek geworden. De communica-tie in het Jordaanse leger had opgehouden te bestaan. Na de eerste dag waren de batterijen van hun radio's leeg. Ze konden niet opgeladen of vervangen worden. Rond Jeruzalem gebruikten ze gewone telefoons die door de Isra-eliërs werden afgeluisterd en al snel ook niet meer werkten. In het Jordaanse deel van Jeruzalem was er geen elektriciteit en heel weinig water. Het grootste deel van het leger had zich teruggetrokken op de Oostoever. De gouverneur weigerde te geloven dat het voorbij was. Hij vond dat de bevolking van Jeru-zalem de wapens moest opnemen om verder te vechten. Als ze behoefte had-den aan officieren, dan stonden de zonen van vooraanstaande Palestijnse fa-milies tot hun beschikking.

De brigadier was erop tegen. 'U zult Jeruzalem alleen maar vernietigen. Bij zonsopgang wordt de stad zeker aangevallen en mijn troepen zijn niet in staat zich verzetten.' Ook hij vertrok. Hij bood aan gouverneur Khatib naar een veilig gebied te escorteren. Deze weigerde. 'U bent de militaire bevelhebber en u bent verantwoordelijk voor wat het leger doet, maar Jeruzalem is mijn stad en ik wil haar niet zo verlaten. Als het Gods wil is dat ik moet sterven, dan wil ik hier en niet ergens anders sterven.'

De Jordaanse bezetting van Jeruzalem, die negentien jaar had geduurd, was bijna ten einde. Om één uur 's morgens kwam een aantal Jordaanse lagere officieren het kantoor binnen om aan Atta Ali te rapporteren dat nu de hogere officieren waren verdwenen ook de gewone manschappen begonnen te deserteren. De brigadier vroeg hun om even met hem mee naar buiten te lopen. Hij wilde niet dat de tientallen Palestijnse burgers die voor het kantoor van de Waqf samendromden, hoorden wat hij te zeggen had. Toen ze een stuk bij het gebouw vandaan waren, dat aan de rand ligt van het heilige complex waarbinnen zich de grote moskeeën van Jeruzalem bevinden, zei hij zachtjes dat ze met hun mannen naar de zuidelijke Mestpoort moesten gaan en vandaar naar huis konden terugkeren. Even later kwamen Palestijnse vrijwilligers bij de Waqf het nieuws vertellen dat de Jordaniërs vertrokken. De gouverneur was daar zo ontdaan over dat een van zijn adjudanten dacht dat hij een hartaanval kreeg. Sommige vrijwilligers ging terug naar hun posten op de stadsmuren en ook een paar Jordaniërs bleven achter en zouden zich dood vechten. Maar die nacht leverden veel politiemensen en burgers hun wapens in.

Bij de Mestpoort gaf de brigadier 'alle rangen het bevel te vertrekken op de manier die hun het beste leek en te proberen naar het oosten van de Jordaan te ontkomen'. De aftocht was ongeorganiseerd. Een officier uit Aden die aan de Jordaanse Jeruzalem-brigade verbonden was, liep meer dan vijftig kilometer om zich in veiligheid te brengen. Bij de Herberg van de Goede Samaritaan, ongeveer halverwege tussen Jeruzalem en de rivier de Jordaan, kwam hij een Iraakse brigade tegen die zwaar had geleden onder een Israelisch bombardement. De Irakezen waren net als hij te voet en vluchtten oostwaarts. De majoor dacht dat ze nooit ook maar één schot hadden gelost. Brigadier Atta Ali liep met zijn officieren en manschappen huiswaarts. Ze gaven Nasser de schuld van de nederlaag, maar bleven ook Groot-Brittannië en Amerika beschuldigen van het verlenen van luchtsteun aan de Israëliërs.

Bij zonsopgang stierf het geluid van granaten en machinegeweren weg in Jeruzalem. Het leek onnatuurlijk kalm. Toen riep via een luidspreker 'een luide, galmende stem' de Jordaniërs in het Arabisch op zich over te geven. De Britse buitenlandcorrespondent James Cameron had weinig geslapen. 'De afgelopen nacht leek opmerkelijk veel op Londen tijdens de slag om Engeland: dezelfde totale duisternis op straat, waar je tastend je weg moet zoeken, hetzelfde geplof en gedreun van explosieven, dezelfde manier van schrijven, bij een enkele flakkerende kaars.' In Amman beval de minister van Informatie, Abd al-Hamid Sharaf, de Jordaanse radio om de mensen voor te bereiden op de val van Jeruzalem. In de instructies stond dat het heroïsche verzet benadrukt moest worden en de luisteraars langzaam moesten worden voorbereid op het idee dat de martelaren zich opofferden en de vijand oprukte.

Sinaïwoestijn

In de vroege uren van woensdagmorgen bereikten de eerste Israëlische troepen het Suezkanaal. Ze waren vanuit Al-Arish langs de kustweg gekomen. Dayan beval hen zich twintig kilometer terug te trekken, misschien omdat hij geen berichten wilde van Israëliërs die hun voeten wasten in het Suezkanaal, want dat zou de roep om een staakt-het-vuren kunnen versnellen.

Na de rampen van dinsdag besloten de generaals van het Egyptische vooruitgeschoven commandocentrum hun hoofdkwartier terug te verplaatsen naar het Suezkanaal. Ze reisden naar het westen via de Giddi-pas. De weg was verstopt met troepen en voertuigen die de strijd ontvluchtten. De generaals werden steeds ongeruster. Amer was er nog niet aan toegekomen zijn beslissing zich volledig uit de Sinaï terug te trekken aan de generaals mee te delen. Om drie uur 's morgens hoorden ze het van het hoofd van de militaire politie. Ze werden er 'volkomen door verrast en waren nog verbaasder' toen ze hoorden dat luitenant-generaal Salah Muhsin, de commandant van het veldleger in de Sinaï, zich eveneens had teruggetrokken op de andere oever van het Suezkanaal. Generaal Murtagi stak het kanaal over om Muhsin te vinden. Hij vroeg hem waarom hij geen toestemming had gevraagd zich terug te trekken en werd woedend toen Muhsin mompelde dat hij hem telefonisch niet had kunnen bereiken.

Yahya Saad, wiens verkenningseenheid op de eerste dag door Israëlische tanks was vernietigd, was te voet en met Egyptische voertuigen meeliftend teruggekeerd naar het Suezkanaal. Op de weg naar de Mitla-pas had hij een mobiele batterij luchtdoelgeschut gezien die door bommen was getroffen. Verbrande soldaten zaten nog op hun zitplaatsen, alsof ze er bevroren waren. Op de weg was het 'totale vernietiging en overal lijken [...] toen ik de oever van het Suezkanaal bereikte, zag ik generaal Murtagi naar de soldaten staren die hun laarzen kwijt waren en op blote voeten liepen. Toen ik aankwam ging ik op de grond liggen en viel ik meteen in een diepe slaap.'

In de Sinaï stond generaal Gamasy op dat moment voor het nieuwe vooruitgeschoven commandocentrum te kijken naar de 'volkomen ongeorganiseerde aftocht' van de Egyptische troepen die via de weg naar Suez trokken. Gamasy wist dat het bijzonder gevaarlijk was zich terug te trekken terwijl de vijand oprukte. Daar waren discipline, planning en een vechtende achterhoede voor nodig, om dekking te geven en de Israëliërs op afstand te houden. Maar die ontbraken en dus was een militaire tegenslag bezig in een ramp te ontaarden. 'Ik wachtte en keek toe terwijl de troepen zich op 7 juni 's morgens op erbarmelijke wijze uit Giddi en Mitla terugtrokken. Er vonden continu vijandelijke luchtaanvallen plaats, zodat de Mitla-pas één grote begraafplaats was geworden, vol lijken, brandend materieel en exploderende ammunitie.'

Een Britse militaire attaché die tijdens de Tweede Wereldoorlog in de woestijn tegen de Duitsers had gevochten, vloog met een Israëlisch vliegtuig over de Mitla-pas en zag daar de verwoesting 'die was aangericht op een stuk weg van een kilometer of zeven lang. De voertuigen stonden met nauwelijks tussenruimte en vaak twee of drie rijen dik langs de weg. Er was aanzienlijk meer verwoest dan toen de legers van de Asmogendheden zich uit El-Alamein terugtrokken. Voor zover kan worden vastgesteld, was de verwoesting het gevolg van voortdurende luchtaanvallen.' Langs de vluchtroute zag de Britse correspondent James Cameron honderden verwoeste tanks 'over een lengte van kilometers als kapot speelgoed in de woestijn staan'. Bij de Mitla-pas was het nog erger. 'Een paar kilometer weg zien eruit als een reepje van de hel. Zo'n honderd voertuigen zijn vastgelopen op de Mitla-pas, verbrand, ontploft, gesloopt; ze vormen een lange rups van verwoesting, onderstebovne, binnenstebuiten, in stukken. Het biedt een vreselijke aanblik. Een paar tanks die in wanhoop de weg hebben verlaten, worden met grote precisie in de woestijn kapotgeschoten.'

Yoffes tanks reden de hele nacht gehaast door naar de Giddi-pas. Als ze Egyptische troepen of tanks tegenkwamen, schoten ze zich een doorgang en trokken ze verder. In het donker stond veel Egyptisch materieel in brand. Een paar Israëlische soldaten vertelden later: 'Zo ver je kon kijken, verlichtten de Egyptische voertuigen het landschap. Ze maakten een vreselijk geluid, als een symfonie van vernietiging.' Aan beide kanten van de weg en in de wadi ernaast lagen wrakken. Op de duistere stukken weg, waar geen brandende wrakken stonden, werd soms fel gevochten. Een Israëlische tankbemanning viel met hun uzi's een vrachtauto aan met een overweldigende meerderheid aan Egyptische soldaten aan boord. Toen de ammunitie van de Israëliërs bijna op was, vielen de Egyptenaren aan. Enkele slaagden erin op de tank te klimmen. 'We sloegen met onze uzi's op hoofden die uitstaken en handen die de zijkant van de tank vastgrepen [...] Het enige wat we hoorden, waren wat zuchten en kreten, en de doffe klappen van geweerkolven op lichamen. Een van onze mannen brak de kolf van zijn uzi en trok zijn mes.' In de verwarring gingen zowel de Israëliërs als de Egyptenaren er op een gegeven moment vandoor.

De Israëliërs wierpen een blokkade op bij de ingang van de Mitla-pas. Er kwamen Egyptische tanks aan, 'heel snel. Ze probeerden te ontsnappen aan

het dodelijke gevaar achter hen en stuitten op de dood die voor hen in hinderlaag lag [...] de hele morgen vuurden we op honderden voertuigen die uit alle
richtingen hierlangs kwamen.'

Bij dageraad werden de terugtrekkende colonnes weer vanuit de lucht
aangevallen. Uri Gil was een van de piloten. Op de eerste dag van de oorlog
had hij geen medelijden gehad en hij niet geaarzeld tijdens een luchtgevecht
een Syriër neer te halen. Maar dit was anders. 'Het was het grootste auto-
kerkhof dat ik ooit had gezien. Ik was er niet gelukkig mee. Zij zagen eruit als
mensen, als slachtoffers. Ik blies van dichtbij een tankauto aan flarden. Vanaf
de grond werd niet geschoten. Het was een slachtpartij. Ik vond dit onnodig,
want de oorlog tegen Egypte was al afgelopen. Ik denk dat ze zoveel mogelijk
wilden stukmaken om het de Egyptenaren in te peperen. Dat was een vergissing.'

De generale staf in Cairo probeerde alsnog een achterhoede te improviseren om de chaos bij de terugtocht te verminderen. Een deel van de 3de infanteriedivisie kreeg opdracht in de loopgraven en bunkers bij Jebel Libni te
blijven. De infanterie vocht fel, maar werd 'in de flank aangevallen en
vernietigd'. Wat er nog van de 4de pantserdivisie over was, kreeg opdracht de
opmars van de Israëliërs op het kruispunt bij Bir Gifgafah te vertragen. Ze
hadden enig succes tegen een kleine blokkade-eenheid van Israëlische AMX-
tanks, waarvan de granaten afketsten op de bepantsering van de Egyptische
T-54-tanks. Een Israëlische paratroeper werd rond middernacht wakker van
'het gedreun en geknars van naderende tanks. Toen zagen we plotseling meer
dan veertig Egyptische tanks met fel schijnende koplampen.' Uiteindelijk
omsingelde Tal de Egyptenaren en vernietigden zijn tanks de hele brigade.
Maar door de vertragingsactie hadden de terugtrekkende Egyptenaren enig
respijt gekregen. De rest van de divisie, ongeveer eenderde van het aantal
mannen dat drie dagen daarvoor aan de oorlog was begonnen, kon zonder
verdere verliezen het kanaal oversteken.

Jeruzalem, 05.30

Eindelijk kreeg generaal Narkiss opdracht de Oude Stad in te nemen. De
plaatsvervangend stafchef van Israël, Chaim Bar Lev, zei tegen hem: 'We
staan al onder druk om een staakt-het-vuren te accepteren. We hebben het
Suezkanaal bereikt. De Egyptenaren zijn aan mootjes gehakt. We moeten dus
zorgen dat de Oude Stad geen enclave blijft.' Dit was het moment waarop
Narkiss had gewacht sinds 1948, toen hij niet had kunnen voorkomen dat de
joodse wijk door de Jordaniërs werd veroverd. Iedereen in zijn commandocentrum was 'volledig wakker en opgewonden van de spanning'.

06.00

David Rubinger, fotograaf voor *Time*, was weer thuis in Jeruzalem. Hij had drie weken bij de Israëlische troepen in de Sinaï doorgebracht en was de avond ervoor teruggekomen. Over de foto's die hij tijdens de eerste 48 uur van de oorlog had gemaakt was hij niet tevreden. Ironisch genoeg had hij zich te dicht op de actie bevonden en had hij moeite gehad om vast te leggen wat er gebeurde. Hij besloot dat hij niet de oorlog zelf diende te fotograferen, maar de gevolgen ervan. Op dinsdagavond had hij het gerucht gehoord dat Jeruzalem bijna was gevallen. Dit klonk veelbelovend. Hij sprong in een helikopter die gewonde soldaten evacueerde, negeerde iemand van het grondpersoneel die schreeuwde dat hij moest uitstappen en keerde zo terug naar Israël. Hij haalde zijn auto op, nam een lifter mee die reed, zodat hij kon slapen, en begaf zich zo naar Jeruzalem. Terwijl Rubinger met zijn gezin zat te ontbijten, hoorde hij aan het gebulder van de kanonnen dat de strijd weer oplaaide. Terwijl hij zijn gezin vaarwel kuste, raakten granaatscherven het dak van het huis. Hij reed tot zo dicht mogelijk bij de Oude Stad en liep vervolgens verder naar de Mestpoort, die dicht bij de Klaagmuur ligt.

08.00

Vanuit zijn tuin kon de Amerikaanse journalist Abdullah Schliefer de Israëlische vliegtuigen zien die Jordaanse posities bombardeerden rond het Augusta-Victoriahuis, een stevig en hoog Pruisisch gebouw dat de Duitse keizer eind negentiende eeuw had laten bouwen in de tijd dat hij begerige blikken op Jeruzalem wierp. Het keek uit op het stuk land tussen de Scopusberg en Olijfberg. In 1967 deed het als ziekenhuis dienst. Tweehonderd Palestijnse doktoren, verplegers en patiënten hielden zich schuil in de kelder en hoopten dat de zware fundamenten van het gebouw sterk genoeg waren om hen te beschermen. Ze voelden het gebouw schudden. Toen de luchtaanvallen waren afgelopen, zag Schliefer Israëlische paratroepen onder zware artilleriedekking oprukken naar het Augusta-Victoria. Ze kwamen van de Scopusberg en gingen via de weg uit Wadi Joz de Olijfberg op.

De Palestijnse handelaar Hamadi Dajani had zijn gezin naar het Indian Hospice (het Indiase verpleeghuis) gebracht, een stevig gebouw van twee verdiepingen in de dichtbevolkte moslimwijk van de Oude Stad. Het Indian Hospice staat net binnen de Herodespoort, op een van de weinige stukjes open land in de Oude Stad, dicht bij de noordoosthoek van de stadsmuren. Het werd door de islamitische autoriteiten gebouwd voor pelgrims uit het Indiase subcontinent. De Dajani's hoorden het geluid van de strijd en er kwamen Israëlische vliegtuigen over, maar het leek goed georganiseerd en veilig. Ze waren welkom in het Hospice omdat Hamadi's vrouw Amina half Indiaas was. Ze hadden drie kinderen, een dochter Manal, die vijf was en twee zonen, Mohammed van vier en Ahmed van drie. Er schuilden nog een tiental andere mensen. De vrouwen hadden eten meegenomen en maakten een maaltijd van Palestijnse salades klaar. Ahmed dacht 35 jaar later dat hij nog precies wist hoe ze hadden gesmaakt.

Dajani had zijn kinderen toestemming gegeven buiten te spelen, voor de deur van het stevige stenen gebouw. De jongens droegen witte shorts en het meisje, Manal, een witte jurk. Toen hoorden ze het gekrijs van straalvliegtuigen. Hun vader schreeuwde dat ze snel binnen moesten komen. Maar voordat ze zich zelfs maar konden omdraaien, sloeg de eerste bom door het dak van het verpleeghuis en ontplofte. Granaatscherven en steensplinters vlogen in het rond. Mohammed, de zoon van vier, was meteen dood. Zijn grootmoeder, die met een ander kind op schoot had gezeten, werd onthoofd, terwijl het kind ongedeerd bleef. Dicht bij de deur voor het huis lagen Ahmed en Manal in een plas bloed. Ahmeds linkerhand was verpletterd en zijn lichaam zat vol wonden van granaatscherven. Manal was er erger aan toe en was zwaargewond aan haar arm. Hun vader Hamadi was bewusteloos en ernstig door granaatscherven gewond. Amina Dajani zag haar moeder en zoon voor haar ogen gedood worden en haar man en twee andere kinderen ernstig gewond raken. Ze rende naar buiten om hen te helpen, maar er viel weer een bom en ook zij werd gedood. De Israëlische vliegtuigen leken het gemunt te hebben op een Jordaanse mortierpositie dichtbij. Maar volgens de Dajani's die het er levend van af brachten – en volgens andere getuigen – hadden de Jordaniërs negen uur voor dit bombardement hun mortierstelling verlaten.

08.30

De zon was opgekomen boven de woestijn van Judea en kroop over de Olijfberg. De schaduwen rond de kerktorens en minaretten van Jeruzalem werden weggebrand. Kolonel Mordechai Gur, commandant van de Israëlische paratroeperbrigade, keek vanaf zijn positie op de Olijfberg uit op het ommuurde hart van Jeruzalem, de Oude Stad. Het uitzicht werd gedomineerd door de moskee van de Rotskoepel, die volgens moslims op de plek staat waar de profeet Mohammed via een trap van licht ten hemel steeg. Sinds de Rotskoepelmoskee aan het eind van de zevende eeuw werd gebouwd, is hij altijd het eerste geweest wat reizigers en veroveraars van Jeruzalem zagen als ze over de top van de Olijfberg kwamen. Kruisridders, Ottomanen en Britten hadden op de Olijfberg gestaan en begerig naar de heilige stad beneden hen gekeken. En nu, op deze prachtige morgen in juni, was het de beurt aan kolonel Gur en zijn paratroepers.

Gur had net drie compagnieën naar beneden, naar de stadsmuur ge-stuurd. Zijn voornaamste doel lag diep in de Oude Stad, dicht bij de Rotskoe-pelmoskee, in een nauw steegje in de Marokkaanse wijk dat door moslims de al-Buraqweg was genoemd (omdat ze geloofden dat Mohammed daar het ge-vleugelde paard al-Buraq had vastgebonden, waarmee hij van Mekka naar Je-ruzalem was gereden). Aan een kant van de steeg liep een hoge muur die was gebouwd van grote gladde stenen van ongeveer gelijke grootte en bekend-stond als de Klaagmuur. Voor joden was dit de heiligste plaats ter wereld om te bidden. Tweeduizend jaar eerder was dit de westelijke muur geweest van het complex waar de tweede joodse tempel van koning Herodes deel van uit-maakte. Deze was na een joodse opstand in de eerste eeuw na Christus door de Romeinen gesloopt. De meeste joden van Jeruzalem waren daarna ge-vlucht en over de wereld verspreid. Maar in de joodse heilige geschriften wa-ren gedetailleerde beschrijvingen van de tempel bewaard gebleven. Het was een prachtig zwaar, met goud versierd stenen bouwwerk geweest. Nu, in 1967, vochten de joden zich terug naar deze plek. De generatie Israëliërs die de staat hadden gesticht, bestond vooral uit niet-religieuze socialisten voor wie de oude symbolen aanvankelijk weinig betekenis hadden. Maar naarmate ze dichter bij het hart van Jeruzalem kwamen, leken ze steeds belangrijker te worden.

Velni en Ronen, twee journalisten van de Israëlische legerradio, luisterden op het dak van het vakbondsgebouw in Jeruzalem via hun walkie-talkies naar het radioverkeer op het slagveld. Plotseling herkenden ze Gurs stem die het bevel gaf de Oude Stad te bezetten: 'Oproep aan alle bataljonscommandan-ten. We staan op de berg die uitkijkt over de Oude Stad en we stormen zo naar beneden, de stad in. Al onze generaties hebben gedroomd van het bezit van de Oude Stad. [...] Wij zijn de eersten die haar zullen binnenvallen. [...] tanks gaan zo de Leeuwenpoort binnen. Komt allen! We zien elkaar op het plein achter de poort.'

Bij de journalisten was de opperrabbijn van het Israëlische leger, Shlomo Goren. Hij was een dag eerder teruggekeerd van de strijd in Gaza, zijn ge-zicht met roet bedekt. Hij zei tegen Narkiss: 'Wie maalt daar om het zuiden? Jeruzalem en de Tempelberg, die zijn belangrijk! Jullie zullen geschiedenis schrijven!' Goren rende naar zijn auto om zich naar de Leeuwenpoort te haasten. De twee jonge journalisten sprongen bij hem achterin.

Tegenover de Olijfberg ligt de St. Stefanuspoort, een van de zeven hoofd-poorten van Jeruzalem. Hij staat ook bekend als de Leeuwenpoort, omdat bij de ingang een aantal stenen leeuwen in reliëf op de muur staan afgebeeld. Gur zag zijn mannen achter de tanks aan de steile weg op rennen. Hij stapte in zijn halfrupsvoertuig en racete naar beneden om hen in te halen.

'Ik zei tegen mijn chauffeur, Ben Zur, een vent van zo'n honderd kilo met een grote baard, dat hij bliksemsnel achter ze aan moest rijden. We haalden de tanks in en zagen de poort voor ons liggen, met een brandende auto ervoor. Er was niet veel ruimte, maar ik zei tegen hem dat hij door moest rijden. We reden langs de brandende auto en zagen de poort halfopen voor ons.' Gur dacht even aan de mogelijkheid van boobytraps, maar gaf toch het bevel: 'Ben Zur, rijden maar! Hij gaf vol gas, dwars door de poortdeur heen, die versplinterde, en we bonkten over de stenen heen die van boven waren gevallen en de weg blokkeerden.' De Israëliërs waren in de Oude Stad.

Don McCullin, fotograaf van *The Sunday Times*, reed achter hen aan. Hij scheurde over de weg naar Jeruzalem met de journalist Colin Simpson. Nu de Israëliërs zo dicht bij een historische overwinning waren, hadden ze de geheimhoudingsstrategie opgegeven. McCullin, Simpson en nog een paar anderen waren met een oude Israëlische De Havilland Rapide in Cyprus opgehaald en naar Tel Aviv gevlogen. Op de weg naar Jeruzalem leek het zo vredig dat ze dachten dat de oorlog voorbij was en ze alles hadden gemist. De BBC zei op de radio dat de Oude Stad al was ingenomen. In Jeruzalem stuitten McCullin en Simpson op een groep soldaten van het 1ste Jeruzalem-regiment. Ze zeiden tegen de commandant van de voorste compagnie: 'Als u van plan bent om joodse geschiedenis schrijven, is het dan geen goed idee als *The Sunday Times* erbij is om dit vast te leggen? Ze stemden meteen toe en we trokken samen met hen verder door de olijfboomgaarden.'

Ook Ava Yotvat, wier man Moshe buiten Ramallah gewond was geraakt, reed met de auto van Tel Aviv naar Jeruzalem. Het leek stil op de weg, maar de sfeer bleef gespannen. Om middernacht had een officier op haar deur geklopt om te vertellen dat haar man gewond was geraakt. Ze vond hem in het Hadassah-ziekenhuis in Ein Karem in West-Jeruzalem. Er werden na de straatgevechten zo veel gewonden behandeld, dat ze dacht dat haar man er nooit aan de beurt zou komen. Ze nam hem mee naar Tel Aviv, waar het grootste ziekenhuis honderden bedden klaar had staan voor gewonden die er niet waren. De dokters dromden om hem heen, opgetogen dat ze eindelijk iets te doen hadden.

McCullin volgde de soldaten van het Jeruzalem-regiment die optrokken naar de Mestpoort, een van de zuidelijke ingangen tot de Oude Stad.

Er vielen veel doden en gewonden op het eerste stuk van honderd meter binnen de poort. We werden van alle kanten beschoten door sluipschutters. De kogels vlogen ons om de oren en we verspreidden ons. We hadden zo weinig dekking dat we geen schijn van kans hadden gehad als de Arabieren mortieren hadden gebruikt. Plotseling sprong er een Jordaanse soldaat voor onze neus met zijn handen omhoog. Hij leek niet gewapend, maar iedereen liet zich op de grond vallen, want we stonden op scherp vanwege de sluipschutters. De Jordaniër werd aan flarden geschoten. [...] De eenheid trok verder. Onze voorste man werd doodgeschoten en een paar meter verderop kreeg de volgende man een kogel door zijn borst. Een dokter kwam op me af en riep dat hij een mes nodig had om de kleding van de man weg te snijden, maar ik begreep de stroom Hebreeuwse woorden niet, totdat iemand 'mes' in het Engels zei. Ik frommelde in mijn zakken op zoek naar mijn mes, maar de man was al overleden.

De straten van Jeruzalem waren bijna verlaten. Af en toe scheurde er een legerjeep de hoek om, een lege straat in. Een daarvan was van Goren en de journalisten. Ze raceten door de stad naar de Mandelbaumpoort, de doorgang tussen de twee sectoren van Jeruzalem, waar ze de jeep lieten staan. Goren had rollen van de joodse Bijbel, de Thora, en een *shofar*, een ramshoorn waarop naar joods gebruik bij belangrijke gelegenheden wordt geblazen. De twee journalisten volgden hem, langs de stadsmuur sluipend, in de richting van de St. Stefanuspoort.

Bij de Mestpoort hadden de Israëliërs het pleit bijna beslecht. De Palestijnen en overgebleven Jordaniërs begonnen zich over te geven. Sommige soldaten gooiden hun uniform weg en trokken burgerkleding aan, soms zelfs gestreepte pyjama's. Don McCullin zag dat de soldaten gehoorzaamden aan het bevel de heilige plaatsen niet te beschadigen. 'Meer dan eens zag ik dat de Israëliërs niet terugschoten als ze werden belaagd vanaf daken van godsdienstige gebouwen van welke overtuiging ook.'

De Palestijnse tandarts John Tleel keek naar buiten langs de kussens, dekens en dikke kleefpleisters waarmee hij de ramen van zijn huis in de christelijke wijk had dichtgemaakt. Hij zag Israëlische paratroepers omzichtig naderbij sluipen. Aanvankelijk dacht hij, net als veel anderen in de Oude Stad, dat het Irakezen waren. Toen hij hen Hebreeuws hoorde praten, besefte hij dat dit de eerste keer was dat hij die taal hoorde sinds de stad in 1948 was opgedeeld. De soldaten slopen met hun rug naar de muur 'behoedzaam verder, goed kijkend waar ze hun voeten neerzetten [...] wapens naar voren wijzend, tot het uiterste gespannen'. Hij ging zijn vrienden en familieleden binnenshuis van de komst van de Israëliërs op de hoogte brengen. Ze wilden hem eerst niet geloven.

Nadat kolonel Gur, de commandant van de 55ste Israëlische paratroeperbrigade, zijn mannen door de St. Stefanuspoort de Oude Stad in had geleid, stuurde zijn chauffeur Ben Zur hun halfrupsvoertuig naar links en verpletterde hij een motorfiets die in de weg stond. Ze reden het complex binnen met de grote moskeeën en de plaats van de oude joodse tempel. Anwar al Khatib, de Jordaanse gouverneur van Jeruzalem, stond hen samen met de burgemeester op te wachten. Ze zeiden tegen Gur dat het Jordaanse leger zich had teruggetrokken en dat er geen verzet meer was.

Uzi Narkiss en de plaatsvervangende stafchef van het Israëlische leger, Chaim Bar Lev, zaten Gur dicht op de hielen. Voordat ze de stad binnengingen, nam Narkiss per radio contact op met Gur, om te horen waar hij zich precies bevond. Gur sprak toen de bekendste regels van de oorlog van 1967 (tenminste voor de Israëliërs): 'De Tempelberg is van ons!' Narkiss geloofde hem niet. 'Ik herhaal, de Tempelberg is van ons', zei Gur. 'Ik sta hier naast de moskee van Omar [de Rotskoepelmoskee]. De Klaagmuur ligt hier een minuut vandaan.'

Narkiss en Bar Lev reden snel de helling naar de St. Stefanuspoort op. Er vonden nog steeds schotenwisselingen plaats tussen paratroepers en verdedigers op de stadsmuren. Her en der lagen lijken op straat. Ze lieten hun jeep staan en gingen te voet verder. Narkiss gooide een rookgranaat om hun dekking te geven. Ze klommen over een tank die in de poort was komen vast te zitten.

Yoel Herzl, de adjudant van Narkiss, haalde de generaals een paar minuten later in. Ze lagen op de grond en konden niet verder vanwege een sluipschutter. Herzl zag een stuk doek bewegen voor een raam op de tweede verdieping van een gebouw tegenover hen. Hij vroeg de paratroepers hem te dekken en rende naar de ingang. Hij sloop zo stil mogelijk de trap op. Door een open deur zag hij een rode *keffiyeh*, de rode hoofddoek die Jordaanse soldaten dragen. Het was de sluipschutter.

'Ik schoot een magazijn van mijn uzi op hem leeg. Daar voel ik me tot op de dag van vandaag slecht over. Het was een beslissing die ik in een fractie van een seconde moest nemen. Maar zo is de oorlog nu eenmaal. De snelsten blijven leven. Als je nadenkt, ben je er geweest.'

'Daarna ging het snel. Iedereen wilde naar de Klaagmuur, maar niemand wist precies waar die lag. We renden als gekken rond. Rabbijn Goren was er ook bij en hij zei: "Volg mij maar." Hij had een bijbel bij zich. We bleven rennen en kwamen bij de Klaagmuur. Ik was de zevende van de mensen die de Muur hebben bevrijd.'

Volgens Yossi Ronen, de jonge journalist van de legerradio die bij Goren was, 'bleef de rabbijn maar op de shofar blazen en bidden. De soldaten werden aangestoken door zijn enthousiasme en uit alle richtingen klonk "amen!". De paratroepers barstten uit in een lied en ik vergat dat ik een objectieve verslaggever was en zong samen met hen "Jeruzalem, stad van goud". De commandanten hielden korte, emotionele toespraakjes.' Narkiss verwees naar de mislukte poging in 1948 om de Oude Stad in te nemen. 'Zoiets is nog nooit gebeurd, voor degenen die hier nu staan. [...] We knielen hier allen voor de geschiedenis.'

Voor de Israëliërs was dit niet alleen het emotionele hoogtepunt van de oorlog, maar ook van de eerste negentien jaar van hun onafhankelijkheid. Alle aanwezige mannen waren diep ontroerd door de inname van de heiligste plek van het joodse volk. Velen huilden. Fotograaf David Rubinger noch BBC-correspondent Michael Elkins, die de eerste troepen naar de Klaagmuur waren gevolgd, was ook maar in het minst godsdienstig, maar ook zij werden meegesleept door de emoties. 'Iedereen huilde. Het was geen religieuze ontroering. Het was een gevoel van opluchting. We voelden ons verdoemd, ter dood veroordeeld. Maar nu haalde iemand de strop weg en zei: "Jullie zijn niet alleen vrij, jullie zijn oppermachtig." Het leek een wonder. Maar er viel nog een karwei af te maken. Rubinger lag op de grond in de nauwe steeg die langs de Klaagmuur liep om een idee te krijgen van de hoogte van de muur en nam terwijl de tranen over zijn gezicht stroomden foto's van de uitgeputte, maar zeer onder de indruk zijnde paratroepers.

Majoor Doron Mor, plaatsvervangend bevelhebber van bataljon 66, maakte zich zorgen toen hij de nauwe steeg bij de Klaagmuur zo vol soldaten zag staan. Hij was al 36 man kwijtgeraakt in de slag om Jeruzalem en wilde niet nog meer doden. 'Ik was bang dat een Jordaanse sluipschutter ze stuk voor stuk zou afknallen. We begonnen de soldaten de steeg uit te duwen, omdat het erg gevaarlijk was.'

Sinaï

Herzl Bodinger, de Israëlische piloot, had net weer een aanval uitgevoerd op Bir Tamada en vloog terug naar de basis. Hij stemde zijn radio af op de Voice of Israel, zodat zijn apparatuur hem de weg terug kon wijzen door zich op het radiosignaal te richten en hijzelf naar het nieuws kon luisteren. Er werd omgeroepen dat de Tempelberg in Israëlische handen was. Ze speelden 'Jeruzalem, stad van goud'. Bodinger was niet godsdienstig en het verbaasde hem dat hij toch zo buiten zichzelf was van vreugde. Generaal Yeshayahu Gavish, bevelhebber van de Israëlische troepen in de Sinaï, reed in zijn halfrupsvoertuig bij Bir Gifgafah, toen hij het nieuws hoorde. Hij vond het de opwindendste gebeurtenis van de hele oorlog. 'Maar toen dacht ik, o shit, nu krijgen zij alle eer.'

Nablus, Westoever

Rond elf uur 's avonds renden er Palestijnen door de straten. Ze riepen dat de Algerijnen eraan kwamen. Een menigte aan de rand van Nablus gooide rijst naar een gepantserde colonne die vanuit het oosten, vanuit de richting van Tubas en de oostelijke Jordaanoever, de stad binnenreed. Als het geen Algerijnen waren, dan misschien Irakezen. De menigte vond het niet erg. Radio Cairo had voortdurend bericht over de bijdragen van de Arabische broeders aan de oorlog. Nu kwamen hun redders eraan.

Maar de tanks waren Israëlisch en hoorden bij de divisie van generaal Peled. De troepen waren verwonderd over de ontvangst. 'Duizenden mensen
stonden langs de weg in Nablus met witte zakdoeken te wuiven en te applau-
disseren [...] we gingen de stad in en waren verrast [...] de bevolking was
vriendelijk.'

Toen een Israëlische soldaat probeerde een Palestijn te ontwapenen, werd
er geschoten. Er kwamen meer Israëlische tanks uit het westen nadat ze eindelijk de 40ste pantserbrigade bij het kruispunt van Qabatiya hadden verslagen, waar de gevechten bij zonsopgang waren hervat. Terwijl de Israëlische
tanks manoeuvreerden, openden Palestijnse burgers het vuur. Hierop volgde
een verward, zes uur durend vuurgevecht. Ook een paar Jordaanse tanks die
aan de andere kant van de stad stonden opgesteld, mengden zich in de strijd.
Buiten Nablus slaagden enkele Jordaanse tanks erin door te stoten naar de
Damiya-brug over de Jordaan en naar de Oostoever te ontkomen, waar het
betrekkelijk veilig was. Raymonda Hawa Tawil, een Palestijnse huisvrouw uit
de middenklasse, zat in de kelder met haar kinderen die doodsbang waren
toen de ontploffingen en het geweervuur steeds dichterbij kwamen. 'Mamma, wat gebeurt er? Mamma, gaan we nu dood? Hoe zien joden eruit?' Rond
zeven uur 's avonds hoorde Tawil een luidspreker aankondigen: 'De stad
heeft zich overgegeven. We doen u geen kwaad als u een witte vlag naar buiten steekt. Wie de straat opgaat, riskeert zijn leven. De burgemeester van Nablus vraagt u u over te geven.' De aankondiging was in literair Arabisch. Het
deed Tawil denken aan de overgave van Nazareth in 1948. Als kind had ze
toen de Israëliërs iets soortgelijks horen aankondigen. Koning Hussein sprak
voor de radio en spoorde hen aan zich met hand en tand te verdedigen. Een
oude man in de schuilkelder probeerde hen op te vrolijken. 'Met mijn kunstgebit kan ik nauwelijks een boterham eten, maar jullie hebben je eigen tanden
nog, dus bijt ze waar je maar kunt!' Nu, 1967, ging het schieten door tot in de
nacht.

Halverwege de middag vocht Israël zowel tegen de klok als tegen het restant
van het Jordaanse leger. De Israëliërs wisten goed dat als de Veiligheidsraad
eenmaal een resolutie voor een staakt-het-vuren had aangenomen, er nauwelijks meer tijd zou zijn om militaire acties te ondernemen. Israël wilde de hele
Westoever en Jeruzalem hebben veroverd voordat er een wapenstilstand werd
gesloten. Israël had zeker meer belang bij voortzetting van de strijd. Het
voerde verwoestende aanvallen uit tegen colonnes Jordaanse strijdkrachten
die zich van de hoge bergen hadden terugtrokken in de Jordaanvallei, de laagste plaats op aarde, om vandaar naar de Oostoever te ontkomen. Ze werden
gebombardeerd en beschoten door Israëlische oorlogsvliegtuigen (het waren
er minstens honderd volgens de Jordaniërs) en her en der met granaten be-

stookt door Israëlische tanks. Zonder luchtdekking waren ze aan de genade van de Israëliërs overgeleverd.

De Israëlische luchtmacht vloog tijdens de oorlog 597 missies tegen Jordanië, waarvan 549 aanvallen op gronddoelen. Sharif Zaid Ben Shaker, de derde neef van koning Hussein, had er zwaar onder te lijden. Hij was bevelhebber van de 6oste pantserbrigade die veertig van de tachtig tanks kwijtraakte, vooral door luchtaanvallen. 'Als je vanuit de lucht wordt beschoten, dan moet je je voertuig uitspringen (ik zat in een landrover) en snel een greppel opzoeken. De radiowagen achter me werd geraakt. Ze gebruikten veel napalm. Een napalmbom ketste af op het asfalt dicht bij me en vloog zo'n tweehonderd meter verder voor hij ontplofte. Ik had God aan mijn kant.'

Koning Hussein hoopte allang niet meer op een geheim staakt-het-vuren en had via Radio Jordanië aangekondigd de VN-resolutie te aanvaarden, maar de Israëliërs bleven aanvallen. Een paar Jordaanse eenheden bleven vechten. De meeste troepen probeerden de Jordaan over te steken naar de oostelijke oever of op de Westoever te verdwijnen. Findley Burns, de Amerikaanse ambassadeur in Amman, vreesde dat de Israëliërs probeerden het Jordaanse leger totaal te vernietigen. Hij was zo bezorgd over wat dat voor de stabiliteit van Jordanië zou betekenen dat hij er bij president Johnson op aandrong premier Esjkol te bellen en Israël ertoe over te halen het staakt-het-vuren te respecteren. Burns was zich er ook sterk bewust van dat bijna alle Jordaniërs dachten dat de Verenigde Staten de Israëliërs konden tegenhouden als ze dat wilden. En als ze dat niet wilden, dan vreesde hij dat de meer dan duizend Amerikanen in Jordanië door gewelddadige menigten belaagd zouden worden.

Bethlehem, 15.00 uur

De jonge moeder Badial Raheb uit de Melkgrotstraat in Bethlehem was bij het begin van de oorlog beter voorbereid dan haar buren. De Melkgrotstraat is een nauw steegje dat langs de kerk loopt waarvan christenen geloven dat hij is gebouwd op de plek waar Jezus werd geboren. Haar man Bishara Raheb, die een boekwinkel had, volgde het nieuws op de voet. Als hij thuis, was stond de radio altijd aan, vooral Saut al-Arab, de 'Stem van de Arabieren', uit Cairo. Bishara geloofde weinig van de opschepperige, bloeddorstige propaganda, maar hij hoopte dat de Arabieren sterk genoeg waren om de oorlog te winnen die volgens hem zeker zou uitbreken. Badial was nog twijfelachtiger. Ze wist dat de Arabieren niet alleen geen eenheid vormden, maar elkaar zelfs op ieder moment konden verraden, wat veel erger was. Hoe konden ze zo ooit de Israëliërs verslaan? Ze maakte zich zorgen. Ze had een zoon van vier, Mitri, en ze verwachtte nog een kind. Badial en Bishara hadden samen voorbereidingen getroffen voor de oorlog en voedsel ingeslagen.

De Jordaanse Hittin-infanteriebrigade trok zich 's middags zonder strijd uit Bethlehem terug. De burgemeester droeg zijn stad over aan een eenheid van de Jeruzalem-brigade die om drie uur 's middags Bethlehem binnentrok. De Rahebs hadden de ramen van hun huis toen al met karton dichtgemaakt. Ze hadden hun huis opzettelijk een leeg aanzien gegeven, in de hoop dat de Israëliërs het daarom links zouden laten liggen. Het gezin verschool zich in een ruimte met dikke stenen muren in de kelder van hun huis. Elektriciteit en water waren afgesloten, maar ze hadden kaarsen en er was een bron. In de kelder hoorden ze geluiden van de strijd. Het idee dat er Israëlische soldaten in hun stad waren, joeg hun doodsangst aan. Mensen spraken over het bloedbad bij Deir Yasin dat in 1948 had plaatsgevonden. Sommige buren dachten dat het weer zou gebeuren en waren naar Jordanië vertrokken. Badial voelde zich zelfs in haar stevige stenen kelder niet veilig. Ze besloot een schuilplaats te zoeken in de kerk tegenover hun huis. Op straat stond ze doodsangsten uit, hoewel het misschien maar 25 meter was naar de Geboortekerk. Haar zoontje Mitri had zijn been in het gips vanwege een ongeluk dat voor de oorlog, een paar dagen eerder, gebeurd was. Ook een oude tante was bij hen, een vrouw van halverwege de tachtig, die slecht liep.

De oude kerk zat vol mensen. Het was er erg donker. De elektriciteit was afgesloten en de mensen durfden geen kaarsen aan te steken, omdat die de aandacht van de Israëliërs konden trekken. Toen haar ogen eenmaal aan het donker waren gewend, zag ze honderden mensen, zo veel dat ze grote moeite hadden nog een plekje te vinden om te zitten.

Cairo

Veldmaarschalk Amer verleende audiëntie aan de Russische militaire attaché. Hij ontving hem op zijn hoofdkwartier in het gloednieuwe gebouw van het ministerie van Defensie in Nasser City, in een nieuwe buitenwijk van Cairo. Sergej Tarasenko, eveneens attaché, was bij hen als tolk. De sfeer rond en in het ministerie was niet wat Tarasenko had verwacht. Er waren geen controleposten, geen slagbomen, geen bewakers. Alleen bij de ingang van het gebouw stonden soldaten. Een onberispelijk geklede officier opende de deur voor hen. Ergens op de achtergrond stond luchtdoelgeschut dat door drie soldaten werd bemand.

Ze daalden diep in de kelders af met een lift en werden een grote zaal binnengeleid. Hier zaten een stuk of tien hoge officieren bij elkaar. Tarasenko snapte hun kalmte niet. 'Ik had verwacht hen hectisch bezig te zien, met boodschappers die heen en weer reden en mannen die orders en reprimandes in telefoons of walkie-talkies blaften. Maar het was volkomen stil en rustig. De officieren nipten aan een kopje koffie en maakten af en toe een rustige opmerking. Een paar luisterden naar kleine transistorradio's.'

Amers kantoor lag naast de grote, rustige zaal. Hij zat in een leunstoel met een klein tafeltje naast zich. Het viel Tarasenko op dat er een vijftien centimeter lange scheur zat in het uniform van de veldmaarschalk dat gewoonlijk onberispelijk was. De Russen wisten al dat de oorlog slecht verliep voor Egypte. Nu begonnen ze erger te vermoeden. Terwijl ze Arabische koffie dronken, vroeg de militaire attaché hoe de situatie aan het front was. Amer zei 'zonder zijn irritatie te verbergen' dat hij zich op dat precieze moment vooral bezighield met Nassers besluit het Suezkanaal af te sluiten. Hierdoor zou de oorlog volgens Amer zeker op een internationaal conflict uitdraaien. De Sovjet-attaché stelde nu een aantal specifieke vragen. Waar bevond zich de frontlijn? Hoe stond het ervoor met bepaalde eenheden? Wat gebeurde er in Ishmailia? Amer gaf geen antwoord op de vragen. 'Het was duidelijk dat hij zelf geen idee had van wat er op het slagveld gebeurde. Ik had de indruk dat hij drugs had genomen of er gewoon totaal niet bij was.'

Amer leefde pas op toen hij vertelde dat Egypte nu niet alleen tegen Israël, maar ook tegen de Verenigde Staten vocht. Hij zei dat de Israëlische luchtmacht was vernietigd door Egyptische, Syrische en Jordaanse vliegtuigen – een bewering die in dat stadium volkomen absurd was. De oorlog werd volgens hem voortgezet door de Amerikanen, die vanaf vliegdekschepen in de Middellandse Zee opereerden. Egypte verwachtte onder deze omstandigheden hulp van de Sovjet-Unie. De militaire attaché vroeg naar bewijzen. Hadden ze een Amerikaans vliegtuig neergehaald? Of een Amerikaanse piloot gevangengenomen? Amers antwoord was 'op het onbeschofte af'. Hij zei tegen de twee Russen dat alles al bekend was en dat bewijzen overbodig waren. Bovendien waren alle neergehaalde vliegtuigen in zee gevallen en gezonken. Vervolgens maakte hij een einde aan het gesprek.

Buiten Amers bunker – in de werkelijke wereld – was het rustig geworden na een nacht van luchtaanvallen op fabrieken en de luchtmachtbasis Cairo West. Het gerucht ging door de stad dat er een ramp was gebeurd in de Sinaï. Plaatselijke journalisten van het officiële nieuwsagentschap het Midden-Oosten beschuldigden de Sovjets van verraad. Waarom hadden ze niet ingegrepen? Waarom was het leger verrast dat Amerikanen en Britten Israël hielpen? Sommigen zeiden dat het even erg zou zijn indien de ontkenningen van Londen en Washington dat ze aan de oorlog deelnamen waar waren, omdat het Egyptische leger dan de Israëliërs op een rampzalige manier had onderschat. Zelfs Nasser werd bekritiseerd. Een journalist van *al-Ahram*, de favoriete krant van het regime, zei dat Nasser de keuze had tussen zichzelf van kant maken en het land verlaten.

'Wanhoop daalde neer over de stad', schreef Trevor Armbrister, een van de 22 Amerikaanse journalisten die in Cairo de oorlog versloegen. Zelfs op de Nijl was het rustig. Een paar feloeka's dreven met opgerolde zeilen stroomafwaarts. De bruggen werden bewaakt door troepen in gevechtstenue, met de bajonet op het geweer. Even na twaalf uur 's middags werden Armbrister en zijn 22 collega's 'aangehouden en meegenomen naar het Nijl-hotel, een vervallen gebouw aan de boulevard. Terwijl we bij de ingang op en neer drentelden, kwam er een konvooi militaire voertuigen voorbij, waaronder vrachtauto's geladen met zandzakken en artilleriegranaten. We hadden dergelijke konvooien vaak voorbij zien komen en de troepen hadden altijd gezongen. Nu waren ze stil. De Egyptenaren maakten duidelijk dat we onder huisarrest stonden. Een man met een blauwe mantel, een Nubiër die Mahatma heette, hield een dikke zwarte arm voor mensen die probeerden naar buiten te kijken.' Het restaurant van het hotel was verplaatst naar de verwarmingsruimte, 'een stinkend keldergewelf vol vliegen'. Als lunch kregen ze gedroogd vlees waarvan ze dachten dat het van kameel was. 'Obers in smerige galabia's zetten zes flessen bier op de tafel. Het waren de laatste. Nieuw bier zou er pas weer na de oorlog zijn, want de bierfabriek was dicht.' Ze luisterden naar berichten van de BBC en de Voice of America op de kortegolfradio en vroegen zich af hoe lang hun gedwongen verblijf nog zou duren.

Gaza

Nadat de 25-jarige schoolmeester Kamel Sulaiman Shaheen uit Gaza zich drie dagen ten zuiden van zijn geboortestad Deir al Balah met zijn gezin in een boerenschuur had schuilgehouden, besloot hij dat het veilig genoeg was om gezamenlijk naar huis terug te keren. Achter hun huis in Deir al Balah bevond zich een politiebureau dat tijdens hun afwezigheid door het Israëlische leger was bezet. Shaheen hoorde een salvo van een machinegeweer en dacht dat het geluid van een open plek dicht bij het politiebureau vandaan kwam. Toen hij wat later met een paar buren ging kijken wat er was gebeurd, vonden ze de lichamen van vijf geëxecuteerde Egyptische soldaten in het stof. Burgers namen de lichamen mee en begroeven ze. Er was een avondklok ingesteld in Deir al Balah. De Israëliërs doorzochten ruw de huizen. Ze rukten jonge mannen weg bij doodsbange vrouwen en kinderen, namen hen mee naar buiten en schoten hen dood. Sulaiman Shaheen hielp vijf mannen uit de buurt begraven die door de Israëliërs waren vermoord. 35 jaar later zit hij in zijn school in Deir al Balah (hij is nu directeur en gaat over een paar weken met pensioen) en noemt de namen op van de vermoorde mannen, terwijl de jongere leraren luisteren.

'Mahmoud Ashur, Abd al Rahim Ashur, Ali Ashur, mijn neef Ahmed Shaheen, Abd al Marti Ziada... Hun lichamen heb ik gezien. Ik hoorde van anderen die waren omgebracht, maar hun namen kende ik niet. Er werden veel mensen vermoord. Ze werden doodgeschoten omdat ze de avondklok negeerden. Maar mensen wisten niet wat de regels waren, want die werden in heel slecht Arabisch aangekondigd. [...] Ze gingen steegjes en nauwe straten in waar mensen dachten dat ze zich veilig konden bewegen. [...] Het waren bijzonder moeilijke, pijnlijke dagen. We hadden weinig eten en geen elektriciteit of water.

'Na zes of zeven dagen begonnen de Israëliërs mensen te arresteren in plaats van ze meteen dood te schieten. We hadden een paar Egyptische soldaten verborgen gehouden en hun burgerkleding gegeven. Na een tijdje dachten ze zich veilig te kunnen overgeven en meldden ze zich.'

Jeruzalem

Moshe Dayan sprak het land toe via de radio. 'We hebben Jeruzalem verenigd [...] we zijn teruggekeerd naar het heiligste der heiligdommen en zullen dit nooit meer opgeven.'

Een paar uur nadat de Israëliërs de Tempelberg hadden veroverd, ging rabbijn Goren naar generaal Narkiss, die in gedachten verzonken voor zich uit stond te kijken.

'Uzi,' zei de rabbijn, 'dit is het moment om honderd kilo springstof aan te brengen in de moskee van Omar, zodat we er voor eens en altijd van af zijn [...] je zult geschiedenis schrijven als je dat doet.'

'Mijn naam komt al in de geschiedenisboeken over Jeruzalem te staan.'

'Je begrijpt niet hoe geweldig de betekenis van die daad zal zijn. Dit is een kans waarvan we nu, op dit moment, moeten profiteren. Morgen is het te laat.'

Om de rabbijn het zwijgen op te leggen dreigde Narkiss hem in de gevangenis te laten gooien.

Een van de paratroepers klom op de koepel van de moskee en hing daar een grote Israëlische vlag op. In het weekend beval Moshe Dayan hem weer weg te halen. Hij gaf de Israëlische troepen ook bevel uit het Haram al Sharif-complex te vertrekken, maar ze bleven wel bij de poorten. Het dagelijks bestuur van het complex werd weer overgedragen aan moslimautoriteiten. Joden mochten er binnengaan, maar niet om te bidden. In een speech voor een militair congres noemde rabbijn Goren Dayans bevelen 'een tragedie voor toekomstige generaties [...] Ikzelf zou het er volkomen kaal hebben geslagen, zodat er geen spoor van de moskee van Omar was overgebleven.'

Israëlische soldaten gingen in de Oude Stad van huis tot huis om de overgebleven verzetshaarden op te ruimen. Haifa Khalidi, een Palestijns schoolmeisje van achttien, had een grote Arabische overwinning verwacht, want ze geloofde net als iedereen die ze kende in de propaganda. Toen het artillerievuur op zijn hevigst was, dacht ze dat Israëlisch West-Jeruzalem in de as werd gelegd. De buren keken op een gegeven moment uit het raam en zagen soldaten in camouflage-uniform die ze voor Irakezen versleten. Maar Haifa's moeder, die zich de joden van voor 1948 herinnerde, wist dat de soldaten Israëliërs waren en zei tegen haar dat ze bij het raam weg moest gaan. De soldaten bonsden op de voordeur van de Khalidi's en schreeuwden in het Engels: 'Doe open, onschuldige mensen doen we niets.' Maar voordat ze konden besluiten of ze hen moesten binnenlaten, hadden de Israëliërs met explosieven de deur opgeblazen. 'Ze kwamen binnen om huiszoeking te doen. Ze merkten dat we ontwikkelde mensen waren en waren daarom beleefd en correct. De soldaten spraken Engels met een Amerikaans accent.'

Om negen uur 's avonds mochten de Israëlische burgers van Jeruzalem pas uit hun schuilplaats komen waar ze in hadden gezeten sinds de morgen dat de oorlog begon. Tijdens de eerste drie oorlogsdagen werden veertien Israëlische burgers gedood en vijfhonderd gewond. Dergelijke cijfers ontbreken voor de Palestijnen.

Jericho

Duizenden Palestijnen vluchtten voor het oprukkende Israëlische leger uit, zoals hun vrienden en familieleden negentien jaar eerder ook hadden gedaan. Ze liepen Jeruzalem via de steile weg uit, in de richting van de Dode Zee en de Jordaan. De vrouwen hadden soms koffers op het hoofd en vuile, huilende kinderen op blote voeten op sleeptouw. De oude stalen brug over de rivier was opgeblazen door de Israëliërs en hing in het modderige water van de Jordaan. De Britten hadden de brug naar generaal Allenby genoemd, die in 1917 Jeruzalem voor hen had veroverd, maar Jordanië had hem omgedoopt tot de koning Hussein-brug. De lange stroom vluchtelingen bewoog zich er kruipend overheen naar de andere oever, waar ze veilig hoopten te zijn.

In en rond Jericho ging het bombarderen door. Sami Oweida, die voor de gemeenteraad van deze stad werkte, zag Irakese soldaten die door napalm waren geraakt. 'Ze wierpen zich voor de brandslang, maar bleven branden. Ze gilden doordringend.' Toch dacht Oweida dat hij thuis het veiligst was. Maar Oweida's zeventienjarige dochter Adla, die net eindexamen had gedaan van de middelbare school, smeekte hem om te vluchten. En dat deden ze ten slotte. Om halftwee 's middags gingen ze op weg.

Onderweg naar de brug zagen we niet minder dan tweehonderd lijken van soldaten en burgers. Voorbijgangers bedekten de lichamen met wat er ook maar voorhanden was.

We staken lopend de koning Hussein-brug over [...] We probeerden de menigte te ontwijken, omdat we dachten dat de vliegtuigen die zouden bombarderen. Op dat moment, om ongeveer vier uur, zag ik een vliegtuig als een valk op ons neer duiken. Hij kwam recht op ons af. We wierpen ons op de grond en toen begon het overal om ons heen te branden. Kinderen stonden in brand, en ook ikzelf, mijn twee dochters, mijn zoon en twee kinderen van mijn neef... Ik probeerde de vlammen te doven, maar dat lukte niet. Er was overal vuur. Ik droeg mijn brandende kind uit het vuur. Brandende mensen werden naakt. Het vuur plakte aan mijn hand en gezicht. Ik rolde op de grond heen en weer, maar het vuur rolde met me mee.

Op dat moment kwam er weer een vliegtuig in duikvlucht recht op ons af. Ik dacht: dit is het einde. Ik kon niet met mijn gezicht naar beneden liggen, want mijn handen en gezicht brandden. Ik zag het vliegtuig vlak over me heen komen. Ik dacht dat de wielen van het vliegtuig ons zouden raken. Ik zag de piloot naar opzij leunen en naar me kijken.

Sami Oweida en zijn gezin waren door napalm getroffen, een bijzonder brandbare, gelatineachtige stof die uit een mengsel van benzine en verdikkingsmiddel bestaat. De ouders pakten hun verbrande kinderen op en liepen door naar Amman. Oweida's vier jaar oude dochter Labiba overleed die nacht en Adla vier dagen later. Zijn zoon had eveneens ernstige brandwonden, maar bleef leven.

De Israëlische luchtmacht maakte in 1967 veel gebruik van napalm. Zowel bij de Amerikanen in Vietnam in de jaren zestig als bij de NAVO in Kosovo in 1999 bleek hoe moeilijk het is verkeer op wegen met precisie te bombarderen. Het is voor piloten heel gemakkelijk vanuit hun hypermoderne straalvliegtuigen voertuigen op de grond vernietigen, maar veel moeilijker, zoniet onmogelijk, om te zien of er soldaten of burgers in zitten. Sharif Zaid Ben Shaker, de neef van koning Hussein die commandant was van een van de twee Jordaanse pantserbrigades tijdens de luchtaanvallen, was er tot zijn dood in 2002 van overtuigd dat Israël geen onderscheid maakte tussen burgers en militairen op de weg. Toen hij terugreed naar de Oostoever (dit was de dag voordat Sami Oweida's gezin met napalm werd aangevallen), zag hij een bus vol burgers uit Jericho naar de brug rijden. Tien minuten later zag hij de bus weer, nadat deze vanuit de lucht met napalm was gebombardeerd. 'Mannen, vrouwen en kinderen (er hadden geen soldaten in de bus gezeten) zaten geheel verbrand nog op hun plaats. De chauffeur zat nog met zijn handen op het stuur. De Israëlische piloten maakten geen enkel onderscheid. De geur die ik rook toen ik hen voorbijreed, zal ik nooit vergeten. Ze gebruikten al hun wapens, zonder enig onderscheid te maken. Ze hadden alle tijd om te kijken. Ze amuseerden zich gewoon. Ze hingen boven ons en kozen hun doelen.'

De eerste golf vluchtelingen (zo'n 125.000 mensen) stak van de eerste dag van de oorlog tot 15 juni de Jordaan over. De Jordaanse regering was ontzet over de grote stromen mensen die het land binnenkwamen, want ze hadden nauwelijks mogelijkheden om hulp en opvang te bieden. Volgens Britse diplomaten was de Jordaanse overheid net zo 'verdoofd en gedesoriënteerd' als het volk en absoluut niet in staat de opvang en distributie van hulpgoederen te organiseren. Radio Amman raadde de Palestijnen op de Westoever aan thuis of in hun kamp te blijven. Het hoofd van de openbare veiligheid kreeg bevel de vluchtelingen zo nodig met geweld tegen te houden, maar hij weigerde. De Jordaanse overheid en de UNRWA, de VN-organisatie voor Palestijnse vluchtelingen, hadden onvoldoende ruimte om alle mensen onder dak te brengen. In de UNRWA-scholen, waar in ieder klaslokaal vijf of zes gezinnen verbleven, was de situatie slecht en bedreigde de volksgezondheid. Overal werden kampen opgezet, maar meestal ontbraken zelfs de eenvoudigste faciliteiten.

Mensen die de Jordaan waren overgestoken, gingen op zoek naar nieuws over familie en vrienden. Alle normale communicatiemiddelen met de Westoever waren afgesneden, dus waren er alleen alarmerende berichten. Er deden allerlei overdreven verhalen de ronde over gedode militairen en burgers in Jenin, Jeruzalem, Jericho en Ramallah, waardoor de angst en spanning verder toenamen. Ondernemende jongens verdienden geld met het overbrengen van berichten naar de westelijke Jordaanoever door de rivier over te waden of te zwemmen. De buitenlandse consulaten in Jeruzalem werden overspoeld met vragen van in het buitenland wonende Palestijnen die familieleden wilden traceren die uit de Westoever waren gevlucht.

Mary Hawkins, hoofdverpleegster bij de organisatie Save the Children, moest haar frustratie verbijten. Berichten over wat er bij de oversteekplaatsen over de Jordaan gebeurde, bereikten ook Amman en ze wilde iets doen. Hawkins was een zeer ervaren Britse verpleegster van 55, een vrouw die niet klein te krijgen was. In de Tweede Wereldoorlog kreeg ze tijdens het beleg van Monte Cassino van de Vrije Franse troepen het Croix de Guerre uitgereikt nadat ze drie dagen onder vuur gewonden had gepleegd. In 1948 werkte ze met de eerste golf Palestijnse vluchtelingen, de 750.000 die hun huizen waren kwijtgeraakt tijdens de Israëlische onafhankelijkheidsoorlog. In 1956, na de onderdrukking van de Hongaarse opstand door Sovjettroepen, ging ze naar Oostenrijk om vluchtelingen te helpen. Gezinnen probeerden midden in de winter het IJzeren Gordijn over te vluchten naar Oostenrijk en werden beschoten door grenswachters en Sovjettroepen. Sommige probeerden zwemmend, in rubberbootjes of opgeblazen binnenbanden het ijskoude Einserkanaal over te steken. De vluchtelingen gaven hun kinderen een zware dosis brominal, zodat ze rustig bleven als er grenswachters of Sovjetsoldaten passeerden. Hawkins behandelde bevroren ledematen van mensen die het hadden gehaald en gaf de gedrogeerde kinderen zwarte koffie om ze bij bewustzijn te houden.

Maar Hawkins en de Britse medewerkers van Save the Children in Jordanië durfden sinds de tweede dag van de oorlog niet hun huis uit te komen. Ze waren gewaarschuwd dat de straat opgaan gevaarlijk was, omdat veel mensen geloofden dat Israël op doorslaggevende wijze werd geholpen door Britse en Amerikaanse vliegtuigen. Hun Arabische collega's hadden de organisatie draaiende gehouden, terwijl zijzelf 'twee eindeloze dagen lang' Scrabble hadden gespeeld in een appartement in Amman.

Londen

De Britten en Amerikanen begonnen meteen een tegencampagne om de propagandistische beschuldigingen te ontkennen dat ze aan de kant van de Israëliërs meevochten. Via alle radio- en televisiestations werd de ontkenning officieel bekendgemaakt. De vs en Groot-Brittannië begrepen dat een ontkenning op zich niet volstond en hadden daarom besloten Nasser op alle mogelijk manieren aan te vallen, maar op discrete wijze, aangezien een rechtstreekse aanval alleen maar averechts zou werken. Er moest worden aangetoond dat Nasser verantwoordelijk was voor de ramp die de Arabieren nu overkwam. Een Amerikaanse ambtenaar die Chet Cooper heette, kreeg tot taak de Arabische beschuldigingen te ontkennen. Hij probeerde 'een prominente Arabier te vinden die bereid was de Egyptische leugenachtigheid aan de kaak te stellen'. Toen dat niet lukte, stelde hij voor veel ruchtbaarheid te geven aan het feit dat het Egyptische leger in Jemen gifgas had gebruikt om Nasser bij de Arabieren in diskrediet te brengen.

In Londen gaf een functionaris adviezen over de manier om het nieuws zo te brengen dat het leek of Groot-Brittannië de Arabische landen veel vriendelijker gezind was dan in werkelijkheid. De officiële Israëlische versie van de manier waarop de oorlog was begonnen, met een Egyptische aanval waarop het Israëlische leger had gereageerd, moest op subtiele wijze worden bijgesteld. Hoewel de Britten en Amerikanen wisten dat Israël op 5 juni niet ten strijde was getrokken in reactie op een Egyptische aanval, zoals men beweerde, hadden ze de Israëlische voorstelling van zaken niet in het openbaar in twijfel getrokken. Nu moest de BBC worden aangemoedigd uit onofficiële Britse bronnen te citeren die zeiden dat de Israëliërs als eerste de grens waren overgestoken. Volgens de adviseur zou de BBC het Britse wapenembargo en de Israëlische protesten daartegen moeten benadrukken (terwijl Groot-Brittannië wapens aan Israël bleef leveren tot aan de morgen dat de oorlog begon).

Maar het was allemaal aan de late kant. De 'grote leugen' was nu moeilijk te ontzenuwen en werd aan het eind van de oorlog geloofd door bijna alle Arabieren die de krant lazen of naar de radio luisterden. Hoge Saudi-Arabische ambtenaren van het ministerie van Buitenlandse Zaken namen beleefd de geschreven en mondelinge officiële ontkenningen van diplomaten in ontvangst, 'alsof ze deze geloofden, maar ze leken nochtans sceptisch'. Twee weken later ging het stof wat liggen toen bekend werd gemaakt waar de Britse en Amerikaanse vliegdekschepen zich precies hadden bevonden, waardoor bleek dat ze niet betrokken konden zijn geweest. Koning Hussein aanvaardde het feit dat hij geen bewijzen had dat Amerikaanse en Britse oorlogsschepen aan de kant van Israël hadden gevochten. Maar gewone Arabieren bleven wijd en zijd in Nassers verhaal geloven. En veel oude mensen doen dat nog steeds, al herriep Nasser zijn beschuldigingen in maart 1968. Hij vertelde tegen het Amerikaanse blad *Look* dat ze gebaseerd waren geweest op 'vermoedens en verkeerde informatie'.

Toch hoopten Groot-Brittannië en de Verenigde Staten zeker op een Israelische overwinning. Bovendien waren ze ontspannen over de Israëlische bedoelingen en zelfs over hun plannen om hun gebied uit te breiden. De Britse premier Harold Wilson belde op woensdag 7 juni met de Canadese eerste minister Lester Pearson. Hij begon met te zeggen dat hij verrast was door de Russische steun voor het staakt-het-vuren in de VN. Hierna verliep het gesprek als volgt:

WILSON: Er doen geruchten de ronde over een staatsgreep in Cairo. Ik weet niet of ze kloppen.

PEARSON: O ja?

WILSON: Tot nu toe wordt er alleen in de kranten over gesproken. Maar ik denk dat de kans groot is nu de Israëliërs zo genereus en groothartig zijn. Ze willen er blijven en willen dat iedereen hun bestaan en recht daar te wonen erkent, en natuurlijk willen ze Akaba [het is onduidelijk of hij de Golf van Akaba bedoeld of de Jordaanse havenstad Akaba]. Maar ik begrijp dat ze bereid zijn het vluchtelingenprobleem voor eens en altijd op te lossen.

PEARSON: Nu, dat zou een positieve ontwikkeling zijn.

WILSON: Dat zou de Arabieren helpen niet te veel gezichtsverlies te lijden en de Israëliërs zijn zich daarvan bewust.

Westoever

Tegen de avond zat het karwei voor de Israëliërs erop. Jeruzalem en de Westoever waren veroverd. De oorlog tegen Jordanië was voorbij. Aanvankelijk beweerden de Jordaniërs dat er 6094 man vermist of gedood waren. De officiële cijfers van het Jordaanse leger waren later een stuk lager, rond de 700 doden en 2500 gewonden. Aan Israëlische kant vielen 550 doden en 2400 gewonden. Koning Hussein die sinds het begin van de oorlog op sigaretten, cafeïne en adrenaline had geleefd, was uitgeput. Hij kondigde de nederlaag aan op Radio Amman. 'Onze soldaten hebben iedere centimeter van ons grondgebied verdedigd met hun bloed. En hoewel hun bloed nog niet is opgedroogd, wordt het nu al door ons land geëerd. Als u uiteindelijk niet werd beloond met glorie, dan was het niet omdat het u aan moed ontbrak, maar omdat dit Gods wil was.'

De snelheid waarmee de Israëliërs de Westoever hadden veroverd, was adembenemend voor een aantal mannen dat eraan had deelgenomen. Na de oorlog schreef een Israëlische journalist, Igal Lev, een roman, *Patrouille in Jordanië*, over wat hij meemaakte met de eenheid waarvan hij commandant was. Zijn boek geeft een onthullend zelfbeeld van een gewone eenheid Israëlische reservisten. In zijn voorwoord schrijft Lev: 'Oorlogen, daar werd ik mee geboren. Daarom haat ik ze.' Hij vindt oorlog smerig en gewelddadig, maar nodig voor het voortbestaan van Israël en de opbouw en uitbreiding van de staat. De soldaten beseften terwijl ze oprukten dat het land dat ze bezetten van hen was.

We drongen door tot het hart van de Westoever als een mes dat in brood snijdt. De uitgestrektheid van het gebied en de snelheid van onze opmars waren bedwelmend. Pas toen we verder reden, beseften we hoe kunstmatig en samengeperst Israël was. Voor ons die er waren geboren en nooit het buitenland hadden bezocht, was Israël de oneindigheid. Plotseling kregen we andere vergezichten te zien en ontdekten we ons land opnieuw: een heerlijk groen land van heuvels en dalen, en weidegrond ertussen. Ons land.

De mannen komen langs Arabische dorpen die ze doorzoeken op wapens en soldaten. Ze gedragen zich menselijk en staan er 'in onhandige verwarring' bij als een klein kind in tranen uitbarst, 'bang vanwege ons bezwete uiterlijk, onze stalen helmen en de uzi's die we in de aanslag houden'. Lev ziet de tranen van het kind als 'protest tegen de waanzin'. Ze vragen de hoofdman van het dorp de moeder van het kind te zoeken, zodat er goed voor hem wordt gezorgd. Maar enkele ogenblikken later tonen ze hun kracht, die even belangrijk is voor hun zelfbeeld als de gegeneerde reactie op de baby. Een van de soldaten, 'een enorme sterke vent met stalen zenuwen', ondervraagt de dorpsoudste over de wapens die er in het dorp verborgen liggen. 'Aanvankelijk was ik verrast door de agressiviteit waarmee hij bij de huiszoekingen te werk ging.' Maar dan, terwijl de soldaat 'een zwetende, bleke, bange man' door erop los te slaan dwingt de waarheid te zeggen en zich 'een geelachtige vlek aan voorkant van de kaftan van de Arabier verspreid', blijkt het geweld noodzakelijk. De man bekent dat ze inderdaad wapens bezitten en flapt er ten slotte uit waar deze zich bevinden. De soldaat geeft de Arabier nog een laatste klap en rent diens huis uit, 'afschuwelijk kokhalzend [...] ik besefte toen hoe uitputtend de ondervragingen en huiszoekingen voor de man waren'.

Washington D.C.

De Amerikanen dachten over wat er na de oorlog moest gebeuren. In een rapport van het ministerie van Buitenlandse Zaken stond dat de VS behoefte hadden aan vrede in het Midden-Oosten en een redelijk vriendelijke verstandhouding met zowel Israël als de Arabische staten. Een Amerikaans vredesplan zou hoe dan ook op grote problemen stuiten. De Arabieren weigerden koppig het bestaan van Israël als vaststaand feit te erkennen. Ze beschouwden de Amerikanen als bondgenoot van Israël en 'imperialistische aartsvijand'. Maar ook de houding van Israël vormde een probleem. 'Door jaren ervaring zijn de Israëliërs tot de overtuiging gekomen dat de Arabieren alleen krachtige maatregelen begrijpen en dat het hopeloos is op enige andere basis met hen te onderhandelen. Hoewel ze over een algemeen vredesplan met de Arabieren praten, zijn ze begrijpelijkerwijs niet geneigd veel concessies te doen. Onze flexibiliteit kan worden beperkt door hun invloed in de Amerikaanse binnenlandse politiek.'

President Johnson was minder opgetogen over de Israëlische overwinning dan sommige van zijn ondergeschikten. Sip zei hij tegen hen dat hij 'er nog niet zo zeker van was dat de moeilijkheden achter de rug waren'. Het zou een doel van de Amerikanen moeten zijn 'te zorgen dat er zo min mogelijk helden en zo min mogelijk schurken ontstaan. Het is belangrijk dat iedereen begrijpt dat we geen voorstander zijn van agressie. Het spijt ons heel erg dat dit heeft plaatsgevonden.' Hij waarschuwde dat tegen de tijd dat de VS af waren 'van al die dooretterende problemen, we zullen wensen dat de oorlog nooit plaats had gevonden'.

DAG VIER

8 JUNI 1967

Sinaï

Sharons divisie, minus zijn infanteriebrigade, baande zich met moeite een weg zuidwaarts naar Nakhl, dat midden in de Sinaïwoestijn ligt. De mannen sliepen tot zonsopgang twee uur lang 'als een blok', terwijl genietroepen mijnen ruimden. Bij het eerste ochtendlicht trokken ze verder, tot ze een volledige brigade Egyptische Stalin-tanks zagen, versterkt met mobiele kanonnen. Toen de Israëliërs oprukten om de strijd aan te gaan, bleven de Stalin-tanks stokstijf staan. Ze bleken intact te zijn achtergelaten. Hun commandant, brigadier Abd el-Naby, werd wat later gevangengenomen. Hij zei dat hij zijn tanks had laten staan omdat 'ik geen bevel had gekregen ze te vernietigen. [...] Als ik mijn tanks had opgeblazen, zouden de joden me gehoord hebben. Het opblazen van een tank maakt veel lawaai.'

Sharon stuurde een officier in een helikopter de lucht in, die een Egyptische pantsercolonne naderbij zag komen. Sharon legde gehaast een hinderlaag. Om tien uur 's morgens begonnen ze te vuren. De Israëliërs vernietigden zestig Egyptische tanks, rond de honderd kanonnen en meer dan driehonderd andere voertuigen. Honderden Egyptenaren werden gedood en gewond. Ten minste vijfduizend van hen wisten aan het bloedbad te ontsnappen en de woestijn in te vluchten. Velen stierven daar van uitputting, zonnesteek en dorst. Nadat de strijd omstreeks halfdrie 's middags was gestaakt, ging Sharon het slagveld bekijken. 'Het was een dodenakker. Ik kwam er jaren ouder van terug. Overal stonden brandende tanks. Je kreeg het gevoel dat de mens niets betekende. De tanks hadden een zandstorm veroorzaakt. Het was een geweldig lawaai, overal explodeerden voertuigen met ammunitie. Overal lagen doden.'

Na de oorlog zei Sharon het volgende over de Egyptische militairen:

Ik denk dat ze goede soldaten zijn. Het zijn eenvoudige, weinig ontwikkelde mannen, maar ze zijn sterk en gedisciplineerd. Het zijn goede schutters, goede gravers en goede kanonniers. Alleen de officieren zijn waardeloos, zij kunnen alleen vechten als ze het van tevoren gepland hebben. Toen wij eenmaal waren doorgebroken, lieten de Egyptische officieren geen mijnen leggen (op het mijnenveld tussen Bir Hassneh en Nakhl na, dat er waarschijnlijk al voor de oorlog lag), of hinderlagen om onze opmars te vertragen. Maar sommige soldaten, vooral bij de Mitla-pas, waar we hun terugtocht blokkeerden, vochten zich dood in een poging naar het westen uit te breken, naar het kanaal toe.

De paratroepers van brigadier Abdel Moneim Khalil hadden in de loop van de woensdag een aantal mannen verloren bij Israëlische luchtaanvallen, maar ze hadden zich ingegraven en verspreid toen ze werden aangevallen en het had allemaal veel erger kunnen zijn. Donderdagmorgen vroeg trokken ze in de richting van het Suezkanaal. Ze waren nog steeds een verhoudingsgewijs complete gevechtseenheid. Langs de horizon zagen ze zwarte rookpluimen van tientallen vuren. Vanuit de tegenovergestelde richting kwam een afgezant van veldmaarschalk Amer in Cairo, die was gestuurd om te controleren of de brigadier zijn mannen had verlaten, zoals werd verteld. Khalil wees op zijn troepen die nog steeds bewapend en goed gedisciplineerd waren. De afgezant ontspande zich en vertelde hem wat er sinds maandag op het hoofdkwartier was gebeurd. Khalil was, net als de meeste Egyptische officieren, gesteld op Amer, aan wie hij zijn promotie te danken had. Maar hij wist allang dat de veldmaarschalk slecht tegen druk bestand was. Hij had ooit, tijdens de oorlog in Jemen, een aanvalsplan met hem besproken dat waarschijnlijk veel Egyptische levens zou gaan kosten. Amer had zich op een gegeven moment teruggetrokken in zijn slaapkamer. Khalil ging kijken wat er met hem aan de hand was. 'Ik ging Amers slaapkamer binnen. Hij zat op een stoel met zijn hoofd achterover. Je kon de aderen in zijn slaap zien kloppen. Ik zei tegen hem dat hij vast heel moe was en gaf hem wat aspirine en water.' Amer was dankbaar voor de aandacht. Toen Khalil zei dat het efficiënter zou zijn de aanval niet te laten doorgaan en in plaats daarvan een aantal stamhoofden om te kopen, stemde Amer grif toe.

Khalil vroeg zich op dat moment in de woestijn af hoe Amer er nu aan toe zou zijn. Bij zonsopgang begonnen Khalil en zijn mannen aan de oversteek van het Suezkanaal. Terwijl ze over de brug naar de westelijke oever liepen, braken genietroepen onder hen de brug af. Tegen de tijd dat hun mobiele kanonnen arriveerden, bestond de brug niet meer en moesten ze de kanonnen het kanaal in duwen. Khalil was tevreden. Hij had zijn mannen met succes teruggehaald en slechts bescheiden verliezen geleden. Maar overal om hem heen heerste chaos. Officieren hielden konvooien tegen en begonnen paniekerig alle soldaten die ze maar zagen naar Suez te sturen om die stad te verdedigen, want ze wisten zeker dat die het volgende doel van de Israëliërs zou zijn. Khalil belde Amer toen hij in Suez was aangekomen. 'Hij gaf vreemde, verwarde, onverwachte orders. Hij wilde dat ik het hoofd van de 1ste pantserbrigade ontsloeg, het bevel overnam en hen liet terugkeren naar de Mitla-pas, waar volgens Amer op dat moment Israëlische paratroepers aan het landen waren.'

Het was vijf uur 's morgens. Khalil was niet van plan het bevel van de veldmaarschalk te gehoorzamen. Als paratroepercommandant vond hij het waanzin om van het ene op het andere ogenblik een pantsereenheid over te nemen en er een veldslag mee te beginnen. In plaats daarvan stak hij over naar de oostelijke oever van het kanaal en zocht hij de generaal op die hij moest vervangen. Hij zei niet tegen hem dat hij ontslagen was, alleen dat hij met zijn mannen naar de Mitla-pas moest gaan. 'Toen ik weer terug was in Suez, belde ik Amer vanuit het kantoor van de gouverneur. Ik kreeg weer een vreemde opdracht. Hij vroeg me of ik naar de Mitla-pas was gegaan. Ik zei dat ik me voorbereidde. Hierop zei hij: "Goed, je bent nu ook commandant van een gemechaniseerde infanteriebrigade. Neem die ook mee naar de pas." Ik ging naar de commandant van de brigade, Suad Hassan, en vertelde hem dat hij achter de andere pantserbrigade aan naar de Mitla-pas moest rijden. Ik zou achterblijven voor de supervisie. Het was belachelijk.'

Een andere Egyptische bevelhebber die vastbesloten was niet aan Amers bevelen te gehoorzamen, was generaal-majoor Saad el Shazli. Hij zat sinds maandag met zijn eenheid van vijftienhonderd man verschanst in een L-vormige loopgraaf net binnen Israël. 'Er vonden een paar schermutselingen plaats op afstand, maar toen waren we nog niet eens in oorlog.' Hij hoorde niets uit Cairo tot woensdagavond zeven uur. Volgens Shazli schreeuwde men naar hem: 'Wat doet u daar nog? De troepen hebben zich teruggetrokken, u moet ook onmiddellijk vertrekken. Ik wist dat ik aangevallen zou worden als ik het bevel opvolgde, dus ik zei "ja", maar deed het niet. We wachten tot het donker was en begonnen toen aan onze tocht door de woestijn. We trokken de hele nacht verder.' Op donderdag 8 juni, toen ze honderd kilometer hadden afgelegd, werden ze bij zonsopgang ontdekt door de Israëlische luchtmacht en aangevallen. 'We hadden slechts onze machinegeweren tegen de vliegtuigen. Toen de soldaten zagen dat ze niks deden, hielden ze op met schieten. Ik schreeuwde dat ze door moesten gaan. Het was goed voor het moreel. Ze zouden zich er minder machteloos door voelen.'

Shazli's eenheid verloor vijftien procent van de mannen. In vergelijking met wat er met de rest van het Egyptische leger in de Sinaï gebeurde, bleef zijn formatie dus betrekkelijk intact. Ze staken bij zonsondergang het Suezkanaal over. Zes jaar later was Shazli stafchef van het Egyptische leger en was hij verantwoordelijk voor de aanval over het Suezkanaal aan het begin van de oorlog van 1973, wat de grootste moderne militaire prestatie van Egypte zou worden en de ergste militaire schok voor Israël.

Cairo

In Cairo werd de sfeer heel onprettig voor de Amerikanen. In de Amerikaanse ambassade had men het gevoel belegerd te zijn. Uit de hele Arabische wereld kwamen berichten binnen dat er gedemonstreerd werd bij Amerikaanse instellingen en eigendommen. In Dharan, de oliehoofdstad van Saudi-Arabië, werden Amerikaanse installaties door menigten aangevallen. In Aleppo in Syrië werd het Amerikaanse consulaat bestormd en in brand gestoken. Ambassadeur Nolte telegrafeerde: 'Het begint tot de bevolking door te dringen dat de Egyptische strijdkrachten een bijna totale nederlaag hebben geleden. We denken dat de situatie gevaarlijk is en snel kan verslechteren, en dat zelfs als de overheid bereid is ons te beschermen, ze daar misschien niet toe in staat is.' Er was al een lijnschip vanuit Griekenland onderweg om achthonderd Amerikanen te evacueren, maar Nolte maakte zich zorgen dat dit te laat zou komen. Hij voegde er zenuwachtig een briefje aan toe voor de bevelhebber van de Zesde Vloot. Zou hij, indien nodig, genoeg landingsvaartuigen hebben om hen op te pikken 'ergens vanaf een strand ten westen van Alexandrië'?

De CIA gaf president Johnson een dreigende samenvatting van de situatie. In Jordanië zouden Amerikanen doelwit kunnen worden van boze vluchtelingen van de Westoever. Nasser weigerde het staakt-het-vuren van de VN te aanvaarden en Israël leek zich er op het Jordaanse front niets van aan te trekken. Het Egyptische leiderschap in Cairo was in paniek. Nasser was 'wanhopig en tot alles in staat om zijn positie te handhaven'.

De Engelstalige *Egyptian Gazette* kopte nog op de voorpagina: 'Arabische strijdkrachten brengen Israëliërs zware verliezen toe.' De BBC berichtte dat Jordanië een staakt-het-vuren had aanvaard en dat Israël het Suezkanaal had bereikt. Radio Cairo bleef optimistisch en verkondigde dat de Egyptische strijdkrachten zich bij Sharm el Sheikh hadden gehergroepeerd en een regiment Israëlische paratroepers hadden vernietigd: 'Moshe Dayan, de muis van de woestijn, is sprakeloos. Onze strijdkrachten in de Sinaï hebben gehakt gemaakt van zijn pantserbrigade. Zij hebben deze vernietigd, tot mootjes gehakt, er schroot en verbrand ijzer van gemaakt.' Op straat schalden er marsmuziek en nieuwsberichten uit de radio's.

Moskou

De Egyptenaren waren nooit erg bevredigende bondgenoten voor de Russen geweest. Om te beginnen vonden ze het Westen aantrekkelijk, waardoor de Sovjets zich tweede keus voelden. Een lid van het Centrale Comité van de Communistische Partij beklaagde zich bij Mohammed Heikal, Nassers favoriete journalist. 'We geven jullie heel veel hulp,' zei hij, 'maar wat krijgen we ervoor terug? Jullie praten en schrijven als westerlingen. Waarom worden er bijvoorbeeld geen Russische films vertoond in Cairo? Waarom alleen Amerikaanse?'

Heikal antwoordde dat er meestal vrij primitieve films over de Tweede Wereldoorlog uit Rusland kwamen en dat de Egyptenaren daar geen belangstelling voor hadden. De Rus drong aan. 'Maar met de juiste propaganda en hulp van ontwikkelde mensen zouden ze toch overgehaald kunnen worden? Maar al hebben de Egyptenaren weinig belangstelling voor onze films, dan is dat toch geen reden om ze Amerikaanse films te laten zien? Die zijn vergif. Als u die vertoont, hoeft het Westen nog maar te wenken, of iedereen rent ernaartoe.'

De Amerikanen keken juist met een nieuwe blik naar Israël. Ze vonden het prachtig dat hun bondgenoot sterker was dan de bondgenoten van Rusland en dat de wapens van de Sovjets waren verslagen door westerse wapens. Richard Helms, de directeur van de CIA, merkte tevreden op dat de steun voor Egypte een grotere misrekening voor de Sovjets was geweest dan de Cubaanse rakettencrisis.

In Moskou werd er druk gepraat over de reden waarom Egypte zo snel was uitgeschakeld. Voor de oorlog had een Russische ambassadeur gezegd dat de Arabieren zouden verliezen 'omdat ze lafaards zijn', een opmerking die de CIA had gehoord. Hij kon niet begrijpen waarom de USSR Egypte zoveel wapens had gegeven. Een andere Sovjetfunctionaris gromde tegen de CIA dat Moskou de Arabieren had overschat en de Israëliërs had onderschat. Hij beweerde dat de USSR een tweede Vietnam voor de Amerikanen had willen creëren, maar dat dit plan averechts had gewerkt omdat de Egyptenaren zo incompetent waren. Maar de meeste informatie uit het Kremlin lijkt erop te wijzen dat de Russen reageerden op gebeurtenissen die ze niet in de hand hadden. De Russen waren niet door de Egyptenaren geconsulteerd over de blokkade van Eilat. Ze probeerden vanaf het begin de oorlog te beperken, wat moeilijk was omdat de Egyptenaren niet de waarheid vertelden over wat er gebeurde. De Russen waarschuwden Nasser dat hij niet op rechtstreeks ingrijpen van de Sovjet-Unie kon rekenen.

De andere kant van het onware verhaal over Britse en Amerikaanse vliegtuigen die Egypte gebombardeerd zouden hebben, was dat de Egyptenaren boos waren dat de Russen niet op hun beurt Israël bombardeerden. Een columnist van de Cairese krant *Al Akhbar* droomde ervan dat hij de woorden die hij schreef in een dodelijk vergif kon veranderen om 'in de keel te gieten' van Kosygin, Johnson en Harold Wilson.

Nablus

's Nachts kwam de eerste golf vluchtelingen uit Qalqilya in Nablus aan. Raymonda Hawa Tawil kwam haar kelder uit en zag dat haar huis 'een eiland was geworden in een zee van mensen'. Toen ze uit het raam keek, zag ze een van de vreemdste en afschuwelijkste taferelen die ze ooit had gezien. 'Op straat en in de olijfboomgaarden zitten letterlijk duizenden mensen: oud, jong, gezinnen met kinderen, zwangere vrouwen, invaliden. In hun armen en op hun rug dragen ze bundels met bezittingen. Jonge vrouwen hebben een baby op de arm. Overal zie je dezelfde uitgeputte, gebroken gestalten, dezelfde verdoofde, wanhopige gezichten. Mensen zitten daar te huilen van ellende, afschuw en frustratie. Ouders bedelen om brood voor hun kinderen.' Ze reed naar Nablus in een auto met een rood kruis erop om de Israëliërs voedsel voor de vluchtelingen te gaan vragen. 'Overal zijn tanks, wegversperringen, prikkeldraad. Sommige huizen staan in brand.' Een van de vrouwen die om voedsel bedelden, was de moeder van Fayek Abdul Mezied. 'Het was zo vernederend voor haar om te moeten bedelen. Maar ze deed het voor ons. Ik voelde me ontheemd en verloren in mijn eigen land.' De herinnering doet hem 35 jaar later nog in huilen uitbarsten.

Tawfik Mahmud Afaneh, de commandant van het detachement van de nationale garde van Qalqilya dat zo veel had geleden, was tot woensdagmorgen in de stad blijven hangen. Hij wist niet dat het Jordaanse garnizoen er dinsdagavond heimelijk vandoor was gegaan, totdat op een gegeven moment een van zijn mannen hun posities leeg aantrof. Ze hadden hem niets verteld. Het had geen zin de strijd alleen voort te zetten. Hij zei tegen de overgebleven mannen dat ze zichzelf moesten redden en vertrok met drie medestrijders te voet de heuvels in om hun gezinnen te vinden. Ze droegen nog steeds wapens en de laatste magazijnen kogels. De vier mannen liepen in de richting van Nablus en vroegen onderweg in dorpen of iemand hun vrouwen en kinderen had gezien. Toen dorpelingen hun vertelden dat de Israëliërs het Jordaanse leger vernietigend hadden verslagen, begroeven ze hun wapens. Na acht dagen vond Tawfik zijn gezin, hongerig, maar ongedeerd, in een dorp ten zuiden van Nablus. Na de hereniging begon hij na te denken over alles wat er was misgelopen. Hij had in Qalqilya gevochten om de catastrofe van 1948 te wreken en gedacht dat de Arabieren zeker zouden winnen omdat hun legers sterk waren. Tenslotte werden ze dagelijks door Radio Cairo geprezen. Tawfik was geschokt door de leugens die door de nederlaag aan het licht waren gekomen, leugens die de Arabische leiders aan hun eigen volk hadden verteld. Hij had zijn best gedaan, hij was blij dat hij zijn gezin weer had teruggevonden, maar hij voelde zich verslagen en wanhopig.

De elfjarige Maa'rouf Zahran was bij zijn familie in Nablus. Ze waren op maandag uit Qalqilya vertrokken, nadat de Israëliërs vanaf hun kant van de grens de burgers via luidsprekers hadden opgeroepen zich uit de voeten te maken. Terwijl ze de stad uit liepen, hadden ze zijn zusje gevonden dat zoek was. Maa'rouf keek naar Jordaanse soldaten en nationale gardisten die op laag overkomende Israëlische oorlogsvliegtuigen schoten. Op een gegeven moment hield het schieten op. Maa'rouf vertrok om zich met zijn familieleden in een grot te verbergen totdat het weer veilig leek.

Bethlehem

Op de eerste hele dag van de bezetting probeerden de Israëliërs de bevolking voor zich te winnen. Jeeps met luidsprekers reden door de straten om amnestie aan te bieden aan degenen die zich vrijwillig overgaven. Samir Khouri, een restauranteigenaar, ging op het stadhuis zijn oude revolver inleveren. Voor hem was het begin van de bezetting niet zo erg. 'De eerste Israëliërs gedroegen zich fatsoenlijk, deelden eten uit en sommige soldaten spraken Arabisch. Voor de oorlog werd er bijna wekelijks tegen de koning gedemonstreerd. De Jordaniërs waren niet slecht – we vonden dat we in vrede leefden en Jordaniërs en Palestijnen trouwden onderling. Maar de overheid, dat was iets anders. Aanvankelijk dachten veel mensen dat de Israëliërs beter waren dan de Jordaniërs. Het was niet zo slecht tot de oorlog van 1973. Er kwamen toeristen en het leven was goed. Maar de Israëliërs verhoogden de belastingen en maakten het leven moeilijker. Toen begonnen we anders over de bezetting te denken.'

Twintig kilometer zuidelijker was luitenant-kolonel Zvi Ofer, de commandant van het bataljon van de Jeruzalem-brigade die Hebron had ingenomen, bezig in de stad een militair bewind op te zetten. Hij organiseerde met de burgemeester een ceremonie voor de overdracht van de stad. De moskeeën kregen gedetailleerde informatie over de avondklok zodat de moëddzins deze vanaf de minaretten konden omroepen.

Jeruzalem

Nazmi Al-Ju'beh, een leergierige Palestijnse jongen van twaalf, keek van zijn grootvaders huis neer op de Marokkaanse wijk. Deze lag meteen naast de Klaagmuur, die verboden was voor Israëlische burgers. Soldaten trokken zich niets van deze regel aan en brachten vrienden en familieleden mee die zich naast de officiële groepen vips opstelden om zich te verbazen over het nieuwste Israëlische bezit. Nazmi zag overal soldaten in de steegjes en op de platte daken van de oude huizen. Zijn oudere familieleden waren zenuwachtig en somber. Door de aanblik van de Israëlische vlag op de Rotskoepelmoskee beseften ze des te beter wat er was gebeurd. Maar Nazmi was gefascineerd en geïntrigeerd door de Israëlische soldaten. Het waren de eerste joden die hij ooit had gezien. Zoals bijna iedereen had hij gedacht dat het Iraakse soldaten waren toen ze in de Oude Stad verschenen. Een oude buurman van zijn grootvader zette een pot thee voor de mannen die hij als zijn bevrijders beschouwde. Met een glimlach zette hij, ondanks zijn leeftijd veerkrachtig lopend, de glazen en de pot op een blad en ging hij naar buiten. Toen hij zijn Iraakse bevrijders wilde verwelkomen, schreeuwden ze in gebroken Arabisch tegen hem dat hij naar huis moest gaan. Ze spraken met een raspend Hebreeuws accent. De oude man liep verward terug naar huis, nog steeds met het theeblad in zijn handen. Hij zat op de stoep met het blad naast zich en mompelde 'ga naar huis, ga naar huis', alsof dat zinnetje hem kon helpen begrijpen wat er fout was gegaan.

Een van de euforische Israëliërs die op die morgen de Klaagmuur bezochten was burgemeester Kollek. Hij vond dat Israël nooit meer mocht opgeven wat het nu had veroverd en hij droomde van vrede op basis van het idee dat 'de Arabieren nu geleerd hebben dat ze niet van ons kunnen winnen'. Kollek vroeg het groepje vips dat bij hem was, onder wie Ben-Gurion en iemand van de familie Rothschild, die tot de grootste steunpilaren van de joodse staat behoorde, om bij hem thuis te komen lunchen. Daar maakte Ben-Gurion een einde aan de opperbeste stemming van zijn gastheer. 'Dit is niet het einde van de oorlog', zei hij. 'De Arabieren zullen de nederlaag en de vernedering niet kunnen verdragen. Ze zullen dit nooit aanvaarden.' Ben-Gurion wilde dat Kollek de stadsmuren zou afbreken om de Oude Stad volledig met het joodse Jeruzalem te integreren. Hij waarschuwde dat als de muren bleven staan, de Oude Stad altijd een afgescheiden plek zou zijn en dat de Palestijnen daardoor het gevoel zouden blijven houden dat ze het terug konden krijgen. Er werd verder niet op zijn voorstel ingegaan.

Suezkanaal, 12.00

De tanks van Tals divisie bereikten het Suezkanaal. De Egyptenaren hadden geprobeerd hun opmars te vertragen door hen van achter de zandheuvels te beschieten, terwijl alleen hun kanonnen en geschutskoepels zichtbaar waren. Verder van de weg af hadden ze andere tanks ingezet om de Israëliërs die probeerden hen in de flank aan te vallen, in een hinderlaag te laten lopen. Maar kolonel Shmuel Gonen, de commandant van de voorste brigade, zag wat de Egyptenaren van plan waren. Hij stuurde twee compagnieën tanks de zandheuvels in, terwijl een bataljon in colonne over de weg voor hen uit reed.

Weer maakten de Israëliërs gebruik van hun vaardigheid in het gebruik van langeafstandskanonnen om de Egyptenaren te verslaan. Tegen het eind van de morgen hadden de Israëliërs vijf tanks verloren en de Egyptenaren vijftig. Onder de Israëlische doden bevond zich majoor Shamai Kaplan, de accordeon spelende tankcommandant die in 1964 zijn mannen had laten zingen om zich op te warmen, terwijl ze wachtten op het moment om de Syriërs aan te vallen.

Sinaï-kust, 12.30

Het was weer een prachtige zomermorgen. Het zicht was perfect. Het Amerikaanse marinespionageschip USS *Liberty* lag ongeveer dertig kilometer uit de kust, in internationale wateren. De officieren op de brug konden aan de horizon nog net de minaret op de moskee in Al-Arish zien. Zoals gewoonlijk had om zes uur 's morgens het reveil klonken, maar al een uur daarvoor, bij zonsopgang, hadden er Israëlische oorlogsvliegtuigen rond de *Liberty* gevlogen. De piloten hadden veel belangstelling gehad voor het schip, dat zich gevaarlijk dicht bij het oorlogsgebied in de Sinaï bevond. James Ennes was de officier van de wacht van die ochtend. Hij had van acht tot twaalf dienst en was verantwoordelijk voor het logboek van het schip. Hij maakte een aantekening over de Israëlische vliegtuigen en ondertekende en dateerde deze, zoals de Amerikaanse marine voorschrijft. Volgens hem vlogen de Israëliërs zes tot acht keer over het schip, één keer op een hoogte van minder dan zestig meter.

De *Liberty* stond in los verband met de Amerikaanse Zesde Vloot, de machtigste vloot in het Middellandse-Zeegebied. Maar de twee vliegdekschepen van de Zesde Vloot en al de ondersteunende schepen bevonden zich op achthonderd kilometer afstand, ver van het strijdtoneel vandaan. De *Liberty* was alleen en ongewapend, op vier 127-mm Browning-kanonnen na. Luitenant Lloyd Painter, een jonge Amerikaanse marineofficier, voelde zich gerustgesteld door de aanwezigheid van de Israëliërs. Hij keek uit over het bovendek, waar officieren die geen dienst hadden vreedzaam lagen te zonnebaden, en voelde zich 'prettig, warm en veilig, omdat we hier geen vreemden waren'. Op 8 juni bevond de *Liberty* zich volgens het jargon van de Amerikaanse marine in 'gewijzigde staat van paraatheid nummer drie'. Dat betekende dat er een normale wacht was aan dek, plus een man die zich bij de kanonnen op het voorschip bevond. Als er alarm klonk om zich gevechtsklaar te maken, zouden de mannen zich van de brug naar het achterschip haasten om de twee kanonnen daar te bedienen.

De *Liberty* had patrouille gevaren langs de West-Afrikaanse kust toen de crisis in het Midden-Oosten acuut werd en ze daarnaartoe waren gehaald. Op 8 juni was het schip net op de nieuwe bestemming aangekomen en voer het langzaam voor de kust van de Sinaïwoestijn op en neer, tussen ruwweg Al-Arish en Port Said. De *Liberty* stond onder bevel van de Amerikaanse marine, maar de technici aan boord vielen onder het National Security Agency. Het NSA, een van de geheimste onderdelen van de Amerikaanse overheid, is gespecialiseerd in het afluisteren van allerlei vormen van communicatie. In de jaren zestig was het een belangrijk wapen in de Koude Oorlog met de USSR en de echte oorlog in Vietnam. Op 8 juni bevonden zich 294 man aan boord van het schip. Ongeveer tweederde van hen had heel weinig met het schip zelf te maken. Het waren experts zoals taalkundigen, radiospecialisten en cryptografen. Als ze dienst hadden, zaten ze benedendeks naar een batterij monitoren, scanners en schermen te turen. Er waren ook drie burgers van de NSA bij, onder wie een arabist, en drie Amerikaanse mariniers die gespecialiseerd waren in Arabisch en Russisch.

Even na 13.00 uur sloeg de kapitein van de *Liberty*, William McGonagle, groot alarm. Het was een oefening. De bemanning rende naar de posten die ze in noodgevallen moesten innemen. Ze liepen vijf knopen, wat de beste snelheid was om radiogolven op te vangen en te analyseren. Maar kapitein McGonagle wilde niet dat zijn mannen dachten dat het een ontspannen, cruiseachtige reisje op de Middellandse Zee zou worden. Ze bevonden zich tenslotte op dertig kilometer van een oorlogsgebied. Toen de oefening voorbij was, gingen de mannen die geen dienst hadden weer zonnebaden. De bemanning van de *Liberty* was er trots op dat ze anders was. Ze genoten van de plaatsen die ze bezochten en waren trots op hun schip. Iedere zondag werd er op het achterschip een barbecue gehouden. Jonge dienstplichtigen die vrienden hadden die als gewoon soldaat in Vietnam dienden, leek dit een prima manier om hun vaderlandse plicht te vervullen.

Die morgen kwam er uit Washington het bevel dat de *Liberty* zich verder van de kust af moest begeven, maar de order bereikte het schip niet. En toen hij uiteindelijk wel doorkwam, was de *Liberty* al onder vuur genomen door de Israëlische luchtmacht en marine. Tussen 14.00 en 14.30 uur werden er 34 man gedood en vielen 172 gewonden. Hoe dit gebeurde, werd uitgebreid vastgelegd, maar over het waarom is men het nog steeds zeer oneens.

Om 13.50 uur nam het hoofd van de vluchtleiding in het militaire hoofdkwartier in Tel Aviv, kolonel Shmuel Kislev, contact op met een tweetal Israëlische Mirages, die onder de codenaam Kursa vlogen (hun gesprekken werden op de band opgenomen). Kislev zei tegen een van de piloten, Yigal, dat hij een schip had 'op locatie 26. Ga erheen met Kursa. Bombardeer het als het een oorlogsschip is'. Bij de vluchtleiding ontstond enige twijfel over de identiteit van het doel. Drie minuten later klinkt de stem van een andere officier, het hoofd bewapening, die vraagt: 'Wat is het? Een Amerikaan?' Bij een latere getuigenverklaring zegt deze officier dat hij ervan overtuigd was dat de Egyptenaren nooit één enkel oorlogsschip zo dicht bij de kust zouden laten komen die op dat moment door Israël werd bezet. Volgen Aaron Bregman, een Israelische onderzoeker die de banden bestudeerde, hoor je kolonel Kislev vervolgens een ongenoemde hogere officier bellen. Als deze officier suggereert dat het schip Amerikaans zou kunnen zijn, vraagt hij: 'Wat zegt u?' Het antwoord luidt: 'Ik zeg niets.' De toon is volgens Bregman van: 'Ik wil het niet weten.' Nog eens drie minuten later, om 13.56 uur, vraagt de leider van de twee Mirages om toestemming aan te vallen. Kolonel Kislev vraagt hem niet om de identiteit vast te stellen. Hij zegt alleen ongeduldig: 'Ik heb al gezegd, val het aan als het een oorlogsschip is.'

Uitkijkposten op de *Liberty* zagen de Mirages aankomen. Ze maakten zich geen zorgen, want ze gingen er vanuit dat het weer een verkenningsvlucht was. Met behulp van radar was de positie van het schip vastgesteld op 25,5 zeemijl van de minaret van Al-Arish in het zuidoosten vandaan. Het bevond zich in internationale wateren. Commandant McGonagle dacht dat ze veilig waren. De namen en identificatienummers van het schip waren duidelijk te zien, het schip voerde een Amerikaanse vlag van anderhalf bij tweeënhalve meter en was tijdens eerdere vluchten al geïdentificeerd. Lloyd Painter, die eerder werd gerustgesteld door de Israëlische vliegtuigen, keek door een patrijspoort naar de Mirages en zag dat ze horizontaal gingen vliegen en het schip naderden alsof ze een aanval wilden uitvoeren. Er kwamen rode flitsen van onder de vleugels vandaan. De granaten van de 30-mm-kanonnen van de Mirages explodeerden in het schip. Painters patrijspoort werd zijn borstkas in geblazen. De man die door de patrijspoort ernaast keek, werd in zijn gezicht geraakt. De meeste mannen op de brug werden omvergeworpen. De stuurman raakte zwaargewond. Kwartiermeester derde klasse Troy Brown nam onmiddellijk het stuurwiel over. Commandant McGonagle greep de telegraaf naar de machinekamer en zette hem op volle kracht vooruit.

De radiotelegrafisten van de *Liberty* probeerden de Zesde Vloot met een sos-oproep te bereiken, maar dat lukte niet. De Israëliërs stoorden het radioverkeer en het ingewikkelde systeem van antennes van het schip was kapotgeschoten. James Halman, een van de radiomannen, bleef de boodschap herhalen met gebruik van het oproepsignaal van de *Liberty*. 'Aan ieder station, hier Rockstar, we worden aangevallen door niet-geïdentificeerde straalvliegtuigen en hebben hulp nodig.'

Om 13.59 uur rapporteerde de leider van de Kursa-vlucht naar Tel Aviv: 'We hebben haar hard geraakt. Er komt zwarte rook uit en er loopt brandstof in het water. Prachtig [...] buitengewoon. Ze brandt.' Twee minuten later. 'Okay, ik ben klaar. Ik ben door mijn ammunitie heen. Het schip brandt [...] heel veel zwarte rook.'

De *Liberty* probeerde nog steeds een sos uit te zenden. Luitenant-commandant Dave Lewis, die de leiding had over de missie van de NSA aan boord, denkt dat de Israëliërs het op hun communicatieapparatuur hadden voorzien. 'We konden het sos alleen uitzenden doordat mijn mannen zo gek waren om terwijl er op hen werd geschoten lijnen op het dek uit te hangen.' De uss *Saratoga*, een van de twee vliegdekschepen van de Zesde Vloot, ontving hun noodoproep om 14.09 uur. De radiotelegrafisten van de *Liberty* herhaalden hun boodschap: 'Schematic, dit is Rockstar. We worden nog steeds aangevallen door niet-geïdentificeerde straalvliegtuigen en hebben onmiddellijk hulp nodig.' De *Saratoga* vroeg om een bevestigingscode, maar die was vernietigd. 'Luister dan naar de raketten, domme klootzak', schreeuwde de radiotelegrafist terug.

In Tel Aviv gaf vluchtleider Kislev de piloten van twee Super Mystères opdracht een nieuwe aanval op het schip uit te voeren. 'Jullie kunnen haar tot zinken brengen', zei hij tegen hen. Ze besproeiden de dekken en antennes met kogels en gooiden vaten napalm, die explodeerden zodat er een laag brandende gelei op het schip terechtkwam en er dikke zwarte rookwolken opstegen. De brandstoftanks van een sloep explodeerden. Om 14.14 uur vroeg een van de piloten naar de nationaliteit van het schip. Ze hadden de markering op het schip gelezen, die in westers en niet in Arabisch schrift was. Kislev zei twee keer dat het 'waarschijnlijk Amerikaans' was. Twaalf minuten later, om 14.26 uur, verschijnen er twee Israëlische torpedoboten die de *Liberty* weer als Egyptisch identificeren. Ze vallen het schip aan met vijf torpedo's. Kapitein McGonagle schreeuwt op de brug een waarschuwing door de intercom. Gary Brummett bevond zich benedendeks. 'Toen we te horen kregen dat we aan stuurboord door een torpedo zouden worden getroffen en we ons klaar moesten maken om het schip te verlaten, was ik ervan overtuigd dat ik mijn vrienden in Louisiana nooit meer zou terugzien en nooit meer een koud biertje zou drinken. Dat zijn belangrijke dingen als je twintig bent. Ik blies mijn reddingsvest op [...] en wachtte op wat er ging komen. We zouden waarschijnlijk als levende kreeften in ons schip worden gekookt.' De *Liberty* verhief zich door de kracht van de explosie uit het water. Toen ze weer neerkwam, maakte ze slagzij naar stuurboord en zat er een groot gat in de romp. De vlag van anderhalf bij tweeënhalve meter was aan flarden, net als de rest van het schip. Vijf minuten voor de torpedoaanval was hij vervangen door een grotere, van twee bij vier meter.

Washington D.C., 09.50 (Egypte, 17.50, Israël, 16.50)

Walt Rostow dicteerde een bericht voor president Johnson waarin hij waarschuwde dat er een 'nieuwsbericht was binnengekomen [...] een Amerikaans elint-schip [elektronische-inlichtingenschip], de *Liberty*, is op de Middellandse Zee getorpedeerd [...] we weten niets over de schepen of onderzeeërs die de aanval hebben uitgevoerd.' Ongeveer een uur later kregen ze van de Amerikaanse defensieattaché in Tel Aviv te horen dat Israël de dader was. De laatste regel van Rostows briefje aan Johnson luidde droog: 'Bericht uit Tel Aviv lijkt excuusbriefje voor vergissing.'

Na het eerste SOS verloren de radiotelegrafisten van de Zesde Vloot het contact met de *Liberty*. De vloot bereidde zich voor op actie. Piloten werden in de briefingruimte bijeengeroepen. Men ging ervan uit dat het schip door de Sovjets was aangevallen. De piloten kregen te horen dat de *Liberty* zich precies op de rand van de Egyptische twaalfmijlszone bevond. Er werden instructies uitgedeeld. Ze moesten 'de wapens zo veel gebruiken als nodig is om de situatie te beheersen. Maak niet meer gebruik van de wapens dan nodig is. Achtervolg geen eenheden het land op of om wraak te nemen [...] de tegenaanval is alleen bedoeld om de *Liberty* te beschermen.'

Washington D.C., 10.13

De commandant van de Zesde Vloot rapporteerde aan Washington dat er vier gewapende A-4-bommenwerpers opstegen van de USS *America* en vier A-1s met dekking van straaljagers van de USS *Saratoga*. Twee torpedobootjagers hadden bevel gekregen op volle kracht naar de *Liberty* toe te varen. De A-4-bommenwerpers die op de USS *America* gereedstonden, werden met kernwapens uitgerust. Ze stegen op, maar werden kort na vertrek teruggeroepen. De bevelhebber van de vloot vroeg toestemming andere vliegtuigen, met conventionele wapens, te sturen. Toestemming hiervoor werd geweigerd. Minister van Defensie Robert McNamara kwam in Washington zelf aan de telefoon om de bevelen te geven.

Cairo, 18.45, Washington D.C., 10.45

Voor de Amerikaanse ambassade in Cairo was dit het slechtste nieuws dat ze maar konden krijgen. Ze gingen ervan uit dat de *Liberty* informatie had verzameld voor de Israëliërs. En dan was er ook nog de beschuldiging dat de VS samen met Israël luchtaanvallen uitvoerden. Ambassadeur Nolte had nu het gevoel dat elke Amerikaan in Cairo gevaar liep door een woedende menigte te worden gelyncht. Hij telegrafeerde bondig: 'We kunnen ons verhaal over de torpedoaanval op de USS *Liberty* maar beter zo snel mogelijk naar buiten brengen – en laat het een goed verhaal zijn.' De Egyptenaren beschouwden de aanval als bewijs dat ze het al die tijd bij het rechte eind hadden gehad. Ahmed Said zei op Radio Cairo dat hij geloof hechtte aan de Israëlische verklaring dat de aanval op de *Liberty* een ongeluk was geweest, omdat daarmee weer werd bewezen dat 'wij Arabieren tegen de VS vechten'.

Washington D.C., 16.45

In de Situation Room van het Witte Huis schreef soldaat Baker de laatste informatie van het centrale militaire commandocentrum over de *Liberty* op een telefoonblok. '10 doden, ongeveer 100 gewonden (1 dokter aan boord, er niet in geslaagd om hele ronde te doen) 15-25 ernstig gewond (tot dusver) Liberty rond middernacht (Washington-tijd) naar rendevouz [sic] met onderdelen 6de Vloot.'

De volgende morgen vergaderde een speciale commissie van de Nationale Veiligheidsraad over de aanval op de *Liberty*. De stemming was verontwaardigd. Clark Clifford, een advocaat uit Washington die al sinds de jaren veertig presidentsadviseur was, vond dat de VS zich niet hard genoeg opstelden jegens Israël. Volgens hem was het een 'schandalige aanval' en hij achtte het 'ondenkbaar dat dit een ongeluk is geweest'. Het schip was drie keer achter elkaar beschoten en er hadden drie torpedoboten liggen wachten. De verantwoordelijke Israëliërs moesten gestraft worden. 'President 100% mee eens' staat in de kantlijn van Cliffords notulen (een stapel handgeschreven bladzijden die uit een 'juridisch bloknoot' zijn gescheurd). Ambassadeur Lucius Battle noemde de aanval 'onbegrijpelijk'. Minister van Buitenlandse Zaken Rusk zei dat de Verenigde Staten moesten 'doen wat normaal is'. Israël moest de schade betalen, de verantwoordelijken straffen en ervoor zorgen dat iets dergelijks niet nog eens gebeurde. Dean Rusk bleef er zijn leven lang van overtuigd dat de Israëliërs wisten dat de *Liberty* een Amerikaans schip was toen ze het aanvielen. Vlak voor zijn overlijden zei hij: 'Dat de *Liberty* keer op keer werd aangevallen met het doel haar uit te schakelen en tot zinken te brengen, sluit de mogelijkheid van een vergissing of een initiatief van een schietgrage plaatselijke commandant uit [...] ik geloofde hen destijds niet en nu nog steeds niet. De aanval was een regelrecht schandaal.'

De president kreeg de ene na de andere excuusbrief van Israëlische diplomaten. Ambassadeur Avraham Harman betuigde 'diepe spijt voor het tragische ongeluk waarvoor mijn landgenoten verantwoordelijk zijn [...] ik ben diep bedroefd'. Abba Eban was 'zeer treurig en aangeslagen door het tragische ongeluk'. Minister Rusk antwoordde bondig dat de aanval 'letterlijk onbegrijpelijk was, een militair roekeloze daad waaruit een lichtzinnige onachtzaamheid voor mensenlevens blijkt'. De Amerikanen vonden de eerste reactie van de Israëliërs op de brief van Rusk dermate agressief dat ze wilden dat deze werd ingetrokken en 'in gematigder vorm herschreven'. Er stonden opmerkingen in 'waarmee ze vast slecht zouden kunnen leven als de tekst op een dag openbaar werd'. Dit eerste Israëlische antwoord is nog steeds geheim.

De Israëliërs aanvaardden de volledige verantwoordelijkheid voor het incident, dat volgens hen was veroorzaakt door een aantal betreurenswaardige, maar oprechte fouten die in de verwarring van de strijd waren gemaakt. Het was, zeiden ze, begonnen met een reeks berichten (die later vals bleken) van de marine en de luchtmacht dat Israëlische posities in Al-Arish vanuit zee werden beschoten. Daarna waren ze de *Liberty*, die ze eerder die dag als een Amerikaans schip hadden geïdentificeerd, uit het oog verloren. Ze dachten dat het schip dertig knopen voer, en niet vijf, waardoor ze de verkeerde conclusie hadden getrokken dat het om een vijandig oorlogsschip ging. Vervolgens was het aangezien voor het Egyptische transportschip *Quseir*.

Het incident met de *Liberty* is nog steeds zeer controversieel, deels omdat veel documenten over wat er gebeurde nog steeds geheim zijn. Sommige aanhangers van Israël doen de verklaringen van de overlevenden van de aanval af als zinsbegoochelingen van getraumatiseerde ex-militairen. Clark Clifford, die als adviseur van de Amerikaanse regering van de jaren veertig tot zeventig een van Israëls trouwste vrienden was, schreef voor Johnson een rapport over het incident dat 34 jaar lang geheim werd gehouden. Hij lijkt de Israëlische verklaring van een reeks verschrikkelijke mislukkingen te aanvaarden, maar hij veroordeelt de 'ongelooflijke en onvergeeflijke fouten'. 'De eenzijdige aanval op de *Liberty* is een flagrante daad van onachtzaamheid, waarvoor de Israëlische regering volledig verantwoordelijk moet worden gehouden en het betrokken Israëlische militaire personeel bestraft moet worden.' Maar Clarks analyse van de Israëlische verklaring roept meer vragen op dan dat ze beantwoordt. Hij had geen enkel bewijs dat de top van de Israëlische regering wist dat er een Amerikaans schip werd aangevallen. 'Om dit te bewijzen zou men vrijuit toegang moeten hebben tot de Israëlische militairen en informatie, maar dat zal waarschijnlijk nooit gebeuren.' Dit was meer dan een Washingtonse advocaat die zijn woorden zorgvuldig koos. In zijn memoires schreef Clark: 'Het is niet waarschijnlijk dat de volledige waarheid ooit bekend zal worden. Omdat ik al zo lang een vriend van Israël was, trof het incident me des te dieper. Ik kon niet geloven dat Levi Esjkol toestemming voor de aanval had gegeven. Toch was er binnen de Israëlische overheid, ergens in de bevelsstructuur, iets verschrikkelijk fout gegaan – en was de zaak vervolgens in de doofpot gestopt. Ik heb altijd gevonden dat de Israëliërs onvoldoende uitleg hebben gegeven over hun handelen en dat hun schadeloosstelling inadequaat was.'

In juli 1967, drie dagen nadat Johnson Clarks rapport ontving, werd het onderzoek van de Israëlische militaire rechter-kolonel, Yeshayahu Yerushalami, openbaar gemaakt. Hij kwam tot de conclusie dat er geen gronden waren om de Israëlische officieren die voor de aanval op de *Liberty* verantwoordelijk waren disciplinair te straffen. Zijn onderzoek leest als een juridisch doortimmerde verdediging, een sluiten van de rijen, en is duidelijk meer bedoeld om aan de verplichtingen jegens de Verenigde Staten te voldoen dan dat het een gemotiveerde poging is om uit te zoeken wat er werkelijk is gebeurd. Yerushalami's rapport hanteert een ruime, zelfs elastische definitie van 'redelijk' gedrag voor een soldaat in oorlogstijd. De divisiebevelhebber die op een van de boten bevel gaf tot de torpedoaanval, ontkende bijvoorbeeld tegenover de rechter dat hij om 14.20 uur een bevel had gekregen dat luidde: 'Val niet aan. Mogelijk hebben de vliegtuigen het doel niet correct geïdentificeerd.' Volgens Yerushalami stond dit bevel wel in het logboek van het vaartuig van de divisiebevelhebber en in het oorlogsdagboek van Naval Operations. De plaatsvervangend bevelhebber getuigde dat hij het bevel wel had ontvangen en het aan hem had doorgegeven. Maar de torpedoaanval werd gewoon uitgevoerd.

Behalve Rusk en Clifford vonden ook veel andere hoge Amerikaanse functionarissen de Israëlische verklaring onaanvaardbaar. De directeur van de CIA, Richard Helms, meende dat de aanval opzettelijk was: 'Er is geen excuus voor de bewering dat het om een vergissing ging.' Lucius Battle, de onderminister van Buitenlandse Zaken, kwam tot de conclusie dat de zaak in de doofpot was gestopt. Admiraal Thomas Moorer, die later voorzitter werd van de Amerikaanse gezamenlijke stafchefs, schreef dat de verantwoordelijkheid voor de doofpotaffaire zowel bij de Amerikaanse overheid als bij de Israëliërs lag. Hij zei dat de Israëliërs zich onmogelijk in de identiteit van het schip konden hebben vergist: 'Ik heb jarenlang in oorlogs- en vredestijd verkenningsvluchten uitgevoerd boven zee. Mijn mening wordt gestaafd door een hele carrière van het opsporen en identificeren van schepen op zee.'

Veel van de Amerikaanse twijfels komen voort uit de efficiënte indruk die het Israëlische leger verder maakte. Het leek onvoorstelbaar dat het in het volle daglicht zo'n groteske reeks vergissingen kon begaan. Maar misschien klopte die mening over het Israëlische leger in 1967 niet helemaal. Het leger was goed georganiseerd, zeer gemotiveerd en durfde veel. Het was gewend tegen erbarmelijk voorbereide legers te vechten, met een slechte leiding, waardoor het gemakkelijk kon wegkomen met eventuele fouten. Maar het had altijd moeite zich in te houden. Een militair die op een van de torpedoboten werkte, zei later dat ze 'onervaren en waarschijnlijk al te schietgraag waren en dat we ons in oorlogsgebied bevonden'.

Maar het blijft de vraag waarom de Israëliërs het schip aanvielen terwijl ze wisten dat het Amerikaans was – zoals zo veel mensen in de regering-Johnson geloofden. Volgens sommigen had dit te maken met de samenzwering die er tussen Israël en de Verenigde Staten bestond. Pro-Israëlische elementen in de Amerikaanse strijdkrachten hadden samen met de Israëliërs een incident in scène willen zetten om de Verenigde Staten bij de oorlog betrokken te laten raken. Greg Reight, een voormalige medewerker van de Amerikaanse luchtmacht, beweerde in een BBC-documentaire dat hij bij een Amerikaans fotoverkenningsteam had gewerkt dat voor de Israëliërs geheime missies vloog vanuit een basis in de Negev-woestijn. De bemanning droeg uniformen zonder badges en 'de vliegtuigen waren gehaast overgeschilderd zodat ze er Israëlisch uitzagen'. Als zijn beweringen kloppen, dan had Nasser gelijk met zijn beschuldigingen van een complot tussen Israël en de VS.

Voor onderminister van Buitenlandse Zaken Lucius Battle was de meest voor de hand liggende verklaring dat de Israëliërs bang waren dat er op de *Liberty* 'gesprekken werden afgeluisterd of andere zaken werden opgevangen waarvan ze niet wilden dat wij die wisten. Ze waren soms behoorlijk vreemd bezig tijdens die oorlog. Ik denk dat ze niet wilden dat wij op de hoogte waren van alle details.'

Koeweit

Toen de omvang van de nederlaag duidelijk werd, begonnen de Arabische leiders zich kwetsbaar te voelen. De emir van Koeweit leek aangeslagen toen hij de Britse ambassadeur G.C. Arthur ontving. Arthur vroeg hem naar nieuws over de troepen uit Koeweit die naar Egypte waren gestuurd. 'Hij zei dat hij geen idee had hoe het ze verging. Het leek hem niets te kunnen schelen. [...] Hij bleef maar vragen wat er volgens mij met koning Hussein zou gebeuren.' Ook de koninklijke familie van Saudi-Arabië was bang. De emir zei dat hij niet geloofde dat de Britten en Amerikanen aan Israëlische zijde vochten in de oorlog. Zijn opmerking had wellicht te maken met de rol die Groot-Brittannië sinds lang speelde bij de instandhouding van de macht van zijn familie. In Koeweit woonden veel Palestijnen, die de harde werkers waren in het land. In de jaren vijftig had ook Yasser Arafat er gewoond en er in 1957 de Al-Fatah-beweging opgericht. De rijke Koeweiti's werden nerveus van de Palestijnen, maar konden niet zonder hen. Voor de oorlog werd er in het parlement van Koeweit in ernst voorgesteld aan de oorlog bij te dragen door de daar wonende Palestijnen op te roepen voor de dienstplicht en hen tegen Israël te laten vechten. Britse diplomaten vroegen wie er in hun afwezigheid het land moesten besturen. Na de Golfoorlog van 1991 grepen de Koeweiti's hun kans duizenden Palestijnen die hun leven lang in Koeweit hadden gewoond uit te wijzen, omdat Yasser Arafat zich pro Saddam Hussein had verklaard.

Tel Aviv, 19.00

Generaal David Elazar, bevelhebber van het Noordelijke Leger, was 'buiten zichzelf van woede en frustratie'. Hij ging op donderdagavond naar Tel Aviv om Rabin te vragen Syrië op dezelfde manier te mogen aanpakken als Egypte en Jordanië waren aangepakt. Elazar kon niet geloven dat Syrië, dat de grootste vijand van Israël was, nog niet was aangevallen. Het was nu of nooit. Als er niet met Syrië werd afgerekend, was de oorlog voorbij. Premier Esjkol riep de leden van de defensiecommissie van zijn kabinet bijeen. Zij moesten beslissen. Esjkol en de meerderheid van zijn kabinet waren voor. Moshe Dayan pleitte 'in de extreemste bewoordingen', zoals hij zelf zei, tegen een aanval op Syrië. Als Israël dit land aanviel, dan riskeerde het volgens hem een oorlog met de Sovjet-Unie. De leiders in Moskou zouden hun vrienden in Damascus willen beschermen. De Russische ambassadeur Sergej Tsjoevachin had op 6 juni een nauwelijks verhuld dreigement geuit. Hij had tegen de West-Duitse ambassadeur in Tel Aviv gezegd dat Israël meteen de aanval moest staken. Als de Israëliërs, 'dronken door hun succes', dat niet deden, 'dan zou de toekomst van dit landje er wel eens treurig uit kunnen komen te zien'. De West-Duitser was bezorgd en had de informatie meteen aan de Israëliërs doorgegeven, met een waarschuwing slechts de heuvels bij de grens te veroveren, maar niet verder te gaan. De Amerikaanse ambassadeur Barbour vond de bezorgdheid van de West-Duitsers overdreven. Hij dacht dat de Israëliërs het Syrische grondgebied tot 25 kilometer zouden binnendringen.

Tot grote ergernis van Dayan werd er een delegatie de kabinetszaal binnengeleid van vertegenwoordigers uit 31 joodse nederzettingen die dicht bij de grens met Syrië lagen. Ze hadden druk gelobbyd voor oorlog met Syrië en kregen nu de kans hun zaak persoonlijk te bepleiten. Dayan deed net alsof ze er niet waren. Hij 'ging achter in de zaal zitten, legde zijn voeten op tafel en viel in slaap'. Een van de kibboetsleiders, Yaakov Eshkoli, zei dat hij begreep dat het gevaarlijk was de grootste bondgenoot van Moskou in de regio aan te vallen. Maar het was de moeite waard het risico te nemen. Hij zei tegen het kabinet dat als het Israëlische leger de Syriërs niet van de Golanhoogte verdreef, hij tegen zijn mensen zou zeggen dat ze hun biezen moesten pakken en verdwijnen. Eerste minister Esjkol en de meeste andere oudere mannen aan de kabinetstafel waren zionisten die als jongeman vanuit Oost-Europa naar Palestina waren gekomen. De meesten van hen hadden zich hun leven lang ingespannen om de grens van het joodse gebied op te rekken door als kolonist nederzettingen te beginnen in vijandig gebied, dat ze vervolgens tot het hunne maakten. Het verhaal van de pioniers uit de nederzettingen raakte een gevoelige snaar. Esjkol zag ministers die zich de tranen uit de ogen veegden nadat hij en anderen emotioneel gesproken hadden over hun gezinnen die dagenlang in schuilkelders hadden moeten doorbrengen toen hun nederzetting met granaten werd bestookt. Maar Dayan was absoluut tegen een aanval op Syrië. Hij liet zich niet overtuigen door de kolonisten die, naar hij later zei, vooral hoopten goede landbouwgrond in de wacht te slepen.

Elazar was stomverbaasd toen Rabin hem vertelde dat Syrië niet zou worden aangevallen. 'Wat is er met dit land aan de hand? Hoe kunnen we onszelf, onze mensen, onze nederzettingen nog onder ogen komen? Laten we die arrogante klootzakken na al de moeilijkheden die ze veroorzaakt hebben, rustig op de heuvels zitten om ons verder te treiteren?' Rabin ontkende op bevel van Dayan dat hij had gevraagd burgers uit de grensstreek te mogen evacueren, hoewel hij wel kinderen die bij de frontlijn woonden had laten vertrekken.

David Elazar belde donderdagavond laat gefrustreerd Elad Peled op, die het bevel voerde over het grootste deel van de strijdmachten die Syrië zouden aanvallen. Elazar had voortdurend aangedrongen op toestemming om aan te vallen, maar nu wilde hij het opgeven. Hij zei tegen Peled dat hij op zijn hoofdkwartier in Nablus moest blijven slapen. De oorlog is bijna voorbij, zei hij, en ze hebben besloten Syrië niet aan te vallen. Even voor zonsopgang ging Yaakov Eshkoli op weg naar huis bij Elazars bunker langs en vertelde hem over de kabinetsvergadering.

Esjkol kon zich eindelijk wat ontspannen. Die dag hield hij een euforische toespraak voor de leiders van zijn politieke partij, de Mapai. Hij was het eens met een krantenkop die sprak over een 'herboren Israël', maar hoopte niet nog eens zo'n traumatische wedergeboorte mee te maken. 'Misschien is het een beslissende tijd, waaruit een nieuwe orde moet ontstaan [...] zodat we veilig in onze huizen op ons land kunnen zitten.' Maar de oorlog was nog niet voorbij. Moshe Dayan had andere plannen.

New York, 20.35

Egypte aanvaardde de voorwaarden van de resolutie over het staakt-het-vuren die de dag daarvoor door de Veiligheidsraad was aangenomen. Ten minste tienduizend Egyptische soldaten en vijftienhonderd officieren waren gedood of gewond. Waarschijnlijk was het aantal soldaten dat door hitte en dorst in de woestijn was omgekomen even hoog als het aantal slachtoffers dat was gevallen in de strijd. Van het Egyptische legermaterieel was tachtig procent vernietigd of door Israël geconfisqueerd. Egypte was tienduizend vrachtauto's, vierhonderd veldkanonnen, vijftig mobiele kanonnen, driehonderd 155-mm-kanonnen en zevenhonderd tanks kwijtgeraakt.

Dag vijf

9 juni 1967

Ministerie van Defensie, Tel Aviv

Na de kabinetsvergadering ging Moshe Dayan naar het hoofdkwartier van het leger en bracht het grootste deel van de nacht door in het ondergrondse commandocentrum. Het was er rustig. Geen van de hoogste officieren was aanwezig. De oorlog leek zo goed als voorbij. Dayan oreerde nog steeds over de redenen waarom ze Syrië met rust moest laten. Rond zes uur 's morgens las hij een telegram van Cairo aan Damascus voor dat door de Israëlische inlichtingendienst was onderschept. Hierin schreef Nasser aan de Syrische president Atassi dat hij op het punt stond het staakt-het-vuren van de VN te aanvaarden en dat hij Syrië aanraadde hetzelfde te doen. Volgens andere inlichtingenrapporten stond het Syrische leger op instorten en greep Damascus de kans op een staakt-het-vuren aan om niet hetzelfde te overkomen als Egypte en Jordanië. Dayan besprak de kwestie een paar minuten lang met een aantal lagere officieren die tegen hem zeiden dat hij deze historische kans niet moest missen.

Dayan veranderde van gedachten. Zonder premier Esjkol of stafchef Rabin op de hoogte te brengen pakte hij een beveiligde telefoon en belde hij rechtstreeks met brigadegeneraal Elazar. Toen Dayan hem vroeg of hij kon aanvallen, viel Elazar zowat van zijn stoel en zei dat hij dat kon, 'nu meteen'. 'Val dan maar aan', beval Dayan.

Rabin heeft nooit geweten wat Dayan die nacht precies door het hoofd speelde. Hij was ervan uitgegaan dat de oorlog min of meer voorbij was na het besluit van het kabinet Syrië niet aan te vallen. Hij was naar huis gegaan om te slapen. Pas toen Ezer Weizman hem de volgende morgen om zeven uur belde met de mededeling dat Dayan een kwartier eerder Elazar had bevolen aan te vallen, begreep hij dat Dayan van mening was veranderd. Als minister van Defensie had Dayan eerst zijn stafchef op de hoogte moeten brengen. Maar hoewel het besluit dus op de verkeerde manier was genomen, had Rabin 'geen zin in bekvechten op het moment dat de Syriërs hun verdiende loon zouden krijgen voor hun kwaadaardige agressie en arrogantie'. Ook Esjkol hoorde om zeven uur van de aanval. Hij was boos. Dayan had de overeenkomst geschonden die bij zijn aanstelling was gemaakt en die hem in toom had moeten houden. Maar omdat Esjkol altijd al de Golanhoogte had willen innemen, accepteerde hij het eigenmachtige optreden van de minister van Defensie.

Dayan had heel wat uit te leggen toen de defensiecommissie van het kabinet om halftien 's morgens bijeenkwam. De minister van Binnenlandse Zaken, Haim Moshe Shapira, leverde felle kritiek op hem en eiste dat de aanval meteen werd stopgezet. Maar hoe boos de overige commissieleden ook waren over de arrogante manier waarop Dayan het besluit had genomen, ze waren het er te zeer mee eens om het terug te willen draaien. Later zei Dayan dat het een van de slechtste besluiten was die hij ooit had genomen (de andere was dat hij joodse kolonisten had toegelaten tot Hebron, de stad op de Westoever).

Elazar gaf het nieuws – het beste dat hij die week had gehoord – door aan Peleds divisiehoofdkwartier in Nablus. Peled zei dat hij zo snel mogelijk zou oprukken naar het noorden. Het zou een paar uur kosten om de troepen naar de uitgangspositie te krijgen. Zijn mannen zouden de zuidelijke sector innemen, terwijl er verder naar het noorden twee andere aanvallen zouden plaatsvinden. Israëlische genietroepen waren al bezig een weg te banen door de mijnenvelden aan de grens. Aan de Syrische kant ging het vlotter dan aan de Israëlische. De mijnen spoelden weg door de zware winterregens en moesten in de lente opnieuw gelegd worden. De Israëliërs deden dit punctueler dan de Syriërs die grote stukken niet van mijnen hadden voorzien.

De hele week hadden de Syriërs Israëlische grensnederzettingen beschoten. Tussen maandagmorgen en donderdagavond hadden ze 205 huizen, negen kippenrennen, twee tractorschuren, dertig tractoren en vijftien auto's geraakt. Ze waren er ook in geslaagd zeventig hectare boomgaarden en dertig hectare graanakker in brand te schieten. Er waren twee Israëliërs omgekomen en zestien gewond. Maar er was niet meer geschoten sinds Syrië om 17.20 uur het staakt-het-vuren van de VN had aanvaard. Vanuit Damascus was het bevel gekomen niet meer te schieten. Tanks en pantserwagens hadden zich van het front teruggetrokken naar Damascus. Het gevaar dat het Syrische regime van Israël vreesde leek minder te worden, dus had het weer vooral oog voor de gevaren die de eigen bevolking en ontevreden officieren konden opleveren.

Als Israël Syrië aanviel, zou het staakt-het-vuren worden genegeerd, maar daar leek niemand zich aan te storen. Een Israëlische paratrooper zei: 'Iedereen wilde graag de Syriërs op hun donder geven. We hadden een zeker respect voor de Jordaniërs, maar niet voor de Syriërs die al negentien jaar onze kibboetsim beschoten.' Er werden weer luchtaanvallen uitgevoerd, waarop ook de artilleriebeschietingen van Syrische kant weer begonnen. Elazars troepen waren in de achterhoede gehouden, buiten bereik van de Syrische artillerie. Op vrijdagmorgen schoven ze naar voren naar de uitgangspositie voor de aanval.

Suez, 08.00

In de stad Suez was het één grote chaos. Van de overblijfselen van de eenheden die uit de Sinaï waren gevlucht, moesten nieuwe eenheden worden gevormd. Er werden individuele soldaten aan toegevoegd die op een of andere manier de betrekkelijk veilige stad hadden weten te bereiken. Brigadier Abdel Moneim Khalil, commandant van een brigade paratroepers die zich verhoudingsgewijs intact uit de Sinaï had weten terug te trekken, belde veldmaarschalk Amer op zijn hoofdkwartier in Cairo. Slechts 24 uur eerder had Amer hem paniekerig en wanhopig improviserend het bevel over een pantserbrigade en een brigade gemechaniseerde infanterie gegeven. Khalil had Amers bevelen aan zijn laars gelapt, maar dat leek de veldmaarschalk nu vergeten te zijn. Toen Khalil over de chaos in Suez vertelde, gaf Amer hem onmiddellijk het bevel over de stad. Khalil besloot dat er niet veel te winnen viel met verder overleg met Amer. Hij stelde zijn paratroepers op in verdedigingsstellingen rond de stad en belde stafchef-generaal Fawzi om hem ervan op de hoogte te brengen.

Radio Cairo speelde sentimentele, treurige muziek: liedjes over tragische vaderlandsliefde en de plaats die Egypte in het hart van het volk innam. Abd al-Hamid Sharaf, de Jordaanse minister van Informatie, luisterde in Amman naar Radio Cairo. 'Hoor eens wat ze uitzenden', zei hij tegen zijn vrouw Leila. 'Ze bereiden de mensen voor.' Hij was ervan overtuigd dat Nasser een eind aan zijn leven had gemaakt. Voor de miljoenen Arabieren in het Midden-Oosten die Nasser verafgoodden, was de werkelijkheid bijna even treurig. Hij zou aftreden. Mohammed Heikal, redacteur van *al-Ahram* en sinds lang spreekbuis van Nasser, had de speech om het ontslag aan te kondigen al geschreven. Nassers adviseurs waren geschokt. In de Arabische wereld betekent het opstappen van de leider dat ook zijn entourage verdwijnt. Rond de klok van twaalf werd er aangekondigd dat de president om halfacht 's avonds zijn volk zou toespreken. In de hele Arabische wereld zette men de radio of televisie aan en bereidde men zich voor op iets ongehoords.

Sinaï

Winston Churchill, kleinzoon van de Britse oorlogsleider, die voor de *Evening News* uit Londen en de *News of the World* de oorlog versloeg, vloog naar Bir Gifgafah om brigadegeneraal Sharon te bezoeken. Na de lunch nam Sharon hem mee om de stellingen in de woestijn te bekijken. Zijn chauffeur reed zo hard mogelijk over het hobbelige zandspoor. Plotseling zagen ze in de verte een rij uitgeputte Egyptenaren in de richting van het Suezkanaal sjokken. Sharon greep meteen het zware machinegeweer dat op de jeep was gemonteerd. 'Hij was bezeten, als een duivel [...] en schoot terwijl we door de woestijn scheurden [...] we hotsten zo erg dat hij waarschijnlijk niets raakte [...] maar de bedoeling was duidelijk.' Wat later probeerde Sharon, die in een uitbundige bui was, een Engelse woordspeling: 'Winston, eindelijk hebben we *peace* – een *piece* van Egypte.'

Duizenden Egyptenaren gaven zich over. Velen werden vrijgelaten en moesten zelf de weg naar het Suezkanaal zien te vinden. Soms werden gewonden goed behandeld. Een paar week na de oorlog schreef Uri Oren een stuk voor de Israëlische populaire krant *Yediot Ahronoth* waarin hij beschreef hoe hij een gewonde Egyptische soldaat tegenkwam die door zijn eenheid was achtergelaten (iedere Israëlische lezer wist dat het Israëlische leger nooit ofte nimmer zijn gewonden op het slagveld achterliet). De gewonde man keek Oren 'smekend' aan en leek te bedelen om zijn leven. 'Ik wist meteen,' schreef Oren, 'dat ik hem niet zou durven doodschieten. Er lagen al te veel doden en deze man – de geur van bederf steeg al uit hem op. Ik had geen groter verlangen dan hem weer naar het land der levenden te leiden. De slogan was niet "één soldaat minder", maar "één lijk minder", de regel van het leven.' Oren redde de man en droeg hem over aan de medische dienst. Toen hij hem een paar dagen later in het ziekenhuis wilde opzoeken, kreeg hij te horen dat de man naar het Rode Kruis was overgeplaatst voor repatriëring. Hij had voor Oren foto's van zijn vrouw en kinderen achtergelaten, foto's die hem op de been hadden gehouden tijdens de drie dagen dat hij in de woestijn op zijn redding had liggen wachten. Op de achterkant had hij de opdracht geschreven: 'Voor mijn strijdende broeders, die het leven terugbrachten.'

Maar volgens Israëlische getuigen en historici (en Egyptische overlevenden) waren dergelijke reddingen eerder uitzondering dan regel. De Israëlische historicus Aryeh Yitzhaki verzamelde, toen hij na de oorlog op de geschiedkundige afdeling van het leger werkte, tientallen getuigenissen van soldaten die zeiden dat ze gevangenen hadden omgebracht. Volgens Yitzhaki werden er ongeveer negenhonderd Egyptenaren en Palestijnen gedood nadat ze zich hadden overgegeven. De ergste bloedbaden vonden plaats op vrijdag en zaterdag, de vijfde en zesde dag van de oorlog, in Al-Arish. Het moorden begon toen Egyptische soldaten na hun overgave het vuur openden en twee Israëlische soldaten doodschoten. Dat leidde tot grote woede onder de Israëlische soldaten. 'Ze bleven urenlang elke Egyptenaar en Palestijn die ze tegenkwamen neerschieten. De commandanten verloren de controle over hun troepen.' De bewijzen liggen volgens Yitzhaki in een kluis op het Israëlische militaire hoofdkwartier. 'Het hele leiderschap, inclusief minister van Defensie Dayan en stafchef Rabin, was ervan op de hoogte. Niemand nam de moeite het aan de kaak te stellen.' Een paar van de soldaten die aan het bloedbad deelnamen, hoorden bij een eenheid die onder bevel stond van Binyamin Ben Eliezer, leider van de Israëlische Arbeiderspartij en in 2001 minister van

Defensie in de eerste coalitieregering van Ariel Sharon. Volgens een andere Israëlische historicus, Uri Milstein, waren er nog heel wat meer incidenten waarbij Egyptische soldaten werden gedood nadat ze zich hadden overgegeven. 'Het was geen officieel beleid, maar er heerste wel een sfeer dat het best kon, sommige commandanten deden eraan mee, anderen niet. Maar iedereen wist ervan.'

Uit openbaar gemaakte documenten van het Israëlische leger blijkt dat de uitvoerende afdeling van de generale staf het op 11 juni, een dag na het einde van de oorlog, nodig achtte een nieuwe order uit te vaardigen over de behandeling van krijgsgevangenen. De order luidde: 'Omdat de bestaande orders elkaar tegenspreken, volgen hier bindende voorschriften. a) Soldaten en burgers die zich overgeven, mogen geen haar worden gekrenkt. b) Soldaten en burgers die een wapen dragen en zich niet overgeven, worden doodgeschoten.' De order besloot: 'Soldaten die worden betrapt bij het negeren van deze order en gevangenen doodschieten, zullen zwaar worden bestraft. Zorg ervoor dat deze order onder de aandacht wordt gebracht van alle soldaten van het Israëlische leger.' Meir Pail, generaal Tals plaatsvervanger in de Sinaï, zei dat mannen die gevangenen of burgers hadden vermoord, in het geheim werden berecht door een militaire rechtbank en naar de gevangenis gingen. 'Het idee was dat dergelijke zaken beter binnen de besloten kring van het leger afgehandeld konden worden.'

Gabby Bron, een Israëlische journalist die reservist was tijdens de oorlog van 1967, zag honderden Egyptische krijgsgevangenen op het vliegveld bij Al-Arish. Op 7 juni zaten honderdvijftig van hen dicht tegen elkaar aan, met hun handen in hun nek, in een met zandzakken afgescheiden ruimte in een vliegtuighangar. Naast de hangar zaten twee Israëlische soldaten aan een tafel. Ze droegen een helm en zonnebril en hun gezicht was grotendeels bedekt door een kakikleurige zakdoek. Om de paar minuten haalde de militaire politie een gevangene uit de hangar. Bron keek toe.

'De krijgsgevangene werd naar een plek op ongeveer honderd meter afstand van het gebouw gebracht en kreeg een schep aangereikt. Ik bleef kijken terwijl de krijgsgevangene een grote kuil groef, wat ongeveer een kwartier duurde. Vervolgens beval een politieman de gevangene in de kuil de schep naar boven te gooien. Meteen daarop richtte een van hen zijn uzi-machinegeweer in de kuil en schoot een salvo af, meestal drie tot vier kogels. De krijgsgevangene viel dood neer. Na een paar minuten werd er een andere krijgsgevangene naar dezelfde kuil geëscorteerd, gedwongen erin te gaan staan en doodgeschoten.' Er verscheen een officier, kolonel Eshel, die naar Bron en de andere toekijkende soldaten schreeuwde dat ze moesten verdwijnen. Toen ze zich niet uit de voeten maakten, trok hij zijn revolver. Hierop liepen ze weg. Later werd Bron verteld dat de soldaten aan tafel Palestijnse fedajien hadden geïdentificeerd die joden hadden vermoord en zich als Egyptenaren hadden vermomd.

Toen Egypte na de Camp David-akkoorden de Sinaï terugkreeg, werd er een aantal massagraven ontdekt. Politiegeneraal Bahjat Farag ontdekte een graf bij het Ras Sudr-ziekenhuis, waarin overblijfselen van vijftien mannen lagen, in het uniform van commandotroepen. De voormalige krijgsgevangene Abdel Salam Mohammed Ibrahim Moussa beweerde te hebben gezien hoe er in Al-Arish twintig gevangenen werden begraven die eerder waren doodgeschoten. Mensenrechtenorganisaties in Egypte hebben tientallen getuigenverklaringen verzameld van voormalige soldaten en burgers die vertellen over de slechte behandeling en soms de executie van gevangenen door Israëliërs. Ironisch had de Egyptische regering er zelf nooit onderzoek naar gedaan. Ze begonnen pas met een onderzoek toen er in Israël verhalen over werden gepubliceerd.

Syrisch-Israëlische grens, 11.30

De pantserbrigade van kolonel Albert Mendler stak het noordelijke deel van de grens met Syrië over, dicht bij de nederzetting Kfar Szold. Ze werd later gevolgd door infanterie van de Golani-brigade. Het aanvalsplan was, zoals alle Israëlische militaire plannen, jarenlang geoefend en geperfectioneerd. Er werd enorm geprofiteerd van de inlichtingen die waren verzameld door Eli Cohen, een agent van de Mossad die was geïnfiltreerd in de top van het Syrische regime. Hij werd in 1965 in het centrum van Damascus geëxecuteerd, maar de schade was toen al aangericht. De aanval vond plaats op een van de moeilijkste stukken terrein van de streek. Het leek er onbegaanbaar, dus hadden de Syriërs meer troepen in het zuiden opgesteld. De Israëlische strijdkrachten moesten steile hellingen beklimmen om op een bergrug vijfhonderd meter boven hen te komen.

De pantserbrigade van Mendler werd voorafgegaan door acht ongepantserde bulldozers. Zij zigzagden de helling op en baanden de weg voor de tanks en de infanterie, die in halfrupsvoertuigen volgde. De Syriërs hadden geen luchtdekking en kregen de zwaarste luchtaanvallen van de hele oorlog te verduren. Israëlische oorlogsvliegtuigen voerden 1077 aanvallen uit op gronddoelen in Syrië, meer dan tegen Jordanië en Egypte samen. Maar de Syrische bunkers waren van goede kwaliteit en hadden groeven in het beton waardoor de napalm weg kon lopen. De Syrische kanonnen bleven vuren en maakten veel slachtoffers aan Israëlische zijde. Drie bulldozers werden vernietigd, van alle drie kwam de bemanning om. Tanks werden uitgeschakeld. Een bataljonscommandant die voor zijn troepen uit reed, werd gedood en even later ook zijn plaatsvervanger.

Normaalgesproken had Syrië de Israëliërs gemakkelijk moeten kunnen tegenhouden. De aanval was geen verrassing. Jordanië en Egypte waren verslagen, dus wisten de Syriërs dat de kans groot was dat ze als volgende aan de beurt waren. De Israëliërs vielen in het volle daglicht frontaal aan en vochten heuvelopwaarts tegen goed voorbereide stellingen. Veel voertuigen werden uitgeschakeld en veel mannen kwamen om door het Syrische vuur. De opmars werd vertraagd door rotsblokken waartussen de rupsbanden van de Israëlische pantservoertuigen klem kwamen te zitten. Tanks gleden terug of naar opzij langs de steile, met gruis en basalt bedekte hellingen. Een deel van de Israëlische troepen was gehaast vanuit de Sinaï overgebracht en kende het terrein niet, zodat ze een verkeerde afslag namen. Maar de Israëliërs bleven doorgaan. De infanterie schakelde een aantal Syrische tanks uit die zo waren ingegraven dat alleen het kanon en de geschutskoepel zichtbaar waren.

De Syriërs waren slecht getraind en werden slecht geleid, maar de individuele soldaten vochten dapper. De grootste fout die ze maakten was dat ze hun pantsereenheden in reserve hielden. Ze verdedigden hun frontlijn verhoudingsgewijs licht, onder andere met tanks die in de hellingen waren ingegraven en met antitankkanonnen. Er waren slechts een paar nauwe karrensporen op de steile hellingen van de heuvelkam, maar de Israëlische tanks, die door de superieure luchtmacht werden beschermd, gebruikten ze in het volle zicht van de Syriërs. Als de Syriërs tanks hadden ingezet, zouden ze er zeker een aantal zijn kwijtgeraakt door Israëlische luchtaanvallen, maar hadden ze de trage Israëlische opmars tegen de verraderlijke, steile hellingen misschien kunnen tegenhouden.

Er braken felle gevechten uit toen de Israëliërs de Syrische versterkingen bereikten en deze begonnen te bestormen. Na de slag zei generaal Elazar dat er bij stellingen van Tel Fahr 'op de post en in de loopgraven ten minste zestig lijken lagen. Er werd man tegen man gevochten, met vuisten, messen, tanden en geweerkolven. De strijd om de stellingen duurde drie uur.' Zestig Syriërs werden gedood en twintig gevangengenomen. Aan Israëlische zijde vielen dertig doden en ongeveer zeventig gewonden. Verder naar het zuiden staken lichte Israëlische AMX-tanks zonder steun van de infanterie de grens over. Ze verrasten de Syriërs en rukten snel op. De Syriërs verraadden zichzelf doordat hun radioverbindingen slecht beveiligd waren. Toen ze een tankeenheid om hulp vroegen, konden de Israëliërs de positie van de tanks lokaliseren en ze vernietigen.

Amman

De Amerikanen wilden van koning Hussein horen in hoeverre hij geloofde dat zij met Israël samenzwoeren. Op straat geloofde iedereen dat Groot-Brittannië en de Verenigde Staten de Arabische luchtmacht hadden aangevallen. Findley Burns, de Amerikaanse ambassadeur in Amman, en Jack O'Connel, de standplaatschef van de CIA, zochten de koning 's middags op in zijn paleis. Ze waren bezorgd dat Hussein 'zo sterk vastzat aan Nasser' dat ook hij Amerika en Groot-Brittannië de schuld gaf van de Arabische nederlaag. Maar Hussein was even charmant als altijd tegen de westerlingen, die uiteindelijk gerustgesteld vertrokken. Hussein beloofde dat hij zou proberen Nasser te overtuigen zich minder fel op te stellen. En hij zei dat Nasser hem specifiek had gevraagd de diplomatieke betrekkingen met Groot-Brittannië en de Verenigde Staten niet te verbreken, omdat Egypte via Jordanië een kanaal naar het Westen wilde openhouden. Ook dat was goed nieuws.

Het grootste probleem voor koning Hussein was de enorme toestroom van vluchtelingen die de strijd op de Westoever waren ontvlucht. Jordanië beschuldigde Israël ervan ze tot vertrek te hebben gedwongen. Groot-Brittannië was geneigd het daarmee eens te zijn. De Israëliërs 'waren met hun oude streken bezig' en lieten in Palestijnse dorpen luidsprekerwagens rondrijden die omriepen: 'Als u zich rustig houdt, kunt u hier blijven, maar als u wilt vertrekken, dan zorgen we voor een vrijgeleide door de linies.'

In Tulkarem op de Westoever klopten Israëlische soldaten op de deur van het huis van de 23-jarige Palestijnse Ghuzlan Yusuf Hamdan en haar familie. Toen de oorlog uitbrak, hadden ze besloten hun huis, dat zich op een kilometer van de grens met Israël bevond, niet te verlaten. Er verzamelden zich vijftig verwanten en buren in de drie sterkst uitziende huizen van hun wijk, 'de mannen in één huis, de jonge mannen in het volgende en de vrouwen en kinderen in het derde [...] daar bleven we drie dagen zitten. Tijdens één nacht werd er continu geschoten. De kinderen waren ziek en de vrouwen moe, maar we hielpen elkaar.' Toen de Israëlische tanks en helikopters dichterbij kwamen, moesten ze aan het bloedbad bij Deir Yassin denken. 'De aarde schudde als bij een aardbeving, we lagen op de grond en durfden ons hoofd niet op te tillen en uit het raam te kijken, omdat we bang waren geraakt te worden. Het waren de angstigste momenten van mijn leven, want ik was bang dat ze binnen zouden komen en ons allemaal zonder onderscheid zouden vermoorden. We waren ongewapend. We zetten de radio aan om naar de Israëlische zender te luisteren. Er werd omgeroepen dat we een witte vlag buiten moesten hangen en ons moesten overgeven. Dat deden we.'

Die vrijdagmorgen kwamen de Israëliërs die op de deur hadden geklopt, het huis binnen en zeiden tegen de familie dat ze mee moesten naar het centrum van het stadje. 'De soldaten hadden allemaal een machinegeweer en handgranaten, dus we gingen naar buiten. Toen we in het centrum kwamen, bleek dat al afgeladen. Op de daken stonden Israëlische soldaten met wapens. Niemand durfde een woord te zeggen, want de mensen waren bang.'

Ghuzlan Yusuf Hamdan en haar familie en honderden andere Palestijnen werden flink geïntimideerd. Ze protesteerden niet toen ze van de Israëlische soldaten in bussen moesten stappen. Ze wist van een van hen toestemming te krijgen thuis een koffer met benodigdheden te gaan halen. Verder bleef alles achter. De bussen brachten hen naar de rivier de Jordaan, waar ze tussen drie en vier uur 's middags aankwamen. 'Een Israëlische soldaat zei dat ze niet op de brug konden blijven omdat die door Israëlische oorlogsvliegtuigen aangevallen kon worden. We moesten dus oversteken, maar de brug was opgeblazen en delen waren gezonken. We moesten dus klimmend naar de overkant. Ik herinner me een familie waarvan de jonge mannen hun grootmoeder in een deken droegen. We zagen mensen van rijke families die er armzalig aan toe waren [...]. Het was een wanhopige situatie. Veel mensen liepen naar familieleden te zoeken die ze onderweg waren kwijtgeraakt.'

Na het staakt-het-vuren stroomden vluchtelingen van de Westoever Jordanië binnen. Een Franse televisiejournalist beschreef 'het afschuwelijke tafereel van duizenden vluchtelingen die wadend met hun vee de Jordaan oversteken onder de onverschillige blik van Israëlische soldaten en zonder dat de Jordaanse autoriteiten iets aan de rampzalige situatie deden'. Er waren geen Jordaanse hulporganisaties aanwezig. Dagjesmensen die met de auto uit Amman waren gekomen om naar het schouwspel te kijken, stonden naast Jordaniërs die naar de rivier waren gereden om informatie te krijgen over verwanten op de Westoever. De vluchtelingen waren er afschuwelijk aan toe, 'aan het eind van hun Latijn'. Toen de journalist samen met Jordaanse functionarissen het kamp bij Zerka bezocht, waar vijfduizend vluchtelingen verbleven en de faciliteiten zeer slecht waren, moest hij door 'een zeer uitgebreide militaire escorte' worden beschermd. 'De vluchtelingen waren buiten zichzelf en schreeuwden allerlei beledigingen naar hen.'

De Jordaanse autoriteiten werden door de gebeurtenissen overweldigd en hadden aanvankelijk de neiging buitenlanders weg te houden. Maar Mary Hawkins van Save the Children kende het Jordaanse hoofd openbare veiligheid. Ze wist van hem toestemming te krijgen om langs de rand van de Syrische woestijn naar het kamp Wadi Dhuleil te reizen. Daar verbleven vijfduizend vluchtelingen in afschuwelijke omstandigheden. Dagelijks kwamen er nog honderden bij. Ze ging onmiddellijk aan het werk. 'Er komen dagelijks meer vluchtelingen bij dan er tenten opgezet kunnen worden en er zijn altijd meelijwekkende groepjes mensen die onder de meedogenloze zon kamperen en 's nachts in de ijskoude woestijn met de zware dauw slapen.' Baby's van minder dan een week oud die tijdens de reis vanuit de Westoever waren geboren, lagen gewoon op de grond. Hawkins noemde hen 'kinderen van het stof [...] Vijf van de zeven dagen begint de wind om tien uur 's morgens te waaien en gaat dan pas 's avonds weer liggen. Het stof verstikt en verblindt de vluchtelingen en de medewerkers. Het zit in het eten, het water, je kleren, je haar en het beddengoed. Een man zei tegen me: "Mijn kinderen eten continu stof.""

Weinig mensen hadden de mogelijkheid om te koken. Op de ergste dagen was er slechts één waterauto voor alle vluchtelingen. De politie – die het kamp had opgezet – moest de wanhopige vluchtelingen met geweld tegenhouden toen Hawkins en haar team water van de tankauto wilden mengen met melkpoeder voor de kinderen. En kwamen er steeds meer bij tot er tussen de veertienduizend en vijftienduizend vluchtelingen verbleven. Zij waren vuil en hongerig. Er was geen sanitair in het kamp en de meeste vluchtelingen hadden dysenterie of wormen. Overal lagen menselijke uitwerpselen, omzwermd door miljoenen vliegen. Hawkins slaagde erin kleren, schoenen, zeep, dekens, waterflessen, kopjes, waskommen en stormlampen te pakken te krijgen. Maar dat was niet genoeg: 'Het is bijna onmogelijk iets uit te delen zonder dat er relletjes ontstaan.' Een maand later berichtte ze: 'Na dertig dagen in deze hel te hebben geleefd en gewerkt lijkt het een tijdloze nachtmerrie.' Ze moest denken aan de modderige kampen van 1948, met open latrines waar kinderen in verdronken, en hield haar hart vast als ze dacht aan het lot dat de vluchtelingen de komende winter tegemoet gingen.

Een van de beste UNRWA-kampen bevond zich bij Suf. Maar ook dit was enorm overbevolkt. Eind juli verbleven er 12.500 vluchtelingen. De meeste waren kleine boeren die gewoonlijk taai en vindingrijk zijn en beter in overleven dan de middenklasse, die in vluchtelingenkampen vaak als eerste sterft. In Suf bouwden deze vluchtelingen geïmproviseerde ovens, maakten ze muren van leem rond hun tent en gebruikten ze dorre struiken om een afdak tegen de genadeloze zon te bouwen. Ze hadden van de Westoever geiten, schapen en kippen meegenomen die rond de tenten graasden en pikten. Maar de latrines waren volkomen inadequaat voor zoveel mensen, en er werkten slechts twee doktors en vier verpleegsters bij de medische dienst. Ze konden het werk niet aan, vooral omdat zoveel kinderen ondervoed waren.

Arabieren die afstemden op het radionieuws uit Cairo konden nog in de waan blijven dat alles goed ging. Koeweit, dat troepen naar Egypte had gestuurd, weigerde een staakt-het-vuren te aanvaarden. 'Ik denk dat alle Arabieren in een fantasiewereld leven,' zei de Britse ambassadeur in Koeweit, G.C. Arthur, vermoeid, 'maar de bewoners van Koeweit lijken nu verder van de werkelijkheid verwijderd dan de meesten. Zij en hun broeders behalen nog steeds grootse overwinningen op de zionistische bendes [...] waar ik het bangst voor ben is de schok die de werkelijkheid later teweeg zal brengen [...] de walvis is op zijn gevaarlijkst als hij met zijn staart slaat voordat hij zijn laatste adem uitblaast.'

Syrisch-Israëlische grens, 16.30

Het was tijd dat de Israëliërs de Amerikanen lieten weten waar ze mee bezig waren. De Israëlische minister van Buitenlandse Zaken vertelde dat de tijd was gekomen om 'de mensen uit te roeien die onze nederzettingen al twee jaar bombarderen. We zijn onze actie begonnen, die bevredigend verloopt.' Toch duurde het langer dan verwacht. De Syriërs vochten nog steeds, ondanks intensieve bombardementen door de Israëlische luchtmacht. Brigadegeneraal Hod schreef later: 'We vielen aan met alles wat we in huis hadden [...] we schoten met raketten, gooiden bommen, wierpen napalm af.' De Israëlische soldaten die per vliegtuig naar de Syrische posities in de zuidelijke sector werden vervoerd, troffen daar een Syrische kanonnier aan met shellshock. Hij zat nog steeds bij de bediening van zijn luchtafweerkanon en zei alleen: 'Vliegtuig, vliegtuig.'

De Syrische soldaten waren zwak omdat hun officieren het te druk hadden met politiek om hen behoorlijk te trainen. Voor de oorlog had een kleine groep Sovjetadviseurs zijn best gedaan de leemten op te vullen, maar omdat de officieren niet echt deelnamen en er geen betrouwbare kern van trouwe onderofficieren was, hadden de Syriërs geen kans. Sommige Sovjetadviseurs bevonden zich dicht bij de strijd. In een van de veroverde bunkers vonden Israëlische soldaten het verzameld werk van Balzac in Russische vertaling.

Toen het donker werd, lagen er nog steeds overal doden en gewonden op de steile hellingen. De Israëlische dokter Yitzhak Glick had de hele dag slachtoffers behandeld en vond 's avonds zes gewonde mannen naast een paar uitgeschakelde tanks. Een van hen was er slecht aan toe. 'Ik was bijna een uur met hem in de weer bij het licht van een zaklantaarn. Ik probeerde kunstmatige ademhaling, gaf een injectie rechtstreeks in zijn hart, masseerde extern. De anderen liepen rond en zeiden: "Een halfuur geleden praatte hij nog, vertelde hij ons van alles en nog wat." Ze hadden het gevoel dat ik te laat was, dat ze in de steek waren gelaten. Toen ik zei dat hij dood was, voelde iedereen zich verschrikkelijk alleen. We waren alleen op de wereld. Het was stil en volledig duister.'

Tegen de avond waren de Israëlische troepen bij Kuneitra, de belangrijkste stad op de Golan, 22 kilometer van de Israëlische grens vandaan en slechts zestig kilometer van Damascus.

Jeruzalem

Jeruzalem wordt al drieduizend jaar door veroveraars geplunderd. Het Israëlische leger volgde wat dat betreft een oude traditie. De nieuwe bezetters beschermden de heilige plaatsen, maar enorm veel privé-bezit werd gestolen.

Toen de fronttroepen waren vertrokken, werden de Palestijnse en Jordaanse bezittingen in de pas bezette gebieden systematisch geplunderd. Tijdens de gevechten verpleegde een katholieke non, zuster Marie-Thérèse, de gewonden in een klooster in de Via Dolorosa in de Oude Stad. Na de val van Jeruzalem gaf een meevoelende Israëlische officier haar een pas waarmee ze vrij door Jeruzalem en op de Westoever kon rondreizen om humanitair werk te doen. 'Het moet ondubbelzinnig worden vastgesteld dat de eerste golf Israëlische soldaten fatsoenlijk, menselijk en moedig was, en zo min mogelijk schade aanrichtte', schreef ze na de oorlog. 'Maar de tweede golf bestond uit dieven, plunderaars en soms moordenaars, en de derde was nog erger, want die leek alleen maar meedogenloos uit op systematische destructie.'

Generaal-majoor Chaim Herzog, die tot Israëlisch gouverneur van de Westoever was aangesteld, maakte zich grote zorgen over de chaos nadat de paratroepers zich hadden teruggetrokken en waren vervangen door reservisten van de Jeruzalem-brigade. 'Orde en discipline ontbraken. Vrouwen en vriendinnetjes van soldaten zwierven in het gebied rond. Heel Jeruzalem kwam kijken, plunderen en dingen kapotmaken.' Herzog protesteerde en het Israëlische parlement nam maatregelen voor betere bescherming. Er waren verschillende orders uitgevaardigd om plunderen tegen te gaan, maar deze werden door bijna iedereen genegeerd. Sommige gevechtseenheden keurden het optreden van de troepen uit de achterhoede af. Paratroepers die op de muren van de Oude Stad zaten te wachten tot ze werden afgelost, zagen Israëlische soldaten met zakken op hun rug door het Arabische dorp beneden hen lopen. 'Ik nam een geweer van een van de jongens en schoot, niet op de mannen zelf, maar voor hen. Ze schrokken zich rot. We schreeuwden naar beneden: "Hier brengen, alles!" Ze leegden hun zakken dus bij de muur en we schoten nogmaals – net naast hun handen – en ze dropen af, terug naar hun legerkamp.' Een andere soldaat was geschokt door wat hij zag op de legerplaats van zijn eenheid op de Westoever. 'De mensen van het magazijn en de koks – dat soort figuren – wentelden zich in dingen die ze in het dorp hadden geplunderd. Ze hadden tapijten om zich heen geslagen, droegen juwelen van vrouwen. Het was een afschuwelijk tafereel.' Zijn commandant, een godsdienstige man, las de plunderaars stukken uit de Bijbel voor waarin dergelijk gedrag werd gehekeld.

De vijftig paratroepers die waren ingekwartierd in het American Colony Hotel in Oost-Jeruzalem gedroegen zich uitstekend. Ze brachten hun eigen rantsoenen mee en hadden alleen water nodig dat ze uit de regenton haalden. Ze leenden matrassen om op de vloer te slapen. Alles werd teruggebracht en ze lieten de kamers aangeveegd en schoon achter. Een officier vroeg of ze de Austin 1100 konden lenen van de familie die eigenaar was van het hotel. Toen Frieda Ward, die tot deze familie behoorde, de sleutel in het portier stak, zochten de paratroepers dekking, omdat ze bang waren voor een boobytrap.

Ze dacht dat ze de auto nooit meer zou terugzien, maar hij werd een paar uur later alweer teruggebracht. De paratroepers zeiden dat ze niet snapten hoe het geheime contact werkte. Maar toen op vrijdag de achterhoede van het leger Jeruzalem binnentrok, moest er wacht worden gelopen om plundering te voorkomen.

Elke leger heeft meer soldaten in de achter- dan in de voorhoede. Abdullah Schliefer, de Amerikaanse journalist die in de Oude Stad woonde, zag hoe de tweede achterhoede optrad. 'Ze schoten de sloten van de luiken af en drongen met geweld de huizen binnen waarvan de bewoners waren gevlucht. Ze pikten radio's, juwelen, televisies, sigaretten, blikjes eten en kleren. Op het trottoir voor het paleis van de koning danste een jonge vrouwelijke Israelische soldaat rond in avondjurk, terwijl haar kornuiten de drankkelder van het paleis binnendrongen.' In de belangrijkste winkelstraat van Oost-Jeruzalem parkeerden soldaten vrachtauto's met de laadklep naar winkels toegekeerd en namen kachels, ijskasten, meubels en kleren mee.

Een van de geplunderde huizen was van Um Sa'ad. Zij woonde aan de noordoostkant van Jeruzalem, dicht bij het vliegveld. Ze was met haar kind en man (die een succesvol bouwbedrijf had) naar Ramallah gevlucht toen de gevechten begonnen. Ze bleven de zes dagen dat de oorlog duurde in Ramallah. 'Toen de oorlog was afgelopen kwam er iemand naar me toe die zei: "We zagen thuis jullie deuren wijd openstaan." Alles wat zich in ons huis bevond, ben ik kwijt. Ons bankstel was aan repen gesneden, de gordijnen waren weg, er was niets meer in huis dat je nog kon gebruiken. Onze huwelijksfoto's waren met een mes doorstoken. Ze hadden kleren onder het bed en de tafel achtergelaten. Er was een avondklok, dus niemand kon zijn huis uit om te stelen of iets dergelijks te doen. Dit moet door Israëlische soldaten zijn gedaan.' Toen de Palestijnse winkels in de Oude Stad uiteindelijk weer opengingen, waren de eigenaars volgens een Britse diplomaat bang om veel in de etalage te zetten, omdat er al zo veel was gestolen. De diplomaat had zelf ook klachten. 'Er werd door Israëlische soldaten op mijn medewerkers geschoten toen die om vijf uur 's middags in een tuin zaten. De Israëliërs zijn niet bepaald goed in het maken van vrienden.'

Ook de Israëlische troepen in de Gazastrook waren dwangmatige plunderaars. UNRWA, de VN-organisatie die voor de Palestijnse vluchtelingen zorgde, voerde na de oorlog een groot onderzoek uit naar de plunderingen. Talloze diefstallen werden in kaart gebracht, waarbij een zorgvuldig onderscheid werd gemaakt tussen Israëlische soldaten die eigendommen van de VN hadden gestolen en burgers die hadden geplunderd en soms ook heel grondig te werk waren gegaan. De UNRWA-directeur die naar een VN-voedselwinkel in Gaza-stad ging toen deze werd leeggehaald door Israëlische troepen, werd met een machinepistool bedreigd en te verstaan gegeven dat hij zich uit de voeten moest maken. Soms waren er meer dan vijftig soldaten tegelijk bij betrokken, die legertrucks vollaadden en ermee terug naar Israël reden. Als er ergens een kluis werd aangetroffen, werd deze met springstof geopend en leeggehaald. Twee operatiekamers van de UNRWA, één in Gaza en de andere op de Westoever, werden compleet leeggeplunderd. De winkels in het vluchtelingenkamp Rafah werden helemaal leeggehaald. Een bewaker van de UNRWA zag een Israëlische auto buiten het kamp die volgeladen was met hout en leidingen. Israëlische troepen die twee weken lang in het Gaza-YMCA hadden gezeten, hadden alle typemachines en encyclopedieën, de kluis, alle televisies en radio's en alle bedden, dekens en matrassen meegenomen, zo ontdekte George Rishmawi, de voorzitter van YMCA. Overal in de Gazastrook werden UNRWA-scholen bezet door Israëlische troepen. Bij hun vertrek namen ze vaak alles mee wat waarde had: van naaimachines tot sportapparaten tot tafels en stoelen, en zelfs deuren en deurposten. Bij verschillende gelegenheden ruilden Israëlische soldaten bij Palestijnen geplunderd eten en goederen voor sigaretten en contant Egyptisch geld. Wat niet werd meegenomen, werd stukgeslagen. De wc's in de lagere meisjesschool in Deir al Balah werden vernield en de soldaten gebruikten de speelkamer van de kleuters als wc. Er wordt verscheidene keren melding gemaakt van leerboeken die op stapels werden gegooid en in brand gestoken. Landkaarten waarop een ongedeeld Palestina stond, zonder Israël, werden als schietschijf gebruikt. Na de oorlog stuurde de UNRWA een rekening van 708.610,43 dollar aan de Israëlische regering voor de schade die door de troepen was aangericht.

De vredestroepen van de UNEF waren zo gehaast vertrokken dat ze veel voertuigen, communicatieapparatuur en grote voorraden militaire en logistieke goederen niet hadden kunnen meenemen. Er werd op grote schaal geplunderd door het Israëlische leger, dat een afdeling voor oorlogsbuit heeft. De VN had de UNEF-magazijnen naar Pisa willen overbrengen om vandaaruit snel inzetbaar te zijn voor vredesoperaties. De VN hebben een dergelijk voorraadcentrum nooit gekregen, ook na 1967 niet.

Ook archeologische schatten werden geplunderd. De Dode-Zeerollen die Jordaans bezit waren, werden nog tijdens de gevechten uit het Palestijns Archeologisch Museum gestolen. Ze bevinden zich nog steeds in het Israël-museum in West-Jeruzalem. Ook de Lachish-brieven, kleine stukken aardewerk met paleo-Hebreeuws schrift, 'brieven' die door de bevelhebber van een klein fort naar zijn meerdere werden gestuurd, werden meegenomen naar Israël. Toen Jordaans Jeruzalem werd geannexeerd, werd het museum tot een Israëlische instelling verklaard. Er werden zoveel Egyptische artefacten uit de Sinaï meegenomen dat de teruggave ervan onderdeel werd van de vredesovereenkomst tussen Egypte en Israël die in 1979 in Camp David werd uitgewerkt. Er werden honderden kratten met oudheden aan Egypte teruggegeven. Moshe Dayan was een dwangmatige verzamelaar van oudheden. Toen hij een paar dagen voor het begin van de oorlog Israëlische posities in de Negev-woestijn inspecteerde, ging hij langs bij kolonel Yekutiel Adam die hem een paar oude pijlpunten en een vuurstenen bijl liet zien die hij kort daarvoor op de grens met Sinaï had gevonden. Dayan voelde mee met de frustratie van zijn vriend dat hij niet de legerbulldozers die hij tot zijn beschikking had, mocht laten graven. Dayan nam afscheid van de kolonel met de belofte dat hij een onaangeraakt graf zou vinden dat ze samen zouden openmaken. De Egyptenaren klaagden later dat Dayan honderden Egyptische oudheden had meegenomen. Ze eisen nog steeds de teruggave van veertig bronzen beeldjes, plus nog veel meer goederen. Volgens hen nam Dayan hele zuilen van de tempel van Sarabeit El-Khadem in de Sinaï mee, die hij opstelde in zijn tuin in Tel Aviv.

Cairo, avond

De minister van Informatie, Mohamed Fayek, zond een cameraploeg naar het El Koba-paleis om president Nassers toespraak te filmen. Hij nam plaats in zijn kantoor in de televisiestudio's om te kijken, maar wist niet wat er ging komen. Nasser had 's morgens bevolen dat zijn naam niet genoemd mocht worden in nieuwsuitzendingen. Fayek was ervan uitgegaan dat de president had besloten een paar dagen de schijnwerpers te mijden, maar nu begon het er ernstig uit te zien. De Amerikaanse journalisten die onder huisarrest in het Nijl-hotel zaten, vonden een tv-toestel en gingen er om halfacht 's avonds omheen zitten om te kijken. De toespraak begon om 19.43 uur. Volgens Eric Rouleau van *Le Monde* had Nasser 'een vertrokken gezicht met een getourmenteerde uitdrukking. Hij leek enorm gedeprimeerd. Hij sprak aarzelend, met tussenpozen. Zijn tekst las hij voor en hij struikelde over zijn woorden.' Nasser was normaalgesproken een welbespraakte, charismatische redenaar. Het contrast met zijn stemming van minder dan een week daarvoor kon nauwelijks groter.

Hij zei dat iedereen 'de laatste paar dagen te lijden had gehad onder een ernstige tegenslag'. Meteen na deze woorden begon het luchtalarm te loeien. Trevor Armbrister, die samen met de Amerikaanse journalisten in het Nijl-hotel tv zat te kijken, dacht dat hij tranen in Nassers ogen zag. 'Het was allemaal heel overtuigend.' Nasser zei niets over de omvang van de gebeurtenissen en nam het woord 'nederlaag' niet in de mond. Hij gebruikte het Arabische woord *naksa*, dat 'tegenslag' betekent, om de ramp te beschrijven die Egypte in de voorafgaande vijf dagen had getroffen (het woord beklijfde, want de nederlaag van 1967 wordt in het Arabisch nog steeds vaak 'tegenslag' genoemd, terwijl die van 1948 altijd als 'catastrofe' wordt aangeduid). Nasser zei dat ze wel over de 'tegenslag' heen zouden komen. Weer beschuldigde hij het Westen ervan aan Israëlische zijde aan de oorlog te hebben deelgenomen.

De vijand sloeg op 5 juni, afgelopen maandagmorgen, toe. Als we nu zeggen dat de aanval krachtiger was dan we hadden verwacht, dan moeten we tegelijkertijd met grote zekerheid vaststellen dat de aanval groter was dan gezien het vijandelijke potentieel voor mogelijk kan worden gehouden. Het was vanaf het eerste moment duidelijk dat de vijand door andere machten werd geholpen – machten die een rekening te vereffenen hadden met de Arabische nationale beweging.

[Het leger vocht] dapper en woest in de open woestijn [...], zonder adequate luchtdekking, tegen de doorslaggevend superieure vijandelijke strijdkrachten. Het kan zonder overdrijving of emotie gesteld worden dat de luchtmacht van de vijand drie keer zo sterk was als normaal.

We komen nu bij een belangrijk punt van ons zelfonderzoek. We moeten ons afvragen: betekent dat we niet de verantwoordelijkheid voor de consequenties van de tegenslag dragen? [...] Ik zeg u naar waarheid en ondanks factoren waarop ik mijn houding tijdens de crisis had kunnen baseren, dat ik bereid ben de volledige verantwoordelijkheid op me te nemen.

Ik heb een besluit genomen waarvoor ik van u allen hulp verwacht. Ik heb besloten mij volledig uit mijn publieke functies en het politieke leven terug te trekken en terug te keren tot de massa, om daar net als andere burgers mijn plicht te doen.

Toen hij klaar was, verscheen de presentator weer op het scherm, maar hij barstte al snel in snikken uit. Het geluid van huilende mensen elders in de studio was hoorbaar. Heikals woorden en de aanblik van de aangeslagen reus maakten diepe emoties los bij de Egyptenaren en Arabieren in het Midden-Oosten.

Generaal Salahadeen Hadidi, het hoofd van het centrale opperbevel, keek op het hoofdkwartier in de militaire wijk van Cairo naar de toespraak. Hij walgde ervan. 'Nasser had ons in deze puinhoop terecht laten komen. Hij moest ons er ook maar weer uithalen.' Amin Howedi, een minister die het vertrouwen van Nasser genoot, zag hem een halfuur na de speech. 'Zijn gezicht was bleek, hij staarde met wijd open ogen recht voor zich uit.' Minister van Informatie Fayek kreeg meteen na de uitzending bij de televisiestudio's een aantal opgewonden vips op bezoek. De grootste muzikale diva van Egypte, de zangeres Umm Kulthum, eiste het recht op de televisie een verklaring af te leggen over Nassers grootheid. Veldmaarschalk Amer wilde ook zendtijd, om zijn eigen positie toe te lichten. Het hoofd van de Egyptische vakbond wilde de studio binnendringen en de microfoon grijpen en moest met geweld worden tegengehouden. Gelukkig voor Fayek, die alle verzoeken weigerde, zou de Egyptische televisie die avond tot negen uur uitzenden. Maar het kostte hem nog eens twee uur om de bezoekers duidelijk te maken dat ze evenmin via de radio mochten spreken. Zijn instinct zei hem dat Nassers toespraak alleen maar aan kracht kon inboeten als hij werd aangelengd met andere.

Eric Rouleau van *Le Monde* hoorde in zijn appartement op de twaalfde verdieping, hoog boven de straten van Cairo, een geluid dat klonk als een naderende storm. Hij liep het balkon op. 'Overal keken hoofden uit de ramen', schreef hij later, 'en zagen we mensen als mieren hun huis uitkomen. We gingen naar beneden. Het schemerde en de stad was donker vanwege de verduistering. Het was een heel bijzonder schouwspel hoe de mensen van alle kanten kwamen aanlopen. Ze schreeuwden en huilden, sommige waren in pyjama of blootsvoets, vrouwen liepen rond in nachtjapon en iedereen leed ondraaglijk en smeekte: "Nasser, verlaat ons niet, wij hebben u nodig."'

Er klonken schoten. 'Die getikte Egyptenaren vuurden met luchtdoelgeschut en kanonnen op de sterren – en sommige salvo's kwamen heel dicht bij ons in de buurt terecht', schreef een ongeruste Amerikaanse journalist die met de rest van de Amerikaanse pers in het haveloze Nijl-hotel zat. Nu waren ze allemaal echt bang. Een van hen vertelde over de coup die in 1958 in Bagdad had plaatsgevonden, waarbij Europeanen uit hun hotel waren gesleept en op straat waren doodgeslagen. Op een gegeven moment schreeuwde een Egyptische legerkapitein tegen de Amerikanen: 'Snel naar uw kamers. Ze komen eraan.' Ze dromden naar boven. Om tien uur 's avond werden ze voor het avondeten naar beneden geëscorteerd. 'Een paar demonstranten, legde iemand uit, hadden geprobeerd brand te stichten in het hotel, maar dit was door de politie verijdeld.' Een paar heethoofden wilden de Amerikaanse ambassade in brand steken, maar ook hier greep de politie tijdig in. Voor de Russische ambassade verzamelde zich een meute die antisovjetslogans riep. Het was de angstigste avond van de oorlog voor Sergej Tarasenko. Het leek alsof tien miljoen mensen alleen maar 'Nasser! Nasser!' schreeuwden. De Sovjets hielden zich koest en wachtten tot de nacht voorbij was.

Nasser was meer dan vijftien jaar de belangrijkste persoonlijkheid van de Arabische wereld geweest. Hij was een gigantische figuur die door miljoenen werd aanbeden en als held vereerd. Hij had de Arabieren hun trots teruggegeven na de vernederingen van het kolonialisme en de ramp van 1948. Mensen van in de twintig waren opgegroeid met de opgetogen verslagen van Radio Cairo over zijn grote daden, zoals de verdrijving van de Britten, met zijn retoriek over de rechten van de verdreven Palestijnen en (tot een paar dagen daarvoor) zijn heldhaftige stellingname tegen Israël en de westerse bondgenoten van dat land. Tot een paar uur voor Nassers aftreden had Radio Cairo nog verslag gedaan van de triomfen van de Arabische legers. Nu werd alles wat zeker had geleken kapotgemaakt door die bekende stem, die hun als altijd toesprak, vanuit hetzelfde radio- of televisiestation. Nasser, de goede zoon, de grote broer, de vader van de Arabische natie, nam afscheid. Geen wonder dat de mensen de straat opgingen. Volgens ooggetuigen gingen het in Cairo om honderdduizenden mensen. In de tweede stad van Egypte, Alexandrië, ging men eveneens massaal de straat op. In Port Said, aan het Suezkanaal, moest de gouverneur tussenbeide komen om de bevolking tegen te houden die naar Cairo wilde vertrekken en zich bij de menigte in de hoofdstad wilde voegen.

In Egypte wordt nog steeds getwist over de vraag of Nassers aftreden oprecht was of niet. Veel mensen denken dat zijn afscheidsrede politiek theater was. De waarheid is waarschijnlijk dat hij dacht geen andere keuze te hebben. De omvang van de Egyptische nederlaag was zo enorm dat hij op woensdag en donderdag gedacht moet hebben dat hij door een volksopstand uit zijn ambt zou worden gezet. Volgens minister van Informatie Fayek zei Nasser voor de uitzending tegen hem: 'Ze slepen me voor het gerecht en hangen me midden in Cairo op.' Misschien was aftreden niet alleen de waardigste keuze, maar bood het ook de kans om in de toekomst nog eens terug te keren. Maar hij had nooit kunnen raden dat het volk zo zou reageren. Er verzamelde zich een enorme menigte voor zijn villa, waar hij na de uitzending naar was teruggekeerd. De vrouw van Amin Howedi, die tot minister van Defensie zou worden benoemd, was zo aangedaan door het verdriet dat ze in peignoir haar huis verliet om zich bij de menigte te voegen. Toen Fayek met zijn ambtsauto bij Nassers villa aankwam, bleek de menigte te dicht om door te kunnen rijden. Hij stapte uit en ging te voet naar de deur. Plotseling begonnen mensen te roepen dat hij Zakkaria Mohieddin was, de vice-president die Nasser als zijn opvolger had aangesteld. Ze begonnen tegen hem aan te duwen en aan zijn kleren te rukken, omdat hij zo vermetel was hun held te willen opvolgen. Fayek werd gered door de presidentiële garde en betrad geschokt en met gescheurde kleding de villa van Nasser. Hij werd ontvangen door de president die alleen in een kamer zat. Fayek zei tegen hem dat een vrouw zich van verdriet van het leven had beloofd.

Sommige demonstraties waren georganiseerd. De regerende partij, de Arabische Socialistische Unie (ASU), zei tegen de harde kern van 20.000 activisten in Cairo om na Nassers toespraak op instructies te wachten. Volgens het officiële Joegoslavische persbureau kregen de demonstranten op straat aanwijzingen. Maar er was ook sprake van massaal spontaan handelen. Als delen van de demonstraties door partijactivisten werden georganiseerd, dan gebeurde dat niet in het hele land. Een paar ongelukkige functionarissen van de ASU weigerden bussen te organiseren om de getrouwen naar Cairo te vervoeren, want daar hadden ze volgens hen geen opdracht toe gekregen. De getrouwen reageerden door de partijkantoren in brand te steken. Gamal Haddad, de gouverneur van een provincie in de Nijldelta, werd door de ASU gevraagd voor 's morgens 10 juni vervoer te regelen voor demonstranten die naar Cairo wilden. Hij was ervan overtuigd dat hun verdriet spontaan was, omdat de ASU in zijn provincie in de verste verte niet in staat was zoiets groots te organiseren. Dezelfde avond dat Radio Cairo had aangekondigd dat Nasser de volgende dag het parlement zou toespreken, verspreidde de socialistische jeugdorganisatie van de ASU een circulaire waarin de leden werden opgeroepen het parlementsgebouw te barricaderen 'en Nasser pas te laten vertrekken als hij zijn aftreden ongedaan maakt'.

Damascus

Nassers toespraak was als een bom ingeslagen bij de Syriërs en de rest van de Arabische wereld. De regering in Damascus was in paniek. Jordanië was verslagen en als Nasser aftrad, was Egypte vast ook verslagen en waren zij de enigen die het tegen de Israëliërs moesten opnemen. Ze vielen al aan. Als een leider als Nasser hen niet kon tegenhouden, wie dan wel? Zelfbehoud werd de belangrijkste prioriteit van de regering. Het leger kreeg opdracht de strijd te staken en zich terug te trekken op Damascus dat slechts zestig kilometer van de grens lag. Sleutelfiguren uit de regering verlieten de hoofdstad. Het opperbevel van het leger was woedend over het bevel zich terug te trekken en weigerde aanvankelijk dit uit te voeren. Maar 's nachts hoorde generaal Suwaydani, de Syrische stafchef, van de commandant aan het front, Ahmad al-Mir, dat het Israëlische leger hun verdediging in de flank had aangevallen en ze bijna waren verslagen. Suwaydani beval hem zich terug te trekken op Kuneitra, de belangrijkste stad in Golan, die op de weg naar Damascus ligt.

Dag zes

10 juni 1967

Syrisch-Israëlische grens, 08.26

De Israëlische strijdkrachten hadden zich 's nachts gehergroepeerd en van nieuwe voorraden voorzien. Ze hadden zich voorbereid op een tegenaanval die nooit kwam, want het Syrische leger trok zich terug. De Syrische soldaten werden met artillerie en vanuit de lucht bestookt, maar wat hun uiteindelijk de das omdeed, was de eigen propaganda. Op Damascus Radio werd een communiqué van het ministerie van Defensie voorgelezen, waarin de val van de provinciehoofdstad Kuneitra werd aangekondigd. Maar Kuneitra was toen nog helemaal niet gevallen. Misschien hoopten de Syriërs dat het bericht de druk op de VN-Veiligheidsraad of de USSR zou vergroten om de Israëliërs tegen te houden. Of misschien was het een vergissing in de paniek en verwarring. Twee uur later beval de Syrische minister van Defensie, generaal Hafez al-Assad, dat er een correctie van de foutieve mededeling moest worden uitgezonden. Maar toen was de schade al aangericht. De Syrische troepen die tegenover de Israëliërs hadden gestaan, renden nu voor hun leven. Ahmad al-Mir, de commandant aan het front, ontsnapte te paard. Sommige reserveofficieren trokken burgerkleding aan en keerden terug naar de Syrische hoofdstad. Damascus Radio probeerde de fout goed te maken door er nogmaals op te hameren dat de Verenigde Staten en Groot-Brittannië Israël hielpen. 'De vliegtuigen van de vijand waren in zulke aantallen in de lucht, dat ze alleen van een grootmacht afkomstig konden zijn.' Later zeiden functionarissen van de Ba'ath-partij dat het premature bericht over Kuneitra een slimme tactiek was geweest, waardoor de levens van duizenden soldaten waren gespaard.

De Israëliërs stootten door, maar lang niet altijd snel genoeg om de terugtrekkende Syriërs in te halen. Een hoge Israëlische officier mopperde: 'Het was moeilijk om contact te maken met de terugtrekkende vijand. Als wij aankwamen, hadden zij zich al teruggetrokken. We vuurden op een paar tanks, maar kwamen dan al snel tot de ontdekking dat ze verlaten waren. De bemanning had ze gewoon laten staan.'

Cairo

Nasser maakte zijn aftreden ongedaan. De hoge Egyptische officieren wilden Nasser net zo hard terug als de wenende menigten op straat, maar niet om emotionele redenen. Ze wilden Nasser om hen uit de problemen te halen waarin hij hen verzeild had doen raken. Ze wilden ook Amer terug, niet omdat ze hem in militair opzicht waardeerden, maar omdat als hij werd weggestuurd, iedereen kon worden weggestuurd. En opmerkelijk genoeg waren veel mannen hem nog steeds trouw, al was zijn incompetentie dubbel en dwars bewezen. Stafchef-generaal Fawzi kondigde aan dat Amer op het hoofdkwartier afscheid zou komen nemen. Even later stonden er vijfhonderd officieren in de hal van het gebouw klaar om afscheid te nemen van hun hoogste baas. Toen Amer alsmaar niet kwam, begonnen de officieren zijn naam te scanderen. De sfeer werd gespannen en dreigend. Generaal Hadidi, de bevelhebber van de militaire wijk in Cairo, verliet de hal en ging het bunkercomplex in de kelder in om Fawzi te zoeken. Hij zei tegen hem dat hij de mannen boven moest toespreken, omdat er anders een 'revolutie' zou uitbreken. Toen Fawzi voor de mannen stond en zei dat Amer had gebeld om te zeggen dat hij niet kwam, ontstond er een opstootje. Officieren begonnen Fawzi te beledigen en schreeuwden naar hem dat hij uit hun ogen moest verdwijnen. Hij vertrok. De demonstratie had met een echte leider kunnen uitgroeien tot een bedreiging voor het regime. Maar er stond geen leider op. Na een uur schreeuwen vertrokken de mismoedigde officieren de een na de ander.

Op het radiojournaal van halfdrie kwam Nasser weer voor zichzelf op en viel hij mensen aan die hem niet trouw waren geweest. De presentator las een communiqué voor waarin het aftreden van een tiental officieren werd aangekondigd. Later die middag noemde het journaal meer namen van militairen die waren ontslagen. Als er een coup tegen Nasser zou plaatsvinden, dan was dit het moment. Hij was heel kwetsbaar. Maar het was een stap die niemand bereid was te nemen. Generaal Hadidi had in Cairo geen troepen meer over om hem te beschermen. Manschappen die ook maar enigszins gespaard konden worden, waren naar de Sinaï gestuurd. Nasser had de presidentiële garde en die vormde een obstakel.

Maar Nassers beste verdediging was zijn aura. Nasser was nog steeds Nasser, de enige leider die de Arabieren hadden. Hij werd ook beschermd doordat de mensen die in de straten hadden gehuild vanwege zijn aftreden nog steeds de volle omvang van de ramp niet doorhadden. Terwijl de overlevenden van de verslagen divisies in de Sinaï terugstrompelden, kregen steeds meer mensen de waarheid te horen. Maar het zou nog weken duren voordat de waarheid door de muur van propaganda van de officiële media heen zou dringen. In kranten en op radio en televisie werd er nog dubbel zo veel nadruk gelegd op de samenzwering tussen Israël, de Verenigde Staten en

Groot-Brittannië. De waarheid over de nederlaag werd nog steeds verborgen gehouden. Er werd alleen naar de nederlaag verwezen met het woord 'tegenslag' dat Nasser in de toespraak bij zijn aftreden had gebruikt. Een week later schreef Michael Wall van *The Guardian* nog steeds: 'Het Egyptische volk heeft nog geen idee van de ramp die hun land heeft getroffen.' Maar het nieuws lekte wel langzaam uit. De soldaten die terugkwamen van het front vertelden 'afschuwelijke verhalen over alle doden, de gewonden, achtergelaten op de plaats waar ze gevallen waren, over de honderdvijftig kilometer die ze terug hadden moeten ploeteren door de brandende zon, over de Israëlische vliegtuigen die iedereen die in de richting van het kanaal liep neermaaiden'.

Sami Sharaf zat samen met Amin Howedi, de nieuwe minister van Defensie en het hoofd van de inlichtingendienst, in zijn kantoor tegenover Nassers villa. Er kwamen twee officieren binnen die Sharaf vertelden dat Egypte nog honderd tanks over had. Sharaf stond op, sloeg zijn armen om Howedi heen en zei dat ze dankbaar moesten zijn dat die gered waren. Howedi schudde zijn hoofd en zei tegen Sharaf dat Egypte een week eerder meer dan duizend tanks had gehad. 'Amer moet verdwijnen,' zei hij, 'anders komen we er niet uit.' Als er een zondebok nodig was, dan moest het veldmaarschalk Amer zijn, niet Nasser.

Nasser was weer aan de macht, maar hij was een ander mens geworden. Hij had gehoopt aan de vooravond van de oorlog zijn grootste politieke overwinning tot dan toe te behalen: een overwinning op Israël zonder bloedvergieten. Toen zijn strijdkrachten verpletterend waren verslagen, bleef hij alleen president omdat er geen andere overtuigende kandidaat was. Niemand maakte ook maar enige kans het vertrouwen van het publiek te winnen. De CIA in Cairo hoorde dat als Nasser gewoon zou verdwijnen dit tot 'chaos en de ineenstorting van de overheid in Cairo' zou leiden. Maar Egypte was nu een zinkend schip. 'Het moreel van een scheepsbemanning blijft op peil als de kapitein doet alsof hij de zaken in de hand heeft, maar als het schip zinkt, gaat de kapitein mee naar de bodem.'

Gaza

Majoor Ibrahim El Dakhakny zat sinds 6 juni verborgen in een hut bij de droge rivier Wadi Gaza. Hij kreeg eten en drinken van de lokale Palestijnse bevolking die hem ook waarschuwde als er Israëliërs in de buurt waren. Op een kleine transistorradio die hij van hen had gekregen, hoorde hij van het aftreden van Nasser. Dakhakny was net zo boos als zijn collega-officieren in Cairo. Hij vond dat Nasser niet mocht vertrekken en zijn verantwoordelijkheden onder ogen moest zien. De nederlaag was misschien aan hem te wijten, maar er was niemand om hem te vervangen.

De Palestijnen hadden gezorgd dat Dakhakny in contact kwam met drie van zijn soldaten die eveneens op de vlucht waren voor de Israëliërs. Dakhakny nam aan dat de Israëliërs zijn naam als hoofd van de Egyptische militaire inlichtingendienst in Gaza kenden en dat ze naar hem op zoek waren. Ze zochten tevens naar een Israëlische piloot wiens toestel op de eerste dag van de oorlog door luchtdoelgeschut was neergehaald. Deze piloot was naar Cairo gestuurd met een van de laatste auto's die Al-Arish hadden verlaten voordat de stad door de Israëliërs werd bezet. Dakhakny zat vast. Hij hoorde van de Palestijnen verhalen dat de Israëliërs burgers en gevangenen doodschoten. Ze zeiden dat de slachtoffers soms hun eigen graf hadden moeten graven voordat ze werden vermoord. Hij was vastbesloten zich niet gevangen te laten nemen.

Dakhakny moest met zijn drie soldaten de Sinaï oversteken om thuis te komen. Voor deze reis kochten ze een kameel van een Palestijnse boer. Ze laadden water, meel, suiker en thee op het dier, genoeg, hoopten ze, om van te leven totdat ze Egypte hadden bereikt. Ze vertrokken na zonsondergang en liepen door de Gazastrook naar de Sinaïwoestijn. Ze gingen door velden en boomgaarden met sinaasappel-, bananen- en olijfbomen om Israëlische patrouilles te ontlopen. Dakhakny had zich altijd al zo onopvallend mogelijk gekleed en had dus aan het begin van de oorlog geen uniform aangehad. Zijn drie soldaten hadden hun uniform weggegooid en kleren van behulpzame Palestijnen gekregen. Ze hadden wel hun kalasjnikovs gehouden.

Ze hoopten als ze eenmaal in de uitgestrekte woestijn waren ergens een bedoeïenengids te vinden. Gelukkig hadden ze kort voor de Israëlische invasie net hun soldij gekregen, hoewel ze het meeste al aan de kameel hadden besteed. De rest van het geld ging naar de gids, die ze inderdaad tegenkwamen. Hij had zelfs een kameel extra. Ze bleven ten minste tien kilometer uit de buurt van wegen en reisden 's nachts vanwege de hitte. 'Het was heel, heel zwaar. Het zand en de lucht waren gloeiend. We hadden geen tenten of andere beschutting als we overdag stilhielden. We zaten gewoon op de grond, bedekten ons hoofd en probeerden zo te rusten.' Ze liepen een kronkelig parcours, de kamelen en de gids achterna. De tocht duurde bijna drie weken. Af en toe moesten ze terug en een flinke omweg maken als ze van een bedoeïen hoorden dat er voor hen uit Israëliërs waren. Naarmate de tijd verstreek en er meer Israëliërs werden gedemobiliseerd en naar huis teruggingen, leek de woestijn leger te worden.

Toen hun voorraden bijna op waren, bereikten ze uiteindelijk de bedoeienenstam Bayardia, ongeveer zestig kilometer van Suez. De stam had een kamp gemaakt van palmtakken, een bouwwijze die teruggaat op bijbelse tijden (tijdens het joodse feest Sukkot bouwen gelovigen huisjes van palmtakken om de omzwervingen in de Sinaï ten tijde van Mozes te herdenken). Dakhakny en zijn mannen kwamen tijdens hun tocht door de woestijn ook andere groepjes Egyptenaren tegen die bezig waren naar huis terug te lopen. Er waren heel wat mannen door de bedoeïenen gevonden en opgevangen in het kamp van palmbladeren. De bedoeïenen stonden in contact met het Egyptische leger en brachten 's nachts kleine groepjes vluchtelingen naar het strand, waar ze werden opgepikt door boten die Egypte vanuit Port Said had gestuurd. De boten zaten vol meel en andere verbruiksgoederen die de bedoeïenen nodig hadden. Deze werden uitgeladen, waarna er magere, door de zon verbrande, uitgeputte Egyptische soldaten instapten. Dakhakny gaf zijn kameel aan de gids die hem had gered. 'Ik had het gevoel gehad dat ik al in mijn graf lag. De Sinaï was mijn graf en ik werd herboren toen ik de woestijn achter me liet.'

Toen het staakt-het-vuren standhield, werd de sfeer langs het kanaal ontspannener, hoewel men op zijn hoede bleef. Israëlische soldaten die Arabisch spraken, schreeuwden soms naar de Egyptenaren om gevangenen voor watermeloenen te ruilen. Er werd een touw tussen de oevers gespannen voor gevangenen die niet konden zwemmen. Omdat watermeloenen drijven, duwden de Egyptenaren ze gewoon naar de overkant.

Sinaï

Amos Elon reed nadat het staakt-het-vuren van kracht was geworden door een vreemd stille woestijn terug naar het noorden. Israëlische bergingsploegen onderzochten de wrakken langs de weg. In tegenovergestelde richting stonden er files van bevoorradingskonvooien die zuidwaarts gingen, verder Egypte in. Het voelde vreemd om terug te rijden en de achterkanten te zien van de Hebreeuwse borden die waarschuwden voor mijnen en de naderende grens. Hij kwam pas laat in de avond in Jeruzalem aan. De stad was hel verlicht, terwijl ze drie dagen eerder nog verduisterd was geweest. Wat later keek Elon terug 'op een overwinning die opviel door de afwezigheid van haat, maar wel gekenmerkt werd door ten minste enige arrogantie'. Misschien dat Elon geen haat voelde, maar zo kwam het niet op de Egyptische gevangenen over.

Ramadan Mohammed Iraqi werd op de tweede dag van de oorlog krijgsgevangen gemaakt. Met een paar honderd andere gevangenen moest hij op de grond gaan liggen, in lange rijen. De Egyptenaren waren ervan overtuigd dat ze doodgeschoten zouden worden. Ramadan denkt dat zijn leven werd gespaard omdat er een Israëlische officier langskwam die zag wat zijn mannen van plan waren en hun verbood de gevangenen te executeren. Ze werden naar het vliegveld bij Al-Arish gebracht waar ze in hangars werden vastgehouden.

Ten slotte werden ze naar een gevangenenkamp in Beersheba overgebracht en vervolgens naar een ander kamp in Atlit, ten zuiden van Haifa. Volgens Ramadan en andere gevangenen reden ze in een open vrachtauto en gooiden burgers stenen naar hen, schreeuwden ze beledigingen en spogen ze. De omstandigheden in Atlit waren slecht. De gevangenen kregen weinig te eten, niet veel meer dan brood en uien. In de eerste paar weken, voordat ze waren geregistreerd door het Internationale Comité van het Rode Kruis, werden er regelmatig gevangenen door bewakers doodgeschoten. De omstandigheden verbeterden iets toen het kamp frequent door het Rode Kruis werd bezocht. Er werd meer eten gebracht en er werd niemand meer doodgeschoten, behalve een man die samen met de andere gevangenen in augustus in opstand kwam. Tussen vier uur 's middags en negen uur 's morgens mochten de gevangenen hun barakken niet verlaten. Toen de bewakers schoten op een gevangene die op een niet-toegestane tijd de barak verliet omdat hij water nodig had, brak er opstand uit. De gevangenen verlieten de barakken, rukten aan het prikkeldraad en gooiden stenen naar de wachttorens. De Israëliërs lieten een Egyptische generaal komen die hen toesprak via een megafoon. Hij zei dat de Israëliërs verbetering van de omstandigheden hadden beloofd. Er werd wat meer eten gebracht en ze ontvingen pakjes van de Egyptische Rode Halve Maan, waarin onder andere nieuwe onderkleren en pyjama's zaten. Ramadan Mohammed Iraqi kon tijdens de zeven maanden dat hij krijgsgevangene was via het Rode Kruis post aan zijn familie thuis sturen. In een van zijn brieven schreef hij: 'Maak je geen zorgen, ik leef, en op een dag ben ik weer thuis.'

Jeruzalem

Het was sabbat. Generaal Narkiss, burgemeester Kollek en generaal Herzog, de nieuwe gouverneur van de Westoever, gingen samen naar de Klaagmuur, waar voor het eerst sinds 1948 op sabbat door joden zou worden gebeden. Na de inname van Jeruzalem werd ontdekt dat de Jordaniërs een urinoir in de Klaagmuur hadden laten plaatsen. Dit werd meteen verwijderd. Nu lieten de Israëliërs hun blik vallen op de Marokkaanse wijk, tussen de Klaagmuur en de joodse wijk in, die uit kleine, dicht opeengepakte huisjes bestond. De wijk was zevenhonderd jaar oud en werd gebouwd in de tijd dat de Ajjoebiden en Mamelukken in Jeruzalem de macht hadden en stukjes land reserveerden voor immigranten uit Afrika. Van de honderdvijftig families (meer dan duizend mensen) die in 1967 in de huisjes en nauwe steegjes woonden, hadden velen verwanten in Afrika. De eerste woensdag na deze sabbat was een belangrijke joodse feestdag. Er werden honderdduizenden Israëliërs verwacht die de overwinning kwamen vieren en bij de Klaagmuur kwamen bidden. De 'kleine afbraakhuisjes', zoals Kollek ze noemde, zouden in de weg staan. Kollek, Narkiss en Herzog besloten dat dit een historische kans was om de Marokkaanse wijk af te breken. Ze besloten om zodra de sabbat was afgelopen, bij zonsondergang, bulldozers te sturen. Herzog zei later trots: 'We hadden van niemand toestemming gekregen en we vroegen ook geen toestemming.' Ze dachten dat als ze niet besluitvaardig optraden, het politiek onmogelijk zou worden de huizen van zoveel burgers af te breken. 'We waren bang dat de overheid niet tot een besluit zou kunnen komen en we veel tijd zouden verliezen. We wisten dat het over een paar dagen te laat zou zijn.'

Abd el-Latif Sayyed, een man van twintig die op de kweekschool zat, was in de Marokkaanse wijk geboren. In 1967 woonde hij met achttien familieleden in een huis van vijf kamers, dat zich op een meter of vijftien meter van de Klaagmuur bevond. Zijn overgrootvader van moederszijde, een immigrant uit Marokko, had dit huis rond 1810 van de Marokkaanse godsdienstige autoriteiten in Jeruzalem gekregen. Niet lang na zonsondergang kreeg zijn familie bevel binnen een halfuur te vertrekken. Ze dachten dat hun huis doorzocht zou worden, maar niemand durfde de soldaten te vragen wat ze precies van plan waren, want ze waren doodsbang voor de bezetters. Het zou maar een paar uur duren, dachten ze, en dus lieten ze al hun bezittingen in het huis achter. Ze wachtten in het huis van een tante, ongeveer honderd meter verderop, aan de andere kant van de Marokkaanse wijk, op het sein dat ze weer naar huis mochten. Ze hoorden op een geven moment het gepiep en geknars van bulldozers. Nerveus probeerden ze te ontdekken wat dit geluid te betekenen had. Ze dachten dat de Israëliërs een weg aanlegden, maar naarmate de nacht vorderde, werden ze bezorgder. Ze waagden zich naar buiten om een kijkje te gaan nemen, maar ze kregen van de soldaten die in de steegjes patrouilleerden al snel bevel weer naar binnen te gaan.

Nazmi Al Ju'beh zag beter wat er gebeurde. Vanaf het dak van zijn grootvaders huis zag hij de bulldozers aan de rand van de Marokkaanse wijk bezig. Ze verwoesten het ene na het andere gebouw en drongen langzaam dieper de wijk in. Er kwamen vrachtauto's om het puin af te voeren. Dit ging de hele nacht door. Majoor Eitan Ben Moshe, een genieofficier van het centrale militaire gezag, die de leiding had over dit werk, voerde zijn taak met verve uit. Hij was boos vanwege het urinoir dat de Jordaniërs hadden laten aanbrengen om de Klaagmuur te profaneren. Dicht bij de muur stond een kleine moskee, de al-Buraq-moskee, naar het paard dat Mohammed van Jeruzalem naar Mekka had gebracht. 'Ik zei, als het paard naar de hemel kon, dan kan de moskee dat toch ook? Dus hebben we erop los gebeukt tot er niets meer van over was.'

De volgende morgen ging Abd el-Latif Sayyed kijken op de plek waar zijn huis had gestaan. Het enige wat er nog over was, tussen de bergen puin, was een palmboom die in hun achtertuin had gestaan. De familiebezittingen lagen onder het puin. Nazmi's ouders besloten dat het voor hen veiliger was terug te keren naar hun huis buiten de stadsmuren. Ze vertrokken 's morgens bij het ochtendgloren. Ze hadden balen beddengoed bij zich en liepen, zoals gewoonlijk, door een nauwe gang en vervolgens een trap af om bij de Marokkaanse wijk te komen. Toen ze de laatste hoek omsloegen, zagen ze in plaats van de smalle, drukke straatjes waar ze zo veel jaren doorheen waren gelopen, een grote open ruimte voor zich. Aan één kant lag de Klaagmuur, nu helemaal vrij. Honderden soldaten en in het zwart geklede ultra-orthodoxe joden met zwarte baarden stonden arm in arm en dansten op de ruïnes van de huizen die plat gebulldozerd waren. Zijn vader en moeder waren verbijsterd. 'Ik schreeuwde: "Waar is Mohammed? Waar is Abed?" Dit waren mijn vrienden die in de Marokkaanse wijk woonden. Er kwamen soldaten die mij snoep gaven en vervolgens mijn twee oudere broers arresteerden. De een was leraar, de ander advocaat. Ze werden samen met honderden andere jongemannen twee dagen lang vastgehouden in de Aksa-moskee, die toen als militaire basis dienstdeed. Na een week werden ze vrijgelaten. Wij liepen verder tussen de kapotgeslagen huizen van onze vrienden.'

Tussen het puin werd een vrouw van middelbare leeftijd, Rasmiyyah Ali Taba'ki, gevonden. Ze was zwaargewond. Haar buren dachten dat ze het bevel van de Israëliërs om te vertrekken niet had gehoord. Een Israëlische ingenieur die leiding gaf aan de sloopwerkzaamheden probeerde haar te reanimeren, maar ze was al dood. Majoor Ben Moshe zei tegen een Israëlische journalist: 'We vonden ten minste drie lichamen van mensen die weigerden hun huis te verlaten.'

Op zondagmorgen werd de plek bezocht door een aantal ministers. Volgens Chaim Herzog waren ze 'met stomheid geslagen. Ze zagen alleen nog puin en stof. Warhaftig, de minister van Godsdienst, en tevens jurist, zei dat de sloop tegen de wet was geweest. Maar hoe dan ook, het was al gebeurd.' Teddy Kollek was trots op de vernietiging van de Marokkaanse wijk en het grote open plein dat daarmee ontstond. Door besluitvaardig optreden was er een voldongen feit ontstaan, in de klassieke geest van het zionisme. 'Het was een van de beste dingen die we ooit hebben gedaan en goed dat we het meteen deden. De oude plek had iets van *galut* [de diaspora], het was een plek om te huilen. Misschien was dit in het verleden zinvol, maar het is niet wat wij in de toekomst willen.' Zijn mannen werkten snel. 'Binnen twee dagen was het gefikst en was alles kaal en plat.' Volgens Kollek werd er voor alle uitgezette gezinnen goede alternatieve accommodatie gevonden, maar dit wordt door de betrokkenen ontkend. In 1968 kregen ze een geantedateerd uitzettingsbevel met een aanbod van honderd Jordaanse dinar schadevergoeding. Ongeveer de helft van de getroffenen nam het geld aan. De overigen weigerden de schamele som als klein gebaar tegen de bezetter.

Syrisch-Israëlische grens

Rabin had Elazar bevel gegeven op te rukken naar Kuneitra, de hoofdstad van de Syrische grensprovincie. Maar 's morgens gaf Dayan plotseling bevel alle militaire actie te staken, misschien omdat hij spijt had van zijn plotselinge besluit Syrië aan te vallen. Toen Rabin dit bevel doorgaf, zei Elazar dat het te laat was de luchtlandingstroepen nog tegen te houden die juist bezig waren in actie te komen. Toen Dayan zijn bevel herhaalde, belde Rabin weer met Elazar, die zei: 'Sorry, ze zijn al vertrokken, ik kan ze niet meer tegenhouden.' Rabin wist dat het Elazar absoluut niet speet. Bovendien zei hij het op een manier die de stafchef achterdochtig maakte. Na de oorlog kwam Rabin erachter dat de luchtlandingstroepen die zogenaamd niet meer teruggeroepen konden worden, op enkele kilometers van de grens op orders hadden staan wachten. Elazars wens zo snel mogelijk op te rukken werd gedeeld door zijn commandanten. Rabin gaf toe dat hij niet erg zijn best had gedaan om te controleren of Elazar wel de waarheid had gezegd over de luchtlandingstroepen. En hoewel Dayan de verovering van de Golanhoogte later onverstandig noemde, had hij er op het moment zelf geen problemen mee dat Israël het staakt-het-vuren schond.

De eerste Israëlische troepen trokken om twee uur 's middags Kuneitra binnen. Een van de commandanten rapporteerde: 'We kwamen zonder op noemenswaardig verzet te stuiten tot voor de poorten van Kuneitra. Overal om ons heen zagen we oorlogsbuit. Alles functioneerde nog prima. Tanks waarvan de motor nog liep, communicatieapparatuur die was achtergelaten terwijl hij nog aanstond. We namen Kuneitra zonder slag of stoot in.'

De rijkdommen die de Syriërs hadden achtergelaten, vormden een te grote verleiding. Kuneitra werd na de verovering volledig leeggeplunderd. Toen de speciale VN-gezant Nils-Goran Gussing de stad in juli bezocht, zag hij dat 'er in bijna alle winkels en huizen was ingebroken en dat ze geplunderd waren'. Sommige gebouwen waren in brand gestoken nadat ze kaal gestript waren. Israëlische woordvoerders zeiden filosofisch tegen Gussing dat oorlogen nu eenmaal met plunderingen gepaard gaan. Volgens hen hadden Syrische soldaten een hele dag de tijd gehad de stad te plunderen, omdat Syrië het verlies van Kuneitra 24 uur eerder dan de eigenlijke verovering bekend had gemaakt. Gussing luisterde beleefd, maar kwam tot de conclusie: 'De verantwoordelijkheid voor de plundering van Kuneitra ligt grotendeels bij de Israëlische strijdkrachten.' Gussing had waarschijnlijk gelijk. Er zaten slechts vijfeneenhalf uur tussen het foutieve bericht dat Damascus Radio om 08.26 uur uitzond en de val van de stad om 14.00 uur. Troepen die zo in paniek zijn dat ze tanks achterlaten zonder zelfs maar de motor af te zetten, gaan waarschijnlijk niet eerst nog winkels leeghalen.

New York, 08.50

Het feit dat Syrië donderdagavond het staakt-het-vuren van de VN had geaccepteerd, werd door de Israëliërs als irrelevant beschouwd. Ze waren van plan door te gaan tot ze hadden wat ze wilden of tot ze door een van de supermachten werden tegengehouden. Maar de Israëliërs hadden niet veel tijd meer. Dat wisten ze en dat wisten ook de diplomaten bij de Veiligheidsraad, die weinig geduld meer hadden met wat vooral een flagrante poging tot gebiedsuitbreiding leek. Ze zaten tot in de vroege uren van zaterdagmorgen te wachten op nieuws van het Syrische front. De aanval op Kuneitra was de laatste druppel. De Britse ambassadeur, lord Caradon, dacht dat er sprake was van een 'duidelijk opzettelijke Israëlische campagne' om de stad aan te vallen, want de Veiligheidsraad had al twee keer verzocht het staakt-het-vuren te respecteren. Hij kon net zomin als de Franse ambassadeur Seydoux enige rechtvaardiging vinden voor de inname van Kuneitra nadat de strijd elders was gestaakt. Een bombardement dicht bij Damascus, waarvan hij bericht had ontvangen, 'verdiende het nog meer veroordeeld te worden'. Abba Eban, die bij de VN zat, probeerde Esjkol thuis te bellen. Zijn vrouw Miriam nam op. Ze zei tegen Eban dat Esjkol afwezig was omdat hij de troepen in het noorden bezocht. Eban zei: 'Zeg tegen Esjkol dat hij de oorlog beëindigt. De Verenigde Naties oefenen druk op me uit.' Mevrouw Esjkol belde haar man, die een radiotelefoon in zijn auto had. Volgens haar was Esjkol in een uitstekende bui. 'Hij begon tegen me te roepen hoe mooi de Golan was enzovoort, en toen zei hij: "Hoor je me schat?" Ik zei: "Ja, ja. Luister, Aubrey [dit was Ebans oorspronkelijke voornaam, die ze altijd gebruikten in plaats van de Hebreeuwse voornaam die hij later aannam] zei dat je moet stoppen. Esjkol antwoordde: "Ik versta je niet." Dus ik zei: "Een minuut geleden kon je me nog wel verstaan." Maar hij antwoordde: "Goed, dat is het. Ik spreek je als ik naar huis terugkom."

Washington, 09.00

Walt Rostow, de nationale veiligheidsadviseur van president Johnson, had sinds het begin van de Zesdaagse Oorlog niet kunnen tennissen. Toen ze op zaterdagmorgen in New York aan een staakt-het-vuren werkten, dacht hij dat hij wel rustig een balletje kon gaan slaan. Hij stond al op de baan toen er bericht kwam uit het Witte Huis. Hij moest snel weer aan het werk. De Sovjets hadden hen via de hotline benaderd. Als Israël de strijd niet staakte, zouden ze militaire actie ondernemen.

Vijf minuten nadat Kosygins bericht via de telex was binnengekomen, had president Johnson er een vertaling van in handen. Zonder de opmars in Syrië te noemen zei Kosygin: 'Een cruciaal moment is aangebroken.' Israël negeerde de resoluties van de Veiligheidsraad. De Verenigde Staten moesten Israël ondubbelzinnig duidelijk maken dat de militaire acties binnen een paar uur moesten worden beëindigd. De Sovjet-Unie zou hetzelfde doen. Als ze dit niet deden, dan 'zouden deze handelingen ons in botsing kunnen brengen, waardoor er een ernstige catastrofe zal ontstaan'. Als Israël niet aan de verzoeken voldeed, dan 'zouden er de noodzakelijke maatregelen worden genomen, inclusief militaire'.

Rostow had nog tijd zijn tenniskleding voor een pak te verwisselen voordat hij naar de vergadering van de presidentiële topadviseurs in de kelder van het Witte Huis ging. In de Situation Room zat het gezelschap rond de mahoniehouten tafel te fluisteren. De meesten hadden hier ook in 1962 tijdens de rakettencrisis gezeten, toen de Sovjet-Unie raketten op Cuba had gestationeerd. Het leek het gevaarlijkste moment sindsdien. Richard Helms, de directeur van de CIA, had mensen nog nooit zo zachtjes horen praten op een dergelijke vergadering. President Johnson zat nadrukkelijk kalm zijn ontbijt te eten. Onderminister van Buitenlandse Zaken, Nicholas Katzenbach, verliet de Situation Room om de Israëlische ambassadeur te bellen en druk op hem uit te oefenen een staakt-het-vuren te accepteren. Mensen die Russisch kenden, onder wie de Amerikaanse ambassadeur in de Sovjet-Unie, Llewelyn Thompson, die toevallig in Washington was, bestudeerden de tekst van het hotline-bericht om er zeker van te zijn dat er echt 'inclusief militaire' had gestaan. Dat bleek het geval te zijn. Ze kregen weinig informatie binnen uit Syrië. Richard Helms moest bellen met bevriende naties die een diplomatieke vertegenwoordiging in Damascus hadden om erachter te komen wat er op dat moment gebeurde.

De ernst van de crisis was afhankelijk van de vraag hoe snel Israël de strijd zou staken. In Londen meende het Joint Intelligence Committee (de commissie van inlichtingenadviseurs van de Britse premier) dat de Russen bluften. De adviseurs dachten niet dat Moskou een confrontatie met de Verenigde Staten zou durven riskeren. Ze meenden dat als de Israëliërs de Golanhoogte eenmaal hadden veroverd, wat een dag zou kosten, het staakt-het-vuren wel zou standhouden. De Britten meenden dat de Sovjets alleen hun gezicht probeerden te redden bij de Arabische landen. Ze wilden op dit late moment in de oorlog tegenover de Arabieren doen alsof ze Syrië hadden gered door vastberaden op te treden.

Maar de meeste Amerikanen in de Situation Room dachten dat de Israëliërs wilden doorstoten naar Damascus, waarna er sprake zou zijn van een ernstige crisis. McGeorge Bundy was het hier het duidelijkst mee oneens. Hij meende net als de Britten dat de Sovjets 'verbaal hun uiterste best doen hun vrienden in Damascus te beschermen'. De Amerikanen beschikten over informatie dat de Israëliërs de Syrische hoofdstad wilden aanvallen. Voordat het offensief zelfs maar was begonnen, gaven West-Duitse diplomaten in Tel Aviv informatie door van hun contacten binnen het Israëlische leger dat het waarschijnlijk Damascus zou moeten aanvallen om de Syrische strijdkrachten te vernietigen.

Ze moesten Kosygin snel antwoorden. Het was lastig de juiste toon te vinden voor het telexbericht. De Russen leken hen uit te testen. Ze vonden dat hun boodschap niet te beleefd moest zijn, omdat het anders kon lijken alsof ze bogen voor de druk. Johnson besloot zelf geen dreigementen te uiten, maar Kosygin te verzekeren dat ook hij druk uitoefende om een staakt-het-vuren te bereiken. Om 9.30 uur zette Johnson zijn handtekening onder het antwoord en om 09.39 uur werd het verzonden. Kosygin antwoordde: 'We hebben continu contact met Damascus. Israël voert met vliegtuigen, artillerie en tanks een aanval uit op de Syrische hoofdstad. Verder bloedvergieten moet worden voorkomen. De zaak kan niet worden uitgesteld.'

Na een ongeveer een uur, toen Johnson niet in de Situation Room aanwezig was, wendde minister van Defensie McNamara zich tot Thompson en zei zachtjes: 'Denk je niet dat het een goed idee is als de Zesde Vloot, die nu rond Sicilië cirkelt, in het licht van de Russische bedreiging... denk je niet dat het een goed idee is om de Zesde Vloot, twee vliegdekschepen en de begeleidende vaartuigen, gewoon koers te laten zetten naar de oostkant van de Middellandse Zee?'

Dit leek Llewelyn Thompson en Richard Helms een uitstekend idee. Helms zei: 'De Sovjets zullen de boodschap meteen begrijpen, want ze hebben een paar vlooteenheden in de Middellandse Zee en houden de Zesde Vloot zeker met alle elektronische en andere middelen in de gaten. Als onze vloot de steven wendt en in oostelijke richting opstoomt, dan zal dit binnen de kortste keren aan Moskou worden doorgegeven.' Toen Johnson terug was in de kamer deed McNamara zijn aanbeveling. De Zesde Vloot moest naar het oosten. Johnson glimlachte en was het ermee eens.

McNamara pakte de beveiligde telefoon en gaf de order. Op 20 mei hadden onderdelen van de Zesde Vloot opdracht gekregen op twee dagen varen van de Middellandse-Zeekust van Egypte en Israël te blijven. Omdat niet alle schepen even snel voeren, betekende dit in de praktijk dat ze op driehonderd tot negenhonderd kilometer ten westen van Cyprus lagen, vooral bij Kreta en Rhodos. Na het bevel van McNamara kwamen ze ongeveer honderdvijftig kilometer dichter bij de oostkust van de Middellandse Zee te liggen. De Amerikanen hadden nog steeds onvoldoende informatie en moesten dus improviseren. Volgens Helms werd de 'gewichtige beslissing' de Zesde Vloot 'in een zeer assertieve richting te laten opstomen letterlijk van de ene op de andere minuut genomen. Er waren geen papieren, er was geen organisatie, geen schatting, geen eventualiteitenplan, helemaal niets!'

De Amerikanen gingen goed met de crisis om. De spanning verdween even snel als ze ontstaan was toen duidelijk werd dat de Israëliërs niet van plan waren Damascus in te nemen wanneer ze hun doelstellingen in Syrië bereikt hadden en bereid waren een staakt-het-vuren te eerbiedigen. Maar voordat het zover was, spraken de presidentiële adviseurs in de Situation Room uitgebreid over de mogelijkheden die de Sovjets hadden om in te grijpen. Volgens Bundy waren ze 'in feite weinig indrukwekkend'. Maar dit weerhield Moskou er niet van plannen te maken, zo bleek uit recente bewijzen. De Sovjet-Unie had in mei en begin juni een marine-eskader van de Zwarte Zee naar de Middellandse Zee gestuurd. Dit was geen partij voor de Zesde Vloot, maar vormde toch een aanzienlijke vlootmacht. Aan het begin van de oorlog hadden de Sovjets behalve dit eskader ook acht of negen onderzeeërs in of dicht bij de Middellandse Zee liggen.

Toch had de Sovjet-Unie een plan om militair in te grijpen. Generaal Wasili Resjetnikov, bevelhebber van het Strategisch Luchtvaartcorps, kreeg bevel 'vliegtuigen klaar te maken om een aantal militaire doelen in Israël te bombarderen. We begonnen met de voorbereiding, bestudeerden de kaarten, onderzochten de Israëlische luchtverdediging. Het was echt haastwerk. [...] We laadden de bommen en wachtten op het signaal te mogen vertrekken.' Een Israëlische journaliste, Isabella Ginor, heeft bewijzen gevonden dat het Kremlin tussenbeide kwam om haviken in het leger die actie wilden ondernemen tegen te houden. Meteen nadat Israël Syrië was binnengevallen, werd er een plan gemaakt een overvalsmacht van duizend man en veertig tanks met een amfibievoertuigen te laten landen ten noorden van Haifa (Haifa is de voornaamste havenstad en de marinebasis van Israël). Er waren sinds 11 mei Russische tolken Arabisch aan boord van het eskader. Ze kregen te horen dat ze na de landing in Haifa contact zouden maken met Arabieren in Israël. De overvalsgroep was geïmproviseerd, maar had misschien wat schade kunnen aanrichten. Hoewel het Israëlische leger ver van Haifa vandaan aan het front bij Egypte, Jordanië en Syrië lag, konden gevechtsklare troepen binnen 24 uur Haifa bereiken en zou de Israëlische luchtmacht de overvallers vanaf het eerste moment genadeloos hebben gebombardeerd. Maar de USSR zou dan rechtstreeks bij de strijd betrokken raken, wat de crisis op een uiterst riskante manier op de spits zou hebben gedreven. Een paar mannen die opdracht kregen zich 'als vrijwilliger' voor de operatie te melden, wisten wat er op het spel stond. Een van de mannen vertelde Isabella Ginor dat hij toen had gezegd: 'Hoe zit het? Landen wij daar met onze groep en begint dan de derde wereldoorlog?' Tijdens een vergadering van het politbureau van de Communistische Partij in het Kremlin op 10 juni drongen haviken onder leiding van minister van Defensie Andrej Getsjko en KGB-chef Joeri Andropov aan op actie. Zij werden weggestemd door voorzichtiger burgerleiders die beseften dat 'de wereld een halfuur na onze landing in puin zal liggen'. Minister van

Buitenlandse Zaken Andrej Gromyko stelde voor om in plaats daarvan de diplomatieke betrekkingen te verbreken. Een van Andropovs militaire adviseurs, Nikolaj Ogarkov, zei in 1991: 'Goddank dat we onder het feodale [Sovjet-]regime alleen Afghanistan hebben gehad. We hadden ook Polen, het Midden-Oosten en [...] – beangstigend om aan te denken – een kernoorlog kunnen hebben.'

Imwas

Groepjes Palestijnen die waren verjaagd uit de dorpen Imwas, Beit Nuba en Yalu op de Westoever, vonden onderdak in het grote trappistenklooster van Latrun. Een medewerker van de dichtbij gelegen Israëlische kibboets Nachshon kreeg bevel hen allen naar Ramallah 'over te plaatsen'. Het plan om Arabieren te verwijderen van land dat nodig was voor de joodse staat, was op een oud zionistisch idee gebaseerd. Sinds de jaren dertig was er over verschillende plannen gepraat. Rechtse extremisten in Israël zien er nog steeds wel wat in. Maar zoals de kibboetsmedewerker een jaar na de gebeurtenis in een gestencilde nieuwsbrief voor de kibboets liet weten, klinkt 'overplaatsing' heel neutraal, maar betekende het in de praktijk dat hij mensen van huis en haard moest verjagen. Hij schreef: 'Een bevel is een bevel, maar om de mensen en kinderen te dwingen te vertrekken en in een bus te stappen, zelfs al probeerde ik zo humaan mogelijk te zijn, was moeilijk te verteren. Het was veel moeilijker dan iemand doden of met overledenen omgaan.'

Hikmat Deeb Ali vond zijn gezin in een dorp dichtbij. Ze voegden zich bij de lange stoet vluchtelingen op de weg naar Ramallah. Net buiten de stad werden ze door Israëlische soldaten tegengehouden. Vijfentwintig mannen van militaire leeftijd werden gearresteerd. Hikmat had op elke arm een kind en een op zijn schouders. Na wat onderling overleg lieten de soldaten hem bij zijn gezin.

Een van de soldaten die het dorp Beit Nuba bewaakte, was een reservist genaamd Amos Kenan. Het viel hem op hoe mooi de stenen huizen waren die in de wijngaarden en olijf- en abrikozenboomgaarden stonden. Hij zag ook cipressen en andere bomen die voor schaduw en het mooi waren gekweekt en zorgvuldig van water voorzien. Tussen de bomen lagen netjes geschoffelde en gewiede moestuintjes. In Beit Nuba vonden Kenan en zijn medesoldaten een gewonde Egyptische commandant en een paar oude vrouwen. De soldaten kregen opdracht posities rond de dorpen in te nemen. Radio Israël had omgeroepen dat de Palestijnen veilig naar huis konden terugkeren. Maar als iemand probeerde terug te keren naar Imwas, Beit Nuba en Yalu, dan dienden de soldaten boven hun hoofden te schieten om ze weg te houden. Kenan en andere soldaten in de dorpen wisten waarom. Imwas, Beit Nuba en Yalu zouden weggevaagd worden. De huizen zouden worden opgeblazen en de ruïnes plat gebulldozerd worden. Er waren goede redenen voor deze actie, zei de pelotonscommandant tegen de mannen. De enclave die uitstak bij de bestandslijn tussen Israël en Jordanië moest rechtgetrokken worden en de 'schuilplaatsen van moordenaars' en thuisbases van infiltranten moesten worden vernietigd.

Om twaalf uur 's middag verscheen de eerste bulldozer die bomen begon te ontwortelen en huizen en alles wat erin zat begon plat te walsen. Op een gegeven moment kwam er een stoet vluchtelingen, mensen uit het dorp zelf, die naar hun woonplaats terug wilden. Kenans peloton probeerde in het Arabisch uit te leggen wat ze moesten doen. Ze schoten niet boven de hoofden van de burgers, zoals hun was bevolen. Veel soldaten waren veteranen van de oorlog van 1948. Kenan had in de radicale Stern Gang tegen de Britten gevochten. Ze waren ervaren militairen die weinig trek hadden in acties tegen vreedzame boeren.

Kenan schreef een verslag van de gebeurtenissen dat hij kort daarop publiceerde.

Er waren oude mannen die nauwelijks konden lopen, in zichzelf mompelende oude vrouwen, moeder met baby's op de arm, huilende kleine kinderen die om water bedelden. Ze zwaaiden met een witte vlag. We zeiden dat ze verder moesten, naar Beit Sira, maar ze antwoordden dat ze overal werden weggejaagd en nergens mochten blijven. Ze liepen al vier dagen, zonder eten of drinken. Een paar waren onderweg gestorven. Ze vroegen alleen of ze weer in hun eigen dorp mochten en dat we er beter aan deden hen te doden dan hen niet toe te laten. Sommigen hadden een geit, schaap, kameel of ezel bij zich. Een vader plette een paar korrels tarwe in zijn hand om zijn vier kinderen ten minste nog iets te eten te geven. Aan de horizon zagen we de volgende groep aankomen. Een man droeg een zak met vijftig kilo meel op zijn rug, waarmee hij vele kilometers had gelopen. Er kwamen nog meer oude mannen, vrouwen, baby's. Ze ploften uitgeput neer op de plek die hen werd aangewezen. We lieten hen niet in het dorp toe om bezittingen te pakken, omdat ze niet mochten zien hoe hun huizen werden vernietigd. Kinderen huilden en ook een paar soldaten konden hun tranen niet inhouden. We gingen water zoeken, maar vonden niets. We hielden een legervoertuig tegen waarin een luitenant-kolonel, twee kapiteins en een vrouw zaten. We namen een jerrycan water van hen af en verdeelden deze onder de vluchtelingen. We deelden snoepjes en sigaretten uit. De meeste van onze soldaten huilden. We vroegen de officieren waarom de vluchtelingen van hot naar her moesten trekken en overal werden weggestuurd. De officieren zeiden dat het goed voor hen was een stuk te lopen en besloten: 'Maak je maar geen zorgen om hen, het zijn maar

Arabieren.' We waren blij toen we een halfuur later hoorden dat deze officieren door de militaire politie waren gearresteerd, omdat hun auto vol geplunderde goederen zat.

Een gezin uit Beit Nuba dat na de oorlog in een vluchtelingenkamp in Jordanië terechtkwam, vertelde aan een onderzoeker dat ze zagen hoe er rode aarde werd gestort over de plek waar de huizen hadden gestaan. Het was 'als een droom, alsof we daar nooit geweest waren'.

Vluchtelingen in Ramallah op de Westoever hadden van de Israëliërs gehoord dat ze weer naar huis konden. Hikmat Deeb Ali probeerde het maar niet. Met zes kinderen kon hij onmogelijk teruglopen. De mensen die het wel probeerden, kwamen niet verder dan Kenan en zijn collega's. Ze zagen Israëlische vrachtwagens de zware, oude stenen meenemen waarvan hun huizen gemaakt waren. Wat er van hun bezittingen over was, werd meegenomen en op een stortterrein gedumpt. Ze hebben hun huizen nooit mogen herbouwen. Waar de dorpen hadden gestaan, werd een bos aangelegd, Canada Park. Het is nu, 36 jaar later, een populaire Israëlische picknickplek.

VN-Veiligheidsraad, New York

De Amerikaanse ambassadeur bij de VN, Goldberg, vroeg zijn Israëlische tegenhanger, Rafael, naar hem toe te komen. Goldberg wond er geen doekjes om. 'De situatie is nu zover dat u onmiddellijk dient te verklaren dat Israël de gevechtshandelingen aan het Syrische front heeft gestaakt. Fedorenko [de Russische ambassadeur] kan ieder moment een verklaring afleggen in de vorm van een ultimatum. Hij zal zeggen dat "de Sovjetregering alle beschikbare middelen wil aanwenden om te zorgen dat Israël zich aan de resolutie over het staakt-het-vuren houdt".' Goldberg sprak, zei hij, op specifieke instructie van president Johnson die niet wilde dat de oorlog door een ultimatum van de Russen beëindigd werd. Dit zou 'niet alleen rampzalig zijn voor de toekomst van Israël, maar voor ons allemaal'. Weer probeerde Rafael tijd te winnen. Hij zei dat hij niets kon doen zonder toestemming van zijn regering. Op dat moment werd hij aan de telefoon geroepen. Het was het ministerie van Buitenlandse Zaken in Jeruzalem. Ze deden alsof ze aarzelden, maar ze zouden stoppen, al bood hun positie 'in de toekomst geen bescherming voor de Israëlische grensnederzettingen'. Rafael schreef de verklaring voor de aanvaarding van het staakt-het-vuren op. Het zou om halfzeven 's avonds Israëlische tijd van kracht worden.

Israël had zijn vijanden vernietigd, precies zoals de Israëlische generaals en de inlichtingendiensten in Washington en Londen hadden voorspeld. Het Israëlische volk reageerde met grote opluchting op de overwinning. Vanwege de strenge censuur hadden de burgers nooit geweten dat hun generaals een groot vertrouwen in de overwinning hadden gehad. Ze hadden geluisterd naar de bloedstollende Arabische propaganda en die serieus genomen, omdat ze niet anders konden. De Holocaust had 22 jaar daarvoor plaatsgevonden en veel Israëlische burgers geloofden dat ze waren bevrijd van een kwaad dat op een volgende genocide had kunnen uitdraaien. Als de Arabische legers de joodse staat hadden vernietigd, had dat tot grote vreugde geleid bij miljoenen Arabieren. Maar de bevelhebbers van het Israëlische leger wisten dat Israël te sterk voor hen was.

De reactie op de overwinning in West-Europa en Noord-Amerika werd goed samengevat door de journaliste Martha Gellhorn, een van de grote verslaggevers van de oorlogen van de twintigste eeuw. 'In juni 1967 was Israël de held van de westerse wereld. De Israëliërs behaalden in de Zesdaagse Oorlog een beroemde overwinning, die in de moderne oorlogvoering nooit meer geëvenaard werd. Ze oogstten grote bewondering, omdat het leek alsof ze het als David tegen Goliath hadden opgenomen. De macht van Goliath leek superieur en het zag er eerst niet naar uit dat David kon winnen.' Maar de waarheid, die tijdens de Zesdaagse Oorlog goed door Israël werd aangetoond, was dat Israël zelf de Goliath van het Midden-Oosten was. Abba Eban, de minister van Buitenlandse Zaken, voelde goed aan hoe er in het Westen over de overwinning werd gedacht en maakte daar handig gebruik van. Op de tweede dag van de oorlog sprak hij de Verenigde Naties in New York toe. Hij verwoordde de oprechte angst van de Israëlische burgers toen hij de twee weken voorafgaand aan de oorlog beschreef als een tijd van 'gevaar voor Israël waar men ook keek. Er was haastig gemobiliseerd, economie en handel waren zwak, de straten donker en leeg. Er heerste een apocalyptische sfeer van naderend onheil en Israël stond er alleen voor.'

Het idee dat de Zesdaagse Oorlog een strijd tussen een David en een Goliath was geweest, was gemakkelijk te begrijpen en heel populair in Israël en het Westen. Het was ook een dodelijk politiek wapen, even effectief als het Israëlische leger op het slagveld was geweest. Een militaire overwinning werd ermee omgezet in een politieke. Esjkol, Eban en de rest van de Israëlische regering waren vastbesloten een herhaling van de 'nachtmerrie van 1956' (zoals Eban zei) te voorkomen. Israël had toen 'een schitterende overwinning behaald en vervolgens onder politieke druk moeten terugkrabbelen, zonder concrete winst te hebben geboekt'. Voor Esjkol en Eban was het feit dat ze de Israëlische generaals en hun bondgenoten in het kabinet hadden weerstaan en niet meteen op de avonturen van Egypte hadden gereageerd, net zo belangrijk als het David-en-Goliathverhaal. Door niet meteen een oorlog te beginnen en Lyndon Johnson het probleem in de schoot te werpen hadden ze een hoogstaand moreel standpunt ingenomen. Toen de Amerikanen eenmaal beseften dat ze een oorlog in het Midden-Oosten alleen konden voorkomen als ze bereid waren zelf oorlog te riskeren – en dat waren ze niet –, konden de Israëlische politici hun bijzonder zelfverzekerde en competente generaals hun gang laten gaan zonder de internationale politieke prijs te betalen. Toen Eban op 6 juni de VN-Veiligheidsraad toesprak, zeiden de belangrijkste adviseurs van president Johnson al dat Israël het land dat ze veroverd hadden, moest kunnen behouden tot er over een vredesakkoord onderhandeld zou worden.

De Israëlische kranten schreven op de avond dat de oorlog ten einde was dat de Messias achter de oprukkende tanks was aangelopen. Zelfs niet-gelovige Israëliërs vonden de overwinning wonderbaarlijk. Maar het was geen wonder. Israël won dankzij een generatie lang hard werken. In 1972 ging een aantal van de Israëlische bevelhebbers van de Zesdaagse Oorlog in de politiek en ze staken daarbij hun rol bij een van de grootste militaire overwinningen van de twintigste eeuw zeker niet onder stoelen of banken. De toekomstige president Ezer Weizman zei, recht voor z'n raap zoals altijd, tegen een Israëlische krant: 'Het gevaar van uitroeiing heeft nooit bestaan. Met deze mogelijkheid is nooit in enige vergadering serieus rekening gehouden.' Chaim Herzog, een andere toekomstige president, was het hiermee eens: 'Er is nooit sprake geweest van gevaar voor vernietiging.' Generaal Matityahu Peled, een pionier van de vredesbeweging, zei: 'Wie zegt dat de Egyptische strijdkrachten die langs onze grenzen lagen het voortbestaan van Israël konden bedreigen, beledigt niet alleen de intelligentie van iedereen die ook maar in staat is een dergelijke situatie te analyseren, maar beledigt meer dan wie ook het Israëlische leger zelf.'

Maar als Israël in 1967 niet in zijn voortbestaan werd bedreigd, waarom voerde het dan oorlog? Vijftien jaar later zei Menachem Begin, de toenmalige Israëlische premier, tegen *The New York Times:* 'In juni 1967 hadden we de keuze. De Egyptische troepenconcentraties in de Sinaï vormden geen bewijs dat Nasser werkelijk op het punt stond ons aan te vallen. We moeten eerlijk zijn tegenover onszelf. Wij besloten hém aan te vallen.' Ze hadden de keuze tussen oorlog voeren of toestaan dat Nasser Israël de ernstigste politieke nederlaag sinds 1948 zou toebrengen. De joodse staat was niet in gevaar door de blokkade van Eilat. Het land had geen toegang meer tot de Rode Zee, Afrika en de Iraanse olie. Dit was een ernstige economische tegenslag en (erger nog voor de Israëlische leiders) een echte politieke overwinning voor de Arabieren. Nasser riskeerde alles om die politieke overwinning te behalen. Hij wilde geen oorlog. Maar hij was ervan overtuigd dat hij het zionisme een stap terug kon laten doen door de militaire crisis op de spits te drijven. Zijn gok was gebaseerd op de verkeerde veronderstelling dat Israël niet zou vechten en de illusie dat zijn strijdkrachten het Israëlische leger zouden kunnen tegenhouden totdat de supermachten een staakt-het-vuren afdwongen. Zowel de

Arabieren als de Israëliërs zijn slecht in het begrijpen van de motieven van de ander, maar Nasser had de situatie niet slechter kunnen beoordelen. De eigen gedragsregels van de Israëliërs schreven in 1967 duidelijk voor dat ze oorlog zouden voeren als Nasser geen stap terugdeed, om de Arabieren te verslaan met methoden waarop ze al sinds begin jaren vijftig hadden geoefend. Esjkol en Eban waren geen enthousiaste voorstanders van de oorlog. Maar ook zij gingen liever ten strijde dan dat ze Nasser en de Arabieren een overwinning (met of zonder bloedvergieten) gunden. De generaals en hun ijzervretende politieke bondgenoten hadden veel eerder willen aanvallen, want zij beschouwden oorlog als een onderdeel van het Israëlische leven in het Midden-Oosten. Ze vonden aarzelen juist gevaarlijk. Maar verder waren Esjkol, Eban, Allon, Dayan en de rest het met elkaar eens. Een Arabische politieke of militaire overwinning, daarvan kon geen sprake zijn, of Nasser nu degene was die aanviel of niet.

Aan Arabische zijde begon het nakaarten. Iemand sprak over de 'dwaze en onverantwoordelijke' Arabische overheden die 'toestonden dat ze overkwamen als agressor in plaats van slachtoffer. Terwijl zij over oorlog en veroveringen spraken, bereidde Israël zich erop voor.' De gepensioneerde Iraakse generaal-majoor Amer Ali bood de staatshoofden van de Arabische liga een verwoestende analyse aan van de Arabische militaire mislukking. Hij hekelde het zwakke politieke en militaire leiderschap, de slechte strategie en de tekortschietende logistiek. Het belangrijkste doel in een oorlog, schrijft hij, is de volledige operationele verwoesting van de vijand totdat 'hij niet meer bereid of in staat is zich te verzetten. Dit doel kan alleen worden bereikt door volharding en initiatief, kwaliteiten die de Arabische leiders al negentien jaar ontberen. De tekortkomingen werden verder verergerd door de leugenachtige propaganda van de Arabische radiozenders.' De Arabieren, ging de generaal verder, lieten ook het 'bijzonder doelmatige wapen van de verrassing' aan zich voorbijgaan. 'Ze maakten verplaatsingen van het leger bekend, gebruikten plannen waartegen de vijand allang voorzorgsmaatregelen had genomen en haalden informatie over de bewegingen van de vijand uit buitenlandse kranten en bladen.'

Op alle punten waar de Arabische legers faalden, blonk het Israëlische leger uit. De Israëliërs wisten precies wat hen te doen stond, terwijl de Arabieren voortdurend in verwarring verkeerden. Een andere Arabische criticus zei dat als het de Arabische legers niet lukte de coördinatie en manoeuvreerbaarheid te vergroten en gebruik te maken van het verrassingselement, Israël altijd zou winnen 'zelfs als we kernwapens tot onze beschikking hadden'. Er werd niet alleen kritiek geleverd op de militaire kant van de nederlaag. Zelfs de manier waarop de Arabische taal was gebruikt om dromen en illusies op te roepen werd op de korrel genomen. Schrijvers riepen op tot een eerlijker taalgebruik. De retoriek over revolutie, hervormingen en wedergeboorte die in de jaren vijftig en zestig zo populair was geworden in de Arabische wereld, bleek bij de nederlaag volkomen hol. Er werd een gepassioneerde discussie gevoerd onder intellectuelen en veel van wat ze toen zeiden geldt in de eenentwintigste eeuw nog steeds. Maar omdat de meeste Arabieren in politiestaten leefden, is er weinig van tot de massa's doorgedrongen. In de daaropvolgende jaren luisterden ze steeds meer naar wat de moskeeën te vertellen hadden, want die boodschap werd steeds luider en duidelijker.

Een paar dagen na zijn vlucht door de Sinaï vertrok majoor Ibrahim El Dakhakny per auto vanuit Port Said naar Cairo. Terwijl ze langs de Egyptische kant van het Suezkanaal reden, begon er plotseling van twee kanten artillerie te schieten. Er kwamen vlak bij hem granaten neer. Het was het angstigste moment sinds hij uit Gaza was vertrokken. 'O God, dacht ik, nu ik zo ver ben gekomen, hoef ik toch niet hier te sterven? Maar twee dagen later was ik terug op mijn kantoor in Cairo [...] We moesten met de wederopbouw beginnen.'

CONSEQUENTIES

Operatie-Johnson

Nasser riep de Egyptische generale staf bij elkaar en ontplofte van woede. De generaals waren 'lafaards en bastaards'. In Nassers entourage werd druk gepraat over vergeldingsmaatregelen tegen hoge officieren. Uiteindelijk waren er wel processen, maar werd er niemand geëxecuteerd. Nasser oreerde en dreigde met nieuwe oorlogen, zonder dat de Israëliërs daarvan onder de indruk raakten. Hoewel Egypte weer wapens kocht, geloofden ze dat oorlog 'nog wel een flinke tijd' onmogelijk zou blijven na de schade die ze hadden aangericht. Eind juni was de stemming in Egypte op een dieptepunt. De implicaties van de nederlaag waren in brede kring doorgedrongen. Veel mensen durfden openlijk kritiek te leveren op de overheid en de 'burgerlijke levensstijl' van de officiersklasse die Nassers regime steunde.

Nassers grootste probleem was echter veldmaarschalk Amer, die weigerde zijn ontslag als opperbevelhebber te aanvaarden. Dit was een rechtstreekse uitdaging aan het adres van de president. Nassers oude angst voor een coup onder leiding van Amer herleefde. De veldmaarschalk stond officieel onder huisarrest in zijn villa in Giza, een voorstad van Cairo, niet ver van de piramiden. Maar hij had zich omringd met zo'n tweehonderd trouwe officieren en verwanten uit zijn dorp in Boven-Egypte, mannen die hij in de vette jaren koninklijk had behandeld. Zij hadden een fort gemaakt van het huis.

Aan de andere kant van de stad kwamen in het zwembad van een exclusieve club in Heliopolis drie naaste adviseurs van Nasser op zijn bevel bijeen. Dit waren Amin Howedi, de nieuwe minister van Defensie en directeur van de inlichtingendienst, Sami Sharaf, de voornaamste probleemoplosser en persoonlijke eenmansinlichtingendienst van Nasser, en Sha'rawi Goma, de minister van Binnenlandse Zaken. Om Amer in het gareel te krijgen bedachten ze een plan dat ze ironisch 'Operatie-Johnson' noemden. Het was geen goed idee hem in zijn villa te arresteren, omdat dit op een bloedbad kon uitdraaien. Hem oppakken als hij weer eens zijn huisarrest negeerde en per limousine zijn oude favoriete stekken in het centrum van Cairo bezocht, kon ook in een schietpartij ontaarden. Ze verzonnen een discreter plan. Nasser zou Amer uitnodigen voor een diner bij hem thuis. Zodra de veldmaarschalk was vertrokken, zouden troepen zijn huis omsingelen. Daarna zouden ze tegen Amer zeggen dat het spel uit was. Ze hoopten dat hij rustig zou meekomen – en zijn mannen eveneens. Nasser wilde dit karwei voor 29 juni geklaard hebben, want dan moest hij naar Khartoum voor het officiële Arabische onderzoek naar de ramp van juni.

Amer greep de kans weer bij Nasser te dineren met beide handen aan. Op 25 augustus kwam hij aan bij het huis van de president, dat veel bescheidener was dan dat van hem zelf. Een paar minuten later werd zijn chauffeur aangehouden en de auto in beslag genomen om een haastig vertrek onmogelijk te maken. Bij de president zaten de vice-presidenten Zakkaria Mohieddin en Hussein el Shafei en Anwar El Sadat, de voorzitter van het parlement. Toen Amer aan het eind van de oorlog werd ontslagen, werd Sadat door Nasser naar hem toe gestuurd met de boodschap dat hij verbannen was, maar een flinke som geld meekreeg. Amer had resoluut geweigerd. Deze keer lag er niets verleidelijks meer op tafel.

Howedi zag Amer naar binnen gaan, bevestigde dat zijn huis in Giza was omsingeld door troepen en ging vervolgens in de ontvangstkamer naast de zitkamer zitten wachten. Hij hoorde luide stemmen. Even later kwam Nasser naar buiten. Hij was woedend, 'rookte als een raffinaderij' en liep stampend de trap op naar zijn slaapkamer. Howedi liep de zitkamer in. De spanning was om te snijden. Sadat leek ieder moment in huilen te kunnen uitbarsten.

Amer riep spottend: 'Kijk, de minister van Defensie komt ook kijken. Jullie hebben wel iets moois bekokstoofd, is het niet?' Vervolgens ging hij naar de badkamer die naast de hal lag. Na een paar minuten kwam hij terug met een halfvol glas water in zijn hand. Hij gooide dit op de grond en zei: 'Ga de president vertellen dat Amer gif heeft ingenomen.' Howedi rende de trap op. Nasser had een T-shirt en slippers aangetrokken. Howedi vertelde hem wat er was gebeurd. Nasser geloofde hem niet. 'Als hij dat wilde, dan had hij het wel gedaan na wat er in de Sinaï is gebeurd', zei hij sarcastisch.

Beneden was er inmiddels een arts gekomen voor Amer, die geen tekenen van een doodsstrijd vertoonde. Hij was zelfs weer flink opgeleefd en riep luidkeels dat hij niet als enige schuld had aan wat er was gebeurd. Amers mensen stonden ondertussen in de tuin van zijn huis papieren te verbranden. Om vier uur 's morgens rapporteerde generaal Fawzi vanuit Giza. Er waren drie vrachtauto's vol wapens uit de villa gehaald.

Amer keerde terug naar huis. Zijn wapenarsenaal en privé-leger was hij kwijt en hij werd omringd door Nassers mannen. Op 13 september zat hij met zijn elfjarige zoon Salah in de grote woonkamer. Generaal Fawzi, die hem als opperbevelhebber van het leger was opgevolgd, en generaal Riad, die de leiding had gehad bij de nederlaag van Jordanië, kwamen de kamer binnen en zeiden tegen Amer dat hij uit zijn huis gezet werd. De veldmaarschalk weigerde mee te komen. Bewakers grepen hem en begonnen aan hem te trekken. De veldmaarschalk was een grote, stevig gebouwde man van 1,85 meter.

Zijn zoon zag hem met de bewakers worstelen en de kamer uitgesleept worden. Het was het laatste wat Salah van zijn vader zag. De autoriteiten maakten kort daarop bekend dat Amer was opgenomen om hem tegen zichzelf te beschermen. Hij zou weer geprobeerd hebben zich van het leven te beroven. Volgens zijn familie hadden de artsen geen gif gevonden toen ze zijn maag leegpompten. Fawzi liet hem naar een villa van de geheime dienst brengen in Mariotya, niet ver van de piramiden. Hij werd streng bewaakt en om de zes uur door een arts gecontroleerd.

De volgende morgen, op 14 september, stuurde hij een briefje naar zijn gezin waarin hij om boeken en een medicijn tegen kiespijn vroeg. Ze hoorden niets meer tot de volgende dag, toen een boodschapper kwam vertellen dat ze naar Minya moesten reizen, het geboortedorp van Amer in Zuid-Egypte. Toen Amers vrouw, vier dochters en drie zonen het dorp in reden, werden ze begroet door een menigte jammerende vrouwen. Ze beseften dat Amer dood moest zijn. Ze werden naar de begraafplaats gebracht, waar hij reeds begraven bleek. De elfjarige Salah zou nooit vergeten dat het cement van de grafsteen nog nat was. Er werd een officieel communiqué uitgevaardigd. Veldmaarschalk Amer had vergif ingenomen en zich van het leven beroofd.

Operatie-Johnson was geslaagd. Amer vormde niet langer een bedreiging voor Nassers regime. Het blijft de vraag of Amer vermoord werd, zoals zijn familie denkt, of zich van het leven beroofde. Amer had zeker redenen om zelfmoord te plegen. Zijn carrière en privé-leven waren ten einde en hij had de schuld gekregen van de catastrofale nederlaag. Hem stond een proces te wachten wegens een samenzwering om de regering ten val te brengen. En er was net een schandaal uitgelekt dat rondzoemde in de huiskamers van Cairo, dat hij in het geheim zijn maîtresse, een beroemde actrice, als tweede vrouw had getrouwd. 35 jaar later beweerden Howedi en Sharaf, die tot het team behoorden dat Operatie-Johnson uitvoerde, dat de veldmaarschalk de hand had weten te leggen op een dodelijk gif genaamd Aonitine, waarvan het leger een voorraad bezat. Volgens Howedi werden er bij de autopsie ongebruikte capsules van dit vergif aangetroffen die achter Amers scrotum waren geplakt. Hij zegt dat Amer op 26 augustus, de dag voor zijn huisarrest begon, bezoek kreeg van het hoofd van de vergifafdeling van het leger die later bekende capsules met Aonitine voor de veldmaarschalk te hebben klaargemaakt.

De familie van Amer weet zeker dat hij op last van Nasser werd vermoord. Ze zeggen dat hij neerviel na het drinken van een glas guavesap waar Aonitine in zat. Op 7 september, een week voor zijn overlijden, voltooide Amer zijn politieke testament, dat vanuit Egypte naar Libanon werd gesmokkeld en werd gepubliceerd in het blad *Life*. Hierin schreef hij dat zijn vijanden dichterbij kwamen en dat hij zich niet langer veilig voelde bij Nasser, zijn 'vriend en broeder. Ik word bedreigd omdat ik om een openbaar proces heb gevraagd. Twee uur geleden kreeg ik bezoek van een inlichtingenofficier die ik in mijn glorietijd niet eens zou hebben aangekeken. Hij dreigde me voor altijd het zwijgen op te leggen als ik het waagde te praten. Toen ik zei dat ik de president wilde spreken, antwoordde hij: "Als u denkt dat uw vriendschap met de president u kan beschermen, dan hebt u het mis." Ik probeerde de president aan de telefoon te krijgen, maar kreeg drie dagen lang te horen dat hij druk bezig was. Ik weet zeker dat er een samenzwering tegen mij wordt voorbereid.'

Bij de autopsie werd er Aonitine in Amers lichaam gevonden. De vraag is hoe het daar kwam. Volgens zijn familie vertoont het verhaal alle tekenen van een doofpotaffaire. Als hij van plan was zelfmoord te plegen, waarom vroeg hij zijn familie dan een paar uur voordat hij zijn leven beëindigde hem boeken en een geneesmiddel tegen kiespijn en ontstoken tandvlees te sturen? Nasser mannen brachten pas zes uur na Amers dood de procureur-generaal op de hoogte en het duurde nog eens zes uur voordat forensische wetenschappers de villa bezochten waar hij was overleden. Tegen die tijd hadden ze zijn lijk een schone pyjama aangetrokken en het glas waarin volgens zijn familie guavesap met vergif had gezeten, afgewassen, afgedroogd en weggezet.

Volgens de officiële overlijdensverklaring, die door de Egyptische procureur-generaal was ondertekend, had Amer zich van het leven beroofd met twee doses vergif, waarvan er een de dag voor zijn dood was ingenomen en de andere op de dag zelf. Maar het archief werd in 1975 heropend door Anwar Sadat, die na Nassers dood in 1970 president van Egypte werd. Dr. Ali Diab, professor en toxicoloog die bij een Egyptisch topinstituut voor wetenschappelijk onderzoek werkte, nam de bewijzen nogmaals door. Volgens hem was het fysiek onmogelijk twee avonden achter elkaar een dosis Aonitine te nemen, omdat een fractie van de dosis die de capsules bevatten, hem al meteen zou hebben gedood. Dr. Diab kwam tot de conclusie dat Amer zich niet zo van het leven beroofd kon hebben. Iemand moest hem het vergif hebben gegeven.

De CIA ging er ook zonder Amer vanuit dat het Egyptische leger het grootste gevaar vormde voor Nasser. Zijn leven stond zelfs op het spel. Maar Nasser was bereid het risico te nemen. Het was goed dat Amer er niet meer was. Amers getrouwen werden uit het leger gezet. Voor het eerst sinds 1961 hoefde hij niet meer bang te zijn voor een staatsgreep van zijn voormalige vriend. Generaal Fawzi, die alles aan Nasser te danken had en geen greintje bezat van de charme en het charisma die Amer zo populair hadden gemaakt, had het leger stevig in zijn greep. Nasser reisde eind augustus naar de Arabische topontmoeting in Khartoum in de wetenschap dat hij gewoon als president naar zijn land zou kunnen terugkeren. Al was hij verantwoordelijk voor de ramp die Egypte en miljoenen idolate Arabieren had getroffen, hij zat vaster in het zadel dan in jaren het geval was geweest.

De nieuwe Goliath

De Britse buitenlandcorrespondent James Cameron was opgetogen over de Israëlische overwinning. Hij schreef de maandag erop in de krant: 'Velen zeggen dat Zion niet negentien jaar geleden werd geboren met de stichting van de staat Israël, maar vandaag ontstond, toen de joodse natie met een grootse en angstaanjagende vreugde-uitbarsting plotseling van een David in een Goliath veranderde.' Maar in feite was Israël al jaren Goliath. Het had alleen nog niet de kans gekregen zijn kracht eens goed te laten zien.

Washington vond Israël plotseling een stuk aantrekkelijker. De Amerikaanse benadering van het Midden-Oosten veranderde volledig door de oorlog van 1967. Israël was altijd al op de eerste plaats gekomen, maar de Verenigde Staten hadden steeds geprobeerd, zij het niet altijd met succes, goede betrekkingen met de Arabische landen te onderhouden. De Amerikaanse regering was bereid Israël aan banden te leggen, in het openbaar kritiek te leveren op het land, of het in de VN-Veiligheidsraad de les te lezen. De regering-Eisenhower liet Israël het land teruggeven dat het in de oorlog van 1956 had bezet. Dat alles veranderde na de bliksemsnelle overwinning van 1967. Een paar hoge functionarissen in Johnsons Witte Huis beseften wat er aan de hand was. Op 31 mei, voordat er een schot was gelost, waarschuwde adviseur nationale veiligheid, Harold Saunders, al dat het beleid van twintig jaar geleden radicaal was gewijzigd in de weken dat Nasser de mobilisatie afkondigde. 'Israël wordt misschien de grote winnaar. Het land probeert al twintig jaar speciale banden met ons aan te knopen – of misschien een veiligheidsgarantie los te krijgen. Dit hebben we steeds geweigerd om onze andere belangen in het Midden-Oosten niet te schaden.' Nu hadden de Verenigde Staten nadrukkelijk en onomkeerbaar partij gekozen.

De Amerikanen hadden verwacht dat Israël snel zou winnen. Maar toen ze dit daadwerkelijk zagen gebeuren, werd Israël een veel interessanter bondgenoot. De regering-Johnson bloedde langzaam dood door de oorlog in Vietnam, terwijl de oorlog er bij de Israëliërs zo eenvoudig uitzag. Nog beter was dat ze westerse wapens hadden gebruikt om Sovjetbondgenoten met Sovjetwapens te verslaan. De afgezant van de president, Harry McPherson, schreef aan Johnson: 'Het is ontroerend om na de twijfel, verwarring en dubbelzinnigheden van Vietnam mensen te zien die zich volledig, met hun hele hart inzetten.' Als de meeste westerlingen in 1967 was hij zeer onder de indruk van het stoere, manlijke imago van de sabra's. 'Het oude beeld van de bleke, magere jood verdwijnt als we Israël in oorlog zien. De soldaten die ik zag, waren gehard, gespierd en bruinverbrand. Onder de officieren en dienstplichtigen heerste een uitzonderlijke combinatie van discipline en democratie. De mannen salueren niet voor hun meerderen en spreken regelmatig orders tegen, maar het is altijd duidelijk wie er gelijk krijgt.' Israël genoot enorm veel steun in de Verenigde Staten. Amerika werd verliefd op de stoere jonge vriend.

De vs hadden altijd vijanden gehad in de Arabische wereld. Maar nu vervulden ze de rol die Groot-Brittannië eerder die eeuw had gespeeld, als de boeman voor alle Arabieren en de oorzaak van al hun problemen. De bijzonder goed ingelichte staf van de CIA in Amman berichtte: 'De tijd is voorbij dat de Amerikaanse regering met een paar welgekozen woorden haar prestige bij de Arabieren kon opvijzelen. De Amerikaanse regering moet onder ogen zien dat ze in de Arabische wereld wordt gehaat. Bij goedopgeleide Jordaniers blijft deze haat meestal verborgen vanwege hun aangeboren hoffelijkheid, hun apathische houding door de schok van de nederlaag of de herinnering aan de vriendelijkheid van individuele Amerikaanse vrienden, maar zij bestaat wel degelijk.' De enige manier om daar iets tegen te doen, was Israël dwingen de veroverde gebieden terug te geven.

Minister van Buitenlandse Zaken Dean Rusk begreep welke risico's er waren verbonden aan een langdurige bezetting. Op 14 juni, vier dagen na het einde van de oorlog, waarschuwde Rusk een speciale commissie van de nationale veiligheidsraad in het Witte Huis dat 'dit tot een revanchisme zal leiden dat de rest van de twintigste eeuw zal duren'. Aan het begin van de eenentwintigste eeuw is het revanchisme, het verlangen van de Palestijnen om de verloren gebieden terug te krijgen, sterker dan ooit.

Maar hoewel Johnson 'dooretterende problemen' voorzag, maakte hij geen keuzes. Op 19 juni hield hij een rede waarin hij zich eens verklaarde met het Israëlische denkbeeld dat een terugkeer naar de situatie van 4 juni 'geen recept voor vrede was, maar voor nieuwe vijandelijkheden'. Voor de oorlog waren de Israëliërs bang geweest dat ze, net als in 1956, de oorlogsbuit zouden moeten teruggeven. Maar het geduld en de terughoudendheid die Esjkol en Eban voor de oorlog hadden betoond, werden beloond. De Israëliërs konden blijven waar ze zaten totdat er een vredesovereenkomst was gesloten.

Bezetting

Een 25-jarige soldaat die uit de oorlog terugkwam, voorspelde dat Israël onherroepelijk zou veranderen door de enorme gebieden die het had veroverd. Hij zei tegen zijn kameraden: 'We zijn iets heel kostbaars kwijtgeraakt. We zijn ons kleine landje kwijt [...] ons landje lijkt te verdwijnen in dit enorme gebied.' Alle issues die nu zo deprimerend bekend klinken voor wie naar het nieuws kijkt over de Arabieren en de Israëliërs – het geweld, de bezetting, de nederzettingen, de toekomst van Jeruzalem – kregen tijdens de oorlog van 1967 hun huidige vorm. Het werd snel duidelijk hoe de bezetting eruit zou komen te zien. Waarschuwingen over de gevaren die in het verschiet lagen, werden genegeerd.

Meteen na de oorlog waarschuwde David Ben-Gurion, de eerste premier van Israël, dat de Israëliërs zich niet door de overwinning moesten laten meeslepen. Tijden een speech voor Beit Berl, de denktank van Israëlisch links, zei hij dat als Israël de veroverde gebieden zou houden, dit de joodse staat uit balans kon brengen en zelfs kon vernietigen. Israël moest Jeruzalem houden, maar de overige gebieden meteen aan de Arabieren teruggeven, met of zonder vredesregeling. Maar Ben-Gurion, de architect van de Israëlische onafhankelijkheid, was oud, vastgeroest en slechtgehumeurd, en werd genegeerd. Maar ook de minister van Buitenlandse Zaken Abba Eban was bezorgd. Over een nieuwe landkaart van Israël, waarop het land van de Golanhoogte tot het Suezkanaal liep en langs de hele lengte van de Jordaan, zei hij: '[Deze kaart] is geen garantie voor vrede, maar een uitnodiging voor een volgende oorlog.' Volgens Eban was de legitimiteit van de staat Israël gebaseerd op het feit dat het de verdeling van het Britse mandaatgebied Palestina in een joods en een Arabisch gebied had aanvaard. Hij wilde de bezette gebieden als onderhandelingsmateriaal gebruiken, niet als vestigingsplaats of gebiedsuitbreiding.

Maar iedere voorzichtigheid verdween als sneeuw voor de zon vanwege de opgetogen stemming die er in Israël heerste. Minder dan een week eerder was het Israëlische publiek de wanhoop nabij geweest en nu was het verlost en dolblij. Het gevaar was veel minder groot geweest dan ze hadden gedacht, want ze waren militair veel sterker en de Arabieren veel zwakker geweest dan toen bekend was. De Israëlische generaals kenden de kracht van het leger, maar het publiek niet. Abba Eban was heel bezorgd over hoe het Midden-Oosten zich na de oorlog zou ontwikkelen. Hij had het gevoel of hij zich in een 'aparte ruimte voor angst bevond, terwijl het geluid van onbeperkte vreugde door het raam naar binnen bleef stromen'.

Door de oorlog van 1967 werd Israël een bezettingsmacht, wat de voornaamste reden is dat die oorlog nog steeds zo belangrijk is. Op de Westoever en in de Gazastrook woonden meer dan een miljoen Palestijnen die nu plotseling onder Israëlisch bestuur vielen. Dit is op een ramp voor de Israëliërs en Palestijnen uitgelopen. In 2003 was Israël de kolonisator van een gebied met een Palestijnse bevolking die sinds 1967 was verdrievoudigd. Abba Eban voorspelde dat de Palestijnen hun 'voorkeur voor vlaggen, eer, trots en onafhankelijkheid' niet zouden kwijtraken, maar de Israëlische bezetters proberen het volk nog steeds te onderwerpen. De bezetting heeft geleid tot een geweldscultuur waarin een mensenleven weinig waard is. Zij die de bezetting afdwingen en zij die zich ertegen verzetten, worden steeds onmenselijker. De mensenrechten en het zelfbeschikkingsrecht van de Palestijnen worden voortdurend geschonden. Omdat ze nergens heen kunnen, sluiten velen zich aan bij de extremisten.

De tekenen waren er vanaf het begin. Nadat de Israëlische overwinning was veiliggesteld, moesten de soldaten die actief hadden gevochten in het begin als bezettingsmacht optreden. Sommigen vonden het weinig aantrekkelijk om bezetter te zijn. Een van hen klaagde dat het hem 'van de menselijke waardigheid beroofde [...] Ik voelde dit met mij gebeuren, ik merkte dat ik het respect voor andermans leven kwijtraakte.' Toen ze werden vervangen, waren ze net zo geschokt door het effect dat de bezetting had op de soldaten uit de achterste linies, 'die zichzelf plotseling harde jongens vonden [...] en er een kans in zagen de baas te mogen spelen'. In november 1967 bezocht een Britse journalist in Hebron het graf van Abraham, Isaäk, Jacob en hun vrouwen. Het graf is een heilige plaats voor joden en voor moslims. De soldaat bij de deur vroeg hem zijn hoofd te bedekken uit respect voor het joodse geloof. Toen de journalist aanbood ook zijn schoenen uit te trekken, zei de soldaat: 'Doe geen moeite.' Tijdens de bijna veertig bezettingsjaren is de onderlinge haat alleen maar toegenomen. Wie een paar uur bij een Israëlische controlepost doorbrengt, ziet hoe weinig respect de meeste Israëlische soldaten hebben voor Palestijnen – en hoe groot de stille haat is die ze ervoor terugkrijgen. Natuurlijk haatten beide partijen elkaar ook voor de oorlog al. Maar sindsdien zijn ze dagelijks met elkaar in contact.

In juni 1967 verliet generaal Ariel Sharon, wiens politieke carrière toen nog moest beginnen, zijn hoofdkwartier in de Sinaï en vloog hij met een kleine helikopter terug naar Israël. Hij vroeg de piloot laag langs de kust te vliegen. Ze kwamen langs de plekken die door Israël waren veroverd: Jebel Libni, Al-Arish, Rafah, Gaza. Op een gegeven moment probeerde Sharon boven het lawaai van de motor uit iets tegen zijn reisgenoten te zeggen, onder wie Yael Dayan, de dochter van de minister van Defensie. 'Hij hield één hand uitgestrekt, alsof hij ons op het uitzicht wilde wijzen, voor het geval dat we dat nog niet hadden gezien, en mompelde iets. Het was duidelijk dat we hem niet konden horen, en dus schreef hij op een stukje papier: "Dit is allemaal van ons." Hij glimlachte als een trots jongetje.' Toen ze in de woestijn zaten, sprak iedereen over de omvang van de overwinning en wat dat betekende. Ze waren het erover eens dat 'de eerdere grenzen en overeenkomsten nietig zijn geworden door de oorlog'. Yael Dayan, die voor de Arbeiderspartij de politiek in zou gaan en zich zou inzetten voor de vredesbeweging, concludeerde aan het einde van de oorlog dat Israël 'nieuw, groter, veiliger, sterker en gelukkiger' was geworden. Sharon zat in de regering die de Sinaï aan de Egyptenaren teruggaf als onderdeel van het vredesverdrag tussen de twee landen. De grote vraag is of hij tijdens zijn premierschap, dat in 2001 begon, hetzelfde zal doen met de Westoever, de Gazastrook en de Golanhoogte.

Ook Ezer Weizman, die de luchtmacht had gevormd waarmee ze de oorlog hadden gewonnen, was uitgelaten. Hij had altijd al openlijk laten blijken dat Israël volgens hem recht had op Hebron, Nablus en heel Jeruzalem. Maar zijn denkbeelden waren politiek incorrect voor de meeste van zijn collega's die, in tegenstelling tot Weizman, links waren in de Israëlische politiek. Toen Weizman bevelhebber van de luchtmacht was, oreerde hij tegenover zijn ondergeschikten over de Arabieren in de heuvels van de Westoever. Zij zouden naar Israël kijken als naar een stripteasedanseres, 'groen, tierig, welvarend, 's nachts twinkelend met al die lichtjes. [...] En je weet wat er met een gezonde man gebeurt als hij een opwindende vrouw een striptease ziet uitvoeren. Juist, en dat gebeurt er ook bij hen. Daarom hebben we geen keuze. De Arabieren moeten weg bij de naakte Israëlische grenzen. Dat is de enige manier om ze die opwindende ideeën over een manlijke verovering van Israël uit het hoofd te laten zetten!'

Jeruzalem

Meteen na de Zesdaagse Oorlog schreef holocaustoverlevende Eli Wiesel een verhaal over verlossing (*De bedelaar van Jeruzalem*) dat tegen de achtergrond van de Israëlische overwinning speelt. Het eindigt met de bedelaar, symbool van de verbanning, die bij de Klaagmuur staat en preekt dat de overwinning uit de tragedie van de joden zelf is voortgekomen. De verdwenen joodse gemeenschappen uit Oost-Europa, 'hun namen afgesneden van de levensbron, hadden hun krachten gebundeld en een veiligheidsgordijn – een *ambud esh*, een zuil van vuur – gebouwd rond de stad die hun een thuis had gegund. Sighet en Lodz, Vilna en Warschau, Riga en Bialystock, Drancy en Bratzlav: Jeruzalem was de herinnering van een heel volk geworden.

'"En de doden", zei de bedelaar met trillende stem. "De boodschapper die vandaag leeft, de overwinnaar van vandaag, zou ongelijk hebben als hij de doden zou vergeten. Israël heeft zijn vijanden verslagen. En weten jullie waarom? Ik zal het zeggen. Israël heeft gewonnen omdat het leger en het volk zes miljoen extra namen konden inzetten voor de strijd."'

De romanschrijver Amos Oz, die als paratroeper in de Sinaï vocht, was een van de weinige Israëliërs die vonden dat zijn land niet vanzelfsprekend recht had op heel Jeruzalem. Oz zag de moeder van een soldaat uit zijn kibboets, die was omgekomen bij de strijd om Jeruzalem, huilen om haar zoon, die Micha Hyman heette. Een van haar buren probeerde haar te troosten en zei: 'We hebben Jeruzalem veroverd, dus hij is niet voor niets gestorven.' Mevrouw Hyman barstte uit: 'Micha's pink is me meer waard dan de hele Klaagmuur.' Oz concludeerde: 'Als je me vertelt dat we voor ons voortbestaan vochten, dan zeg ik dat dit meer waard is dan Micha Hymans pink. Maar als je me vertelt dat we voor de Klaagmuur hebben gevochten, dan heb ik liever Micha's pink. Hoewel ik best wat voel bij deze stenen, zijn het niet

meer dan stenen. En Micha was een mens. Als Micha zijn leven kon terug-krijgen als we de Klaagmuur opbliezen, dan zou ik zeggen: "Doe maar!".'
Maar Oz vormde een kleine minderheid. Het hele land had kippenvel bij het idee dat Israël nu de stenen van de Klaagmuur bezat, of men nu godsdienstig, niet-godsdienstig of zelfs atheïst was. Alle Israëliërs geloofden dat de verovering van Jeruzalem alleszins de mensenlevens die ervoor waren opgeofferd waard was. Israël leek completer. De historische hoofdstad van het joodse volk was in joodse handen en dat wilden ze zo houden. 'Over Jeruzalem is geen discussie mogelijk', zo spraken Yael Dayan en haar vrienden erover op het hoofdkantoor hoofdkwartier van generaal Sharon in de woestijn en die mening werd door bijna alle Israëliërs gedeeld. Er werd wel gepleit voor een internationale regeling voor de heilige plaatsen in de Oude Stad, maar dan zeker onder Israëlische controle.

Toen Yoel Herzl een paar minuten na de verovering bij de Klaagmuur stond, voelde hij voor het eerst in zijn leven een emotionele band met Israël. Daarvoor had hij zich altijd een buitenstaander gevoeld. Wel was hij altijd een grote bewonderaar geweest van Uzi Narkiss, die niet ver bij hem vandaan stond. De generaal had hem een kans gegeven en hem tot zijn adjudant gemaakt. Herzl was in Roemenië geboren, waar de nazi's zijn vader hadden vermoord. In 1947 besloot Herzl met zijn gezin onder het nieuwe communistische regime te ontsnappen en naar Palestina te gaan. Tijdens het eerste deel van de reis openden Russische soldaten het vuur op hen toen zij de grens met Hongarije probeerden over te steken. Tijdens een paar verwarrende minuten in een donker bos raakte de jongen, die nog maar net een tiener was, zijn moeder en broers kwijt. De Russen stopten hem in een weeshuis. Vier jaar later kreeg een plaatselijke communistische partijbaas, een jood die zijn vader had gekend, medelijden met Herzl en liet hem vertrekken. Hij reisde naar zijn familie die nu in het land woonde dat Israël was gaan heten.

Zodra Herzl oud genoeg was, sloot hij zich aan bij het Israëlische leger. 'Het was moeilijk te begrijpen, een kleine joodse jongen die altijd in de hoek zat waar de klappen vielen, wordt opeens officier in zijn eigen land.' Herzl besloot dat niemand hem ooit nog zou slaan. Maar dat was niet gemakkelijk. Hij voelde zich niet geaccepteerd door de in Israël geboren kibboetsniks die een dominante rol speelden in het leger. 'Het was allemaal zo gemakkelijk voor hen. Ze begrepen niet hoe het buiten Israël was, waar je geen rechten had en geen zelfrespect. Mensen zoals ik werden niet geaccepteerd. Ze lachten me uit omdat ik 's nachts studeerde. Ik haalde mijn eindexamen middelbare school en werd officier. Zelfs als officier werd ik niet door de groep geaccepteerd, maar ik trok me niets aan van wat ze zeiden.' Dit veranderde allemaal bij de Klaagmuur. Herzl voelde zich overspoeld door een golf van emotie. Hij voelde zich voor het eerst echt thuis in Israël en Jeruzalem. 'Mensen hadden geen diepe band met Jeruzalem tot ze de stad zelf bezochten en de Klaagmuur zagen. Vanaf dat moment nam Jeruzalem een belangrijke plaats in mijn hart in. Ik sta altijd klaar om voor Jeruzalem te vechten, niet omdat het onze oude hoofdstad was, maar vanwege de manier waarop de Jordaniërs de stad behandelden. Ze probeerden onze joodse heilige plaatsen stuk te maken.'

Veel godsdienstige joden geloofden dat de overwinning een door God gegeven wonder was. Hanan Porat, de vrome paratroeper die met bataljon 66 bij de Ammunitieheuvel vocht, zou de aanblik nooit vergeten van zijn niet-godsdienstige kameraden die een paar minuten na de verovering bij de Klaagmuur stonden te huilen: 'Ik had het gevoel dat hier in Jeruzalem de innerlijke waarheid van de joodse staat werd onthuld. Het was een wonder, omdat de waarheid van de Bijbel werd gecombineerd met de waarheid van het leven. Er ging een elektrische schok door de Israëliërs heen. En dan heb ik het over de soldaten in de Sinaï die van hun tanks af sprongen en in het rond dansten, of de joden in Rusland of in de Verenigde Staten die het ook voelden. Iedereen was verrast door de kracht van dit gevoel. De combinatie van verdriet om vrienden die waren omgekomen en vreugde over de terugkeer, zorgde voor een kritische massa van gevoelens die nooit eerder had bestaan.' Volgens rabbijn Zvi Yehuda Kook, Porats leraar en mentor, voerde het Israëlische leger Gods werk uit. 'Het Israëlische leger is van een volledige heiligheid. Het vertegenwoordigt de heerschappij van het volk van God over zijn land.'

Er waren joden die uit hun heilige boeken afleidden dat de tijd van de Messias was aangebroken. Een rabbijn schreef dat de oorlog 'een verbazingwekkend, goddelijk wonder is [...] door de verovering is heel Israël verlost van de onderdrukking, van het kamp van Satan. Het is het rijk van de heiligheid binnengegaan.' Er waren wel voorwaarden verbonden aan de gift: 'Als er ooit, God verhoede, ook maar het kleinste beetje land wordt teruggegeven, geven we het dus over aan de kwade krachten, aan het kamp van Satan.' Niet alle godsdienstige joden waren het daarmee eens. Sommigen vonden dat proberen de vijanden tot vrienden te maken de beste theologische reactie op de overwinning was. Gerschom Scholem, een van de grootste joodse denkers van de twintigste eeuw en een pionier op het gebied van de studie van de *kabbala*, de joodse mystiek, waarschuwde tegen misbruik van de Bijbel om politieke redenen. Hij was bang dat het steeds populairder wordende messianisme tot een catastrofe zou leiden.

Maar de waarschuwingen werden in de wind geslagen. De elektrische schok die Hanan Porat en zijn vrienden voelden toen ze de Oude Stad innamen, gaf energie aan de joodse kolonisten die zich vestigden in de bezette gebieden, vooral op de Westoever. De godsdienstige overtuiging leidde in combinatie met het zionistische idee om nieuw land te bezetten tot een dynamische en krachtige politieke beweging, die zich tegen iedere vorm van teruggave verzet.

De Israëlische bezetting van Oost-Jeruzalem is belangrijk omdat het conflict met de Palestijnen en de omringende islamitische wereld er des te groter door werd. Ook hier klonken er waarschuwingen. Bob Anderson, adviseur van president Johnson over de Arabische manier van denken en zijn tussenpersoon bij Nasser, zei op 6 juli 1967 tegen hem dat Jeruzalem een speciale betekenis had voor de Arabieren: 'De Oude Stad van Jeruzalem kan woedende menigten in het geweer brengen, zozeer zelfs dat het lot van onze gematigder vrienden in het Midden-Oosten op het spel staat en de basis kan worden gelegd voor een latere heilige oorlog.' Maar de Israëliërs hielden vol dat alleen zij aanspraak konden maken op Jeruzalem. Hun rechten kwamen voort uit het oude joodse koninkrijk dat tweeduizend jaar geleden Jeruzalem als hoofdstad had, en uit de gebeden en dromen van generaties joden die hoopten op een dag terug te keren uit de ballingschap die begon toen de Romeinen in het jaar 70 na Chr. hun tempel verwoestten. Maar de geschiedenis staat niet stil. De aanspraken op Jeruzalem van moslims en christenen hebben een uitgebreide ontwikkeling doorgemaakt in de 1897 jaar tussen de verwoesting van de joodse tempel en de inname van de Tempelberg in 1967 door de Israëlische paratroeperbrigade – wat volgens generaal Narkiss de 37ste keer was dat de Oude Stad werd veroverd.

Amos Oz voelde hoe sterk de Palestijnse band met Jeruzalem was toen hij een dag na het einde van de oorlog in paratroeperuniform terugkeerde uit Al-Arish, met zijn machinepistool nog bij zich. Hij schreef naderhand dat 'ik er met mijn hele wezen naar verlangde me in Jeruzalem te voelen als een man die zijn vijanden van hun bezittingen heeft ontdaan en naar het erfdeel van zijn voorouders is teruggekeerd'. Maar toen merkte hij dat de Arabieren er thuis waren. 'Ik liep door de straten van Oost-Jeruzalem als een man die zich toegang had verschaft tot een verboden plek. Ik was diep neerslachtig. Stad waar ik geboren ben. Stad van mijn dromen. Stad van mijn voorouders en de verlangens van mijn landgenoten. Ik was ertoe veroordeeld om gewapend met een machinepistool door de straten te lopen, als een figuur uit een van de nachtmerries uit mijn jeugd.'

Na de oorlog zeiden veel Israëliërs dat de oorlog hen was opgedrongen en dat zij de gebiedsuitbreiding niet hadden gewild. Voor sommige mensen was dat een goede reden om te houden wat ze hadden veroverd. Een soldaat die Asher heette zei: 'Jeruzalem is van ons en zal altijd van ons blijven. [...] Ik heb de stad veroverd en daar had ik alle recht toe, want ik was de oorlog niet begonnen. Iedereen weet dat Israël niet uit was op gebiedsuitbreiding. Het is goed dat we de kans kregen en dat we Jeruzalem en de andere plaatsen hebben veroverd. Er is meer dan voldoende rechtvaardiging om ze te houden.'

Op 28 juni annexeerde Israël het Jordaanse deel van Jeruzalem, een gebied van ongeveer zes vierkante kilometer, en 65 vierkante kilometer van de Westoever, gebied dat nooit bij de stad had behoord. Het extra land behoorde aan

28 Palestijnse dorpen. Israël noemde de annexatie eufemistisch 'samenvoe-
ging van gemeenten'. De nieuwe gebieden werden aan Jeruzalem toegevoegd
en waren vooral bedoeld voor joodse nederzettingen. Aan het eind van de
twintigste eeuw waren op de meeste stukken nederzettingen gebouwd. De
leiders van de Palestijnse gemeenschap die de felle lokale protesten hielpen
organiseren, werden uit Jeruzalem verbannen. Het ministerie van Buitenlandse Zaken in Washington sprak zijn afkeur uit: 'De overhaaste bestuurlijke beslissingen die vandaag werden genomen, kunnen niet als bepalend worden opgevat voor de toekomst van de heilige plaatsen of de status van
Jeruzalem. De Verenigde Staten hebben nooit dergelijke unilaterale acties
van een staat erkend als bepalend voor de status van Jeruzalem.' George
Brown, de Britse minister van Buitenlandse Zaken, had de Israëlische ambassadeur in Londen, Remez, al gewaarschuwd dat 'de Arabieren zich nooit zullen neerleggen bij de annexatie van de Oude Stad door Israël. Hier zal een algemene regeling waarschijnlijk door worden belemmerd. [...] [Het] zou
onverstandig en onrechtvaardig zijn.' De Israëlische claim op Oost-Jeruzalem wordt wereldwijd door bijna geen enkel land erkend, ook niet door de
Verenigde Staten en de landen van de Europese Unie.

Land

Toen ik in 1997 vanuit Jeruzalem over het dertigste herdenkingsjaar van de
oorlog berichtte, legde een Israëlische vriend me een keer uit dat alle gebieden die in de oorlog waren veroverd, behalve Jeruzalem, meteen zouden zijn
teruggegeven als de Arabieren het Israëlische vredesaanbod hadden aanvaard. Veel Israëliërs delen zijn mening. Maar het is slechts gedeeltelijk waar.
    De Israëliërs dachten aanvankelijk dat de Arabieren wel om vrede zouden
komen smeken. Ze meenden dat ze hun vijanden zo'n verschrikkelijke les
hadden geleerd dat ze Israël wel moesten erkennen op de voorwaarden die het
stelde. Er werd een paar keer om internationale hulp gevraagd om het proces
op gang te helpen. Maar niemand nam bij een van de partijen serieus het initiatief om tot vrede te komen. Shlomo Gazit, die coördinator werd van de
Israëlische regeringsinitiatieven in de bezette gebieden, denkt dat de Israëlische regering meer had moeten doen. Zij miste een kans 'terwijl ze wachtte
tot de Arabieren kwamen bedelen'.
    Na slechts een paar weken werden de Israëliërs ruw wakker geschud. De
VN riepen op 19 juni een spoedzitting van de Algemene Vergadering bijeen.
Israël had tijdens de oorlog enorm veel steun uit het Westen ontvangen.
Maar volgens Michael Hadow, de Britse diplomatieke vertegenwoordiger in
Tel Aviv, merkten de Israëliërs dat de Arabieren in de VN 'in staat leken er
weer tegenaan te gaan, dat het niet algemeen geaccepteerd was dat de over-

wonnenen om vrede moeten smeken, dat de winnaars gewoon gelijk werden gesteld met de verliezers en de oorlog door de wereld vooral gevaarlijk en gênant werd gevonden'. Israël reageerde 'met koppige eigendunk en een algemene verharding van de mening jegens vriend en vijand'. In augustus sprak Gideon Rafael, de Israëlische ambassadeur van de VN, over 'zich ingraven voor de vrede'. In privé-gesprekken met diplomaten gaf hij de indruk dat 'de Israëliërs van plan leken jarenlang hun poot stijf te houden'. In november zei kabinetsecretaris Ya'acov Herzog tegen het Witte Huis dat de 'Israëlische leiders diep verdeeld zijn over de vraag of ze een politieke regeling onder de juiste voorwaarden moeten accepteren of vierkant aan hun nieuwe grenzen moeten vasthouden en voor hun overleving moeten vertrouwen op de in militair opzicht veiliger situatie die de gebiedsuitbreiding heeft opgeleverd'. Aan het eind van het jaar heerste er volgens Hadow 'bijna unaniem het gevoel dat niet zozeer vrede, maar maximale veiligheid het belangrijkste doel is'. *The New York Times* was het daarmee eens: 'De overgrote meerderheid van het Israëlische publiek is er voorstander van dat Israël alle gebieden houdt die het tijdens de oorlog heeft bezet. Een vredesregeling met de Arabische landen weegt niet op tegen de opoffering van grondgebied en veiligheid.' Moshe Dayan zei dat hij wachtte op een telefoontje van de Arabieren. Maar op 11 juni zei hij al tegen de Amerikaanse tv-zender CBS dat de Gazastrook niet aan Egypte en de Westoever niet aan Jordanië teruggegeven zouden worden. Van 16 tot 19 juni, in de aanloop tot de Algemene Vergadering van de VN, vonden in het Israëlische kabinet de belangrijkste besprekingen plaats over de toekomst van de bezette gebieden. Premier Levi Esjkol en de belangrijkste ministers kwamen overeen de bezette stukken van Syrië en Egypte terug te geven, mits ze werden gedemilitariseerd en er een goed vredesverdrag werd gesloten. Maar de Westoever was iets anders. Die wilden ze nooit meer aan Jordanië teruggeven. Vanaf het begin werd er druk uitgeoefend de Westoever grotendeels of geheel te annexeren. Het was een ander soort land, waarop Israël rechten had en was onderdeel van het niet-afgemaakte karwei uit 1948. De Westoever had op ieder willekeurig moment veroverd kunnen worden als Israël oorlog met Jordanië had willen voeren.

In het Westen probeerde men de Israëlische politiek begrijpelijker te maken door de politici in te delen in 'haviken' en 'duiven', maar het was een vals onderscheid. De ideeën van 'duiven' zoals Esjkol waren nagenoeg gelijk aan die van 'haviken' zoals Yigal Allon, vooral wat de Westoever betreft. Beiden waren voorstander van joodse nederzettingen. Allon, Esjkol en het hele kabinet wilden de Jordaan als oostgrens van Israël. Abba Eban legde uit dat als Israël vrede en veiligheid wilde, het land behouden moest worden: 'Niemand in Israël was bereid alle Jordaanse gebieden terug te geven. Niemand wilde Jeruzalem opnieuw verdelen of het smalle midden van Israël weer blootstellen aan artilleriebeschietingen door de Jordaniërs.' Maar er waren ook verschillen. Eban sprak over de 'veiligheidsmannen' van Allon: politici die geen land wensten terug te geven in ruil voor een regeling met koning Hussein. De 'politici' in het kabinet meenden dat Israël ernstig in de problemen zou komen als de Palestijnen op Israëlisch grondgebied zouden blijven wonen. Sommigen wilden een autonome Palestijnse eenheid maken van de Westoever en de Gazastrook. Eban was tegen, omdat hij meende dat het dan een onafhankelijke staat zou worden. Minister van Justitie Ya'acov Shimson Shapiro zei dat ze beter niet over kolonisatie van de bezette gebieden konden spreken op het moment dat de rest van de wereld dekoloniseerde.

Het kabinet nam geen definitieve besluiten en stelde het debat uit omdat het wist dat een poging de knoop door te hakken tot een politieke breuk zou leiden. De regering was in eerste instantie geneigd de plannen geheim te houden. De Israëlische woordvoerders hadden tenslotte herhaaldelijk gezegd dat gebiedsuitbreiding geen oorlogsdoel was geweest en dat de annexatie van Palestijns gebied niet goed zou vallen in Washington. Toen twee Israëlische kranten op 8 juni berichtten over een plan om een Palestijns kanton te vormen dat uiteindelijk onderdeel zou worden van Israël, probeerde de militaire censor publicatie aanvankelijk tegen te houden, een beslissing die de volgende dag ongedaan werd gemaakt na protesten van woedende krantenredacteuren.

Er bestonden verschillende plannen voor de toekomst van de Westoever. Het Israëlische leger had 48 uur na het staakt-het-vuren al twee plannen. Drie dagen later werd er voor de premier een memo opgesteld over de mogelijkheid water uit de bezette gebieden voor de landbouw te gebruiken. In het droge Midden-Oosten is water een belangrijke grondstof. Volgens het memo gebruikten ze te veel water in de Gazastrook. Het invloedrijkste plan werd ingediend door Yigal Allon. Het werd nooit officieel goedgekeurd door het kabinet, maar het is wel wat er min of meer gebeurde. Huidige Israëlische plannen om Palestijnen in kleine kantons onder te brengen, stammen af van dit plan, dat in Israël bekendstaat als het 'Plan Allon'. Hij wilde dat de Jordaan als oostgrens van Israël zou fungeren om de verdediging van het land strategische diepte te geven en de Palestijnen op de Westoever in te sluiten. Ze zouden in autonome districten wonen die rond hun voornaamste steden lagen. De belangrijkste steden zouden worden omringd door een kring van joodse nederzettingen en legerbases, op land dat Israël onderdeel zou maken van het eigen soevereine grondgebied. Ook de Gazastrook zou door Israël worden geannexeerd als de vluchtelingen er eenmaal waren vertrokken.

Allon spande zich erg in voor goedkeuring van zijn plan omdat, zo betoogde hij, Israël gevaar liep als het niet meteen het initiatief nam in de bezette gebieden. In 1948 had Israël 'uit politieke overwegingen' het karwei niet afgemaakt en niet de hele Westoever en Jeruzalem bezet. Nu moesten de Israëliërs snel zijn, want anders zouden de Amerikanen hun een vredesplan kunnen opleggen. Nog erger was dat 'de Arabieren op de Westoever zich van de schok herstellen en misschien beginnen te denken dat ze Israël terug naar de oude grenzen kunnen dwingen'. Allon klaagde dat Israël zich onvoldoende liet gelden in Oost-Jeruzalem. Als ze zich zwak toonden door vluchtelingen weer toe te laten of te aarzelen bij de bouw van nederzettingen in de bezette gebieden, zouden ze het signaal afgeven dat Israël zich uit het veroverde gebied zou terugtrekken, waardoor ze de eigen onderhandelingspositie verzwakten. Maar Israël had Oost-Jeruzalem in feite al geannexeerd en liet slechts een handvol vluchtelingen terugkeren. Officiële goedkeuring voor de bouw van nederzettingen zou nog slechts twee maanden op zich laten wachten.

Egypte en Syrië gingen niet op de Israëlische avances in, en niet alleen omdat ze deze niet serieus namen. In 1967 kwam onderhandelen met de Israëliërs voor een Arabische leider neer op politieke en misschien letterlijke zelfmoord. Zelfs Nasser dacht dat hij zou worden afgezet als hij met de Israëliërs onderhandelde. De Israëlische eis van rechtstreekse gesprekken werd principieel verworpen. Rechtstreeks onderhandelen impliceerde erkenning van de joodse staat – daarom wilden de Israëliërs dit graag en de Arabieren niet. En wat betreft het Israëlische idee dat de Arabische landen nu hun lesje wel geleerd zouden hebben, waren de Arabieren, zo waarschuwde de CIA 'absoluut niet bereid onder ogen te zien wat volgens het Westen de werkelijkheid was, namelijk dat zij als verliezers van de oorlog een zekere prijs moesten betalen en de best mogelijke deal met hun overwinnaars dienden te sluiten'.

De leiders van Egypte en Syrië hadden misschien enige vooruitgang kunnen boeken als ze hun trots hadden kunnen inslikken, de woede van hun eigen volk hadden durven riskeren en met Israël hadden onderhandeld. Maar koning Hussein zou niet ver zijn gekomen als hij was ingegaan op Dayans aanbod de telefoon te pakken en over de Westoever en Jeruzalem te praten. Eind juli zei Abba Eban tegen George Brown, de Britse minister van Buitenlandse Zaken, dat er 'door de Israëlische regering geen vaste besluiten waren genomen over de voorwaarden die ze Hussein wilden bieden, en er zelfs geen overeenstemming bestond of het wel in hun belang was om serieus met hem te onderhandelen.' Brown trok uit Ebans opmerkingen de conclusie dat 'als Hussein op dit moment, via welk kanaal en hoe discreet ook, aan eigen onderhandelingen begint met Israël, de kans groot is dat hij geen overeenkomst krijgt waarmee hij voort kan en hij zichzelf en zijn regime waarschijnlijk al doende om zeep helpt'. Een informant van de CIA zei dat hij 'geheel alleen zou zijn, niemand zou hem steunen en hij zou vermoord worden, zoals zijn grootvader werd vermoord'. De Britse ambassadeur in Amman was het daarmee eens. Hussein riskeerde 'de moordenaarskogel'. Alleen Nasser kon een overeenkomst met Israël sluiten. 'Als hij de leiding neemt bij het sluiten van vrede, dan zou Jordanië mee kunnen en willen doen en zouden de radicale Arabieren buitenspel staan.'

Eind augustus hielden de Arabieren hun topontmoeting in Khartoum, waar de ramp officieel werd onderzocht. De hoofdstad van Soedan, die op de plek ligt waar de Blauwe en Witte Nijl samenvloeien, was vanwege uitzonderlijke zomerregens bijna geheel van de buitenwereld afgesloten. Voedsel, benzine en vliegtuigbrandstof waren bezig op te raken. Maar de mensen waren vrolijk. Overal waar Nasser zich vertoonde, werd hij door een zingende menigte als held toegejuicht. Het eerste punt op de agenda van de vergadering riep op tot hervatting van de oorlog. Het werd stil in de vergaderzaal toen Nasser de discussie wat werkelijkheidszin gaf. De zaal rondkijkend zei hij dat Egypte niet in een positie was nu oorlog te voeren. 'Welk ander land,' vroeg hij, 'is bereid de wapens op te nemen?' Niemand gaf antwoord.

Ze stelden een communiqué op, waarin onder andere stond dat ze geen vrede met Israël zouden sluiten, ze Israël niet zouden erkennen en niet met Israël zouden onderhandelen. Westerse diplomaten in Khartoum zagen dit 'drie keer nee' als de gebruikelijke rituele slogantaal. De Britse vertegenwoordiger in Khartoum, Norman Reddaway, noemde het zelfs niet eens rechtstreeks in het verslag dat hij aan Londen stuurde. Hij schreef dat Nasser door economische en militaire zwakte gedwongen was 'een vreedzame oplossing te zoeken en de stukgeslagen kracht van zijn land weer op te bouwen'. De Arabieren haatten Israël nog steeds, maar leken bereid via de Verenigde Naties te onderhandelen. 'Het is een stap in de goede richting dat de Arabieren, al willen ze niet rechtstreeks met de Israëliërs praten, toch bereid zijn een politieke oplossing te zoeken.'

De VN-Veiligheidsraad hoopte dat resolutie 242, die op 22 november 1967 werd aangenomen, de basis zou vormen voor de vredesonderhandelingen in het Midden-Oosten. Er werd in benadrukt dat door middel van oorlog bereikte gebiedsuitbreiding ontoelaatbaar was. Israël moest de bezette gebieden teruggeven in ruil voor een vredesovereenkomst met de Arabieren. Een cruciaal onderdeel van de resolutie, opgesteld door de Britse permanente vertegenwoordiger bij de VN, lord Caradon, was vaag over de vraag hoeveel land Israël precies moest opgeven. De Engelstalige versie van de resolutie sprak over 'gebieden' die teruggegeven moesten worden, in plaats van 'de gebieden' of zelfs 'alle gebieden'. Caradon hield het bewust vaag omdat hij 'ruimte wilde laten voor onderhandelingen over grenscorrecties'. Terugtrekking moest gevolgd worden door 'een rechtvaardige, duurzame vrede'. Maar Caradon bedoelde niet dat Israël dus grote stukken land zou mogen houden. Hij was meteen na het einde van de oorlog al 'diep bezorgd' over de vraag in hoeverre het Israëlische leger bereid was zich uit de veroverde gebieden terug te trekken. Op 12 juni schreef hij: 'In onze tijd kunnen we zeker niet toestaan dat er gebiedsuitbreiding door verovering kan plaatsvinden. [...] de

Israëliërs hebben zelf aan het begin van hun militaire campagne gezegd dat gebiedsuitbreiding geen doel voor hen was. Het lijkt me duidelijk dat we niets moeten zeggen dat door hen kan worden opgevat als toestemming om te houden wat ze gewapenderhand hebben verkregen.'

De Arabieren ondertekenden resolutie 242, in het volle besef dat ze daarmee stilzwijgend het bestaansrecht van Israël erkenden. Maar Israël wees op het 'drie keer nee' van Khartoum als bewijs dat de Arabieren helemaal geen overeenkomst wensten. Israël nam hoe dan ook de verslagen Arabische leiders niet erg serieus. Een CIA-bron in Israël, wiens naam nog steeds geheim is, verwachtte dat Nasser binnen zes maanden zou worden afgezet, terwijl koning Hussein 'geen respect verdiende'. Israël diende 'hun bluf te negeren en standvastig en koelbloedig te blijven. Na hen moeten er nieuwe Arabische regimes komen die de problemen op een realistische manier benaderen.' Ondertussen waren de Palestijnen nuttige werknemers. 'Een nieuwe Arabische bevolking zou veel beter voor arbeid gebruikt kunnen worden dan Iraanse en Turkse boeren.'

Resolutie 242 had meteen resultaten kunnen opleveren als president Johnson er vierkant achter was gaan staan. Er werd in het Witte Huis wel gesproken over een campagne om vrede dichterbij te brengen, maar een aantal pessimisten zei dat dit geen zin had. Volgens Johnsons nationale veiligheidsadviseur Harold Saunders was Israël al bezig met een 'campagne om Hussein zwart te maken en Nassers bedoelingen in een zo kwaad mogelijk daglicht te stellen'. De Israëliërs zouden iedere regeling torpederen. En mochten ze dat onverhoopt niet doen, dan zouden de Arabieren nooit bereid zijn de compromissen te sluiten die nodig waren om een overeenkomst te laten werken. Er waren ook adviseurs die vonden dat Johnson het toch moest proberen, ook al zou het in een 'eerlijke mislukking' eindigen. Maar Israël zou flink onder druk gezet moeten worden om er een rechtvaardige overeenkomst uit te slepen en 1968 was een verkiezingsjaar. Het zou Johnsons Democraten stemmen kunnen kosten. Saunders dacht dat 'heel wat mensen hier en in de Arabische wereld eraan twijfelen of we dit wel aandurven als het betekent dat we Israël zwaar onder druk moeten zetten'. Uiteindelijk kwam er geen Amerikaans vredesplan. De oorlog in Vietnam en de problemen die daar binnenslands uit voortkwamen, kostten Johnson al zijn tanende politieke energie. In maart 1968 besloot hij uitgeput en ontmoedigd de politiek vaarwel te zeggen.

De Israëlische en Arabische leiders hadden geen enkel begrip of gevoel voor de positie van de tegenpartij, wat altijd kenmerkend is geweest voor het conflict tussen joden en Arabieren. Geen van de twee partijen wilde oprecht een dialoog beginnen en inleveren om vrede te bereiken. De Israëliërs barstten van het zelfvertrouwen omdat ze de Arabische legers hadden vernietigd. Ze wilden alleen een overeenkomst op hun voorwaarden. Als overwinnaars waren ze niet bereid concessies te doen van het soort dat de Arabische leiders nodig hadden om een vredesovereenkomst te verkopen aan hun boze en vernederde volk, of zelfs maar geheime onderhandelingen via een tussenpersoon te beginnen. Aan het eind van het jaar zei Hadow in Tel Aviv: 'Als de Arabieren plotseling zouden verklaren dat ze bereid waren tot "rechtstreekse onderhandelingen", dan zou het gesteggel aan de onderhandelingstafel nog niets zijn vergeleken met het gekrakeel dat het Israëlische kabinet zou doen wankelen en zelfs doen splijten.'

Voor beide zijden was het nog steeds alles of niets. De eerdere Arabische propaganda over de vernietiging van de staat Israël was een hersenspinsel omdat de Arabische legers daar niet toe in staat waren, niet omdat ze het niet wilden. Het idee dat het de ene partij alleen goed kon gaan als de andere flink te lijden had bleef bestaan, maar de Israëliërs brachten dit gewoonlijk op subtielere wijze aan het Westen over dan de Arabieren. De weinig subtiele generaal Ezer Weizman zei het als volgt tegen de Britse journalist Winston Churchill: 'Laat u geen geouwehoer aansmeren dat Israël niet ten koste van de Arabieren wordt opgebouwd. Als ik een Palestijn was, zou er om de tien minuten een explosie te horen zijn in Tel Aviv.'

Israël zet de hakken in het zand

Het besluit van het Israëlische kabinet om geen duidelijk openbaar beleid te voeren voor de bezette gebieden, leidde tot een vacuüm waardoor mensen met een sterke overtuiging de kans kregen hun mening door te drukken. Zo iemand was bijvoorbeeld Hanan Porat die bij de Israëlische paratroepers had gevochten, eerst bij de Ammunitieheuvel en ten slotte bij de Klaagmuur. Hij wilde terug naar zijn eerste huis, de kibboets Kfar Etzion. De ruïne daarvan lag ver op de Westoever, tussen Bethlehem en Hebron. De kibboets was in de jaren dertig opgericht door religieuze nationalisten die land hadden gekocht in een gebied dat de VN later bij de verdeling van Palestina aan de Arabieren toewezen. In 1948 stierven er 151 joden tijdens het langdurige beleg van het 'Etzion-blok', zoals de nederzettingen genoemd werden. Vrouwen en kinderen mochten op een gegeven moment vertrekken. Onder hen bevond zich Hanan Porat, die toen een halfjaar oud was. Toen het beleg voorbij was, werden de kibboets en omringende joodse nederzettingen geplunderd en gesloopt. Voor de Israëliërs was dit een catastrofe. De vader van Hanan Porat bracht het er levend van af omdat hij erop uit was gestuurd om vanuit Jeruzalem hulpkonvooien te organiseren.

De kinderen werden opgevoed met het idee dat ze zouden terugkeren. In de jaren vijftig en zestig gingen ze samen op zomerkamp naar een plek die uitkeek op de Westoever. Ze konden er de boom bij hun oude huis zien liggen. Toen Israël de Westoever veroverde, was hun eerste gedachte dat ze zouden terugkeren. De religieuze geestdrift van Hanan Porat en anderen was door de overwinning flink opgeklopt. Ze zagen zichzelf niet als bezetters. Het bijbelse land van de joden was iets anders dan Tel Aviv en de kust. Hier lagen de heuvels van Judea en Samaria – met andere woorden, de Westoever – en dit land was nu, door de wil van God, weer in joodse handen. De Arabieren konden blijven als ze met hun goedvinden in een joodse staat wilden wonen, en anders konden ze vertrekken.

Binnen Israël ontstond er een luidruchtig publiek debat over de bezette gebieden. Tienduizend Israëliërs tekenden een petitie waarin de regering werd opgeroepen het land niet terug te geven. Een nieuwe politieke beweging begon een campagne voor de annexatie van de 'bevrijde' gebieden. Groepen die zichzelf 'Actiegroep voor het behoud van de gebieden' en 'Beweging voor de annexatie van de bevrijde gebieden' noemden, riepen op tot 'onmiddellijke vestiging van nederzettingen op de gehele Westoever'. 57 prominente Israëliërs onder wie generaals, rabbijnen, bekende kibboetsleiders en de Nobelprijswinnaar voor literatuur S.Y. Agnon, richtten de 'Groot-Israëlbeweging' op. Ze gaven op 22 september een verklaring uit waarin stond dat Israël door de overwinning in een 'nieuw, beslissend tijdperk' terecht was gekomen. Het land Israël was volgens hen 'ondeelbaar' en geen enkele regering had het recht er iets van weg te geven.

Op de dag dat de verklaring in de kranten verscheen, had premier Esjkol een ontmoeting met Hanan Porat en andere toekomstige kolonisten. Hij zei tegen hen dat er over de toekomst van de Westoever nog geen beslissingen waren genomen. Maar uit instinctieve sympathie beloofde hij hulp. Twee dagen later, op 24 september, zei Esjkol tegen het kabinet dat er weer een nederzetting zou komen bij Etzion. Andere nederzettingen zouden worden opgezet bij Kfar Banyas, ten oosten van de oude grens met Syrië, en bij Beit Ha-Arava, aan de noordzijde van de Dode Zee. Deze nederzettingen werden aangemerkt als speciale gevallen, omdat ze van voor 1948 dateerden. Maar er werd een precedent geschapen. Joden konden zich voortaan in de bezette gebieden vestigen.

De Amerikanen en Britten probeerden halfslachtig de Israëliërs op andere gedachten te brengen. Ze dachten dat het nog moeilijker zou worden vrede te sluiten als de Israëliërs zich in het veroverde gebied vestigden. Het Amerikaanse ministerie van Buitenlandse Zaken verklaarde: 'De plannen voor de vestiging van permanente Israëlische nederzettingen komen niet overeen met de stellingname van de Israëlische regering zoals wij die begrijpen, namelijk dat zij wensen te onderhandelen over de bezette gebieden en alle andere issues die zijn voortgekomen uit de oorlog van juni.' De Amerikanen stuurden hun ambassadeur in Tel Aviv een uittreksel uit een verhandeling over internationaal recht, waarin stond dat een militaire bezetter de plicht heeft het land te besturen volgens de wetten en regels van dat land zelf. Maar het ministerie van Buitenlandse Zaken was niet optimistisch over het effect dat dit op de Israëliërs zou hebben. In Londen legde de Israëlische ambassadeur uit: 'De nederzettingen zijn slechts tijdelijke instellingen die vanuit militair oogpunt zijn opgezet [...] om subversieve activiteiten te kunnen tegengaan zonder een sterk militair regime te hoeven instellen. Ze dienen tevens om intern druk uit te oefenen, zodat de Israëlische nederzettingen die in 1948 door de Jordaniërs werden verwoest, weer geopend kunnen worden.'

De ervaren Israëlische diplomaat Arthur Lourie klaagde op het ministerie van Buitenlandse Zaken in Jeruzalem dat Esjkol zonder nadenken en zonder het kabinet te raadplegen had toegestemd in de oprichting van nederzettingen en dat hij zodoende 'de poten onder de stoel had weggezaagd' van minister van Buitenlandse Zaken, Abba Eban, bij de Verenigde Naties in New York. De nederzettingen verkleinden volgens hem de kans dat de Westoever na vredesbesprekingen teruggegeven kon worden. De emotionele reactie op Esjkols besluit in de pers betekende dat het 'de zoveelste kwestie [was] die de Israëlische regering niet ongedaan kon maken zonder dat dit haar veel stemmen zou kosten'. Eban zelf was bang voor de 'golven van theologische emotie' die door Israël trokken. De veiligheid van de staat, die eerder niets met godsdienst uitstaande had, had een nieuwe religieuze dimensie gekregen.

Als premier Esjkol, zoals Arthur Lourie zei, niet lang had hoeven nadenken voordat hij toestemming gaf voor de eerste nederzettingen op de Westoever, dan was dat omdat dit beleid volkomen natuurlijk leek voor de generatie Israëliërs die de joodse staat had gesticht. Voor de echte zionisten was het stichten van nederzettingen een heilige plicht. Yigol Allon zei het als volgt: 'De grens van de staat Israël beweegt zich en vormt zich naargelang de beweging en vestiging van joodse bewerkers van de aarde. Zonder joodse nederzettingen kan het land niet verdedigd worden, al zouden we de omvang van het leger verdubbelen.' De grens oprekken door vestiging in Arabische gebieden was een fundamenteel en bijzonder effectief middel geweest bij de opbouw van de joodse staat. De paar nederzettingen die voor de Eerste Wereldoorlog in het stof en de moerassen van Palestina werden gesticht, waren binnen een paar generaties uitgegroeid tot een onafhankelijk land en een regionale supermacht die in staat was al zijn vijanden binnen een week te verslaan. In 1967 zat de kolonisatie van het land dat binnen de grenzen van 1948 lag er bijna op. De organisaties die ervoor verantwoordelijk waren hadden weinig meer omhanden. Nu lag er plotseling een enorm nieuw gebied om hun tanden in te zetten. Het enige probleem was dat er Palestijnen woonden die vonden dat het van hen was.

De nieuwe nederzettingen werden gebouwd door een afdeling van het leger, de 'Nahal', een acroniem van de Hebreeuwse woorden voor 'vechtende jonge pioniers'. De grens oprekken was hun taak. Nahal had sinds 1948 voorposten opgezet in grensgebieden die na verloop van tijd werden overgedragen aan burgers. De meeste nederzettingen die sinds 1967 in de bezette gebieden zijn gebouwd, zijn begonnen als voorposten van de Nahal. Sommige Israëliërs voorzagen problemen. Shlomo Gazit, coördinator van overheidsprojecten in bezette gebieden, wiens eigen plannen voor een gedemilitariseerde Palestijnse staat op de Westoever en in de Gazastrook nooit werden gerealiseerd, noemde de voorposten van de Nahal 'onvermijdelijke tijdbommen vanwege de manier waarop ze in permanente nederzettingen voor burgers veranderen'. Op 15 december plaatsten tweehonderdvijftig intellectuelen een advertentie in de krant waarin ze waarschuwden dat 'het joodse karakter van de staat en de menselijke en democratische kant' in het gedrang kwamen. In de Londense *Times* werd de advertentie 'een bemoedigend tegengeluid' genoemd tegen de heersende opinie dat Israël de bezette gebieden, vooral de Westoever, moest houden.

De weersvoorspelling van de Israëlische radio gaf nu ook de verwachtingen voor de bezette gebieden. Arabische plaatsnamen werden in Hebreeuwse namen veranderd. Sharm el Sheikh werd bijvoorbeeld 'Baai van Solomon' genoemd. De rechtse politicus Menachem Begin zei dat het ondenkbaar was dat er ook maar iets van 'Oost-Israël' (de Westoever) aan Jordanië zou worden teruggegeven. In juli 1967 verschenen er Hebreeuwse straatborden in Oost-Jeruzalem en werden er kantoren van Israëlische banken en postkantoren geopend. De toeristenindustrie was enthousiast over het geld dat verdiend kon worden met de attracties die op Jordanië waren veroverd. 'Als onze droom bewaarheid wordt en we Jeruzalem, Bethlehem en Jericho krijgen, dan wordt het echt fantastisch', zei een medewerker tegen een journalist van *The Wall Street Journal,* die er een artikel over schreef, getiteld: 'Israël zet hakken in zand: winnaar oorlog Midden-Oosten duidelijk van plan lang in veroverd Arabisch gebied te blijven.'

Het was ook andere journalisten opgevallen. Rowland Evans en Robert Novak schreven in *The Washington Post* van 22 oktober: 'Wat de Israëliërs er in het openbaar ook over zeggen, ze gedragen zich alsof ze de historische gebieden ten westen van de Jordaan willen houden.' In november 1967 reisde Michael Wolfers van *The Times* rond in de bezette gebieden. Hij schreef: 'Groot-Israël is snel bezig werkelijkheid te worden. De uitspraak "andere plaatsen kunnen we teruggeven, maar deze nooit", die ik in juni voor het eerst in Jeruzalem hoorde, hoor je nu van Israëliërs die op grondgebied staan dat een halfjaar geleden door de hele wereld als Syrisch of Jordaans werd beschouwd.' Er werd geld gestoken in infrastructuurprojecten, in nieuwe wegen en telefoonlijnen. Nieuwe bushokjes en verkeersborden leken 'een diepgaande poging het Syrische aanzicht te veranderen in het gebruikelijke Israëlische straatbeeld. De Israëliërs gaan zo snel en efficiënt te werk bij dergelijk pionierswerk dat het niet lang zal duren voordat de Israëlische bezetting van de Golanhoogte even moeilijk ongedaan te maken is als die van Jeruzalem.'

De journalisten van *The Washington Post* brachten een bezoek aan de kolonisten van het Etzion-blok en concludeerden dat het 'nooit meer vreedzaam aan Jordanië teruggegeven zal worden'. Ze voegden eraan toe dat het 'een wonder mag heten als de Israëlische regering, die geen duidelijk idee heeft wat voor bewoning van de Westoever ze precies wil, de binnenlandse druk zal kunnen weerstaan die om meer Etzions roept'. Hanan Porat en anderen die naar Etzion waren teruggekeerd, hadden gezworen op het graf van de kolonisten die in 1948 waren omgekomen dat ze zouden terugkeren en nooit meer vertrekken. Ze keerden terug in een konvooi dat werd voorafgegaan door de pantserwagen die hen in 1948 had geëvacueerd. Porat werd later een van de leiders van de nederzettingenbeweging. Het aantal nederzettingen is enorm toegenomen: er wonen nu meer dan 400.000 Israëliërs op land dat in 1967 werd bezet. Ze worden zwaar verdedigd, tegen hoge kosten, en zijn een belangrijk doelwit voor gewelddadige Palestijnse acties tegen de bezetting.

Geen enkele Israëlische regering sinds de oorlog beschouwt zichzelf als bezettingsmacht, omdat volgens Israël de Westoever en de Gazastrook voor 1967 geen onderdeel waren van een soevereine staat. De bezette gebieden worden daarom niet door Israël bezet, maar bestuurd. Deze interpretatie wordt door bijna niemand gedeeld, ook niet door de VN-Veiligheidsraad en het Internationale Rode Kruis. Maar de Israëliërs verdedigen dit standpunt fel, want als de gebieden wettelijk als veroverd grondgebied gelden, dan komt de nederzettingenpolitiek sinds het einde van de Zesdaagse Oorlog neer op een lange reeks schendingen van de Vierde Conventie van Genève. Het verbod op kolonisatie van bezet gebied is een van de uitgangspunten van het internationale humanitaire recht. Volgens Israël is de Vierde Geneefse Conventie niet van toepassing op de activiteiten die het ontplooit in 'bestuursgebied'. De regering zegt overigens dat ze zich houdt aan de 'humanitaire regels van het Verdrag', maar zonder erbij te vertellen welke dat zijn. Israël heeft het internationaal recht overigens ook op andere punten geschonden tijdens de bezetting. Van terrorisme verdachte personen werden gemarteld, huizen werden verwoest, verdachten zonder proces opgesloten en mensen gedeporteerd die volgens de regering een gevaar vormen voor de joodse staat. Op een gegeven moment beginnen er weer serieuze vredesonderhandelingen. Maar die zullen zeker mislukken als er geen manier wordt gevonden om de rommel op te ruimen die werd achtergelaten door de oorlog van 1967.

Vluchtelingen

Na de oorlog bleven er vanuit de Westoever vluchtelingen Jordanië instromen. Recht doen aan de vluchtelingen was – en is – een van de kernpunten voor een vredesregeling. Al op de tweede dag van de oorlog zei veiligheidsadviseur Walt Rostow dat een definitieve vredesregeling voor het Midden-Oosten alleen haalbaar was als Israël een 'breed en fantasierijk initiatief ten behoeve van de vluchtelingen' kon ontplooien. President Johnson zei op 9 juni: 'Het wordt geen vrede in het Midden-Oosten als dit probleem niet met hernieuwde energie wordt aangepakt en wel in de eerste plaats vooral door de direct betrokkenen.' Dezelfde week zei George Brown, de Britse minister van Buitenlandse Zaken: 'De hoop op een duurzame regeling is tot op grote hoogte afhankelijk van wat Israël nu doet. Als de Arabische bevolking in de bezette gebieden humaan en genereus wordt behandeld, neemt de haat misschien af en ontstaat er misschien hoop op een uiteindelijke verzoening.'

Moshe Dayan, die nu wat betreft de bezette gebieden als een gezaghebbende figuur werd beschouwd, zei op 25 juni tijdens een persconferentie in Jeruzalem dat de overgrote meerderheid van de vluchtelingen niet terug mocht. Het waren mensen die twintig dagen eerder Israël nog hadden willen vernietigen, dus hadden ze dit lot verdiend. Dayan legde eerdere uitlatingen van de regering dat de omvang van het probleem zwaar werd overdreven naast zich neer en gaf toe dat er 100.000 Palestijnen waren overgestoken naar de Oostoever. Maar ook dat aantal was een grove onderschatting. De volgende dag sprak de UNRWA over 413.000 vluchtelingen. Dayan toonde geen mededogen. Hij zei dat de meeste vluchtelingen uit kampen kwamen. Het waren, zei hij, mensen die niets te verliezen hadden en sowieso afhankelijk waren van rantsoenen van UNRWA, waar ze ook zaten. En ze moesten toch naar Jordanië om geld voor hun levensonderhoud te kunnen innen dat werd overgemaakt door familieleden in andere Arabische landen.

Terwijl Dayan zijn opvattingen over de vluchtelingen toelichtte, was Israel begonnen aan een campagne om de Palestijnen van de Westoever weg te krijgen, een campagne die tot 1968 zou blijven doorgaan. De eerste stroom vluchtelingen, die vanwege de oorlog en de bezetting in paniek hun huizen hadden verlaten, droogde rond 15 juni op. Bijna een week lang kwamen er nauwelijks meer nieuwe. Maar toen, vanaf 20 juni, meldde zich een tweede stroom vluchtelingen op de Oostoever, die door het Israëlische leger in bussen en vrachtauto's vanuit Hebron, Bethlehem, Nablus, Jenin en Qalqilya naar de Jordaan werden gebracht. Ze waren niet gedwongen uitgezet, zoals tijdens de oorlog in Qalqilya, Tulkarem, de dorpen Latrun en een paar dorpen rond Hebron was gebeurd. De tweede stroom had hun huis 'vrijwillig' verlaten en maakte gebruik van een aanbod dat gewoonlijk werd gedaan met luidsprekers op jeeps die langzaam straten op en neer reden die verder leeg waren vanwege de avondklok. In Bethlehem vroegen Israëlische troepen volgens Samir Elias Khouri 'vanaf een week na het begin van de bezetting aan de mensen om te vertrekken. Ze kwamen met bussen naar het Kribbeplein en veel mensen stapten in, vooral als ze verwanten in Jordanië hadden. Mijn broer gaf hun zijn identificatiepapieren en vertrok.' Ze kregen 'alle faciliteiten om te kunnen vertrekken [...] en geen om terug te keren'. Israël maakte ook een einde aan het toch al beperkte tweerichtingsverkeer over de Jordaan.

Israëliërs die voorstander waren van annexatie van de Westoever beseften dat dit beter zou lukken als er minder Palestijnen woonden. Esjkols adviseurs zeiden op 13 september tegen hem dat de emigratie van Palestijnen op de Westoever aangemoedigd moest worden als ze de bevolkingsgroei op één procent per jaar wilden houden, zoals voor de oorlog het geval was geweest. Israëliërs vreesden het Palestijnse geboortecijfer. Het was het enige waarin de Arabieren hun de baas waren. Sommige politici, zoals minister van Justitie Shapiro, waarschuwden in 1967 dat het joodse karakter van de staat in gevaar zou komen als ze een gebied inlijfden waar Arabieren woonden. Als Israël geen gebied prijsgaf, zo waarschuwde hij, 'is de hele zionistische onderneming voorbij. Dan leven we in een getto'. Nadat Israël in 2002 de Westoever opnieuw bezette, herleefde de angst voor een Palestijnse meerderheid tussen de Jordaan en de Middellandse Zee. Volgens de laatste voorspellingen zal dit over een generatie werkelijkheid zijn.

De Israëliërs ontkenden heftig dat ze de Arabieren onder druk zetten om te vertrekken, een beschuldiging die door de Israëlische gezant in Londen 'een kolossale propaganda- en lastercampagne' werd genoemd. Maar de Palestijnen klaagden dat ze eerst flink geïntimideerd werden en vervolgens een aanbod kregen van 'hulp bij emigratie' dat ze niet durfden weigeren. De beschuldigingen werden gestaafd door Britse diplomaten. Ambassadeur Hadow in Tel Aviv, die in zijn telegrammen Israël consequent het voordeel van de twijfel gunde en het land actief verdedigde tegen Arabische beschuldigingen, zei tegen het Israëlische ministerie van Buitenlandse Zaken: 'Als de Israëlische regering zo blijft doorgaan, dan gaan zelfs de vrienden van Israël denken dat ze proberen de Arabische inwoners van de Westoever te verjagen om deze te kunnen "israëliseren".'

Dayan zei op 25 juni tegen journalisten dat het leven op de Westoever weer normaal was, dat de avondklok bijna was afgeschaft, de gemeentediensten weer op gang kwamen en de voedsel- en benzinetekorten voorbij waren. Maar dezelfde dag vertelden 'verantwoordelijke getuigen' bij de Britse ambassade in Amman dat vooral in de Oude Stad van Jeruzalem gevestigde Palestijnen uit de middenklasse onder druk werden gezet om te vertrekken. Dit gebeurde door huiszoekingen, plunderingen, 'faciliteiten om te vertrekken' en andere 'selectieve' methoden. De hoop van Palestijnen om er nog een 'redelijk leven' te kunnen leiden werd de bodem in geslagen. Half juni verlieten dagelijks vele Arabieren Jeruzalem via de Damascuspoort, de voornaamste doorgang van de Oude Stad naar het pas veroverde Jordaanse Jeruzalem. Onder hen was de 'houseboy' van een Britse diplomaat. Hij vertrok omdat het leven in zijn dorp Issawiya, dicht bij de Scopusberg, moeilijk was geworden, onder andere 'vanwege de Israëliërs die midden in de nacht kanonnen afschieten', maar ook omdat hij bezorgd was dat hij in Israël zijn pensioen van het Jordaanse leger niet zou ontvangen.

Journalist van *The Washington Post* Jesse Lewis zag hoe het er bij de uittocht aan toeging. Net binnen de Damascuspoort hadden de Israëliërs een tafel opgesteld, waar ze mensen die naar Jordanië wilden een nummer gaven. Er stond een rij, waarbij Lewis zich aansloot. Toen hij zei dat hij in de Oude Stad woonde en wilde vertrekken, kreeg ook hij een vluchtelingennummer van de soldaten. Bijna de helft van de vluchtelingen waren kinderen en er waren meer vrouwen (die traditionele Palestijnse jurken droegen) dan mannen. Velen werden voor de tweede keer vluchteling, zoals Rashidah Raghib Saadeddin, die in 1948 vertrok uit haar dorp Lifta dat aan de westrand van Jeruzalem ligt (het bestaat nog steeds, maar is in een ruïne veranderd). Nu vluchtte ze weer, met haar oude, zwakke, gerimpelde moeder en haar vijftien jaar oude zoon. Volgens haar wilden de Israëliërs niet in vrede samenleven. Een andere vluchteling, Abdul Latif Husseini, was in 1948 op elfjarige leeftijd uit Jaffa (destijds de belangrijkste Palestijnse stad aan de kust) naar Jeruzalem gekomen. Hij had eind juni willen trouwen, maar de bank waar hij werkte ging dicht, het huis dat hij gehuurd had werd beschadigd en er werd voor bijna duizend dollar aan meubelen en stoffering gestolen door plunderaars. Hij zei tegen Lewis: 'Ik kan jullie vergeven dat je me in mijn gezicht hebt geslagen, maar dit geef ik door aan mijn kinderen.'

Even na half drie 's middags stopten er een paar vrachtauto's en vier bussen voor de Damascuspoort. De volwassenen drongen naar binnen om een plaatsje te bemachtigen en daarna werden de kleine kinderen als 'zakken rijst of zand' doorgegeven. 'Toen het konvooi uit Jeruzalem vertrok, hadden de mensen in de vrachtauto niets meer te zeggen. Alleen de kleine kinderen huilden. Het was na drie uur 's middags en dus waren er geen Arabieren meer op straat. Er was een achttien uur durende avondklok, van drie uur tot negen uur de volgende morgen.' Toen de Israëlische soldaten die de bussen en vrachtauto's bestuurden niet de afslag naar Jericho namen, maar doorreden naar de Dode Zee, riep een vrouw: 'Kijk, we gaan niet goed. Ze gaan ons vermoorden.' Maar uiteindelijk kwamen ze toch bij de Allenby-brug, die was opgeblazen door terugtrekkende Jordaanse troepen en 'een groteske V in het midden van de rivier' vormde. 'De brug stond zo steil overeind dat er geïmproviseerde ladders waren gelegd en er een kabel strak was vertrokken om de vluchtelingen eroverheen te helpen.'

De UNRWA, de VN-organisatie die verantwoordelijk was voor de Palestijnse vluchtelingen, had er een gigantische taak aan. De organisatie had in Jordanië de verantwoordelijkheid voor de 332.000 Palestijnse vluchtelingen van de oorlog van 1948, die in 1967 nog steeds hulp nodig hadden. Half juni 1967 waren daar nog eens 140.000 vluchtelingen uit de UNRWA-kampen op de Westoever bijgekomen en 33.000 uit kampen in de Gazastrook. Daar kwamen nog eens 240.000 ontheemde Palestijnen bij die nooit eerder vluchteling waren geweest. Plotseling zat Jordanië, een land dat zelf bijna geen natuurlijke hulpbronnen bezat, met 745.000 vluchtelingen.

Levi Esjkol herhaalde het verhaal dat Dayan op 25 juni had verteld. Hij zei tegen het Internationale Comité van het Rode Kruis dat de vluchtelingen de Westoever 'uit vrije wil verlaten, lang na beëindiging van de gevechten. Meestal vertrekken ze vanwege familiebanden, om hun recht op een salaris of pensioen te behouden, of geld te kunnen ontvangen van verwanten die in olieproducerende Arabische landen werken'. De waarheid was een stuk gecompliceerder. Sommige vluchtelingen, zoals de houseboy van de Britse diplomaat, vertrokken inderdaad voor een pensioen. Maar de meeste van de 240.000 'nieuwe vluchtelingen' waren kleine boeren van de Westoever. Zij kwamen uit hechte, traditionele gemeenschappen die in geen eeuwen waren veranderd. In september 1967 werd er door de American University in Beiroet een onderzoek uitgevoerd onder 122 gezinnen uit 45 dorpen op de Westoever. Een groot aantal had hun hele leven in hetzelfde dorp gewoond. Tachtig procent had een stuk grond bezeten van meer dan een hectare groot. Ze hadden met andere woorden alle reden om te blijven. Ze leken verdoofd door wat hun acht tot tien weken na de oorlog overkwam en gaven blijk van een diepe gehechtheid aan de mensen, huizen en het land die ze gedwongen waren te verlaten.

De meeste van hen vertrokken omdat ze doodsbang waren, 57 procent zei te vertrekken vanwege luchtaanvallen en ongeveer de helft vertrok vanwege het optreden van Israëlische soldaten, waaronder 'de uitzetting van burgers uit hun huizen, plunderingen, verwoesting van huizen, arrestatie en gevangenname van mannelijke burgers, het opzettelijk te schande zetten van ouderen en vrouwen, het doodschieten van mannen die ervan werden verdacht soldaten of guerrillastrijders te zijn'. Vooral mensen te schande zetten was belangrijk. In de jaren zestig was de Palestijnse maatschappij op het platteland en in de stad zeer traditioneel. Alles draaide om eer, waardigheid en trots. De verplichting de familie-eer te verdedigen, vooral van de vrouwen, stond op de eerste plaats. Negentien jaar na het bloedbad bij Deir Yasin gold dit nog steeds als hét voorbeeld van waar de Israëliërs toe in staat waren. Het feit dat ze vluchtelingen waren was op zich al een vernedering voor de Palestijnen. Volgens de onderzoekers van de American University 'konden zij het idee niet verdragen dat ze hun land, eer en trots zijn kwijtgeraakt en daar nog altijd niets tegen kunnen doen. Dit is de belangrijkste reden voor de agressie jegens henzelf, hun leiders, Israël en de grootmachten.' Kinderen die tijdens de exodus of in de kampen werden geboren, kregen namen als Jihad (strijd), Harb (oorlog) of A'ida (hij die zal terugkeren).

Nils-Goran Gussing, de speciale afgezant van de secretaris-generaal van de VN, onderzocht waarom mensen wegvluchtten uit de Westoever, de Gaza-strook en de Golanhoogte. De CIA noemde zijn rapport 'het meest gezaghebbende dat we hebben'. Voor 5 juni woonden er zo'n 115.000 Syriërs op de Golanhoogte. Een week later waren dat er nog maar 6000. Gussing onderzocht de beschuldiging van de Syriërs dat Israël 'systematisch probeerde de gehele oorspronkelijke bevolking te verdrijven'. Het rapport kwam tot de conclusie: 'Bepaalde handelingen die door plaatselijke militaire commandanten worden toegestaan of goedgekeurd, zijn een belangrijke oorzaak voor hun vlucht.' In het stoffige vluchtelingenkamp buiten Damascus waar tegenwoordig nog steeds vluchtelingen van de Golanhoogte wonen, vertelde een aantal dorpshoofden me dat ze onder bedreiging van vuurwapens uit hun huis waren gezet, dat vervolgens werd vernietigd. Gussing vond op de West-oever bewijzen voor intimidatie door het Israëlische leger en hoorde over de mobiele luidsprekers waarmee de plaatselijke bevolking duidelijk werd gemaakt dat ze 'waarschijnlijk beter af waren op de Oostoever'. Het rapport concludeerde dat de oorlog en de bezetting de voornaamste redenen waren voor de uittocht van de Palestijnen, vooral omdat de Israëliërs geen pogingen deden de Palestijnen gerust te stellen.

Jonge mannen in de Gazastrook hadden vaak geen keuze. Ze werden aangehouden, bijeengedreven en per bus naar Egypte afgevoerd. Eind juni gingen er duizend per dag het Suezkanaal over. Een groep studenten uit Gaza-stad, die in een vloot van kleine bootjes het kanaal over werd gezet, vertelde een Britse journalist dat ze 'met geweld van hun familie waren gescheiden en per vrachtauto naar een verzamelpunt bij Beersheba waren gebracht'. Velen zeiden dat ze door de Israëlische soldaten waren geslagen en beroofd en dat ze tijdens de tocht door de woestijn geen water hadden gekregen. De stroom vluchtelingen uit de Gazastrook bleef doorgaan. De CIA schreef: 'Israël zou de Gazastrook graag houden als het grootste deel van de Arabische bevolking naar elders vertrok.' In oktober staken er dagelijks vijfhonderd nieuwe vluchtelingen over naar Jordanië. Velen van hen kwamen uit de Gazastrook.

Het nieuws dat de Israëliërs zich op de Westoever vestigden maakte de vluchtelingen nog somberder. Ze hadden gehoopt dat Israël door internationale druk gedwongen zou worden hen te laten terugkeren. De terugkeer van de kolonisten van het Etzion-blok dicht bij Bethlehem sloeg die hoop grondig de bodem in. De bitterheid en woede uitte zich in afschuwelijke incidenten in de kampen.

Omdat mensen op geen enkele manier officieel toestemming konden krijgen de Jordaan over te steken, probeerden ze het clandestien. Volgens de burgemeester van Jericho werden er tussen juni en september 1967 honderd mensen uit zijn gemeente doodgeschoten die stiekem hadden geprobeerd de Jordaan over te komen. Op 6 september probeerden vijftig burgers de rivier bij Damia over te steken. Acht werden er doodgeschoten en de rest werd teruggestuurd naar de Oostoever, op één man na die zich verborg en later Jeruzalem wist te bereiken. Maar het was moeilijk erachter te komen hoeveel mensen er precies waren gedood, omdat de Israëlische soldaten de mensen die ze hadden doodgeschoten vaak begroeven zonder de verwanten in te lichten of zelfs maar te kijken wie ze hadden vermoord.

Hoewel Dayan in juni had gezegd dat de meeste vluchtelingen niet terug mochten, wekte de Israëlische regering de verwachting dat ze van mening was veranderd toen ze in augustus toestemde met een terugkeerregeling die werd georganiseerd door het Internationale Comité van het Rode Kruis. Na moeilijke onderhandelingen (Jordanië maakte onder andere bezwaar tegen het formulier dat Israël de vluchtelingen liet invullen, omdat er 'Israëlische regering' boven stond) vroegen tussen 9 en 17 augustus 167.500 vluchtelingen toestemming terug te keren.

Toen kondigde Israël aan dat de regeling op 31 augustus zou aflopen. Vertegenwoordigers van het Rode Kruis zeiden dat er onmogelijk voor het einde van de maand 100.000 vluchtelingen de brug konden oversteken, maar zijn Israëlische gesprekspartner antwoordde slechts dat het woord 'onmogelijk' in het Hebreeuws niet bestond. Op 30 augustus stuurde het Rode Kruis in Genève een urgent telegram aan Esjkol, waarin ze hem vroegen de deadline uit te stellen 'om te zorgen dat de terugkeeroperatie kan worden voortgezet en om onnodige ontberingen en discriminatie van vluchtelingen te voorkomen'. Esjkol negeerde het verzoek. Het duurde twee maanden voor hij antwoordde. Israël gaf uiteindelijk slechts 5102 vluchtelingen toestemming terug te keren. Toen de deadline op 31 augustus afliep, hadden de Israëliërs duizenden formulieren niet verwerkt die ze via het Rode Kruis hadden laten verspreiden. Niemand uit Jeruzalem, Bethlehem of de vluchtelingenkampen op de Westoever kreeg toestemming. De Britse minister van Buitenlandse Zaken rapporteerde op 10 Downing Street aan het kabinet dat de Israëlische afwijzing van de aanvragen van ontheemde mensen uit dat gebied 'wellicht betekent dat ze van plan zijn lang op de Westoever te blijven en hun eigen vluchtelingenprobleem daar wensen te beperken'. Uiteindelijk keerden slechts 3824 van de 5102 vluchtelingen voor de deadline terug. Bijna 1300 mochten niet terugkomen, voornamelijk vanwege extra beperkingen die door de Israëliërs werden ingesteld. In sommige gevallen mochten oudere kinderen niet terug naar hun ouders. Niemand met een auto werd toegelaten. Vee mocht nooit mee, zodat herders en kleine boeren die met hun levende have waren gevlucht in Jordanië moesten blijven. De Britse ambassadeur in Amman vond het Israëlische optreden 'halfslachtig en traag'.

Toen de deadline voorbij was, werd duidelijk dat Israël de terugkeer van 150.000 Palestijnen had tegengehouden. Volgens een campagne in de Israëlische pers kwam dit omdat koning Hussein het vluchtelingenprobleem voor 'politieke doeleinden' gebruikte. Deze beschuldiging werd door Michael Hadow (die eerder de Israëlische wens verdedigde om vanwege veiligheidsredenen het tempo te kunnen regelen waarmee de vluchtelingen terugkeerden) afgedaan als 'een irrelevant argument over niet terzake doende details'. Als Israël zich zorgen maakte dat Hussein politieke munt sloeg uit het lijden van ontheemde Palestijnse burgers, dan lag het antwoord voor de hand: aanbieden alle vluchtelingen te laten terugkeren, zodat de koning er geen munt uit kon slaan. Maar de vluchtelingencrisis speelde Israël in de kaart. Koning Hussein werd er door uit evenwicht gehouden. Israël oefende druk uit op de Jordaniërs en de internationale organisaties, die de grootste moeite hadden de vluchtelingen op te vangen, terwijl de grote, goed uitgeruste vluchtelingenkampen in Jericho leegstonden. De Palestijnen die daar sinds 1948 hadden gewoond, waren er op het hoogtepunt van de strijd vertrokken. De meesten van hen leefden in erbarmelijke omstandigheden een paar kilometer verderop, aan de andere kant van de Jordaan. Er moesten tegen hoge kosten nieuwe kampen worden gebouwd.

Tegen het eind van het jaar waren de vooruitzichten voor de vluchtelingen somber. De eerste gewelddadige acties tegen de bezetting vonden plaats, waardoor het nog minder waarschijnlijk was dat Israël hen zou laten terugkeren. Niemand van de 150.000 vluchtelingen die door Israël waren afgewezen nadat ze een formulier van het Rode Kruis hadden ingevuld, had naar huis mogen terugkeren. Ongeveer veertig mensen mochten terug onder een Israëlische regeling voor gezinshereniging. En het leek nog erger te worden. Volgens Britse diplomaten in Jeruzalem gebruikte Israël het veiligheidsargument als smoes om nog meer Palestijnen uit te wijzen. Ze schreven over 'toenemende bewijzen van Israëlische pogingen het aantal vluchtelingen op de andere oever te doen toenemen door grootschalige uitwijzing van mensen op grond van betrokkenheid bij sabotage, zoals bijvoorbeeld bij de uitzetting van 195 leden van de Arab al Nasariah-stam in de streek Arja op 6 december'.

Israël wees erop dat Radio Amman terugkerende vluchtelingen aanspoorde zich aan te sluiten bij de strijd tegen de bezetting. De Israëlische ambassadeur in Londen legde uit dat zijn 'overheid zich niet wenste te laten dwingen tot een onderdrukkingscampagne om te voorkomen dat er een vijfde colonne wordt gevormd om de vrede op de Westoever te verstoren'. Israël zou volgens hem gezichtsverlies lijden onder de plaatselijke Arabische bevolking als het 'storende elementen toeliet die de huidige rust zouden verstoren'.

Maar het was niet rustig in de bezette gebieden.

Geweld

De bezetting ging vanaf het begin met bloedvergieten gepaard. Israël gebruikte geweld om de gebieden te bezetten en bezet te houden. De Palestijnen beseften al snel dat ieder verzet tegen de bezetting van henzelf moest komen. Van Arabische overheden hadden ze geen hulp te verwachten. Gewapende groepen en politieke bewegingen verwachtten niets meer van Nasser en het ba'athisme. In plaats daarvan ontwikkelden ze een eigen Palestijnse identiteit. Moshe Dayan, die meende dat er sprake was van een eeuwige oorlog tussen Israëliërs en Palestijnen, voorzag wat er ging komen. Hij voorspelde tegenover minister van Buitenlandse Zaken, Abba Eban, dat de Palestijnen zich tegen het Israëlische regime zouden verzetten door terroristische aanslagen te plegen. Toen Eban vroeg hoe hij dat wist, zei hij: 'Omdat ik precies hetzelfde zou doen als ik in hun schoenen stond.'

Dat de bezetting tot geweld leidde, was overduidelijk voor iedereen die het wilde zien. In een redactioneel commentaar in *The Washington Post* van 22 oktober 1967 stond dat het voor Israël 'een bittere pil' was 'gebied te hebben veroverd met het idee zich van meer veiligheid te verzekeren, om er vervolgens achter te komen dat het niet meer van buiten de grenzen wordt bedreigd, maar van binnenuit. Als natie met een vreemd volk op het grondgebied dat het recht op zelfbeschikking wordt ontzegd, kan Israël niet verwachten dat het zich aan de overlast van het Arabische verzet kan onttrekken'.

Tussen juli en het eind van het jaar vonden er 48 ernstige terroristische aanslagen plaats en een groot aantal kleinere. Bovendien waren er 84 ernstige incidenten waarbij Jordaanse, Egyptische of Syrische troepen waren betrokken. De patrouille die de paratroepers van bataljon 202 in de nacht van 7 op 8 juni rond de stad Khan Younis in de Gazastrook uitvoerden, was typerend. Eerder die dag hadden ze een Palestijnse 'informant' gevangengenomen die nu met hen meeging. Om 20.15 uur zagen ze een groep mannen richting strand lopen. Zeven werden gearresteerd. Een werd doodgeschoten toen hij een van de soldaten aanviel. Om 23.30 uur bracht de informant hen naar een huis waar ze een geheime wapenbergplaats vonden. Om 04.44 uur arresteerden ze een Egyptische tweede luitenant die zich verborgen had gehouden. Om 05.00 uur nam de informant hen mee om een Egyptische kapitein te arresteren, maar toen ze zijn huis binnenvielen, bleek hij verdwenen. Van 05.30 tot 07.30 uur doorzochten de paratroepers een boomgaard waar zich volgens de informant fedajien verborgen hielden. Een man ontsnapte, een andere werd gevangengenomen. Om 08.00 uur nam de informant hen mee naar een andere Egyptenaar, die ze in een stal vonden, waar hij zich verborgen hield. Toen ze een kwartier later terugreden naar hun kamp in Gaza-stad, wees de informant hen weer een 'Egyptenaar', die ook werd gearresteerd.

Er vonden veel ernstige incidenten plaats. September 1967 was veel erger voor de Israëliërs dan het voor de oorlog meestal geweest was. Op 8 september werd een Israëlische officier door een mijn gedood en werden er vier soldaten gewond. Op 15 september ontspoorde er dicht bij Tulkarem en de grens van de Westoever een Israëlische trein door sabotage. Op 19 september ontplofte er een bom in West-Jeruzalem, waarbij zeven burgers gewond raakten. Er vonden meer sabotagedaden plaats op 21, 22 en 23 september. Op 23 september, de dag waarop Esjkol aankondigde dat er in de bezette gebieden nederzettingen gebouwd zouden worden, werden er bij Nablus na een vuurgevecht dertien guerrillastrijders van Al-Fatah, de factie van Yasser Arafat, gevangengenomen. De dag daarop blies Al-Fatah in Israël een huis op van een boerencoöperatie, waarbij een kind omkwam en de ouders gewond raakten. Op 27 september, de dag dat de kolonisten naar Kfar Etzion teruggingen, werden er twee grenspolitiemannen gedood en één gewond tijdens een vuurgevecht met Al-Fatah, ontspoorde er bij Gaza-stad een trein door sabotage en werden er drie handgranaten gevonden voor het huis van de ministerpresident.

Uit de hoeveelheden slachtoffers blijkt duidelijk dat het gevaar na de bezetting sterk toenam. Tussen juni 1965 en februari 1967 werden er twaalf Israëliërs gedood en 61 gewond bij wat door Israël als terroristische aanvallen werd omschreven. Van februari tot het uitbreken van de oorlog liep de spanning hoog op en werden er vier Israëliërs gedood en zes gewond. Maar het aantal slachtoffers nam scherp toe na de bezetting. Tussen het eind van de oorlog en februari 1968 werden er 28 Israëliërs gedood en 85 gewond door terroristen. Het Israëlische leger bracht in dezelfde periode volgens eigen zeggen 45 Palestijnse schutters om, verwondde er nog eens dertig en nam er meer dan duizend gevangen. In november waren er al meer dan duizend Palestijnse huizen met bulldozers verwoest als vergeldingsmaatregel. In sommige vluchtelingenkampen werden alle mannen tussen de zestien en zeventig in rijen opgesteld, waarna ze langs een figuur moesten lopen wiens hoofd door een zak was bedekt waarin alleen kijkgaten zaten. Als zo'n figuur naar een vluchteling knikte, werd hij meegenomen voor ondervraging. Hierdoor werden volgens een Britse diplomaat 'des te meer gezinnen overtuigd hun spullen te pakken en naar het oosten te vertrekken'. De woordvoerder van brigadegeneraal Narkiss zei tegen een verslaggever van *The Sunday Times:* 'Als u de Arabische mentaliteit kent, dan begrijpt u dat het waarschijnlijk het beste is om zo hard op te treden. Ik denk niet dat ze een andere aanpak begrijpen.'

Israël hervatte de aanvallen op Jordanië als vergelding voor aanslagen van Palestijnen. De enorme, miserabele vluchtelingenkampen in Jordanië waren uitstekende oorden voor Yasser Arafat en andere guerrillaleiders om strijders te rekruteren en op te leiden. Nu de Westoever niet meer Jordaans was, had de verzwakte koning Hussein niet de neiging nog te proberen Palestijnen tegen te houden. Israël reageerde door de vluchtelingenkampen met granaten te beschieten. Op 20 november werd het kamp Karameh in de Jordaanvallei bijvoorbeeld met 120-mm-mortieren en veldartillerie bestookt.

De beschieting vond op een mooie dag halverwege de middag plaats, toen de straten van het kamp vol mensen waren en de kinderen uit school kwamen. De gewonden werden naar een ziekenhuis in de buurt vervoerd. Twaalf mensen waren dood: drie kinderen, een vrouw, twee Jordaanse politieagenten en zes andere mannen. De militaire attaché van de Britse ambassade in Amman, die beroepsmilitair was, onderzocht de doden en concludeerde dat ze door granaatscherven waren omgekomen. Onder de gewonden waren zeven kinderen (waarvan er twee waarschijnlijk zouden sterven), drie vrouwen, drie politieagenten en zestien mannen. Bij een man werden beide benen geamputeerd en een ander raakte een arm kwijt. Israël stuurde op 21 maart 1968 ten slotte tanks en infanterie naar Karameh, dat een belangrijke basis voor Al-Fatah was geworden. Zij stuitten op veel fellere tegenstand dan ze hadden verwacht van de guerrilla's van Arafat en het Jordaanse leger, dat van de traumatische gebeurtenissen van de vorige zomer had geleerd. Na een dag van felle gevechten waren er 28 Israëliërs, 61 Jordaniërs en ongeveer honderd Palestijnen dood. Voor de Palestijnen was de veldslag belangrijk omdat daar de legende van Yasser Arafat ontstond. Hoewel de meeste van zijn mannen werden gedood, gewond raakten of gevangen werden genomen, hadden ze zich tegen de Israëliërs verzet op een manier waaraan de Arabische soldaten negen maanden eerder een voorbeeld hadden kunnen nemen.

Er waren Israëliërs die doorhadden hoe het geweld er in de toekomst zou uitzien. In maart 1968 zei een Israëliër die tussen zijn zeventiende en eenentwintigste in een Keniase gevangenis had gezeten, waar hij door de Britten naartoe was gebracht omdat hij zich tegen hun bezetting had verzet, tegen de Britse ambassadeur: 'Het zou maar al te makkelijk zijn om tijdens het spitsuur een vrachtauto vol explosieven naar het Dizengoffplein in Tel Aviv te rijden en daar tot ontploffing te brengen, zodat er twee- tot driehonderd doden onder de joodse bevolking vallen.' Hij dacht dat het niet snel zou gebeuren, omdat de Palestijnen zoiets niet aandurfden. De eerste zelfmoordaanslagen met explosieven zouden pas 25 jaar later plaatsvinden.

Veel Israëliërs dachten dat de Palestijnen nooit in staat zouden zijn tot georganiseerd verzet. Een jaar na de oorlog van 1967 ging de Britse journalist Winston Churchill lunchen met een Israëliër die had behoord tot de groep die in 1946 de bomaanslag had gepleegd op het King David Hotel in Jeruzalem. Toen hij vroeg of de Palestijnen ooit iets dergelijks tegen Israëliërs zouden ondernemen, antwoordde hij: 'Geen kwestie van.' Helaas voor de toekomst van Israël werden de Israëliërs na hun verpletterende overwinning in 1967 zelfgenoegzaam en werd hun zelfvertrouwen wat al te groot, en niet alleen wat betreft hun vermogen de Palestijnse terreur tegen te houden. Deze hybris leidde in 1973 bijna tot een ramp, toen ze een aantal waarschuwingen dat Egypte en Syrië zouden aanvallen in de wind sloegen. Pas na drie weken van zware gevechten, waarbij veel doden vielen, werd de oorlog door de supermachten beëindigd. De oorlog van 1973 leidde uiteindelijk tot de teruggave van de Sinaï en vrede met Egypte. De betrekkingen tussen Egypte en Israël zijn sindsdien koel, maar correct. Israël bleef op de Golanhoogte, Syrië is nog steeds een onverzoenlijke vijand, maar de oorlog van 1973 werd gevolgd door een overeenkomst over terugtrekking van de troepen waardoor het rustig bleef aan de grens. Toen de Israëliërs in de jaren tachtig behoefte hadden aan een slagveld, gebruikten ze Libanon.

Nalatenschap

In Israël wordt er jaarlijks op de verjaardag van de oorlog van 1967 'Jeruzalemdag' gevierd, waarvoor een paar duizend jonge mensen op de been komen. Velen dragen symbolen van het rechtse religieuze nationalisme en T-shirts met politieke slogans. De mannen hebben kalotjes op van kleurige, gebreide katoen en de vrouwen dragen een lange rok. Ze lopen in optocht langs de muren van de Oude Stad van Jeruzalem, die vooral wordt bevolkt door Palestijnen, zwaaien met Israëlische vlaggen, roepen slogans en zingen nationalistische liederen. Een flink aantal is gewapend. Honderden paramilitaire douanebeambten worden ingezet om hen te beschermen. Het feest is bedoeld om eer te betuigen aan Jeruzalem als verenigde, eeuwige hoofdstad van Israël, maar in feite gebeurt er het tegendeel en wordt er vooral aangetoond dat Jeruzalem sterk verdeeld is. Een week na de overwinning van 1967 liet Israël de betonnen muren slopen die de stad fysiek in tweeën deelden. Maar in de hoofden van de mensen staan ze er nog steeds. De meeste Palestijnen blijven uit de buurt als de mars wordt gehouden.

Ik vond Jeruzalem een afschuwelijke stad toen ik er pas woonde. De haat leek er even alomtegenwoordig als het stof, het lawaai en de verblindende zon. Maar ik werd, net als de meeste mensen, langzaam voor de stad gewonnen. Dit kwam deels door het licht, dat rond het middaguur fel en hard is, en 's avonds zacht over de rotsachtige heuvels schijnt. En het kwam door de levende geschiedenis van de stad. Gebeurtenissen die op de meeste plaatsen veilig zijn weggestopt in boeken, behoren tot het voor iedereen zichtbare heden, hoewel niet altijd op een positieve manier.

Als de zon onderging en de jakhalzen in de heuvels begonnen te huilen, gaven de roze en gouden muren rond de plek waar ik woonde de warmte af die ze de hele dag in de blakerende zon hadden opgenomen. Zowel Israëliërs als Palestijnen denken dat de stenen van Jeruzalem macht geven. Beide partijen verlangen ernaar ze als enige te bezitten. Palestijnen vertellen graag dat ze het er langer hebben uitgehouden dan de Jordaniërs, de Britten, de Ottomanen en de kruisvaarders en dat ze ook de Israëliërs wel weer zullen zien vertrekken. De Israëliërs waarschuwen hun vijanden dat ze niet moeten onderschatten hoe gehecht ze zijn aan de stad die ze als hun enige thuis beschouwen. Een vrome jood, een immigrant uit Latijns-Amerika die in een geïsoleerde nederzetting dicht bij de fel nationalistische Palestijnse stad Nablus woonde, vertelde me dat hij was teruggekeerd om op door God gegeven land te wonen. Hij sprak over de joden die door de Romeinen waren verdreven en zich vechtend een weg terug hadden gebaand alsof het over zijn eigen traumatische ervaring ging in plaats van over een sage die zich in de loop van tweeduizend jaar heeft ontwikkeld.

In 1897 maakten twee rabbijnen uit Wenen een verkenningsreis naar Palestina. Ze stuurden een telegram terug met de woorden: 'De bruid is prachtig, maar getrouwd met een andere man.' Arabieren en Israëliërs vochten lang voor 1967 al om het land. Maar conflicten veranderen door een doorslaggevende overwinning. Het Arabisch-Israëlische conflict is door de oorlog van 1967 geworden wat het tegenwoordig is. De enige manier om vrede te stichten is de nalatenschap van 1967 af te wikkelen.

Israëliërs spreken over de Zesdaagse Oorlog, Arabieren over de Juni-oorlog. Aan welke naam men ook de voorkeur geeft, het was een van de grootste militaire overwinningen van de twintigste eeuw, die wereldwijd de reputatie van het Israëlische leger vestigde. De meeste, maar niet alle Israëlische veteranen van 1967 met wie ik vanwege dit boek sprak, vonden dat hun overwinning uiteindelijk bijna voor niets was geweest. Het leven van de Palestijnen die ik op de Westoever en in de Gazastrook ontmoette, werd zo beheerst door de dagelijkse ellende van de bezetting dat het soms moeilijk was hen even het heden te doen vergeten en over het verleden te praten.

Jeruzalem, 28 september 2000

Op donderdag 28 september 2000 om drie minuten voor acht liep Ariel Sharon, de 72-jarige gepensioneerde generaal die politicus werd, onder een stenen boog in een oude muur van Jeruzalem door. Sharons vierkante, zware lijf was bijna onzichtbaar tussen de menigte lijfwachten. Hij ging het ommuurde complex van de Aksa- en Rotskoepelmoskee binnen, sinds 1967 het felst betwiste stuk land in het Midden-Oosten. Sharon heeft altijd ontkend dat hij was gekomen om de Palestijnen te provoceren die daar stonden om tegen zijn bezoek te protesteren, en hij sprak op zijn manier de waarheid. Hij had het die dag gemunt op Binyamin Netanyahu, zijn rivaal voor het leiderschap van Israëlisch rechts, die hij het gras voor de voeten wilde wegmaaien door aan te tonen dat Israëliërs in Jeruzalem waar dan ook kunnen gaan en staan. Het ging hem niet om wat de Palestijnen vonden van zijn wandeling. Tijdens zijn lange carrière had Sharon zich zelden bekommerd om de gevoelens van Arabieren.

Maar de Palestijnen vonden dat het gebied waar hij liep van hen was. Het is de heiligste plaats in de islamitische wereld na Mekka en Medina. De Israëlische autoriteiten waren er zo zeker van dat Sharon er in de problemen zou komen dat ze vijftienhonderd zwaar gewapende politiemannen meestuurden om hem te beschermen. Onder de twee heilige moskeeën van Jeruzalem liggen de overblijfselen van de joodse tempel verborgen. De tempel is de kern van de aanspraken die het moderne Israël maakt op Jeruzalem. In de bijna tweeduizend jaar sinds hij door de Romeinen werd verwoest en de joden uit de heilige stad werden verbannen, wordt er door joden gebeden voor hun terugkeer. Vluchtelingen uit de Palestijnse diaspora hebben thuis afbeeldingen van de Rotskoepel en de al-Aksa aan de muur hangen, zoals de joden die door oorlogsgeweld uit Jeruzalem waren verdreven afbeeldingen van de joodse tempel aan de muur hadden. Voor de Palestijnen zijn de moskeeën nationale symbolen geworden die even krachtig zijn als de herinnering aan Jeruzalem voor de verbannen joden was.

Toen Sharon om 08.31 uur, 34 minuten na zijn komst, het tempelcomplex verliet, braken er relletjes uit. Sindsdien gaat het geweld zonder onderbreking door. Israël liet in reactie op meedogenloze aanslagen van Palestijnen op Israëlische burgers in 2002 het gebouw van de Palestijnse autoriteit van Yasser Arafat verwoesten en bezette opnieuw de gebieden in en rond de voornaamste Palestijnse steden. Sindsdien krijgen miljoenen Palestijnse mannen, vrouwen en kinderen strenge collectieve straffen te verduren en zitten ze vanwege de avondklok maandenlang in hun huizen opgesloten. De Palestijnse economie is ingestort. De Israëliërs hebben perioden van relatieve rust gekend, maar telkens vinden er weer nieuwe zelfmoordaanslagen plaats waarbij burgers het slachtoffer zijn.

Afula, november 2002

In Afula, een stad in Noord-Israël, aan de grens met de Westoever, wachtte Doron Mor me op in een café in een winkelcentrum. Hij had zijn kleinzoon meegenomen en verwende hem, gaf hem geld om een videospelletje te spelen, een hamburger en ijs te kopen. Er klonk muziek van blaasinstrumenten. Een knap meisje kwam het menu brengen. In de meeste Israëlische steden, zelfs kleine als Afula, is een winkelcentrum een blijk van de vooruitgang die Israël heeft doorgemaakt. In Dorons kindertijd was Israël klein, arm en ambitieus. De mensen hielden van de winkelcentra die in de jaren tachtig en negentig werden gebouwd, omdat ze modern, westers en opzichtig waren, net zoals de plekken waar de Israëliërs, die gek zijn op winkelen, op vakantie in het buitenland graag naartoe gingen. Israëliërs komen er nog steeds graag, maar niet meer omdat ze zo Europees of Amerikaans lijken, maar omdat ze veiliger zijn dan gewone markten of winkelstraten. Er zijn maar een paar deuren. Iedereen die het winkelcentrum in Afula binnengaat, wordt gefouilleerd.

De man die mij controleerde, keek vooral op plaatsen waar bommen op mijn lichaam geplakt konden zitten.

Doron Mor is een zonverbrande, fit uitziende man, die in een kibboets woont. In 1967 was hij majoor van een Israëlische paratroeperbrigade en plaatsvervangend commandant van het bataljon dat bij de Ammunitieheuvel vocht. Hij is trots op wat er door zijn generatie werd bereikt – en treurig over wat er daarna gebeurde. 'In 1967 waren we echt in gevaar. We waren ingesloten door drie landen. Het was de eerste keer dat we bewezen dat we sterk waren. We waren geschokt dat we zo gemakkelijk wonnen. We dachten dat we supermannen waren, maar daarvoor moesten we duur betalen. [...] We maken nog altijd dezelfde fouten. Het is na al die jaren *intifada* [Palestijnse opstand] wel duidelijk dat we de terreur niet kunnen tegenhouden. Ik zou alle bezette gebieden, inclusief Jeruzalem, opgeven voor echte vrede. Als het echt vrede is, kun je daar sowieso gewoon naartoe.'

Jacov Chaimowitz vocht met Doron Mor bij de Ammunitieheuvel. Na de oorlog nam hij de Hebreeuwse naam Hetz aan. Hij is nu ingenieur en woont met zijn vrouw en acht kinderen in een betrekkelijk vreedzaam gebied in het noorden van Israël. Hetz, die na de oorlog een onderscheiding kreeg voor betoonde moed, bleef in het leger en werd bevelhebber van de eenheid waarmee hij in 1967 had gevochten. Hij had last van de klassieke schuldgevoelens waar mensen vaak aan lijden die hun vrienden hebben zien sterven. 'Ik was wanhopig omdat er zo veel mensen dood waren. Het duurde maanden voordat ik begreep wat er gebeurd was. Ik was in de war omdat mijn vrienden dood waren en ik slechts een paar schrammetjes had van granaatscherven en explosies, en een jaap in mijn hand van toen ik met mijn bajonet een ammunitiekist probeerde open te breken. Ik voelde me tijdens de gevechten zelf meestal als een robot. Het was ik of de ander. Ik vond het een harde strijd, maar ik dacht ook dat het de laatste oorlog in het Midden-Oosten zou zijn.' Nu weet hij dat dit niet zo is. Ik ontmoette hem een dag of twee na de zoveelste zelfmoordaanslag in Jeruzalem. 'We hebben een echte grens nodig. Een jaar na de oorlog besefte ik al dat vrede de enige oplossing was. Ik zou de Westoever zo ruilen voor vrede. De kolonisten moeten de bezette gebieden verlaten, zodat we een grens hebben die we kunnen verdedigen.'

Voordat ik Mor en Hetz ontmoette, was ik op de Westoever, in Jenin geweest. Het was vroeger gemakkelijk om de paar kilometer van Jenin naar Afula te rijden en de grens te passeren die bekendstaat als de 'groene lijn'. De eerste keer dat ik dit stuk reed was in een koude nacht in november 1995. Ik kwam toen van een enorme herdenkingsdienst in Tel Aviv voor premier Yitzhak Rabin, die een week eerder was vermoord.

Rabin wist veel van de bezette gebieden. Als de verpletterende overwinning van 1967 aan iemand te danken was, dan vooral aan hem. Maar jaren later besefte Rabin dat Israël nooit vrede zou kennen als het vier miljoen Palestijnen in toom moest zien te houden, hoeveel tanks en helikopters het ook inzette. Om vrede tot stand te brengen zou de territoriale erfenis van de oorlog van 1967 moeten worden ontmanteld. Omdat het Rabins overwinning was, vertrouwde de meerderheid van de Israëliërs hem. Maar er waren er ook die hem niet vertrouwden. Voor zijn dood kregen hij en zijn gezin maandenlang allerlei uitingen van haat over zich heen. Rabbijnen vervloekten hem. Extreemrechtse demonstranten zwaaiden met afbeeldingen van Rabin gekleed in nazi-uniform. Sommigen meenden dat Israël de gebieden nodig had om veilig te zijn voor de Arabieren. Anderen geloofden dat het Gods wonderbaarlijke geschenk was voor het joodse volk, de teruggave van het heilige grondgebied dat de Romeinen hun in de eerste eeuw na Christus hadden ontnomen. Hoe kan een jood iets teruggeven dat God voor hem bedoeld heeft?

Niemand weet hoeveel bezet land Rabin uiteindelijk zou hebben opgegeven, want op 4 november 1995 werd hij vermoord door de joodse fanaticus Yigal Amir. Het was een van de doelmatigste politieke moorden van de moderne geschiedenis. Acht jaar na de moord op Rabin hebben zich meer joden dan ooit in de bezette gebieden gevestigd. Gruwelijk geweld hoort bij het dagelijks leven. Israël zit vast in een koloniale oorlog die het niet kan winnen.

Een week na de moord op Rabin, toen jonge Israëliërs kaarsen brandden en huilden om wat Amir had stukgemaakt, zag ik de laatste Israëlische troepen Jenin verlaten. Een paar minuten later, terwijl hun jeeps wegreden in de richting van Afula, kwamen er geüniformeerde Palestijnen de stad binnen die aan de zijkant uit hun auto hingen en met vuurwapens in de lucht schoten. Iedereen ging meteen het oude Israëlische hoofdkwartier inspecteren, waarin sommigen hadden vastgezeten. Tijdens die koude winter werden veel belangrijke steden op de Westoever overgedragen aan de Palestijnse Autoriteit. Israël bleef de uitvalswegen bewaken en met geweld land innemen om joodse nederzettingen te stichten. Maar aanvankelijk dacht een meerderheid van de Palestijnen en Israëliërs dat ze nu echt vrede zouden sluiten.

Volgens sommige Israëliërs is niet de bezetting, maar het Arabische streven de joodse staat te vernietigen de oorzaak van het conflict. Het is waar dat Palestijnse extremisten gezworen hebben dat ze zullen strijden totdat de joodse staat is vernietigd.

Maar de extremisten hebben juist door het geweld van de bezetting op de voorgrond kunnen treden. In de tijd dat de Palestijnen nog hoopten dat de Oslo-vredesakkoorden zouden werken, was de positie van de extremisten marginaal, zoals het hoort. Door het geweld kregen aan beide zijden de extremisten een kans algemeen geaccepteerd te worden. Meer mensen waren bereid naar de bloeddorstige fantasieën van Palestijnse fanatiekelingen te luisteren, terwijl Ariel Sharon in zijn kabinet ministers aanstelde die vonden dat de Palestijnen van de Westoever verbannen moesten worden. Toen de Palestijnen in de tijd van Rabin dachten dat de bezetting zou worden beëindigd, waren plegers van zelfmoordaanslagen onpopulair op de Westoever en de Gaza-strook. Nu de Israëlische tanks zijn teruggekeerd in hun straten, is ook de waardering voor de terroristen toegenomen.

Bethlehem

Mevrouw Badial Raheb zat in haar nette jasje in de prachtige bogenkamer van haar huis tegenover de Geboortekerk. Aan de muren hing ingelijst Palestijns borduurwerk. Minder dan honderd meter verderop, op het Kribbe-plein, stond een Israëlische tank. De loop bewoog om de paar minuten heen en weer en bestreek het plein. Palestijnse jongens gluurden af en toe om de hoek van de Geboortekerk en doken weg als de loop hun richting uit kwam. Mevrouw Raheb zat in haar rustige woonkamer en geneerde zich om over het verleden te praten. Toen de Israëliërs Bethlehem bezetten, was ze met haar zoon gaan schuilen in de kerk, waar zich al honderden andere mensen verborgen hielden.

'Mijn echtgenoot kwam ons ophalen. Hij wierp een blik op al die mensen in de kerk en zei: "Als we toch moeten sterven, dan liever thuis." Ik was zwanger en de volgende dag had ik een miskraam, ik denk omdat ik zo bang was geweest. Pas tien dagen daarna konden ze een dokter voor me krijgen.

'Na de oorlog reden de Israëliërs rond met luidsprekers om tegen de mensen te zeggen dat ze niet bang hoefden te zijn. Er gold een paar dagen lang een avondklok. De Israëliërs zeiden dat ze ons geen kwaad zouden doen. Ze brachten levensmiddelen en andere basisbehoeften mee en verkochten die heel goedkoop. Ze deden hun best om aardig gevonden te worden.'

Ze lachte. 'Ze gaven ons honing en vervolgens uien.' Er vonden geen bloedbaden plaats toen Israël Bethlehem bezette. Maar de buren die naar Jordanië vertrokken, kwamen nooit meer terug.

Weer knarste en piepte er een Israëlische gepantserde colonne door Bethlehem. Op een dak niet ver van het huis van mevrouw Raheb stond Raja Zacharia naar het geluid te luisteren. 'Dat is geen tank,' zei hij, 'maar een gepantserde troepentransportwagen.' Raja weet alles van het geluid dat rupsbanden maken, want hij heeft dit sinds 7 juni 1967, de dag waarop de bezetting begon, vaak gehoord. Het is ook de dag dat zijn vader werd gedood toen hij hem tegen een Israëlische artilleriegranaat probeerde te beschermen. Soms heeft hij het gevoel dat hij sindsdien dagelijks Israëlische pantserwagens hoort, maar dat is niet zo. De eerste Israëlische bezetting eindigde op kerstavond 1995. Tijdens de daaropvolgende zeven jaar heerste er relatieve vrijheid. Er stonden Israëlische soldaten bij de poorten van Bethlehem om te controleren wie de stad in- of uitging, maar verder was de stad nog nooit zo onafhankelijk geweest. Voor de Israëliërs waren de Jordaniërs er de baas geweest, en daarvoor de Britten, die weer de Turken waren opgevolgd. Lang daarvoor hadden de Romeinen de stad in handen gehad. In mei 2002 kwamen de Israëliërs terug, omdat de overheid onder druk stond om iets te doen en omdat het leger dacht dat de jonge Palestijnen die zichzelf kwamen opblazen met behulp van tanks konden worden tegenhouden. De Israëliërs legden een strenge collectieve straf op aan de stad die in overgrote meerderheid voorstander van gewapend verzet was. Voordat ze zich de eerste keer terugtrokken (uiteindelijk zouden ze zich keer op keer terugtrekken en weer terugkomen) vernielden ze voor miljoenen euro's aan bouwprojecten die door de Europese Unie en Japan waren bekostigd voor de millenniumviering, en door Palestijnse zakenlieden die tijdens de jaren van zelfbestuur hun spaargeld in ondernemingen hadden gestoken.

Raja stond op zijn dak te luisteren naar het knarsen en ratelen van de stalen rupsbanden. De Israëliërs waren die morgen om vier uur teruggekomen. De dag ervoor had een Palestijn die in Bethlehem woonde zichzelf opgeblazen in Jeruzalem dat maar een paar kilometer verderop ligt. De collectieve bestraffing van mei had niet het afschrikwekkende effect gehad waarop de Israëliërs hadden gehoopt. Zodra Raja en alle anderen in Bethlehem hoorden dat de pleger van de aanslag uit hun stad kwam, wisten ze wat er ging gebeuren. Ze keken hoeveel eten, water en kaarsen ze in huis hadden en gingen naar de winkel om de voorraden aan te vullen. Er zou een avondklok ingesteld worden. Dat betekende dat niemand zijn huis uit mocht, hoewel Raja wel op zijn dak kon staan en zijn kinderen voor de deur speelden als er geen tanks in de buurt waren.

Raja Zacharia was in 1967 zes jaar oud. Hij wist op het moment dat de eerste granaten ontploften niet dat het oorlog was. Hij was enig kind en werd geboren toen zijn ouders al vijftien jaar getrouwd waren. Zijn vader, Farah, was zilversmid en een veelzijdig man. Hij schreef een boek in het Engels, *A call from the wilderness*, over zijn eigen moraalfilosofie. Raja liet een foto van zijn vader zien die in een geïllustreerd boek uit de jaren zestig stond. Het boek ging over een Zweeds meisje dat een reis door het heilige land maakte. Farah doet het grijnzende blonde meisje voor hoe hij een elegante crucifix maakt van een klomp zilver. Op woensdag 7 juni 1967 stond hij met zijn buren buiten op het dak, waar Raja nu staat, toen er plotseling dichtbij granaten insloegen. Farah rende naar binnen om tegen zijn vrouw en kind te zeggen dat ze dekking moesten zoeken. Raja lag te slapen. Zijn vader pakte hem op en ging met hem tegen zich aan gedrukt op de grond liggen toen er buiten nog meer granaten ontploften. Op een gegeven moment werd de Grieks-orthodoxe kerk naast hun huis geraakt. De explosie was zo krachtig dat er een gat in hun muur werd geblazen. Farah, die zijn zoon in zijn armen had, ving de klap op en Raja raakte niet eens gewond. De buren droegen Farah de straat op toen het bombardement afgelopen was en probeerden iemand te vinden die hem naar het ziekenhuis kon brengen. Zijn vrouw Natalie huilde, doodsbang bij de gedachte dat haar man zou overlijden, wat hij twee uur later deed. 'Toen de Israëliërs dit jaar terugkwamen, was het veel erger dan in 1967. Toen was er geen verzet, we hadden geen wapens. Deze keer was het anders. Het spijt me erg voor de mensen die gisteren in die bus in Jeruzalem werden gedood, maar het ene bloedvergieten lokt het andere uit. We zitten in een vicieuze cirkel die nooit ophoudt. We zitten gevangen in een hopeloze situatie. Iedereen hier wil het land van 1967 terug. Israël wil vrede, maar ook het land houden, en dat kan niet. Ze hebben overeenkomsten getekend waar koningen en presidenten bij zaten en ze vervolgens gewoon verscheurd.'

Gaza

Kamel Sulaiman Shaheen zat in het kantoor van de schooldirecteur achter zijn bureau en sprak over de vele jaren dat het gebied bezet was. Buiten in de winterzon waren honderden jongens op het schoolplein aan het dollen. Ze gilden, stompten elkaar, voetbalden. Het geboortecijfer in Gaza-stad is een van de hoogste ter wereld. Wie er op straat loopt, wordt niet zozeer getroffen door de bezetting, het verzet of de verwoesting, maar door de kinderen, de duizenden kinderen. Halverwege de Gazastrook, dicht bij de school van meneer Shaheen, hebben de Israëliërs een controlepost, waarmee het gebied in tweeën gedeeld kan worden. Het is meer een wurgpost dan een controlepost, want als hij dichtgaat, stopt het noord-zuidverkeer door de Gazastrook, aangezien het de enige weg is. Duizenden mensen staan in files te wachten tot hij weer opengaat. Ook als de controlepost open is, gaat het heel langzaam. Aan beide kanten gaat het stapje voor stapje vooruit, totdat men aan de beurt is om te worden onderzocht door onzichtbare Israëliërs die in betonnen bunkers achter kogel- en spiegelvrij glas zitten. De Palestijnen denken dat ze meer kans hebben te worden doorgelaten als hun auto vol zit, omdat ze menen dat de Israëliërs ervan uitgaan dat zelfmoordterroristen niet in volle auto's reizen. Jonge Palestijnen gaan de files langs en bieden zich bij auto's aan als extra passagier. Zo rijden ze de hele dag heen en weer, voor een shekel per rit.

Shaheen, die directeur is van de basisschool van Deir al Balah, had liever dat ze naar school gingen. Het schoolgebouw wordt 's morgens gebruikt door de 945 jongens van zijn school en 's middags door een UNRWA-school voor vluchtelingen, een van een twaalftal van dergelijke scholen hier. Ze hadden een eigen gebouw, dicht bij de joodse nederzetting Kfar Darom, die hier niet ver vandaan ligt. Maar het Israëlische leger vond de school te dicht bij de nederzetting liggen en dus moesten ze vertrekken. Shaheen is een milde en beleefde man, maar hij haat de bezetting, die al zijn hele volwassen leven duurt.

'We lijden nog steeds onder wat er in 1967 is gebeurd. We zijn bezet. Er worden bijna dagelijks mensen vermoord en huizen verwoest. Een vreemde komt hiernaartoe en schopt me van het land waar ik ben geboren. Onze situatie is ellendig en de wereld kijkt toe en doet niets, vooral de sterke landen niet. Maar we koesteren nog steeds hoop dat we standvastig kunnen blijven en de overwinning zullen behalen. Bevrijding van de Gazastrook, de Westoever en Jeruzalem, daar streven we naar. Ik geloof in twee staten. Het is de beste politieke oplossing.

'De kinderen horen de verhalen over de bezetting en zijn zich de situatie goed bewust. Ze zien het moorden, de verwoesting en de ontheemding. Wanneer een kind zijn ouders over de gebeurtenissen hoort praten en ziet wat de Israëliërs doen, dan beginnen zij hen ook te haten. De meeste mensen in dit deel van de Gazastrook zijn familieleden, bezittingen of bomen kwijtgeraakt. Daardoor hebben we des te meer het idee dat we ons moeten blijven verzetten, ons land moeten verdedigen tot ze een rechtvaardige oplossing vinden.'

Verderop langs de weg vanuit Deir al Balah ligt het huis van Shara Abu Shakrah in Khan Younis. Nadat haar echtgenoot en de andere mannen van de familie in 1967 waren vermoord, bleef Shara alleen met vier dochters en drie zonen achter in een maatschappij die weinig waardering had voor vrouwen alleen. Haar oudste kind was elf. Ze verlangt nog steeds naar het leven dat ze voor de oorlog hadden, toen haar man, Zaid, op de markt zijn brood verdiende met de verkoop van tomaten, aardappelen en okra's. De weduwe van haar zwager Mustafa, die ook door de Israëliërs was vermoord, woont in het huis naast haar. Samen hebben ze twaalf kinderen grootgebracht.

Zij is nog steeds doodsbang voor Israëlische soldaten. Toen ze het nachtgebed uit de moskee hoorde, werd ze ziek van angst. 'Soms', zegt ze, 'kwamen de soldaten 's nachts om het huis te doorzoeken. Ze zeiden altijd: "Niet schreeuwen, dan maakt u de kinderen wakker. Ze sloegen me, duwden me, sloegen me tegen de vloer.'

'Mijn dochter zei ooit tegen me: "Maak me wakker als de Israëliërs komen, mama, dan kan ik bij je zijn." Ik heb geen idee hoe ik mijn kinderen heb opgevoed. Ik kreeg van veel mensen hulp. Er waren geen mannen meer in ons gezin. We leefden van aalmoezen voor de armen.'

Ze blijft benadrukken dat haar echtgenoot en de andere mannen die werden gedood, niet bij het verzet of politiek betrokken waren. 'Het waren aardige, fatsoenlijke mannen, die een goed leven leidden en zich niet met andermans zaken bemoeiden.'

Niemand van haar familie zit in de politiek, of in de gevangenis, ook niet na twee intifada's. Nu haar eigen zoons volwassen en getrouwd zijn en zelf kinderen hebben, is ze doodsbang dat de Israëliërs terugkomen en hen kwaad doen of vermoorden. Een van haar zoons studeert in Polen. Hij is zestien jaar geleden, aan het begin van de eerste intifada, vertrokken en heeft nooit meer contact opgenomen. Misschien kon hij het niet aan nog langer in een huis zo vol verdriet en armoede te leven.

Shara Abu Shakrah is nu 75 jaar oud, maar ze moet een bijzonder sterke vrouw zijn geweest. Ze zit op een plastic stoel bij de voordeur van haar huis. Zoals gewoonlijk in de Gazastrook zijn er overal kinderen. Shara heeft vijfendertig kleinkinderen. Terwijl ze haar verhaal vertelde, kwam haar enige nietgetrouwde dochter binnen, een vrouw van een jaar of veertig, die volledig gesluierd was, in tegenstelling tot haar moeder die alleen een los geknoopte Palestijnse hoofddoek omhad. Ze had haar moeder vast al vaak over 1967 horen praten, maar terwijl ze luisterde, verschenen er twee donkere strepen – tranen – op de zwarte stof van haar sluier. Ook Shara huilde, om alles wat haar was overkomen, om haar dode echtgenoot, de zoon die ze was kwijtgeraakt en om het leven zelf, dat ze zich nooit gemakkelijk had voorgesteld, maar dat uiteindelijk bijzonder hard en wreed werd.

Qalqilya

Op een van de bijbelse winterdagen op de Westoever probeerde ik Qalqilya binnen te komen. Als je te voet bent, zoals iedereen die niet met een Israëlische jeep of tank meerijdt, kun je alleen via een gang van twee hoge prikkeldraadversperringen de stad in. De regen geselde neer op de Israëlische wachtposten en het weerlichtte in de heuvels. Ik had het gevoel dat ik een gevangenis bezocht, wat ook min of meer het geval is, omdat Qalqilya daar tegenwoordig erg op lijkt. Israël behandelt de 42.000 Palestijnse inwoners – mannen, vrouwen en kinderen – als criminelen, terwijl bijna niemand ergens voor is veroordeeld. Ze moeten speciale toestemming vragen om de stad te verlaten, zelfs om een van de dorpen eromheen te bezoeken die ooit met de auto op een paar minuten afstand lagen. Tachtig procent van de bevolking is werkloos. Het enige wat de inwoners nog kunnen doen, is televisie kijken en kinderen maken. Als er een avondklok is ingesteld, wat soms wekenlang het geval is, dan is zelfs kinderen maken moeilijk in de chronisch overbevolkte woningen. Dus kijken ze nog alleen maar televisie. In de afgelopen jaren is Al-Jazeera, die per satelliet vanuit Qatar uitzendt, bijzonder populair geworden. Het is een van de weinige Arabische zenders die als forum voor een vrije meningsuiting fungeert. Vanuit Qalqilya lijkt het nieuws van de laatste jaren een consequente campagne van westerse agressie tegen moslims.

De stadspoorten worden bewaakt door de Israëlische grenspolitie. Als de Israëlische autoriteiten vinden dat de Palestijnen in de stad strenger aangepakt moeten worden, dan komen soldaten en tanks van het gewone leger de paramilitaire grenspolitie helpen bij de uitvoering van de collectieve straf. Ik was niet de enige die op deze vuile vrijdag tijdens de heilige maand Ramadan

Qalqilya bezocht. Familieleden en vrienden van andere delen van de Westoever die een bezoekerspas hadden gekregen, stelden zich aan beide kanten van het prikkeldraad op om de stad in of uit te gaan. De grenspolitie was aan het dollen. Het waren Israëliërs van Russische origine die zich minder van het winterse weer aantrokken dan de Palestijnen.

Een van de Russen, een zwaargebouwde blonde kerel van 1,85 meter lang, hield een echtpaar met vijf kinderen tegen. De jongste was een baby, in een sjaal gewikkeld op de arm van zijn moeder. De man stelde zich in de smalle tunnel van prikkeldraad voor hen op, zijn automatische M-16 voor de borst. Hij bracht zijn gezicht dicht bij dat van de Palestijnse vader. 'Waar komt u vandaan?' schreeuwde hij in het Hebreeuws. Hoewel het hard waaide, verhief hij zijn stem niet om beter te worden verstaan, maar om te laten zien dat hij de baas was. De man zei dat hij uit Bidya kwam, een dorp dicht bij Qalqilya. 'Komt u uit Bidya? Zegt u dat u uit Bidya komt?' Weer schreeuwde de Rus, om hem ten overstaan van zijn vrouw en kinderen bang te maken en te vernederen. 'Bidya? Bidya?' Hij staarde hem aan. 'Okay, loop maar door.' Hij stapte opzij en liet hen verdergaan. De vrouw schikte de sjaal strakker om de baby heen. De Rus grijnsde tegen zijn kameraden. Je moest je toch een beetje vermaken op zo'n natte rotdag.

Ik had een afspraak met Maa'rouf Zahran, die in juni 1967 nog een jongen was toen zijn familie naar Nablus vluchtte. Nu is hij burgemeester van Qalqilya. Hij zat in zijn kantoor in het stille stadhuis, waarvan de luiken waren gesloten. Er hingen twee portretten aan weerszijden van zijn enorme, als een jukebox versierde bureau. De een was van Yasser Arafat, de ander van Walid Ishreen. In 1967 was Ishreen, die wat ouder was dan de anderen, de beroemdste strijder van Qalqilya. Nadat Al-Fatah hem naar een trainingskamp in Algerije had gestuurd, gebruikte hij zijn *nom de guerre* Abu Ali Iyad. Op de foto leek hij een knappe jongeman. Hij had een net snorretje en was in gevechtstenue.

Qalqilya ligt precies op de grens met Israël. Deze ligging is nu ongunstig, maar vroeger niet. Tijdens de eerste dertig jaar van de bezetting vonden mensen gemakkelijk werk in Israël. In rustiger perioden kwamen Israëliërs in het weekend boodschappen doen in Qalqilya. Het was er goedkoop en zag er exotisch uit. De stad lag maar een paar kilometer van Kfar Sava vandaan, een welvarende Israëlische stad aan de andere kant van de groene lijn. Volgens de burgemeester gebruikten de Israëliërs Qalqilya als proeftuin om te zien hoe ze de bezetting bij het begin van haar vijfde decennium het beste vorm konden geven. De Israëlische overheid had langs de westrand van de stad, de kant van Kfar Sava, een hoge betonnen muur laten bouwen, met wachttorens – zoals bij de Berlijnse Muur, maar dan hightech, met kogelvrij glas (op de Oost-Duitse Vopo's die de Berlijnse Muur bewaakten, werd niet geschoten). Om de muur te kunnen bouwen werd een strook land van honderd meter breed van de Palestijnen afgepakt. Qalqilya raakte duizenden hectaren van de beste akkers kwijt en negentien waterbronnen die 32 procent van het water van de stad verzorgden. Langs Weg Zes, de gloednieuwe Israëlische snelweg die langs de muur loopt, is er water genoeg. De bermen zijn met struiken en boompjes beplant die worden besproeid door middel van irrigatiepijpen. Over een paar jaar zal het groen er zelfs in de heetste zomers prachtig uitzien. De Palestijnen op de Westoever moeten het vaak dagen zonder stromend water stellen. De muur is gebouwd om Palestijnse terroristen tegen te houden die in Israël willen infiltreren. Hij is nu al enorm duur. Voorlopig is hij pas anderhalve kilometer lang, precies om Qalqilya heen.

De burgemeester sprak over de Israëlische vliegtuigen die in juni 1967 zo onkwetsbaar hadden geleken. Veel oudere mensen in de stad geloven nog steeds dat koning Hussein met de Israëliërs had afgesproken de Westoever prijs te geven en dat zijn troepen met losse flodders schoten. Hoewel dit een bizar verhaal is, waarvoor de motivatie ontbreekt en geen bewijzen zijn, wordt er in Qalqilya geloof aan gehecht. Zo kunnen de oude mensen iemand de schuld geven van de nutteloze oorlog, die hun hele leven heeft overschaduwd en nu het leven van een derde generatie vergalt. Maa'rouf Zahran is een efficiënte man van halverwege de veertig die van aanpakken weet. Hij wist dat ik weinig tijd had, omdat het Ramadan was en omdat de Israëliërs het ons zo moeilijk maakten de stad in en uit te komen. Hij had de mensen die ik zou interviewen naar zijn kantoor laten komen. Aan het eind van de dag wilden de Palestijnen naar huis om na een dag vasten te kunnen eten. Ik wilde terug omdat ik geen zin had 's avonds nog langs de bewakers van deze stadsgevangenis te moeten. De burgemeester liet een auto komen om ons naar de rand van de stad te brengen. Onderweg wees de chauffeur trots op het herdenkingssteken dat ze hadden geplaatst voor de Jordaniërs die in 1967 voor hen waren gestorven. De Russen stonden nog steeds bij de poort, nat en moe, maar ze schreeuwden nog altijd en gedroegen zich nog net zo intimiderend tegen de Palestijnse gezinnen.

Het dagelijkse geweld tussen Israëliërs en Palestijnen is sinds 1967 veel erger dan daarvoor. Sinds de strijd in september 2000 weer oplaaide, zijn er een paar duizend Palestijnse burgers en strijders door het Israëlische leger gedood. Honderden Israëlische burgers en soldaten kwamen om, velen door zelfmoordaanslagen. Israël zegt dat het niet om een volksopstand gaat, maar dat de Palestijnen die aanslagen plegen daartoe werden aangezet door de Palestijnse leider Yasser Arafat die zo zijn werkelijke streven ten uitvoer brengt de staat Israël met terroristische methoden te vernietigen.

Maar jonge Palestijnen sluiten zich niet bij gewapende groepen aan om Israëlische burgers en soldaten te verminken of te vermoorden omdat ze blind vertrouwen op Yasser Arafat of enige andere Palestijnse leider. Het is geen beslissing die iemand lichtvaardig neemt om een riem om te doen met primitieve bommen die vol spijkers en schroeven zitten en zichzelf en zoveel mogelijk andere mensen te doden in een bus, hotel of restaurant vol kinderen en ouders. Dat doen plegers van dergelijke aanslagen omdat ze de Israëliërs diep haten en wanhopig zijn door het bestaan waartoe ze werden veroordeeld. De meeste Palestijnen geloven dan ook dat zelfmoordaanslagen een legitieme vorm van verzet zijn.

De Israëliërs hebben heel wat waarschuwingen gehad over de gevaren die in het verschiet lagen. Zes weken na het eind van de oorlog zagen de Britten, die de twintig voorgaande jaren aan de ontmanteling van hun vroegere Empire hadden besteed, het eerste Palestijnse geweld in de bezette gebieden. Ze waarschuwden de Israëliërs: 'Hoe langer een regeling wordt uitgesteld, des te groter het gevaar dat Israël in dezelfde quasi-koloniale positie terechtkomt die zelfs Groot-Brittannië uiteindelijk onhoudbaar vond.'

Je kunt beter op een mooie lentedag een uur lang vanaf de Olijfberg neerkijken op Jeruzalem dan een jaar lang discussiëren over de vraag wie het verdient in het heilige land te wonen. Israël kan er zeker aanspraak op maken. Maar dat geldt ook voor de Palestijnen. Jeruzalem is voor de joden al drieduizend jaar een heilige stad, voor de christenen tweeduizend jaar, en voor moslims ongeveer dertienhonderd jaar. Het antwoord is natuurlijk dat de Israëliërs en Palestijnen dit beiden verdienen. En als ze dat niet accepteren en leren er samen te leven, dan zal het nooit vrede zijn.

Ik geloof niet in het sombere idee dat het conflict onoplosbaar is, dat het gebied niet verdeeld kan worden in twee levensvatbare staten die elkaar respecteren. Wie dat wel gelooft, veroordeelt generaties Israëliërs en Palestijnen tot een eeuwigdurende oorlog. Door de bezetting te beëindigen zal de kanker worden weggesneden die hen het leven kost. Daarna is intensieve nabehandeling nodig om te zorgen dat de ziekte niet terugkomt. Deze zal de vorm hebben van internationale garanties en de inzet van buitenlandse troepen als vredeshandhavers langs de grens tussen Israël en een Palestijnse staat.

Helaas is de kans dat de Israëliërs zich uit de bezette gebieden terugtrekken niet groot. In de loop van de geschiedenis zijn Jeruzalem en de rest van het heilige land altijd op basis van macht van de ene of de andere partij geweest en niet op basis van compromissen. De laatste honderd jaar van bloedvergieten tussen aanhangers van het zionisme aan de ene en Arabische nationalisten aan de andere kant zijn wat dat betreft niet anders geweest. Het is gewoon een kwestie van wie de meeste kanonnen heeft.

Het zou al erg genoeg zijn als de ellende beperkt bleef tot de twee naties, waarvan de inwoners in overgrote meerderheid fatsoenlijke mensen zijn die in vrede behoren te kunnen leven. Maar op dit moment, aan het begin van de eenentwintigste eeuw, gaat hun oorlog ons allemaal aan. Hij vormt de kern van het nieuwe conflict tussen het Westen en de islamitische wereld dat bezig is heel snel uit de hand te lopen. Het heilige land, met Jeruzalem als kern, is een plaats waar de grote tektonische platen religie, cultuur en nationalisme botsen. In de afgelopen paar jaar is de breuklijn tussen deze platen, die nooit rustig is, weer opengebarsten. De nalatenschap van 1967 negeren is geen optie.

Dankwoord

Ik had dit boek niet geschreven zonder Julian Alexander, de beste literaire agent die er bestaat. Dank aan al mijn Israëlische en Palestijnse vrienden en collega's in Jeruzalem, vooral aan Jimmy Michel, Rubi Gat en Karen Strauss. Mijn werkgevers bij BBC News waren bijzonder toegeeflijk. Vooral dank aan Richard Sambrook, Mark Damazer, Richard Porter, Jonathan Baker, Adrian van Klaveren en Vin Ray.

Dank ook aan mijn onderzoekers, die mensen, boeken en papieren voor me vonden: James Vaughan, Yonit Farrago, Mohamed Shokeir, Taghreed El-Khodary, Linda Tabar, Zeev Elron, Yoni Ben Tovim, Luba Vinogradova, Jonathan Cummings, Ranya Kadri, Sanam Vakil, Sa'eda Kaelani, Nidal Rafa en Mariam Shaheen. Verder dank aan Regina Greenwell bij de Johnson Library in Texas, aan Moshe en Ava Yotvat, die me documenten leenden, aan Judith Sullivan, die vele uren interviews uitschreef, aan Christopher Mitchell voor toestemming te citeren uit de documentaire *Dead in the Water*, die hij voor de BBC produceerde en regisseerde, aan Yoram Tamir en Hagai Mann bij Givat Hatachmoshet in Jeruzalem, aan Uri Gil, aan Uri Geller, aan Dilys Wilkinson, die me op een moeilijk moment haar huis leende om te kunnen schrijven, en aan Ibrahim Zeghari, de beste barman ter wereld, die me vanaf 1991 te eten en drinken gaf in het American Colony Hotel in Jeruzalem. Ook bedank ik Paul McCann bij UNRWA in Gaza-stad en Susan Sneddon bij Save the Children in Londen, die me materiaal uit 1967 liet bekijken.

Dank ook aan alle mensen die me bij hen thuis uitnodigden en tijd vrijmaakten om met me over de oorlog van 1967 te praten. In het Midden-Oosten heerst er veel onenigheid, maar overal vind je vriendelijke en gastvrije mensen. De namen van de meesten van hen staan in dit boek. Enkelen wilden niet dat hun naam werd genoemd.

Dank je, Andrew Gordon, en alle anderen bij Simon & Schuster in Groot-Brittannië. Jullie deden veel ontspannener over de deadlines dan deze nieuwsverslaggever voor mogelijk had gehouden.

Ook veel dank aan mijn ouders, die me maakten tot wat ik ben, en aan Julia en Mattie, die het accepteerden dat ik telkens zo lang in het Midden-Oosten zat en vaak nog langer niet deelnam aan het gezinsleven.

NOTEN

Afkortingen

AP   Associated Press
FCO Foreign and Commonwealth Office (Londen)
IDF Archief Israel Defence Force (Israëlisch leger)
ISA Israëlisch Staatsarchief
LBJ Lyndon Baines Johnson (president VS)
MER *Middle East Record*
NSC National Security Council Histories (Middle East Crisis) [geschiedenis natio-
     nale veiligheidsraad, crisis Midden-Oosten], LBJ Library (Austin, Texas)
NSF National Security Files (Country File: Middle East), LBJ Library (Austin,
     Texas)
PRO Public Records Office (Londen)
SOSFA Secretary of State for Foreign Affairs (George Brown, UK)
SWB Summary of World Broadcasts, BBC monitoring

Inleiding

13   'De grootste Palestijnse aanslag': website Israëlische overheid, www.mfa.gov.il/
     mfa.
14   'De algemeen gerespecteerde ... ook geen bewijzen voor': rapport over Jenin van
     Human Rights Watch, www.hrw.org.
15   'Lyndon Baines Johnson': memo for the Record, 7 juni 1967, NSC, Box 18.
15   'Vier dagen na het einde van de oorlog': notulen vergadering speciale commissie
     NSC, 14 juni 1967, NSC, Box 19.

Voor de oorlog

18   'zo uitgeput': Uzi Narkiss, *The Liberation of Jerusalem*, blz. 17.
18   'schuldgevoelens dat Jeruzalem': ibid., blz. 14.
18   'De inwoners liepen in een lange optocht voorbij', 'De inwoners van de stad
     raakten in paniek' en 'Niemand zal ooit weten': Morris, blz. 203-10.

19   'Lod niet in onze rug hebben': David Horovitz (red.), *Yitzhak Rabin*, blz. 26.

19   'In Deir Yassin': Morris, blz. 113-15; zie ook Salim Tamari (red.), Jeruzalem, 1948.

19   'Hij wijdde vooral uit over de verkrachtingen': interview met Hazem Nusseibeh, Amman, mei 2002.

20   'Er werd een ontmoeting tussen de bevelhebbers geregeld': Dan Kurzman, *Soldier of Peace*, blz. 148-53.

21   Voor details over de moord op Abdullah, zie Roland Dallas, *King Hussein*, blz. 1-3; Peter Snow, *Hussein*, blz. 33-5.

21   Voor geheime contacten tussen Abdullah en de Israëliërs, zie Avi Shlaim, *The Politics of Partition*.

21   'Zijn chauffeur leerde hem de das strikken': Yitzhak Rabin, *The Rabin memoirs*, blz. 32-3.

21   'Maar men gaf elkaar over en weer de schuld': zie Itamar Rabinovich, *The Road Not Taken*.

22   'Vanaf 1952': interview met Meir Pa'il, Tel Aviv, 3 mei 2002.

22   'De volgelingen van Nasser': PRO/FCO 17/456, 9 juli 1968: Saunders (Baghdad) aan de Eastern Dept, FCO.

23   'Als jonge officier': interview met generaal Abd al-Muhsin Kamil Murtagi, Cairo, 14 december 2002.

23   'De officieren vonden Amer': interview met generaal Salahadeen Hadidi, Cairo, 12 december 2002.

23   'Amer en zijn kornuiten': Anthony Nutting, *Nasser*, blz. 262-3.

24   'De laatste druppel': Patrick Seale, *The Struggle for Syria*, blz. 42.

24   'De Syrische klasse van officieren': Seale, *Asad of Syria*, blz. 24-40.

25   'net zo aan toeging': PRO/FCO 371/186923, 25 januari 1966: jaarrapport over de Syrische strijdkrachten.

25   'Kolonel Rowan-Hamilton': ibid.

25   'Het Syrische leger': zie Galia Golan, *Soviet Policies in the Middle East from World War Two to Gorbachev*.

25   'Het agressieve gedrag': Shlaim, *The Iron Wall*, blz. 235.

26   'Door dienst aan dit front': ibid., blz. 229.

26   ' We zullen ze de zee in drijven': PRO/FCO 371/186923, 25 januari 1966: jaarrapport over de Syrische strijdkrachten.

26   'totaal ongeschikt': Israëlisch-Arabische confrontatie, National Military Command Center, mei 1967, NSF, Box 104.

26   'de hopeloosheid van het geheel': PRO/FCO 371/186382, 15 oktober 1966: Evans (Damascus) aan FCO.

26   'Israëlische provocaties'': Shlaim, blz. 235.

27   'Jongens, laten we wat zingen': Teveth, *Tanks of Tammuz*, blz. 54.

27   'Hoeveel Sytrische tanks': ibid., blz. 56.

28 'gebruikte de Syrische grens': ibid., blz. 59; interview met Israel Tal, Tel Aviv, 6 mei 2002; Patrick Wright, *Tank*, blz. 343-5.

29 'meer dan 50 procent': *Maariv*, 7 april 1972, geciteerd op www.searchforjustice.org, 4 november 2002.

29 'hoeveel juridische of pseudo-juridische': PRO/FCO 17/576, 5 januari 1967: briefing over gedemilitariseerde zones.

29 'Generaal Odd Bull': Bull, blz. 55; John Gee, 'The Borders Between Syria and Israel', www.caabu.org.

29 'vreemde namen als "de Gaulles neus"': Van Creveld, blz. 170.

29 'Dit is ons thuis': *Yediot Aharonot*, 14 april 1967, geciteerd in Bondy, blz. 337; PRO/FCO 17/473, 10 januari 1967.

29 'Het ging als volgt': *Yediot Aharonot*, 27 april 1967.

30 'Langs de Syrische grens': Dayan citeert uit Shlaim, blz. 235-6 en bericht AP, 11 mei 1997, www.codoh.com.

30 'Een groepje Palestijnen': Sayigh, blz. 107.

30 'Er waren nog andere groepen': Hirst, blz. 276-8.

30 'militaire slagkracht': PRO/FCO 371/186838/R109/207, 19 oktober 1966.

31 'Hij had Ahmed Shukairy aangesteld als': Kerr, blz. 115.

31 'een grootschalige operatie': PRO/PREM 13/1617, 17/18 oktober 1966: Hadow (Tel Aviv) aan FCO.

31 'begin november': Tessler, blz. 367, 378.

33 'Het was groter': Pollack, blz. 295.

33 'De majoor en zijn mannen': PRO/FCO 371/186838, 3 november 1966: Hadow (Tel Aviv) aan FCO.

33 'Er was niemand gedood': PRO/FCO 371 186840, 21 december 1966: Dispatch No. 56 aan SOSFA, George Brown.

33 'Het plan was': PRO/FCO 371/186839, 21 december 1966: rapport defensieattaché Amman over Samua en rapport defensieattaché Tel Aviv bij PRO/FCO 371 186840, Dispatch No. 56 aan SOSFA, George Brown.

34 'verdoofd en bang': het verslag van Bishop staat in PRO/FCO 371/186838.

34 'Hij had in het geheim met de Israëliërs overleg gevoerd': Amman Cables (telegrammen) 1456, 1457, 11 december 1966, NSF, Box 146.

34 'een buitengewone onthulling': memo van Walt Rostow aan LBJ, 12 december 1966, NSF, Box 146.

35 'De koning kwam tot de conclusie': PRO/FCO 371/186839, ambassadeur Adams aan Londen.

35 'Tegen diplomaten had hij gezegd': US Current Intelligence Bulletin, 15 november 1966 - in PRO/FCO 371/186839.

35 'ontbood hij alle buitenlandse ambassadeurs': PRO/FCO 371/186839, 17 november 1966.

35 'De Verenigde Staten waren zo bezorgd': memo van Rostow aan Johnson, 15 november 1966, NSF Country File: Israel, Box 140.

35 'De vs brachten urgente militaire hulp': memo van Robert McNamara aan Johnson, 17 april 1967, NSF Country File: Israel, Box 140; memo van Amos Jordan aan Rostow, 1 december 1966, NSF, Box 146.

36 'De CIA vond': CIA-memo voor de directeur, 'The Jordan Regime, Its Prospects and the Consequences of Its Demise', 13 december 1966, NSF, Box 146.

36 'De inwoners van Samua': PRO/FCO 371/186839, 15 november 1966, Amerikaanse ambassade Amman aan SOSFA.

36 'Waarmee denken ze': Washington Post, 15 november 1966, geciteerd in Neff, blz. 42.

37 'Een hoge functionaris': Amman Cable 1456, 12 december 1966.

37 'oefenden de officieren': Washington Post, 15 november 1966, geciteerd in Neff, blz. 42.

37 'Husseins problemen ': PRO/FCO 371/186839/272, 17 november 1966: Tesh (Cairo) aan FCO.

37 'Damascus was opgelucht': PRO/FCO 371/186839/266, 16 november 1967: Evans (Damascus) aan FCO.

37 'Zelfs de Syrische regering': PRO/FCO 17/473, 21 januari 1967: Damascus aan FCO.

37 'Laat de Israëliërs maar op ons schieten': ibid.

38 'op 7 april': details over kibboets in Yediot Aharonot, 14 april 1967, geciteerd in Bondy, blz. 337-42.

38 Verslag van de gevechten: PRO/FCO 17/474: Verslag van de lucht- en grondacties aan Israelisch-Syrische grens op 7 april 1967, van kantoor van militaire en defensieattachés, Tel Aviv, 11 april 1967; ook PRO/FCO 17/473: Syrië/Israël, een verslag van het incident van de Eastern Department; aanval op Sqoufiye, rapport van UNTSO; PRO/FCO 17/473, 10 april 1967.

39 'vol verbaasd ontzag': PRO/FCO 17/473, 12 april 1967.

39 'Israël koesterde': PRO/FCO 17/473, 10 april 1967.

39 'Zijn jullie gek geworden?': Weizman, blz. 197.

40 'de Britse overheid': PRO/FCO 17/498, 14 augustus 1967.

40 'De CIA had ook van de dreigementen gehoord': dagelijkse briefing president, 13 mei 1967, NSC, Box 19.

40 'denkt aan een aanval': tekst van een artikel van al-Ahram dat werd voorgelezen op Radio Cairo om 05.00 uur Britse tijd, 13 mei 1967, SWB, Vol. 2453-78.

40 'Een hoge Israëlische bron': MER, blz. 187.

40 'vatte de dreigementen en waarschuwingen op': ibid, blz. 179.

40 'Volgens sommigen': Brecher, blz. 359.

40 'De boodhschap die buiten Israël werd ontvangen': Riad, blz. 17.

40 'de Israëlische leiders hadden gezegd': Nassers rede, 22 mei 1967, geciteerd in Brecher, blz. 359.

40 'De Egyptenaren beweerden': NSF, Paris Cable 18806, 23 mei 1967, Box 104.

40 'Het staatshoofd, president Atassi,': Nutting, blz. 397.

41 'dit pleegkind van bandieten': Syrische propaganda uit Damascus Cable 1163, 22 mei 1967, NSF, Box 104.

41 'werd de Egyptische ezel geprikt door de Russen': PRO/FCO 17/498, 14 augustus 1967.

41 'Ze vertelden me': Sadat, blz. 172; Parker, *The Politics of Miscalculation in the Middle East*, blz. 5; Heikal, *Sphinx*, blz. 174-5.

41 'Tegen de avond': Gamasy, blz. 21.

41 'Waarschijnlijk dachten ze': NSF, Moscow 5078, 23 mei 1967, Box 104.

41 'De Sovjets wilden': interview met Amin Howedi, Cairo, 14 december 2002; Lior, blz. 150; Golan, blz. 58-62; de volledigste bespreking van de waarschuwing van de Sovjets staat in Parker, blz. 3-35.

41 'van het middelste echelon': CIA aan de Situation Room van het Witte Huis; officieel commentaar van Sovjetfunctionarissen op het Sovjetbeleid bij de oorlog in het Midden-Oosten, ontdaan van datum, NSC, Box 18.

42 'Ik denk dat de Arabieren moeilijk kunnen begrijpen': opmerkingen van Gregori Petrovitjs Kapoestjan, eerste secretaris Sovjetambassade in Koeweit en KGB-officier in CIA Intelligence Information Cable, 25 mei 1967; opmerking Russische inlichtingenofficier over de huidige Arabisch-Israëlische crisis, NSF, Box 105.

42 'hadden de Sovjets gelijk dat ze Syrië waarschuwden': memo, 'Terrorist Origins of the Crisis', Saunders aan Bundy, gedateerd 'voor 19 juni 1967', NSC, Box 17.

42 'Waarschijnlijk': memo for Rostow van Nathaniel Davis, 2 juni 1967, NSC, Box 20.

44 'de treurige hoofdstad': Amos Oz, *Seventh Day*, blz. 215-16.

45 'Generaal Bull': *MER*, Vol. 3, 1967.

45 'een duidelijke schending': dagelijkse briefing president, 13 mei 1967, NSC, Box 19.

45 'gevechtsorder nummer 1': door Israël gevonden document, geciteerd in *MER*, blz. 185.

45 'verbaasd en bezorgd': Gamasy, blz. 21-2.

45 'Ik zag geen': geciteerd in Gamasy, blz. 23.

45 ' De training, altijd al stiefmoederlijk bedeeld': interview met Hadidi.

45 'We leden enorme verliezen': interview met generaal Abdel Moneim Khalil, Cairo, 13 december 2002.

46 'In 1967 hield het Egyptische opperbevel': veldmaarschalk Abdel Ghani el Gamasy, *The October War*, blz. 37-8.

46 'Nasser doet er alles aan': dagelijkse briefing president, 16 mei 1967, NSC, Box 19.

46 'meer defensief en als afschrikking bedoeld': PRO/Telegram No. 301, Tel Aviv aan FCO, 17 mei 1967.

46 'We kunnen het zuiden niet zonder': Lior, blz. 148.

47 'Voor het stadion': Michael Bar Zohar, *Embassies in Crisis*, blz. 16-18.

47 'zo snel mogelijk': interview met generaal Yeshayahu Gavish, Tel Aviv, 21 november 2002.

47 'Al meer dan tien jaar': Rikhye, blz. 14.

47 'Egypte beloofde': Brian Urquart, geciteerd in Parker, *Six-Day War*, blz. 87.

48 'Ter informatie': Rikhye, blz. 16.

48 'Ze hadden te lijden': generaal Mohamed Fawzi in *Al-Ahram Weekly* online, 5-11 juni 1997.

48 'oorlog is onvermijdelijk': Rikhye, blz. 17.

48 'Generaal, waarom komen we bij elkaar?': ibid., blz. 21.

49 'er goedschiks dan wel kwaadschiks bij wilden betrekken': PRO/FCO 17/479, 17 mei 1967: Damascus aan FCO.

49 'echt een eenheid vormden': PRO/FCO 17/479, 19 mei 1967: Damascus aan FCO.

49 'Op 17 mei': Tel Aviv Cable 3641, 18 mei 1967, NSC, Box 22.

49 'alvorens unilaterale actie te ondernemen': PRO/FCO 17/479, 16 mei 1967: Tel Aviv aan FCO.

49 'Maar leden van de regering': PRO/Tel Aviv aan FCO, 19 mei 1967.

49 'Ik vraag u met klem': bericht aan premier Esjkol, 17 mei 1967, NSC, Box 17.

49 'veel eerder geleverd': 'The President in the Middle East Crisis', 19 december 1968, NSC, Box 17.

50 'haveloze ruimte': PRO/FCO 8/39, 18 november 1967: Parsons, British Political Agency, Bahrain aan Balfour-Paul, British Political Residency, Bahrain.

50 'In 1959': Albert Hourani, *A History of the Arab Peoples*, blz. 393; zie ook Winston Burdett, *Encounter With the Middle East*, blz. 23.

51 'de persbureaus': wire service reports, 22 mei 1967, NSC, Box 17.

52 'mits we ... doorkomen': brief en conceptbrief, 22 mei 1967, NSC, Box 17.

52 'langs zwetende, deinende, armenzwaaiende lijven': Rikhye, blz. 64.

52 'Op de avond': en andere details over het diner van Oe Thant bij Nasser, Rikhye, blz. 63-79.

52 'wilde hem vermoorden': USUN 5496, 27 mei 1967, NSF, Box 105.

53 'Generaal Yariv': Bar Zohar, blz. 72.

53 'de beslissende dag': Press review, 23 mei 1967, NSC, Box 17.

53 'binnen negentig minuten': Amos Elon, blz. 7.

53 'De bevelhebbers belden': interview met generaal Shmuel Eyal, hoofd personeelszaken Israëlische leger, Rishon le Zion, 27 november, 2002.

53 'Ik leunde': Henry (red.), *The Seventh Day*, blz. 32.

54 'Een hardnekkige 63-jarige': Elon, *A Blood-Dimmed Tide*, blz. 7.

54 'die weigerden in paniek te raken': Bar Zohar, blz. 78.

54 'hongerige beesten': Ruth Bondy, Dvar Hashavua, 2 juni 1967, geciteerd in *Mission Survival*, blz. 30.

54 'Jij hebt de staat': verslag van zijn instorting in Rabin, blz. 58-65.

55 'Om acht uur 's avonds': Weizman, blz. 202-3.

55 'een verpletterende last': Leah Rabin, blz. 107.

55 'een geïsoleerde positie': Horovitz (red.), blz. 40-1.

55 'Abdel Moneim Khalil': interview met generaal Abdel Moneim Khalil, Cairo, 13 december 2002.

56 'met dezelfde diepe kloof': Veldbulletin geciteerd in *Mission Survival*.

56 'Door vijftien jaar hard werken': interview met Meir Pa'il, 4 mei 2002; zie ook Martin van Creveld, *The Sword and the Olive*.

56 'door de superieure training': PRO/FCO 17/576: 'Annual Report on the Israeli Army', 27 januari 1967.

56 'militair onverslaanbaar': 'Israeli-Arab confrontation, mei 1967', NSF, Box 104.

57 'De schattingen van de Britten': PRO/CAB 158/66, 17 april 1967: 'A comparison of the Armed Forces of Israel and those of certain Arab states up to the end of 1967', JIC.

57 'bevelhebbers, training en krijgsmachtsonderdelen': PRO/FCO 17/576, ibid.

57 'verzekerd van superioriteit': *Jewish Chronicle*, 31 maart 1967, geciteerd in PRO/CAB 158/66, 17 april 1967.

57 'Het grote strategische doel van Israël': Helms en Wheeler, vergadering NSC, 24 mei 1967, NSC, Box 17.

58 'kernwapen': memo van Katzenbach aan LBJ, 1 mei 1967, NSC, Box 17; zie ook Rostow aan LBJ, 8 mei 1967, NSF, Box 145.

58 'onvoldoende om een succesvolle aanval': 'Israeli-Arab confrontation, mei 1967', op. cit.

58 'kookten van woede': Raviv, blz. 93.

58 'vooral voor de televisie': Rostow aan LBJ, 9 juni 1967, NSC, Box 18.

58 'Sinds 1948': Eban, *Personal Witness*, blz. 1-41.

59 'Eban kwam ... in Washington aan': ibid, blz. 374; CIA Cable, 'Impact of the Arab-Israeli crisis on the French political scene', 16 juni 1967, NSC, Box 18.

59 'In Londen': Eban, blz. 378.

59 'Een paar dagen daarvoor': PRO/PREM 13/1617, 23 mei 1967: aantekening van een vergadering van de premier, minister van BZ en minister van Defensie op Downing Street 10.

59 'Eban dacht uitgebreid na': Eban, blz. 381.

59 'grootste menigte': Rostows verslag van de vergadering met Evron, NSC, Box 17.

59 'schokkend nieuws': Eban, blz. 382.

59 'Lees dit': Rafael, blz. 143.

60 'We hebben geen problemen op de grond': Lammfrom, blz. 535-7, documenten 166 en 167; telegram van Esjkol aan Eban, 25 mei 1967.

60 ' hypochondrisch telegram': Eban, *Personal Witness*, blz. 382-3.

60 'Israël was op de hoogte': interview met Hussein al Shafei, Cairo, 15 december 2002.

61 'speelden een politiek spel': CIA Cable, discussie Jordanië en Egypte, 25 mei 1967, NSF, Box 105; over de achtergrond van het defensiepact tussen Jordanië en Egypte en een evaluatie van de nieuwe Jordaanse positie ten gevolge daarvan, zie 4 juni 1967, NSF, Box 106.

61 'Tijdens de tien minuten durende vlucht': interview met Walt Rostow, Austin, 12 september 2002.

61 'Johnson had het vervelende idee': NSC, Chronological guide, Box 17.

61 'De president belde': interview met Rostow.

61 'In Rostows kantoor': details van de Israëlische argumenten in memo van het gesprek tussen minister van BZ Rusk en Abba Eban, 25 mei 1967, NSC, Box 17.

62 'een weinig serieuze beoordeling': memo aan LBJ van Rostow, 25 mei 1967, NSC, Box 17.

62 'Boven, in het Oval Office': Johnsons meubelen bevinden zich in de LBJ Library in Austin, Texas.

62 'Ook Israël leek niet meteen van plan': Morning Intelligence Mid-East Sitrep (van 07.00 uur): memo aan LBJ van Rostow, 28 mei 1967, NSC, Box 17.

62 'Het enige verschil': Oral History, Robert McNamara, LBJ Library, AC-96-10.

63 'Als de Israëliërs als eerste aanvielen': geciteerd in Parker, Six-Day War, blz. 216-17.

63 'Hoge Sovjetfunctionarissen': Moscow Cable 5170, 27 mei 1967, NSF, Box 105.

63 'De conclusies van de CIA': CIA Office of National Estimates, 26 mei 1967: memo voor de directeur, NSF, Box 115.

63 'Wij zijn minder verontrust': brief aan Wilson, 26 mei 1967, NSC, Box 17.

63 'Eban en zijn team': Rostows verslag van tweede ontmoeting met Ephraim Evron op de Israëlische ambassade, 26 mei 1967, NSC, Box 17; State 202587 flash telegram, 26 mei 1967, NSF, Box 105.

64 'minister van BZ Dean Rusk': memorandum van gesprek, Rusk-Eban, 25 mei 1967, NSC, Box 17.

64 'Volgens mij': Eban, Personal Witness, blz. 383.

64 'Tegen zonsondergang': vergadering over de Arabisch-Israelische crisis, 26 mei 1967, NSC, Box 17.

64 'een wat lang uitgevallen Texaan': Raviv, blz. 100.

64 'unilaterale actie': Winston Burdett, Encounter With the Middle East, blz. 254.

64 'Er staat hier een figuur': New York Times, 10 juli 1967.

64 'werden ze ten slotte het Oval office binnengeleid': memo van het gesprek, 26 mei 1967, NSC, Box 17.

65 'Ze kwamen hier om beren te schieten': NSC, Chronological guide, Box 17.

65 'Eban ging onmiddellijk naar huis': Rafael, blz. 145.

66 'Eban en zijn team': Raviv, blz. 102; interview met Moshe Raviv, Herzliya, 6 mei 2002.

66 'De Israëliërs denken dat ze Nasser kunnen afmaken': beschrijving van Hersh door Barbour, blz. 159-61; Allons opmerkingen in telegram vanuit Situation

Room Witte Huis aan LBJ, 29 mei 1967; opmerkingen ambassadeur Barbour en geruchten over het ontslag van Eban in Walt Rostow aan LBJ, 28 mei 1967, beide NSC, Box 17; dreigement tegen Eban, ook in Rafael, blz. 160; Yariv's opmerkingen tegen ambassadeur Hadow, PRO/FCO 17/498; zie ook *MER*, blz. 197.

67   'opgeschroefd tot het maximale aantal decibel': Cairo 8072, Sitrep, Box 105, 27 mei 1967; Situation report, ministerie van BZ, 28 mei 1967, NSC, Box 17.

67   'hij was fysiek': Sandy Gall, *Don't Worry About the Money Now*, blz. 276.

67   'Het werd een zelfverzekerd': tekst van Nassers persconferentie, 28 mei 1967, NSF, Box 17.

67   'een slaapwandelaar in een fatalistische trance': Burdett, blz. 281-2.

67   'Amerikaanse diplomaten': Cable, Cairo 8218 aan State, 30 mei 1967, NSC, Box 17.

68   'geloofden niet in het verhaal': Situation Room Witte Huis aan LBJ, rapport over Arabisch-Israëlische situatie, 04.30 uur, EDT 28 mei 1967, NSC, Box 17.

68   'naar Nassers rede geluisterd': Ziad Rifais verslag in Hussein van Jordanië, blz. 38-42.

68   'nieuw licht': CIA Intelligence Information Cable, 25 mei 1967, Box 105; over de achtergrond van het defensiepact tussen Jordanië en Egypte, 4 juni 1967, NSF Box 106.

68   'traditionele Arabische vrienden': Amman Cable 3775, 26 mei 1967, NSC, Box 17.

69   'tot een Israëlische bezetting ... zou leiden': Samir A. Muttawi, *Jordan in the 1967 War*, blz. 106-7; citaten Hussein, blz. 103: interview met Leila Sharaf, Amman, 8 juni 2002.

69   'even na zonsopgang': verslag over Hussein in Cairo van Hussein van Jordanië, *My 'War' With Israel*, zoals verteld aan Vick Vance en Pierre Lauer.

70   'Ik wist dat oorlog onvermijdelijk was': koning Hussein tegen Avi Shlaim, 3 december 1996, *New York Review of Books*, 15 juli 1999.

70   'de koning sprak hen toe': interview met prins Zaid Ben Shaker, Amman, 7 juni 2002.

71   'De officële militaire lijfarts': interview met Winston Churchill, Londen, 17 juni 2002.

71   'De crisis was vooral beangstigend': brieven in ISA G 6301/1051; brieven aan Esjkol in archief kantoor premier.

71   'Voor Israël hebben we alleen oorlog in petto': Cairo, Voice of the Arabs in Arabic, 17.38 uur GMT, 18 mei 1967, BBC SWB ME/2470/A/6.

71   'veel zwarte humor': interview met David Rubinger, Jeruzalem, 24 november 2002.

71   'Plotseling sprak iedereen over München': Muki Tzur from Kibbutz Ein Gev in *The Seventh Day*, blz. 19.

72   'In mei werden er nog meer mannen': *MER*, blz. 373-4.

72 'zoning, spaarzaam bevolkt': *New Yorker*, 17 juni 1967; herdrukt in Chace, blz. 101-11.

72 'Was er iemand gewond in de familie?': Schliefer, blz. 148.

73 'er is niets veranderd': Morning and Afternoon Intelligence Sitrep, 28 mei 1967, NSC, Box 17.

73 'renden rond als muizen': Bregman en el-Tahri, blz. 77.

73 'We hadden het gevoel dat alles op onze schouders rustte': Sharon, blz. 184.

74 'Niemand bood Esjkol wat te drinken aan': Narkiss, blz. 67.

74 'genadeloze kritiek': Rabin, blz. 72.

74 'is het Israëlische leger niet meer afschrikwekkend': een verslag van de ontmoeting van Haber, blz. 195-9; ook interviews met Gavish, en met generaal Elad Peled, Jeruzalem, 25 november 2002.

75 'Mijn puur militaire': interview met Gavish.

75 'een van hen': Elon, *A Blood-Dimmed Tide*, blz. 9.

75 'brieven met kritiek': ISA G 6301/1054-11, archief kantoor premier, correspondentie.

76 'onzeker, oninspirerend': Yael Dayan, blz. 9.

76 'De meeste Israëliërs': Henry (red.), *The Seventh Day*, blz. 23.

76 'het leiderschap van de natie': Peres, *David's Sling*, blz. 234.

76 'De twijfel en lacherigheid bij het publiek': Moshe Dayan, blz. 266.

76 'Twee hobby's': interview met Lova Eliav, Tel Aviv, 2 december 2002.

76 'Hij kwam binnen met een zware revolver': Moshe Dayan, blz. 28.

77 'op uien te kauwen: ibid., blz. 30.

77 'het is het lot van onze generatie': geciteerd in Naphtali Lau-Lavie, Moshe Dayan, blz. 142.

77 'politiek spel': Haber, blz. 157.

77 'oppercommando van het leger': PRO/Tel Aviv aan FCO, ambassadeur Hadow over gesprek met generaal Yariv, 31 mei 1967, FCO 17/487.

77 'donderende stem': Haber, blz. 199-201.

78 'Hij zei ... tegen het kabinet': *MER*, blz. 371.

78 'Gavish was niet op de hoogte': interview met Gavish.

78 'Hij zei dat ik snel naar Tel Aviv moest komen': interview met Miriam Esjkol, Jeruzalem, 9 mei 2002.

79 'de Britse politiecommissaris': Segev, blz. 475.

79 'Hij kwam heel natuurlijk over': Haber, blz. 202.

79 'Het was niet alleen persoonlijk': interview met Gavish.

79 'Het Israëlische leger is nog nooit ': Haber, blz. 215.

79 'Zelfs kolonel Lior': ibid., blz. 202.

80 'Het Arabische vertrouwen ... in de lucht': Abdullah Schliefer, blz. 143-45.

80 'Adnan Abu Odeh': interview met Adrian Abu Odeh, Amman, 6 juni 2002.

81 'Ik ben onder de indruk': Lisbon cable 1517, 2 juni 1967 alleen voor president en minister van BZ of State van Robert Anderson NSF, Box 115.

81 'sportkleding' ibid.

82 'zei Riad' : Riad, blz. 21.

83 'niet economisch, maar psychologisch' Cairo cable 8349, 2 juni 1967 NSC, Box 18.

83 'verschrikkelijk bloedbad': memo aan President van Rostow, 2 juni 1967, NSC, Box 18.

84 'kan weerstaan': memo aan de minister van Defensie van Wheeler, voorzitter gezamenlijke stafchefs, 2 juni 1967; NSC, Box 18.

84 'Op 2 juni': IDF 3/46/1980: notulen van speciale vergadering van de generale staf met het defensiecomité van het kabinet, 2 juni 1967.

85 'barbaars en onmenselijk': Brown, blz. 35.

85 'heel indrukwekkend': interview met Meir Amit, 26 november 2002.

86 'het felle Arabische nationalisme': PRO/FCO 17/489: Pullar (Jeruzalem) aan FCO, 3 juni 1967.

86 'Laat in de middag': Narkiss, blz. 87-92.

86 'Als de stafchef': interview met Mordechai Hod, Tel Aviv, 7 mei 2002.

87 'Hij deed zijn uiterste best ontspannen over te komen': interview met Churchill.

87 'Ik stel voor pas weer te rapporteren': PRO/FCO 17/489: Hadow (Tel Aviv) aan FCO, 4 mei 1967.

87 'kibboets Nachshon': bulletin kibboets Nachshon.

88 'Ran Pekker': interview met Ran Pekker Ronen, Herzliya, 25 november 2002.

88 'De inlichtingendienst van de Egyptische luchtmacht': interview met plaatsvervangend luchtveldmaarschalk Hamid El-Dighidi, geciteerd in het Egyptische weekblad *Al-Ahali*, 29 juni 1983; herdrukt in *al Ahram*, 5-11 juni 1997.

89 'Het wordt steeds duidelijker': memo van Rostow aan LBJ, 4 juni 1967, NSC, Box 18.

89 'De Sovjetambassadeur bij de VN': Sjevsjenko, blz. 133.

90 'Morgen begin het': interview met Miriam Esjkol, Jeruzalem, 9 mei 2002; zie ook Bregman en El Tahri.

90 'De oorlog leek onvermijdelijk': Cable Amma 4040 aan State, 4 juni 1967, NSC, Box 23.

Dag een

91 'Brigadegeneraal Ariel Sharon': Yael Dayan, blz. 33-4.

91 'het was ... vier uur te slapen': interview met Mordechai Hod, Tel Aviv, 7 mei 2002.

91 'Gevechtsorder van de commandant': AP, *Lightning Out of Israel*, blz. 53.

91 'Geheimhouding en verrassing': interview met Hod.

92 'Ran Pekker': Weizman, blz. 179; Ran Ronen, 'Hawk in the Sky', *Yediot Aharonot*, 2002.

92 'Overal ... piloten opgeroepen': interview met Hod.

92 'De waarschuwingen van koning Hussein': interview met Ihsan Shurdom, Amman, 5 juni 2002.

93 'Pekker ... zorgde dat er koffie klaarstond': Ronen, interview en 'Hawk in the Sky', *Yediot Aharanot*, 2002.

94 'Soortgelijke briefings': Avihu Bin-Nuns ooggetuigenverslag van *Bamahane*, tijdschrift Israëlische leger, herdrukt in *Jerusalem Post*.

94 'In die dagen': Weizman, blz. 69.

94 'in 1963': interview met Herzl Bodinger, Yad Mordechai, 1 december 2002.

94 'De piloten maakten ... hun doelen na': PRO/AIR 77/581.

95 'Hod en zijn commandenten': interview met Hod.

95 Een van de piloten': interview met Uri Gil, Einhod, 6 november 2002.

95 'De volgende fase': interview met Bodinger.

96 'De soldaten van': Ons ooggetuigenverslag van *Bamahane*, tijdschrift Israëlische leger, herdrukt in *Jerusalem Post*.

96 'Op het hoofdkwartier': interview met generaal-majoor Salahadeen Salim, Cairo, 14 december 2002.

96 'een tekort van 30 procent': officiële Egyptische overheidscijfers geciteerd door Salim.

97 'De Israëlische luchtmacht had vijf': IAF samenvatting van de cijfers, IDF 1983/1210/147.

97 'goed van doordrongen': Avihu Bin-Nun, '*Bamahane*', IDF magazine, ook te vinden op http://info.jpost.com/supplements.

97 'dacht Ran Pekker': Ronen, *Yediot Aharonot*, 2002.

98 'Herzl Bodinger en': interview met Bodinger.

98 'De spanning was om te snijden': Weizman, blz. 211.

98 'In 1966 had hij tijdens een lezing': Schiff, blz. 198.

98 'De routes die de vliegtuigen': interview met Hod.

99 'Bin-Nun zwenkte zijn Mystère': Avihu Bin-Nun, *Bamahane*.

99 'In Cairo was het een uur later': interview met Hod.

99 'Bodinger ... in zijn Vantour': interview met Bodinger.

99 'De minister van Defensie': Weizman, blz. 214.

100 'Bin-Nun was met zijn groep': Avihu Bin-Nun, '*Bamahane*'.

100 'Israël had alles met opzet': Weizman, blz. 215.

100 'Ze hadden goede kaarten': PRO/AIR 77/581.

100 'Dankzij uitstekende, zeer uitgebreide inlichtingen': Black en Morris, blz. 206-35.

100 'Piloten hadden een boek waarin de doelen': interview met Shurdom.

100 'gedetailleerd werden beschreven': interview met Hod.

100 'Tahsen Zaki': Tahsens verhaal in Draz, blz. 5-20.

100 'zich in het kloppende hart van het Arabisme': dagelijks rapport Foreign Broadcast information service No. 108, 5 juni 1967, NSC, Box 19.

101 'dichterbij dan hij kon vermoeden': interview met Shafei.

101 'wegens de radiostilte': Hod in *Paris Match*, geciteerd in *Hussein of Jordan*, blz. 103.

101 'De dochters van kolonel': interview met Mordechai Bar, Jeruzalem, 25 november 2002.

102 'Israëlische piloten zouden': PRO/AIR 77/581, maart 1968: hoogte en operationele details in PRO/FCO 17/576, 29 juni 1967.

102 'Iedereen ... door elkaar te praten': interview met Hod.

102 'We waren er zeker van dat onze Egyptische gevechtsvliegtuigen': citaat van Murtagi in El-Gamasy, blz. 53.

103 'generaal Salah Muhsin': interview met Salim.

103 'het was de laatste dag': interview met Kamel Sulaiman Shaheen, Deiral Balah, 30 november 2002.

103 'Het was zijn taak': interview met generaal Ibrahim El Dakhakny, Cairo, 19 december 2002.

104 'De Israëlische stafchef Yitzhak Rabin': van publikatie zuidelijk leger IDF, geciteerd in *Mission Survival*, blz. 175.

105 'Verder naar het zuiden': Barker, *Six-Day War*, blz. 79-80; Pollack, blz. 64.

105 'Orr gaf zijn mannen de laatste instructies': Orr, '*Bamahane*', http://info.jpost.com.

105 'eenvoudige berichten': persbericht IDF, 6 juni 1967, geciteerd in *Mission Survival*, blz. 177.

105 'Tijdens de laatst instructie zei Tal': Bar On, blz. 38.

106 'Koning Hussein was thuis bij zijn gezin': Snow, blz. 139.

106 'Ihsan Shurdom': interview met Shurdom.

106 'Ze vroegen eerst': Hussein, *My 'War' With Israel*, blz. 60-1.

106 'De koning en de anderen': ibid., blz. 66.

107 'voor de oorlog was de Royal Jordanian Air Force': IDF 1983/1210/147.

107 'op Beni Sweif': interview met Bodinger.

107 'Op luchtmachtbasis Inshas': interview met Ronen.

107 'Murtagi's commandopost': interview met Murtagi.

108 'Het Egyptische luchtverdedigingssysteem': interview met Hadidi: hij was na de oorlog voorzitter van de eerste krijgsraad van de bevelhebbers van de luchtmacht en de luchtverdediging.

108 'In Tel Aviv': Weizman, blz. 216.

108 'De Israëlische bevelhebber van de luchtmacht': interview met Hod.

109 'Mohamed Heikal schreef in de krant': Heikal in *al-Ahram*, 13 oktober 1967, geciteerd in *MER*, blz. 214.

109 'een meevaller': Barker, blz. 62.

110 'Op de Egyptische basis Bir Tamada': interview met Ali Mohammed, Cairo, 14 december 2002.

110 'vice-president Shafei': interview met Hussein al Shafei, Cairo, 15 december 2002.

112 'Mahmoud Riad, de Egyptische minister van Buitenlandse Zaken': Riad, blz. 23.

112 'Trevor Armbrister': Trevor Armbrister, 'Letter from Cairo', *Saturday Evening Post*, 29 juli 1967, geciteerd in Chace, blz. 111-12.

112 'Winston Burdett': Burdett, blz. 317.

112 'Niemand op de Sovjetambassade': Sergej Tarasenko, 'Blitzkrieg in Sinai', *Novoe Vremya*, No. 21, 1997, blz. 32-3.

112 'Op straat': Armbrister in Chace, blz. 111-12.

112 'Eerst speelde Radio Cairo' : both quotes from Radio Cairo in *War File*, blz. 71.

114 'Ik lag': Draz, blz. 49-54.

114 'Tals divisie': Van Creveld, blz. 184; Barker, blz. 80-1; Dupuy, blz. 249-52.

115 'Orr, ... die achter zijn tanks aanreed': Orr, *Bamahane*.

115 'Ramadan Mohammed Iraqi': interview met Ramadan Mohammad Iraqi, Cairo, 17 december 2002.

116 'De mannen van de UNEF': UN S/7930, 5 juni 1967, http://domino.un.org

116 'Majoor El Dakhakny': interview met El Dakhakny.

116 'Fayek Abdul Mezied': interview met Fayek Abdul Mezied, Qalqilya, 29 november 2002.

117 'De bloedigste strijd': Morris, blz. 413-18; Van Creveld, blz. 141.

117 'Op 5 juni': Mutawi, blz. 135.

117 'Behalve het Jordaanse leger': interview met Tawfik Mahmud Afaneh, Qalqilya, 29 november 2002.

118 'Memdour Nufel had altijd al': interview met Memdour Nufel, Ramallah, 25 november 2002.

118 'verschillende schattingen': Sayigh, blz. 139.

119 'Dayan iets heel slims': interview met Meir Amit, Herzliya, 26 november 2002.

119 'Vanmorgen heeft Egypte': Tel Aviv Cable 3924 aan State, 5 juni 1967, NSF, Box 23.

120 'Hussein zei tegen Bull': Hussein, blz. 64-5.

120 'werd bijna geraakt': PRO/FCO 17/489: Pullar (Jeruzalem) aan FCO, 5 juni 1967.

120 'op duidelijk ijskoude toon': PRO/FCO 17/492: Pullar (Jeruzalem) aan FCO, 5 juni 1967.

120 'De Palestijnse tandarts John Tleel': Tleel, blz. 156; interview met Tleel, Jeruzalem, 8 mei 2002.

121 'Anwar Nusseibeh hoorde het nieuws': Nusseibeh quote from Moskin, blz. 104.

122 'Een krankzinnig plan': Schliefer, blz. 168.

122 '260 Enfield-geweren, 20 stenguns': ibid., blz. 174.

123 'In Amman zat de Jordaanse minister van Informatie': interview met Leila Sharaf, 8 juni 2002.

123 'In Tel Aviv gaf Amit 's middags': memo for LBJ van McPherson, 11 juni 1967, NSC, Box 18.

124 'Eind juni': report of Hod news conference, Maariv, 30 juni 1967, geciteerd in Mission Survival, blz. 162.

124 'Om 04.30 uur': interview met Rostow.

125 'De CIA herinnerde eraan': dagelijkse briefing president, 5 juni 1967, NSC, Box 19.

125 'Johnson, bevond zich nog steeds op zijn slaapkamer': memo for the record: Walt Rostow's Recollections of 5 juni 1967, Box 18; zie ook memo van George Christian, 7 juni 1967, NSC, Box 19.

125 'Bundy uitvoerend secretaris': memo for the record by Harold Saunders, 16 mei-13 juni, 20 december 1968, NSF.

126 'Een groep buitenlandse correspondenten': Armbrister in Chace, blz. 111-12.

126 'Volgens Amerikaanse diplomaten': Cairo Cable 8504 aan State, NSC, 5 juni 67, Box 23.

126 'De hemel buiten was helder': Hewat (red.), War File, blz. 66-7.

126 'Om 11.10 uur zei Bakr': Armbrister in Chace, blz. 111-12.

126 'Eric Rouleau': E. Rouleau, J.F. Held, S. Lacouture, Israel et les Arabes: le 3me Combat, geciteerd in MER, blz. 217.

127 'De voorzitter van het Egyptische parlement': Sadat, blz. 174.

127 'De Jordaniërs wachtten niet langer': Mutawi, blz. 127: Hussein, blz. 65.

127 'De sfeer in Damascus was 's morgens': PRO/FCO 17/489: Evans (Damascus) aan FCO, 5 juni 1967.

128 'Gideon Rafael, om vijf uur 's morgens': USUN Cable 5623 aan State, 5 juni 1967, NSC, Box 23.

128 'Een paar minuten later': interview met generaal Salahadeen Hadidi, Cairo, 12 december 2002.

128 'Anwar El Sadat': Sadat, blz. 175.

128 'Omstreeks elf uur kreeg': Boghdady's account van Abu Zikri, blz. 295-304.

129 'De strijdkrachten in de Sinaï': Dupuy, blz. 265.

129 'Het volgende telefoontje kwam van Nasser': El-Gamasy, blz. 57.

129 'Mohamed Hassanein Heikal': Mohamed Hassanein Heikal, The Cairo Documents, blz. 247.

130 'Vice-president Shafei': interview met Hussein al Shafei.

131 'Een verslaggever van de Israëlische legerkrant': Yosef Bar Yosef, tijdschrift Israëlische leger.

132 'Zes Tupolev-bommenwerpers': Riad, blz. 24-5.

132 'In Libië werd de Amerikaanse ambassade': Cable van Benghazi aan State, 5 juni 1967, NSC, Box 23.

132 'Tien uur later': ibid.

132 'In Jemen': Cable 750 aan State, 5 juni 1967, NSC, Box 23.

132 'In Basra, in het zuiden van Irak': Baghdad Cable 2089 aan State, 5 juni 1967, NSC, Box 23.

132 'Aharon Yariv': IDF 1076/192/1974: Rabin en zijn staf komen bij elkaar.

132 'Saad el Shazli': interview met generaal Saad el Shazli, 16 december 2002.

133 'Ihsan Shurdom': interview met Ihsan Shurdom, Amman, 5 juni 1967.

134 'Ondertussen waren de vliegtuigen': interview met Jordaanse luchtmachttechnicus, op verzoek naam niet vermeld.

134 'Majoor Firass Ajlouni': Hussein, blz. 72.

135 'Israël heeft onze bases gebombardeerd': ibid., blz. 71.

135 'een jaar later': ministerie van BZ van Amerikaanse ambassade, Amman, 3 juni 1968; memo van interview, 30 mei 1968.

135 'Operatie Tariq': Muttawi, blz. 125.

136 'Volgens Ziad Rifai': Hussein, blz. 70.

136 'Hij deed er alles aan': Weizman, blz. 205.

136 'die morgen': IDF 1076/192/1974: bespreking van de oorlog in Jeruzalem.

137 'De leiding ... Aaron Kamera': interview met Aaron Kamera, 5 mei 2002.

137 'een groep mannen': bulletin kibboets Nachshon, met dank aan Moshe Yotvat.

139 'De 55ste Israëlische pararoeperbrigade': interviews met Jacov Hetz (Chaimowitz), Yokneam 26 november 2002, en Arie Weiner, Jeruzalem 9 mei 2002.

140 'oude stadsbussen': interview met Hanan Porat, Kfar Etzion, 3 december 2002.

141 'vervolgens geroepen': Roth, blz. 212.

141 'Generaal Rabin had op het hoofdkwartier': Narkiss, blz. 117.

141 'De Israëliërs hadden een plan': verslag van interview met Asher Dar (Drizen) over de slag om Government House, Tel Aviv, 19 april 2002; Hammel, blz. 297; Pollack, blz. 300.

142 'De Israëlische korporaal': Rabinovich, blz. 116-17; Narkiss, blz. 127.

142 'voor de tweede keer': Bull, blz. 115.

143 'Abu Agheila lag': Dupuy, blz. 257-8.

143 'Het mobiele hoofdkwartier van generaal Narkiss': Narkiss, blz. 123.

144 'Ze verbonden de lijn door met': ambassadeur Llewellyn Thompson, memo: 'The Hot Line Exchanges', 4 november 1968, NSC, Box 19.

144 'Om 07.30 uur': aantekening uit Appointment File van de president, 5 juni 1967, NSF, Box 67.

145 'De landingsbaan was onbruikbaar': interview met Jordaanse grondmedewerker; naam op verzoek weggelaten.

145 'Na de inname van het Government House': interview met Asher Dar (Drizen).

146 'Teddy Kollek ... haalde Ruth Dayan': Kollek, blz. 190-3.

146 'We dineren binnenkort in Tel Aviv': Schliefer, blz. 174.

146 'Kolonel Uri Ben Ari': interviews met Uri Ben Ari, Tel Aviv, 18 april 2002 en Hagai Mann, Jeruzalem, 24 november 2002; Dupuy blz. 281, 295; Muttawi, blz. 130; Pollack, blz. 303-4.

147 'Een Israëlische tankcommandant': IDF 1076/192/1974: bespreking van de oorlog in Jeruzalem.

147 'Om ongeveer vijf uur': Kahalani, blz. 54-5.

148 'Majoor Ehud Elad': Teveth, blz. 190-201.

149 'Op het ministerie ... in Foggy Bottom': memo van Joe Califano aan LBJ; persverklaring Dean Rusk; memo van Larry Levinson en Beu Wattenberg aan LBJ; memo van Walt Rostow aan LBJ: alle documenten in NSC, Box 18.

150 'De Sovjetdelegatie': Shevchenko, blz. 133.

150 'Ten afscheid kuste': Eban, *Personal Witness*, blz. 413.

150 'miljoenen mensen': Shevchenko, blz. 121.

151 'Toen er uiteindelijk instructies': ibid., blz. 134.

151 'Moskou nam ook militaire': Isabella Ginor, 'The Russians Were Coming: The Soviet Military Threat in the 1967 Six-Day War', *Middle East Review of International Affairs*, Vol. 4 No. 4, december 2000.

152 'ambassadeur Goldberg': memo aan Arthur Goldberg, chronologie uitstel Sovjets op vergaderingen Veiligheidsraad, 26 juni 1967, historisch project ministerie van BZ: zowel in NSC, Box 20, als in Gideon Rafael, *Destination Peace*, blz. 153-8.

153 'tijdens een privé-gesprek': Shevchenko, blz. 134.

153 'President Johnson riep zijn speciale commissie van wijze mannen': McGeorge Bundy over de vergaderingen over de hotline en het Midden-Oosten, 7 november 1968, NSC, Box 19; Rostow, memo for the Record, 17 november 1967, NSC, Box 18.

153 'Toen ze aan het eind van de middag': CIA-analyse, 5 juni 1967; Rostow, memo for the Record, 17 november 1968: alles in NSF, Box 18.

154 'Volgens het Amerikaanse ministerie van Buitenlandse Zaken': memo van juridisch adviseur Leonard C. Meeker aan minister van BZ Rusk, 5 juni 1967, NSC, Box 18.

154 'Abu Deeb, de *moukhtar*': Hikmat Deeb Ali's verhaal is gebaseerd op orale geschiedenis in *Homeland: Oral Histories of Palestine and Palestinians*, blz. 55-9.

155 'Om zes uur 's avonds': Churchill, blz. 112; Barker, blz. 87.

155 'Ori Orr': *Orr*, tijdschrift Israëlische leger.

155 'De bevelhebber van het zuidelijke Israëlische front': Elon, blz. 11-12.

155 'Rabin belde Gavish': interview met Gavish.

155 'De Egyptenaren houden niet van': citaat in Churchill, blz. 118.

155 'Ariel Sharon wreef in zijn handen': Dayan, blz. 48; account of Abu Agheila fighting van Van Creveld, blz. 186-7; Barker, Arab-Israeli Wars, blz. 70; Pollack, blz. 67-70; Dupuy, blz. 258-63.

156 'Een van de artsen': Dayan, blz. 56.

156 'Tgen acht uur 's morgens': *War File*, blz. 74-8.

157 'op het centrale hoofdkwartier': interview met generaal Hadidi.

157 'de Amerikaanse ambassade': Cairo Cable 8539 aan State, 5 juni 1967, NSC, Box 23.

157 'Anwar El Sadat': Sadat, blz. 176.

157 'De redacteuren van de nieuwskamer': Elkins citaat van Moskin, blz. 69.

157 'minder dan vrijftien uur': Elkins, verslag geciteerd in *War File*, blz. 70. 173 'The Jordanian command': Schliefer, blz. 175-6.

158 'Tel Aviv was volledig verduisterd': Cameron, blz. 337.

158 'sinds het begin van de middag': memo's van Rostow aan LBJ, 5 juni 1967, NSC, Box 18.

Dag twee

159 'Israëlische paratroepers': gevechten op de Ammunitieheuvel gebaseerd op interviews met Hagai Mann, Doron Mor, Jacov Hetz (Chaimowitz), Arie Weiner en Shimon Cahaner, Jeruzalem, 9 mei 2002; zie ook Pollack, blz. 305; Moskin, blz. 258-9; Muttawi, blz. 133-4.

159 'Maar generaal Narkiss wilde': Narkiss, blz. 156-7.

160 'Minstens zestig man': dagboek opperbevel, 6 juni 1967, geciteerd in *Mission Survival*, blz. 225.

160 'in zijn jeep te wachten': interview met Yoel Herzl, Netanya, 6 mei 2002.

161 'een strijd zoals ik nog nooit': Gur, geciteerd in Churchill, blz. 134.

161 'op anderhalve kilometer afstand in de Oude Stad': Schliefer, blz. 179.

163 'met onze tanks onder vuur hadden genomen': Moskin, blz. 272.

163 'Je naderde een huis': interview met Yoseph Schwartz, Jeruzalem, 9 mei 1967.

164 'het lawaai was oorverdovend': Rose, blz. 263-4.

164 'Voordat de Israëlische troepen': Schliefer, blz. 183.

165 'Moshe Yotvat': interview met Moshe Yotvat, Tel Aviv, 7 mei 2002.

165 'Een van de mensen ... Yossi Ally': bulletin kibboets Nachshon, 6 juni 1968.

166 'Hikmat Deeb Ali': Hikmat Deeb Ali's verhaal gebaseerd op mondelinge overlevering in Lynd (red.) *Homeland: Oral Histories of Palestine and Palestinians*, blz. 55-59.

166 'In het buurdorp Beit Nuba': Dodds en Barakat, blz. 39; zie ook PRO/FCO 17/217: 'Jordan's 1967 Refugees': een onderzoeksverslag van de American University of Beirut, 31 oktober 1967.

167 'Een Jordaanse gevechtseenheid': details van Pollack, blz. 308-10; Barker, *Six-Day War*, blz. 113; Dupuy, blz. 309-10, interview met Elad Peled, 25 november 2002.

168 'Het was als een lijn': citaat Tal van Churchill, blz. 113-14.

168 ''s Nachts kreeg de Egyptische 4de pantserdivisie': Pollack, blz. 71.

168 'indrukwekkend': interview met Omar Khalil Omar, Gaza-stad, 1 december 2002.

169 'Majoor Ibrahim El Dakhakny': interview met El Dakhakny.

169 'Ramadan Mohammed Iraqi': interview met Iraqi.

170 'Generaal Riad zei tegen koning Hussein': Hussein, blz. 81.

171 'in haar villa in Amman': interview met Leila Sharaf.

171 'wezen hun mannen waar': Pollack, blz. 463.

171 'in hun opmars gestuit': Barker, blz. 131.

171 'De aanval was alles': Mayzel, blz. 137-40.

172 'een Amerikaans rapport': Israëlisch-Arabische confrontatie, National Military Command Center, mei 1967, NSF, Box 104.

172 'Aan de vooravond van de oorlog': Seale, Asad, blz. 113.

172 'In Beit Nuba zag Zchiya Zaid': geciteerd in Kol Hair, 31 augustus 1984, www.planet.edu.

173 'Aan de rand van het dorp': Dodds en Baraket.

173 'In het ochtendjournaal': Radio Cairo (Arabisch), 03.04 uur GMT, 6 juni 1967.

173 'Na een onrustige nacht': Armbrister in Chace, blz. 114.

174 'In Washington rapporteerde de CIA': dagelijkse briefing president, 6 juni 1967, NSF, Box 19.

174 'Binnen was het personeel': Cairo Cabl 8572 aan State, 6 juni 1967, NSC, Box 24.

174 'Een uur later': Cairo Cable 8583 aan State, 6 juni 1967, NSC, Box 24.

174 'De Britse ambassadeur in Koeweit': PRO/FCO 17/598: Arthur, Kuwait aan FCO, 6 juni 1967.

174 'Arabische olieproducerende landen': dagelijkse briefing president, 6 juni 1967, NSF, Box 19.

174 'In Damascus': Damascus Cable 1248 aan State, 6 juni 1967, NSC, Box 24.

175 'De koning had voortdurend': US policy and diplomacy in the Middle East Crisis, 15 mei tot 10 juni 1967, Effecting the Israeli Jordanian Ceasefire, januari 1969, NSC, Box 20.

175 'berichten over verschrikkelijke verliezen': Muttawi, blz. 138.

176 'Saut-al Arab in Cairo': Muttawi, blz. 158.

176 'De Britse militaire attaché': PRO FCO 17/275, Dispatch No. 2, defensieattaché Britse ambassade Amman, 22 juni 1967.

176 'We moeten de strijd staken': Amman Cable 4092 aan State, 6 juni 1967, NSC, Box 24.

176 'Narkiss bleef': Narkiss, oorlogsdagboek opperbevel in *Mission Survival*, blz. 226; Mordechai Gur in Churchill, blz. 137; Schliefer, blz. 177.

177 'Rubi Gat': interview met Rubi Gat, Jeruzalem, 1 juni 2000.

177 'Aan de Jordaanse kant': Schliefer, blz. 178.

177 'Generaal Riad en koning Hussein': Hussein, blz. 88.

177 'We zijn het eens met de aftocht': ibid.

177 'Koning Hussein en zijn stafchef': Amman Cable 4128 aan State, 6 juni 1967, NSC, Box 24.

178 'Hussein riep de ambassadeurs': Amman Cable 4095 aan State, 6 juni 1967, NSC, Box 24.

178 'De generaals Narkiss, Dayan and Weizman': Narkiss, blz. 219; interview met Doron Mor; oorlogsdagboek opperbevel, 6 juni 1967 in *Mission Survival*, blz. 226.

179 'Het duurde tot in de middag': Pollack, blz. 310-11; Barker, *Six-Day War*, blz. 113; Dupuy, blz. 309-10; interview met Elad Peled, Jeruzalem, 25 november 2002.

180 'De meeste burgers van Jenin': interview met Haj Arif Abdullah, Jenin, 28 november 2002.

181 'Generaal Riad was ... kalm': Hussein, blz. 90.

181 'Terug in Amman belde koning Hussein': Amman Cable 4108 aan State, 6 juni 1967, NSC, Box 24.

182 'Dit was ook gebeurd': interview met Dr. Ihsan al Agha, Rafah, 30 november 1967. Hij is historicus van de stad Khan Younis en heeft tot dusver 516 moorden op burgers beschreven, met ten minste twee getuigen per slachtoffer. Hij heeft met gezinshoofden, ooggetuigen en naaste verwanten gesproken, en vond lijsten die door de Egyptische autoriteiten waren gemaakt over families die schadevergoeding wilden. De verhalen over bloedbaden worden ook bevestigd door anderen in Gaza en gesprekken met vluchtelingen in Amman.

182 'Shara en de andere vrouwen': interview met Shara Abu Shakra, Khan Younis, 30 november 2002.

183 'Dinsdagmiddag': El-Gamasy, blz. 67-71.

184 'Veldmaarschalk Amer, de voor de hand liggende zondebok': Heikal, blz. 181-2.

184 'De Egyptenaren stuurden': Paris Cable 19927 aan State, 6 juni 1967, NSC, Box 24.

184 'Op het hoofdkwartier ... in Cairo': interview met Hadidi.

185 'Meer dan de helft': PRO/FCO 8/679: Graham (Kuwait) aan Balfour-Paul (British Residency, Bahrain), 21 juni 1967, NSC, Box 20.

186 'Luitenant Mohammed Shaiki el-Bagori': Bernet, blz. 150.

186 'Het Egyptische leger': Radio Cairo, 03.20 uur GMT, SWB, Vol. 2479-2504.

186 'Tegen vijf uur 's middags': AP, *Lightning Out of Israel*, blz. 99.

186 'in de speerpunt': interview met Gavish.

186 'Dat betekende': Dupuy, blz. 271.

187 'VN-ambassadeur Arthur Goldberg': Shevchenko, blz. 134.

188 'Maar er was nog iets': ambassadeur Thompson over de communicatie via de hotline, 4 november 1968, NSC, Box 20; 6.30 timing van Lall, blz. 51.

189 'De Amerikanen hadden ... geboden': memo aan Arthur Goldberg, chronologie uitstel Sovjets op vergaderingen Veiligheidsraad, 26 juni 1967, NSC, Box 20.

189 'verwachtte niemand': memo's voor Rostow van Nathaniel Davis, 5 juni 1967, NSC, Box 20.

189 'In Khan Younis, for the second day': interview met Abd-al Majeed al Farah, Khan Younis, 30 november 2002.

190 'Er werd nog gevochten in Gaza-stad': PRO/FCO 17/496: Situation in Middle East, 6 juni 1967.

191 'vanuit het stadje Qalqilya in de bergen': interview met Maa'rouf Zahran, Qalqilya, 29 november 2002.

191 'Memdour Nufel': interview met Memdour Nufel.

191 'Fayek Abdul Mezied': interview met Fayek Abdul Fattah Mezied, Qalqilya, 29 november 2002; cijfers van stadsarchief Qalqilya.

192 'het rode licht': interview met Khalil.

193 'Een van de officieren': Draz, blz. 135-46.

194 'dat net buiten de stad lag': interview met Moshe Yotvat, 7 mei 2002.

194 'Ben Ari zei later': *MER*, blz. 224.

194 'Tegen middernacht': Narkiss, blz. 242.

195 'In de jaren vijftig was Har Zion': Elon, *The Israelis*, blz. 234.

Dag drie

197 'Tijdens de twee uur': Schliefer, including dialogue, blz. 189-90.

197 'Op de Olijfberg': Tleel, blz. 161.

197 'Op de derde dag was': PRO/FCO 17/275: Dispatch No. 2 van Britse militaire attaché, Amman, 22 juni 1967.

198 'Om één uur 's morgens': Schliefer, inclusief dialoog, blz. 189-90.

198 'een luide galmende sten': Cameron, blz. 339.

199 'In Amman beval de minister van Informatie': interview met Sharaf.

199 'Yahya Saad': Draz, blz. 49-54.

199 'In de Sinaï': El-Gamasy, blz. 64.

199 'Gamasy wist ... zich terug te trekken': Ibid., blz. 65.

200 'Een Britse militaire attaché': PRO/FCO 17/496: Tel Aviv aan FCO, 12 juni 1967.

200 'Langs de vluchtroute': Cameron, blz. 343.

200 'Yoffes tanks redden de hele nacht': verslag in *Yediot Aharonot*, 30 juni 1967, geciteerd in *Mission Survival*, blz. 193-6.

201 'Bij dageraad': interview met Uri Gil.

201 'De generale staf in Cairo': Churchill, blz. 171-2; Pollack, blz. 72-3; Wright, blz. 346-9.

201 'Eindelijk kreeg generaal Narkiss': Churchill, blz. 139; Narkiss, blz. 245.

202 'David Rubinger, fotograaf': interview met Rubinger.

202 'Vanuit zijn tuin': Schliefer, blz. 193.

202 'Tweehonderd Palestijnse doktoren': AP, *Lightning Out of Israel*.

202 'De Palestijnse handelaar Hamadi Dajani': interview met Ahmed en Hamadi Dajani, oude stad Jeruzalem, 23 november 2002.
204 'Velni en Ronen': ooggetuigenverslag, *Bamahane*, blad Israëlische leger.
204 'Ik zei tegen mijn chauffeur': Churchill, blz. 140.
205 *'The Sunday Times'*: McCullin, blz. 91-2.
205 'reed met de auto': interview met Ava en Moshe Yotvat, Tel Aviv, 7 mei 2002.
205 'McCullin volgde de soldaten': McCullin, blz. 92.
206 'Een daarvan was van Goren': Yossi Ronen, *Bamahane*, blad Israëlisch leger, http://info.jpost.com/supplements.
206 'De Palestijnse tandarts': Tleel, blz. 165-6.
207 'bleef de rabbijn maar': Yossi Ronen, *Bamahane*, blad Israëlisch leger.
207 'Voor de Israëliërs was dit niet alleen': interview met Rubinger.
208 'Majoor Doron Mor': interview met Doron Mor, Afula, 28 november 2002.
208 'Herzl Bodinger': interview met Bodinger.
208 'Toen dacht ik': interview met Gavish.
208 'Rond elf uur 's avonds': beschrijving van de gevechten door de bevelhebbers van het noordelijk leger, woordvoerder Israëlische leger, geciteerd in *MER*, blz. 226.
209 'Er kwamen meer Israëlische tanks': Dupuy, blz. 313-14.
209 'Raymonda Hawa Tawil': Tawil, blz. 91-3.
209 'Het voerde verwoestende aanvallen uit': Amman Cable 4127 en 4128 aan State, 7 juni 1967, NSC, Box 24.
210 'De Israëlische luchtmacht': figures van IDF 947/192/1974: verzameling cijfers.
210 'Sharif Zaid Ben Shaker': interview met prins Zaid Ben Shaker.
210 'Findley Burns, de Amerikaanse ambassadeur': Amman Cable 4125/4128 aan State, 7 juni 1967, NSC, Box 24.
210 'Bij het begin van de oorlog': interview met Badial Raheb, Bethlehem, 22 november 2002.
211 'de Russische militaire attaché': Sergei Tarasenko, 'Blitzkrieg in Sinai', *Novoe Vremya*, No. 21, 1997, blz. 32-3.
212 'Buiten Amers bunker': Cairo Cable 8641 aan State, 7 juni 1967, NSC, Box 24.
213 'Wanhoop daalde neer over de stad': Armbrister in Chace, blz. 114.
213 'drie dagen ... had schuilgehouden': interview met Kamel Sulaiman Shaheen.
214 'Moshe Dayan sprak het land': Voice of Israel, 7 juni 1967, geciteerd in *MER*, blz. 226.
214 'Een paar uur later': AP-bericht, Hilary Appelman, 31 december 1997, citeert Narkiss die zich het gesprek herinnert; www.middleeast.org.
214 'Een van de paratroepers': Moshe Dayan, blz. 311-14.
214 'In een speech': rapport van AP, Hilary Appelman, 31 december 1997.
215 'Israëlische soldaten gingen': interview met Haifa Khalidi.
215 'Om negen uur 's avonds': *MER*, blz. 225-6.

215 'In en rond Jericho ging het bombarderen door': Dodds en Barakat, blz. 41-2; zie ook PRO/FCO 17/217: onderzoeksrapport American University of Beirut over de Jordaanse vluchtelingen van 1967.

216 'Sharif Zaid Ben Shaker': interview met Zaid Ben Shaker, Amman, 6 juni 2002.

217 'De eerste golf vluchtelingen': PRO/FCO 17/214: 'The Refugee Problem in Jordan', 3 augustus 1967; van UNRWA Refugee affairs RE 400 (7) Emergency camps, Jordan; brief van Lawrence Michelmore, UNRWA Commissioner General, 10 juli 1967.

217 'Save the Children': informatie over het leven van Hawkins van archief Save the Children.

218 'Maar Hawkins en de Britse medewerkers': Save the Children Fund Jordan; kwartaalrapport voor het kwartaal tot 30 juni 1967; rapport bestuur door luitenant-kolonel Skelton.

218 'werd de ontkenning officieel bekendgemaakt': PRO/FCO 1016/780: FCO aan Bahrain, Abu Dhabi, Doha, Dubai en Muscat, 7 juni 1967.

218 'In Londen gaf een functionaris': PRO/FCO 26/116: memo Littlejohn Cook, 7 juni 1966.

219 'Hoge Saudi-Arabische ambtenaren': PRO/FCO 17/599: Jeddah aan FCO, 11 juni 1967.

219 'Hij vertelde het Amerikaanse blad': Nutting, *Nasser*, blz. 441.

219 'Toch hoopten': PRO/PREM 13/1620: verslag van telefoongesprek, 7 juni 1967.

220 'Aanvankelijk beweerden de Jordaniërs': cijfers van Dupuy, blz. 315.

220 'Na de oorlog': Lev, blz. 139.

221 'De Amerikanen dachten': 'An Approach to Political Settlement in the Near East', 7 juni 1967, NSC, Box 19.

221 'President Johnson was': memo for the Record, 7 juni 1967, NSC, Box 18.

Dag vier

223 'Hij zei dat hij zijn tanks had laten staan': *New York Times*, 20 juni 1967, geciteerd in Churchill, blz. 167-8.

223 'Het was een dodenakker': Sharon, geciteerd in Churchill, blz. 171.

223 'over de Egyptische militairen': geciteerd in Pollack, blz. 78-9.

224 'De paratroepers van brigadier Abdel Moneim Khalil': interview met Khalil.

225 'Een andere Egyptische bevelhebber': interview met generaal-majoor Saad el Shazli, Cairo, 16 december 2002.

226 'In Cairo werd de sfeer': Cairo Telegram 8687 aan State, 8 juni 1967, NSF.

226 'De CIA gaf': dagelijkse briefing president, 8 juni 1967, NSC, Box 19.

226 'De Engelstalige *Egyptian Gazette*': Armbrister in Chace, blz. 114.

226 'Een lid van het Centrale Comité': Heikal, Sphinx en Commissar, blz. 173.

227 'Richard Helms, de directeur': memo for the Record, 7 juni 1967, NSC, Box 24.

227 'In Moskou werd er druk gepraat': Soviet ambassador's comments on Arab-Israeli dispute; CIA intelligence information Cable, 31 mei 1967, NSF, Box 106.

227 'Een andere Sovjetfunctionaris': CIA aan Situation Room Witte Huis, 8 juni 1967, NSF, Box 107.

227 'Maar de meeste informatie': CIA Information Cable, 7 juni 1967, NSF, Box 107.

227 'Een columnist van de Cairese krant': CIA Sitrep, 10 juni 1967, NSC, Box 21.

228 'Raymonda Hawa Tawil': Tawil, blz. 95-6.

228 'Tawfik Mahmud Afaneh': interview met Tawfik Mahmud Afaneh, Qalqilya, 29 november 2002.

229 'De elfjarige Maa'rouf Zahran': interview met Maa'rouf Zahran.

229 'Op de eerste hele dag': interview met Samir Elias Khouri, Bethlehem, 22 november 2002.

229 'Twintig kilometer zuidelijker': Gazit, blz. 37.

229 'Nazmi Al Ju'beh': interview met Nazmi Al Ju'beh, Jeruzalem, 24 november 2002.

230 'Een van de euforsiche Israëliërs': Kollek, blz. 196-8.

230 'De tanks van Tals divisie': Churchill, blz. 176-7; Dupuy, blz. 278.

231 'ongeveer dertig kilometer uit de kust': zie www.ussliberty.org.

231 'voelde zich prettig, warm': citaat uit *Dead in the Water*, BBC documentaire over de *Liberty*, 10 juni 2002.

231 'Op 8 juni': Summary of Proceedings, Court of Enquiry, 28 juni 1967, NSF, Box 109.

231 'De *Liberty* ... daarnaartoe waren gehaald': zie www.ussliberty.org.

232 'Om 13.50 uur': transcript in Cristol, blz. 210-23; zie ook Bregman, blz. 121-2.

233 'De man die door de patrijspoort ernaast keek': details uit *Dead in the Water*.

233 'James Halman, een van de radiomannen': James Ennes, *Assault on the Liberty*, geciteerd in Bamford, blz. 212.

233 'De *Liberty* probeerde nog steeds': details uit *Dead in the Water*.

234 'Toen we te horen kregen': zie www.ussliberty.org.

234 'voor de torpedoaanval': details over vlag uit rapport van Clark Clifford, voorzitter President's Foreign Intelligence Advisory Board, 18 juli 1967, NSF, Box 115.

234 'Walt Rostow dicteerde': memo's van Rostow aan president, 8 juni 1967, NSC, Box 18.

235 'Ongeveer een uur later': ibid.

235 'Ze moesten de wapens': Cable van vlaggenschip COMSIXTHFLt, 8 juni 1967, NSF, Box 107.

235 'De commandant van de Zesde Vloot': memo for the record, 'The USS Liberty (AGTR-5), struck by Torpedo', 8 juni 1967, NSF, Box 107.

235 'Minister van Defensie': details uit *Dead in the Water*.

235 'Hij telegrafeerde bondig': Cairo Cable 8705 aan State 8 juni 1967, NSC, Box 24.

235 'Op Radio Cairo': gedeelte van commentaar van Ahmed Said, Radio Cairo, in het Arabisch, SWB Vol. 2479-2504, 1-30 juni 1967.

236 'In de Situation Room': memo, 8 juni 1967, NSC, Box 18.

236 'De volgende morgen': handgeschreven aantekeningen van vergadering speciale commissie NSC, 9 juni 1967, NSC, Box 19.

236 'bleef er zijn leven lang van overtuigd': Rusk, blz. 338.

236 'de ene na de andere excuusbrief': Letters, 8 juni 1967, NSC, Box 18.

236 'Minister Rusk antwoordde': memo, 10 juni 1967, NSF, Box 107.

236 'de eerste reactie van de Israëliërs': notulen Special Committee, 12 juni 1967, NSC, Box 19.

236 'slecht zouden kunnen leven': evening reading president, 16 juni 1967, NSC, Box 19.

237 'De Israëliërs aanvaardden de volledige verantwoordelijkheid': details Israëlische uitleg afkomstig uit rapport van Clark Clifford, 18 juli 1967, NSF, Box 115.

237 'Hij lijkt de Israëlische verklaring van': rapport Clark Clifford, 18 juli 1967, NSF, Box 115.

237 'In zijn memoires schreef Clark': zie www.ussliberty.org.

237 'In juli 1967': IDF Preliminary Enquiry File 1/67   voor Aluf Y. Yerushalami, 21 juli 1967, NSF, Box 143.

238 'Behalve Rusk en Clifford': citaten uit Dead in the Water.

238 'Admiraal Thomas Moorer': zie www.ussliberty.org.

238 'Een militair': Udi Erel in Dead in the Water.

239 'Voor onderminister': details afkomstig uit Dead in the Water.

239 'De emir van Koeweit': PRO/FCO 8/679: gesprek met Amir; Arthur (Koeweit), Telegram No. 252, 8 juni 1967.

239 'de koninklijke familie van Saudi-Arabië': PRO/FCO 8/756: Gore-Booth aantekeningen gesprek met ambassadeur Saudi-Arabië, 12 juni 1967.

239 'Voor de oorlog': PRO/FCO 8/679: Graham (Koeweit) aan Weir (Arabian Dept, FCO), 12 juni 1967.

240 'Generaal David Elazar': Rabin, blz. 88.

240 'een nauwelijks verhuld dreigement': Tel Aviv Cable 4015 aan State, NSC, Box 24.

241 'Rabin ontkende op bevel van': Rabin, blz. 89-90.

241 'Hij zei tegen Peled': interview met Elad Peled.

241 'Even voor zonsopgang': alle citaten van Esjkol afkomstig van www.ok.org; 'The Golan in the Balance', 4 november 2002; zie ook Jerusalem Post, 1 februari 2000.

241 'Misschien is het een beslissende tijd': Lammfrom, blz. 562-9, document 174.

241 'Egypte aanvaardde': Dupuy, blz. 278-9.

Dag vijf

243 'Zonder premier Esjkol ... te brengen': Rabin, blz. 90; zie ook Mayzal, blz. 142-3.

243 'Elazar ... zei dat hij kon, nu meteen': geciteerd in *Jerusalem Post*, 1 februari 2000.

243 'Maar hoewel het besluit': Dayan, blz. 90.

244 'Twee andere aanvallen': Barker, *Arab-Israeli Wars*, blz. 92.

244 'Tussen maandagmorgen en donderdagavond': persconferentie generaal David Elazar, 16 juni 1967; geciteerd in *Mission Survival*, blz. 348.

244 'Een Israëlische paratroeper zei': Churchill, blz. 184.

244 'Op vrijdagmorgen': Mayzal, blz. 143.

245 'In de stad Suez': interview met Khalil.

245 'Radio Cairo speelde': interview met Leila Sharaf.

245 'Nassers adviseurs': interview met generaal Gamal Haddad, 15 december 2002.

245 'Winston Churchill': interview met Churchill.

246 'Soms werden gewonden': Uri Oren, 'Prisoner of War', *Yediot Aharonot*, 14 juli 1967, geciteerd in Bondy, blz. 214-16.

246 'Maar volgens Israëlische getuigen': citaten uit AP-rapport van Karin Laub, augustus 1995, www.mideastfacts.com; en uit chronologisch verslag van de gebeurtenissen, 16 augustus 1995, http://domino.un.org.

247 'Uit openbaar gemaakte documenten': IDF 100/438/1969 order gegeven op 11 juni 1967 om 23.10 uur, verstuurd aan de drie territoriale bevelhebbers, de GI en andere afdelingen van de generale staf.

247 'een Israëlische journalist': Bron's artikel in *Yediot Aharonot*, 17 augustus 1995; zie ook telefoongesprek met Gabby Bron, 22 november 2002.

249 'Normaal gesproken': Pollack, blz. 464; zie ook PRO/AIR 771/581: Air Ministry office of the scientific adviser, maart 1968.

249 'Na de slag zei generaal Elazar': citaat Elazar uit persconferentie, 16 juni 1967 in *Mission Survival*, blz. 349; zie ook Dupuy, blz. 322-4; Churchill, blz. 186; Barker, *Arab-Israeli Wars*, blz. 92; Pollack, blz. 463-8.

249 'De Amerikanen wilden': Amman Cable 4181, 9 juni 1967, NSC, Box 24.

250 'Het grootste probleem voor koning Hussein': Amman Cable 4180, 9 juni 1967, NSC, Box 24.

251 'stroomden vluchtelingen': PRO/FCO 17/214, Amman aan FCO, 13 juni 1967.

251 'Maar Mary Hawkins': details over het kamp uit archief Save the Children, Mary Hawkins, *Jordan Report*, 9 november 1967; en van Save the Children Jordanië, kwartaalrapport voor het kwartaal tot 30 juni 1967.

252 'Een van de beste UNRWA-kampen': PRO/FCO 17/214, 'The Refugee Problem in Jordan', 3 augustus 1967.

252 'Arabieren die afstemden': PRO/FCO 8/679: Arthur (Kuwait) aan Brenchley (FCO), 9 juni 1967.

253 'Brigadegeneraal Hod schreef later': Bregman en El-Tahri, blz. 94.

253 'De Israëlische soldaten die per vliegtuig': FCO 17/534, AA/TEL/S.13/7, 5-10 juni 1967.

253 'Voor de oorlog had een kleine groep': Pollack, blz. 459.

253 'Toen het donker werd': Bamahane, tijdschrift Israëlische leger, 18 juli 1967, geciteerd in Mission Survival, blz. 362.

253 'Tegen de avond waren de Israëlische troepen': CIA Sitrep, 9 juni 1967, NSC, Box 21.

254 'Tijdens de gevechten': zuster Marie Thérèse, War in Jerusalem, geciteerd in Schliefer, blz. 208.

254 'Generaal-majoor Chaim Herzog': interview met Shlomo Gazit, Tel Aviv, 5 juni 2002.

254 'verschillende orders uitgevaardigd': voorbeeld van order door officier logistiek van het zuidelijke leger, 8 juni 1967, IDF 100/438/1969.

254 'Sommige gevechtseenheden': The Seventh Day, blz. 117-18.

254 'De vijftig paratroepers': dagboek van Frieda Ward, niet gepubliceerd.

255 'Ze schoten de sloten': Schliefer, blz. 201-2.

255 'Toen de Palestijnse winkels': PRO/FCO 17/212: Pullar (Jeruzalem) aan FCO, 19 juni 1967.

255 'Israëlische troepen in de Gazastrook': UNRWA for Palestine Refugees in the Near East; details over onderzoek in archief UNRWA, LEG/480/5 (14-1).

255 'werden in kaart gebracht': UNRWA File Sec/6, 1967 Emergency.

256 'De vredestroepen': PRO/FCO 17/214: Craig (Beiroet) aan Moberly (Eastern Dept, FCO), 7 juli 1967.

256 'De VN had de UNEF-magazijnen': PRO/FCO 17/123: verslag van interview met generaal Rikhye, bevelhebber UNEF, New York, 7 juli 1967.

256 'De Dode-Zeerollen': Schliefer, blz. 203.

257 'Dayan nam afscheid': Moshe Dayan, blz. 258-9.

257 'De Egyptenaren klaagden': al-Ahram, 5-11 juni 1997, issue 328.

257 'De minister van Informatie': interview met Mohamed Fayek, Cairo, 16 december 2002.

257 'Volgens Eric Rouleau': MER, blz. 553.

257 'Hij zei dat iedereen de laatste paar dagen te lijden had gehad': Armbrister in Chace, blz. 117.

258 'op 5 juni, afgelopen maandagmorgen': speech en details geciteerd in War File, blz. 104.

258 'Generaal Salahadeen Hadidi': interview met Hadidi.

258 'Amin Howedi': interview met Howedi.

259 'Overal keken hoofden uit de ramen': Rouleau, geciteerd in MER, blz. 554.

259 'De getikte Egyptenaren': Armbrister in Chace, blz. 117.

259 'Voor de Russische ambassade verzamelde zich': MER, blz. 554, citeert Radio Cairo en Radio Beiroet.

260 'In Port Said': *MER*, blz. 554, citeert Radio Beiroet, 9 juni 1967; *The Egyptian Mail*, 10 juni 1967, en Rouleau.

260 'Volgens minister ... voor de uitzending tegen hem': interview met Fayek.

260 'De vrouw van Amin Howedi': interview met Howedi.

260 'De regerende partij, de Arabische Socialistische Unie': correspondent Tanjug rapport van 21 juni, geciteerd in *MER*, blz. 554.

260 'Een paar ongelukkige functionarissen': *Pravda*, 31 juli 1967; en Rouleau, geciteerd in *MER*, blz. 554.

260 'Gamal Haddad': interview met Gamal Haddad, Cairo, 16 december 2002.

261 'De regering in Damascus': CIA Intelligence Information Cable, 31 juli 1967: conflict tussen het Syrische leger en de Syrische overheid, NSF, Box 115.

261 'Maar 's nachts': Seale, *Asad*, blz. 140.

Dag zes

263 'Ahmad al-Mir: Seale, *Asad*, blz. 141.

263 'Sommige reserveofficieren': *Jeune Afrique*, 6 augustus 1967, geciteerd in *MER*, blz. 230.

263 'Later zeiden functionarissen van de Ba'thpartij': *Le Monde*, 28 juni 1967, geciteerd in *MER*, blz. 230.

263 'Een hoge Israëlische officier mopperde': *MER*, blz. 230.

264 'Generaal Fawzi': interview met Hadidi.

265 'Een week later schreef Michael Wall': geciteerd in *War File*, blz. 107.

265 'in zijn kantoor': interview met Howedi.

265 'De CIA in Cairo': CIA Intelligence Information Cable, 15 juni 1967.

265 'Majoor Ibrahim El Dakahakny': interview met El Dakhakny.

267 'Toen het staakt-het-vuren standhield': Draz, blz. 135-46.

267 'Amos Elon': Elon, *A Blood-Dimmed Tide*, blz. 19-20.

267 'Ramadan Mohammed Iraqi': interview met Iraqi.

268 'Zoals Kollek ze noemde': Kollek, blz. 197.

269 'Herzog zei later': Herzog, geciteerd in Gazit, blz. 41-2.

269 'Abd el-Latif Sayyed': interview met Abd el-Latif Sayyed, 1 december 2002.

269 'Nazmi Al Ju'beh': interview met Nazmi Al Ju'beh, 24 november 2002.

269 'Majoor Eitan Ben Moshe': Eitan Ben Moshe interview geciteerd in Tom Abowd, *The Moroccan Quarter*, winter 2000.

270 'een vrouw van middelbare leeftijd': ibid.

270 'Het was een van de beste dingen die we ooit hebben gedaan': Elon, *A Blood-Dimmed Tide*, blz. 19-20.

270 'Binnen twee dagen was het gefikst': Kollek, blz. 197.

271 'Rabin had Elazar bevel gegeven': Rabin, blz. 91.

271 'Een van de commandanten rapporteerde': geciteerd in *MER*, blz. 230.

271 'Nils-Goran Gussing': Gussing rapport in PRO/FCO 17/124, blz. 10.
272 'Het feit dat Syrië': Tel Aviv Cable 4015 aan State, NSC, Box 24; Bull, blz. 118.
272 'lord Caradon': PRO/FCO 17/496: Caradon (NY) aan FCO, 10 juni 1967.
272 'Zijn vrouw Miriam': interview met Miriam Esjkol; zie ook Bregman en El-Tahri, blz. 98.
272 'Walt Rostow': interview met Rostow.
272 'Kosygins bericht via de telex': details over de hotline en vergadering Situation Room uit Oral History; Helms en McNamara; Memos for the Record on hotline meetings, 7 november 1968, Llewellyn Thompson, 4 november 1968 en Richard Helms, 22 oktober 1968: alles uit NSC, Box 19.
273 'Het Brits Joint Intelligence Committee': PRO/FCO 17/496: Secretary JIC aan NAMILCOM, Washington, 13 juni 1967.
273 'Voordat het offensief zelfs maar was begonnen': Tel Aviv Cable 4015 aan State, NSC, Box 24.
274 'Op 20 mei': movements of the Sixth Fleet, (undated), NSF.
275 'Generaal Vassily Reshetnikov': Bregman en El-Tahri, blz. 95.
275 'Een Israëlische journaliste': Isabella Ginor, Guardian, 10 juni 2000; zie ook 'The Russians were coming: the Soviet Military Threat in the 1967 Six-Day War', Middle East Review of International Affairs, Vol. 4, No. 4, december 2000.
276 'Een medewerker van de dichtbij gelegen': Al Hareches (On the Ridge), nieuwsbrief kibboets Nachshon, 6 juni 1968.
276 'Hikmat Deeb Ali': Homeland, blz. 58.
276 'Een van de soldaten': interview met Amos Kenan, 21 november 2002.
277 'Kenan schreef een verslag': Amikam, Israel: A Wasted Victory, blz. 18-21.
278 'Een gezin uit Beit Nuba': PRO/FCO 17/217: 'Jordan's 1967 Refugees', een onderzoeksverslag van de American University of Beirut, 31 oktober 1967.
278 'De Amerikaanse ambassadeur bij de VN': Rafael, blz. 164-5.
278 'maar ze zouden stoppen': CIA Sitrep, 10 juni 1967, NSC, Box 21.
279 'In juni 1967': Martha Gellhorn, The Face of War, blz. 257.
279 'Abba Eban, de minister van Buitenlandse Zaken': Eban, Personal Witness, blz. 416.
279 'Esjkol, Eban en de rest': ibid., blz. 412.
280 'De Israëlische kranten': Elon, A Blood-Dimmed Tide, blz. 19-20.
280 'Ezer Weizman': Weizman in Haaretz, 29 maart 1972; Peled in Le Monde, 3 juni 1972; Herzog in Maariv, 4 april 1972.
280 'de dwaze en onverantwoordelijke': Cecil Hourani in El Nanar, herdrukt in Encounter, november 1967, geciteerd in Laquer, blz. 244.
280 'Amer Ali': PRO/FCO 17/334: 'Lessons to be learned from the Arab debacle following the Israeli aggression of June 1967', 15 juli 1968.
281 'Een andere Arabische criticus': PRO/FCO 17/334: 'The Middle East War and its Consequences', 30 mei 1968.
282 'Een paar dagen na zijn vlucht': interview met El Dakhakny.

Consequenties

283 'lafaards en bastaards': citaat van Egyptische generaal Riyadh tegen Jordaanse generaal Khammash, in Amman 4945, NSF, Box 110.

283 'zonder dat de Israëliërs daarvan onder de indruk raakten': NSF, Box 110.

283 'Eind juni': CIA Intelligence Information Cable, 31 juli 1967, NSF, Box 110.

283 'Nassers grootste probleem': interview met Howedi.

284 'Op 13 september': interview met Salah Amer, Cairo, 17 december 2002.

285 '35 jaar later': interview met Howedi.

285 'een week voor zijn overlijden': kopie getuigenverklaring, samen met onderzoeksrapport en heropend onderzoeksrapport, ter hand gesteld door Amers zoon Salah.

286 'het grootste gevaar vormde': CIA Intelligence Information Cable, 22 september 1967.

287 'Velen zeggen dat Zion': Cameron, blz. 344.

287 'dat het beleid van twintig jaar': NSC, 31 mei 1967, Box 18.

287 'na de twijfel, verwarring': memo voor LBJ van Harry C. McPherson, 11 juni 1967: NSC, Box 18.

288 'de tijd is voorbij': CIA memo voor J.P. Walsh, 3 augustus 1967, www.foia.cia.gov.

288 'tot een revanchisme zal leiden': aantekeningen vergadering Special Committee NSC meeting, 14 juni 1967, NSF.

288 'geen recept voor vrede': opmerkingen van de president voor de National Foreign Policy Conference for Educators, 19 juni 1967, NSC, Box 18.

288 'We zijn iets heel kostbaars kwijtgeraakt': The Seventh Day, blz. 159.

289 'Meteen na de oorlog': Arthur Hertzberg, New York Review of Books, 28 mei 1987.

289 'geen garantie voor vrede': Eban, Personal Witness, blz. 451.

289 'aparte ruimte voor angst': ibid., blz. 450.

289 'voorkeur voor vlaggen': ibid., blz. 464.

290 'om bezetter te zijn': The Seventh Day, blz. 113-14.

290 'in november 1967': David Holden, Sunday Times, 19 november 1967.

290 'Hij hield één hand uitgestrekt': Yael Dayan, blz. 107-11.

290 'Hebron, Nablus': Weizman, blz. 156, 207.

291 'hun namen afgesneden van de levensbron': Wiesel, blz. 80.

291 'We hebben Jeruzalem veroverd': The Seventh Day, blz. 139.

292 'Er werd gepleit': CIA Sitrep, 13 juni 1967, NSC, Box 21.

293 'Ik had het gevoel': interview met Hanan Porat.

293 'Het Israëlische leger is van een volledige heiligheid': Kook, geciteerd in Eban, blz. 469.

293 'een verbazingwekkend, goddelijk wonder': Rabbi O. Hadya, geciteerd in Roth, blz. 220.

293 'Gershom Scholem': Amos Elon, New York Review of Books, 10 april 2003.

294 'De Oude Stad van Jeruzalem': Rostow aan LBJ, 6 juli 1967, NSF, Box 110.

294 'met mijn hele wezen': *The Seventh Day*, blz. 219.

294 'Jeruzalem is van ons': ibid., blz. 100.

294 'Op 28 juni': PRO/PREM 13/1622: Lewen (Jeruzalem) aan FCO, 29 juni 1967.

295 'De overhaaste bestuurlijke beslissingen': PRO/PREM 13/1622: Dean (Washington) aan FCO, 29 juni 1967.

295 'de annexatie van de Oude Stad door Israël': PRO/PREM 13/1621: SOSFA aan Tel Aviv, 16 juni 1967 (verzonden op 17 juni).

295 'Ze meenden dat ze hun vijanden': CIA Sitrep, 13 juni 1967, NSC, Box 21.

295 'terwijl ze wachtte tot de Arabieren': Gazit, blz. 120.

295 'dat de Arabieren ... in staat leken': Hadow citeert uit PRO/FCO 17/468, Israel Annual Review for 1967, 22 januari 1968.

296 'In augustus sprak Gideon Rafael': PRO/PREM 13/1623: Dean (Washington) aan FCO, 19 augustus 1967.

296 'Israëlische leiders diep verdeeld zijn': Saunders memo for Rostow, 4 december 1967, NSC, Box 104.

296 'De overgrote meerderheid': *New York Times*, 6 december 1967.

296 'Moshe Dayan zei': *MER*, blz. 275.

296 'Niemand in Israël': Dean interview met Eban, 24 juli 1967, NSF, Box 110.

297 'stelde het debat uit': Pedatzur, blz. 40-8.

297 'kranten op 8 juni berichtten': ISA G 6304/10, Prime Minister's Office: Yael Uzai aan Eshkol, 18 juni 1967.

297 'verschillende plannen': Pedatzur, blz. 39-40.

297 'Drie dagen later': ISA 6303/3 Prime Minister's Office: Occupied Territories, juli-december 1967.

297 'Het invloedrijkste plan': ISA G6304/10, Prime Minister's Office: Yigal Allon aan Esjkol, 25 juli 1967.

298 'als Hussein op dit moment': PRO/PREM 13/1623: SOSWA aan Washington, 27 juli 1967.

298 'de moordenaarskogel': PRO/PREM 13/1623: Adams (Amman) aan FCO, 8 september 1967.

299 'Eind augustus': PRO/FCO 17/36, 13 september 1967; FCO 17/36, 6 september 1967.

299 'lord Caradon was vaag over': PRO/PREM 13/1624: Caradon aan FCO, 2 november 1967; PREM 13/1624, 22 november 1967.

299 'diep bezorgd': PRO/PREM 13/1621: Caradon aan FCO, 12 juni 1967 (verzonden op 13 juni).

300 'De Arabieren ondertekenden': NSC, Tel Aviv Cables 4118 en 4137 aan State Dept, 14/15 juni 1967.

300 'Een CIA-bron in Israël': CIA Intelligence Information Cable, 14 juli 67. 338 'to blacken Hussein's image': NSF, Box 104.

301 'Als de Arabieren plotseling': PRO/FCO 17/468 Israel: Annual Review for 1967, 22 januari 1968.

301 'Laat u geen geouwehoer aansmeren': interview met Churchill.

301 'Zo iemand was bijvoorbeeld': details of Kfar Etzion from Jewish Action, Winter 1999; interview met Hanan Porat; PRO/FCO 17/214, Hadow (Tel Aviv) aan FCO, 26 juni 1967.

302 'de toekomst van de Westoever': ISA G 6303/3, kantoor premier: Occupied Territories, juli-december 1967.

302 'De plannen voor de vestiging': PRO/FCO 17/230, 26 september 1967.

302 'De Amerikanen stuurden': PRO/FCO 17/214: Dean (Washington) aan FCO, 30 juni 1967.

303 'slechts tijdelijke instellingen': PRO/FCO 17/230: FCO aan Tel Aviv, 28 september 1967.

303 'De ervaren Israëlische diplomaat': PRO/FCO 17/230: Hadow (Tel Aviv) aan FCO, 28 september 1967.

303 'golven van theologische emotie': Eban, blz. 470.

303 'De grens van de staat Israël': geciteerd in Schiff, blz. 85.

303 'In 1967 zat de kolonisatie': Gazit, blz. 151.

304 'onvermijdelijke tijdbommen': ibid., blz. 153.

304 'een bemoedigend tegengeluid': MER, blz. 376-7.

304 'De weersvoorspelling van de Israëlische radio': PRO/PREM 13/1622: SOSFA aan Paris, 19 juni 1967.

304 'Als onze droom bewaarheid wordt': Wall Street Journal, 14 juli 1967.

304 'er in het openbaar ook over zeggen': Washington Post, 22 oktober 1967.

304 'snel bezig werkelijkheid te worden': The Times, 10 november 1967.

305 'Geen enkele Israëlische regering': Crimes of War, blz. 37-8.

306 'breed en fantasierijk': NSC, 7 juni 1967, Box 18.

306 'President Johnson zei op 9 juni': NSC, 19 juni 1967.

306 'De hoop op een duurzame regeling': PRO/PREM 13/1621: SOSFA aan Tel Aviv, 13 juni 1967.

306 'de omvang van het probleem': PRO/FCO 17/214, Hadow (Tel Aviv) aan FCO, 26 juni 1967; UNRWA cijfers in FCO 17/217: Crawford (Amman) aan Moberly (Eastern Dept), 26 juni 1967.

307 'In Bethlehem': interview met Samir Elias Khouri, Bethlehem, 22 november 2002.

307 'alle faciliteiten om te kunnen vertrekken': PRO/FCO 17/214, 3 augustus 1967.

307 'Israëliërs die voorstander waren': ISA 6303/3 kantoor premier: Occupied Territories juli-december 1967.

307 'een kolossale propaganda- en lastercampagne': PRO/FCO 17/214: Moberly, notulen gesprek met de Israëlische minister Anug in Londen.

307 'hulp bij emigratie': PRO/FCO 17/214: concept telegram aan Washington, 24 juni 1967.

308 'de houseboy van een Britse diplomaat': PRO/FCO 17/212: Pullar (Jeruzalem) aan FCO, 19 juni 1967.

308 'bij de uittocht aan toeging': *Washington Post*, 23 juni 1967; Haifa Khalidi maakte ook de scène bij de Damascuspoort mee: interview, oude stad, 23 november 2002.

309 'De UNRWA': PRO/FCO 17/217: Crawford (Amman) aan Moberly (Eastern Dept), 26 juni 1967.

309 'uit vrije wil': ISA G 6303/5 kantoor premier, 22 oktober 1967.

309 'kleine boeren': Dodd en Barakat, blz. 43; PRO/FCO 17/217, 31 oktober 1967.

310 'Nils-Goran Gussing': CIA Directorate of Intelligence Special Report, Arab Territories under Israeli Occupation, 6 oktober 1967, NSF, Box 160.

310 'Jonge mannen in de Gazastrook': PRO/FCO 17/214, 24 juni 1967.

310 'Israël zou de Gazastrook graag houden': CIA, Main Issues in a Middle East Settlement, 13 juli 1967, NSF, Box 104.

310 'staken er dagelijks vijfhonderd nieuwe vluchtelingen over': PRO/FCO: Crawford (Jeruzalem) aan Moberly (Eastern Dept), 16 oktober 1967.

310 'Het nieuws dat de Israëliërs': PRO/FCO 17/216: Crawford (Amman) aan Moberly (Eastern Dept), 2 oktober 1967.

311 'september 1967': PRO/FCO 17/212: Lewen (Jeruzalem) aan Moberly (Eastern Dept), 12 september 1967.

311 'om te zorgen ... kan worden voortgezet': ISA G 6303/5 kantoor premier, 30 augustus 1967.

311 'De Britse minister van Buitenlandse Zaken': PRO/CAB 129, Vol. 133, Part 1 C(67)150, 13 september 1967.

312 'halfslachtig': PRO/FCO 17/215, 1 september 1967 en 19 september 1967.

312 'argument over niet terzake doende details': PRO/FCO 17/216: Hadow (Tel Aviv) aan FCO, 26 september 1967; zie ook 28 september 1967; FCO 17/214: Tel Aviv aan FCO, 25 juli 1967.

312 'toenemende bewijzen': PRO/FCO: Crawford (Jeruzalem) aan Moberly (Eastern Dept), 11 december 1967.

312 'zich niet wenste te laten dwingen': PRO/PREM 13/1623, 30 augustus 1967.

313 'als ik in hun schoenen stond': Eban, blz. 464.

313 'De patrouille die de paratroepers': IDF 100/438/1969: telegram 09.00 uur, 8 juli 1967.

314 'veel ernstige incidenten': PRO/FCO 17/468, Israel: Annual Review for 1967, 22 januari 1968.

314 'juni 1965': PRO/FCO 17/576: McIntyre (Tel Aviv) aan MoD, 21 februari 1967.

314 'tot het uitbreken van de oorlog': *MER*, blz. 175-8.

314 'eind van de oorlog en februari 1968': cijfers Moshe Dayan geciteerd in PRO/FCO 17/577, A/5/2/68: Rogers (Tel Aviv) aan MoD, 16 februari 1968.

314 'In sommige vluchtelingenkampen': PRO/FCO 17/212: Lewen (Jeruzalem) aan Moberly (Eastern Dept), 16 november 1967.

314 'De woordvoerder van brigadegeneraal Narkiss': *Sunday Times*, 19 november 1967.
315 'Op 20 november': PRO/FCO 17/475: Amman aan FCO, 20 november 1967.
315 'Israël stuurde op 21 maart 1968': Pollack, blz. 330-5.
315 'Het zou maar al te makkelijk zijn': PRO/FCO 17B: Hadow (Tel Aviv) aan Moore (Eastern Dept), 28 maart 1968.
315 'Een jaar na de oorlog van 1967': interview met Winston Churchill.

Nalatenschap

318 'twee rabbijnen uit Wenen': Shlaim, blz. 3.
329 'Zes weken na het eind van de oorlog': PRO/PREM 13/1623: Hadow (Tel Aviv) aan FCO, 1 augustus 1967.

BIBLIOGRAFIE

Abu-Odeh, Adnan, *Jordanians, Palestinians and the Hashemite Kingdom in the Middle East Peace Process* (Washington DC: United States Institute of Peace Press, 1999)

Adams, Michael, *Chaos or Rebirth: The Arab Outlook* (Londen: BBC, 1968)

Ajami, Fouad, *The Dream Palace of the Arabs: A Generation's Odyssey* (New York: Pantheon, 1998)

‒ *The Arab Predicament: Arab Political Thought and Practice Since 1967* (Cambridge: CUP, 1981)

Aldouby, Zwy en Jerrold Ballinger, *The Shattered Silence: The Eli Cohen Affair* (New York: Coward, McCann & Geoghegan, 1971)

Allon, Yigal, *Shield of David: The Story of Israel's Armed Forces* (Londen: Weidenfeld & Nicolson, 1970)

Armstrong, Karen, *Jerusalem One City, Three Faiths* (New York: Knopf, 1996) Aronson, Shlomo, *Israel's Nuclear Programme: The Six-Day War and Its Ramifications* (Londen: King's College, 1999)

Associated Press, *Lightning Out of Israel* (The Associated Press, 1967)

Ateek, Naim en Hilary Rantisi, *'Our Story': The Palestinians* (Jeruzalem: Sabeel, 1999)

Bamford, James, *Body of Secrets* (New York: Doubleday, 2001)

Barker, A. J., *Arab-Israeli Wars* (Londen: Ian Allan, 1980)

‒ *Six Day War* (New York: Ballantine Books, 1974)

Bar-On, Mordechai, *The Gates of Gaza: Israel's Road to Suez and Back, 1955-57* (New York: St Martin's Press, 1994)

‒ *(ed.), Israeli Defence Forces: Six-Day War* (Philadelphia: Chilton Book Company, 1968)

Bar-Zohar, Michael, *Embassies in Crisis* (Englewood Cliffs, NJ: Prentice Hall, 1970)

Bashan, Raphael, *The Victory* (Chicago: Quadrangle, 1967)

Beilin, Yossi, *Israel: A Concise Political History* (New York: St Martin's Press, 1992)

Benvenisti, Meron, *The Hidden History of Jerusalem* (Berkeley, CA: University of California Press, 1996)

Bernet, Michael, *The Time of the Burning Sun* (New York: Signet, 1968)

Bettelheim, Bruno, *The Children of the Dream* (New York: Macmillan, 1969)

Black, Ian en Benny Morris, *Israel's Secret Wars* (Londen: Warner Books, 1992)

Brecher, Michael, *Decisions in Israel's Foreign Policy* (Oxford: OUP, 1974)

Bregman, Ahron, *A History of Israel* (Londen: Palgrave, 2002)
– en Jihan el-Tahri, *The Fifty Years War* (Londen: Penguin/BBC Books, 1998)
Bondy, Ruth, Ohad Zmora en Raphael Bashan (red.), *Mission Survival* (New York: Sabra Books, 1968)
Brown, Arie, *Moshe Dayan and the Six-Day War* (Tel Aviv: Yediot Aharonot, 1997 [Hebreeuws])
Bull, Odd, *War and Peace in the Middle East* (Londen: Leo Cooper, 1976)
Burdett, Winston, *Encounter With the Middle East* (New York: Atheneum, 1969)

Cameron, James, *What a Way to Run the Tribe* (New York: McGraw-Hill, 1968)
Casey, Ethan en Paul Hilder (red.), *Peace Fire: Fragments from the Israel-Palestine Story* (Londen: Free Association Books, 2002)
Chace, James (red.), *Conflict in the Middle East* (New York: H. W Wilson, 1969)
Christma, Henry M. (red.), *The State Papers of Levi Eshkol* (New York: Funk & Wagnall, 1969)
Churchill, Randolph S. en Winston S. Churchill, *The Six-Day War* (Boston, MA: Houghton Mifflin, 1967)
Cockburn, Andrew en Leslie, *Dangerous Liaison: The Inside Story of the US-Israeli Covert Relationship* (New York: HarperCollins, 1991)
Comay, Joan en Lavinia Cohn-Sherbok, *Who's Who in Jewish History* (Londen: Routledge, 1995)
Copeland, Miles, *The Game of Nations* (New York: Simon & Schuster, 1969)
Creveld, van, Martin, *The Sword and the Olive: A Critical History of the Israeli Defence Force* (New York: Public Affairs, 1998)
Cristol, Jay, *The Liberty Incident* (Washington DC: Brassey's, 2002)

Dallas, Roland, *King Hussein: A Life on the Edge* (Londen: Profile Books, 1998)
Dayan, Moshe, *Story of My Life* (Londen: Weidenfeld & Nicolson, 1976)
Dayan, Yael, *Israel Journal: June 1967* (New York: McGraw-Hill, 1967)
Dodd, Peter en Halim Barakat, *River Without Bridges: A Study of the Exodus of the 1967 Palestinian Arab Refugees* (Beirut: The Institute for Palestinian Studies, 1969)
Donavan, Robert J., *Israel's Fight for Survival* (New York: New American Library, 1967)
Draz, Isam, *June's Officers Speak Out: How the Egyptian Soldiers Witnessed the 1967 Defeat* (Cairo: El Manar al Jadid, 1989 [Arabisch])
Dupuy, Trevor N., *Elusive Victory: The Arab-Israeli Wars, 1947-74* (New York: Harper & Row, 1978)

Eban, Abba, *An Autobiography* (New York: Random House, 1977) , *Personal Witness* (New York: Putnam, 1992)
Egyptian Organization for Human Rights, *Crime and Punishment* (Cairo)

El-Gamasy, Mohamed Abdel Ghani, *The October War* (Cairo: The American University in Cairo Press, 1993)

Elon, Amos, *The Israelis* (Tel Aviv: Adam Publishers, 1981), *A Blood-Dimmed Tide* (Londen: Penguin, 2001)

El-Sadat, Anwar, *In Search of Identity* (New York: Harper & Row, 1978)

Ezrahi, Yaron, *Rubber Bullets: Power and Conscience in Modern Israel* (Berkeley, CA: University of California Press, 1997)

Finkelstein, Norman G., *Image and Reality of the Israel-Palestine Conflict* (Londen: Verso, 1997)

Gall, Sandy, *Don't Worry About the Money Now* (Londen: New English Library, 1985)

Gazit, Shlomo, *The Carrot and the Stick: Israel's Policy in Judea and Samaria, 1967-68* (Washington DC: B'nai B'rith Books, 1995)

Gellhorn, Martha, *The Face of War* (Londen: Virago, 1986)

Ginor, Isabella, 'The Russians Were Coming: The Soviet Military Threat in the 1967 Six-Day War', *Middle East Review of International Affairs, Vol.* 4, No. 4, december 2000

Glueck, Nelson, *Dateline: Jerusalem* (Tel Aviv: Hebrew Union College Press, 1968)

Golan, Aviezer, *The Commanders* (Tel Aviv: Mozes, 1967)

Golan, Galia, *Soviet Policies in the Middle East: From World War Two to Gorbachev* (Cambridge: CUP, 1990)

Goldberg, David J., *To the Promised Land: A History of Zionist Thought* (Londen: Penguin, 1996)

Gordon, Haim (red.), *Looking Back at the June 1967 War* (Westport: Praeger, 1999)

Gruber, Ruth, *Israel on the Seventh Day* (New York: Hill & Wang, 1968)

Gutman, Roy en David Rieff (red.), *Crimes of War: What the Public Should Know* (New York: W W Norton, 1999)

Haber, Eitan, *'Today War Will Break Out': Reminiscences of Brigadier General Israel Lior, Aide-de-Camp to Prime Ministers Levi Eshkol and Golda Meir* (Tel Aviv: Edanim, 1987 [Hebreeuws])

Hadawi, Sami, *Bitter Harvest: A Modern History of Palestine* (New York: Olive Branch Press, 1991)

Hammel, Eric, *Six Days in June: How Israel Won the 1967 Arab-Israeli War* (New York: Scribner, 1992)

Heikal, Mohamed, *The Cairo Documents* (New York: Doubleday, 1973), *Sphinx and Commissar* (Londen: Collins, 1978)

Hersh, Seymour M., *The Samson Option: Israel's NuclearArsenal and American Foreign Policy* (New York: Random House, 1991)

Herzog, Chaim, *The Arab-Israeli Wars* (New York: Random House, 1982), *Living History* (Londen: Phoenix, 1997)

Hewat, Tim, *War File* (Londen: Panther Record, 1967)

Hirst, David, *The Gun and the Olive: The Roots of Violence in the Middle East* (Londen: Faber & Faber, 1984)

Horovitz, David (red.), *Yitzhak Rabin: Soldier of Peace* (Londen: Peter Halban, 1996)

Hourani, Albert, *A History of the Arab Peoples* (Londen: Faber & Faber, 1991)

Hussein, King of Jordan, as told to Vick Vance en Pierre Lauer, *My 'War' With Israel* (New York: William Morrow, 1969)

Hutchison, E. H., *Violent Truce* (Londen: John Calder, 1956)

Irving, Clifford, *The Battle of Jerusalem* (Londen: Macmillan, 1970)

Israel's Foreign Relations, Selected Documents, 1947-1974; ministerie van Buitenlandse Zaken, Jeruzalem, 1976

Johnson, Lyndon Baines, *The Vantage Point: Perspectives on the Presidency, 1963-69* (New York: Holt, Rinehart & Winston, 1971)

Kahalani, Avigdor, *The Heights of Courage* (Tel Aviv: Steimatzky, 1997)

Kerr, Malcolm H., *The Arab Cold War* (New York: OUP, 1971)

Khan, Zafarul-Islam, *Palestine Documents* (New Delhi: Pharos, 1998)

Kollek, Teddy, *For Jerusalem* (New York: Random House, 1978)

Kovner, Abba (red.), *Childhood Under Fire* (Tel Aviv: Sifriat Poalim, 1968)

Kurzman, Dan, *Soldier of Peace: The Life of Yitzhak Rabin* (New York: HarperCollins, 1998)

Lall, Arthur, *The UN and the Middle East Crisis, 1967* (New York en Londen: Columbia University Press, 1968)

Lammfrom, Arnon en Hagai Tzoref (red.), *Levi Eshkol: The Third Prime Minister, Selected Documents (1985-1969)* (Jeruzalem: Israel State Archives, 2002 [Hebreeuws])

Laqueur, Walter (red.), *The Israel/Arab Reader, A Documentary History of the Middle East Conflict* (New York: The Citadel Press, 1969)

– *The Road to War: The Origins and the Aftermath of the Arab-Israeli Conflict, 1967-68* (Londen: Weidenfeld & Nicolson, 1969)

Larteguy, Jean, *The Walls of Israel (New* York: Evans, 1969)

Lau-Lavie, Naphtali, *Moshe Dayan: A Biography* (Hartford, CN: Hartmore House, 1968)

Lev, Igal, *Jordan Patrol* (New York: Doubleday, 1970)

Levine, Harry, *Jerusalem Embattled* (Londen: Cassell, 1997)

Lynd, Staughton, Sam Bahour en Alice Lynd (red.), *Homeland: Oral Histories of Palestine and Palestinians* (New York: Olive Branch Press, 1994)

MacLeish, Roderick, *The Sun Stood Still* (New York: Atheneum, 1967)

Marshall, S.L.A., *Swift Sword: The Historical Record of Israel's Victory, June 1967* (New York: American Heritage Publishing, 1967)

Masalha, Nur, *Expulsion of the Palestinians: The Concept of 'Transfer' in Zionist Political Thought, 1882-1948* (Washington DC: Institute of Palestine Studies, 1999)

– *Imperial Israel and the Palestinians: The Politics of Expansion* (Londen: Pluto, 2002)

Mayhew, Christopher en Michael Adams, *Publish it not ...: The Middle East Cover Up* (Londen: Longman, 1975)

Mayzel, Matitiahu, *The Golan Heights Campaign* (Tel Aviv: Ma'arachot, 2001 [Hebreeuws])

McCullin, Don, *Unreasonable Behaviour* (Londen: Jonathan Cape, 1990)

Melman, Yossi en Dan Raviv, *Behind the Uprising* (New York: Greenwood Press, 1989)

Middle East Record (Jeruzalem: Israel Universities Press, 1971)

Morris, Benny, *The Birth of the Palestinian Refugee Problem, 1947-49* (Cambridge: CUP, 1989)

– *Israel's Border Wars, 1949-56* (Oxford: Clarendon Press, 1997)

Moskin, Robert, *Among Lions* (New York: Arbor House, 1982)

Muttawi, Samir A., *Jordan in the 1967 War* (Cambridge: CUP, 1987)

Narkiss, Uzi, *The Liberation of Jerusalem* (Londen: Valentine Mitchell, 1992)

Near, Henry (red.), *The Seventh Day: Soldiers Talk About the Six-Day War* (Londen: Andre Deutsch, 1970)

Neff, Donald, *Warriors for Jerusalem* (New York: Linden Press/Simon & Schuster, 1984)

Noor, Queen, *Leap of Faith: Memoirs of an Unexpected Life* (Londen: Weidenfeld & Nicolson, 2003)

Nutting, Anthony, *Nasser* (New York: Dutton, 1972)

Oren, Michael, *Six Days of War* (New York: OUP, 2002)

Parker, Richard, *The Politics of Miscalculation in the Middle East* (Bloomington en Indianapolis: Indiana University Press, 1993)

Parker, Richard (red.), *The Six-Day War: A Retrospective* (Gainesville, FL: University Press of Florida, 1996)

Pedatzur, Reuven, *The Triumph of Embarrassment: Israel and the Territories After the Six-Day War* (Tel Aviv: Yad Tabenkin & Bitan, 1996 [Hebreeuws])

Peres, Shimon, *David's Sling* (New York: Random House, 1970)

Pollack, Kenneth M., *Arabs at War: Military Effectiveness, 1948-91* (Lincoln, NE: University of Nebraska Press, 2002)

Pryce Jones, David, *The Face of Defeat: Palestinian Refugees and Guerrillas* (New York: Holt Rinehart Winston, 1972)

Quandt, William B., *Peace Process: American Diplomacy and the Arab-Israeli Conflict Since 1967* (Washington DC: Brookings Institution Press, 2001)

Rabin, Leah, *Our Life, His Legacy* (New York: Putnam, 1997)
Rabin, Yitzhak, *The Rabin Memoirs* (Londen: Weidenfeld & Nicolson, 1979)
Rabinovich, Abraham, *The Battle for Jerusalem* (Philadelphia: The Jewish Publication Society, 1987)
Rabinovich, Itamar, *The Road Not Taken: Early Arab-Israeli Negotiations* (New York: OUP, 1991)
Rafael, Gideon, *Destination Peace* (New York: Stein & Day, 1981)
Rapaport, Era, *Letters from Tel Mond Prison: An Israeli Settler Defends His Act of Terror* (New York: The Free Press, 1996)
Raviv, Moshe, *Israel at Fifty* (Londen: Weidenfeld & Nicolson, 1997)
Rose, John H., *Armenians of Jerusalem* (Londen: Radcliffe Press, 1993)
Roth, Stephen J. (red.), *The Impact of the Six-Day War* (New York: St Martin's Press, 1988)
Riad, Mahmoud, *The Struggle for Peace in the Middle East* (Londen: Quartet Books, 1981)
Rikhye, Indar Jit, *The Sinai Blunder* (Londen: Frank Cass, 1980)
Ronen, Ran, *Hawk in the Sky* (Tel Aviv: Yediot Aharanot, 2002 [Hebreeuws])
Rusk, Dean en Richard Rusk, *As I Saw It* (New York: W.W. Norton, 1990)

Safran, Nadav, *From War to War: The Arab-Israeli Confrontation, 1948-1967* (New York: Pegasus, 1969)
Sayigh, Yezid, *Armed Struggle and the Search for State* (Oxford: OUP, 1997)
Schiff, Ze'ev, *A History of the Israeli Army* (San Francisco: Straight Arrow Books, 1974)
Schliefer, Abdullah, *The Fall of Jerusalem* (New York en Londen: Monthly Review Press, 1972)
Seale, Patrick, *The Struggle for Syria* (Londen: I. B. Tauris, 1986), *Asad: The Struggle for the Middle East* (Berkeley, CA: University of California Press, 1988) (red.), *The Shaping of An Arab Statesman: Abd al-Hamid Sharaf and the Modern Arab World* (Londen: Quartet, 1983)
Segev, Tom, *One Palestine, Complete* (Londen: Little, Brown, 2001)
Sharon, Ariel, *Warrior* (New York: Simon & Schuster, 1989)
Shevchenko, Arkady N., *Breaking With Moscow* (Londen: Jonathan Cape, 1985)
Shlaim, Avi, *The Politics of Partition* (Oxford: OUP, 1998)
– *The Iron Wall* (New York: W.W. Norton, 2000)
Snow, Peter, *Hussein: A Biography* (Londen: Barrie & Jenkins, 1972)

Sternhell, Zeev, *The Founding Myths of Israel* (Princeton: Princeton University Press, 1998)
Stetler, Russell (red.), *Palestine* (San Francisco: Ramparts Press, 1972)
Stevenson, William, *Strike Zion!* (New York: Bantam, 1967)

Tawil, Raymonda Hawa, *My Home, My Prison* (New York: Holt, Rinehart & Winston, 1979)
Tessler, Mark, *A History of the Israeli-Palestinian Conflict* (Bloomington en Indianapolis, Indiana University Press, 1994)
Teveth, Shabtai, *The Tanks of Tammuz* (Londen: Weidenfeld & Nicolson, 1968)
Tleel, John N., *I am Jerusalem, Old City* (Jeruzalem: privé-publicatie, 2000)
Turki, Fawaz, *The Disinherited: Journal of a Palestinian Exile* (New York en Londen: Monthly Review Press, 1972)

Weizman, Ezer, *On Eagles' Wings* (New York: Macmillan, 1976)
Wiesel, Elie, *A Beggar in Jerusalem* (Londen: Sphere Books, 1971)
Wright, Patrick, *Tank: The Progress of a Monstrous War Machine* (Londen: Faber & Faber, 2000)

Zikri, Wagih Abu, *De slachting van de onschuldigen van 5 juni* (Cairo: Egyptische boekwinkel Modem, 1988 [Arabisch])

REGISTER

THE ART OF
RUSSIAN
CUISINE

THE ART OF
RUSSIAN
CUISINE

by *Anne Volokh*
with Mavis Manus

Macmillan Publishing Company
New York

Acknowledgments

My mother, Ida Glouberman-Izarova, has not only been my mentor in cooking, she has also offered unending support and practical assistance in choosing and testing the recipes presented in this book.

Arkady Miaskovsky, a friend and professional baker of long standing, made a significant contribution to the Breads and Desserts chapters.

I am also deeply thankful to my editor Judy Knipe, whose savoir-faire and perfectionism gave the book its final polish and shape.

Anne Volokh

Copyright © 1983 by Anne Volokh

Macmillan Publishing Company
866 Third Avenue, New York, N.Y. 10022
Collier Macmillan Canada, Inc.

Library of Congress Cataloging in Publication Data

Volokh, Anne.
  The art of Russian cuisine.

  Includes index.
  1. Cookery, Russian. ~I. Manus, Mavis. II. Title.
TX7233.V64   1983   641.5947   83-11998
ISBN 0-02-622090-3

10 9 8 7 6 5 4 3 2 1

Printed in the United States of America

To my mother,
who shared this adventure with me

CONTENTS

A Russian Pronunciation Guide

A	as in cArp
B	as in Bread
CH	as in CHeese
D	as in Duck
E	as in gElatin, but even softer
F	as in Flour
G, GH	as in Goose
I	as in mEAt
IA	as a very short "I" (mEAt) and a longer "A" (cArp) combined in a diphthong
IO	as a very short "I" (mEAt) and a longer "O" (pOrk) combined in a diphthong
IU	as in pUrée after consonants, or as in Utensils at the beginning of a word or after a vowel
K	as in caKe
KH	as in Honey
L	as in miLk
M	as in Malt
N	as in baNaNa
O	as in pOrk
P	as in Pudding
R	as in Rice, but with a rolling "r"
S	as in SauSage
SH	as in fiSH
T	as in Tea
U	as in nOOdles
V	as in Veal
Y	as in kItchen, but the sound is made deeper in the throat
Z	as in maiZe
ZH	as in garaGe
′	placed after a consonant is meant to soften the sound as in caNYon

CHAPTER 1

An Introduction to

Russian Cuisine

CLASSIC Russian cuisine is virtually unknown in the United States. Apart from vodka and caviar, those enduring ambassadors of goodwill, the dishes most familiar to Americans—Beef Stroganoff, Chicken Kiev, and borscht—would not, even in the unlikely event that they were strung together on a menu, comprise a full meal. Sadder still, because of chronic food shortages and current economic realities, Russian cuisine exists in Russia itself only in a lamentably reduced form, a fact I experienced at firsthand during my seven years as a food writer for a Moscow Sunday newspaper. Much as I wished to during that time, I rarely allowed myself to describe the Epicurean delights of bygone days—they were simply too far beyond the practical reach of my readers.

Now, in the United States, I am able at last to present this magnificent cuisine to a public eager for new culinary experiences and with the means available to implement them. It has been my hope in writing this book to rescue from near oblivion what might easily become only a memory.

Like other great national cuisines, that of Russia is a unique result of climate, geography, and native genius. As a nation situated between two vast civilizations—Western Europe and the Orient—Russia has, through trade, foreign invasion, and its own territorial expansion, been subject to the influences of a multitude of cultures. These influences in turn have been experienced, absorbed, and transformed to suit the national character. The same is true of Russian food: it, too, has retained much of its original character.

Among the distinctive features of the earliest cuisine were:
- An abundance of large and small pies—*piroghi, pirozhki,* and *kulebiaki*—as well as bliny
- A wide variety of soups
- A preference for cooking meat in large pieces rather than in smaller cuts
- An extraordinarily large number of recipes for fish and vegetables—with special attention to mushrooms—due to the imposition of up to 250 fast days a year by the Russian Orthodox Church.
- Extensive use of brined and pickled vegetables and fruits throughout the menu
- Fruit preserves

During the early medieval period, in the tenth and eleventh centuries, trade with the Byzantine Empire introduced buckwheat groats (kasha) and, in the next two hundred years, rice and spices. Later contacts with Mongols and Tatars from the East brought noodles, filled dumplings, and smoked sturgeon. Merchant caravans traveling from China to Europe in the seventeenth and eighteenth centuries brought with them tea, which became the national nonalcoholic drink. Polish and Ukrainian cuisines contributed borscht, *vareniki*, and a number of pork dishes. And from the Scandinavian countries came their great specialty, smoked fish.

In the eighteenth century, under the rule of Peter the Great, contacts with Europe broadened sufficiently to acquaint Russians with German, Dutch, and French food. As a consequence, composed salads, sauces, smaller cuts of meat, open sandwiches, pâtés, various desserts, and new vegetables such as potatoes, cauliflower, lettuce, and asparagus found their way into Russian menus. During the next 150 years, European cooks were regularly imported to work in wealthy and aristocratic Russian households.

Russian acquisition of access to the Black Sea and the areas north of it brought more exotic vegetables—eggplants, bell peppers, tomatoes—and ways to cook them. With the expansion into Central Asia and the Caucasus in the early nineteenth century, pilafs and *shashlyks* gradually became part of Russian daily menus.

By the second half of the nineteenth century, all the adoptions and derivations from foreign cuisines had blended with old favorites and had enhanced long-accepted methods of cooking to create a Russian cuisine that was extremely varied, sophisticated, and refined—a truly grand cuisine by all accounts.

At the turn of the century, Western Europe had embraced Russian cuisine. Russian restaurants in Berlin were always packed. In Paris, serving hors d'oeuvre Russian-style had become very chic, and fashionable restaurants offered a list of *zakouskis* along with traditional French dishes. Even the "purist" Escoffier, who scolded the French for their "infatuation with things Russian," included Russian hors d'oeuvre in his dinner and supper menus in *Le Guide Culinaire*.

Russian aristocrats, prominent within European continental society, employed distinguished French chefs at home and abroad who were quickly to absorb the influence of Russian cuisine and adapt it in the French manner. A French chef created Veal Orloff in honor of Count Grigorii Orlov (once lover of Catherine the Great), who had left Russia in 1775 and lived in France in self-imposed exile. Nesselrode pudding was invented by the chef to Count Karl Nesselrode, the Russian ambassador to Paris between 1807 and 1812. Chicken Demidoff was named in honor of Prince Anatole Demidov, a scion of a wealthy family, who married and divorced Napoleon Bonaparte's niece, Princess Mathilde, and who is cited in *Larousse Gastronomique* as "one of the most celebrated gastronomes of the Second Empire."

Antonin Carême, who served in the court of Alexander I, commemorated his stay in the capital by devising the recipe for Charlotte Russe. A variation, Charlotte Malakoff, was the work of several Parisian chefs to celebrate the capture of the fort of Malakhov by Pelissier during the Crimean War.

Recipes for these dishes and many others bearing Russian titles are included in every major culinary encyclopedia and cookbook. It is remarkable that none of these dishes have ever been recognized in Russia as having a place in Russian cuisine. Perhaps the explanation is simply that the French influence is too strong.

The cooking methods of the older cuisine were predicated on the use of the Russian stove, a later version of which still can be seen in many peasant cottages all over the country. One wall in the kitchen is entirely taken up by a massive wood-burning brick or clay stove with a large oven, more or less at the height of a table. An extension of the stove, usually in an adjacent room, utilized the heat of the stove and served as a bed. The peculiarity of the original Russian stove was that it did not have burners. The oven was the only place to cook, which meant that pots did not come into direct contact with the fire. For this reason the original Russian cuisine abounded in braised, stewed, or baked dishes. Even boiled foods like soups or kasha took on some of the character of stewed food because of the slow cooking process.

Typical Russian cooking pots were made of clay and had rounded sides, to maximize the heating surface. A rim around the top enabled the cook to move the vessel in and out of the oven with kitchen tongs equipped with a long wooden handle. For faster cooking, small, individual pots were often used, and some traditional Russian dishes are still cooked and served in individual ceramic pots. Kitchens in more affluent households were also equipped with metal stewing kettles and cast-iron Dutch ovens, which were used for braised beef, goose, and so on.

European-style stoves with burners on top were introduced during the reign of Peter the Great, and, although immediately adopted in the kitchens of the wealthy, they did not replace the old Russian stoves, which continued to be used for baking bread and *piroghi*. By the mid-nineteenth century, European stoves began to appear in peasant kitchens, too.

Country estates and the city mansions of the well-to-do often had a whole housekeeping wing, with large, well-equipped kitchens manned by an enormous staff: serfs before the abolition of serfdom in 1861, and hired help thereafter. In summer, the estate orchards would become the scene of week-long preserve-making sessions. In addition to regular kitchen tasks, pickling and brining began with the first harvest of pickling cucumbers and continued well into the fall, when the last heads of cabbage, picked just before the early frost, were shredded for sauerkraut.

Many of the kitchen wings had two separate bakeries, one for white bread and cakes, the other for black bread. An icehouse, a deep underground cellar, was filled in late winter or early spring with fresh ice from a nearby lake or river. Large basements, cool and dry, provided ample storage for fresh, brined, and pickled vegetables all through winter.

Good food served in generous quantities has always been important to Russians, who find in it a greater source of joy than most Westerners can easily conceive. Being able to eat and drink a lot while keeping a straight face somehow became a Russian specialty, even a sport, and relevant stories, always tinged with admiration, abound. At the turn of the century, the writer Aleksandr Kuprin quoted an old Muscovite on the subject:

"Nowadays people are frail, with no capacity whatsoever. The other day Oganchikov the merchant had a bet with Triasilov the grocer: Who will eat more bliny? And what do you know, after his thirty-second blin the man died right on the spot. What kind of stamina is that? In our time, the merchant Korovin gobbled down fifty bliny easily, accompanying them all the way with lemon vodka."

One Rakhmanov, a wealthy landowner considered a leading authority on good food, was a mythical figure, even among Moscow gourmets known for their excesses. Given to lavish entertaining, and a perfectionist about food, he managed to squander a fortune—several thousand serfs—to pay his table expenses.

But in revels and extravagance no one equaled some of the fabulously rish owners of Siberian gold mines. In their luxuriously appointed homes, orgies of eating and drinking might last for days on end, followed by troika rides, for which miles of road had been covered with red carpeting. Their horses were not only given champagne to drink but were bathed in it as well. Guests stayed for weeks.

These eccentricities, however, were unknown in most middle- and upper-middle-class households, where to keep an excellent table was considered an accomplishment and a matter of pride. Russian hospitality is celebrated, and the Russian hostess still has a strong mothering instinct, unremarkable to natives but often striking to foreign visitors.

"Our host and hostess appeared never so pleased as when they saw us eating," observed the author of a book of travel, *An Englishwoman in Russia*, published in the mid-nineteenth century. "If unexpected guests stop by and you have nothing to serve," a cookbook of the period instructed its affluent readers, "go to the larder and take a leg of pork and sixty eggs. . . ."

On country estates during the summer, twenty people would often sit down to lunch. In middle-class homes, friends traditionally dropped by for evening tea to share hours of heated discussions, courtships, and laughter. There were innumerable bliny parties during Butterweek (the equivalent of Mardi Gras), dancing parties all through Christmas vacation, picnics, nameday and birthday celebrations. . . .

The schedule of daily meals in most middle-class and affluent households might once have been as follows:

8–9 A.M.   Morning tea, which was served with various buns, open sandwiches, cold cuts, cottage cheese, sausages, and so on.

1 P.M.   Lunch, which might consist of consommé with *pirozhki*, sturgeon or other fish served with a sauce, suckling pig in aspic, poultry, vegetables, filled crêpes, stuffed potatoes or cabbage, filled dumplings, meat or fish casserole, potatoes stewed with mushrooms and sour cream, and more.

6 P.M.   Dinner, in wealthier homes, was an elaborate multi-course affair, often preceded by numerous hors d'oeuvre served from a separate table (the *zakuski*) and followed by coffee and liqueurs. In more modest circles, a three- or four-course meal with no special frills would be the rule.

9 P.M.   The last meal of the day: evening tea or supper, which would almost inevitably end with evening tea, anyway. *Piroghi, pirozhki*, cakes and pastries, *babas* and pies, preserves and candied fruits accompanied the tea.

Warm colors and rich decor are a special attraction of Russian hospitality, and they help create a sense of joyous celebration that is one of the most appealing qualities of the cuisine. The shine of the brass samovar seems inseparable from the marvelous aroma of Russian tea. The cheerful glimmer of the brightly painted lacquered wooden mugs, spoons, and trays lends warmth to the rest of the meal.

Great chefs were not celebrated as they should have been in Russia or, say, as they were in France. Even Leonardi's service under Catherine the Great and Carême's stay at the court of Alexander I left not a trace in Russian culinary literature or memoirs. With a few exceptions (for example, Chicken Croquettes Pozharskii), a popular new dish was not named for its creator but rather in honor of a prominent political or military figure (Bagration Soup) or an aristocratic gourmet in whose kitchen the recipe was born (Beef Stroganoff).

Professional schools for chefs did not exist. Restaurants and prominent households employed either trained foreigners or local cooks who learned the craft through apprenticeship.

In his novel *In the Woods*, P. Melnikov-Pecherskii tells the story of an excellent cook, Daria Nikitishna, once a poor peasant orphan, who, starting as a kitchen hand and working at the side of a talented cook, eventually became a master chef herself. This book is unique in that it is the only story about a *cook* in nineteenth-century belles lettres, which in every other respect are so very attentive to Russian cuisine.

Literature and memoirs indeed provide a rich source for re-creating the Russian culinary scene during many periods, especially its golden age. Aleksandr Pushkin, Nicolai Gogol, Leo Tolstoy, Anton Chekhov, Pavel Melnikov-Pecherskii, Dmitrii Mamin-Sibiriak, Aleksandr Kuprin, and Alexei Tolstoi left in their stories, novels, and plays much rich detail. Memoirs by Sergei Aksakov, Vladimir Nabokov, Konstantin Korovin, Vladimir Gilarovskii, and A. Viroubova, a lady-in-waiting, vividly describe breakfasts and dinners, traditional festivities, and family celebrations in peasants' cottages, rangers' houses, theater company commissaries, the mansions of the nobility, and the tsar's palace.

Travel books by foreign visitors reveal Russian customs and national character in fresh ways. D. Mackenzie Wallace, an American demographer and ethnographer, provided an especially pertinent point of reference in his book *Russia*, written about a hundred years ago. John Steinbeck, Marvin Kalb, Robert G. Kaiser, and Hedrick Smith have given us more recent impressions. Among the major sources consulted for scholarly opinion and historical fact were two books with identical titles—*A History of Russia*—one by V. O. Kluchevsky, the other by Nicholas V. Riasanovsky.

By far the most popular Russian cookbook, *A Gift to Young Housewives*, was written by Elena Molokhovets and published in the 1870s. It is a formidable compendium of recipes (over 4,000) and culinary wisdom accumulated up to that time. Nothing in the book or in any outside source indicates that the author was a professional chef. Instead, she appears to have been an enormously experienced and talented cook. Addressed to middle-, upper-middle, and upper-class young women, the book offers advice on how to set up a household, beginning with the choice of the right apartment and kitchen equipment, and continues with instructions for cooking techniques, sensible shopping, pickling and brining, making preserves and jams, ensuring proper winter storage, and so on. Attention is paid to the different needs of those who live in the city and those who live on small or large country estates. Recipes range from the very simple to the most intricate creations, which require ample kitchen help. There are sections on vegetarian cuisine and extensive chapters on Lenten fare, especially important for a housewife in those times because, during the long periods of fast imposed by the Russian Orthodox Church, not only meat but also milk and eggs were banned.

However, like all nineteenth-century cookbook authors, Molokhovets almost never gives cooking times ("cook until done" was also considered a sufficient guideline for Escoffier in his *Le Guide Culinaire*) or a precise list of ingredients. Nevertheless, because hers was far more thorough than any other contemporary cookbook, including those written by professional chefs, it was reprinted almost twenty times by 1914.

Several other turn-of-the-century cookbooks were used as sources for this book, among them *Home Cooking* by A. N. Toliverova, *A Handbook for Young Housewives* by N. A. Kolomiitseva, *Cooking for Health* by I. F. B——ii (the full name of the author is not given), as well as *Culinary Advice to Housewives* by O. Merezhkovskaia, put out by a Russian émigré publishing house in Paris, probably in the 1930s.

There have been no reprints of Molokhovets's classic cookbook (or, for that matter, any other prerevolutionary cookbook) since 1917 because of fear that the abundance of foods and ingredients described in the book might have an unsettling effect on a populace experiencing permanent food shortages. A limited number of copies still exist in private collections. In secondhand bookstores, Molokhovets's book commands a staggeringly high price, and readers pore over it as if it were a historical novel, marveling at the quality of a life long gone. Many of Molokhovets's recipes are included in this book. (A great number of them could be tested only after I left Russia and was able to use the resources of American food stores.)

Of the cookbooks published in Russia over the last two decades, a well-researched but far from complete book by V. Pokhliobkin, *Ethnic Cuisines of the U.S.S.R.*; the "Chef's Library" series; *Standard Recipes for Restaurants and Cafeterias*, which is a manual for restaurant chefs; *Home Encyclopaedia*; and almost two dozen less important books also served as references.

Needless to say, my own experience as a Russian homemaker and food writer became part of the book as well. To fully recreate this experience for the American reader, I included voices of real people and fictional (literary) characters from the past and present—talented chefs and hearty eaters, exuberant raconteurs, epicures, and gourmands—add life to the hundreds of recipes presented. It is my hope that this enjoyable company will help bring the great classic cuisine of Russia into the kitchen and onto the tables of the American readers.

CHAPTER 2

Hors d'Oeuvre, or Zakuski

"And now we shall send boredom packing," the host said. . . . "Why aren't they serving the snacks?" The door opened. Emilian and Antoshka appeared with the napkins, laid the table, and set down a tray with six decanters of various flavored vodkas. A necklet of plates displaying every kind of tempting savory soon surrounded the tray and decanters. The servants moved about smartly, bringing in covered casseroles which gave off a sizzling sound of melted butter. . . . After the snacks came the dinner.

—Nicolai Gogol
Dead Souls

Long before doctors recognized stress as a disease and started looking for cures, ordinary people knew of at least one cure that seldom failed: good food organized into a ritual, a ceremony that has been worked out in detail and always pleases.

The Japanese tea ceremony is performed in silence, its aim the achievement of serenity and spiritual balance through contemplation. For Americans, meat-roasting has become the convivial, bracing, outdoor barbecue ceremony.

Russians have two centuries-old food ceremonies. The Russian tea ceremony is, predictably, as different from its Japanese counterpart as the national characters are different. For those who love jovial, homey gatherings, a samovar tea party is a godsend (see Chapter 14).

But the masterpiece of Russian cuisine is the *zakuski*, or hors d'oeuvre, ceremony. Limited to the role of an overture in other cuisines, *zakuski* are the equivalent of a whole first movement in a formal Russian dinner.

In Chekhov's short story "The Siren," a comic encyclopedia of Russian-style gluttony, Ivan Guriich provides us with "the system," an insight into the technique of mood-setting, so essential for the hors d'oeuvre ceremony.

You are on your way home, and you must make sure that your mind dwells on nothing but the glass of vodka and the appetizer.

When you come in, the table must be set, and when you sit down you tuck the napkin into your collar and you take your time about reaching for the decanter. Don't pour vodka into an ordinary wineglass—you don't treat a sweetheart that way! No. You pour it into something antique, made of silver, an heirloom, or in a pot-bellied little glass with an inscription on it, something like this: "As you clink, may you think, monks also thus do drink." Don't gulp it down straight off! Rub your hands together, gaze nonchalantly at the ceiling, and only then slowly raise the glass to your lips. At once sparks from your stomach flash through your whole body. . . . As soon as you have had your snifter, you turn to the appetizers.

The best appetizer is herring. You eat a bit of herring with onion and mustard sauce and without waiting, while the sparks are still flying in the stomach, you help yourself to caviar, with lemon juice if you prefer it that way; then you have a radish with salt, and another piece of herring. . . .

And the herring is followed by another glass of vodka and more hors d'oeuvre, rounds of vodka and *zakuski* succeeding one another until the soup is brought in.

A cynical observer may think the bounty of *zakuski* is merely a pretext for drinking vodka. Another theory suggests that the custom might have developed at country estates that were vast distances apart. Unexpected guests, who had been traveling on poor roads, often in cold weather, were first treated to a number of hors d'oeuvre, which did not take long to make, while they waited for dinner to be prepared.

At country houses in those leisurely days, the monotony of life was to some extent offset by the pleasures of food and the progression of sumptuous meals that gave structure to the day. The noise and bustle of the kitchen never stopped, and the snack tray was always ready. The lavishness of "provincial" cuisine was also grounded in the special Russian circumstance: the innumerable kitchen help were serfs who belonged to the estates. After serfdom was abolished in 1861, the gradual decline of the landed gentry began.

Although the upper classes, with their cult of food and their seemingly inexhaustible resources, helped perfect the *zakuski* ceremony, it had already long existed in a far more modest milieu: the households of well-to-do peasants, merchants, and other townsfolk. These were people as thrifty as any European burgher and his sensible wife, but when guests were entertained, in a no-holds-barred gesture, everything that was in the larder went on the table. Here the pattern for the *zakuski* menu, or, to use an older and more homespun term, *zaiedki* (loosely translated as "premeal course"), was basically the same, if somewhat simpler: plain and flavored vodkas, marinated mushrooms, brined apples tossed with cranberries, pickles, ham, various types of smoked sturgeon and salmon, and, whenever it was affordable, caviar.

By the early nineteenth century, it became fashionable in sophisticated homes to serve *zakuski* on a separate table in the dining room or in an adjacent room, where they were eaten buffet-style. In a less formal arrangement, the diners were seated around the dining table on which a variety of hors d'oeuvre was displayed. In restaurants, hors d'oeuvre were served one at a time or in groups at the dining table.

Unprepared foreigners were often taken aback by the hors d'oeuvre ceremony. In *Commodore Hornblower*, C. S. Forester describes a court dinner in St. Petersburg where his hero is overwhelmed by the variety of foods. Having downed an impressive number of glasses of vodka and

champagne and partaken of an innumerable succession of dishes, Horn-blower says to the charming Russian countess who has acted as his guide, "I have dined extremely well," only to hear the footman an-nounce, "Dinner is served." The large double doors open, and in the adjacent room our utterly embarrassed hero sees an extremely long table set with gleaming dishes, cut glass, silver, and gold. . . .

Depending on the occasion and the financial position of the hosts, the *zakuski* menu included:
- one or more fish hors d'oeuvre
- one or more meat hors d'oeuvre
- one or more salads and vegetable hors d'oeuvre
- one or more egg hors d'oeuvre
- marinated and/or salt-pickled vegetables and mushrooms and marinated fruits (plums, apples, and others)
- condiments: mustard, horseradish, and freshly ground pepper
- fresh white and dark breads

All the *zakuski* were splendidly decorated with butter roses; artis-tically carved radish, carrot, and beet flowers; lemon slices; curly greens; and so on.

Vodka was served cool (about 40°–45°F) and straight, either plain or flavored (see Chapter 14).

Here is Elena Molokhovets's advice for arranging a *zakuski* table, as set forth in her classic cookbook, *A Gift for a Young Housewife*, published in the 1870s:

Layout for the *Zakuski* Table

1. Set the *zakuski* table in the dining room, close to the entrance, or in an adjacent room, depending upon the size of the dining room, the number of guests, and your intentions. This layout is made for a round table.

2. Cover the table with a tablecloth. All around the edge of the table arrange small platters of various sliced *zakuski*, such as:

smoked salmon and sturgeon
ham and salami
roast fowl and other cold cuts
cheeses.

Include platters and bowls of:

Cold Poached Sturgeon with Horseradish Sauce [page 220]
Fish in Aspic [page 27]
Pickled Herring with Mustard Sauce [page 21]
Crabs
Caviar

Grouse Butter [page 345]
Pickles, pickled and marinated mushrooms, pickled fruits (see Chapter 10)

3. Among the dishes of food, on opposite sides of the table, should be two platters loaded with napkins and two more napkin-covered platters, also opposite each other, with forks and knives arranged on them. The napkins are to be folded to form triangles and arranged in the following manner: the first napkin is to have its apex face the middle of the table; the second napkin's apex is to look to the left; the third, to the right. Repeat this pattern for the rest of the napkins.

4. Closer to the center of the table, place two baskets with thinly sliced dark and white bread and bowls of the freshest butter available.

5. In the middle of the table, on a decorative pedestal made, say, of colored cut glass, place decorative carafes or cut-glass decanters containing two or three kinds of vodka, with small cordials arranged around them in a circle.

With very few changes—adding vegetables and composed salads and dropping two or three meat and fish dishes—this menu and its presentation could be used today as the full menu for a Russian-style buffet party. For American cooks, *zakuski* offer not only a new source of recipes for buffet entertaining but also a splendid repertoire of recipes that can be used singly or in combination for everyday meals.

CAVIAR

> *"That is caviar," she explained to him, "and this is vodka, the drink of the people, but I think you will find that the two are admirably suited to each other."*
>
> —C. S. Forester
> Commodore Hornblower

Caviar, or sturgeon roe, is Russian cuisine's claim to fame.

Although numerous species of sturgeon can be found from Norway to the Mediterranean and along the east coast of North America, the varieties that populate the Black and Caspian seas, the Sea of Azov, and its rivers, provide the most valuable caviar in the world.

Sturgeon caviar became popular in Russia during the early eighteenth century, and since that time Russians have eaten it in staggeringly large quantities. Consumption of caviar became a passion and finally a status symbol. The culmination of this preoccupation may have been achieved by a wealthy landowner in whose household a 100-pound barrel of caviar was replenished daily.

Caviar became known and, gradually, treasured in the West only late in the nineteenth century. The Iranian fisheries on the southern shore of the Caspian started producing caviar soon after that, following on the success of the Russian product.

Sturgeon caviar, which contains 27 percent protein and 16 percent fat, is not only tasty but highly nutritious as well.

STURGEON CAVIAR VARIETIES

Sterlet Caviar   This comes from the smallest species of sturgeon and was once considered the finest. The "golden caviar" of the tsar, it was preferred by Grigorii Potemkin (Catherine the Great's favorite) and is mentioned by a diarist as the ultimate delicacy, consumed by the ton during the Russian Butterweek (Mardi Gras) festivities. It was so delicate that it was accompanied not by vodka but by dry champagne. Since sterlet is virtually extinct, its caviar is no longer produced in quantities worth mentioning.

Sevruga Caviar   This variety has small-to-medium eggs. Its color is dark gray to black, and its flavor is delicate.

Ossetra Eggs   These are somewhat larger than sevruga roe because the fish itself is larger. The eggs are light to dark gray, with a golden tint, and the taste is more pronounced than that of sevruga.

Beluga Caviar   Taken from the largest fish, this is therefore the largest roe, about 2½ to 3 millimeters in diameter. Beluga roe are gray.

Paiusnaia, or Pressed Caviar   This variety is prepared later in the fishing season. Five pounds of the more mature roe (any of those just mentioned, singly or in combination) become one pound of final product, so that the taste is highly concentrated and the nutritional value is higher: 36 percent protein and 18 percent fat.

Dry "Sack" Caviar   At first slightly salted and then dried, it is no longer produced.

Iastychnaya Caviar   This variety was salted and sent to market still enveloped in its protective membrane; it is unknown in the West and almost forgotten in Russia.

This is how a reporter described the caviar display at the banquet inaugurating Moscow's luxurious, fabulously decorated, spacious Eliseev Delicatessen (nicknamed the "Temple of Gluttony") in the 1890s.

> Fine black sterlet caviar piled high in silver buckets, surrounded with rings of crushed ice. Dark sevruga caviar and large beluga roe tended to overflow the rims of their buckets. The fragrant pressed caviar, coming from the Saliansk fisheries, swelled in silver bowls; further on, the dry "sack" caviar (whose roe could be cut in half with a sharp knife) stood erect on platters, keeping the shape of the sacks it was shipped in. Huge blocks of the rare pressed caviar, Achuevsk-Kuchugur, which had a special earthy flavor, towered over everything else on the table.

None of this can be found in Russian stores nowadays, although one can sometimes order it in a restaurant. The production of caviar dropped dramatically after the 1917 revolution, and today most of whatever is produced is exported in exchange for convertible hard currency.

SALMON CAVIAR VARIETIES

Salmon caviar is lower down on the price list, but in Russia it ranks second only to sturgeon caviar and is considered a great delicacy. Salmon caviar tastes sharper and more piquant than the sturgeon variety. The two most valued Russian kinds:

Humpbacked Salmon Caviar   The color of reddish amber with a large roe, it is 5 to 6 millimeters in diameter.

Siberian Salmon Caviar This variety is slightly smaller than humpbacked salmon and lighter in color, with a golden tinge.

AMERICAN CAVIAR

American Sturgeon Caviar   Although it is somewhat inferior in flavor to the brands imported from Russia and Iran (the roe is a little smaller than beluga caviar), it nevertheless comes close enough to be used as their substitute, especially in view of its dramatically lower price.

American Salmon Caviar   Produced in Alaska and Oregon, it is for obvious reasons quite similar to the Russian caviar that comes from the salmon-inhabited Pacific waters off the Siberian coast; however, its eggs are softer and do not hold their shape as well. It is less expensive than the brands imported from Russia and makes a good substitute.

American Golden Caviar Also called whitefish roe, this variety really isn't caviar by Russian standards. Although the contents of the eggs are somewhat reminiscent of sturgeon caviar in taste, even that remote similarity is not easily revealed: the eggs are so firm that they do not burst open easily when they are chewed—they have a peculiar crunchy sound. However, if golden caviar were to be rubbed through a fine metal sieve with openings smaller than 1/16 inch, it could be used for the caviar sauce for veal.

The caviar that comes of earlier spawnings is the best. The "golden caviar" from sterlet caught in the Ural River in early March through holes in the ice was considered a superior treat and was presented to the tsar each spring by the Ural cossacks. The roe extracted toward the end of the season is considered inferior and is usually made into pressed caviar.

Once the fish is caught and bled, the roe is extracted immediately, a manual procedure that has remained virtually unchanged for over two hundred years. The process was described by Vladimir Gilarovskii in his account of a most unconventional caviar gala which took place on the bank of a sturgeon-pond fishery about one hundred years ago. The fishery, located on the shore of the Volga River, was owned by a merchant named Mochalov, who had invited Gilarovskii and Andreev-Burlak, a well-known actor of the time, to visit.

> A tiny steamship brought us to Mochalov's fishery. We went to the nursery-pond where a huge spawning sturgeon was pulled out with a net. It was cut open and a whole pile of caviar was thrown on a sieve, and gently pushed through by hand, so that the membranes were removed, but the delicate roe was not damaged. It was salted and served in a tinned copper bucket as an appetizer with vodka.
>
> Mochalov ordered two soup plates to be brought, filled with the fragrant gray caviar and accompanied with *kalach*—braided white bread.
>
> Burlak and I sat drinking vodka and eating caviar as if it were kasha.

BUYING AND STORING CAVIAR
Since few of us have access to caviar from freshly caught sturgeon, here are a few pointers for buying this treasure in jars. Whether you buy beluga, sevruga, or ossetra, a caviar labeled "malossol" (meaning "little salt" in Russian) is preferable. The less salt used in preserving the roe, the truer the flavor will be.

Each grain of roe should be plump, firm, and gleaming with its own oil. Be sure that there is no fat floating at the top of the jar; a responsible caviar merchant will have turned the jars often enough to coat the roe evenly with oil.

Because it contains salt, caviar has a lower freezing point than water—25°F. Maintained at a steady temperature of 26°F, unopened caviar can be stored for months without loss of flavor. However, for most people this is not a practical solution. Most freezer compartments are (or should be) much colder than 26°F. To store an unopened jar of caviar for several weeks, place it in a container of crushed ice and refrigerate. Drain and replenish the supply of ice as needed. An opened jar of sturgeon caviar can be stored in the refrigerator on crushed ice for no longer than 2–3 days. Salmon caviar, because of its higher salt content, will keep for 4–5 days after it has been opened. Sprinkle the top of the salmon caviar with a few drops of olive oil to prevent it from drying out.

SERVING CAVIAR

Remove the jar from the refrigerator 10 to 20 minutes before serving. As the caviar approaches room temperature, its flavor will be released. However, do not open the jar until immediately before serving.

Caviar is usually served in a cut-glass bowl or in a silver platter lined with glass, to prevent the metal from turning black. A traditional serving dish for caviar includes a double liner which is filled with ice.

Russians eat caviar with or on small thin slices of white bread, fresh or lightly toasted and buttered. Some caviar lovers pile the roe on individual plates and sprinkle it with lemon juice or garnish it with finely chopped chives. Others strongly disagree and insist the flavor of caviar is too delicate and precious to be mixed with anything. Caviar is the classic garnish for bliny. Pressed and salmon caviar, because of their stronger taste, are best suited for bliny. Caviar mixed with sour cream, an American favorite, particularly when caviar is served with bliny, is a mismarriage of foods and would pain the heart of a connoisseur.

Vodka somehow enhances caviar's best qualities. Pure unflavored Smirnoff vodka makes a perfect accompaniment. Dry champagne is an alternative for sturgeon caviar.

Ustritsy s Ikroi
OYSTERS WITH CAVIAR

Auguste Escoffier called this "the perfect example of the deluxe hors d'oeuvre." I heard of this dish from a friend who came from a long line of St. Petersburg epicures. His great-uncle claimed to have invented it at the age of three by throwing all the oysters, which were packed on ice, into the bowl of caviar, just two minutes before the arrival of guests for a banquet at his home. His parents were forced to announce it as a new way of serving oysters—and a new hors d'oeuvre was born.

Serves 6

2 teaspoons unsalted butter
  (*optional*)
6 pastry shells (page 163), *or*
  6 caviar servers with
  liners for ice
9–12 ounces beluga caviar
6 raw oysters, shucked
  Freshly ground black
  pepper to taste

Freshly squeezed lemon
  juice to taste

French bread, thinly sliced
  and lightly toasted
  (*optional*)
Whipped unsalted butter
  (*optional*)

Lightly butter the pastry shells or line the servers with ice. Fill with caviar, make a hollow in the center of each serving, and nestle an oyster in it. Sprinkle the oyster with pepper and a little lemon juice. If desired, squeeze a little lemon juice on the caviar as well.

Serve immediately, accompanied with chilled champagne. Pass the toasted French bread and butter if you have not used pastry shells.

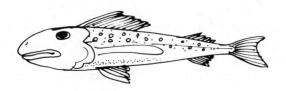

FISH HORS D'OEUVRE

SMOKED FISH

There are two ways to smoke fish. The first is cold-smoking, in which the fish is salted and cured by drying at a temperature of 85°–95°F for anywhere from 3 days to 2 to 3 weeks. Cold-smoked fish contains far more salt than hot-smoked fish. Because its texture is smooth and pliable, it can be very thinly sliced.

Hot-smoked fish is lightly salted and then smoked at temperatures ranging from 120° to 180°F for 6 to 12 hours. Hot-smoked fish is more fragile and crumbles more easily than cold-smoked, and it must be cut into thicker slices.

Balyk i Siomga
COLD-SMOKED STURGEON AND SALMON

Across the wide table smoked salmon and sturgeon donned beautiful shades of pink and amber.

—Vladimir Gilarovskii
"A Tale of Two Houses"

A "proper" festive hors d'oeuvre menu recommended by an 1870s cookbook placed *balyk* and *siomga* right after caviar.

The word *balyk*, Turkish in origin, first appeared in Russian dictionaries in the eighteenth century. Originally it meant "fish," then, following general trade patterns, it was used to describe the fish, mostly sturgeon, being delivered cold-smoked from the Caspian Sea. Cold-smoked sturgeon is light gold to amber in color, very delicate and piquant. Salmon is slightly saltier. Both can be found in better delicatessens and some gourmet food stores. *Balyk* and *siomga* should be sliced thinly on the bias and accompanied by lemon slices. Other garnishes are parsley, dill, lettuce leaves, and olives. To balance the saltiness of the fish, mayonnaise can be served with salmon.

Cold-smoked sturgeon and salmon are highly perishable. They should be wrapped tightly in wax paper and kept in the refrigerator for only 1–2 days. Remove from the refrigerator 10–20 minutes before serving to bring out the flavor.

Balyk and *siomga* are good served on open sandwiches (page 41).

Kopchonyi Sig, Khek, Kopchonaia Skumbriia, Forel', Kambala
HOT-SMOKED FISH

As a way of preserving fish, hot-smoking was borrowed from Russia's Baltic neighbors, Sweden and Finland. In *Peter the Great*, Alexei

Tolstoi describes the Russians, presided over by the tsar, as they celebrate their victory over the Swedes by drinking "Admiral de Proust's
fiery rum" and eating "smoked plaice, which few of them had seen
before. The fish stank a little but nevertheless tasted good."

Hot-smoked fish is delicate and has a wonderful smoked aroma.
Whitefish is the best choice, although mackerel, whiting, plaice, and
other fish are also very good. Whitefish is available in many fish stores,
gourmet shops, and delicatessens, and it is easier to handle than most
other hot-smoked fish because it contains fewer bones. Store hot-
smoked fish, well wrapped, in the refrigerator for 3–4 days.

Carefully skin the fish and cut with a sharp knife into bias slices
about 1–1½ inches thick. Reassemble the pieces into the shape of a whole
fish and decorate with parsley. Even whitefish has some bones, which
are removed as the fish is eaten. This explains why this dish is not found
at public affairs, but is reserved instead for family festivities.

Seliodka s Uksusnoi Pripravoi ili Gorchichnym Sousom

PICKLED HERRING WITH VINAIGRETTE OR MUSTARD SAUCE

"Well, let's start with seliodka *since it rhymes with vodka."*

—Overheard at a Russian party

"The best appetizer is herring," says the food lover in Chekhov's
"The Siren."

Although fried uncured herring is eaten in other countries, no true
Russian will allow anything but a pickled herring to slip past his lips.
And what could be a more perfect accompaniment than thinly sliced
dark rye bread and vodka or beer!

As an hors d'oeuvre, pickled herring is equally at home on an
everyday menu and on the most elaborate of banquet tables. Served
with steaming boiled potatoes and Tomato and Cucumber Salad #1
(page 54), pickled herring and the marinated herring in the next recipe
are also popular luncheon entrées.

The closest to Russian-style herring is the salt (schmaltz) herring found in delicatessens. Cold-smoked *skumbriya* (mackerel), sold in food stores catering to Russian émigré groups, can also be prepared as herring is.

Serves 8–10 as an appetizer or 6–8 as an entrée

2 medium salt (schmaltz) herring (about 1¼ pounds in all) or cold-smoked mackerel	Greek olives
	Sliced cucumber (*optional*)
	Sliced tomato (*optional*)

Parsley sprigs

½   medium onion, cut into ⅛-inch slices and separated into rings

VINAIGRETTE DRESSING

3   tablespoons cider vinegar

2   tablespoons olive oil

¼   teaspoon salt

⅛   teaspoon freshly ground black pepper

½   teaspoon sugar

MUSTARD DRESSING

1   egg yolk

3   tablespoons cider vinegar

1   teaspoon mustard (preferably Düsseldorf)

½   teaspoon sugar

1½ tablespoons olive oil

Place the herring in a bowl, cover with cold water, then cover the top of the bowl with plastic wrap and leave at room temperature for 8–12 hours. Rinse. (The mackerel does not need soaking.)

To skin the herring, cut off the fins, then, with a sharp knife, slit open the belly and carefully remove and reserve the roe, or milt. Slit the skin down the back and cut through the skin (but not the flesh) just under the head. Using your fingers, pull the skin off, working from the head to the tail. Discard the skin.

To fillet the herring, cut the flesh from the backbone and remove the rib bones. Reserve the head and tail and discard the backbone.

Cut the fillets into 1-inch slices and, on a serving platter, reassemble in the shape of the fish, with the head and tail in place. Add the reserved roe to the platter, place a few sprigs of parsley in the fish's mouth, and garnish the sides with onion rings, olives, and optional cucumber and tomato.

Serve sprinkled with the vinaigrette or accompanied by the mustard sauce in a separate bowl.

To make the vinaigrette: place all the ingredients in a small bowl and beat with a whisk until well blended. Or shake the ingredients in a tightly covered jar until mixed.

For the mustard sauce: place all the ingredients, except the oil, in the container of a blender and mix until combined. With the motor running, add the oil drop by drop until it is completely incorporated and the sauce is the consistency of mayonnaise. If you make the sauce by hand, beat the first 4 ingredients with a wire whisk, slowly add the oil, beating constantly, and continue to beat until well blended.

Marinovannaia Seliodka
MARINATED HERRING

Serves 8–10 as an appetizer or 6–8 as an entrée

3	medium salt (schmaltz) herring (about 1½ pounds in all)	2	bay leaves
		1	teaspoon sugar
1	cup white wine vinegar	3	medium onions, cut into ¼-inch slices
10	black peppercorns		
6	allspice berries		

Soak the herring as described on page 22. Draw and skin the fish, discarding the roe with the skin. Do not fillet at this time.

To prepare the marinade, in a 1-quart enameled saucepan, mix the vinegar with 1½ cups of water. Add the spices, sugar, and onions, bring to a boil, lower the heat, and simmer for 20 minutes. Cool.

Put the herring in a glass jar, cover with the cooled marinade, close the lid tightly, and refrigerate for at least 24 hours.

Following the instructions on page 22, fillet the herring carefully, as they are very tender after marinating. Cut into 1-inch pieces, arrange on a platter, and decorate with the onion rings from the marinade.

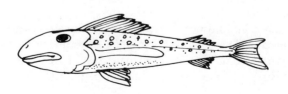

Rublenaia Seliodka

CHOPPED HERRING

Serves 6

1   large salt (schmaltz) her-
    ring (about ¾ pound)
    Milk
4   ounces stale white bread,
    or a piece of French bread
    6–6½ inches long and 3
    inches thick, in one piece
¼   cup vinegar

1   medium onion
1   medium tart apple
½   teaspoon sugar
1   tablespoon vegetable oil
    Parsley sprigs
    Greek olives
    Finely chopped chives

OPTIONAL SOUR CREAM DRESSING

1   hard-cooked egg, peeled
    and separated
½   teaspoon mustard (if a
    gentle Düsseldorf-type
    mustard is used, increase
    to 1 teaspoon)

1   teaspoon sugar
2   tablespoons vinegar
1   cup sour cream

Soak the herring in milk to cover for 8–12 hours. Drain, skin, and fillet the herring as described in the recipe for Pickled Herring with vinaigrette or mustard sauce (page 22).

Remove the thin layer of crust from the piece of bread, then soak the bread for 10–15 minutes in 1 cup of cool water mixed with the vinegar. Thoroughly squeeze out the excess liquid. In a food processor or with a meat grinder, grind together the fillets and bread. If you use a food processor, be careful not to purée the mixture. Finely grate the onion, peel and grate the apple, then combine both with the ground herring mixture. Add the sugar and oil, and mix well.

Serve decorated with parsley, olives, and chives.

For the dressing, mash the hard-cooked egg yolk with the mustard and sugar until blended. Add the vinegar and sour cream, mix again, and serve in a sauceboat. Finely chop the egg white and sprinkle over the herring.

CANNED FISH

Canned fish is as common an appetizer in Russia as cheese and crackers are in America. The reasons? Canned fish require no cooking, and they go well with vodka. The canned fish described below can be ordered from the Russian food stores listed on pages 621–22.

Kilki   are related to anchovies and pilchards. These offshoots of the herring family are commercially pickled in brine with black pepper and bay leaf and then canned. They taste very different from the canned, imported anchovies found in most American stores. *Kilki* are much meatier and more like good miniature schmaltz herring, which they also resemble in taste, although *kilki* are spicier. For a family meal, they go well with Tomato and Cucumber Salad #1 (page 54).

To serve, cut off the heads and arrange the *kilki* in a fan shape on a platter. Decorate with chopped scallions and slices of tomatoes and/or cucumbers. The fish should be eaten whole, bones and all.

Fish Canned in Tomato Sauce   These (catfish, perch, beluga, sevruga, or bullhead) are served as is, right out of the can.

Canned Salmon   Rather new to Russia, it is usually served in a salad, as tuna is in America.

Sprats and Sardines in Oil   These are slightly more elegant appetizers than most canned fish. They are good when made into open sandwiches (page 41) or sprinkled with lemon juice and served with dry white wine, not vodka. Portuguese and Spanish sprats in oil taste closest to the Russian products.

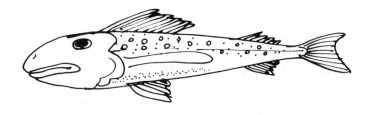

Salat iz Pecheni Treski

COD LIVER SALAD

Contrary to expectations, canned cod liver does not taste or smell medicinal. This is because, during processing and before canning, most of the cod liver oil is extracted; the liver, in fact, is packed in vegetable oil with some salt added. Cod liver is canned and exported by a number of European countries, including Iceland, Denmark, Belgium, and Russia. Russian cod liver is enhanced with black pepper, allspice, and bay leaf, which impart a spicy aroma and subtle taste.

Serves 6–8

A 10-ounce can cod liver in oil

3 hard-cooked eggs, peeled and chopped

½ medium onion, finely chopped

Salt to taste

Parsley sprigs

Black oil-cured Greek olives, halved

Place the cod liver in a colander and let the oil drain off. Mash the liver with a fork and combine with the chopped eggs and onion in a serving bowl. Add salt to taste and decorate with parsley sprigs and olive halves.

FRESH FISH

Fresh fish is a wonderful hors d'oeuvre. Although there are only a few recipes for it in this chapter (one follows immediately, and several others can be found in the Composed Salads section, beginning on page 56), a number of the fish entrées in Chapter 6 can serve equally well as appetizers when they are served cold. Foremost among these, of course, are all the poached sturgeon dishes (pages 216–27), excluding only the recipes for sturgeon served with caper sauce, or mushroom and crab meat, or Russian-style sauces. As an alternative to sturgeon, salmon can be a delicious substitute in some of the recipes: plain, poached in white wine (page 216), with Morello cherry sauce (page 224), with old-style or new tartar sauce (page 225), and with cucumber garnish (page 27). Poached Trout with *Satsivi* Sauce (page 236) and other poached or baked fish served with this exotic sauce are popular *zakuski* dishes, as is Fish Forcemeat in Scallop Shells (page 254), which should be served hot.

If you are using any of the recipes in the fish chapter as an appetizer, remember to halve all the ingredients. In general, 2 pounds of fish fillets will serve 8 to 12 people as part of an extensive *zakuski* menu, or 6 people if it is the only hors d'oeuvre.

Zalivnaia Ryba

FISH IN ASPIC

Serves 8–12 as an appetizer or 6 as an entrée

2 pounds fish fillets (sturgeon, salmon, perch, catfish, or any other non-bony fish)	Salt to taste

FOR THE COURT BOUILLON AND ASPIC

½	teaspoon salt	1	parsley root, *or* 2 ounces celery root
1	bay leaf		
5	black peppercorns	1	onion
5	allspice berries	2	tablespoons gelatin
1	carrot		

FOR GARNISH

Peeled thin lemon slices, quartered	Parsley leaves
Thinly sliced pickles, preferably homemade (Chapter 10)	1 recipe Cream-Style Horseradish (page 616) or Mayonnaise (page 38)
Greek olives, halved and pitted	

Be sure that all bones have been removed from the fillets. Cut the fillets into 12 pieces about 1 inch thick, salt lightly, and let sit for 30 minutes.

To make the court bouillon and aspic: pour 6 cups of water into a 3-quart pot, add ½ teaspoon salt, the spices, carrot, parsley root, and onion, and bring to a boil. Lower the heat and let simmer, uncovered, for 30 minutes. Add the fish pieces, return to a boil, lower the heat, and simmer for about 10 minutes, or until the fish is just done. Do not overcook.

In a cup, soften the gelatin in ¼ cup of cold water. Strain 4 cups of the broth into a 2-quart saucepan, add the gelatin, and stir until it dissolves, reheating the broth briefly, if necessary.

Cut the cooked carrot into ¼-inch slices. Arrange the fish pieces in a serving platter 2½ to 3 inches deep, and decorate with carrot and lemon slices, sliced pickles, olive halves, and parsley. Pour the aspic over the fish carefully, so that the decorative arrangement is not disturbed. Refrigerate for at least 3 hours.

Serve the horseradish or mayonnaise separately in a bowl or sauceboat.

Variation   Molded Fish in Aspic

Using a 1½- to 2-quart round ribbed mold or one in the shape of a fish or 1½-cup individual molds will produce a more elaborate presentation.

Prepare the aspic with 4 cups of fish poaching liquid and 2½–2⅔ tablespoons of gelatin. Place the mold or molds in a bowl filled with crushed ice, pour in the half-thickened aspic; it will fill about two-thirds of the mold. Refrigerate. As soon as ¼ inch of aspic sets, pour the rest back into the pan and leave at room temperature. Return the mold to the bowl of ice. Dip into the aspic the carrot and lemon slices, parsley leaves, pickles, and olives, and place them in a decorative pattern on the surface of the aspic in the mold. Refrigerate until set. Fill the mold with the fish and slowly pour over it the remaining aspic. Refrigerate for 2 to 3 hours.

To serve, dip the mold into hot water for a few seconds, place the serving dish over the top of the mold, and invert. The molded fish should slip right out.

Surround with the following garnish ingredients: finely chopped scallions, tomato, cucumber, or pickle slices; beluga caviar; 3 ounces shelled crab legs or 6 jumbo shrimp, cooked, peeled, and deveined. The crab legs (in Russia it would be crayfish tails) and caviar make a grand effect.

If a fish-shaped mold is used, overlapping quarter slices of lemon with scalloped rinds make an elegant presentation.

Variation   Whole Poached Fish in Aspic

Poach a whole large trout, following the instructions on page 236. Cool the fish in the liquid, then drain and transfer to a serving platter. Carefully skin the top of the fish, leaving the head and tail intact. Cover well and refrigerate while you prepare the aspic as directed above.

When the aspic is syrupy, dip into it the sliced vegetables (including the carrot and pickle slices), parsley, and olive halves and arrange them over the fish in a decorative pattern. Chill briefly to gel the aspic, then slowly pour most of the remaining aspic over the fish until it is filmed with ¼ inch of aspic, about 2–2½ cups in all. Refrigerate for about an hour. Pour the remaining aspic into a shallow pan and refrigerate. When it has set, unmold it onto a chopping board and chop with a heavy knife.

When the aspic covering the fish is set, surround the fish with the

additional garnish ingredients detailed in the previous variation and decorate with the chopped aspic.

MEAT HORS D'OEUVRE

A feature of medieval Russian cuisine was that meat, fish, and most vegetables were cooked and served whole. No mincing, chopping, grinding, no mashing, and, above all, no mixing! A large piece of meat— or, on a greater scale, a whole suckling pig, a whole crane—was roasted or boiled whole.

Meat has always been a favorite Russian food. Witness this complaint set out in a petition presented to the authorities during a seventeenth-century mutiny: "In former days Tsarevna Sophia and her sisters gave the common people cows' tongues and jellied meat, smoked geese, fowls with buckwheat, and meat and egg pies, and also salt pork. . . . And today only foreigners eat well."

In the eighteenth century, as a result of Peter the Great's policies, Russian contacts with the West increased, and the whole life-style of the country changed considerably. French and German cooks introduced pâtés, sausages, meat loaves, and various stuffings, among many other foods. Of the new hors d'oeuvre, some were rejected, but several caught on: sausages became as common as ham; chopped liver was heartily embraced; salads, little by little, began to appear on appetizer menus.

A majority of the meat hors d'oeuvre presented here are authentic, old Russian dishes, Chopped Liver (page 36) being a derivation old enough to have become unmistakably Russian.

A popular Russian way of serving meat *zakuski*, especially when the dinner or supper entrée is fish, is to present a number of meats on a cold-cut platter—for instance, thinly sliced smoked pork loin, *Buzhenina* (Roast Pork Leg), cooked beef tongue, salami-style sausage, and roast veal. Düsseldorf mustard and cream-style horseradish are necessary condiments. Any of these meats can also be served on separate plates or as the only meat appetizer on a varied hors d'oeuvre menu. Suckling Pig in Aspic or Jellied Meat can be featured as the only appetizer or as an entrée for lunch or dinner.

Some of the entrées in the meat and poultry chapters can also double as *zakuski*:

- Roast Pork Leg (*Buzhenina*, page 304). Serve cold, sliced very thin.
- Roast Veal with Dill (page 277). Cool the veal to room temperature, refrigerate for about 1 hour, cut into ¼-inch slices, and serve immediately to prevent the slices from drying out.
- Veal Kidneys in Madeira Sauce (page 309). Serve hot.

- Sautéed Calf's Brains (page 308). Serve hot over ¾-inch slices of French bread that have been lightly toasted and buttered.
- Chicken *Satsivi* (page 325).

Vetchina

SMOKED PORK LOIN

Smoked hams, with their skins thrown off theatrically, like capes, displayed a delicate blush of pinkish fat. They were cut with mathematical precision into paper-thin slices across the whole ham, and the slices put together again, so that the hams seemed whole.

—Vladimir Gilarovskii
"A Tale of Two Houses"

In Russian restaurants, ham is often served as part of a cold-cuts plate, along with slices of boiled beef tongue, cold *Buzhenina* (page 304), and salami-type sausage. Smoked pork loin, which can be found in quality meat stores, is the closest in flavor to Russian ham.

Serves 6–8

¾ pound boneless smoked
   pork loin
Parsley leaves
Sliced pickles, preferably
   homemade (Chapter 10)

Dijon or Düsseldorf
mustard

Cut the meat into even slices. Arrange on a platter with other meats, decorate with parsley leaves and sliced pickles, and accompany with mustard served in a small bowl. Salad Olivier prepared without meat (page 60), Red Cabbage Salad (page 48), or Cabbage Salad (page 47), go well with ham.

Zalivnoi Porosionok

SUCKLING PIG IN ASPIC

Serves 8–10 as an appetizer or 6 as an entrée

A small suckling pig
(about 10 pounds)

2   large carrots

2   medium parsley roots (the
size of medium carrots)

4   celery stalks

2   leeks (white parts)

2   medium onions (unpeeled)

10   black peppercorns

10   allspice berries

4   whole cloves

4   small bay leaves

2   teaspoons salt

2   cloves garlic, crushed
(*optional*)

3   egg whites

5   tablespoons gelatin

3   hard-cooked eggs, peeled
and cut into even slices

24   marinated sour cherries
and 36 marinated goose-
berries (see Marinated
Fruits, page 440), *or* 3 medium pickles, preferably
homemade (Chapter 10),
cut into thin slices

2   lemons, cut into thin slices

Wash the suckling pig thoroughly inside and out and dry with paper towels. Depending upon the size of the cooking pot, chop off the feet, tail, and head so that the pig fits into the pot. If necessary, split the body along the backbone and divide each half into 3 or 4 sections: front legs, hind legs, neck, and rib sections. If you know in advance that the pig will have to be cut up, ask your butcher to do it for you.

Place in the kettle all the vegetables and spices except the salt and garlic, add the meat and cold water to cover. Over high heat, bring to a boil, lower the heat, cover, and let the liquid simmer for about 2 hours, or until the meat and skin are tender. Turn off the heat, add 2 teaspoons of salt and the garlic, and let the meat cool in the stock.

Remove all the meat from the bones, trying to keep the pieces as large as possible. Tightly roll up the large pieces, jelly-roll style, aiming for rolls about 4 inches in diameter. The smaller pieces of meat can either be tucked inside the rolls or reserved and kept for another dish (see *Note*).

Place the rolls end to end on several layers of cheesecloth and wrap them up tightly. You may find it easier to secure each roll with a toothpick until all the rolls are wrapped. To weight the rolls down, place a board on top of them and then a brick or a pan filled with water on top of the board. Set aside for about 1½–2 hours.

Meanwhile, prepare the aspic. Ladle 10 cups of cool stock into a strainer placed over a 3-quart saucepan. Add the egg whites, beaten lightly to blend, together with ½ cup of cold water. Bring the stock to a boil, then gently strain into a clean bowl through several layers of damp cheesecloth. Soften the gelatin in ¾ cup of cold water, then stir into the hot stock until it is dissolved.

Unwrap the meat and, using a very sharp knife, cut the flattened rolls into even slices, ¾–1 inch thick. Place the slices on the bottom of a 2-to-3-inch-deep serving dish or individual serving bowls. Barely cover with the liquid aspic. Refrigerate for about 30–40 minutes, or until the aspic is almost set. Decorate with the cherries, gooseberries, eggs, and lemon slices. Very carefully pour more aspic over the decorations. Refrigerate for at least 1 to 1½ hours.

Note: If you have not tucked the smaller pieces of meat into the rolls, they can be arranged on another platter, covered with aspic, and decorated as the rolls are. This dish will be similar to Jellied Meat described on page 33, and is more suitable for a family meal than for festive occasions.

Studen'

JELLIED MEAT

Serves 8–12 as an appetizer or 6 as an entrée

2	pounds calf's or pork feet	10	black peppercorns
1	pound beef round or chuck, in one piece	5	allspice berries
		2	bay leaves
1	onion	3–4	cloves garlic, crushed or finely chopped
1	carrot		
1	parsley root	3	hard-cooked eggs, peeled and sliced
2	ounces celery root		
½	teaspoon salt plus additional salt to taste		
2	chicken breasts (about 1 pound), *or* 1 pound boneless veal	1	recipe Cream-Style Horseradish (page 616)

Rinse the calf's feet, put in a 4-quart pot, and add 2 quarts of water. Bring to a boil, lower the heat, cover, and simmer for 4 hours. The stock should have reduced by half, and the gristle should fall away from the bones.

Add the beef, onion, carrot, parsley and celery root, and ½ teaspoon salt to the pot, bring to a boil, lower the heat, and simmer, partially covered, for 40 minutes. Add the chicken breasts, peppercorns, allspice, and bay leaves, and continue to simmer until the beef and chicken are tender, about 20 minutes. Cool, then refrigerate for 3–4 hours.

Remove all the fat from the top of the aspic. Melt the aspic over low heat. Remove the calf's feet, beef, and chicken, add the garlic and salt to taste to the broth. Skin and bone the chicken. Remove the meat from the calf's feet, discarding the bone and gristle. Cut all the meat into 1-inch pieces and place in a 2- to 2½-quart serving dish or in individual 1- to 1½-cup dishes. Strain the broth over the meat, discarding the vegetables and spices. Top with slices of hard-cooked egg and refrigerate until set, about 2 hours.

Cut the meat into as many slices as you will need and serve from the dish, accompanied by horseradish.

Kholodnyi Iazyk s Khrenom
COLD BEEF TONGUE WITH HORSERADISH SAUCE

Like Smoked Pork Loin (page 31) and *Buzhenina* (page 304), the beef tongue is served as part of a cold-cut platter or by itself as one among various hors d'oeuvre.

Serves 8–12 as an appetizer or 6–8 as an entrée

1 beef tongue (about 3 pounds)	Parsley sprigs
1 teaspoon salt	1 recipe Cream-Style Horse-radish (page 616)

Wash the tongue under hot running water and cut away the fatty meat from the underside. Place in a 3-quart pot, add water to cover, 1 teaspoon salt, and bring to a boil. Lower the heat, cover, and cook at a simmer for 1½–2 hours, or until tender. Drain the tongue, place in a bowl, and leave under cold running water for 5 minutes, then turn off the tap and leave in cold water for 5 minutes more. The tongue should be cool enough to handle. Peel it with a fork and a sharp knife.

Wrap the peeled tongue in foil and refrigerate until quite cold. Cut into even ½-inch slices, arrange on a platter, and decorate with parsley. Serve the horseradish in a relish jug or sauceboat.

Zalivnoi Iazyk

BEEF TONGUE IN ASPIC

Serves 8–12 as an appetizer or 6–8 as an entrée

1 beef tongue (about 3 pounds), cooked as for Cold Beef Tongue with Horseradish (page 34)

½ pound beef soup bones
1½ pounds calf knuckle bones
1 teaspoon salt
1 onion, stuck with 3 whole cloves

1 carrot
1 parsley root
¼ pound celery root
2 bay leaves
6 black peppercorns
6 allspice berries
Parsley sprigs
1 recipe Cream-Style Horseradish (page 616)

While the cooked tongue is being chilled, prepare the aspic.

Put the soup bones in a 5-quart pot, add 2 quarts of water, and bring to a boil. Lower the heat, skim thoroughly, add 1 teaspoon of salt, and simmer, partially covered, for 1 hour. Add the vegetables and spices. Simmer for 1 hour more. The broth should boil down to about 1 quart. Strain through a fine sieve.

Cut the tongue into even ¼-inch slices and arrange in a serving dish about 2 inches deep or in 6–8 individual 1½- to 2-cup serving dishes. Place small parsley sprigs between the slices, then cover with the broth and refrigerate for 2–3 hours. Serve from the dish and pass the horseradish in a relish jug or sauceboat.

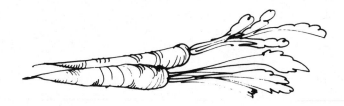

Pechonochnyi Pashtet

CHOPPED LIVER

Serves 8–10

1½ pounds beef liver, calf's liver, or chicken livers (see *Note*)

2 medium onions

4 tablespoons unsalted butter, *or* ¼ cup rendered chicken fat, *or* 2 ounces pork fatback or bacon, cut into 1-inch pieces and rendered in a nonstick skillet for 5–7 minutes over moderately low heat

Salt to taste

¼ teaspoon freshly ground black pepper

¼ teaspoon freshly grated nutmeg

2 tablespoons brandy

2 hard-cooked eggs, peeled and finely chopped

Parsley sprigs
Thinly sliced pickles
Oil-cured black olives

6–8 baked pastry shells (page 163; *optional*)

Cut beef or calf's liver into 5-inch squares. Chicken livers need not be cut. Cut the onions in half, then slice each half about ¼ inch thick. Melt the butter or chicken fat in a heavy skillet and add the liver and onions. Fry over medium heat: 5 minutes for chicken or calf's liver, 7 minutes for beef liver, stirring often. If you use bacon, don't let it turn too dark. Cover, lower the heat, and simmer 5 minutes for chicken or calf's liver and 7 minutes for beef liver. Do not overcook; the liver should be tender and juicy. Remove from the heat and add salt to taste.

Grind the liver, onions, and bacon (if used) twice in a meat grinder or purée in a food processor. Push the mixture through a sieve into the bowl of an electric mixer. Discard the tendons. Add the pan juices, pepper, nutmeg, brandy, and chopped eggs to the meat and beat at medium speed for 3 minutes with an all-purpose electric beater or for 5 minutes by hand with a wooden spatula. The mixture should be very fluffy. Taste for salt.

Transfer the liver to a decorative serving bowl, shape into a pointed dome, and decorate with parsley, pickles, and olives. For a more elegant presentation, divide the liver among 6–8 baked pastry shells, shape the mounds neatly, and decorate as described. Serve the chopped liver at room temperature.

Note: Chicken livers are the tenderest of all and produce the softest, fluffiest *pashtet*.

Pashtet iz Pechonki i Gribov
CALF'S LIVER AND MUSHROOM PÂTÉ

Serves 6

3	tablespoons unsalted butter	½	medium onion, finely chopped
½	pound mushrooms, cut into ¼-inch slices	¼	pound cream cheese, at room temperature
½	pound calf's liver or chicken livers, cut into 1-inch pieces	⅛	teaspoon freshly grated nutmeg
			Salt to taste

Melt 1 tablespoon of butter in each of three separate skillets. In one skillet, sauté the mushrooms over moderate heat for 7–10 minutes. In the second, sauté the liver for 5–7 minutes over moderate heat. Sauté the onions in the third skillet over low heat for 8–10 minutes, or until golden and limp. Stir the contents of each skillet from time to time during the cooking process.

Transfer the mushrooms, liver, and onions to a food processor, scraping up any browned bits and pan juices, and purée until smooth. Or put through a meat grinder twice. Push the mixture through a sieve and discard any tendons.

In the bowl of an electric mixer, combine the mixture with the cream cheese, nutmeg, and salt and beat at moderate speed for 2 minutes. Taste for salt, then beat for 2–3 minutes more, or until very fluffy.

Place the pâté in a serving bowl and serve at room temperature with lightly toasted white bread.

EGG HORS D'OEUVRE

Stuffed eggs are a recent addition to Russian cuisine. In a cookbook published seventy years ago, stuffed eggs baked in eggshells are listed, but only as an accompaniment to soups, not as an hors d'oeuvre. It was as a suitable base for caviar that stuffed eggs began to appear as hors d'oeuvre, and they have finally been fully accepted on their own.

Maionez
MAYONNAISE

Makes about 1 cup mayonnaise

4 raw or hard-cooked egg yolks	2 tablespoons white wine vinegar
2 level teaspoons Düsseldorf or Dijon mustard	1 teaspoon sugar
⅔ cup olive oil	¼ teaspoon salt

In a blender, whip the egg yolks with the mustard for 30 seconds. With the motor running, add the oil, drop by drop, until the mixture becomes homogeneous, smooth, and opaque. This will take about 5 minutes. Add the vinegar, ½ teaspoon at a time, sugar, and salt, and beat for 1 minute.

Farshyrovannye Iaitsa
STUFFED EGGS

Serves 6–12

2 tablespoons unsalted butter, in all	Salt to taste
1 medium onion, finely chopped	Parsley sprigs
1 tablespoon bread crumbs	½ cup mayonnaise, prefer-
6 hard-cooked eggs, peeled	ably homemade (page 38),
1 tablespoon finely chopped fresh dill	mixed with ¼ cup sour cream, for sauce
1 tablespoon mayonnaise	

In a small skillet, melt 1 tablespoon of butter, add the onions, and sauté for 8–10 minutes, or until limp and golden. Melt the remaining butter in another small skillet, add the bread crumbs, and sauté until just golden, stirring. Do not allow the crumbs to become too dark, or they will taste bitter.

Halve the eggs lengthwise, remove the yolks, and mash them well with a fork. Add the sautéed onions, bread crumbs, and dill, and mix.

Blend in the tablespoon of mayonnaise and salt to taste and mix well.

Fit a pastry bag with a fluted nozzle, fill with the stuffing, and pipe into the egg whites; or fill the whites with a spoon, mounding the egg yolks neatly.

Arrange on a serving plate and decorate with parsley sprigs. Pass the sauce separately in a sauceboat.

Variations
- Top with ½ teaspoon salmon caviar or beluga caviar.
- Add 2 ounces of minced smoked salmon and omit the dill. If you are using canned smoked salmon, drain the fish and blot it dry before chopping.
- Add 4 filleted canned sardines or 6 fillet sprats, and omit the dill. Drain and thoroughly dry the fish before chopping.
- Add 1 teaspoon chopped, well-drained anchovies and omit the bread crumbs.

Farshyrovannye Iaitsa Zapechonnye Skorlupkakh
STUFFED EGGS BAKED IN EGGSHELLS

These eggs are also served for breakfast and as a soup accompaniment.

Serves 6

8 hard-cooked eggs	Salt to taste
5 tablespoons unsalted butter, in all	Freshly ground black pepper to taste
5 tablespoons bread crumbs, in all	
1 raw egg	Parsley sprigs
1 tablespoon finely chopped fresh dill	Muffin tins
1 tablespoon finely chopped parsley	6 egg cups, *or* 6 slices of white bread cut ¾ inch thick (*optional*)

You will need only 6 hard-cooked eggs for this dish. The 2 additional eggs will serve as a backup in case any of the eggshells cannot be cut cleanly.

With a sharp knife, preferably one that is finely serrated, cut each egg neatly across in half. Try to keep the eggshells intact as you carefully scoop out the eggs with a teaspoon. Chop them finely and reserve. Melt 3 tablespoons of butter in a small skillet, add 3 tablespoons of bread crumbs, and brown lightly over moderate heat for 1–2 minutes. Combine the crumbs, chopped eggs, raw egg and chopped greens. Season with salt and pepper to taste.

Preheat the oven to 375°F. Stuff the eggshells, smoothing the filling, and set the eggs in the molds of a muffin tin. Sprinkle with the remaining bread crumbs. Melt the remaining butter and dribble it over the crumbs.

Bake the eggs for 15–20 minutes, or until the tops are dark golden brown. Serve at room temperature, accompanied by small spoons.

As a breakfast dish, serve in egg cups. To serve with soups, trim the crusts and cut 1¼-inch holes in the center of the bread slices and toast until pale golden. Arrange the toasts in a circle on a platter and place the stuffed eggs in the holes. Decorate with parsley sprigs.

Iaichnyi Pashtet
CHOPPED EGG PÂTÉ

Serves 6

6 hard-cooked eggs, peeled	Salt to taste
6 finely chopped scallions	
1 tablespoon finely chopped fresh dill	Cucumber slices
	Oil-cured black olives
1 tablespoon melted un-salted butter and 1 table-poon melted chicken fat, *or* 2 tablespoons unsalted butter, melted	Parsley sprigs

Chop the hard-cooked eggs finely, but do not purée them; the texture of the pâté should be grainy. Add the scallions, dill, butter, chicken fat, and salt to taste to the eggs. Mix carefully with a fork and chill.

Mound the pâté in a serving bowl and surround it with cucumber slices and olives interspersed with parsley sprigs. Serve at room temperature.

Syrnyi Pashtet s Chesnokom

GARLIC CHEESE

This is another recent addition to the hors d'oeuvre table—an ingenious combination of simple ingredients that work splendidly together.

Serves 6–10

1   pound Tilsit or Danish
    Havarti cheese, chilled
1½–2 tablespoons mayonnaise,
    preferably homemade
    (page 38)

1–2 cloves garlic, crushed

Mince the cheese, either by putting it through a meat grinder or by processing it briefly in a food processor fitted with the steel blade. The cheese should be grainy, not mushy. Combine with the remaining ingredients, mix well, and chill.

Serve in a decorative bowl, accompanied by white bread toasts or crackers.

Buterbrody

OPEN SANDWICHES

BREADS

As a base for flavored spreads and small tasty morsels of fish or meat, thinly sliced firm bread is best. Use good quality French bread, packaged rye cocktail bread, or Danish pumpernickel. (The packaged white and whole wheat breads found in most supermarkets are not firm enough to hold their shape.) French bread and cocktail slices can be left whole; larger slices should be cut in half or quartered to make rectangles or triangles. Toast the bread or not, as you wish, or sauté lightly in a little butter. Spread with softened unsalted butter or with one of the flavored butters below.

FLAVORED BUTTERS AND MAYONNAISE

Flavored butter can be spread over bread before it is topped with the filling, or the butter can be piped around the edge of the sandwich from

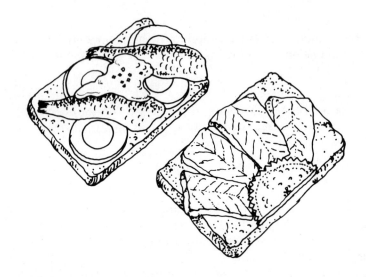

a small pastry bag fitted with a ⅛-inch fluted nozzle. Refrigerate the decorated sandwiches to harden the butter.

To make ½ cup of flavored butter, to 7½ tablespoons of softened unsalted butter add: ½ tablespoon of catsup; Dijon or Düsseldorf mustard; Cream-Style Horseradish (page 616), or lemon juice. Or, to 7 tablespoons of butter, add 1 tablespoon of cooked, drained, and puréed spinach or mashed hard-cooked egg yolks.

Mayonnaise (preferably homemade, page 38), either by itself or flavored as just described, is one of the most useful sandwich spreads.

SANDWICH COMBINATIONS
- sturgeon or salmon caviar sprinkled with finely chopped chives
- pressed caviar decorated with a half lemon slice (rind removed)
- a slice of pickled herring fillet topped with a slice of cucumber and sprinkled with finely chopped scallions
- strips of smoked sturgeon or smoked salmon fanned out over the bread or rolled into spirals and arranged in a neat pattern, with quartered lemon slices (serrated rinds) decorating the center or placed on the side

- *kilka* (anchovy) fillets decorated with a slice of hard-cooked egg and a dollop of mayonnaise
- a canned, drained sprat or a piece of sardine decorated with a half lemon slice (rind removed) and a parsley sprig; a border of whipped butter would be appropriate here
- crab meat mixed with a little mayonnaise, sprinkled with chopped scallions; decorate with a border of catsup butter
- spread toast with mustard butter, lay a strip of ham over the mustard, and top with a slice of cucumber
- spread bread with horseradish butter and cover with slices of beef tongue topped with sliced Brined Cucumbers (page 423) or Claussen Kosher Pickles
- Chopped Liver (page 36) sprinkled with finely chopped chives and/or decorated with a parsley sprig
- Warm Calf's Liver and Mushroom Pâté (page 37) or Grouse Butter (page 345) piped through a fluted nozzle over toast, garnished with parsley sprigs, sliced pitted olives, halved cornichons, pickles, and so on. Chill briefly to firm up the spread.

PIROGHI AND *PIROZHKI*

To serve a *pirog* or *pirozhki* as an appetizer seems an excess to me. With soup or tea—that's different—or with beer for a Sunday lunch. My reservations notwithstanding, Russians have enthusiastically eaten *piroghi* and *pirozhki* as a first course for many years and will no doubt continue to do so forever.

Almost any kind of *pirog*, *kulebiaka*, or *pirozhki* can be part of the hors d'oeuvre menu. (See Chapter 4 for recipes.) For an elegant meal, serve Classic Russian *Kulebiaka*, baked *pirozhki*, stuffed with rice and eggs, or pastry baskets with calf's brains. *Piroghi* or *pirozhki* filled with cabbage or with kasha and mushrooms are heartier fare. For all of these pies, vodka is the appropriate drink. With fried *pirozhki*, however, serve beer.

PICKLED VEGETABLES AND FRUITS

The brined and marinated pickles in Chapter 10 are among the quintessential Russian hors d'oeuvre. Some of them even seem to have been especially created for the elaborate *zakuski* ceremony—Cucumbers Brined in a Pumpkin (page 426) is a good example. The pickled fruits add an especially piquant flavor and texture to the table.

VEGETABLE HORS D'OEUVRE

The oldest Russian vegetable appetizers are straightforward pickles, marinated mushrooms, sauerkraut, radishes, and for a touch of fruit, brined apples and marinated plums. Combining vegetables for a single dish was unheard of, which accounts for the small number of salads in the cuisine—and even those were based on only one vegetable, for instance, White Radish Salad, Marinated Beet Salad, or Cucumber Salad. Even such staples as White Bean Pâté and Mushroom Caviar were later, eighteenth-century additions to the repertoire, created under the growing influence of the French, German, and Italian cuisines, which used puréed or minced ingredients extensively.

The technique of stuffing vegetables—potatoes, cabbage, zucchini, bell peppers, tomatoes, turnips, and even onions—with meat or vegetables was adopted from the southern provinces around the Black Sea, which were conquered or annexed by Russia in the eighteenth and nineteenth centuries. Some of these dishes—stuffed cabbage leaves, stuffed zucchini, or stuffed bell peppers—became so strongly associated with Russian cuisine that it is difficult to think of them as derivations. After all, what sounds more Russian than potatoes filled with mushrooms. Most of the stuffed vegetables are served as entrées. The stuffed tomatoes and bell peppers in this chapter (pages 66–68) are used primarily as hors d'oeuvre but also make satisfying lunch entrées.

Pashtet is Fasoli
WHITE BEAN PÂTÉ

Serves 6

1½ cups dried white beans (Great Northern or navy beans)	6 ounces bacon strips
	1 large onion, cut into julienne strips
½ teaspoon salt plus additional salt to taste	Paprika to taste
	Parsley sprigs

Rinse the beans and soak them overnight in cold water to cover. Or follow the parboiling and soaking instructions for Kidney Beans, Georgian-Style (page 45). The next day, bring the water to a boil, lower the heat, and simmer the beans for 1 hour, or until tender. Add ½ teaspoon of salt about 15 minutes before the end of cooking. Drain the beans and cool them in the colander.

In a heavy skillet, render the bacon over low heat. When it is crisp, blot the strips on paper towels and reserve. Add the onion to the skillet and sauté over moderate heat for 7–8 minutes, or until limp and golden.

In a meat grinder or food processor, purée the cooled beans, bacon (save a few strips for decoration), and onion. Add salt and paprika to taste and place in a serving bowl. Decorate with the crumbled bacon strips and parsley sprigs.

Serve the pâté at room temperature, accompanied by black bread.

Lobio
KIDNEY BEANS, GEORGIAN-STYLE

> *Several minutes later the waitress appeared with an enormous plate of fresh scallions mixed with crimson radishes—the latter peeping through the green scallions like little red beasts. Along with the salad, we received separate portions of* lobio *and bread. . . .*
>
> *We started off with the* lobio, *which was cold and unbelievably peppery, and then munched away at the radishes and scallions. Each time I bit into one of the spearlike scallion stems, it would spurt forth a spray of its sharp, pungent juice as if in self-defense. . . .*
>
> *A subtle and fragrant aroma rose from our glasses. It was Isabella wine, deep crimson in color like pomegranate juice. . . .*
>
> *The waitress came up with two shish kebabs sizzling on skewers.*
>
> —Fazil Iskander
> "The Goatibex Constellation"

This is the context in which *lobio* is served in Georgia and Abkhazia. Featured in every Transcaucasian restaurant in large Russian cities, it has become a popular appetizer and is usually followed by Lamb Shish Kebab (page 292) or Chicken *Tapaka* (page 322).

Serves 6

1½ cups dried kidney beans	¼ cup olive oil
1½ teaspoons salt for each quart water, plus additional salt to taste	2 tablespoons finely chopped fresh coriander (cilantro)
1 onion, finely chopped	2 tablespoons finely chopped parsley
2 tablespoons freshly squeezed lemon juice or tarragon vinegar	Freshly ground black pepper to taste

Place the beans in a heavy 2½-quart saucepan and cover with water, measuring the water as you add it. Add 3 additional cups of water, bring to a boil, and boil for 2 minutes, uncovered. Remove from the heat, cover, and let sit for 1 hour.

If the parboiled beans have absorbed all the water, add more to cover generously, then add 1½ teaspoons of salt for each quart of water added, and bring to a boil. Lower the heat and simmer, covered, for 1 hour, checking the water level several times. Taste for doneness; if necessary, cook 5–10 minutes longer and taste again. The beans should be tender but not mushy. Drain and cool.

Combine the beans with the remaining ingredients and taste for salt. The *lobio* should be spicy, so be generous with the onion and black pepper.

Refrigerate and serve cold.

Salat iz Sviokly v Marinade
MARINATED BEET SALAD

This salad is more than an appetizer; it is used to accompany cold meat and cold fish, and it is also good as a side dish for a meat or fish entrée.

Serves 6

FOR THE MARINADE

½	cup vinegar		1	tablespoon sugar
1	cup water		¼	teaspoon salt
1	bay leaf			
4	allspice berries		6	medium beets
4	black peppercorns		1	tablespoon olive oil
1	whole clove			

In a 2-quart enameled saucepan, combine all the marinade ingredients, bring to a boil, remove from the heat, and cool.

Put the beets in a 3-quart saucepan, cover with cold water, and bring to a boil. Cook at a low boil until tender, about 45 minutes to 1 hour. Drain the beets, then chill, peel, and cut into julienne strips. In a glass jar or a bowl, combine the beets, marinade, and olive oil. Cover and refrigerate for 24 hours.

Serve in a decorative bowl, with the beets still in the marinade.

Salat is Sviokly s Maionezom
BEET SALAD WITH MAYONNAISE

Serves 6

6 medium beets	2 cloves garlic, crushed
½ cup Mayonnaise (page 38)	

Put the scrubbed but unpeeled beets in a 3-quart pot, add water to cover, and bring to a boil. Cook at a low boil until tender, about 1 hour. Drain the beets, then chill, peel, and cut into ⅛-inch slices. Combine gently with the mayonnaise and garlic and chill. Serve as an appetizer or as described for Marinated Beet Salad (page 46).

Salat is Kapusty
CABBAGE SALAD

Serves 6

1 firm head of cabbage (as white as possible), about 1½ pounds	1 cup Mayonnaise (page 38)
½ teaspoon salt plus additional salt to taste	3–4 tablespoons thin carrot shavings, made with a potato peeler (*optional*)
1 medium onion	Sugar to taste
1 large apple (Gravenstein, Granny Smith, or MacIntosh), peeled and cored	Parsley sprigs and/or thin wedges of red-skinned apples

Cut the cabbage in half and carve out the core. Using a long sharp knife, cut the cabbage into julienne strips or slice in a food processor, using the medium slicing blade. Discard the thicker ribs of the cabbage leaves. Sprinkle the cabbage with ½ teaspoon of salt and rub the strips with your hands to make them softer and juicier. Cut the onion and apple into julienne strips and combine with the cabbage, mayonnaise, and carrot shavings. Add salt and sugar to taste, then chill.

Serve decorated with parsley sprigs and apples as an appetizer or as a side dish.

Salat iz Krasnoi Kapusty
RED CABBAGE SALAD

Serves 6

1 marinade recipe (Marinated Beet Salad, page 46)	1 tablespoon olive oil
1 pound red cabbage, cored and cut into julienne strips	

Combine all the marinade ingredients except the olive oil in a 2½-quart saucepan, bring to a boil, and add the cabbage. Return to a boil, lower the heat, and simmer the cabbage for 10–15 minutes, or until tender but not mushy. Drain and chill. Discard the marinade. Immediately before serving, sprinkle with the olive oil. Use as an hors d'oeuvre or a side dish.

Salat iz Morkovi
CARROT SALAD

Serves 6

¾ pound carrots	1 tablespoon sugar
2 large apples	Salt to taste
1 tablespoon Cream-Style Horseradish (page 616)	Slices of Brined Apples (page 431) or canned apples
1 tablespoon olive oil	Walnut halves
1 tablespoon vinegar	

Peel and grate the carrots and apples. In a bowl combine them with the remaining ingredients except the sliced apples and walnuts for garnish. Chill and serve decorated with the apple slices and walnuts.

Salat iz Ogurtsov
CUCUMBER SALAD

This salad is the perfect complement to fresh or smoked sturgeon and salmon.

Serves 6

6 pickling, or small-seed, cucumbers (4–5 inches long), *or* 2 hothouse cucumbers, peeled and cut into ⅛-inch slices
6 scallions, finely chopped
2 teaspoons finely chopped fresh dill

1 tablespoon olive oil
Freshly ground black pepper to taste
Salt to taste

Combine all the ingredients and toss gently. Serve immediately in a chilled bowl.

Baklazhannaia Ikra
CHOPPED EGGPLANT

There is probably at least one chopped eggplant recipe for every southern European, Mediterranean, and Middle Eastern country, so well does the firm, meaty flesh of the eggplant lend itself to this preparation. Both our recipes come from the Black Sea region of southern Russia, where I learned to cook them right at the source—in Odessa, a picturesque and flamboyant port on the Black Sea.

It was through this southern gate that a number of sea fish and vegetable dishes found their way into Russian cuisine. Another superb appetizer, Eggplant *Satsivi* (page 376), is also a Georgian contribution.

Serves 6–8

2	eggplants (about 7 inches long and 4½ inches thick)	1–2	cloves garlic, crushed
2	teaspoons salt	1	tablespoon freshly squeezed lemon juice
1	onion, finely chopped		Salt to taste
1–2	tablespoons olive oil		
1	tablespoon finely chopped parsley		

Preheat the oven to 350°F.

Set the eggplants on the middle rack and bake for about 30 minutes, or until quite soft to the touch. Remove from the oven and cool.

Cut the eggplants lengthwise and trim at both ends. Sprinkle the cut side with salt and set on a wooden board, skin side up. Cover with another wooden board, put a 1-pound weight on top, and let the excess juices drain for 10–15 minutes.

While the eggplant is draining, heat 1 tablespoon of the oil in a small skillet, add the onion, and sauté over moderately low heat for 7–8 minutes, or until limp and golden. Reserve.

When the eggplants have drained for 10–15 minutes, pat them dry with paper towels, peel off the skin, and chop the flesh finely on a dry wooden board using a heavy chef's knife (do not purée). In a bowl, combine the pulp with the onion and the remaining ingredients and taste for salt.

Chill and serve cold in a decorative bowl.

Variation Chopped Eggplant with Tomatoes

Add to the ingredients 2 ripe tomatoes (about 12 ounces in all), peeled, seeded, and finely chopped; 2 teaspoons of catsup or tomato sauce; and an additional 1½ teaspoons of chopped parsley. The lemon juice is optional.

Bake, salt, and chop the eggplant as described above. In a large nonstick skillet, sauté the onion over moderately low heat for about 10 minutes, or until limp and golden. Add the chopped eggplant and tomatoes, and continue to cook, stirring occasionally, over moderate heat for 20 minutes, or until the pan juices have almost evaporated. Add the catsup and salt to taste and cook 5 minutes more. Stir in the garlic and lemon juice, remove from the heat, cover, and allow the garlic to infuse the eggplant. Cool, then chill, and serve in a decorative bowl sprinkled with the parsley.

Zelionyi Salat

LETTUCE SALAD WITH SOUR CREAM DRESSING

The special feature of Sour Cream Dressing is its combination of four tastes: tart, sweet, bitter, and salty, with tart and sweet prevailing slightly. Serve this dish as a separate salad course or as an accompaniment to fish and light meat dishes.

Serves 8–12 as an appetizer or side dish or 6 as a separate salad course

6 tablespoons sour cream	3 pickling or small-seed cucumbers (4–5 inches each), peeled, quartered lengthwise, and cut into scant ¼-inch slices
½ teaspoon mustard (preferably Dijon or Düsseldorf)	
1 teaspoon sugar	
1½ tablespoons freshly squeezed lemon juice	4 small red radishes, sliced paper-thin (*optional*)
Salt to taste	1 tablespoon finely chopped fresh dill
2 heads Boston or Romaine lettuce (24 Boston lettuce leaves *or* 18 Romaine leaves)	2 hard-cooked eggs, peeled and quartered lengthwise (*optional*)
12 scallions, finely chopped	

Make the dressing: combine the sour cream, mustard, sugar, lemon juice, and salt in a small bowl and refrigerate while you prepare the greens.

Pull apart the heads of lettuce, discarding damaged, wilted, or tough leaves. Wash and thoroughly dry the perfect leaves. If you use a spin dryer, check to see if the leaves need a final hand drying with paper towels. In a large bowl, break the leaves into 1½-inch pieces, combine with the scallions, cucumbers, and radishes (save a few radish slices for decoration), and toss lightly. Gradually add the dressing, continuing to toss the salad, until the leaves are just filmed; do not drench the salad. Sprinkle with dill, transfer to a chilled bowl, and decorate with the quartered hard-cooked eggs and radish slices, if you are using them. Serve immediately.

Note: The radishes, which add a nice touch of color, must be very thinly sliced, otherwise their crunchiness will be in disharmony with the delicate texture of the salad.

Gribnaia Ikra

MUSHROOM CAVIAR

Serves 6

1   pound Salt-Pickled or
    Brined Mushrooms
    (page 429) or Marinated
    Mushrooms (page 438)
3   tablespoons olive oil
1   large onion, finely
    chopped
1   tablespoon vinegar

1   clove garlic, crushed
    Salt to taste
    Freshly ground black
    pepper to taste
3   tablespoons finely chopped
    scallions

Rinse the salted mushrooms thoroughly in cold water, wrap in 2–3 layers of cheesecloth, and press out the excess liquid, then mince finely. In a deep skillet, heat the olive oil, add the onion, and sauté 7–8 minutes, or until transparent. Add the mushrooms and sauté over moderate heat for 10–15 minutes more. Toss with the vinegar, garlic, salt, and pepper. Cool to room temperature and serve sprinkled with the finely chopped scallions.

Taganrogskii Kartofelnyi Salat

POTATO SALAD

My wife and I often visited with the Chekhovs at their small apartment on Sretenka. Those were joyous evenings! Everything was very modest, including the supper, which almost always featured the famous Taganrog [Chekhov's family came from Taganrog, in the south of Russia] potato salad with green onions and black olives. There was no dancing, no card games, and yet the evenings were delightful, imbued with special warmth and cordiality.

—*Vladimir Gilarovskii*
The People I Met

Serves 12–18

 12 medium all-purpose pota-
    toes, boiled in their skins
  6 scallions, finely chopped
 18 black Greek olives, pitted
    and halved
  1 tablespoon finely chopped
    fresh dill or parsley

¼ cup olive oil
1–2 teaspoons tarragon vinegar
½ teaspoon sugar
   Freshly ground black
   pepper to taste
   Salt to taste

When the potatoes are cool, peel and slice them ¼ inch thick.

In a bowl, combine the sliced potatoes, scallions, olives, and chopped greens. Mix the vinegar with the sugar. Sprinkle the potatoes with the oil and vinegar, and season with pepper and salt to taste. Mix carefully, chill, and serve on a decorative platter.

Variation   The salad can be enhanced with one of the following: cooked beets, peeled and cut into ½-inch dice; pickles, peeled and cut into ⅓-inch dice; Salt-Pickled or Brined Mushrooms (page 429); or herring fillets cut into ½-inch strips.

Salat iz Red'ki

WHITE RADISH SALAD

Like many other vegetable salads, this one is also served as a side dish with meat entrées. It also goes well with cold cuts and is good eaten alone, with coarse dark bread.

Serves 6

 3 medium white radishes
   (about 1 pound)
 1 medium onion, finely
   chopped

2 tablespoons vegetable oil
  Salt to taste

Wash and peel the radishes, then grate coarsely. In a heavy skillet, combine the radishes with the remaining ingredients and, over low heat, stir continuously for about 5 minutes. This will "melt out" the bitterness, so characteristic of white radishes.

Chill and serve in a decorative bowl.

Salat iz Kvashenoi Kapusty Provansal'
SAUERKRAUT SALAD PROVENÇAL

This salad is traditionally served with pork, roast goose, and game. The use of olive oil in this recipe may account for the (distant) connection with Provence. If you can, make the salad using home-marinated fruit and homemade sauerkraut pickled with cranberries and apples.

Serves 6

2   pounds Brined Cabbage or Homemade Sauerkraut (page 427), Claussen sauerkraut, or French *choucroute*

3–4 ounces Brined Apples (page 431) or marinated apples (see Marinated Fruits, page 440), cut into ¼-inch slices

3   scallions, finely chopped, *or* 2 tablespoons finely chopped yellow or white onions

1   tablespoon finely chopped parsley

1   teaspoon sugar

3   tablespoons olive oil

2–3 pickled plums (see Marinated Fruits, page 440), quartered or, if large, cut into 8 pieces

A pinch each of ground cinnamon and freshly grated nutmeg (*optional*)

If homemade sauerkraut is used, drain it (without rinsing) in a colander for 5 minutes. If you are using Claussen sauerkraut or *choucroute*, place the sauerkraut in a colander and leave under cold running water for 30 seconds. Drain the sauerkraut and combine with the remaining ingredients. Mix carefully, chill, and serve in a decorative bowl.

Salat iz Pomidorov i Ogurtsov #1
TOMATO AND CUCUMBER SALAD #1

This is a well-loved salad. In summer Russians eat it at the beginning of any and all meals, from breakfast to supper. In his delightful accounts of local food, John Steinbeck in *A Russian Journal* tells us that this salad was to be had at the Intourist Hotel in Kiev, at a Moscow party, in two Ukrainian villages, in Stalingrad, and in Georgia. In winter, only those with important grocery connections manage to find the ingredients—thus, all the more intense is the pleasure when the next summer comes around and once again this favorite is on the table.

Use only the freshest and finest ingredients: firm, ripe tomatoes at room temperature so that their flavor is fully developed and either pickling or hothouse cucumbers.

Serves 6

6	firm, ripe medium tomatoes		Freshly ground black pepper to taste
3	firm pickling cucumbers, *or* 1 hothouse cucumber	2	tablespoons olive, sunflower, or corn oil
1	medium onion Salt to taste	1	tablespoon vinegar

Prepare this salad immediately before serving.

Cut out the stems and slice the tomatoes into neat, thin wedges. Peel the cucumbers and cut into thin rounds. Slice the onion into thin rings.

Place the tomato and cucumber slices in a serving bowl, add salt and pepper to taste, toss lightly, then decorate the top with the onion rings and sprinkle with the oil and vinegar. Serve at once.

Salat iz Pomidorov i Ogurtsov #2
TOMATO AND CUCUMBER SALAD #2

Serves 6

6	firm, ripe medium tomatoes	⅓–⅔ cup cold sour cream Salt to taste
3	firm pickling cucumbers, *or* 1 hothouse cucumber	

Immediately before serving, cut out the stem ends and slice the tomatoes into thin wedges. Peel the cucumbers and cut into thin slices. Place 1–2 tablespoons of sour cream into bottom of 6 individual serving bowls, arrange the vegetables over the cream, and sprinkle with salt. Serve at once.

COMPOSED SALADS

Composed salads are a comparatively recent development in Russian cuisine, dating back only to the late nineteenth and early twentieth centuries. Like many other Russian hors d'oeuvre, the salads are extremely versatile. Any of them can serve as the single appetizer on a dinner menu, as the highlight of an extensive hors d'oeuvre menu, or as a splendid main course for a light lunch. Depending on the occasion, the salads can be enhanced nutritionally or in the degree of lavishness by increasing the amount of the key ingredient—sturgeon in Sturgeon Salad (page 56), for instance.

Cooked Vegetables Vinaigrette (page 65) and "Herring Under a Blanket" (page 59) are more suitable for an informal gathering or an average family meal, and, due to the variety of ingredients, they too will be sufficient to serve as a single hors d'oeuvre or a lunch entrée.

Salat iz Osetriny
STURGEON SALAD

Serves 8–12 as an appetizer or 6 as an entrée

1   head Boston or Romaine lettuce

2   ounces beluga, sevruga, ossetra, or other caviar

½   pound crab-leg meat

1   pound all-purpose potatoes, boiled in their skins, peeled, and cut into ½-inch dice

3   pickling cucumbers (4–5 inches long,) *or* 1 hothouse cucumber, peeled and cut into a scant ½-inch dice

6   tablespoons cooked green peas

¾   cup Mayonnaise (page 38), in all

1   pound fresh sturgeon fillet, poached in Court Bouillon (page 214) or Fish Stock (page 214)

3   hard-cooked eggs, peeled and quartered lengthwise

12 black oil-cured Greek olives

3   ounces smoked salmon, thinly sliced, cut into a scant ½-inch strips, and rolled up

6   lemon wedges
    Parsley sprigs

Pull apart the head of lettuce, discarding any imperfect leaves. Thoroughly wash and dry the perfect leaves. Fill 6 of the heart leaves with caviar and set aside. Shred the remaining leaves and line a platter or cut-glass bowl with them.

Cut half the crab meat into ½-inch dice and reserve. Cut the second half into ½-inch dice and combine with the potatoes, cucumbers, green peas, and 2 tablespoons of mayonnaise. Mix carefully so that the ingredients are not damaged. Add more mayonnaise if necessary to hold the salad together.

Divide the crab mixture in two. Shape one half into a mound in the center of the shredded lettuce. Slice the sturgeon into strips 4 inches long, 1 inch wide, and ¼ inch thick and cover the mound of salad with them, forming a cone.

Shape the remaining salad into 6 small mounds and place them around the cone of sturgeon. Between them place dollops of mayonnaise and arrange in an attractive pattern the egg quarters, olives, caviar cups, smoked salmon rolls, lemon wedges, and the reserved crab meat. Stick a few sprigs of parsley at the peak of the sturgeon cone and make a border of the rest.

Chill and serve within 30 minutes to prevent the sturgeon from drying out. If the salad has to wait longer, put a bell of tinfoil over the platter and refrigerate.

This salad also looks attractive served in 6 individual bowls.

Salat iz Krabov

CRAB SALAD

Serves 8–12 as an appetizer or 6 as an entrée

1   head Boston or Romaine lettuce

2   ounces beluga, sevruga, ossetra, or other caviar

1   pound cooked crab meat or crab legs, thoroughly picked over and cut into ½-inch dice

1   pound all-purpose potatoes, boiled in their skins, peeled, and cut into ½-inch dice

3   pickling cucumbers (4–5 inches long,) *or* 1 hot-house cucumber, peeled and cut into a scant ½-inch dice

6   tablespoons cooked green peas

1   tart apple, peeled, cored, and cut into ½-inch dice

¾   cup Mayonnaise (page 38), in all

3   hard-cooked eggs, peeled and quartered

12   black oil-cured Greek olives

1   large, ripe tomato, cut into 6 wedges

6   lemon wedges
    Parsley sprigs

Take apart the head of lettuce, discarding any imperfect leaves. Thoroughly wash and dry the perfect leaves. Fill 6 of the smallest heart leaves with the caviar and set aside. Shred the remaining leaves and line a platter or a cut-glass bowl with them.

Combine three-quarters of the crab meat, the potatoes, cucumbers, green peas, apples, and 2 tablespoons of mayonnaise, mixing carefully so that the ingredients remain intact. Add more mayonnaise if necessary to hold the salad together. Shape the mixture into a mound in the middle of the shredded lettuce and top with the reserved crab meat.

Surround the salad with dollops of mayonnaise and between them arrange egg quarters, olives, tomato and lemon wedges, and the caviar cups. Decorate with parsley. Chill for 30 minutes.

Crab salad can also be served in individual bowls.

"*Seliodka pod Odeialom*" *ili Seliodochnyi Salat*

"HERRING UNDER A BLANKET"
(HERRING SALAD)

Serve this salad from a glass bowl that will show off the colorful layers.

Serves 6

2 medium salt (schmaltz) herring (about ¾ pound, in all)

2 unpeeled boiled potatoes

2 medium cooked, unpeeled beets

6 scallions

¾ cup Mayonnaise (page 38), mixed with ¼ cup sour cream

Parsley sprigs
Oil-cured black olives

A 1½-quart glass serving bowl

Soak the herring in cool water to cover overnight. Rinse, skin, and fillet as described in Pickled Herring with Vinaigrette or Mustard Sauce (page 22). Cut the fillets crosswise into 1-inch pieces.

Peel the potatoes and the beets and cut them into ½-inch dice. Cut the scallions into ¼-inch pieces.

Spread all the herring pieces on the bottom of the serving bowl, top them with the scallions, then the potatoes, and then the beets. For the final layer, spread the mayonnaise and sour cream mixture over the beets. Decorate with parsley sprigs and olives.

The salad can be refrigerated, covered with plastic wrap, for up to 12 hours. Serve chilled.

Salat "Olivie"
SALAD OLIVIER

This salad is a creation of a French chef, M. Olivier, who in the 1860s opened a fashionable Moscow restaurant, The Ermitage, where the salad became so popular that every dinner in the restaurant included it. The original recipe involved grouse meat, crayfish tails, and truffles. The most respected chefs in town tried to re-create the dish, but it never came out as well as at The Ermitage, possibly because of the unique compound flavoring of the mayonnaise, whose secret M. Olivier never divulged.

The present-day version has veered quite far from the original, but Salad Olivier continues to be a favorite hors d'oeuvre and side dish for entrées.

Serves 8–10 as an appetizer or 6 as an entrée

1	whole chicken breast, poached, boned, and skinned, *or* ½ pound lean cooked veal	1	medium onion, finely chopped
1	pound all-purpose potatoes, boiled in their skins and peeled	1	tablespoon finely chopped fresh dill (*optional*)
2	medium pickles, preferably homemade (Chapter 10), Claussen Kosher Pickles, or those sold in delicatessens	1	cup Mayonnaise (page 38)
		2	hard-cooked eggs, peeled and quartered
1	cup cooked fresh or frozen green peas	8	large black Greek olives
		8	sprigs parsley

Cut the cooked chicken and potatoes into ½-inch dice. Peel the pickles and cut into scant ½-inch dice. In a large bowl, combine the meat, potatoes, pickles, green peas, onion, and dill. Add the mayonnaise and mix gently, so that the ingredients are not mashed.

There are two ways to serve Salad Olivier: it can be shaped into a pyramid on a platter and decorated with the hard-cooked eggs, olives, and parsley. Or the mixture can be formed into 12 balls and decorated individually. For individual portions, reduce the amount of mayonnaise to make the salad a bit firmer. Refrigerate the salad until serving time (but for no longer than 4 hours).

Variation Vegetarian Salad Olivier
Omit the chicken or veal.

MEAT AND FISH CASSEROLES, OR TWO TYPES OF "SELIANKA" IN THE SKILLET

These two hot hors d'oeuvre came into vogue during the late nineteenth century as centerpieces of supper menus. As part of the flourishing Russian theater scene, late after-theater suppers became fashionable among the upper and middle classes. The meal usually consisted only of a variety of *zakuski*, with no main course; hot meat or fish *selianka* was its most substantial dish.

Both the Meat Casserole and Fish Casserole are versions of the *seliankas* presented in Soups (pages 77 and 78). The ingredients are basically the same. Made here without broth, they are cooked in a skillet and, when served, can be accompanied by vodka or beer. They are also very good as lunch entrées.

Miasnaia Selianka na Skovorode
MEAT CASSEROLE

Serves 8–12 as an appetizer or 6–8 as an entrée

3	tablespoons unsalted butter, in all	1	teaspoon capers
1½	pounds Brined Cabbage, or Homemade Sauerkraut (page 427), Claussen sauerkraut, or imported German sauerkraut or French *choucroute*	12	black Greek olives, halved and pitted
		1	medium onion, finely chopped and sautéed for 7–8 minutes in 1 tablespoon unsalted butter
2	small bay leaves, 4 black peppercorns, and 4 allspice berries, tied in a cheesecloth bag	1	tablespoon bread crumbs
		6	tablespoons grated Parmesan cheese
1	teaspoon sugar	3	tablespoons finely chopped scallions
¼	pound cooked beef	6	slices lemon
¼	pound cooked tongue	6	marinated plums (see Marinated Fruits, page 440) (*optional*)
6	ounces frankfurters		
6	ounces lean ham		
2	Brined Cucumbers (page 423), Claussen Kosher Pickles, or those sold in delicatessens		

Melt 1 tablespoon of butter in a heavy 3- to 4-quart saucepan, add the sauerkraut, spice bag, and sugar, and sauté for 15 minutes, or until tender, stirring occasionally to keep the sauerkraut from sticking to the pan.

Meanwhile, cut the cooked beef, tongue, frankfurters, ham, and pickles into ½-inch dice. Combine this mixture with the capers and olives and set aside.

When the sauerkraut is cooked, discard the spice bag and mix the onions into the sauerkraut.

Preheat the oven to 375°F.

Grease a 3- to 4-quart rectangular casserole with 1 tablespoon of butter and spread half the sauerkraut over the bottom. Cover with all the diced meats and pickles, then top with remaining sauerkraut. Smooth the top, sprinkle with the bread crumbs and grated cheese, dot with the remaining butter, and bake for 15–20 minutes.

Cut into 6–8 squares and transfer to individual heated serving plates. Smooth the sides and decorate with the chopped scallions, lemon slices, and marinated plums. Serve at once.

Variation   Fish Casserole
Instead of the beef, tongue, frankfurters, and ham, substitute up to 1 pound of assorted fish fillets, sautéed in unsalted butter or oil and cut into 1-inch pieces.

Goriachii Vinegret
iz Teliachikh Mozgov
HOT CALF'S BRAINS SALAD

This dish is most elegantly served from a chafing dish. However, it is equally delicious served from a platter kept warm over an electric food warmer.

Serves 6

2 pairs calf's brains	1 tablespoon unsalted butter
¾ teaspoon salt	15 medium mushrooms, washed, dried, and cut into ¼-inch slices
1½ tablespoons freshly squeezed lemon juice	20 asparagus stalks
2 tablespoons instant-blending or all-purpose flour	3–4 raw or cooked crab legs, *or* a 3½-ounce can of crab meat
2 tablespoons unsalted butter	½ teaspoon salt
2 cups half-and-half	1 teaspoon freshly squeezed lemon juice
⅛ teaspoon freshly grated nutmeg	
2 tablespoons finely chopped fresh dill	A chafing dish, 12 inches long and 8 inches wide (*optional*)
Freshly ground black pepper to taste	
Salt to taste	

Soak and cook the brains as described in the recipe for Calf's Brains for Pastry Shells and Baskets Filling (page 135). Keep the brains warm and, just before assembling the dish, cut into ¼-inch slices.

While the brains are soaking, prepare the sauce: in an ungreased skillet, stir the flour over low heat for 2–3 minutes, or until pale golden. Stir in the butter and, when it melts and starts to bubble, slowly pour in the half-and-half, stirring constantly. Bring to a boil and cook for 2 minutes. Mix in the remaining sauce ingredients, remove from the heat, and reserve. Warm the sauce gently just before assembling the dish.

Next melt the tablespoon of butter in a skillet, add the mushrooms, and sauté over moderate heat for 10 minutes, tossing them two or three times. Reserve.

Break off and discard the tough stem ends of the asparagus. With a vegetable peeler or a sharp paring knife, peel off the bright green outer flesh of the stalks, starting about 1½–2 inches down from the tips. Be sure the stalks are of equal length and tie the spears with string into two bundles, about 2 inches in from either end. Bring to a boil enough water to cover the bundles, add the asparagus, and cook over moderate heat for 5–7 minutes, or until just tender. To test for doneness, lift one bundle by the string. If the spear tips droop slightly, the asparagus are ready; they should still be a bit crunchy. Lift out the bundles, remove the string, and cut the spears into 2-inch pieces. Set aside and keep warm.

If you are cooking fresh crab legs, boil them for 20 minutes with ½ teaspoon of salt and water to cover. Crack open, pick out the meat, and sprinkle it with 1 teaspoon of lemon juice. If you use canned crab meat, pick it over carefully for membranes and shells, then rinse, drain, and sprinkle with 1 teaspoon of lemon juice.

ASSEMBLING THE SALAD

Reserve ½ cup of the sauce and spread the rest over the bottom of a warm chafing dish. Arrange the sliced brains in 1 or 2 wide rows across the dish, overlapping the slices.

Arrange the mushrooms and asparagus to the right and left of the brains and fill in either end of the dish with the crab meat. With the reserved sauce, outline the brains.

Keep the chafing dish over moderate heat to warm the salad.

If you are not assembling and serving the salad in a chafing dish, have all the ingredients as warm as possible before they are assembled. Heat a serving dish that can later be kept warm on an electric food warmer, and arrange the salad as just described.

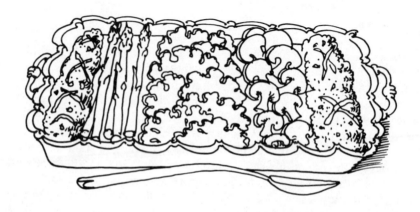

Vinegret

COOKED VEGETABLES VINAIGRETTE

Serves 6

2 medium all-purpose potatoes, cooked in their skins

1 large beet, cooked in its
   skin

2 pickles, preferably homemade (see Chapter 10),
   Claussen Kosher Pickles,
   or the ones sold in delicatessens

1 tart apple

2 medium carrots, scraped
   and cooked

1 medium onion, finely
   chopped

½ cup dry white beans,
   soaked for 4 hours in cold
   water to cover, and
   cooked in the same water
   according to the package
   instructions

2 tablespoons vinegar

2 tablespoons olive oil

1 teaspoon mustard
   (Düsseldorf or Dijon)

1 teaspoon sugar

2 tablespoons water

Salt to taste

Peel the potatoes, beet, pickles, and apple, and cut them and the
carrots into ¼-inch dice. Combine the diced ingredients with the onions
and beans and mix carefully.

Mix all the dressing ingredients together, pour over the vegetables,
and toss gently, then add salt to taste.

Serve in a decorative bowl at room temperature, either as an hors
d'oeuvre or as a side dish for entrées.

STUFFED VEGETABLES HORS D'OEUVRE

Clearly southern in origin, stuffed tomatoes and bell peppers, delicious
to eat and attractive to look at, are a credit to any hors d'oeuvre menu.
They are also quite versatile: use them as part of a varied appetizer
menu, as the only hors d'oeuvre, or as a lunch entrée, served hot or at
room temperature.

PREPARING TOMATOES FOR STUFFING

Allow 1 medium tomato for each person, if the dish will be one of several hors d'oeuvre. If it is the only appetizer, prepare 2 tomatoes per person. The tomatoes should be firm and of medium ripeness, so that they hold their shape when baked.

Preheat the oven to 300°F. Cut off the tops of the tomatoes. With a teaspoon, scoop out and discard the insides, then drain the tomatoes upside down for 10 minutes. Arrange in a shallow baking dish and bake for 10 minutes. Let the tomatoes cool, then turn them upside down again to drain. The tomatoes are now ready for stuffing.

Zapechonnye Pomidory s Miasnoi Nachenkoi

BAKED TOMATOES WITH MEAT STUFFING

Serves 6

3 tablespoons unsalted butter, in all	Freshly ground black pepper to taste
1 medium onion, finely chopped	6 tomatoes prepared for stuffing (pages 65–66)
¾ pound ground beef, cooked	½ cup sour cream
Salt to taste	Finely chopped fresh dill or parsley

Preheat the oven to 375°F.

Melt 1 tablespoon of butter in a small skillet, add the onions, and sauté over moderately low heat for 7–8 minutes, or until limp and golden.

Combine the onions, ground beef, salt and pepper to taste. Place the tomatoes on a cookie sheet, stuff with the beef mixture, top each tomato with 2 teaspoons of butter, and bake for 10 minutes. Place a heaping tablespoon of sour cream over each tomato and return to the oven for 5 minutes more. Serve hot or chilled, decorated with the chopped dill or parsley.

Variation Baked Tomatoes with Meat and Rice Stuffing
Cut the amount of ground beef in half and add 4–5 tablespoons of cooked, well-seasoned rice. The sour cream dressing is optional.

Zapechonnye Pomidory s Risovoi Nachinkoi

BAKED TOMATOES WITH RICE STUFFING

Serves 6

6–10 tablespoons of cooked rice

2 hard-cooked eggs, peeled and chopped

2 tablespoons finely chopped scallions, *or* 1 finely chopped onion, sautéed for 7–10 minutes in 1 tablespoon unsalted butter

1 tablespoon finely chopped fresh dill

Salt to taste

Freshly ground black pepper to taste

6 tomatoes prepared for stuffing (pages 65–66)

2 tablespoons unsalted butter

Preheat the oven to 375°F.

Combine the cooked rice, chopped eggs, scallions, and dill, and add salt and pepper to taste. Fill the tomatoes, place on a cookie sheet, top each with a pat of butter, and bake for 10 minutes. Serve hot or at room temperature.

Zapechonnye Pomidory s Gribnoi Nauchinkoi

BAKED TOMATOES WITH MUSHROOM STUFFING

Serves 6

½ pound fresh mushrooms

3 tablespoons freshly squeezed lemon juice

2 tablespoons vegetable oil

1 large onion, finely chopped

1 tablespoon unsalted butter

1 tablespoon instant-blending or all-purpose flour

3 tablespoons heavy cream

Salt to taste

Freshly ground black pepper to taste

6 tomatoes prepared for stuffing (pages 65–66)

Finely chopped fresh parsley and/or dill

Thoroughly wash the mushrooms with a brush under running water and immediately drop them into a bowl containing 1 quart of water and the lemon juice. Bring to a boil another 1 quart of water, add the mushrooms (discarding lemon water), return to a boil, lower the heat, and simmer for 10 minutes. Drain the mushrooms, reserving ½ cup of the liquid.

While the mushrooms are cooling, heat the oil in a heavy skillet, add the onions, and sauté over moderate heat for 7–8 minutes, or until translucent. When the mushrooms have cooled slightly, chop them, wrap them in a kitchen towel, and squeeze out the excess liquid. Add to the onions and continue to sauté until the mushrooms are cooked, about 3–4 minutes.

Preheat the oven to 375°F.

In another, smaller skillet, melt the butter, add the flour, and stir until it turns light beige. Add the reserved mushroom stock, mix quickly and thoroughly to prevent lumps forming, add the cream, and simmer for 2–3 minutes. Combine the contents of both skillets and season with salt and pepper.

Place the tomatoes on a cookie sheet, stuff with the mushroom mixture, and bake for 10 minutes.

Serve hot, sprinkled with the finely chopped greens.

Farshirovannyi Perets
STUFFED BELL PEPPERS

These peppers are good hot, but they are at their best served at room temperature or 10 minutes out of the refrigerator. Use the peppers as an hors d'oeuvre or as the garnish for roast meat.

Serves 6–8

6–8 green bell peppers (as uniform in size and shape as possible)	2 large onions, finely chopped
	Salt to taste
2 medium carrots	1 cup catsup, *or* 1½ cups fresh or canned tomato sauce
3 ounces celery root	
½ parsley root	
5–7 tablespoons olive oil	

Bring a large pot of water to a boil. Cut off the tops of the peppers and reserve; they will be used later as lids for the stuffed peppers. Remove the seeds, cut out the membranes, and rinse the peppers with cold water. Place them in a pot or a large bowl and cover with boiling water. Let the peppers sit in the hot water for 15 minutes.

Cut the carrots and celery and parsley roots into ¼-inch dice. In a skillet, heat 1½–2 tablespoons of oil, add the carrots, and sauté over moderate heat for about 10 minutes, or until half-cooked, stirring often. In another skillet, sauté the celery and parsley roots in 1½–2 tablespoons of oil. Heat the remaining oil in a third skillet, add the onions, and sauté for 8–10 minutes, or until golden, stirring often.

Preheat the oven to 375°F.

Combine the contents of the three skillets in a bowl, add salt to taste, and mix. Drain and dry the peppers and place them in a shallow baking pan. Stuff the peppers with the vegetable mixture, pressing it down slightly. Mix the catsup with ½ cup of water and pour over the peppers. Cover the stuffing with the reserved pepper tops. Strain the oil from the skillets over the peppers, cover the baking pan with foil, and bake for 20 minutes.

If you have some stuffing left, place it in another shallow dish, cover with the thinned catsup, and bake to use later as a garnish for a meat entrée.

CHAPTER 3

Soups

It is said that the poorer the country, the better the soups.

The least expensive and the most nourishing food, for centuries soups served Russian peasants as one-course dinner meals. Necessity is the mother of invention. With no chicken in each pot, but with a variety of vegetables, grains, an occasional chunk of meat or fish—and with a lot of ingenuity—Russian cuisine has produced a number of superb soups.

Each of these peasant soups has a unique character of its own: *shchi* (made of sauerkraut and potatoes), *rassol'nik* (its taste dominated by pickles), *ukha* (fish soup), mushroom and barley soup, and, of course, borscht, which is, as a matter of fact, not a Russian soup at all. It is the pride of the Ukrainian cuisine, and no wonder it became a staple in Russia: borscht has a wonderfully strong bouquet, a symphony of flavors and tastes artfully woven into one (beets, potatoes, cabbage, carrots, tomatoes, often beans and mushrooms, with overtones of garlic and ham), and if a list were compiled of the ten best soups in the world, borscht would definitely be near the top.

Soups of another group are much more elaborate and obviously came from more sophisticated kitchens—those of the nobility. Whatever the origins of the *botvinia, selianka,* and the crayfish soup, it was a skilled hand that turned them into the highlight of a festive meal. These soups require longer preparation and more expensive ingredients, but you will be rewarded by something delightfully close to gastronomic perfection.

Many of the soups and stocks in this chapter can be made in advance and either reheated or frozen for later use. Those that can be frozen are indicated by Fr. In these cases, let the soup cool after it is cooked, but do not add any garnishes, such as chopped herbs, chopped fresh vegetables, sour cream, and so on. Transfer the soup to the freezing container, chill, and freeze for up to three months.

SOUP ACCOMPANIMENTS

In the classic Russian cuisine, soup accompaniments are an integral part of the soup course. They are not only elegant but also enhance the meal both in substance and in finesse of detail, conveying the special care given to planning the menu. For American cooks, there is an added attraction: a bowl of soup served with its accompaniment and followed by a tossed salad and fruit makes a perfect light, nourishing meal.

The choice is enormous. Some of the traditional pairings of soups with accompaniments are listed in the chart below. However, the possibilities are infinite, and you are invited to use your own taste and imagination.

Soup	Accompaniment
Stock, consommé, borscht, *shchi*, *rassol'nik*, Bagration Soup, other meat-based soups	*Piroghi* and *pirozhki* filled with meat, potatoes, kasha and mushrooms, cabbage, rice and eggs; pastry baskets and shells filled with calf's liver or brains
Mushroom soups, borscht, *shchi*	*Piroghi* filled with mushrooms
Borscht	*Vatrushki* filled with cheese or onions; Garlic Rolls

Garnish Added to Soup

Stock, consommé, borscht, *shchi*	Crêpes *pirozhki*; meat-filled crêpes; meat crêpe loaf
Ukha and other fish-based soups	Fish *Rasstegaï* and *Kulebiaki*
Stock, consommé, mushroom soups	*Pel'meni; ushki*
Stock, consommé, Bagration Soup	Meatballs; meat quenelles
Cold borscht, *borshchok*, Green *Shchi*	Stuffed eggs baked in their shells; sliced hard-cooked eggs; egg croquettes
Stock, consommé	Vegetables poached and carved into decorative shapes

UKHA (CLEAR FISH SOUP)

> *The round table was decorated sumptuously: a small beautiful tree laden with blooms and fruit was placed in the middle. Hand-cut crystal, silver and gold blinded my eyes. Sterlet ukha was brought in, second to none in all Russia due to the quality of local sterlet, as the host had boasted.*
>
> —*Sergei Aksakov*
> Childhood Years of Bagrov, Jr.

Ukha is to other fish soups—Russian *selianka* or French *bouillabaisse*—as a Japanese print is to baroque art: simplicity and grace compared to overflowing abundance of detail. A clear fish soup, *ukha* should be golden and translucent, containing perhaps a solitary pink slice of fish, a few chunks of potato, and a sprinkling of chopped parsley and dill. That is all. The strength of this simple dish comes from the rich aroma and flavor of the fish broth and its wisely chosen bouquet of vegetables, herbs, and spices.

The famous Russian amber *ukha* was made with sterlet, a small type of sturgeon found in the Volga River and famous for the unique delicacy of its flesh and aroma (and its caviar too). During the eighteenth century, at parties given by Prince Grigori Potëmkin, one of Catherine the Great's favorites, sterlet *ukha* worth 3,000 golden rubles was often served in a silver bathtub. Just about every diary and memoir of the time contains a description of the awesome amount of sterlet *ukha*, caviar, and *balyk* (smoked fish) that were consumed at one Russian festivity or another.

In the nineteenth century, Slavianskii Bazaar, a luxurious Moscow restaurant that served Russian food exclusively, was well known for its savory sterlet *ukha* with *rasstegaï*. Patrons selected the sterlet from a fish tank in accordance with the time-honored rule for the classic royal amber *ukha*, which said that sterlet should enter the kitchen alive.

Slavianskii Bazaar was noteworthy not only for its food but also for its clientele. At the turn of the century, when there was a revitalized interest in traditional Russian culture, everybody who was anybody in society, the arts, theater, and literature used to dine there. It was here on a June afternoon in 1897 that a meeting took place that eventually shook the foundations of the theatrical world. Konstantin Stanislavsky had lunch with Nemirovich-Danchenko and discussed with him the possibility of opening a theater of their own. Eighteen hours of talk interspersed with food followed. Thus was the Moscow Art Theater—and the Stanislavsky Method—born, over a royal amber *ukha* and a platter of caviar.

After the 1917 revolution, the restaurant was closed. It reopened in 1960 with much of its splendor tarnished, but with some of its old recipes restored and listed on the menu whenever available ingredients would permit. It was during that period that I enjoyed a sterlet *ukha* with *rasstegaï* there. It was excellent, but I ate it with the same feeling of poignancy one might experience at the farewell performance of a great actor. With sterlet disappearing from the Volga so rapidly, it is only a question of time before the dish becomes more myth than reality.

Ukha

CLEAR FISH SOUP

Serves 6 Fr

1	onion	1	teaspoon salt
1	carrot	1	pound fresh or frozen
1	parsley root		smelts
1	leek (white part only)	10	whole black peppercorns
1	parsnip	2–3	bay leaves

Combine the vegetables, salt, and 2 quarts of water in a 4-quart pot. Bring to a boil, lower the heat, and simmer for 30 minutes, partially covered. Add the smelts, peppercorns, and bay leaves, then return to a boil and simmer for 20 minutes, partially covered. Strain the stock, discard the vegetables and fish. Taste the broth for salt, remove bay leaves, and use as directed in the following recipes.

Iantarnaia Ukha

AMBER FISH SOUP

Serves 6

1	recipe Clear Fish Soup (page 75)	2	pounds fresh or frozen salmon or sturgeon fillets, cut into 6 pieces 1 inch thick
⅛	teaspoon saffron threads		
3	medium potatoes, peeled and cut into 1-inch cubes	6	thin slices of lemon, peeled

Bring the strained fish soup to a boil, place the saffron in a cup, fill the cup with some of the broth, and reserve. Add the potatoes to the stock, lower the heat, and simmer gently for 15 minutes, partially covered. Add the salmon and simmer gently, partially covered, for another 8–10 minutes if the fish is fresh, 10–12 minutes if the fish is frozen. Check carefully to see that the fish does not overcook, otherwise it will become tough and tasteless. Taste for seasoning. When the fish is ready, remove the pot from the heat and add the reserved saffron and stock to deepen the amber color of the *ukha*.

To serve, place a piece of fish in each of 6 heated soup bowls and garnish with a thin slice of lemon. Although white bread is an acceptable accompaniment, Rice and Egg *Pirozhki* (page 166) or Fish *Rasstegaï* (page 172) make a classically completed course. If you are serving *rasstegaï*, prepare the fish soup several hours ahead of time and use the cooked smelts for the stuffing.

Ukha iz Presnovodnoi Ryby

FRESHWATER FISH SOUP

Serves 6

1	recipe Clear Fish Soup (page 75)	3	bay leaves
		¼	teaspoon freshly ground pepper
2	pounds whitefish or perch fillets, cut into 2-inch pieces (see *Note*)	3	potatoes, peeled and cut into 1-inch cubes
1	onion		Salt to taste
1	carrot	1	tablespoon chopped fresh tarragon, chives, or parsley
1	parsnip		
1	parsley root		

Cut the onion, carrot, parsnip, and parsley root into julienne strips. Bring the strained fish soup to a boil, add the julienned vegetables, the bay leaves, and the pepper, and simmer for 10 minutes. Add the potatoes, taste for salt, and simmer 10 minutes more. Add the fish and simmer for an additional 10 minutes. Remove bay leaves. Serve in a heated tureen garnished with the chopped tarragon and accompanied by white bread, *pirozhki*, or Fish *Rasstegaï* (page 172). Use the cooked smelts from the broth and the cooked whitefish to stuff the *rasstegaï* (instead of serving them in the soup).

Note: Catfish and carp are also suitable for this dish. However, do not use pike, eel, or trout, which will produce a darker *ukha* and may have a slightly sour taste.

Variation Saltwater Fish Soup
Instead of the whitefish, use a combination of cod, sea bass, and ling. Prepare as for Freshwater Fish Soup, omit the tarragon, and garnish with lemon slices.

SELIANKA (SPICY SOUP)

> *Dalmatov, the famous actor, winked at the patriarch of the restaurant's waiters.*
>
> —*What will you treat us to?*
> —*To a selianka à la Testov, of course—interrupted his friend Grigorovich.*
> —*We have a splendid selianka today, my lords, with salmon and sterlet; and the sterlet, believe me, is like gold: fresh, pampered, a real treat.*
>
> Vladimir Gilarovskii
> Moscow and Muscovites

Selianka is an unusual soup. It is sometimes called a "liquid hors d'oeuvre," and it does indeed include a variety of olives, diced pickles, marinated mushrooms, capers, and, depending on whether it is a fish or meat *selianka*, an assortment of smoked and poached fish (salmon, whitefish, catfish) or meats (ham, frankfurters, chicken, veal, roast beef, tongue).

Selianka was, and is, a necessary item on the menu of any self-respecting Russian restaurant, whether Old World or New. Fish *selianka* is the spicier and has an exquisite taste. Dark amber, decorated with olives, a lemon slice, and chopped green herbs, it is a truly spectacular dish and would be suitable for the most elegant dinner. The meat variety, when "whitened" with sour cream, is also attractive and tasty, but much less expensive, and consequently it is good for both parties and everyday meals.

Rybnaia Selianka
SPICY FISH SOUP

Serves 6

1   recipe Clear Fish Soup (page 75)

1   pound fresh salmon or whitefish fillets

¼   pound smoked whitefish or smoked sturgeon

¼   pound smoked salmon

1   onion

1   carrot

1   parsley root

2   ounces celery root

2   tablespoons olive oil

2   tablespoons catsup or tomato paste

2   Brined Cucumbers (page 423), Claussen Kosher Pickles, or delicatessen sour pickles, cut into ⅓-inch dice

½   cup pickle liquid

½   teaspoon freshly ground black pepper

2   bay leaves

12 black Greek olives (loose, oil-cured, not canned)

¼   pound Marinated Mushrooms (page 438)

1   tablespoon capers

1½ tablespoons freshly squeezed lemon juice, or to taste

2   tablespoons each finely chopped fresh dill, parsley, and scallions

3   paper-thin slices of lemon, cut in half

Cut the fresh salmon and the smoked whitefish and salmon into 1-inch pieces. Reserve the fresh and smoked fish separately. Cut the onion, carrot, and parsley and celery roots into ½-inch dice. Warm the oil in a skillet and gently sauté the vegetables for 8–10 minutes, or until tender. Add the catsup, stir for 1 minute, and remove from heat.

Bring the fish soup to a boil, add the cooked vegetables, fresh salmon, diced pickles, pickle liquid, black pepper, and bay leaves, and simmer for 8–10 minutes, or until the fish is just cooked. Add the smoked fish, olives, mushrooms, capers, and lemon juice, and simmer for 2 minutes more. Remove the bay leaves. Serve garnished with the chopped herbs and thin lemon slices. Good accompaniments are Fish and Mushroom *Kulebiaka* (page 159) or Fish *Rasstegaï* (page 172), or Rice and Egg *Pirozhki* (page 166).

Miasnaia Selianka

SPICY MEAT SOUP

Serves 6

FOR THE STOCK

1	pound lean beef chuck
1	beef marrow bone
	Breast and wings of 1 chicken
1	small onion
1	carrot
1	parsley root
2	ounces celery root, peeled
1	leek (white part only)
5	whole black peppercorns
5	allspice berries
1	bay leaf
1	teaspoon salt

¼	pound smoked ham, cut into ½-inch dice
¼	pound frankfurters, cut into ½-inch dice
1	onion, finely chopped
¼	pound Marinated Mushrooms (page 438)
10	ounces Homemade Sauerkraut (page 427), Claussen sauerkraut, or French *choucroute*
2	Brined Cucumbers (page 423), Claussen Kosher Pickles, or delicatessen sour pickles
2	tablespoons capers
12	black Greek olives (loose, oil-cured, not canned)
¼	teaspoon sweet paprika
1½	tablespoons sour cream (*optional*)
	Salt to taste
1	tablespoon finely chopped fresh dill
2	tablespoons finely chopped scallions (green part only)

MAKING THE STOCK

Place the beef, marrow bone, and chicken parts (with skin) in a 5- to 6-quart stockpot, add 2 quarts of water, bring to a boil, and skim thoroughly. Add the remaining stock ingredients and simmer, uncovered, for about 20 minutes. When the chicken is cooked, remove and reserve it and continue cooking the stock for 30–40 minutes more, or until the beef is tender. Strain the stock, discard the vegetables, bay leaf, and spices, and return the chicken and beef to the broth. When the stock has cooled, cover and refrigerate it. Remove the fat when it has congealed on the top.

ASSEMBLING THE *SELIANKA*

Heat the stock until warm, remove the beef and chicken, and cut them into ½-inch dice, discarding the chicken skin and bones. Place the diced meats in a bowl and cover to prevent them from drying out while you assemble the rest of the ingredients.

In a heated 3-quart tureen, combine the beef and chicken with all the remaining ingredients except the stock and the chopped dill and scallions. In a small bowl, mix the sour cream with ½ cup of warm stock. Bring the remaining stock to a boil and pour over the mixed ingredients, stirring gently with a wooden spoon. Add the sour cream and stock, and taste for seasoning. Cover and allow the flavors to mingle for 3–5 minutes. Serve in heated soup bowls garnished with the chopped dill and scallions. Rice and Egg *Pirozhki* (page 166) are a good accompaniment.

BEEF STOCKS AND CONSOMMÉS

Russian stocks and consommés are fragrant, bracing, and, in combination with the traditional soup accompaniments (see page 73), make a splendid first course.

All stocks freeze well, and it is useful to have a supply on hand ready to be reheated and served with a garnish or to be used as the basis for many of the soups in this chapter.

Restaurants and the kitchens of grand estates cooked large amounts of beef stock: Yellow Beef Stock for all clear soups and White Beef Stock for *shchi*, borscht, and so on. Additional ingredients are added to the pot as their cooking time requires. Many of these soups need not be clarified (page 82).

There are three types of beef stock: white, yellow, and brown. The ingredients are almost identical, and, with several important differences, so are the methods of preparation. In white stock, the meat and vegetables are cooked without any preliminary treatment; for the yellow stock, half the vegetables are browned before being boiled with the meat; and for the brown stock, both the meat and the vegetables are browned before boiling. For consommé, use double the amount of meat and additional vegetables. Consommé is completed by a further cooking stage, with the addition of ground beef and egg whites, which strengthen, flavor, and clarify the broth.

Complete basic instructions for making beef stocks and consommés are in the recipes for White Beef Stock (page 80) and White Beef Consommé (page 83). Additional ingredients and instructions for browning the vegetables for Yellow Beef Stock (page 84) and for browning the meat and vegetables for Brown Beef Stock (page 85) are included in those recipes.

Belyi Bulion
WHITE BEEF STOCK

Makes 6–8 cups stock   Fr

FOR THE MEAT

3	pounds boiling beef (round or brisket)	½	pound beef or veal bones (marrow and knuckle)

FOR THE VEGETABLES
1   medium onion
1   leek (white part only)
2   medium carrots, peeled
1   medium parsley root, peeled
1   2-inch cube celery root
⎱ ¾–1 pound
1   bunch parsley leaves, tied with kitchen string
2–3 boiling potatoes (*optional*)

FOR THE SEASONINGS
1½ teaspoons salt (or more to taste)
1–2 whole cloves, *or* ⅛ teaspoon freshly ground nutmeg

FOR ADDITIONAL COLOR (*optional*)
1–2 onion skins

FOR THE CLARIFICATION (*optional*)
2–3 egg whites

FOR THE GARNISH ADDED TO THE STOCK
1–2 tablespoons finely chopped
fresh dill, or dill and
parsley
Any 1 of the following:
Cooked vegetables, sliced
or grated: carrots, parsley
root, celery root, cauli-
flower, new potatoes,
green peas, string beans
Ushki (page 194)
Pel'meni (page 193)
Noodles (page 402)
Lazanki (page 406)
Croutons

ACCOMPANIMENTS
Pastry Shells or Pastry Baskets with Calf's Liver or
Calf's Brains Filling
(page 163)

Toasts
Pirozhki (pages 166–71)
Blinchiki (pages 472–73)

PARBOILING THE MEAT AND BONES;
DEGREASING AND SKIMMING THE STOCK

In a 7- to 8-quart stockpot (a tall pot with a 7- to 8-inch diameter is preferable), place the meat and bones with 2 quarts of cold water. With a thin wooden stick, measure the level of water and make a mark on the stick, then add 1 quart more of cold water. Over high heat, bring the water to a boil, cook for 1 minute, remove the pot from the heat, and, with a fine-mesh skimmer or a large spoon, skim off the foam. Repeat the boiling and skimming two more times.

Lift the meat with a fork and, holding it over the pot, ladle stock over it to rinse it off. Place the meat in a large bowl. Rinse the bones the same way and add to the meat. Using a fine sieve or a colander lined with 3–4 layers of dampened cheesecloth, strain the broth over the meat. Wash and dry the stockpot to remove all residue for a clear stock.

ADDING THE VEGETABLES AND COOKING THE STOCK

Return the meat, bones, and stock to the pot. Add the vegetables, 1½ teaspoons of salt, and the cloves, and bring to a boil. Carefully shift the pot so that three-quarters of the bottom surface is on the burner, lower the heat, and cook, partially covered. Remove the potatoes after 30 minutes and the remaining vegetables after 1 hour and discard. Cook the stock for a total of 1½–2 hours, or until the meat is tender and the liquid has boiled down to the level marked on the stick. If the stock has not reduced enough but the meat is done, remove it (see *Note*) and continue to simmer the stock until the liquid has reached the desired level.

ADDING COLOR TO STOCK (*optional*)

At this point, you may wish to add more color to the stock. Ladle about ½ cup of stock into a glass. If it is not dark enough, place the ½ cup stock and onion skins in a small saucepan, adding another 1–1½ cups of stock, cover, and simmer for 30–40 minutes, or until deep golden in color. Strain back into the stock.

SKIMMING, DEGREASING, AND STRAINING THE STOCK

After the stock has finished cooking, and with one-quarter of the bottom surface of the pot still off the heat (the scum and fat will tend to collect on this side), skim off all the fat and foam with the skimmer or spoon. The best way to degrease stock that will be used for consommé is to cool and then refrigerate it; the congealed fat can then be removed easily.

Place a colander lined with 3–4 layers of dampened cheesecloth over a clean pot and strain the soup through it.

CLARIFYING THE STOCK (*optional*)

If the stock is not clear enough, it can be further clarified with egg whites. Place the pot with the strained stock over the heat and bring to a simmer. With a whisk, beat the egg whites until they are foamy and light in color and add them gradually to the stock, stirring constantly. Bring the stock to a boil, then lower the heat and allow the stock to simmer for 2–3 minutes. Remove from the heat, scoop out the egg whites with a slotted spoon or a skimmer, and strain the stock again through a colander lined with 3–4 layers of dampened cheesecloth.

TO SERVE

Bring the stock to a boil and taste for salt. Add the garnish and ladle into heated soup bowls. Serve with the accompaniment of your choice.

Note: The cooked meat can be used by itself as a separate course, in a casserole, or as the basis for a wide variety of meat fillings for *pirozhki*, *piroghi*, *blinchiki*, and such.

Belyi Bulion Dvoinoi Kreposti
WHITE BEEF CONSOMMÉ

Makes 6–8 cups of consommé Fr

FOR THE MEAT

6 pounds boiling beef (round or brisket), *or* 4½–5 pounds beef and 1–1½ pounds chicken or turkey feet and carcasses, and veal and beef trimmings

1 pound beef and veal bones (marrow and knuckle)

FOR THE VEGETABLES

All the vegetables for White Beef Stock (page 80), *plus*

1–2 whole dried mushrooms, *or* ¼ ounce chopped dried mushrooms, prepared as directed on pages 132–33

1 onion baked in its skin for 25 minutes in a preheated 350°F oven

2–3 boiling potatoes

½ bunch of fresh dill and 4–5 celery leaves, tied with kitchen string

FOR THE SEASONINGS AND ADDITIONAL COLOR
See White Beef Stock

FOR THE CLARIFICATION

2–3 egg whites
1 pound lean beef, coarsely ground

FOR THE GARNISH AND ACCOMPANIMENTS
See White Beef Stock

MAKING THE STOCK
Parboil the meat and bones as described on page 81, using the same amount of water. Add only the vegetables called for in the White Beef Stock, removing the onion and celery root when they are tender. Forty-five minutes before the stock is finished cooking, add the dried mushrooms, baked onion, potatoes, and dill, and continue cooking until done. Skim, degrease, and strain the stock.

CLARIFYING THE CONSOMMÉ

Bring the stock to a boil. While it is heating, beat the egg whites with a whisk until foamy and light in color, add the ground beef and 1 cup of cold water, and mix until well blended. Add 1 cup of boiling stock to the mixture and blend thoroughly, then pour into the stockpot, stirring constantly. Lower the heat to a simmer and cook for 1–1¼ hours; the egg whites and beef will form into a solid mass at the top of the stock. Line a colander with 4 layers of dampened cheesecloth and place over another pot. With a slotted spoon, remove the egg whites and beef to the colander and strain the consommé through it.

TO SERVE

Follow the instructions for White Beef Stock.

Zholtyi Bulion

YELLOW BEEF STOCK

This stock is colored by browning half of the vegetables in butter. For a deeper color, slice the vegetables before sautéeing them.

Makes 6–8 cups of stock Fr

Ingredients, garnishes, and accompaniments for White Beef Stock (page 80)

1–1½ tablespoons unsalted butter

Cut the onion, leek, and parsley and celery roots in half. Set half of each vegetable aside with 1 carrot, the parsley leaves, and the potatoes. Reserve the other half.

For a lighter stock, melt 1 tablespoon of butter in a heavy skillet over moderately low heat. Add ½ onion, ½ leek, ½ each of the parsley and celery roots, and the carrot, and sauté, stirring often, until deep golden brown.

For a darker stock, slice the vegetables and sauté in 1½ tablespoons of butter.

Make the stock following the instructions for White Beef Stock. Strain the browned and uncooked vegetables and add to the stock. Continue as described for White Beef Stock, clarifying the broth if necessary.

Zholtyi Bulion Dvoinoi Kreposti

YELLOW BEEF CONSOMMÉ

Makes 6–8 cups consommé Fr

Ingredients, garnishes, and
accompaniments for
White Beef Consommé
(page 83)

1–1½ tablespoons unsalted
butter for browning half
the vegetables

Make the Yellow Beef Stock (page 84) but use the additional ingredients called for in White Beef Consommé.

Clarify and serve as described on page 82.

Krasnyi Bulion

BROWN BEEF STOCK

Makes 6–8 cups stock Fr

Ingredients, garnishes, and
accompaniments for
White Beef Stock (page
80); see *Note*

Slice the vegetables ¼-inch thick. Put the beef fat side down in the stockpot, add 3–4 tablespoons water, and turn the heat to low so that the fat will start rendering, then add the vegetables and bones. When there is enough fat, start turning the beef and vegetables to brown on all sides. Cook slowly and do not allow to burn; add 1 tablespoon water as needed. When the meat and bones are well glazed, cook, clarify, garnish, and serve as described for White Beef Stock.

Note: The meat for Brown Beef Stock should have a ½-inch layer of fat on one side.

Krasnyi Bulion Dvoinoi Kreposti
BROWN BEEF CONSOMMÉ

Makes 6–8 cups consommé Fr

Ingredients, garnishes, and
accompaniments for
White Beef Consommé
(page 83)

Make Brown Beef Stock (page 85), but use the additional ingredients called for in White Beef Consommé. Clarify and serve as described on page 82.

Krasnyi Valakhskii
Bulion Dvoinoi Kreposti
WALACHIAN CONSOMMÉ

Makes 6–8 cups consommé Fr

FOR THE MEAT

- 3 pounds lean boiling beef (round)
- 1 chicken (2–3 pounds), cut into serving pieces
- 1 pound smoked ham
- 1 pound beef and veal marrow and knuckle bones
- 4 tablespoons unsalted butter

FOR THE VEGETABLES

Vegetables, seasonings, clarification, and garnishes for White Beef Consommé (page 83)

2–3 sprigs fresh marjoram, to be added with the vegetables (*optional*)

Cook as for Brown Beef Consommé (page 86), with a few adjustments:

Instead of beef fat, use the 4 tablespoons of butter to brown the beef and chicken. When they are well browned, drain on paper towels. Add the sliced vegetables to the pot and cook for about 10 minutes, stirring from time to time so that they brown evenly on all sides. Drain the vegetables in a colander, discard the remaining butter, and wipe out the pot. Return the meat and chicken to the pot, add 2 quarts of water, and mark the water level on a thin stick. Add 1 quart more of water, the ham, bones, vegetables, marjoram, and finish the recipe following the instructions for White Beef Stock (page 80). Use the cooked meats and chicken for fillings, casseroles, and so on. Serve as other consommés.

Variation Consommé with Madeira or Sherry
Just before serving Walachian Consommé, when the soup is very hot, stir in ½ cup of Madeira or sherry. Serve at once in heated consommé cups without any garnish. This soup is eaten for breakfast or supper with the usual consommé accompaniments (page 81).

Kurinyi Bulion
CHICKEN STOCK

Makes 6 cups of stock Fr

1	chicken (3–3½ pounds)	2	tablespoons unsalted butter
1	pound beef or veal marrow and knuckle bones	1	teaspoon dill seeds tied in a cheesecloth bag
	Vegetables, seasonings, clarification, and garnish for White Beef Stock (page 80)		

Make this stock following the instructions for White Beef Stock, with a few adjustments:

Before adding the vegetables, quarter them and brown in 2 tablespoons of butter for about 10 minutes. Drain and add to the chicken stock together with the dill seeds. Simmer for up to 1 hour, or until the chicken is tender; remove it and continue to let the stock simmer until the liquid reaches the desired level (with the vegetables removed but with the chicken returned temporarily to the pot). Serve and garnish as for other stocks.

Kurinyi Bulion Dvoinoi Kreposti

CHICKEN CONSOMMÉ

Makes 6 cups consommé

2   chickens (3–3½ pounds each), *or* 1 fowl (5–5½ pounds)

1   pound beef or veal marrow and knuckle bones

Vegetables, seasonings, and clarification for White Beef Stock (page 80)

2   tablespoons unsalted butter for browning the vegetables

1   teaspoon dill seeds tied in a cheesecloth bag

2–3 egg whites for clarifying the stock

1   pound ground chicken meat for clarifying the stock

Garnishes and accompaniments for White Beef Stock

Make Chicken Stock (page 87) using the ingredients above. To make consommé, follow the instructions for White Beef Consommé (page 83) using ground chicken instead of beef. Serve as suggested for White Beef Consommé.

Sup Bagration

BAGRATION SOUP

This soup was created by St. Petersburg chefs in the early nineteenth century in honor of Prince Piotr Bagration, a prominent military commander. He was a man of exceptional courage who distinguished himself in several campaigns against Napoleon and in wars with Sweden and Turkey. Several times he saved his army regiments by bold maneuvers and ingenious strategy. He was mortally wounded in the Battle of Borodino, during Napoleon's invasion of Russia. Although it was a defeat, the battle is considered a major factor in Russia's victory in the war due to the heavy losses the French army suffered. A statue of Bagration was erected on the Borodino battlefield by order of Nicholas I.

Serves 10–12

1 recipe Quenelles, (page 90)	1 tablespoon unsalted butter, softened
¾ cup barley	½ pound asparagus, cut into 1-inch pieces
1½ recipes (about 10 cups) White Beef Stock (page 80)	2 egg yolks
½ pound young spinach leaves	½ cup heavy cream
1 teaspoon salt	

Prepare the Quenelles, following the instructions on page 90.

Rinse the barley in warm water, place in a 2-quart saucepan, and cover with 3 cups of stock. Bring to a boil, lower the heat, and simmer, uncovered, for about an hour, or until tender and most of the water is absorbed.

If you do not have an electric hot plate, prepare a *bain-marie* (see *Note*) large enough to accommodate 2 small pots or bowls. Purée the barley in a food processor or food mill, stir in 1 cup of hot stock, and keep warm in the *bain-marie*. Cook the spinach leaves in 1 quart of boiling water and the salt for 7–8 minutes, then remove the spinach from the boiling water, plunging it into a bowl of cold water, drain, and pat dry. Purée in a food processor or blender, stir in the softened butter, and add to the barley in the *bain-marie*. Cook the asparagus in 1 quart of lightly salted boiling water for 5–6 minutes, or just until tender, drain, and keep warm in a separate bowl in the *bain-marie*.

Bring the remaining stock to a boil. In a small bowl, whisk together the egg yolks and cream; gradually add 1 cup of boiling stock, whisking continuously, then add another cup of stock and stir. Pour the egg yolk mixture into the stock, stirring to mix well, then lower the heat and cook, stirring, until the soup has thickened slightly. Remove from the heat.

Place the barley-and-spinach purée in a heated tureen, add the stock, mix well, then add the asparagus and Quenelles. The soup should be a beautiful pale green. Serve in heated soup bowls accompanied by Pastry Baskets with Calf's Liver or Calf's Brains Filling (page 165) or Pastry Shells with Calf's Liver Filling (page 163). This makes a very festive first course.

Note: A *bain-marie* is a large, shallow pot, preferably with a rack, filled with simmering water so that bowls placed on the rack are partially immersed in the simmering water to keep hot.

Knel

QUENELLES

Serves 10–12

2   ounces two-day-old French
    bread, *or* 2 small French
    rolls, crusts removed
¾   pound veal or boneless,
    skinned chicken breast,
    ground once
½   medium onion, finely
    chopped
2   tablespoons unsalted
    butter, in all, softened

1   tablespoon potato starch
1   egg, lightly beaten
    A pinch of freshly ground
    black pepper
    A pinch of freshly ground
    nutmeg
    Salt to taste

Soak the bread in 1 cup of water for 10 minutes. Squeeze out excess liquid and, using a food processor or meat grinder, finely grind with the ground veal.

Over low heat, in a heavy-bottomed skillet, sauté the onion in 1 tablespoon butter for 7–8 minutes, or until translucent and soft. In a mixing bowl, combine 1 tablespoon butter, the meat and bread mixture, and onion with all the remaining indredients. Mix thoroughly with a wooden spoon or with an electric mixer.

On a floured board, form 2 rolls, 1-inch thick, and wrap each in cheesecloth. Tie at each end and several times in the center with kitchen string. In a wide, low pan, bring to a boil 2½–3 inches of salted water, lower the heat to a simmer, and cook the rolls, uncovered, for 10–15 minutes, or until they rise to the surface and are firm. Check to see that the water does not go above a simmer.

Remove the rolls, then lower them, still wrapped, into a pan containing boiled salted water that has cooled, and leave until completely cool. On a board, carefully unwrap the rolls and cut at an angle into 10–12 1½-inch slices, or 20–24 ¾-inch slices.

Sup-Piure iz
Svezhykh Pomidorov
s Farshirovannymi Pomidorami

TOMATO PURÉE SOUP WITH STUFFED TOMATOES

Serves 9–12

1½ recipes Baked Tomatoes with Meat Stuffed (page 66)	1 tablespoon unsalted butter
	½ cup sour cream
	½ cup Fluffy Boiled Rice (page 412)
1 recipe White Beef Stock (page 80)	2 tablespoons finely chopped fresh dill
8–10 ripe medium tomatoes	

Make the stuffed tomatoes, using the cooked beef from the stock for the filling and adding a pinch of freshly ground nutmeg to it.

Cut each tomato into 8 pieces. In a heavy saucepan, over low heat, melt the butter, add the tomatoes, and braise for 5–7 minutes, stirring often. Add 2 cups of stock, stir, then simmer for 10 minutes, covered. Push the tomatoes and their juices through a sieve or put through a food mill. Add 1 cup of stock to the sour cream, stirring until smooth, combine with the puréed tomatoes, and add to the remaining stock, stirring to blend well.

Heat the soup to just below boiling point. Place the rice and chopped dill in a heated tureen, add the soup, and stir gently. Serve in heated soup bowls with the stuffed tomatoes on separate plates.

Various *pirozhki* stuffed with meat (see Chapter 4) are good alternative accompaniments to this soup.

BORSCHT

. . . But even better is a borscht, prepared with sugar beets, Ukrainian style, you know the way, my friend, with ham and country sausages. It should be served with sour cream, of course, and a sprinkling of fresh parsley and dill.

—Anton Chekhov
"The Siren"

Borscht was my first real cooking experience. When I was fifteen, I spent the summer in a Ukrainian village, on my own, in a small cottage my parents had rented for me. A week after my arrival, my landlady, an old peasant woman who was supposed to look after me, was taken to the hospital with rheumatism. But my closest friend was summering with her grandmother just across the street, the landscape was beautiful, the riverbanks soft with white sand, and a nightingale sang each night.

I could not allow my paradise to be spoiled just because there was no one to cook for me. The idea of eating out didn't even occur to me. There hadn't been a privately owned restaurant in all of Russia in many years, and you wouldn't send even your worst enemy to dine in a state cafeteria in a Ukrainian village.

Consequently, it was either cook or starve. My peasant neighbors proved to be sympathetic and readily supplied me with beets, carrots, cabbage and new potatoes, cucumbers and tomatoes, parsley and dill from their vegetable gardens, and wonderful fresh pot cheese and sour cream from their kitchens. At 5 o'clock each morning there came a knock on the door, and I stumbled, half asleep, to find a half-liter mug of fresh milk on my doorstep. I'd drink it down and then grope my way back to bed for another couple of hours.

My cooking was simple, almost exclusively vegetarian, with three dishes prevailing: Ukrainian Borscht (page 93); "Lazy *Vareniki*" (page 205); and baby potatoes dressed with butter, sour cream, and dill. These are still among my favorite foods, and not only because they remind me of my Ukrainian summer idyll.

Here, then, is the real thing: Ukrainian borscht, straight from the hearth.

Ukrainskii Borshch
UKRAINIAN BORSCHT

A good Ukrainian borscht should be so thick with vegetables that, according to an old rule, a wooden spoon will stand upright when stuck into the pot. And so it will, if you faithfully follow this recipe. An even thicker and more flavorful borscht can be made if you add the optional beans and mushrooms. Sometimes, especially when the borscht was served as a one-course meal, more varieties of meat were added: chunks of good-quality frankfurters; homemade sausage, similar to Polish kielbasa; and so on.

Serves 6 Fr

1 pound boneless beef chuck

1 beef marrow bone

1½ pounds pork spareribs

2 onions, in all

1 carrot, in all

1 parsley root, in all

2 ounces celery root, in all

1 teaspoon salt plus additional salt to taste

3 medium beets

1 tablespoon unsalted butter

3 tomatoes

2 potatoes

⅓ head cabbage

½ teaspoon freshly ground black pepper

2 tablespoons tomato paste

¼ pound boiled ham, cut into ½-inch dice, *or* 2 ounces salt pork, cut into ½-inch dice and sautéed until golden brown

½ cup dried white beans, soaked for 2 hours in unsalted cold water to cover and cooked in the same water for 2 hours, or until tender (*optional*)

½ cup fresh mushrooms, washed, sliced, and cooked for 10 minutes in lightly salted water, then drained (*optional*)

1 tablespoon finely chopped parsley leaves

1 tablespoon finely chopped fresh dill

3 cloves garlic, crushed in a garlic press or finely chopped

6 teaspoons sour cream

Place the beef, marrow bone, spareribs, 1 onion, ½ carrot, ½ parsley root, and 1 ounce celery root in a 4- to 5-quart pot. Add 2½ quarts of water and 1 teaspoonful of salt, bring to a boil, lower the heat, and simmer, partially covered, for about 1 hour, or until the beef is tender. Remove the meat, put in a bowl, cover, and reserve. Strain the stock, discarding the vegetables, and skim off all the fat. Add salt if necessary.

Preheat the oven to 300°F, then bake the beets for 40 minutes, or until tender. Let them cool, then peel and shred on a coarse grater. Set aside. Cut into thin strips the remaining halves of the carrot and parsley and celery roots, and the remaining onion. In a heavy skillet, sauté the vegetables in the butter for 15 minutes, stirring often. Halve the tomatoes and grate on a coarse grater so that the peel is left in your hand and can be discarded.

Peel the potatoes and cut each into 6 cubes. Remove the core from the cabbage and cut the leaves into 1-inch squares. Bring the meat stock to a boil, add the potatoes and black pepper, and simmer for 10 minutes. Add the cabbage and cook for 10 minutes more. Add the sautéed vegetables, beets, tomatoes, tomato paste, and simmer for 5 minutes. Taste for salt, add the ham, cooked beans, and mushrooms, and simmer for 5 minutes more. Remove from the heat.

While the vegetables are cooking, cut the meat into 1-inch cubes. Add the meat, parsely, dill, and garlic to the soup. Cover and let stand for 10 minutes.

Serve the borscht in a warmed tureen—it will smell so good that the aroma can serve as an appetizer. Pass a bowl of sour cream as garnish.

SERVING SUGGESTIONS
Meat, cabbage, or rice *pirozhki* (Chapter 4) go with borscht in perfect harmony. But a classic accompaniment for borscht of almost any kind, except for the Poltava Borscht and Volynski Borscht, is Garlic Rolls. Because their only function in life is to be served with borscht, the recipe follows the borscht variation below.

Variation   Vegetarian Borscht
Make Ukrainian Borscht, omitting the meat and bones from the stock. Cook the stock for 40 minutes, strain the broth, and discard the vegetables. Continue with the recipe, omitting the ham from the final addition of ingredients.

Pampushki s Chesnokom

GARLIC ROLLS

Makes 15–18 rolls

1	yeast cake	½	teaspoon salt
1	teaspoon sugar		
½	cup lukewarm water (95°–110°F)		Vegetable oil to grease the palms
2	cups all-purpose flour		

FOR THE DRESSING

3	cloves garlic, peeled	1	tablespoon oil
	Salt to taste	⅓	cup water

Rub the yeast with the sugar and gradually add the warm water. Place the flour and salt in a bowl, add the yeast, and mix with a wooden spoon. Turn the dough out onto a lightly floured surface and knead until smooth and elastic, about 5 minutes if you knead by hand and less if you use the dough hook of an electric mixer. Place the dough in a greased bowl, turn to grease on all sides, then cover with a cloth. Place in a warm spot and let rise for about 1 hour, or until it has doubled in bulk.

Preheat the oven to 350°F. Grease a baking sheet with oil.

Punch down the dough. With oiled palms, form the dough into 1- to 1½-inch balls and place them 1 inch apart on the baking sheet. Cover lightly with a kitchen towel and let rise for 15 minutes. Bake for 15–20 minutes, or until golden brown. Cool on racks.

To prepare the garlic dressing, crush the garlic and salt together with a mortar and pestle, or place the salt in the bowl of a food processor and drop the garlic through the feed tube with the motor running. Stir in the oil and water.

Five minutes before serving, place the rolls on a plate and pour the dressing over them. Leave for a few minutes to allow the rolls to absorb the dressing, then place them on a serving dish. The rolls are served at room temperature in Russia, but they can be served warm, if preferred.

Kievskii Borshch
KIEV BORSCHT

Serves 6 Fr

The meat stock for this version is cooked with ¾ pound beef chuck, a marrow bone, and ¾ pound lamb ribs. Otherwise, the ingredients and cooking process are identical to Ukrainian Borscht (page 93).

Like any very popular food, Ukrainian Borscht has many regional variations. In the area surrounding the provincial city of Poltava, for instance, the geese and ducks that abounded there were used for the stock rather than meat. Thus Poltava Borscht differs from the Odessa variety (see variation, page 97), which is made with chicken.

Poltavskii Borshch
POLTAVA BORSCHT

Serves 6 Fr

The ingredients are identical to those for Ukrainian Borscht (page 93) with a few exceptions: for the stock meat and bones, substitute 2 pounds of duck or young goose meat and bones (see *Note*); increase the tomato paste to ½ cup; and add 2 bay leaves. Omit the following: boiled ham, tomatoes, and optional white beans and mushrooms.

Make the stock using the duck or goose meat and bones, the neck and giblets (without the liver), and the vegetables and seasoning called for in Ukrainian Borscht. Cook for 1½ hours, then remove the fowl from the stock, skin and bone it, and cut the meat into 1-inch pieces. Cover and reserve. Discard the skin and bones. Strain the stock, discarding the vegetables and reserving the giblets for another use. Continue to make the borscht, adding the bay leaves with the potatoes (remove the leaves before pouring the soup into the tureen).

This borscht is traditionally served with *Galushki*, a special kind of buckwheat flour dumplings that are cooked separately and then combined with the soup in the tureen. Garlic Rolls (page 95) are also a good accompaniment.

Note: However small a duck or goose you buy, it is sure to weigh more than 2 pounds. A practical plan is either to double the recipe to serve 12, in which case you would use the whole duck or 4 pounds of goose, or to follow the recipe and use only part of the fowl for the soup, saving the rest for another recipe (it might even be frozen). Depending on the size of the bird and your plans for using the extra meat, separate and reserve either the leg and thigh sections or the breasts and wings.

Variation Odessa Borscht
This borscht is prepared with a whole 2-pound chicken for the stock. Otherwise it is identical to Poltava Borscht. An optional addition is ½ cup cut green or wax beans to be added with the cabbage. *Galushki* are not served with the Odessa Borscht.

Volynskii Borshch

BEET SOUP

Serves 6

6	beets	¾	teaspoon salt plus additional salt to taste
4	medium potatoes, peeled and halved	12	ounces good-quality beef frankfurters, or miniature links, or smoked Polish-style sausage, cut into 1-inch slices (*optional*)
1	onion		
1	carrot		
1	parsley root		
2	ounces celery root	¼	cup lemon juice or cider vinegar
7	allspice berries		
3	bay leaves	1	teaspoon sugar

Bake the whole unpeeled beets in a preheated 300°–325°F oven for about 40 minutes, or until tender. Cool and peel them, then cut into julienne strips or grate coarsely. Place the potatoes, onion, carrot, parsley and celery roots, allspice, bay leaves, and ¾ teaspoon of salt in a 3- to 4-quart pot; add 2 quarts of water and bring to a boil. Simmer, partially covered, for about 30 minutes, or until the potatoes are tender. Strain the stock. Discard the onion, carrot, and parsley and celery roots. Mash the potatoes and return them to the stock with the grated beets, bay leaves, allspice, and frankfurters. Bring to a boil, add the lemon juice, sugar, and, if necessary, some salt, then bring to a boil again and remove from the heat.

Serve in a heated tureen, removing the bay leaves and allspice. Serve with grilled cheese toasts, preferably made with Danish Havarti, or Stuffed Eggs Baked in Eggshells (page 39).

Kholodnyi Borshch
COLD BEET SOUP

Serves 6

1   recipe Beet Soup (without the frankfurters)

6   teaspoons sour cream

2   cups peeled and sliced cucumbers (see *Note*)

6   tablespoons chopped scallions

6   teaspoons finely chopped fresh dill

3   hard-cooked eggs, peeled and sliced

Prepare the Beet Soup. When it has been removed from the heat for the last time, pour it into a tureen, cool, and then refrigerate for at least an hour. Just before serving, strain 1 cup of the soup and mix it with the sour cream, either in a small bowl or a blender. Pour the sour cream mixture back into the tureen and mix well. Add the cucumbers, scallions, and dill, and stir to mix. Serve the borscht in chilled bowls topped with several slices of hard-cooked eggs. If you serve the soup outdoors on a hot summer day, you might want to offer a bowl of ice cubes to your guests. Accompany with any kind of meat *pirozhki* (Chapter 4).

Note: The cucumbers should be fresh, firm, and no thicker than 1¼ inches in diameter, otherwise the seeds may be too large. However, if the only cucumbers available are over 1¼ inches in diameter, halve them lengthwise, scoop out the seeds with a spoon, and slice.

Borshchok
CLEAR BEET SOUP

Serves 6–8

1   recipe Yellow Beef Stock (page 84)

1   bay leaf

3   allspice berries

3   medium beets

2   tablespoons freshly squeezed lemon juice, strained

2   tablespoons sugar, or to taste

Salt to taste

Make Yellow Beef Stock, replacing the cloves and nutmeg with the bay leaf and allspice.

Bake the beets in a preheated 300°–325°F oven for 40 minutes, or until tender. Let them cool, then peel and shred on a coarse grater. Combine the beef stock and the grated beets in a pan, bring to a boil, remove from the heat, and strain. Add the lemon juice, and sugar and salt to taste.

Serve hot, preferably in heated consommé cups, with cheese toasts, Meat *Pirozhki* Made with Short Pastry (page 168), or Stuffed Eggs Baked in Eggshells (page 39).

SHCHI
(SAUERKRAUT SOUP)

> Osip: Look here, my boy; I see you are a smart fellow; get me
> something to eat.
> Mishka: There's nothing ready for you yet, unless you settle for some-
> thing ordinary.
> Osip: And what have you got in the ordinary way?
> Mishka: Shchi, kasha and pies.
> Osip: Give me that—shchi, kasha and pies. It doesn't matter, I can
> eat anything.
>
> —Nikolai Gogol
> The Inspector General

For centuries, *shchi* has been a staple food for millions of Russian peasants and townsfolk. A nineteenth-century traveler's notebook tells how it was served in the fashionable Arsentiich tavern in Moscow, in a poor peasant's cottage, in a dye factory refectory, and at the table of a theater company on the road. The traveler was Vladimir Gilarovskii, the "king of reporters" and a wanderer at heart, who, before becoming a portrayer of manners and morals of fin-de-siècle Russia, had been a horse-herder, a barge-hauler, an actor, a poet, a dye factory worker, and a friend to the artistic elite and pariahs of society alike. He was an impressive figure, with the appearance of a cossack, an athlete who could bend a horseshoe in his hand. Fortunately for us, he loved to eat and never failed to mention what was served at every occasion and how much liquor followed.

The basic ingredient of *shchi* is Russian sauerkraut, which is crisper and firmer than the canned varieties sold in American supermarkets. It

contains less acid but is much more fermented; it causes a slight prickling on your tongue. The closest American product is Claussen sauerkraut; there are also the imported French *choucroute* and the German
Frenzel *Saurkraut*, but you can also prepare a Russian-style sauerkraut at
home (page 427) and use it for your *shchi*.

Shchi, like borscht and some other peasant soups, tastes and smells
even better the next day and therefore lends itself to early preparation.
You might even prepare a double quantity. When serving *shchi* the next
day, warm the soup slowly and carefully, bringing it just to a boil.

Polnye ili Bogatye Shchi
RICH MEAT AND SAUERKRAUT SOUP

Serves 6 Fr

1 tablespoon dried Polish-style mushrooms, or dried cut mushrooms	1½ pounds Homemade Sauer-kraut (page 427), Claussen sauerkraut, or French *choucroute*
3 bay leaves	½ cup fresh mushrooms
2 pounds beef chuck blade steak	2 medium potatoes
1 pound fat and lean pork	1 celery stalk
2 onions, in all	1½ tablespoons unsalted butter
1 leek (white part only), in all	Salt and pepper to taste
1 carrot, in all	
2 ounces celery root, in all	¼ cup sour cream mixed with 2 tablespoons heavy cream
1 parsley root, in all	
8 whole peppercorns	
1 teaspoon salt	

MAKING THE STOCK

Soak the dried mushrooms for 4 hours in cold water to cover if you are
using dried Polish mushrooms, then rinse thoroughly; dried cut mushrooms need only washing. Tie the soaked mushrooms in a cheesecloth
bag with the bay leaves.

Put the meats, 1 onion, ½ leek, ½ carrot, 1 ounce celery root, and ½
parsley root in a 5- to 6-quart pot, add 2 quarts of water, the peppercorns,

and salt, and bring to a boil. Lower the heat and simmer, partially covered, for 1–1½ hours, or until the beef is tender. Thirty minutes before the end of cooking, add the bag of mushrooms and bay leaves. Remove the meat and strain the stock, discarding the vegetables. Skim off all the fat and return the meat and the bag of dried mushrooms and bay leaves to the stock. Set aside.

PREPARING THE SAUERKRAUT

Homemade sauerkraut or canned French *choucroute* are not likely to be too sharp in taste. However, the Claussen sauerkraut (and especially other brands available on the market) might be too sour. Preheat the oven to 275°F. If you think the sauerkraut you're using may be too sour, place it in a colander and rinse it in several changes of cold water, then place in an ovenproof casserole with a tight-fitting lid (preferably ceramic), add 1 cup of boiling water, cover, and bake for 30 minutes.

PREPARING THE VEGETABLES

Thoroughly wash the fresh mushrooms. Cook the potatoes for 15 minutes in water to cover, add the fresh mushrooms, simmer for 15 minutes more, and drain. Cut the mushrooms in half if small, into quarters if large. Peel the potatoes and cut each into 6 cubes.

Dice or cut into strips the remaining ingredients of the "vegetable bouquet": 1 onion, ½ leek, ½ carrot, 1 ounce celery root, ½ parsley root; and the celery stalk. Sauté gently in the butter, stirring often, until softened, about 10 minutes.

TO ASSEMBLE THE SOUP

Combine the meat stock, sauerkraut, mushrooms, potatoes, and sautéed vegetables, and simmer, uncovered, for 15 minutes. Cover the pot, turn off the heat, and let stand for 10 minutes. Remove the meat and cheesecloth bag and taste for seasoning.

Pour the soup into a heated tureen and add the sour cream dressing. Cut the meat into 1-inch dice and place a serving in each heated soup bowl.

SERVING SUGGESTIONS

Russian-style bread, Danish pumpernickel, or whole-grain bread suit *shchi* quite well. However, Meat *Pirozhki* or *Pirog* (pages 168 or 145) will complete the course splendidly. In this case, you might like to save the meat cooked in this stock for another use (see Chapter 7). With or without meat, *shchi* tastes wonderful served with Kasha and Mushroom Roll (page 149) or with kasha: add 1–2 tablespoons of cooked kasha (page 410) to each bowl.

Vegetarianskie Shchi
VEGETARIAN SAUERKRAUT SOUP

Serves 6 Fr

1   tablespoon Polish-style or other dried white mush-rooms

2   onions, in all

1   leek (white part only), in all

1   carrot, in all

2   ounces celery root, in all

1   parsley root, in all

1   teaspoon salt

1½   pounds Homemade Sauer-kraut (page 427), Claussen sauerkraut, or French *choucroute*

½   cup fresh mushrooms

2   medium potatoes

1   celery stalk

1½   tablespoons butter

¼   teaspoon freshly ground black pepper

3   bay leaves

1   tablespoon chopped fresh marjoram, *or* 1 teaspoon dried marjoram

4   cloves garlic, finely chopped

2   tablespoons chopped fresh parsley leaves

2   tablespoons chopped fresh dill

¼   cup sour cream mixed with 2 tablespoons heavy cream

Soak the dried mushrooms in cold water to cover for 4 hours. Drain and set aside.

To make vegetable stock, place 1 onion, ½ leek, ½ carrot, 1 ounce celery root, and ½ parsley root in a 4-quart pot, add 2 quarts of water and 1 teaspoon of salt, and bring to a boil. Lower the heat and simmer partially covered for 40–60 minutes. Strain the stock, discarding the vegetables.

To prepare the sauerkraut, see instructions for Rich Meat and Sauer-kraut Soup, page 100.

Thoroughly wash the drained soaked mushrooms and the fresh mushrooms. Place the mushrooms and the potatoes in a 1½-quart pot, add water to cover, bring to a boil, simmer for 30 minutes, then drain. Cut the dried mushrooms in strips; the fresh mushrooms in half if small, into quarters if large. Peel the potatoes and cut each into 6 cubes.

Dice or cut into strips the remaining ingredients of the "vegetable bouquet": 1 onion, ½ leek, ½ carrot, 1 ounce celery root, ½ parsley root; and the celery stalk. Sauté gently in the butter, stirring often, until they soften—about 10 minutes.

TO ASSEMBLE THE SOUP

Combine the vegetable stock, sauerkraut, mushrooms, potatoes, sautéed vegetables, pepper, bay leaves, and marjoram, and simmer uncovered for 15 minutes. Add the garlic, parsley, and dill, cover the pot, turn off the heat, and let stand for 10 minutes. Remove the bay leaves before serving.

Pour the soup into a heated tureen, add the sour cream dressing, and serve in heated soup bowls and the same accompaniments suggested for Rich Meat and Sauerkraut Soup.

Lenivye Shchi

"LAZY *SHCHI*" (CABBAGE SOUP)

Serves 6 Fr

1	pound beef short ribs	2	celery stalks, halved
3	onions, in all	2	bay leaves
1	carrot, in all	2	tablespoons catsup or tomato paste
1	parsley root, in all		
2	ounces celery root, in all	1	teaspoon chopped fresh marjoram (*optional*)
1	teaspoon salt, plus additional salt to taste	2	tablespoons chopped fresh parsley
6	peppercorns	2	tablespoons chopped fresh dill
2	potatoes		
1	medium head of cabbage	6	tablespoons sour cream
1	leek (white part only)		
2	tablespoons unsalted butter		

Place the meat, 1 onion, ½ carrot, ½ parsley root, and 1 ounce celery root in a 5- to 6-quart pot, add 2 quarts of water, 1 teaspoon of salt, and the peppercorns. Bring to a boil, then lower the heat, cover tightly, and simmer for 1 hour, or until the meat is tender. Add more salt if necessary. Remove the meat and strain the stock, discarding the vegetables. Skim off all the fat and return the meat to the stock.

While the meat is cooking, peel the potatoes, cut each into 6 cubes, and reserve in a bowl of cold water so they do not discolor. Cut the head of cabbage in half, remove the core, and cut each half into 1-inch squares.

Dice or cut into thin strips the rest of the "vegetable bouquet": 2 onions, ½ carrot, ½ parsley root, 1 ounce celery root; and the leek. Sauté in the butter, stirring often, until golden, about 10 minutes. Add the potatoes and sautéed vegetables to the meat broth, bring to a boil, lower the heat, and simmer for 10 minutes; then add the cabbage, celery stalks, and bay leaves, and continue to cook for 10–15 minutes more, or until the potatoes are tender. Remove the bay leaves and celery stalks. Stir in the catsup and cook for 5 minutes more. Add the chopped herbs, cover the pot, turn off the heat, and let the soup stand for 10 minutes.

Stir 1 tablespoon of sour cream into each heated soup bowl, or stir all at once into the tureen of soup. If you are serving Meat *Pirog, Pirozhki* (Chapter 4) with the soup, I suggest you save the meat for another meal. If you serve Fresh Mushroom *Pirog*, Kasha and Mushroom Rolls (both in Chapter 4), or Russian-style bread with the *shchi*, cut the meat into pieces and serve with the soup.

Zelionye Shchi
"GREEN *SHCHI*" (SORREL AND SPINACH SOUP)

Serves 6

1 pound beef short ribs	1 pound sorrel, *or* 1 pound endive plus 3 tablespoons lemon juice
2 onions	
1 leek (white part only)	
1 carrot	1 pound spinach
1 parsley root	1 tablespoon chopped fresh dill
2 ounces celery root	
1 teaspoon salt, plus more to taste	1 tablespoon chopped scallions
2 potatoes	¼ cup heavy cream
Freshly ground pepper to taste	3 hard-cooked eggs, peeled and sliced

Place the meat, onions, leek, carrot, and parsley and celery roots in a 4- to 5-quart pot, add 2 quarts of water and 1 teaspoon of salt, bring to a boil, reduce the heat, and simmer, covered, for 1 hour, or until the meat is tender. Remove the meat and reserve for another use, strain the stock, discarding the vegetables, and skim the fat.

Peel and cut each potato into 6 cubes and add to the soup. Add salt, if necessary, and pepper, cover the pot, and cook over medium heat for 15–20 minutes, or until the potatoes are tender. The soup can be cooked ahead of time to this point.

Just before serving, heat the soup and prepare the sorrel and spinach: discard the stalks and withered leaves, wash thoroughly, and finely chop the leaves. Add to the soup, bring to a boil, then remove from the heat immediately. Add the dill and scallions, pour the *shchi* into a warmed tureen, and stir in the heavy cream. Garnish each serving with a few slices of egg.

Kholodnye Zelionye Shchi
COLD GREEN *SHCHI*

Serves 6

Make a vegetable stock using the ingredients listed for Green *Shchi*, but omitting the short ribs. Simmer the stock for about 40 minutes, strain, and discard the vegetables. Continue to make Green *Shchi*. After the sorrel and spinach have been added, and the soup brought to a boil, remove the pot from the heat and allow the soup to cool. Peel 3 cucumbers, cut into quarters lengthwise, and slice a scant ¼-inch thick. Place the cucumbers, dill, and scallions in a tureen, add the cooled soup, and refrigerate for 1–1½ hours, or until cold. Dilute the heavy cream with 1 cup of strained stock, mix well, and return to the tureen, stirring until well blended. Serve in chilled bowls, garnished as for Green *Shchi*.

Rassol'nik

KIDNEY AND PICKLE SOUP

Serves 6 Fr

1 pound veal or beef kid-
 neys, or 1 pound chicken
 giblets

1 carrot

1 parsley root

2 ounces celery root

1 onion

1 teaspoon salt plus additional salt to taste

6 whole black peppercorns,
 tied in a cheesecloth bag
 with 2 bay leaves

3 potatoes

3 tablespoons long-grain rice

3 Brined Cucumbers (page
 423), Claussen Kosher
 Pickles, or delicatessen
 sour pickles, coarsely
 grated

6 teaspoons sour cream

1 tablespoon finely chopped
 fresh tarragon or parsley

To prepare the kidneys, remove their fat and membrane, cut in half,
cover with cold water, and let soak for 6 hours, changing the water every
2 hours. Discard the last water.

While the kidneys are soaking, cut the carrot, parsley and celery
roots, and onion into julienne strips. In a 4-quart pot, bring 2 quarts of
water to a boil. Add the kidneys (or the giblets, if you are using them),
julienned vegetables, 1 teaspoon salt, and the peppercorns and bay
leaves, and bring to a boil again. Lower the heat and simmer, partially
covered, for 30 minutes. Meanwhile, peel the potatoes and cut into 1-
inch cubes. Strain the stock, discarding the vegetables. Cut the kidneys
into ¼-inch slices and return to the stock, adding the potatoes and rice.
Cook slowly, partially covered, for 20 minutes, then add the pickles and
simmer 5 minutes more. Turn off the heat, cover completely, and allow
the flavors to mingle for 5 minutes. Blend the sour cream with 1 cup of
soup and stir it back into the pot, then taste for seasoning. Serve in a
warmed tureen, sprinkled with tarragon.

Kulesh

MILLET AND BACON SOUP

Kulesh is a hearty and filling one-dish meal eaten alike by Ukrainian peasants and Don cossacks. Depending on the circumstances, it can be thinner or thicker, have more onion and pork fatback (or bacon) or less, and thus vary in consistency from a soup to a cereal.

Hunting parties enjoyed it, army kitchens cooked it, and, during Asiatic cholera epidemics, a *kulesh* with a generous infusion of onions and garlic was considered a safeguard against the disease by the cossacks and *kalmyks* of the southern Russia steppes.

Serves 6 [Fr]

½ cup millet	1½ large onions, in all
1 teaspoon salt plus additional salt to taste	6–12 bacon strips, cut in 1½-inch pieces, *or* 6–12 ounces pork fatback, sliced and cut in 1½-inch pieces
2 tablespoons butter, in all	
1 carrot	
1 parsley root	1 tablespoon finely chopped parsley
2 ounces celery root	
3 potatoes, peeled and cut into 1-inch cubes	

Wash the millet twice in cold water. In a 4-quart pot, bring to a boil 2 quarts of water, add the millet, salt, and 1 tablespoon of butter, lower the heat, and simmer, uncovered, for 20 minutes.

Meanwhile, peel and cut into julienne strips the carrot and parsley and celery roots and sauté them in 1 tablespoon of butter over low heat until tender. Add the sautéed vegetables, the potatoes, and ½ onion to the millet soup, bring to a boil, lower the heat, and simmer, partially covered, for 20–30 minutes, or until the potatoes are tender. Remove the onion. While the soup is cooking, slowly sauté the bacon pieces until golden, then lift them out with a slotted spoon and add them to the soup. Cut the whole onion into julienne strips and sauté in the bacon fat until golden, then add the onion and the fat to the soup. Add salt to taste. Remove the pot from the heat, cover, and let stand for 5 minutes. Serve in heated bowls and sprinkle with parsley.

Kharcho

GEORGIAN MEAT SOUP

The spicy Georgian cuisine has become very popular in Russia. Of the Georgian soups, it is *kharcho* that has found its way to the tables of every part of Russia.

Serves 6 [Fr]

1½ pounds lamb short ribs or beef chuck

1 carrot

1 parsley root

2 ounces celery root

1 teaspoon salt plus additional salt to taste

½ cup uncooked long-grain rice

2 onions, finely chopped

½ teaspoon freshly ground black pepper

2 bay leaves

¼ teaspoon finely chopped fresh sage or chives

¼ teaspoon finely chopped fresh marjoram or parsley

¼ teaspoon finely chopped fresh thyme

½ teaspoon finely chopped fresh coriander (cilantro)

½ cup finely chopped walnuts

¼ cup catsup or tomato paste

2 tablespoons lemon juice mixed with 1 teaspoon sugar

½ teaspoon Hungarian paprika

2 cloves garlic, minced

Place the meat, carrot, parsley and celery roots, and salt in a 4-quart pot; add 2 quarts of water. Bring to a boil, lower the heat, and simmer, partially covered, for about 1 hour, or until the meat is tender. Strain and set aside, reserving the meat and broth, but discarding the vegetables. Skim the broth. When the meat is cool enough to handle, bone it, cut into 1-inch cubes, cover, and set aside.

Place the rice, onion, black pepper, bay leaves, and half the herbs in the broth, bring to a boil, lower the heat, and simmer until the rice is cooked, about 20 minutes. Ten minutes before the rice is ready, add the meat, walnuts, and catsup. When the rice is tender, add the lemon juice and sugar mixture, simmer for 1 minute more, then add the paprika, garlic, and the remaining herbs. Taste for salt and serve in heated soup bowls.

Okroshka

COLD VEGETABLE AND *KVAS* SOUP

If there is a soup one can eat three times a day and feel happy, it is *okroshka*. Preparing a second course when there is *okroshka* for dinner is senseless, since everyone usually wants a second and then a third help-ing, and the entrée stays untouched. What's so wonderful about *okroshka*? Well, first of all, its base—the famous Russian *kvas*, a beverage made of fermented black bread, water, sugar, raisins, and yeast (a recipe appears on page 597). The fresh raw vegetables—cucumbers, radishes, and scallions—hard-cooked eggs, and pieces of beef that go into *okroshka* are delicious, too, but what makes the soup unforgettable is the way the ingredients blend together.

A light soup that should be served cold, *okroshka* is not only refresh-ing but rich in vitamins that have not been destroyed by cooking. In addition to vitamins A and C (from the fresh vegetables), it contains copious amounts of vitamin B, thanks to the yeast and fermented black bread in the *kvas*.

Serves 6

1 tablespoon Russian-style, Dijon, or Düsseldorf mustard

1 teaspoon sugar

1 teaspoon salt

½ cup sour cream

1½ quarts cold *kvas* (page 595 for preparation from con-centrate; page 597 for the full recipe), in all

3 fresh firm pickling cucum-bers, *or* 1 hot-house cucumber, peeled

2 medium potatoes, cooked, peeled, and cut into ½-inch dice

1 cup finely chopped scallions

1 cup diced boiled beef

1 tablespoon finely chopped fresh dill

1 tablespoon finely chopped fresh parsley

½ tablespoon finely chopped fresh tarragon (*optional*)

½ cup thinly sliced small radishes (*optional*)

3 hard-cooked eggs, sliced

In a small bowl, combine the mustard, sugar, and salt with the sour cream, add 1 cup of *kvas*, and mix thoroughly.

Check the seeds of the cucumber; if they are very small, cut the cucumbers into ¼-inch dice. If the seeds are large, halve the cucumbers and remove the seeds before dicing. Combine the potatoes, scallions, meat, cucumbers, and the sour cream mixture in a chilled tureen, and refrigerate for 20 minutes. Keep the rest of the *kvas* refrigerated, too. Just before serving, pour the *kvas* into the tureen, add the chopped herbs and the radishes, mix, and serve in chilled bowls. Top each serving with 2–3 egg slices and accompany with black bread.

Botvinia

VEGETABLE AND *KVAS* SOUP WITH FISH

Duke Romodanovski, Moscow vice-regent, entered the refectory. He sat down comfortably on the bench, took a glass of pertsovka—*vodka so strong that a non-Russian would have been left gasping—followed it with a wedge of salted black bread and proceeded to* botvinia.

—*Alexei Tolstoi*

Peter the Great

Botvinia is a cold soup, and a very special one. The recipe is centuries old and the serving elaborate. Since *botvinia* consists of two parts—the soup itself and the fish, which is cooked and served separately—and because ice cubes are provided, three dishes are set for each person: a bowl for the soup, one saucer for fish, and another for ice. Both the elaborate setting and the exquisite taste make *botvinia* a perfect soup for festive dinners. It was considered the proper soup for formal occasions at the court of Nicholas II when European diplomats were entertained. Foreign guests would feel a bit lost when three plates were put before them, and the tsar liked to demonstrate how to eat the soup.

Serves 6

FOR THE SOUP

3	small beets, with leaves	½	cup finely chopped scallions
2	cups sorrel, *or* 1 cup Belgian endive and 4 tablespoons lemon juice	1	tablespoon chopped fresh dill
2	cups spinach		Grated rind of ½ lemon
2	medium cucumbers, peeled, halved, seeded, and cut into ½-inch dice		Juice of ½ lemon
		1	teaspoon sugar

1 tablespoon Cream-Style Horseradish (page 616)
1 teaspoon Dijon mustard
1 teaspoon salt

1 quart *kvas*, in all (page 595 for preparation from concentrate; page 597 for the full recipe)

FOR THE FISH

1 pound fresh salmon or sturgeon fillets, cut into 1-inch slices
1 onion, sliced
5–6 whole black peppercorns
2 bay leaves

1 bunch fresh dill, tied with kitchen string
½ pound smoked whitefish
Meat of 6 boiled crayfish or crabs, *or* 12 boiled shrimp, shelled and deveined

THE SOUP

Wash the beets—root, stalk, and leaves—thoroughly. Cut off the beet leaves and stalks approximately ½ inch from the roots. Cook the beet roots in water to cover for about 30–40 minutes, or until tender. Drain and cool the beets, then peel, cut into julienne strips, and place in the serving tureen. While the beets are cooking, place the leaves and stalks in another pot, cover with cold water, bring to a boil, and simmer for 5–6 minutes, or until tender but still crunchy. Drain well. In the same way, wash and cook the sorrel and spinach for 3 minutes and drain. Finely chop the beet leaves and stalks, sorrel, and spinach, and add to the tureen. Add the cucumbers, scallions, and dill, and mix all the vegetables well.

Mix the lemon rind and juice, sugar, horseradish, mustard, salt, and 2 tablespoons of *kvas*. Combine with the remaining *kvas* and pour over the vegetables in the tureen. Refrigerate.

THE FISH

In lightly salted boiling water to cover, poach the salmon with the onion, peppercorns, bay leaves, and dill for about 8–10 minutes, or until just cooked; do not overcook. Drain and cool the fish and cut into 12 pieces. Cut the whitefish into 6 pieces, and divide the shellfish into 6 portions. Chill the fish before serving.

TO SERVE

Each place setting should include a chilled soup bowl, 2 saucers (1 for the fish, 1 for ice cubes), 2 tablespoons (1 for the soup, 1 for the ice cubes), and a fork for the fish. An ice cube is placed in the bowl of *botvinia* and, as it melts, another is added. Each mouthful of fish is followed by a spoonful of soup.

Kartofel'nyi Sup
POTATO SOUP

Serves 6 [Fr]

4	medium potatoes, peeled and halved	6	black peppercorns
1	carrot	6	slices bacon, cut into 1-inch pieces
1	parsley root	1	large onion, cut into julienne strips
2	ounces celery root		
1	teaspoon salt	1	cup Polish smoked sausage, diced
1	bay leaf		

Place the first 7 ingredients in a 4- to 5-quart pot, add 2 quarts of water, and bring to a boil. Lower the heat and simmer, partially covered, until the potatoes are tender, about 25–30 minutes. Strain and reserve the stock. Remove the potatoes and discard the other vegetables and the spices. Mash 2 potato halves thoroughly and cut the other 6 into ¾-inch cubes. In a skillet, sauté the bacon slowly until golden, remove from the pan with a slotted spoon, and let drain on paper toweling. Sauté the onion in the bacon fat until golden, add the sausage, and sauté for 3 minutes more, stirring continuously. Bring the potato stock to a boil, add the mashed and diced potatoes, the bacon, and the onion and sausage mixture, together with any fat remaining in the skillet. Remove from heat, cover, and let stand 5–10 minutes. Serve with black bread.

Gribnoi Sup s Perlovoi Krupoi
MUSHROOM AND BARLEY SOUP

Serves 6 [Fr]

½	cup dried white beans	½	cup fine barley
1	ounce dried mushrooms	1	tablespoon unsalted butter
1	carrot	3	potatoes, peeled and cut into ½-inch dice
1	onion		
2	ounces celery root	6	tablespoons sour cream
1	parsley root	6	thin lemon slices (*optional*)
1	teaspoon salt plus additional salt to taste		

Soak the dried white beans in cold water for 2 hours and cook in the same water, unsalted, over low heat for 2 hours, or until tender.

If you are using whole dried mushrooms, like the ones imported from Poland, soak them in cold water for 4 hours, drain, rinse under running water to remove any remaining sand, and cut into julienne strips. Dried cut mushrooms need only be washed.

Place the mushrooms, carrot, onion, and celery and parsley roots in a 4-quart pot, add 2 quarts of cold water and 1 teaspoon salt. Bring to a boil, lower the heat, and simmer, uncovered, for 30 minutes. Remove from the heat and discard all the vegetables except the mushrooms. Add the barley and butter, and cook 30 minutes more, then add the potatoes and continue to simmer for 20–25 minutes, or until the potatoes are tender. Add the cooked beans and taste for salt.

Serve with 1 tablespoon of sour cream in each bowl and top with a lemon slice.

Sup iz Svezhikh Gribov so Smetanoi

MUSHROOM WITH SOUR CREAM SOUP

Serves 6 Fr

1	pound fresh small mush-rooms, washed and halved	
1	pound potatoes, peeled and cut into 1-inch cubes	
1	carrot, sliced	
1	parsley root, *or* 3 celery stalks, sliced	
1	teaspoon salt	

1 onion, cut into julienne strips and sautéed in 1 tablespoon of butter until pale golden (about 8–10 minutes)

2 tablespoons sour cream

1 tablespoon finely chopped fresh dill

Place the mushrooms, potatoes, carrot, parsley root, and salt in a 3-quart pot; add 1½ quarts of boiling water, return to a boil, and simmer, partially covered, for about 20 minutes. Add the sautéed onion and cook 5 minutes more, or until all the vegetables are tender. Serve in heated soup bowls, adding 1 teaspoon of sour cream and a sprinkling of dill to each serving. Accompany with Meat *Pirozhki* (page 168) or black bread.

Gribnoi Sup s Lapshoi
MUSHROOM AND NOODLE SOUP

Serves 6 Fr

¾ pound fresh mushrooms, washed and halved, *or* 1 ounce dried mushrooms (preferably *cèpes* or Polish mushrooms)	1 parsley root
	3 celery stalks
	1 teaspoon salt
	4 ounces Homemade Noodles (page 402), cooked
1 carrot	1 tablespoon unsalted butter
1 leek	

If you are using dried whole mushrooms, prepare them as described in the recipe for Mushroom and Barley Soup (page 112). If you use *cèpes* or other dried cut mushrooms, just wash them well.

Place the dried mushrooms and all the vegetables in a 4-quart pot, add 2 quarts of water and the salt. Bring to a boil, lower the heat, and simmer, uncovered, for 30 minutes. (If you use fresh mushrooms, add them after the stock has cooked for 15 minutes.)

Strain the broth, reserve the mushrooms, and discard the other vegetables. Return the mushrooms to the broth, add the cooked noodles, return to a boil, and remove from the heat. Pour into a heated tureen and serve in heated soup bowls, adding ½ teaspoon of butter to each bowl.

Gribnoi Sup s Ushkami ili Pel'meniami
MUSHROOM SOUP WITH DUMPLINGS

Serves 6 Fr

Follow the instructions for Mushroom and Noodle Soup (page 114), with two changes: use dried mushrooms and increase the amount to 2 ounces; replace the noodles with Mushroom *Ushki* (page 194) or *Pel'meni* (page 193). Use the mushrooms from the soup for the fillings.

CHAPTER 4

Piroghi, Pirozhki, Kulebiaki,
and Other Savory Pies

On Sundays and holidays a gigantic pie was baked. The gentry ate it for the first two days, the servants were allowed to eat it on the third and fourth days, and on the fifth day the last stale remnants, devoid of stuffing, were given as a special favor to Antip.

—Ivan Goncharov
Oblomov

THE Eskimos, they say, have 120 different words for "snow"; Russians have almost as many names for their *piroghi*—pies filled with meat, fish, cheese, and vegetables in innumerable combinations. Here are some of the major categories:

PIROGHI AND OTHER LARGE PIES

Pirog (plural: *piroghi*) A large rectangular pie, most often made with a yeast dough similar to brioche and varying in height from 2 to 3 inches. The dough usually encloses the filling, which can be made of meat, cabbage, kasha and mushrooms, or sweet fillings such as cottage cheese or jam. These dessert *piroghi* (see Chapter 13) are made from yeast dough or short pastry, and they can be open-faced or have a lattice top.

Kurnik One of the oldest *pirog* recipes. It is round, with a cone-shaped top, about 5 inches high, and contains several layers of filling—chicken (*kurnik* means "chicken *pirog*"), fresh mushrooms, and chopped hard-cooked eggs. Crêpes separate the fillings and absorb the juices.

Kulebiaka (plural: *kulebiaki*) A narrow rectangular pie (usually 4 to 5 inches wide, 10 to 16 inches long, and 3 to 4 inches high) with two full crusts. It is usual for *kulebiaka* to have two or more fillings whose ingredients are related: for instance Classic Russian *Kulebiaka* (page 157), which has a combination of fish and rice for the top and bottom layers and salmon or sturgeon fillets for the middle layer. An exception to the rule is Baidakov *Kulebiaka*, a twelve-layer pie which incorporates all kinds of fillings, including burbot liver and bone marrow in black butter, and which would be quite difficult to produce today.

Another exception, but one that is well within the range of the home cook, is Four-Cornered *Kulebiaka* (page 161), in which four different fillings are placed in separate corners of the pie.

Meat *kulebiaka* is eaten in Russia, but is not so well known abroad.

PIROZHKI AND OTHER SMALL PIES

Pirozhok   (plural: *pirozhki*) A small (2½ to 5 inches long) oval-shaped pie or turnover made of yeast dough, puff pastry, mock-puff pastry, or short pastry. *Pirozhki* are traditionally stuffed with meat, cabbage, rice and eggs, calf's liver or calf's brains.

Rasstegai   (plural: *rasstegaï*) These can be round and the size of a plate (to serve one or two persons) or small and oval like *pirozhki*. A characteristic of *rasstegai* is that the dough does not completely enfold the filling; instead, there is a small opening in the center through which peeps a piece of sturgeon, salmon, whitefish, or burbot liver (*rasstegai* means "unbuttoned"). *Rasstegaï* are usually made with yeast dough.

Vatrushka   (plural: *vatrushki*) A small, round, open-faced pie about 4 inches in diameter, made with yeast dough. Sweet cheese stuffing is a common *vatrushka* filling. As a soup accompaniment, it is usually made of yeast dough and sprinkled with sautéed onions and salt or filled with unsweetened cheese and caraway seeds.

Although these are the principal types of *piroghi* and *pirozhki*, there are many others, some of which, such as *sochni*, *chebureki*, and *shanezhki* are included in this chapter.

WHEN TO SERVE *PIROGHI*

The bountiful variety of *piroghi* is a testament to their remarkable versatility and to their prominent place in Russian cuisine.

As a Meal in Itself   An ample portion of meat *pirog* or fish *kulebiaka*, accompanied by a cup of consommé or *uhka* and a salad, will satisfy most appetites and make a splendid lunch. *Chebureki*, *sochni*, and other large filled pastries also make a good main course for a light meal.

Served as an Accompaniment to Soup   *Rasstegaï*, *pirozhki*, or slices of *kulebiaka* provide a touch of splendor to any dinner and define the cuisine in a very characteristic way. Those filled with fish are served with *uhka* or fish *selianka*; those filled with meat, kasha and mushrooms, cabbage, rice and eggs, and so on, successfully accompany consommés and meat and vegetable soups. Onion-topped *vatrushki* are traditionally served with borscht, and the kasha and mushroom roll with *shchi*. Pastry baskets or shells filled with calf's liver or calf's brains are an exquisite complement to consommés. More detailed suggestions can be found in the soup chapter (see Soup Accompaniments, pages 72–73).

As a First Course   Filled pastry shells and baskets, *rasstegaï*, and other small baked *pirozhki* are an integral part of the *zakuski*, the Russian hors d'oeuvre ceremony (see Chapter 2). It was as hors d'oeuvre that *piroghi* were embraced by French cuisine in the late nineteenth century. French chefs working in Russia adopted *kulebiaka* (*coulibiac* in French) and, on their return to France, impressed their fellow cooks and clientele with Russian versions and their own interpretations of the dish.

Served with Morning Tea   About 8 or 9 A.M., and especially with evening tea (around 9 or 10 P.M.), which, in traditional Russian cuisine, effectively framed the day, meat- or vegetable-filled *pirozhki* and *piroghi* make a delightful meal. Served with tea at any time of the day, as part of the tea ceremony, savory *piroghi* are usually supplemented by sweet rolls, *krendels*, and sweet *pirozhki* filled with jam or cherries.

AN INTRODUCTION TO MAKING *PIROGHI*

ADVANCE PLANNING

Planning is one of the keys to making *piroghi* successfully. Well in advance of the day you plan to serve the pie, begin by making a list of the ingredients and equipment you will need. Then calculate the time it will take to make each cooked or prepared ingredient: some are quickly cooked or mixed together, others can take as long as a day or more. A recipe calling for four fillings plus *blinchiki* plus yeast dough (*kurnik*, for example) might require a timetable. If you allow yourself plenty of time to make each of the major components, and if you have them all ready just when you need them, you will begin the final assembly of the pie with a serene sense of accomplishment.

THE INGREDIENTS

The ingredients for the recipes in this chapter are readily available and, with only a few exceptions, not expensive. All the more reason, then, never to compromise on quality. Use the freshest cheese, fish, and vegetables on the market, the highest grade of beef, the best quality dried mushrooms.

Each ingredient for the fillings should be approached with respect: the fish for *kulebiaka* should be poached in wine, the rice cooked in stock or consommé, the kasha in mushroom stock. It is only a little more of an effort, but the results will be well worth it.

Substitutions   In general, do not substitute unless an alternative ingredient is included in the recipe. (The first ingredient is always the preferred one.)

Do not substitute cottage cheese or pot cheese taken directly from the carton for the specially prepared version found on page 144. Do not substitute margarine for butter. However, if a recipe calls for filet mignon and only beef round is available, by all means use the round.

THE EQUIPMENT

Very little special equipment is required for making *piroghi*. However, several procedures are more easily accomplished with the help of specific utensils.

For Making the Dough We recommend a *heavy-duty electric mixer* equipped with an all-purpose beater, balloon whip, and a sculptured dough hook. The yeast doughs in this chapter and in Chapters 12 and 13 can be kneaded by hand, but use of the dough hook produces best results. If the dough is kneaded manually, to achieve the desired texture the kneading time will be about double that for the dough hook, provided that the kneading is quite vigorous.

A *food processor* that has a strong motor and can handle 4 cups or more of flour is very efficient for kneading dough.

If you knead the dough by hand the Russian way, in a *bowl*, you will need a 3- to 4-quart bowl 6 or 7 inches high and 9–11 inches in diameter, which will be wide enough to allow you to move your hand around easily. Otherwise, a *clean counter top* or *smooth board* is a good working surface.

For Making the Fillings A *food-mill* for ricing potatoes and for puréeing cooked foods; a *food processor* or *meat grinder* for grinding meat.

For Rolling Out the Dough Use a rolling pin 18–19 inches long. For cutting the rolled-out dough, a sharp knife or a pastry wheel; round 2-inch, 3-inch, and 4-inch cookie cutters to make small circles; saucers, bowls, or precut rounds of wax paper or cardboard to make larger circles; scalloped 3-inch-diameter cookie cutters or fluted tart pan edges to make small and large scalloped circles respectively. For sealing pastry or glazing it, a pastry brush.

For Baking the Piroghi An *oven* that bakes evenly (with no "blind spots") and has an *accurate thermostat*; a *deep-frying kettle*, 6-quart capacity, about 10 inches in diameter; a *deep-fat thermometer*; a *large cookie sheet*; *muffin tins*; a *10-inch round spring-form pan*; a *3-sided baking pan*. Most of our *piroghi* recipes are designed for this pan. The size most commonly used is 14 inches long, 9½ inches wide, and at least 2½ inches high. (The pan size is given at the end of the ingredients list, where necessary.) The open fourth side allows the baked *pirog* to slide out onto a rack or serving dish. An alternative is to cut one of the narrow ends of a heavy-duty foil pan either before or after baking. Or line a pan with 2 layers of foil cut long enough to hang over the edges of the pan (be sure to butter the foil, not the pan). The baked *pirog* can be lifted out using the foil as handles. Carefully slide the *pirog* off the foil and onto the rack or serving dish.

HOW TO PREVENT A SOGGY BOTTOM CRUST

A heavy, soggy bottom crust can result if there is too much moisture in the filling, especially in pies with a full top crust. There are several ways to prevent this:

• While the filling should be juicy, it should not be too wet. For example, excess liquid should be squeezed from fresh mushrooms before they are sautéed.

• Include rice, kasha, or bread crumbs in the filling to absorb excess liquid.

• Line the bottom of the pie with *blinchiki* (crêpes) and place them between layers of filling, where they will soak up juices and help later in slicing the pie evenly.

• Pierce tiny holes in the top crust with a skewer to allow steam to escape.

When the pie is removed from the oven and while it is still on the baking sheet, brush the upper crust and sides with melted butter. Before sliding the pie onto a cooling rack, line the rack with several layers of paper towels, which will prevent the bottom from being steamed and the rack from cutting into the tender crust. Cover with a cloth for about 10 minutes to allow the juices to be reabsorbed. Always slice large pies with a sharp serrated knife.

STORING COOKED PIROGHI

Refrigeration is not recommended for filled baked pastries. Generally speaking, yeast dough dries very quickly in the refrigerator, and short pastry *pirozhki* become soggy.

Baked and fried yeast dough *piroghi*, *kulebiaki*, *pirozhki*, *sochni*, and others can be kept for the next day if they are covered with several layers of cheesecloth or a kitchen towel and left in a cool place. However, they will never be as tender and puffy as they were the first day. Unfilled baked pastry baskets and shells made of short pastry or Mock Puff

Pastry (page 129) can be stored for a day or two in a dry, cool place and filled immediately before serving.

The good news is that many of the pastries can be frozen.

To freeze baked and deep-fried *pirozhki*, allow them to cool, then chill. Wrap well in foil, place in plastic freezer bags, and freeze for up to 3 months. To serve, thaw in the refrigerator and reheat in a preheated 325°F oven for 12–15 minutes. Recipes for *pirozhki* that can be frozen after baking or frying are indicated by the symbol Fr.

YEAST DOUGH

Proofing the Yeast This old Russian method of proofing yeast intensifies the fermentation process. For 1 package of dry active yeast: pour the yeast into a small bowl containing 3 tablespoons of warm water (100°–115°F), add ½ teaspoon of sugar, and stir well. For 1 cake of compressed yeast: crush the yeast with ½ teaspoon of sugar in a small bowl, add 1 tablespoon of warm water (95°–100°F), and stir. For either yeast, place the bowl in a warm place (76°–82°F): an unlit oven with a pilot light or in a larger bowl containing warm water (90°F). Leave for 10–15 minutes, or until the yeast is swollen and has begun to bubble.

The Temperature of the Ingredients Unless otherwise specified, all ingredients should be at room temperature. Eggs and milk taken directly from the refrigerator tend to retard the leavening process. If there is not enough time to allow an ingredient to come to room temperature, there are ways to hasten the process. Milk, of course, can be gently warmed on the stove. Leave eggs under lukewarm running water (80°–90°F) for a few minutes to take off the chill (be careful not to cook them). For recipes where softened butter is required, cold butter can be cut into small pieces and massaged in your hands or whirled for a few minutes in the food processor until creamy.

Kneading the Dough Yeast dough can be kneaded in one of three ways: in a heavy electric mixer with a dough hook, in a food processor, or by hand. The kneading instructions in our recipes call for an electric mixer. However, instructions for using the food processor and kneading by hand are given one time, in Yeast Dough #1 (page 123), and adjustments can be made in the other recipes if you prefer to use either of these methods.

Fully kneaded dough is smooth and elastic, with a satin surface. Air bubbles may appear just under the "skin." There are several ways of testing the dough to see if it has been sufficiently kneaded. The first is to quickly press two fingers into the dough. If it feels full-bodied and springs back, it is ready. A second test, if you have been kneading with an electric mixer and dough hook, is to stop the machine and knead the dough once by hand. If the dough peels off your fingers, it can be set to rise. A third indication, when using the mixer, is that the dough will clean the sides of the bowl and mass up around the hook. When the machine is turned off, the dough will fall away from the hook, leaving it clean.

The First and Second Risings Shape the dough into a ball, place in a generously buttered bowl, and turn the dough to coat with the butter. Cover the bowl with a cloth and leave in a warm (75°–82°F) draft-free place for 1½–2 hours, or until the dough has doubled in volume. The proper temperature for the first rising is important. If the temperature is too low, the dough will take much longer to rise, or it may not rise enough and it will be heavy when baked. When the temperature is too high, the dough will rise too quickly. It may turn sour, producing large bubbles that will ruin the fine texture of the pastry.

When the dough has doubled in bulk, punch it down lightly once or twice with your fist to deflate it. Punching down causes the larger bubbles to collapse and more small bubbles to form in the body of the dough, promoting a finer texture. Before punching down the dough, test whether it has risen enough by touching the dough lightly with a finger. If the dough is soft and the indentation remains, punch it down. Cover the dough and let it rise again for 40–45 minutes at a slightly lower temperature (72°–75°F) in a draft-free place.

Rolling Out the Dough Because of its elasticity, yeast dough must be rolled out into an oval (its natural shape) a few inches larger than the required size. After it contracts, trim the dough to size, place it in the pan, and, if it shrinks a little, pull the edges gently but firmly.

Finishing Touches Piroghi made with yeast dough are brushed with an egg glaze before baking to give them a deep golden sheen, and made even more appetizing by brushing them with butter immediately after baking. Cover the baked pie with a cloth for 10 minutes; this makes the top crust softer and easier to slice. Either serve immediately or slide onto a rack to cool. If left in the baking pan, the *pirog* will become soggy.

Drozhzhevoe Testo #1

YEAST DOUGH #1

Use for baked *piroghi*, *pirozhki*, *kulebiaki*, and others.

Makes 1 pirog *or 24* pirozhki

½ cake compressed yeast (3 ounces), *or* ½ package active dry yeast

2 tablespoons plus ½ teaspoon sugar, in all

2 teaspoons warm water (90°–95°F for compressed yeast, 100°–115°F for dry yeast)

1 pound instant-blending or all-purpose flour, in all (3¾–4 cups; see *Note*)

¾ teaspoon salt

1¾ cups warm milk (95°F), in all

2 egg yolks

1 egg white

6 tablespoons unsalted butter, melted and cooled to lukewarm

Mix the yeast, ½ teaspoon of sugar, and 2 teaspoons of warm water, and proof the yeast, following instructions on page 124.

MIXING AND KNEADING WITH AN ELECTRIC MIXER

In the bowl of an electric mixer, combine the yeast mixture, the remaining sugar, 2½ cups of flour, salt, and 1½ cups of milk, and, with the dough hook, mix at low speed for 1 minute. Beat the egg yolks with a fork to blend, whip the egg white with a wire whisk or electric hand beater until stiff peaks form and blend them both into the dough with a wooden spoon or spatula. Add the remaining flour and milk and mix at low speed for 1 minute. Switch to medium speed and beat for 2 minutes.

Change back to low speed, gradually adding the barely warm butter, and then continue to beat for 1–2 minutes. For the final beating, which is equivalent to hand kneading, turn the mixer to medium-high speed and beat for 9–10 minutes, stopping twice to allow the motor to cool off for 2 minutes each. The dough is ready when it no longer sticks to the sides of the bowl and when it peels off your fingers when you knead it.

THE FOOD PROCESSOR METHOD FOR MIXING AND KNEADING

After the yeast is proofed, place all the dry ingredients in the work bowl of a food processor fitted with the steel blade or special kneading attachment. Process for 2 minutes just to mix. With the motor running, add the butter, milk, and yeast mixture, then add the whole egg and the egg yolk. Continue processing for 30 seconds to 1 minute, or until the dough forms a ball around the central shaft. Remove the dough from the processor and knead gently 4–5 times.

KNEADING YEAST DOUGH MANUALLY, THE RUSSIAN WAY
Proof the yeast.

In a large bowl, combine the yeast mixture, the 2½ cups flour, the remaining sugar, salt, and 1½ cups milk. Using a wooden spoon with a long, sturdy handle, mix thoroughly for 2 minutes. Tilting the bowl slightly, beat with the back of the spoon, turning and mixing the dough for about 3 minutes.

Beat the egg yolks with a fork to blend, whip the egg white with a wire whisk or electric hand beater until stiff peaks form, and blend both into the dough with the wooden spoon for about 2 minutes.

Add the remaining milk and flour, beating with the spoon until well blended.

Place a towel under the bowl (see *Note*) to anchor it and begin kneading with one fist, using wide circular motions, as if fluffing up a pillow. (Wear a rubber glove if you like.) Add half the melted butter and knead for 2 more minutes. Add the remaining butter and knead for 2 minutes, or until all the butter is absorbed by the dough.

Continue kneading for about 15 minutes, or until the dough is smooth, silky, elastic, and starts peeling off the fingers. Hold the bowl with one hand, kneading with the other folded into a loose fist. From time to time, slide your hand down to the bottom of the bowl, bringing the bottom part of the dough to the top. Knead around in a circle, or turn the bowl every few seconds to see that all parts of the dough are well kneaded.

Form the dough into a ball, place in a generously buttered 6- to 7-quart bowl, and turn to butter the dough on all sides. Cover with plastic wrap or a towel and place in a warm, draftless place (76°–82°F) for 1½–2 hours, or until the dough has doubled in bulk. Punch it down, cover, and let it rise until doubled again, about 45 minutes. The dough is now ready to be used.

Note: Instant-blending flour is the American equivalent of *krupchatka*, which is used for the finest yeast dough in Russian cuisine. All-purpose flour can be substituted, but with some loss of tenderness and delicacy in the finished pastry.

If you find it easier to knead by hand on a board or other flat work surface, by all means do so. Flour the surface as lightly as possible and use a dough scraper to help lift it when it sticks.

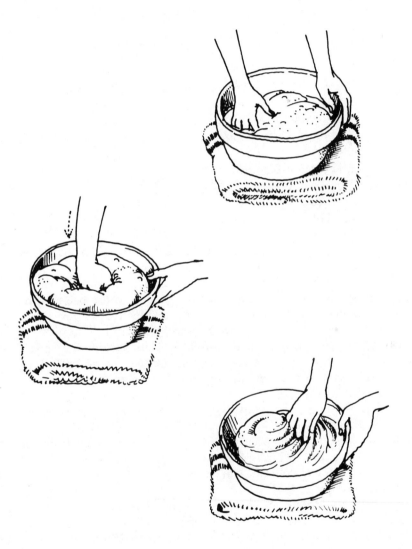

Drozhzhevoe Testo #2
YEAST DOUGH #2

Use for *ponchiki* (doughnuts), deep-fried *pirozhki*, and other deep-fried pies.

Makes 24 pirozhki

1	package active dry yeast	1¾ cups warm milk (95°F)
1	tablespoon plus ½ tea-spoon sugar, in all	2 egg yolks
3	tablespoons warm water (100°–115°F)	½ teaspoon salt
1	pound instant-blending or all-purpose flour, in all (3¾–4 cups; see *Note*, page 124)	3 tablespoons butter, softened

Mix the yeast, ½ teaspoon sugar, and warm water and prove the yeast, following the instructions on page 124.

Pour the yeast mixture into the bowl of an electric mixer, add 1½ cups flour and the milk, and mix with an all-purpose beater at moderately low speed for 2 minutes, or until well blended. Cover with plastic wrap or a cloth, and set in a warm place (76°–82°F).

In 1½–2 hours, the dough should be double in bulk and start collapsing. Beat the egg yolks with the remaining sugar and salt. If using a wooden spoon, beat for 3 minutes, or, if using an electric hand beater, for 30–40 seconds.

Add the egg yolk mixture and the remaining flour to the dough. With a dough hook, beat at moderately low speed for 2 minutes, then add the softened butter and beat for 1 minute more. Switch to medium-high and beat for 11–12 minutes, stopping twice for 2-minute intervals to allow the motor to cool off. Check to see that the dough is sufficiently kneaded (see page 124).

Shape the dough into a ball, place in a generously buttered 6- to 7-quart bowl, and turn to butter the dough on all sides. Cover with plastic wrap or a cloth and let sit in a warm place (76°–82°F) for 45 minutes to 1 hour, or until double in bulk.

The dough is now ready to be used.

Rublenoe Testo dlia Kulebiak, Pirogov
ALL-PURPOSE PIE CRUST

This is a very old recipe. It is called *rublenoe* ("chopped") because originally the flour and butter were blended by being chopped together with a cleaver until the particles were like finely ground buckwheat groats or semolina grains. Today it can be done in an electric mixer, or in a food processor fitted with steel blades.

Makes about 3 pounds of dough

1½ pounds instant-blending or all-purpose flour (5⅔–6 cups; see *Note*, page 124)

1 teaspoon salt

1½ cups (¾ pound) unsalted butter, chilled

3 tablespoons lard or shortening, chilled

2 eggs, chilled

1 cup ice water, in all

Place the flour and salt in the bowl of an electric mixer. Cut the chilled butter and lard into ½-inch pieces with a sharp knife (try not to touch with your fingers, which might soften the butter) and immediately put into the bowl. Begin mixing at moderate speed with an all-purpose beater for 1 minute, or until the mixture looks like semolina, each grain dry and separate. Be careful not to overbeat the mixture at this stage; it must not turn into a paste.

Beat the chilled eggs lightly with a fork to blend and add to the dough. Quickly add ½ cup ice water and beat at moderate speed for 20 seconds; most of the dough will be stuck to the beater. Add the remaining ice water and beat 10 seconds more. Give it a final beating at medium speed for 2 minutes, or until well mixed.

On a lightly floured board, form the dough into a cake 5–6 inches in diameter, pressing firmly. Cover with plastic wrap and refrigerate for 2 hours. The dough is now ready to be used.

Rassypchatoe Testo na Smetane #1

SHORT PASTRY #1

Use for Fresh Mushroom *Pirog*, *Kurnik*, and others.

Makes 1 pirog or 24–28 pirozhki

3   egg yolks
½   teaspoon salt
2   tablespoons milk
½   cup sour cream
1   pound instant-blending or all-purpose flour (3¾–4 cups; see *Note*, page 124)

1   teaspoon baking powder
½   cup (¼ pound) unsalted butter, softened

In the bowl of an electric mixer, combine the egg yolks, salt, milk, and sour cream, and beat at medium speed for 1 minute with the all-purpose beater. Add the flour and baking powder and continue to beat for one minute more. Add the butter and beat at moderately high speed for not less than 2 minutes, or until completely blended. Form into a ball, cover with plastic wrap, and leave at room temperature for 30 minutes.

Rassypchatoe Testo #2

SHORT PASTRY #2

Makes 1 pirog or 24–28 pirozhki

1   pound instant-blending or all-purpose flour (3¾–4 cups; see *Note*, page 124)
1   teaspoon baking powder
½   teaspoon salt

2   tablespoons rum
½   cup water (plus 2–3 tablespoons more, if needed)
1   cup (½ pound) unsalted butter, softened

Place the flour and baking powder in the bowl of an electric mixer. Combine the salt, rum, and ½ cup water, and add to the bowl. Beat with an all-purpose beater at moderately low speed for 1 minute. Switch to moderately high speed and beat for 2 minutes. Add the softened butter and continue to beat for not less than 3 minutes, or until completely blended. Form into a ball, cover with plastic wrap, and refrigerate for 1 hour.

Sloionoe Testo dlia Pirozhkov
MOCK PUFF PASTRY

Use for *piroghi*, *pirozhki*, shells, and baskets.

1 pound instant-blending or all-purpose flour (3¾–4 cups; see *Note*, page 000)	2 tablespoons lard or shortening, chilled
¾ teaspoon salt	1 cup ice water, in all
1 cup (½ pound) unsalted butter, chilled	½ cup (¼ pound) unsalted butter, softened, for layering

This pastry is best worked in a cool room.

In the bowl of an electric mixer, combine the flour and salt. Chop the butter and lard into small pieces without allowing to soften, and add to the mixing bowl. Mix with an all-purpose beater at moderately low speed for 1½–2 minutes, or until the butter breaks into tiny particles. Smoothly switch to medium speed and beat for 2 minutes; the butter particles will look like semolina.

Add ½ cup ice water and continue to beat. In 20–30 seconds, most of the pastry will be blended. Gradually add the remaining water, scrape up the dough that has stuck to the bottom and sides of the bowl, and then beat for ½ minute or so more. The dough should be pliable but it should not stick to your fingers. On a floured board, gather it into a ball, dust with flour, cover with plastic wrap, and refrigerate.

Cut the dough in half. Wrap one piece and return it to the refrigerator. Form a brick from the other piece and, on a floured board, roll it out into a rectangle about 18 inches long and 9 inches wide; keep the long side of the rectangle parallel to the table edge. With the back of a dinner knife, draw two lines dividing the rectangle into three equal parts:

▢▢▢▢. Spread 2 tablespoons of butter over the left third and the middle. Fold the unbuttered third over the middle, press gently, and fold the left third over that. Roll out the dough again and repeat the procedure, using another 2 tablespoons of butter. Wrap and refrigerate for 1 hour. Repeat for the other half of the dough.

In an hour, repeat the rolling out procedure twice for each piece of dough, this time without the butter. Wrap and refrigerate the dough for another hour. It is now ready to be used, or it can be kept in the refrigerator for several days.

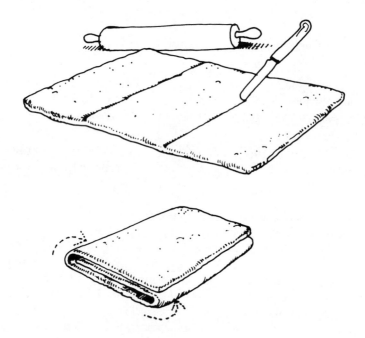

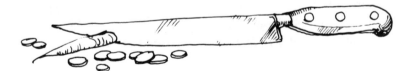

PREPARING INGREDIENTS FOR THE FILLINGS

Advance preparation is necessary for many of the major ingredients used in the filling recipes that begin on page 131. Once prepared, the ingredient can be used alone or in combination with other filling ingredients, as directed.

Prigotovlenie Risa dlia Nachinki Pirogov

RICE FOR *PIROG* FILLING

3 cups Chicken Stock (page 87; do not degrease the stock)

1½ cups long-grain rice

Bring the chicken stock to a boil in a heavy saucepan, add the rice, return to a boil, and cook for 5 minutes over moderate heat. Insert an asbestos mat under the saucepan, turn the heat to low (if you do not have an asbestos pad, turn the heat to very low), and cook, covered, for 20 minutes. Test the rice for doneness; it should be tender but slightly resistant to the bite, and the grains should be separate. Allow to cool before using.

Prigotovlenie Grechnevoi Kashy dlia Nachinki Pirogov

KASHA (Buckwheat Groats) FOR *PIROG* FILLING

1½ cups whole roasted kasha
3 cups mushroom stock or
   mushroom and chicken
   stocks

2 tablespoons unsalted
   butter
Salt to taste

Place all the ingredients in a heavy saucepan, bring to a boil, and cook over moderate heat for 7–8 minutes. Lower the heat, place an asbestos mat under the pan, and cook for 1 hour, covered. Test for doneness: if the grains stick together, uncover the pan to evaporate some of the liquid. The kasha should be tender and the grains separate. Allow to cool before using.

Prigotovlenie Sushonykh Gribov dlia Nachinki Pirogov

DRIED MUSHROOMS FOR *PIROG* FILLING

2 ounces dried mushrooms
   (preferably French *cèpes* or
   Polish mushrooms, which
   will produce a light stock
   when cooked)

Wash the mushrooms well in warm water. If you are using whole Polish mushrooms, soak in cold water to cover for 4 hours. If you are using cèpes or dried mushroom pieces, only washing is necessary. Place the mushrooms and 1 quart of water in a saucepan, bring to a boil, and cook over moderate heat for 25–30 minutes for whole mushrooms, 15–25 minutes for *cèpes,* or until tender.

Drain and reserve the stock for either Kasha for *Pirog* Filling (page 132) or a mushroom soup. Cool the mushrooms.

Prigotovlenie Svezhykh Gribov dlia Nachinki Pirogov

FRESH MUSHROOMS FOR *PIROG* FILLING

These mushrooms must be used while they are still hot. Begin to prepare them about 30 minutes before you make the filling, and be sure that the other filling ingredients are assembled by the time the mushrooms have finished cooking.

2 pounds medium mushrooms	½ bunch parsley leaves, finely chopped
4 tablespoons unsalted butter	

Wash the mushrooms thoroughly under running water and separate the stalks from the caps. Cut the caps into 3–4 slices each and the stalks into ¼-inch rounds. As you slice, throw the mushrooms into a large bowl of water, with 1 tablespoon vinegar added for each quart of water. This will prevent the mushrooms from darkening.

Drain the mushrooms, place them in a kitchen towel, and squeeze out the excess liquid, then pat dry with paper towels.

Melt the butter in a large heavy-bottomed skillet, add the mushrooms and parsley, and sauté over moderate heat, stirring from time to time, for about 10–15 minutes, or until the mushrooms are cooked and the pan juices have almost evaporated. Do not remove from the skillet, and use immediately before they cool.

Prigotovlenie Kapusty dlia Nachinki Pirogov

CABBAGE FOR *PIROG* FILLING

3   pounds cabbage
2¼ teaspoons salt

4   tablespoons unsalted
    butter

Quarter the cabbage, remove the hard center stalk, and cut off the tough portions of the ribs at the bottom of the leaves. Shred the cabbage, place in a colander, add the salt, mix thoroughly, and allow to drain for 10 minutes. Bring 2–3 quarts of water to a boil. Place the colander in the sink and pour the boiling water over the cabbage, shaking the colander several times to drain. In a Dutch oven or heavy saucepan, mix the cabbage with the butter and cook over moderately low heat, covered, for 20–25 minutes, or until tender. Cool.

Prigotovlenie Zharenoi Ryby dlia Nachinki Kulebiaki i Rasstegaev

SAUTÉED FISH FOR *KULEBIAKA* AND *RASSTEGAI* FILLING

2   pounds fresh fish fillets
    (sturgeon, salmon, white-
    fish, or other white-
    fleshed fish)

Salt to taste
2   tablespoons unsalted
    butter

Cut the fillets into 2½-inch pieces and sprinkle lightly with salt. Melt the butter in a heavy-bottomed skillet, add the fish, cover, and sauté over moderately low heat for 10 minutes for each measured inch of fish (measured at the thickest part). Turn the fish, when it is a little more than halfway cooked, to brown on both sides. Drain the fish on paper towels and cool. Reserve the pan juices.

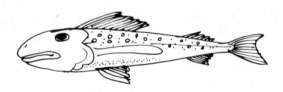

Prigotovlenie Goviadiny dlia Nachinki Pirogov

BEEF FOR *PIROG* FILLING

2½ pounds boneless beef shin
½ pound beef or veal knuckle and marrow bones
1 teaspoon salt
1 unpeeled onion
1 carrot

1 leek
1 large parsley root
A chunk of celery root, 1 inch by 1 inch by 2 inches, *or* 1 celery heart

Place the meat and bones in a 4-quart pot and add boiling water to cover. Bring to a brisk boil, skim, lower the heat, and simmer for 1½ hours, partially covered. Thirty minutes after the start of cooking, add 1 teaspoon salt. Add all the vegetables, bring to a boil again, and simmer, partially covered, for 30 minutes. Test for doneness by piercing the meat with a sharp knife. If it goes in easily and the exuding juices are colorless, the meat is done. Cook further, if necessary, testing often so that the meat does not become overcooked. Let the meat cool in the stock.

Prigotovlenie Teliachikh Mozgov dlia Nachinki Korzinochek

CALF'S BRAINS FOR PASTRY SHELLS AND BASKETS FILLING

3 pairs calf's brains
1½ teaspoons salt, in all
2 tablespoons freshly squeezed lemon juice, in all
½ carrot, sliced (*optional*)
½ parsley root, sliced (*optional*)

½ onion, sliced (*optional*)
1½ bay leaves
3 black peppercorns, *or* 6 peppercorns if the *optional* vegetables are not used

Wash the brains in cold water, pulling off as much membrane as possible without damaging the flesh. Soak for 30 minutes in cold water to cover. Change the water, add 1 teaspoon salt and 1 tablespoon lemon juice, and soak for 30 minutes more. As thoroughly as possible, remove any remaining membrane and traces of blood, then rinse and drain.

Place the sliced vegetables, bay leaves, peppercorns, and brains in an enameled pan, add water to cover by 1 inch, ½ teaspoon salt, and 1 tablespoon lemon juice. Bring to a gentle boil, lower the heat, and cook at a bare simmer for 15 minutes. Allow the brains to cool in the broth, then drain, discarding the broth, and dry with paper towels.

Tvorog Domashnego Izgotovlenia
HOMEMADE COTTAGE CHEESE

Makes about 3 cups

This is the closest equivalent of the cottage cheese sold at farmers' markets in Russia and the Ukraine.

Set 4 sealed 1-quart cartons of buttermilk in a large pot, 6–7 inches high, and fill with water to within 1 inch of the top. Bring the water to a boil over high heat. Immediately turn off the heat and leave the buttermilk to cool completely in the water.

Line a large colander with 2 layers of cheesecloth and place over another pot. Gently pour the buttermilk into the colander, the whey first, then the curdled clots. The curds will remain in the colander. Shake the colander gently to drain excess liquid. Tie the ends of the cheesecloth in a knot and suspend from the faucet in the kitchen sink or from a long spoon or dowel placed over a bowl. Allow the cheese to dry for 5–6 hours.

Place the bag of cheese on a wooden board, cover with another board, and place on it a pot filled with 6–7 quarts of water (or an equivalent weight). Leave for 8–12 hours. Grind as described for Farmer's Cheese (page 144).

FILLINGS FOR PIROGHI

Each of the filling recipes in this section makes enough for 1 *pirog* or 24 *pirozhki*. The recipe titles give an indication of how a particular filling is most often used in traditional recipes, for instance Kasha and Mushroom Filling for *Piroghi*. However, as you will see later in this chapter, there are no iron rules. Let your own taste and experience guide you in the selection of the filling to be used, either singly or in combination.

Nachinka iz Risa s Iaitsami dlia Pirogov

RICE AND EGG FILLING FOR *PIROGHI*

Makes about 6 cups of filling

1 recipe Rice for *Pirog* Filling (page 131)

5 hard-cooked eggs, peeled and coarsely chopped

¾ cup finely chopped scallions

1½ tablespoons finely chopped fresh dill

Salt to taste

Combine all the ingredients, mixing gently with a fork so as not to mash the grains of rice. Add salt to taste.

Nachinka iz Grechnevoi Kashy s Gribami dlia Pirogov

KASHA AND MUSHROOM FILLING FOR *PIROGHI*

Makes about 6 cups of filling

1 recipe Kasha for *Pirog* Filling (page 132)

1 recipe Dried Mushrooms for *Pirog* Filling (page 132)

2 ounces bacon, cut into ¼-inch strips

1 teaspoon unsalted butter, if needed

1 medium onion, finely chopped

Salt to taste

Mix the kasha and mushrooms together in a bowl and refrigerate for several hours.

Over moderately low heat, in a heavy-bottomed skillet, sauté the bacon pieces for about 7–8 minutes, or until most of the fat has been rendered, but the pieces are still soft. Remove the bacon with a slotted spoon and reserve. Sauté the onion in the bacon fat (add 1 teaspoon butter if necessary) for about 8–10 minutes, or until translucent and pale golden. Combine the onion, kasha and mushroom mixture, bacon bits, and salt to taste. Allow to cool before using.

Nachinka iz Svezhykh Gribov dlia Pirogov
FRESH MUSHROOM FILLING FOR *PIROGHI*

Makes about 6 cups of filling

1   recipe Fresh Mushrooms
    for *Pirog* Filling (page 133)
½   medium onion, finely
    grated
3   tablespoons instant-
    blending or all-purpose
    flour
⅓   cup sour cream
    Salt to taste

Freshly ground black
    pepper to taste
4   hard-cooked eggs, peeled
    and finely chopped
¾   cup finely chopped
    scallions

As soon as the mushrooms are prepared, and while they are still in the skillet, add the grated onion, flour, and sour cream. Stir and simmer over low heat for 2–3 minutes. Remove from the heat and season to taste with salt and pepper. Cool, then add the chopped eggs and scallions, and stir to mix. Add more salt, if necessary.

Nachinka iz Kapusty dlia Pirogov
CABBAGE FILLING FOR *PIROGHI*

Makes about 6 cups of filling

1   large onion, finely
    chopped
3   tablespoons unsalted
    butter, in all
1   recipe Cabbage for *Pirog*
    Filling (page 134)

1   teaspoon sugar
4–5 hard-cooked eggs, peeled
    and coarsely chopped
    Freshly ground black
    pepper to taste
    Salt to taste

In a heavy-bottomed skillet, sauté the onion in 2 tablespoons butter over moderate heat for 8–10 minutes, or until translucent and pale golden. Combine with the remaining ingredients, mix, and cool.

Nachinka iz Kartofelia dlia Pirogov
POTATO FILLING FOR *PIROGHI*

Makes about 3 cups of filling

1½ pound baking potatoes
¼ pound bacon, cut into ½-inch pieces
1 medium onion, finely chopped

1 clove garlic, crushed
Freshly ground black pepper to taste
Salt to taste

Peel and boil the potatoes as described on page 387. While the potatoes are still hot, push them through a potato ricer. Sauté the bacon, remove the cracklings, and save for another dish. Sauté the onion in the rendered fat for 8–10 minutes, or until translucent and pale golden. Add the garlic a minute before the onion is done, and stir. Add the onions and garlic to the mashed potatoes, season to taste, mix well, and cool.

Nachinka iz Luka dlia Vatrushek
ONION FILLING FOR *VATRUSHKI*

Makes about ¾ cup of filling

5–6 medium onions, cut into julienne strips
4 tablespoons unsalted butter
Salt to taste

Freshly ground black pepper to taste
1 egg, beaten with a whisk for 1 minute

In 2 large heavy-bottomed skillets, melt the butter and sauté the onions for about 10 minutes, or until translucent and pale golden. (Two skillets are needed so that the onions will not release too much liquid.) Cool, then season with salt and pepper to taste. Just before filling the *vatrushki*, add the egg and mix.

Nachinka iz Ryby i Risa dlia Kulebiaki i Rasstegaev

FISH AND RICE FILLING
FOR *KULEBIAKI* AND *RASSTEGAÏ*

Makes 6 cups of filling

1 medium onion, minced

3 tablespoons unsalted butter, in all

2 tablespoons instant-blending or all-purpose flour

1 recipe Sautéed Fish for *Kulebiaki* and *Rasstegaï* Filling (page 134)

1 cup pan juices from the sautéed fish (if less than 1 cup, make up the difference with fresh or canned chicken consommé or stock)

½ recipe Rice for *Pirog* Filling (page 131)

1½ tablespoons finely chopped parsley

Salt to taste

Freshly ground black pepper to taste

In a heavy-bottomed skillet, over moderate heat, sauté the onion in 1 tablespoon butter for about 7 minutes, or until transparent. In a separate skillet, over moderately low heat, cook the flour with 1 tablespoon butter, stirring constantly. When bubbles begin to appear, add the reserved pan juices, and, still stirring continuously, cook until the sauce is as thick as heavy cream, about 5–6 minutes. Chop the fish into ¼-inch pieces and combine with the onions, sauce, rice, parsley, salt, and pepper. With a fork, mix well but gently, so as not to mash the grains of rice. Refrigerate for 1 hour to thicken.

Otvarnaia Ryba dlia Kulebiaki

POACHED FISH FOR *KULEBIAKI*

The poached fish is used by itself as one of the layers in *kulebiaki*.

Makes enough fish for 1 kulebiaka

1½ pounds fresh fish fillets
(sturgeon, salmon, white-
fish, or other white-
fleshed fish)
Salt to taste
Court Bouillon (page 214),
Fish Stock (page 214), or
white wine, barely to
cover the fish

2 tablespoons unsalted
butter
1 large lemon, cut in wedges
and seeds removed

Cut the fillets into pieces about 3 inches long and sprinkle lightly with salt. Place on the rack of a fish poacher or in a chafing dish, add enough Court Bouillon to cover the fish halfway, then add the butter and lemon wedges. Cover, bring to a boil, lower the heat, and simmer the fish for 10 minutes for each measured inch of thickness (measured at the thickest part). Cool in the broth, then drain. Reserve the broth for another use.

Nachinka iz Miasa dlia Pirogov
BEEF FILLING FOR *PIROGHI*

Makes about 6 cups of filling

2 medium onions, finely
chopped
4 tablespoons unsalted
butter, in all
1 recipe Beef Filling for *Pirog*
(page 141)
1½ tablespoons heavy cream

Salt to taste
Freshly ground black
pepper to taste
1½ tablespoons cold fresh or
canned chicken con-
sommé

Sauté the onions in the butter in a heavy-bottomed skillet over moderate heat for 8–10 minutes, or until translucent and pale golden. In a meat grinder or food processor, grind the beef with the onions. Add the cream and salt and pepper to taste, then add enough consommé to make the filling juicy but not too liquid.

Nachinka iz Teliachei Pechonki dlia Korzinochek

CALF'S LIVER FILLING FOR PASTRY SHELLS AND BASKETS

Makes about 2 cups of filling

1	ounce pork fatback, cut into 5–6 slices, *or* 2 strips bacon, cut into 1-inch pieces
1½	pounds calf's liver, cut into 1-inch pieces
1	large onion, finely chopped
1	bay leaf and 4 black peppercorns, tied in a cheesecloth bag

1½	ounces French bread, *or* 1½ small French rolls, crusts removed
¼	cup half-and-half
2	tablespoons unsalted butter, softened
1½	teaspoons Madeira wine
1½	teaspoons rum
¼	teaspoon freshly grated nutmeg
	Salt to taste

In a deep heavy-bottomed skillet or saucepan, over moderate heat, render the fatback or bacon for 2–3 minutes. Add the liver, onion, and bay leaf and peppercorns. Cover and cook over moderately low heat for about 9–10 minutes, turning the liver after 4–5 minutes and shaking the skillet twice to prevent the ingredients from sticking. Check to see that the fatback is tender. With a slotted spoon, remove the liver, onion, and fatback, and grind them in a food processor or meat grinder. Discard the cheesecloth bag and pour the pan juices over the mixture.

While the liver is cooking, soak the bread in the half-and-half for 10 minutes, squeeze out the excess liquid. Grind the liver mixture again, this time adding the bread. Incorporate the softened butter, mix in the Madeira and rum, and season with nutmeg and salt to taste. Blend well.

Nachinka iz Teliachikh Mozgov

CALF'S BRAINS FILLING FOR *PIROGHI*

Makes about 3 cups of filling

3 pairs cooked calf's brains (page 135)	¼ teaspoon freshly grated nutmeg
1 medium onion, finely chopped	1½ teaspoons finely squeezed lemon juice
3½ tablespoons unsalted butter, in all	1½ tablespoons finely chopped fresh dill
1½ tablespoons instant-blending or all-purpose flour	Salt to taste
¼ cup sour cream	

Coarsely chop the cooled calf's brains and set aside. Sauté the onion in 1 tablespoon of butter in a heavy-bottomed skillet over moderate heat for 7–8 minutes, or until translucent and limp. Sprinkle with the flour, add the remaining butter, and stir. Add the sour cream and bring to a boil, stirring constantly. Add the chopped brains, nutmeg, lemon juice, and dill. Stir and add salt to taste. Cool and refrigerate for 1 hour.

Nachinka iz Solionovo Tvoroga dlia Vatrushek

CHEESE FILLING FOR *VATRUSHKI*

Makes about 3¾ cups of filling

1 tablespoon sour cream	½ teaspoon caraway seeds (see *Note*)
2 tablespoons unsalted butter, softened	Salt to taste
1 egg yolk	
¼ teaspoon sugar	
¾ pound Cheese for *Pirog* Filling (page 144), or Homemade Cottage Cheese (page 136)	

In the bowl of an electric mixer, combine the sour cream, butter, egg yolk, and sugar, and beat at maximum speed for 2 minutes. Add the cheese, caraway seeds, and salt to taste. Beat at medium speed for 1–2 minutes more, or until completely blended. Check for seasoning. Beat for another minute.

Note: If the caraway seeds are hard to the bite, cover with ½ cup boiling water and let sit for 1 hour. Test by biting one and, if necessary, continue to soak for another 30 minutes. Drain well and dry on paper towels.

Podgotovka Tvoroga dlia Nachinka Pirogov
CHEESE FOR *PIROG* FILLING

TO PREPARE POT CHEESE AND HOOP CHEESE

Pot cheese: 1 pound store-bought yields about 1⅓ cups prepared

Hoop Cheese: 1 pound store-bought yields about 2½–3 cups prepared

Wrap the cheese in cheesecloth and place it on a flat surface where the excess liquid can drain off easily (in the kitchen sink, over a pot, or over newspapers, for instance). Weight down the cheese with a board, place a pot containing 6 quarts of water (or the equivalent weight) on top of the board, and leave for 5–6 hours. Press the cheese through a sieve, put it through a food-mill or meat grinder, or grind in a food processor fitted with a steel blade.

TO PREPARE FARMER'S CHEESE

1 pound store-bought yields about 3–3½ cups prepared

Press the cheese through a sieve, put it through a food-mill or meat grinder, or grind in a food processor fitted with a steel blade.

TO PREPARE COTTAGE CHEESE

1 pound store-bought yields about 1⅓ cups prepared

Place the cottage cheese (preferably bought loose, not the kind sold in round cartons) in 3 layers of cheesecloth, tie the ends of the cloth, and suspend from the faucet of the kitchen sink or from a long spoon or dowel placed over a bowl, allowing the cheese to drain for 5–6 hours. Weight down and grind the cheese as described for farmer's cheese.

PIROGHI AND *KULEBIAKI* (LARGE PIES)

Pirog s Miasom

MEAT *PIROG*

Serves 8–10

1 recipe Yeast Dough #1 (page 123)
All-purpose flour for rolling out the dough

1 recipe Beef Filling for *Piroghi* (page 141)

1 egg yolk beaten with ½ teaspoon each oil and water for egg glaze

1 tablespoon unsalted butter, melted, for brushing on the baked *pirog*

A 3-sided baking pan, 14 inches long and 9½ inches wide (see page 119)

Generously butter the bottom and sides of the baking pan.

Cut off one-third of the dough, cover, and reserve. On a lightly floured surface, roll out the remaining dough (about 20–21 ounces) into an oval measuring 20 inches long and 15 inches wide. With a sharp knife, cut out a rectangle 4 inches longer and 4 inches wider than the bottom of the pan. (If the pan measures 14 inches by 9½ inches, the sheet of pastry should measure 18 inches by 13½ inches.) Add the trimmings to the reserved dough. Drape the pastry over the rolling pin and place in the pan so that the edges come about 2 inches up the sides of the pan. Spread the filling over the dough and press gently to make an even surface.

Roll out the reserved dough into a rectangle ¼ inch thick and about 14½ inches long and 10 inches wide. The sheet should be large enough to cover the filling and extend ½ inch beyond it on all sides to meet the edges of the bottom crust. Place the dough over the filling, smooth it out at the corners, and pinch the top and bottom crusts together to form an even braid. Cover the *pirog* with a cloth and let rise in a warm place (76°–82°F) for 30–40 minutes, or until the *pirog* has puffed visibly.

Set the baking rack at the middle level of the oven and preheat the oven to 375°F.

Brush the pie well with egg glaze, pierce the crust 6 times with a skewer, and bake for about 30–35 minutes, or until dark golden brown. Brush the crust with the melted butter, cover with a kitchen towel and let sit for 10 minutes. With a large spatula, slide the pie onto a cake rack to cool.

Cut into serving pieces with a sharp serrated knife.

Pirog s Kapustoi

CABBAGE PIROG

Follow the instructions for Meat *Pirog* (page 145), substituting 1 recipe of Cabbage Filling for *Piroghi* (page 138) for the meat filling.

Pirog s Grechnevoi Kashei i Sushonymi Gribami

KASHA AND MUSHROOM PIROG

Serves 8–10

Make as described for Meat *Pirog* (page 145), replacing the meat filling with 1 recipe of Kasha and Mushroom Filling for *Piroghi* (page 137).

Pskovskii Gribnoi Pirog

FRESH MUSHROOM *PIROG*, PSKOV-STYLE

Serves 8–10

1 recipe Fresh Mushroom Filling for *Piroghi* (page 138)	1 egg yolk beaten with ½ teaspoon each oil and water for egg glaze
4 6-inch *Blinchiki* #2 (page 473)	1 tablespoon unsalted butter, melted, for brushing on the baked pie
1½ recipes Short Pastry #1 (page 128)	
3 tablespoons of bread crumbs	A 10-inch round spring-form pan
All-purpose flour for rolling out the dough	

Make the mushroom filling and set aside. Prepare the *blinchiki* batter. While it is resting, make the short pastry. Bake the crêpes on both sides while the pastry is resting.

ASSEMBLING THE *PIROG*

Butter the bottom and sides of the spring-form pan, then dust with the bread crumbs.

Pinch off a 1½-inch ball of short pastry and reserve it for the top of the pie. Shape the remaining pastry into a ball and, on a floured board, roll it out into a circle 20 inches in diameter, and trim the edges evenly. Drape the dough over the rolling pin and center it in the pan, smoothing it over the bottom and pressing it firmly 2 inches up the sides. Leave the rest of the pastry sheet draped loosely up the sides and over the edge of the pan. Line the bottom with the 4 crepes, overlapping them, then cover with the filling, spreading it evenly. There will be a rim of about 3 inches of pastry crust projecting above the filling. Bring the rim down to form a ring over the filling, pressing the edges to make neat folds. Quickly roll out the reserved dough into a circle ⅛ inch thick and 6 inches in diameter, then trim the edges, place it over the open center of the *pirog*, and pinch the edges together neatly. Cover with a cloth and refrigerate for 1 hour.

Place the baking rack in the middle of the oven and preheat the oven to 375°F.

Brush the pie with the egg glaze, pierce the crust in 6 places with a skewer, and bake for 30–35 minutes, or until golden brown.

Remove the sides of the pan and slide the *pirog* carefully onto a warmed plate. (For convenience, you may want to leave the *pirog* on the base of the pan.) Brush with the melted butter and cover with a cloth; let sit for 10 minutes. Serve immediately as an accompaniment to a soup, as a second course for a dinner, or as a luncheon entrée.

Zavertushka s Kashei i Sushonymi Gribami

KASHA AND MUSHROOM ROLL

Serves 10

1 recipe Short Pastry #1
(page 128)

All-purpose flour for rolling out the dough

Kasha and Mushroom Fill-
ing for *Piroghi* (page 137)

2½ tablespoons unsalted
butter, melted, in all

A large cookie sheet, 17½
inches long and 14 inches
wide

Set the baking rack at the middle level of the oven and preheat the oven to 375°F. Butter the cookie sheet lightly, dust with flour, and shake off the excess flour.

Divide the pastry into 2 equal parts and form each into a brick shape. On a floured board, roll out one piece into a ⅛-inch-thick rectangle measuring approximately 9 inches wide and 12 inches long. Spread half the filling evenly over the pastry, leaving a 1-inch border all around. Starting at the longer side, roll up the pastry and filling jelly-roll fashion, pressing gently to make a rather tight roll. With the tip of a knife, make a mark down the center of the cookie sheet. Carefully slide the roll onto the center of one half of the sheet, placing the roll seam side down, and patting it into a well-rounded shape. Make another roll with the second piece of pastry and the remaining filling and slide onto the other half of the sheet.

Brush the rolls with some of the melted butter and pierce the tops in several places with a skewer. Bake for 30–35 minutes, or until golden brown. Brush with the remaining melted butter, cover with a towel, and leave for 10–12 minutes. Using a sharp serrated knife, cut into 2-inch slices and serve with borscht, *shchi*, consommé, or other soups; or let cool completely and serve at room temperature.

Kurnik

CHICKEN *PIROG*

"It's Sunday and the landlady has baked a pirog. *Would you like some?"*
"What kind of pirog?" *asked Oblomov condescendingly. "No doubt with carrots and onions."*
"Not at all—with chickens and fresh mushrooms, and it's as good as the ones baked in Oblomovka," said Zakhar.
In a short while the door opened and an arm appeared holding a plate with a huge piece of chicken pie, steaming appetizingly.

—*Ivan Goncharov*
Oblomov

The preparation for *kurnik* is elaborate and might best be undertaken over the course of two days. On the first day, make the four fillings (chicken, rice, fresh mushroom, and chopped egg), beginning with chicken filling. The next day, make the *blinchiki* batter and, while it is resting, start the short pastry. Cook the *blinchiki* while the pastry is resting. Have all the fillings at room temperature when you begin to assemble the pie.

Serves 8–12

FOR THE CHICKEN FILLING

2   cups Chicken Stock (page 87) or canned chicken broth, in all

1½ pounds boneless, skinless chicken, poached for 35 minutes, or until tender

2   tablespoons unsalted butter

2   tablespoons instant-blending or all-purpose flour

1   tablespoon freshly squeezed lemon juice

Salt to taste

FOR THE RICE AND FRESH MUSHROOM FILLINGS

¾   recipe Rice for *Pirog* Filling (page 131)

¾   recipe Fresh Mushroom Filling for *Piroghi* (page 138)

FOR THE CHOPPED EGG FILLING

9 hard-cooked eggs, peeled and finely chopped
2 tablespoons unsalted butter, melted

6 scallions, finely chopped
1 tablespoon finely chopped fresh dill
Salt to taste

FOR ASSEMBLING

⅓ recipe *Blinchiki* #2 (page 473)
1½ recipes Short Pastry #1 (page 128)
    All-purpose flour for coating the pan and rolling out the dough

1 tablespoon unsalted butter, melted, for brushing on the unbaked pie

A 10-inch round spring-form pan

THE CHICKEN FILLING

Make Chicken Stock, following the instructions on page 87; do not clarify. You will need 4¼ cups of stock: 2 cups for béchamel sauce and 2¼ cups for cooking the rice for the filling. Reserve the rest of the stock for another sauce.

Cut the chicken into ½-inch pieces. In a heavy-bottomed skillet, over low heat, melt the butter. When bubbles appear, stir in the flour and cook for 1 minute, stirring. Remove from the heat and gradually add ½ cup of chicken stock, whisking continuously. When well blended, gradually add the remaining 1½ cups stock, stir, return to the heat, and bring to a boil. Lower the heat and simmer the sauce, stirring constantly, for 10–15 minutes, or until it reaches the consistency of heavy cream.

Add half the sauce to the chicken with the lemon juice and salt to taste and mix gently. Reserve the remaining sauce for the mushroom filling.

COOKING THE RICE AND THE MUSHROOM FILLINGS AND MAKING THE CHOPPED EGG FILLING

Cook the Rice for *Pirog* Filling, using the 2¼ cups of stock reserved for that purpose. Make the mushroom filling and combine it gently with the cup of béchamel sauce reserved for it. Gently combine all the ingredients for the chopped egg filling.

If you are preparing the fillings a day in advance, cover each of them separately with plastic wrap and refrigerate, then bring them to room temperature before the *kurnik* is assembled.

PREPARING THE *BLINCHIKI* AND THE PASTRY

Make the crêpe batter: you will need 14 6-inch crêpes. While the batter is resting, make the short pastry. While the dough is resting at room temperature for 30 minutes, cook the crêpes on both sides.

ASSEMBLING THE *KURNIK*

Set the baking rack at the middle level of the oven and preheat the oven to 375°F. Generously butter the bottom and sides of the spring-form pan, dust with 1 tablespoon of all-purpose flour, and shake out the excess flour.

Divide the dough into 2 equal parts, roll each into a ball, cover 1 ball with plastic wrap and refrigerate while you work with the other piece.

On a floured board, roll out the ball of dough into a circle 17 inches in diameter, sprinkle both sides with flour, and brush off the excess flour with a pastry brush. Drape the pastry over the rolling pin and carefully center it in the pan. Press it gently on the bottom and up the sides; there should be about an inch of "ruffle" extending over the top of the pan.

Line the bottom with 3 crêpes, overlapping them slightly. Spread the chicken filling over them, pressing gently and making an even surface. Cover the chicken with another 3 crêpes, then add the cooked rice, pressing and smoothing. Make a third layer of 3 crêpes and cover evenly with the mushroom filling. Top with 3 more overlapping crêpes. By now the pie should be almost level with the top of the pan. Pile the chopped egg filling over the crêpes and press into a gently sloped cone shape. The center of the cone should be about 1½ inches above the rim of the pan. Cover the sides of the chopped egg cone with 2 crêpes.

Roll out the remaining pastry into a circle 17 inches in diameter. With a sharp knife, cut out a smaller, 15-inch circle and center it over the pie. Smooth the top crust around the dome to eliminate as many folds and gathers as possible, and pinch together the top and bottom crusts, forming a braid. Cut out decorations from the pastry trimmings (see Classic Russian *Kulebiaka*, page 157).

With a sharp knife, make a ¼-inch hole in the center of the dome to allow steam to escape. Brush the crust with melted butter, add the decorations, and brush them with butter. Bake for 30–35 minutes, or until golden brown. Remove the sides of the spring-form pan and place the pie, still on the bottom of the pan, on a heated serving plate. Serve hot as an accompaniment to soup, or as a second course or lunch or buffet dish.

KULEBIAKI

> . . . The kulebiaka *must make your mouth water; it must lie there before you, a shameless temptation! You cut off a sizable slice and let your fingers play over it. When you bite into it, the butter drips from it like tears, and the filling is fat, juicy, rich, with eggs, giblets, onions. . . .*
>
> —Anton Chekhov
> "The Siren"

We were enjoying a very good *kulebiaka* in the Slavianskii Bazaar restaurant in Moscow and recalling similar fine experiences when a gentleman at the adjacent table turned to us: "Have you ever been to N—— near Pskov? There is only one small restaurant there, but the *kulebiaki* I ate there are absolutely superior to anything I have ever tasted. And I have traveled a lot."

Two years later, I found myself in the rather shabby restaurant in the town of N——, where I ordered *ukha* with *kulebiaka*. The *kulebiaka* slice looked beautiful and filled the air with a delicious aroma of good dough and excellent fish, mushroom, and rice stuffing. It complemented the *ukha* exquisitely, and it seemed to belong in a far more exalted restaurant. "May I see the chef?" I inquired. "She is too busy now. Come see her tomorrow morning," the waiter replied.

"Her name is Klava," the receptionist at the town's only hotel told me. "She is a great cook, but is she mean! She's called 'Klava the Terrible,' and she is as strict as if it were her own restaurant. When she does not have the proper fish for her *kulebiaka*, she raises such hell that even the restaurant manager shakes in his shoes. He would get rid of her in a moment, but all the big shots in town love her *pirozhki*."

In the first minutes of conversation with Klava I knew that her ferocity was the other side of her perfectionism: she could not stand shoddy work and hated anything ersatz. She was a complete professional and proud of her baking, which she learned from her mother as a child. From the 1890s to 1914, her mother was employed every summer as baker in the kitchen of a magnificent estate near Pskov. "That was one of the richest families in St. Petersburg, and they entertained regally, both in their city mansion and during the summer vacation here. Twenty to thirty people usually sat down to lunch, and more to dinner. They wanted mother to move with them to the city for winters, but my father was assistant manager of their estate—we stayed here.

"Mother supervised the baking of breads, at least fifty daily. In addition, she baked raisin buns, *krendels* [large, soft pretzels], scones, *babas*, and so on for morning and evening teas, and, of course, *kulebiaka* and *pirozhki* for the dinner. Dinners were always quite formal, that is to say, two soups were offered and two different types of soup accompaniments: a *kulebiaka* and *pirozhki* with different fillings. Mother would never make them with the same dough, either. She would have, say, a yeast-dough *kulebiaka* and short pastry for *pirozhki*, or all-purpose pie crust for *kulebiaka* and mock puff pastry for filled baskets. She had help for everything, but she began teaching me when I was ten because she knew that I would be very particular with all the procedures. If she said beat the egg yolks with sugar for half an hour, I would beat them at an even speed for half an hour. She trusted me more than any of her help."

Some of Klava's art is contained in our instructions and in her recipes for the *kulebiaka* that follows, the Fresh Mushroom *Pirog*, Pskov-style (page 147), and a number of the *pirozhki*.

Fish is the predominant filling for *kulebiaka*, in fact the term "fish *kulebiaki*" is almost a redundancy. The essential characteristic of a genuine *kulebiaka* is that one or more of the layers is pieces of fish—fillets of salmon, sturgeon, whitefish, and so on—sandwiched between layers which may also contain fish. A fish and rice filling is often used. A common structure would be a top and bottom layer of fish and rice and a central layer of fish fillets. This is the way Classic Russian *Kulebiaka* (page 157) is made. Other choices include fillings of fresh mushrooms and eggs, which embrace the fish fillets, or cabbage filling or anything that suits your taste.

Because of the many layers of fillings, especially the fresh fish, there is a tendency for moisture to accumulate inside the pie. To prevent the dough from becoming soggy and to help the cut slices hold their shape, rice or kasha is included in some fillings, or crêpes are laid between the fillings in order to absorb the moisture. Small openings are cut in the top crust to allow steam to escape.

Allow yourself plenty of time to make *kulebiaka* (see page 118 for suggestions about advance preparation).

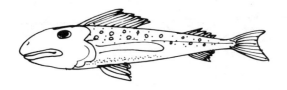

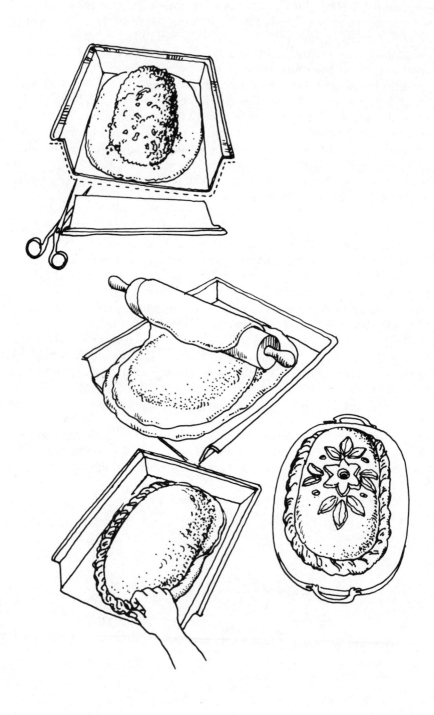

Nastoiashchaia Russkaia Kulebiaka

CLASSIC RUSSIAN *KULEBIAKA*

Serves 6–10

1 recipe Yeast Dough #1 (page 123)

1 recipe Fish and Rice Filling for *Kulebiaki* and *Rasstegaï* (page 140)

1 recipe of Poached Fish for *Kulebiaki* (page 140), using 1½ pounds sturgeon fillets, *or* 1 pound sturgeon fillets and ½ pound salmon fillets, *or* 1½ pounds salmon fillets (see *Note*)

Salt to taste

Freshly ground black pepper to taste

3–6 tablespoons unsalted butter, melted, in all (see *Note*)

All-purpose flour for rolling out the dough

1 egg yolk beaten with ½ teaspoon each oil and water for egg glaze

A 3-sided baking pan, 16 inches long, 9½ inches wide, and 3½ inches deep (see page 119)

Prepare the yeast dough. While it is rising, prepare the fish and rice filling and assemble the remaining ingredients: poach the fish fillets in wine, cut into ½-inch slices, and sprinkle with salt and pepper to taste. Measure out and melt the butter (see *Note*). Butter and flour the 3-sided baking pan and shake out the flour.

TO ASSEMBLE AND BAKE THE *KULEBIAKA*

Divide the dough in half and keep one piece covered while you work with the other. On a floured surface roll out the dough into an oval 10 inches wide and 20 inches long. With a sharp knife, cut out a shape more oval than rectangular, measuring 8 inches wide and 17 inches long. Add the trimmings to the reserved dough. Lightly flour the sheet of dough on both sides, brush off the excess flour with a pastry brush, and place the dough in the prepared baking pan. With the back of the knife, lightly outline an oval measuring 5½ inches wide and 15 inches long.

Spread half the fish and rice filling evenly within the oval, sprinkle with 1 tablespoon of melted butter, and press the filling lightly but firmly. Spread the pieces of fish evenly over the filling, and, depending on whether you are using part or all salmon, sprinkle with 1–3 tablespoons of melted butter. Press the fish lightly to make an even surface, then cover with the remaining fish and rice filling and sprinkle with 1 tablespoon of melted butter. With your palms, round the edges of the filling slightly, and shape into a dome 2–2½ inches high.

Roll out the remaining dough into a rectangle ¼ inch thick, 10 inches wide and 20 inches long (the corners will shrink somewhat, forming an oval). Place the sheet of dough neatly over the center of the pie and gently press together the two layers of dough, leaving a ¾-inch border around the filling. Cut away any excess pastry with kitchen shears and reserve the trimmings for making decorations. Pinch together the two layers of dough and form a decorative braid around the edge of the pie. Cover with a kitchen towel and let rise in a warm place (76°–82°F) for 30 minutes.

Place the oven rack at the middle level and preheat the oven to 375°F. Prepare the egg glaze.

To make the decorations, shape the dough trimmings into a ball and roll out on a floured board into a thin sheet ⅟₁₆–⅛ inch thick. With a sharp knife, cut flowers, leaves, and stems, or use any decorative motif that pleases you.

When the *kulebiaka* has risen, brush with egg glaze, gently press on the decorations, and brush them with egg glaze. Let sit for 5 minutes, then brush with egg again. With a skewer, pierce 6 tiny holes through the top of the pie, place in the oven, and bake for 40–45 minutes, or until deep golden brown in color.

Brush the crust with the remaining tablespoon of melted butter, cover the pie with a towel, and let stand for 10 minutes. Using a large spatula, carefully slide the *kulebiaka* onto a serving board or a heated platter. Slice with a sharp serrated knife into 2½-inch pieces and serve on heated plates. If you are serving the pie at room temperature, slide carefully onto a cake rack after it has rested under the towel for 10 minutes.

Note: You will need 2 tablespoons of melted butter to sprinkle over the filling and 1 tablespoon to brush over the baked *kulebiaka*. If you are using all sturgeon for the poached fish, you will need no further enrichment. However, if you are using the combination of sturgeon and salmon, add 1 tablespoon of melted butter, and if you use all salmon, add 3 tablespoons, making a total of 6 tablespoons.

Kulebiaka s Nachinkoi iz Ryby i Gribov

FISH AND MUSHROOM *KULEBIAKA*

Serves 6

1 recipe All-Purpose Pie Crust (page 127)

8 6-inch *blinchiki* (*Blinchiki #2*, page 473)

1 recipe Fresh Mushroom Filling for *Piroghi* (page 138)

1 recipe Poached Fish for *Kulebiaki* (page 140), using 1½ pounds sturgeon fillets, *or* 1 pound sturgeon fillets and ½ pound salmon fillets, *or* 1½ pounds salmon fillets (see *Note*)

Salt to taste

Freshly ground black pepper to taste

1–4 tablespoons unsalted butter, melted, in all (see *Note*)

All-purpose flour for rolling out the dough

1 egg white, lightly beaten

A 3-sided baking pan, 16 inches long, 9½ inches wide, and 3½ inches deep (see page 119)

Make the pie crust, form it into a rectangle, wrap well, and chill. Prepare the *blinchiki*, baking them on both sides. Make the mushroom filling. Poach the fish fillets in white wine, cut into ½-inch slices, and sprinkle with salt and pepper. Measure out and melt the butter (see *Note*). Also, butter the pan.

TO ASSEMBLE AND BAKE THE *KULEBIAKA*

On a lightly floured board, roll out the dough into a rectangle slightly thicker than ¼ inch and measuring 14 inches wide and 17 inches long. Using a sharp knife, cut a 1-inch strip from the longer side, leaving a rectangle 13 inches wide and 17 inches long. Reserve the strip for decoration.

With the tip of a knife, draw a line down the center of the long side of the buttered pan. Arrange the pastry sheet so that the center of the dough coincides with that of the pan. The dough will come partway up the two longer sides of the pan. With the back of a knife, using very light pressure so as not to cut through the dough, outline a rectangle 5¼ inches wide and 13½ inches long. Cover this area with 3 *blinchiki*, overlapping them slightly on the bottom and up the sides, and spread with half the mushroom filling. Cut down 5 crêpes so that they measure 4½ inches in diameter, and overlap 3 of them on the filling, pressing lightly to smooth. Place the fish slices over the *blinchiki* in an even layer and, if you are using part or all salmon, sprinkle with 1–3 tablespoons of melted butter. Cover the salmon with 2 *blinchiki* (do not overlap them) and spread with the remaining mushroom filling, pressing lightly and shaping with your palms into a domed shape.

Brush all the edges of the pastry with the beaten egg white and bring the long sides up over the filling to meet in the center of the pie. Pinch the edges firmly together and then pinch the sides. If necessary, trim off the excess pastry with kitchen shears; the seams should be no wider than ½ inch. Refrigerate for 30 minutes.

Place the baking rack at the middle level of the oven and preheat the oven to 400°F.

Using a sharp knife, make ½-inch incisions down the length of the reserved 1-inch strip of pastry, cutting all the way through the dough. If there is any pastry left, make other decorations. Moisten the bottom of the strip with beaten egg white and attach to the center seam. Attach any other decorations the same way. With a skewer, pierce 3–4 holes on either side of the crust to allow steam to escape. Bake for 30–35 minutes, or until golden brown. Brush well with the remaining tablespoon of melted butter, cover with a kitchen towel, and let the pie rest for 10 minutes. Using a large spatula, carefully slide the *kulebiaka* onto a serving board or a heated platter, and cut into 6 slices with a sharp serrated knife. To serve at room temperature, slide the pie carefully onto a cake rack after it has rested under the towel for 10 minutes.

Note: You will need 1 tablespoon of melted butter to brush over the baked *kulebiaka*. If you are using all sturgeon for the fish, you will need no further enrichment. However, if you are using the combination of sturgeon and salmon, you will need an additional tablespoon of butter, and if you use all salmon, you will need an additional 3 tablespoons, making a total of 4 tablespoons of melted butter.

Kulebiaka na Chetyre Ugla
FOUR-CORNERED *KULEBIAKA*

Make the pie [kulebiaka] a four-cornered one. In one corner put the cheeks and dried spine of sturgeon, in another some buckwheat, and some mushrooms and onions, and some soft roe, yes, and some brains, and something else as well. . . . Yes, and see to it that the crust is well browned on one side and a trifle less on the other. And see to the underside . . . see that it is baked so that it's quite . . . not to the point of crumbling but so that it might melt in the mouth like snow and make no crunching sound.

—Nikolai Gogol
Dead Souls

Because of its many components, this pie is best made over the course of two days. See *Kurnik,* page 150, for the proper sequence.

Serves 10–12

⅓ recipe (2 cups) Beef Filling for *Piroghi* (page 141)

⅓ recipe (2 cups) Fish and Rice Filling for *Kulebiaki* and *Rasstegaï* (page 140)

⅓ recipe (2 cups) Kasha and Mushroom Filling for *Piroghi* (page 137)

1 recipe Calf's Brains Filling for *Piroghi* (page 143)

4 6-inch *blinchiki* (*Blinchiki* #2, page 473)

1 recipe Yeast Dough #1 (page 123)

All-purpose flour for rolling out the dough

1 egg yolk beaten with ½ teaspoon each oil and water for egg glaze

1 tablespoon unsalted butter, melted, for brushing the baked *kulebiaka*

A 3-sided baking pan, 14 inches long, 9½ inches wide, and 3¼–4 inches deep (see page 119)

If you are making the pie on two separate days, make the four fillings on the first day, cover them separately in plastic wrap, and refrigerate. Bring them to room temperature before you begin to assemble the pie.

On the second day, make the *blinchiki* batter and, while it is resting, prepare the yeast dough. Set the dough to rise and bake the *blinchiki* on both sides. Make the egg glaze and butter the baking pan well.

ASSEMBLING AND BAKING THE *KULEBIAKA*

Divide, roll out, and trim the dough as described for Meat *Pirog* (page 145). Place the pastry sheet (about 18 inches long and 13½ inches wide) in the baking pan; the dough should come about 2 inches up the sides of the pan. Place 1 cup of each filling in a separate corner (see illustration). Top each mound of filling with a *blinchik*, overlapping them slightly in the center of the pie. Cover each crêpe with the remaining cup of filling, being sure to cover beef with beef, and so on. Roll out and attach the top crust, following the instructions for Meat *Pirog*. Roll out any pastry scraps ¹⁄₁₆ inch thick and cut out decorations for the corners (see illustration). Brush the crust with egg glaze, attach the decorations, and brush them with the glaze too.

Set the pie to rise and bake as described for Meat *Pirog*.

To serve the *kulebiaka*, cut it in half lengthwise and then into 2-inch slices. Each slice will contain one of the fillings.

Korzinochki s Nachinkoi iz Pechonki s Maderoi ili iz Teliachikh Mozgov

PASTRY SHELLS WITH CALF'S LIVER OR CALF'S BRAINS FILLING

Makes 14–15 shells

1 recipe Short Pastry #1 or Short Pastry #2 (page 128)

All-purpose flour for rolling out the dough

1 recipe Calf's Liver Filling for Pastry Shells and Baskets (page 142) or Calf's Brain Filling for Pastry Shells and Baskets (page 143)

Small parsley sprigs, black oil-cured olives, and chopped hard-cooked eggs for garnish (for the calf's liver filling) or finely chopped fresh dill (for calf's brain filling)

Muffin tins

Dried beans or lentils for weighting the shells during baking

A pastry bag fitted with a wide star nozzle (for the calf's liver filling)

Butter the muffin pans.

Set the baking rack at the middle level of the oven and preheat the oven to 375°F.

Divide the pastry into three equal parts. On a floured board, roll out each piece to form a sheet a scant ¼ inch thick and approximately 8 inches square. Cut out four 4-inch circles from each sheet. Gather all the trimmings into a ball, roll out, and cut out more 4-inch circles; you should have 14–15 pastry rounds.

Line the muffin pans with the circles, smoothing them where the pastry gathers in folds, and shaping them as neatly as possible. The pastry should come about 1 inch up the sides of the forms. Pierce the bottoms in several places with a fork and fill with dried beans to prevent the bottoms from puffing and the shells from losing their shape. Bake for 10–12 minutes, or until pale golden brown and baked through.

Allow to cool for 10 minutes, then remove the shells from the pans, discard the beans, and cool on racks.

If you are using calf's liver filling and have made it in advance, heat it gently until it has softened, then beat until it is light and fluffy. While it is still warm, pile it into the pastry bag and pipe it into the shells in decorative swirls. Garnish with the parsley, olives, and chopped egg.

If you are using calf's brain filling, put 2½ tablespoons into each shell, form into neat mounds, and press a regular pattern of indentations with the tip of a knife or a spoon. Garnish with chopped dill.

Serve the shells at room temperature with soup or as an hors d'oeuvre.

Sloionye Pirozhki v Forme Korzinochek s Farshem iz Pechonki ili Mozgov

PASTRY BASKETS WITH CALF'S LIVER OR CALF'S BRAINS FILLING

Makes 24 baskets

1 recipe Mock Puff Pastry (page 129)	1 egg, beaten
All-purpose flour for rolling out the dough	A 3-inch round fluted cookie cutter or fluted metal tart pan
1 recipe Calf's Liver Filling for Pastry Shells and Baskets (page 142) or Calf's Brain Filling for *Piroghi* (page 143)	A 2-inch plain round cookie cutter
	A large baking sheet

Work the pastry in a cool room to prevent it from softening too much; it is best to work with it a small piece at a time. Tear off one-third of one of the pieces of dough and refrigerate the rest. On a lightly floured board, roll out the pastry into a sheet about ¼ inch thick and 6 inches square. With the 3-inch fluted round cutter, cut out 4 circles. With the 2-inch round cutter, press halfway through the center of the 3-inch rounds; do not cut through to the bottom. Lightly wet the baking sheet, with a moistened sponge or cloth, place the circles on it, refrigerate.

Proceed with the rest of the pastry in the same manner, adding the circles to the baking sheet in the refrigerator. Refrigerate the dough for at least 1 hour.

Set the baking rack at the middle level of the oven and preheat the oven to 450°F.

Brush the top of the circles with beaten egg, taking care that it does not drip over the sides, which would hinder the dough from rising. Bake for 10–12 minutes, or until light golden in color.

Cool on the baking sheet for 15–20 minutes. While the pastry is still warm, remove the puffed top of the central circles by gently lifting or cutting them and scoop out any uncooked dough inside the "baskets." Distribute the filling evenly in the baskets and return to the oven for 2–4 minutes, or until deep golden brown; do not overbake. If desired, the lid of pastry can be perched on top of the filling.

Serve with soups or as an hors d'oeuvre, in which case the baskets can (but do not have to) be served at room temperature.

PIROZHKI
(Small Pies)

Like the South American *empanada* and the Chinese *dim sum, pirozhki* have universal appeal. They have been sold by street vendors since the time of Peter the Great. In fact, one of his lieutenants, Alexei Menshikov, who later became Prince, used to sell *pirozhki* as a boy. They were also served at the most elaborate twelve-course banquets, both in Russia and Paris. Escoffier included them in his Hors d'oeuvre Moscovite and on the menus of his most lavish dinners at the Carlton Hotel.

At the turn of the century, the best *pirozhki* in Moscow and St. Petersburg were sold at the Filippov Bakery. Every morning, heated metal cases holding the freshly fried *pirozhki* with various stuffings of meat, mushrooms, rice, eggs, cottage cheese, and jams were in great demand by a crowd of students and officials, elegant ladies and working women.

And still today they are sold at street corners in the larger cities.

Pirozhki s Risom,
Zelionym Lukom i Iaitsami
RICE AND EGG *PIROZHKI*

Makes 24 pirozhki [Fr]

1	recipe Yeast Dough #1 (page 123) All-purpose flour for rolling out the dough	1	tablespoon unsalted butter, melted, for brushing the baked *pirozhki*
½	recipe Rice and Egg Filling for *Piroghi* (page 137)	2	cookie sheets, 10 inches wide and 15 inches long
1	egg yolk beaten with ½ teaspoon each oil and water for egg glaze		

Butter the cookie sheets lightly.

On a floured board, roll out half the dough about ¼ inch thick. With a cookie cutter, or using a saucer as a guide, cut out 4-inch circles. Roll out the trimmings and cut more circles. Place 1½ tablespoons of filling in the center of each round. Form the filling into an oval shape, leaving ½–¾ inch border of dough open at the long ends. Pull the edges of dough up over the filling and pinch them to seal. You will have an oval shape with pointed ends.

Place the *pirozhki* seam side down and 1 inch apart on a baking sheet, cover with a towel, and set in a warm place (76°–82°F) to rise for 15–20 minutes, or until visibly puffed.

Set the baking rack at the middle level of the oven and preheat the oven to 375°F.

Brush the *pirozhki* well with egg glaze and bake for 20 minutes, or until golden brown. Brush them with butter, cover with a cloth, and let sit for 10 minutes. Serve hot or cool, with soups, tea, and so on.

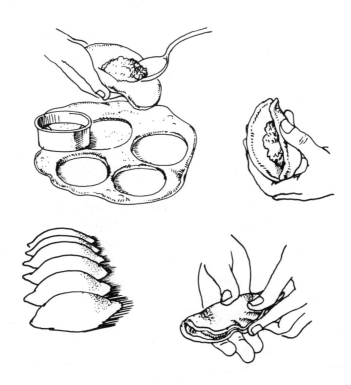

Pirozhki s Miasom

MEAT *PIROZHKI*

Instead of Rice and Egg Filling, use ½ recipe Beef Filling for *Piroghi*, page 141.

Pirozhki s Kapustoi

CABBAGE *PIROZHKI*

Substitute ½ recipe of Cabbage Filling for *Piroghi*, page 138, for the Rice and Egg Filling for *Piroghi*.

Pirozhki s Miasom iz Pesochnogo Testa

MEAT *PIROZHKI* MADE WITH SHORT PASTRY

Makes 24–28 pirozhki

1　recipe Short Pastry #1 or Short Pastry #2 (page 128) All-purpose flour for rolling out the dough	2　tablespoons unsalted butter, melted, for brushing on the turnovers
⅓　recipe Beef Filling for *Piroghi* (page 141)	2　baking sheets, 10 inches wide and 15 inches long A 3-inch plain round cookie cutter

Butter the baking sheets, dust with flour, and shake off the excess flour.

Set the baking rack at the middle level of the oven and preheat the oven to 375°F.

Divide the pastry in half, form into bricks, and refrigerate one piece while you are working with the other. On a floured board, roll out the dough into a rectangle ⅛ inch thick, 9 inches wide, and 12 inches long. With a cookie cutter, cut out 12 3-inch circles, gathering up the trimmings and refrigerating them. Place a scant tablespoon of filling in the center of each circle and form it into an oval mound. Bring up the edges around the oval to form a seam in the center and press together neatly and firmly (see the illustration in the recipe for Rice and Egg *Pirozhki*, page 166). Continue filling the circles, then roll out, cut out, and fill the remaining dough, including all the trimmings.

Place the *pirozhki* 1 inch apart on the baking sheets, seam side down, brush with 1 tablespoon melted butter, and bake for 18–20 minutes, or until golden brown. Brush with the remaining butter, cover with a cloth, and let stand for 5 minutes. Serve hot.

Pirozhki s Rybnoi Nachinkoi
FISH AND RICE *PIROZHKI* MADE WITH SHORT PASTRY

Replace the meat filling with ⅓ recipe of Fish and Rice Filling for *Kulebiaki* and *Rasstegaï*, page 140.

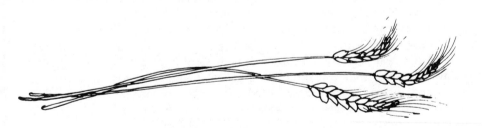

Zharenye Pirozhki s Miasom
DEEP-FRIED MEAT *PIROZHKI*

When rolling out the dough for any deep-fried *pirozhki*, use as little flour as possible because it tends to burn during deep frying.

Makes 24 pirozhki [Fr]

1 recipe Yeast Dough #2 (page 126)	A 4-inch plain round cookie cutter or saucer
All-purpose flour for rolling out the dough	A 4- to 5-quart cast-iron or cast-aluminum pot for deep frying
½ recipe of Beef Filling for *Piroghi* (page 141)	Deep-fat thermometer
1 tablespoon vegetable oil for greasing the palms	A slotted spoon
Vegetable oil for deep frying	

On a lightly floured board, roll out the dough a scant ¼ inch thick and, with a large cookie cutter or using a saucer as a guide, cut out 4-inch circles. Gather up the trimmings into a ball, roll out, and cut more circles. With a clean pastry brush, whisk the flour off the circles and place them on a clean, unfloured surface (a sheet of wax paper, for instance), top side down.

Place 1½ tablespoons of filling in the center of each circle, and form into oval mounds. Wash and dry your hands, then grease them with a little vegetable oil, which will absorb some of the flour as you handle the *pirozhki*. Using a wide spatula, carefully lift one circle and place it in your palm without touching the top. (If the edges become oily, the *pirozhok* will not seal properly.) Curl your hand slightly and bring the edges of the circle together, pinching firmly to seal. Gently form the turnover into an oval, rounding out the pointed ends. After preparing 2 or 3 *pirozhki*, wipe your palms with a paper towel and grease with oil again, or do it more often, if necessary. As the *pirozhki* are formed, place them on an oiled plate. When you have made 12 of them, cover with a towel and set in a warm place (75°–82°F) to rise for 15–20 minutes, or until visibly puffed. Continue to form the rest of the turnovers.

Fill the pot for deep frying with vegetable oil to a depth of 4 inches and heat the oil to 375°F. Line several racks with 3 layers of paper towels to drain the cooked *pirozhki*. Carefully lower 5 or 6 *pirozhki* (or as many as the pot can comfortably hold) into the oil and cook for 2–3 minutes on one side, turn with a slotted spoon, and cook for 2 minutes on the other side, or until golden brown. Raise the heat slightly when the *pirozhki* are first dropped into the oil so that the temperature remains at 375°F. Remove one from the oil and open to see if the dough is cooked through. If it is, remove all the *pirozhki* with the slotted spoon and drain on the prepared rack. If the dough is still somewhat raw, continue to cook for 1–2 minutes more. Continue until all the *pirozhki* are cooked.

Serve at once.

Zharenye Pirozhki s Kapustoi
DEEP-FRIED CABBAGE *PIROZHKI*

Substitute ½ recipe Cabbage Filling for *Piroghi*, page 138, for the beef filling.

Zharenye Pirozhki s Kartofelem
DEEP-FRIED POTATO *PIROZHKI*

Replace the meat filling with ½ recipe Potato Filling for *Piroghi*, page 139.

RASSTEGAÏ

Rasstegaï can be filled with meat, but the stuffing most often associated with them is fish. One or two small fish *rasstegaï* are a superb accompaniment for *Ukha* (Clear Fish Soup), page 75, or Fish *Selianka*, page 77.

In Moscow, all the theater folk used to eat their *rasstegaï* at the Shcherbaki Tavern, and old man Shcherbakov would not only serve a free bowl of *ukha* to go with *rasstegaï* at a "special price," but would give credit and even lend sums of money to poor and out-of-work actors.

At Lent, when theater performances were prohibited, producers of the provincial road companies came to Moscow and gathered around Shcherbaki's tables, writing up their contracts for the new season. Many stars of the Russian theater received their first contracts there. After the signing, all remaining debts were canceled, and in celebration, platters of caviar-topped *rasstegaï* were served.

New recipes were always in the making, and taverns would lure connoisseurs with the latest inventions. One restaurant, The Prague, introduced a "half-and-half *rasstegaï*" stuffed with sterlet and salmon, and it enjoyed a flurry of popularity until the next tavern came up with something new to tease the taste.

Rasstegaï s Ryboi

FISH *RASSTEGAÏ*

Makes 24 rasstegaï

1   recipe Yeast Dough #1 (page 123)
All-purpose flour for rolling out the dough

½   recipe Fish and Rice Filling for *Kulebiaki* and *Rasstegaï* (page 140)

6   ounces smoked salmon or poached sturgeon (see Poached Fish for *Kulebiaki*, page 140), thinly sliced and cut into 2-inch pieces

1   egg yolk beaten with ½ teaspoon each oil and water for egg glaze

1   tablespoon unsalted butter, melted, for brushing the baked *rasstegaï*

Roll out the dough and cut out 4-inch circles as described in the recipe for Rice and Egg *Pirozhki*, page 166.

Place 1½ tablespoons of filling in the center of each circle and a piece of the smoked salmon or sturgeon in the center of the filling. Bring the sides of the pastry up over the filling, pat it into shape, and seal, leaving a 1-inch opening at the center so that the piece of fish can peek through.

Set to rise, seam side up, and continue as instructed for Rice and Egg *Pirozhki*.

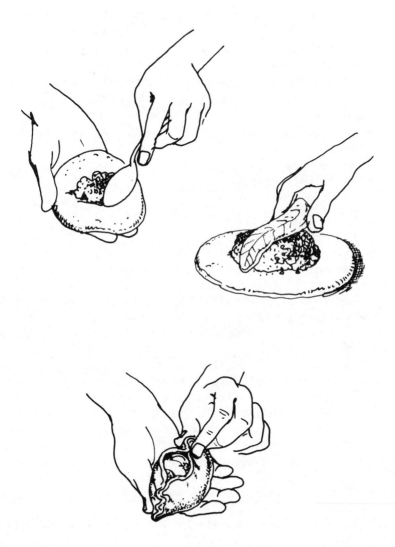

Dvoinye Rasstegaï s Ryboi

LARGE FISH *RASSTEGAÏ*

Makes 5 large rasstegaï, *each serving 2 people; plus 5 small* rasstegaï

1   recipe Yeast Dough #1
     (page 123)
     All-purpose flour for roll-
     ing out the dough
1   recipe Fish and Rice Filling
     for *Kulebiaki* and *Rasstegaï*
     (page 140)
½   pound smoked salmon, *or*
     1 pound poached
     sturgeon (see Poached
     Fish for *Kulebiaki*, page
     140), thinly sliced and cut
     into 2-inch pieces

1   egg yolk beaten with ½
     teaspoon each oil and
     water for egg glaze
1   tablespoon unsalted butter,
     melted, for brushing the
     baked *rasstegaï*

A large cookie sheet

Butter the cookie sheet.

On a floured board, divide the dough into 5 balls, about 6 ounces each. Divide each ball in half and roll out 10 circles, about 6 inches in diameter, using a saucer or a precut circle of wax paper as a guide.

Reserve 5 tablespoons of the filling and distribute the rest evenly over 5 of the circles, leaving ¾-inch borders of pastry. Place slices of smoked salmon over the filling, leaving a thin band of filling uncovered (about ¼ inch).

Cut out 3-inch circles from the centers of the remaining 5 circles of dough. Reserve the centers. Place the rings over the filling and salmon, and pinch the top and bottom layers of pastry firmly together, making a decorative braid. Form 5 small *rasstegaï* by filling the 3-inch pastry circles with 1 tablespoon each of the reserved filling and topping with a bit of smoked salmon.

Place all the turnovers about 1 inch apart on the baking sheet, cover with a cloth, and set in a warm place (75°–85°F) to rise for 25–30 minutes. (If all the turnovers do not fit on the sheet, bake the smaller ones on a separate sheet.)

Set the oven rack at the middle level of the oven and preheat the oven to 375°F.

Brush the *rasstegaï* well with egg glaze and bake for 30–35 minutes, or until dark golden brown. Brush with melted butter, cover with a cloth for 10 minutes, and serve hot. At the table, slice the turnovers with a very sharp knife, starting at the center and cutting toward the edges. These *rasstegaï* make a splendid accompaniment to any soup based on fish stock.

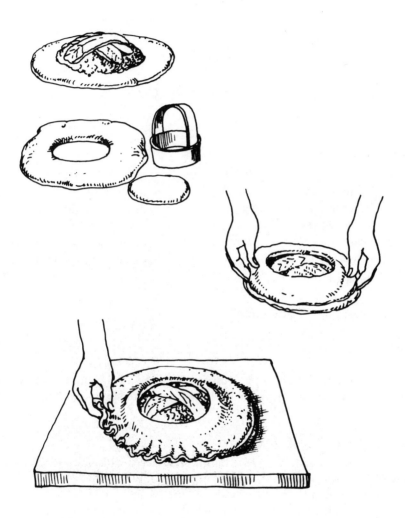

SOCHNI, SHANEZHKI, AND VATRUSHKI
(Small Filled Breads)

Sochni

CHEESE SOCHNI

Makes 20 sochni

FOR THE FILLING

1½ pounds Cheese for *Pirog* Filling (page 144), or Homemade Cottage Cheese (page 136)

2   egg yolks

2   tablespoons sugar

2   tablespoons unsalted butter, softened

¼   teaspoon freshly grated lemon rind

Salt to taste

1   recipe Yeast Dough #2 (page 126)

All-purpose flour for rolling out the dough

½   cup (¼ pound) unsalted butter, preferably clarified (page 617), for sautéeing the *sochni*

1   cup sour cream

In the bowl of an electric mixer, combine all the filling ingredients and mix with the all-purpose beater at moderate speed for 2 minutes, or until completely blended.

TO ASSEMBLE THE *SOCHNI*

On a floured board, form the dough into a large ball. Cut into 20 pieces, about 2 ounces each, and shape into balls about 2½ inches in diameter. Roll them out into 5-inch circles, about 1¼ inch thick. Place 1½ tablespoons of filling in the center, pinch the edges together to form a semicircle, and turn them over so that the seam is underneath. Snip off the pointed ends, pinch the edges together, and pat the *sochni* into a rectangle measuring about 3 inches long, 1¼ inches wide, and 1 inch high.

Place 1 inch apart on a floured board, cover, and set in a warm place (76°–82°F) to rise for 10–15 minutes.

Melt 1–2 tablespoons of the butter in a large heavy-bottomed skillet and, over moderate heat, sauté several *sochni* at a time for about 4–5 minutes on one side and 3–4 on the other, or until golden brown. Test for doneness by tasting: the dough should be completely cooked through and the filling hot. Add more butter to the skillet as necessary and continue to cook the *sochni*.

Serve hot, garnished with sour cream.

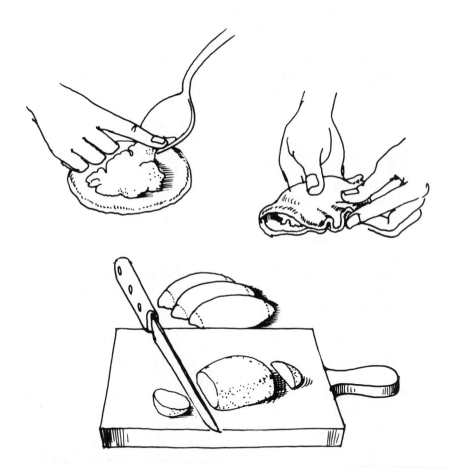

Sochni Iaroslavskie s Tvorogom #2

YAROSLAVL' CHEESE *SOCHNI*

Yaroslavl' is an old Russian city north of Moscow, on the Volga River.

Makes about 12 sochni

1   recipe Yeast Dough # 1 (page 123)

All-purpose flour for rolling out the dough

FOR THE FILLING

½   pound Cheese for *Pirog* Filling (page 144), or Homemade Cottage Cheese (page 136)

1   small egg yolk

1   tablespoon sugar

1   tablespoon unsalted butter, softened

½   teaspoon freshly grated lemon rind

Salt to taste

1   egg yolk beaten with ½ teaspoon each oil and water for egg glaze

1   cup sour cream for garnish

A 4-inch plain round cookie cutter

A large cookie sheet

On a floured board, roll out the dough ½ inch thick. Using a small saucer as a guide, or with a large cookie cutter, cut out 4-inch circles, dust them with flour on both sides, shaking or brushing off the excess flour. Gather up the trimmings into a ball, roll out as before, and cut more 4-inch circles; you should have about 12 rounds.

Lightly butter the cookie sheet, dust it with flour, shake off the excess, and place the muffins on it, 1 inch apart. Refrigerate for 20 minutes.

While the *sochni* are being chilled, make the filling: in the bowl of an electric mixer, combine all the filling ingredients and mix with the all-purpose beater, at moderate speed, for 2 minutes, or until completely blended.

Set the baking rack at the middle level of the oven and preheat the oven to 400°F.

The *sochni* will be baked in three stages. Place the cookie sheet in the oven, reduce the heat to 375°F, and bake for 5 minutes. Remove the cookie sheet from the oven, but leave the heat on.

Spread the filling evenly over the *sochni*, leaving a ½-inch border all around. Return to the oven and bake for 5 minutes more, leaving the heat on when you remove the cookie sheet.

Fold each circle in half, pressing gently to seal. Brush with the egg glaze, return to the oven, and bake 8–10 minutes more, or until done.

Serve hot with sour cream.

Sochni Arkhangelskie
MEAT *SOCHNI*, ARCHANGEL-STYLE

Archangel is a northern Russian city on the White Sea.

Makes about 10 sochni

FOR THE FILLING

1	small onion, finely chopped	2–3 tablespoons half-and-half
2	tablespoons unsalted butter, in all	1 recipe Yeast Dough #2 (page 126)
1	pound filet mignon or top sirloin, ground	All-purpose flour for rolling out the dough
1	ounce boiled ham, cut into ¼-inch dice	½ cup (¼ pound) unsalted butter, preferably clarified (page 617), *or* ¼ cup vegetable oil, for sautéeing the *sochni*
	Salt to taste	
	Freshly ground black pepper to taste	

MAKING THE FILLING

In a heavy-bottomed skillet, over moderate heat, sauté the onion in 1 tablespoon of butter for 5–6 minutes. Add the remaining butter, ground meat, and ham, and sauté for 3–4 minutes more, or until the meat is cooked but still juicy. Off the heat, add salt and pepper to taste and the half-and-half, a spoonful at a time so that the filling is juicy but not too liquid.

ASSEMBLING THE *SOCHNI*

Follow the instructions in the recipe for Cheese *Sochni* (page 176) for rolling out the dough and cutting it into 5-inch circles. You should have about 20 circles. Dust the circles with flour on both sides and brush off the excess flour.

Fill 10 of the circles, using 2 tablespoons of filling for each, then cover with the remaining 10 circles, pinching the edges together firmly. Press the edges with a rolling pin. Cover and leave to rise for 10–15 minutes in a warm place (76°–82°F). Sauté the *sochni* in the butter for 4–5 minutes on each side, or until golden brown and cooked. Serve at once.

SHANEZHKI
(Siberian Muffins)

Shanezhki, Siberian and Ural muffins, in their classical form are 3½ inches to 5 inches in diameter, but in peasant cooking they can be as large as 7 or 8 inches. I ate my first *shanezhki* just that large, in a setting as authentic as it would have been 200 years ago.

In the early 1960s, I was on a business trip to visit a factory ninety miles from Sverdlovsk, a large industrial city in the Ural Mountains. There was no hotel in the small town where the plant had been built, and at the end of my one-day visit I intended to return by bus to Sverdlovsk. After a half-hour walk, I knew that I had lost my way. No buses or cars passed me on the darkening, snow-covered streets. I knocked on the door of a peasant cottage and a stern-looking woman with a kerchief tied tightly around her wrinkled face opened the door. The large room was dimly lit with a kerosene lamp, and a spacious wood-burning Russian stove sent flickers of light onto the whitewashed walls. The room was warm, and there was a mixed odor of baking bread and of a cattle shed in the stuffy air: two tiny newborn goats were lying on a rag in a corner.

The bus stop was a one-hour walk away, and I had missed the bus. "Stay overnight," said the old woman, whose name, Manepha, seemed even more ancient than the setting. "There is room for everyone 'round the stove."

First of all, the samovar and a jar of honey were put on the table. "Warm yourself up, poor soul," said Manepha in a deep, hoarse voice. "We are heating our bath tonight. I'll take you there if you are not too squeamish, and then we'll have our Ural *shanezhki*." At one time this had probably been a well-to-do household: almost the whole backyard was covered with a roof, forming a kind of patio, similar to wealthy Siberian peasants' homesteads. Past the cattle shed, we walked into a small two-room building with a stove made of large rough stones, my hostess carrying a sheet to serve as a towel, and I hugging the two kids under my coat—they were to be bathed, too. Five- to six-inch rocks were thrown into the stove, then removed with large tongs and dipped into the water-filled trough in the center of the other room. The water sizzled and threw a fountain of hot drops, and the room filled with steam. The trough was very old and was actually a hollowed-out trunk of a Ural larch tree. Over centuries of use, its surface had become as smooth as porcelain. After I bathed, we washed the goats in the same tub.

In the meantime, Manepha's daughter had set the table and was just taking the fresh *shanezhki* out of the oven. They were large, like muffins for giants, each one the size of a meat plate. They were filled with puréed potatoes and were served with *shchi*. Then we drank tea with honey, and Manepha opened an old Apokripha book on the life of Saint Savatii. I read a page to her and felt that my voice was thinning into a mumble, when Manepha got up and brought a sheepskin and a huge pillow. I was asleep in a moment. The first thing I heard the next morning was the soft bleating of the kids. We had breakfast of tea and *shanezhki*, two more were wrapped for me to take home, and Manepha saw me to the bus stop.

Two days later I returned home to Kiev, and the *shanezhki*, after being warmed in the oven, were still great eating—the proof and memento of a trip to a remote place and a remote time.

Shanezhki Sibirskie

SIBERIAN *SHANEZHKI*

Makes about 20 shanezhki

FOR THE FILLING

6	tablespoons instant-blending or all-purpose flour	1	recipe Yeast Dough #1 (page 123)
			All-purpose flour for rolling out the dough
2	tablespoons unsalted butter, softened		
¼	cup sour cream		A large cookie sheet
1	egg yolk		
	Salt to taste		

In a small bowl, mix all the ingredients for the filling until well blended. Set aside.

On a floured board, gather the dough into a ball and dust lightly with flour. Cut the dough into 20 pieces, about 1½ ounces each, roll them in flour, and flatten with a rolling pin into 3½-inch rounds.

Lightly butter the cookie sheet and place the rounds on it 1 inch apart. Press each circle lightly in the center to form a saucer shape. Cover with a cloth and leave in a warm place (76°–82°F) for 20 minutes to rise.

Set the baking rack at the middle level of the oven and preheat the oven to 375°F.

Spoon filling into the depressions, and bake for about 15 minutes, or until golden.

Serve warm.

Shanezhki Ural'skie

POTATO SHANEZHKI

Makes about 20 shanezhki

FOR THE FILLING

1 pound baking potatoes	2 tablespoons unsalted
½ cup half-and-half	butter, melted, for brush-
1 egg yolk	ing the *shanezhki*
½ cup sour cream	
Salt to taste	

Make the filling following the instructions for Mashed Potatoes (page 391).

Prepare the dough rounds as described for Siberian *Shanezhki* (page 181). Just before filling, brush the rounds with melted butter, then spoon in the filling and proceed with the recipe.

Serve hot.

Vatrushki

VATRUSHKI

Makes 12 vatrushki

1 recipe Yeast Dough #1
   (page 123)
   All-purpose flour for rolling out the dough

1 egg yolk beaten with ½
   teaspoon each oil and
   water for egg glaze

1 recipe Onion Filling for
   Vatrushki (page 139), *or* ½
   recipe Cheese Filling for
   Vatrushki (page 143)

1 tablespoon unsalted butter,
   melted, for brushing the
   baked *vatrushki*

A 2½- or 3-inch plain
   round cookie cutter

A 4-inch plain round
   cookie cutter or saucer

A cookie sheet

On a floured board, roll out the dough about ¼ inch thick, then cut out 4-inch circles, using a saucer or a cookie cutter for a guide. Gather the trimmings into 2-inch balls and roll each out into a 4-inch circle; trim with a cutter if necessary. There should be about 24 circles; 12 for the bottoms of the *vatrushki* and 12 for the tops. With a 2½- or 3-inch round cookie cutter, cut out the center of 12 rounds. Only the rings will be used in this recipe. For using the centers, see *Note*.

Butter the cookie sheet and place the 12 full circles of dough on it, 1 inch apart. Brush with egg glaze and place the rings over them, aligning the edges. Spoon the filling inside the rings, cover with a towel, and set to rise in a warm place (76°–82°F) for 20 minutes.

Place the baking rack at the middle level of the oven and preheat the oven to 375°F.

Brush the *vatrushki* again with egg glaze and bake for 15–20 minutes, or until golden brown.

Brush with the butter, cover with a cloth, and let sit for 10 minutes. Serve hot or cool with soups, especially borscht, *shchi*, and other hearty soups.

Note: The pastry cutouts from the tops of the *vatrushki* can be baked, then spread with a filling of your choice, and warmed before serving.

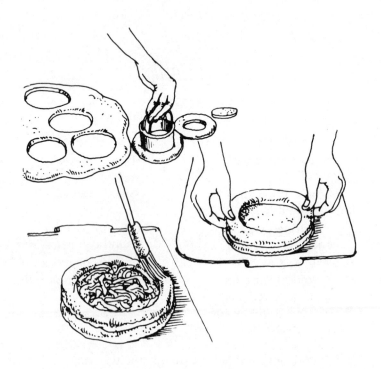

Chebureki

SPICY LAMB DUMPLINGS

Chebureki were my first gastronomic impression of the Crimea, where I vacationed with my family when I was seventeen. Arriving in Yalta, that historic port on the Black Sea, we hurried across the main square, drawn by an exciting, spicy aroma. Indeed, at a sidewalk stall, a vendor was deep-frying flat, meat-filled pastries and serving them sprinkled with hot chicken consommé and chopped parsley. A traditional food of the Crimean Tatars, they have become my favorite food of that region. Earthy and robust, they are an interesting contrast to the fragrant wines and fruits usually associated with the Crimea.

The dough for *chebureki* is similar to strudel dough: after the initial rolling out, it must be stretched as thin as possible with the backs of the hands. Clear a large work space, a kitchen table, for example, before you begin to roll out the pastry.

Makes 16–18 dumplings

FOR THE DOUGH

1½ pounds (5⅔ cups) all-purpose flour

3 eggs

1 teaspoon salt

1–1¼ cups warm water (90°–95°F), in all

FOR THE FILLING

2 tablespoons unsalted butter

1 tablespoon vegetable oil

1 pound boneless lamb shoulder, ground

3 tablespoons chopped fresh parsley

2 tablespoons finely chopped fresh coriander (cilantro)

Salt to taste

Freshly ground black pepper

½ cup all-purpose flour for rolling out the dough

2–3 tablespoons ice water

1 egg, lightly beaten

2–3 cups corn or sunflower oil for deep frying

FOR THE GARNISH

2 tablespoons finely chopped fresh coriander and parsley, mixed

1 cup hot Chicken Consommé (page 88) or canned chicken broth (*optional*)

A 4- to 5-quart cast-iron deep-frying kettle

A deep-fat thermometer

MAKING THE DOUGH

All the ingredients for the dough should be at room temperature except the water. In the bowl of an electric mixer, combine the flour, eggs, salt, and 1 cup of warm water. Beat with the all-purpose beater at moderately low speed for 1 minute. If the dough is too thick, add more warm water a tablespoon at a time. Beat another minute, or until the dough is smooth and elastic. Turn the dough out onto a floured board, gather it into a ball, wrap in plastic, then cover with a towel to prevent it from cooling off and let it rest for 1 hour.

MAKING THE FILLING

In a large, heavy-bottomed skillet, melt the butter, add the oil, and sauté the ground lamb for 3–5 minutes or until lightly browned, tossing it with a fork to keep it free of lumps. Remove to a bowl, add the parsley and coriander, and season with salt and pepper to taste.

"STRETCHING" THE DOUGH AND ASSEMBLING THE *CHEBUREKI*

Flour the work surface and roll out the dough ⅛ inch thick. Flour the backs of your hands, place them underneath the dough, and carefully stretch the dough by pulling your hands in opposite directions. Move your hands from place to place under the dough, stretching it evenly until it is as thin as you can make it. Do not tear; stop when you feel that the dough is stretched to its limit. Cut out 5-inch circles, with a cookie cutter or with a knife, using a saucer as a guide.

Mix the ice water into the filling and place about 1 tablespoon of filling in the center of each circle. Brush the edges of the pastry with the beaten egg, fold in half to form semicircles, and press the edges with the back of a fork to seal firmly.

COOKING THE *CHEBUREKI*

In a wide cast-iron kettle, heat the vegetable oil until a deep-fat thermometer registers 375°F. Carefully lower 3 or 4 *chebureki* into the fat (or as many as the kettle can hold comfortably without crowding). Cook for about 2 minutes on each side, or until golden. Taste a corner of one to see if it is done; the dough should be cooked through and the filling juicy and tender. Drain on 3 layers of paper towels and serve at once, garnished with the chopped herbs.

If no juice seeps out of the *chebureki* when you serve them, they are either slightly overdone or the meat was not succulent enough. Sprinkle them lightly with hot chicken consommé.

CHAPTER 5

Pel'meni and Other Dumplings

PEL'MENI

Pel'meni are filled dumplings made of noodle dough, similar to ravioli. A Siberian contribution to Russian cuisine, they are of Mongolian origin. In Siberia, even now, the filling is made of young horsemeat, which is frozen, cut into shavings, and seasoned with onion, salt, and pepper. Small squares of noodle dough are filled, sealed, and then frozen in sacks for the whole winter, to be cooked as needed. Nowadays, in European Russia, uncooked ground beef is used instead of horsemeat, and mushroom-filled *pel'meni* are an accepted variation.

Pel'meni are served in several ways: they can be cooked in stock or consommé and served in a bowl with some of the soup. As a delicious main course for lunch or dinner, they can be served drenched in butter or Siberian-style, that is, sprinkled with vinegar and spiced with freshly ground pepper.

In late nineteenth-century France, where Russian food had already made a considerable impact on haute cuisine, *pel'meni* began to appear on restaurant menus, and, contrary to Russian custom, Escoffier included them in his *Guide Culinaire* as a hot hors d'oeuvre.

In Moscow, during the last quarter of the nineteenth century, the best restaurant to eat *pel'meni* was Lopashov's, one of the oldest taverns in town. Its upper floor, called "A Russian *Izba*," (country log cabin) was lavishly and tastefully decorated in Russian country style with authentic artifacts. An old table that seated twelve was covered with a precious antique needlework tablecloth, and embroidered peasant towels served as napkins. Table settings, too, were of museum quality: 200-year-old plates, silver cups, goblets, cordial glasses, and beakers. The menu matched the setting.

Lopashov's was the showcase of authentic Russian cuisine, and the most distinguished foreign visitors were invited there for intimate dinners in the *izba*. The only foreign wines served were those which had been imported during the seventeenth and eighteenth centuries. Champagne was served in a silver beaker as large as a bucket and poured into goblets with an antique dipper.

Lopashov was as much a perfectionist in shaping his menu as in furnishing his establishment. To offer genuine Siberian *pel'meni*, he brought the best-known *pel'meni* chef from Siberia, and *pel'meni* connoisseurs were his most devoted fans.

When, in the 1880s, the owners of the most important Siberian gold mines had an exhibit in Moscow, their dinner at Lopashov's Tavern made the front pages of the Moscow newspapers. In memory of the conqueror of Siberia, cossack chieftain Yermak, the dinner was named "A Feast in Yermak's Field Camp." It consisted of two courses only: *zakuski* (hors d'oeuvre) and *pel'meni*. For the twelve participants, 2,500 *pel'meni* were cooked. There were meat *pel'meni* and fish *pel'meni*, and, as an innovation, fruit *pel'meni* in rosé champagne were introduced as a dessert.

Two hundred *pel'meni* for each person now seems like a gargantuan quantity; for modern appetites, twelve to twenty are a reasonable serving.

To make *pel'meni* properly, be sure that the dough is about ⅟₁₆ inch thick—somewhere between the thickness of ravioli and wonton doughs, or the thickness of the back of a knife (toward the point). Fill the *pel'meni* tightly enough so that they are well rounded, but not so tightly that they burst open in cooking. Under no circumstance should they be allowed to stick together or to the board, and, while cooking, keep the water just at a simmer, never at a boil.

Pel'meni are an ideal dish to make ahead of time because for best results they should be frozen before they are cooked. If you wish to store them once they are frozen, seal them well in plastic freezer bags or containers in convenient serving portions. The *pel'meni* will keep for up to 3 months.

A note of warning: frozen machine-made *pel'meni* are sold in Russia and in some groceries catering to the Russian émigré community in America. They are related only remotely to the real *pel'meni* and do not give any idea of the merits of the original dish.

Testo dlia Domashnei Lapshy, Pel'meni i Varenikov
NOODLE DOUGH

Makes about 1¼ pounds of dough (see Note)

3	cups instant-blending or all-purpose flour	3	egg yolks
1	teaspoon salt	½	cup cold water

Noodle dough can be made easily using a food processor or an electric mixer fitted with a dough hook. The dough can also be kneaded by hand, but because it is so stiff it will take longer than with the mixer.

FOOD PROCESSOR METHOD

Combine the flour and salt in the work bowl fitted with the steel blade. Process for 2 seconds to mix. With the motor running, add the egg yolks and water and process until the dough masses into a ball on the spindle. Remove the dough to a lightly floured surface and knead by hand 4 or 5 times.

ELECTRIC MIXER METHOD

Combine all the ingredients in the bowl of the mixer with the dough hook in place. Mix for 1 minute at low speed, then raise the speed to moderate and beat for 2 minutes; the dough should be well blended, smooth, and elastic.

However you knead the dough, form it into 2 balls, dust lightly with all-purpose flour, cover tightly with plastic wrap, and allow to rest for 30 minutes.

Noodle dough can be frozen after it has rested (but do not merely refrigerate). To defrost, leave at room temperature for 2–3 hours; then proceed with the recipe.

Note: This recipe yields about 90 *pel'meni* made with 2½-inch circles or squares of dough, about 56 *vareniki* made with 3-inch circles, or about 140 *ushki* made with 2-inch squares of dough. For plain noodles, this recipe will yield 1 pound of dried noodles.

Sibirskie i Ural'skie Pel'meni
SIBERIAN MEAT DUMPLINGS (*Pel'meni*)

Makes about 90 pel'meni *to serve 6–8*   Fr

1   recipe Noodle Dough
    (page 189)

FOR THE FILLING

1   pound lean beef (prime or
    choice), chilled

3   ounces veal kidney fat,
    chilled

1   medium onion, finely
    chopped

Salt to taste
Freshly ground black
    pepper to taste
½   cup ice water

FOR ASSEMBLING THE *PEL'MENI*

All-purpose flour for dusting the baking sheets and rolling out the dough	1–2 egg whites, lightly beaten 1 tablespoon salt

OPTIONAL GARNISH

4 tablespoons unsalted butter, melted	6 tablespoons sour cream, *or* 3 teaspoons cider vinegar and freshly ground black pepper to taste

While the noodle dough is resting, make the filling: grind the beef twice. During the second grinding, add the kidney fat. The texture should be quite smooth but not a purée. Combine the ground mixture, the onion, salt, and pepper in the bowl of an electric mixer fitted with the all-purpose beater (or mix by hand). At low speed, beat the ingredients to blend well, then gradually add the ice water, beating until the mixture is very smooth and fluffy.

ASSEMBLING THE *PEL'MENI*

Before rolling out the dough, be sure there is a flat space in your freezer large enough to accommodate the baking sheets on which the *pel'meni* will be frozen (see *Note*, page 192). If you are using small sheets, they can be stacked if they are separated by short, sturdy objects, such as napkin rings or shot glasses. Dust the sheets lightly with flour.

On a lightly floured surface, roll out one ball of dough into a circle 18 inches in diameter and a little less than ¹⁄₁₆ inch thick; be careful not to tear it. Using a sharp knife, cut the dough into 2½-inch squares, or make circles with a scalloped or plain round 2½-inch cookie cutter. Roll out the trimmings and cut more squares or circles. Fill each square or round with 1 teaspoon of filling, pushing it lightly to make a compact mound. Brush the edges of the dough with beaten egg white.

If you have cut squares, fold them over diagonally into triangles, fit the edges precisely, and seal them by pinching firmly. Bring together the points at the base (long side) of each triangle to form a loop, and pinch well.

For circles, fold in half to form semicircles, fit the edges together, and pinch well. Bring the corners together to form a loop and pinch to seal.

Arrange the *pel'meni* ½ inch apart on the prepared sheet and place in the freezer when it is filled. Continue with the recipe, rolling out and filling the second ball of dough and the trimmings.

COOKING AND SERVING THE DUMPLINGS

The *pel'meni* are ready to cook when they are frozen. (Or place in plastic freezer bags or containers in convenient serving portions and store for later use.)

Prepare a *bain-marie:* in a pan containing very hot water, place a bowl large enough to hold all the cooked *pel'meni*. In a wide shallow pan, bring 4 quarts of water and 1 tablespoon of salt to a boil. Drop in as many dumplings as will fit comfortably in one layer and return to a boil. Lower the heat and keep the water just at a simmer, uncovered; do not allow to boil vigorously or they will be ruined. The *pel'meni* are done when they rise to the surface, about 5–6 minutes after the water has returned to a boil; taste one to be sure (see *Note*, page 192). With a slotted spoon, transfer the cooked dumplings to the *bain-marie* and sprinkle with melted butter for garnish to keep them from sticking together. Shake the bowl gently and cover with a cloth. Continue to cook the remaining *pel'meni*.

Serve the buttered dumplings immediately in heated bowls, without further garnish or topped with sour cream and accompanied by beer. Or sprinkle with vinegar and freshly ground pepper and serve with beer or vodka.

Note: Although the classic method for preparing *pel'meni* is to freeze them prior to cooking, they can be cooked immediately after assembly. The consistency of *pel'meni* cooked unfrozen will be slightly different. Cooking time should be reduced to 3–4 minutes.

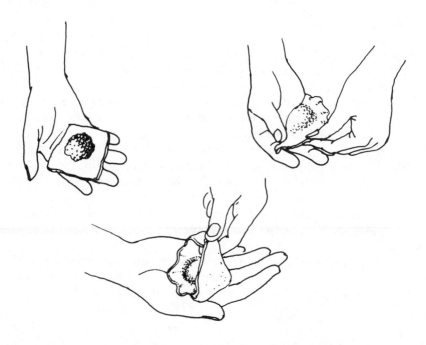

Pel'meni s Bulionom
MEAT *PEL'MENI* WITH STOCK

Makes about 90 pel'meni to serve 6–8 Fr

1 recipe raw frozen Siberian Meat Dumplings (page 190)

2 recipes beef or chicken stock (pages 80–87)

4 tablespoons unsalted butter, melted, for sprinkling on the cooked *pel'meni*

2 tablespoons finely chopped fresh dill and parsley Freshly ground black pepper to taste

3 teaspoons sour cream (*optional*)

Cook the *pel'meni* in the stock and dress with the melted butter. Serve in heated soup bowls, add ¼–½ cup of stock to each bowl, and sprinkle with the greens and pepper. If desired, add ½ teaspoon sour cream to each bowl.

Gribnye Pel'meni s Gribnym Supom
MUSHROOM *PEL'MENI* WITH MUSHROOM SOUP

Mushroom-filled *pel'meni* are almost always served as a soup accompaniment. However, they are delicious served on their own.

Makes about 40 pel'meni, to serve 6 Fr

1 recipe Mushroom Soup with Dumplings (page 114)

FOR THE FILLING
The cooked mushrooms from the soup (see *Note*)

½ medium onion, finely chopped

1 tablespoon unsalted butter Salt to taste

½ recipe Noodle Dough (page 189)

1 egg white, lightly beaten

1–2 tablespoons unsalted butter, melted

To make the filling, chop the cooked mushrooms finely. Sauté the onion in the butter for 8–10 minutes, or until translucent and pale golden. Add the mushrooms and cook for 2–3 minutes, stirring. Season to taste with salt, then cool.

Make the *pel'meni* as described in the recipe for Siberian Meat Dumplings (page 190), using 1 teaspoon of filling for each dumpling. Cook in salted water and sprinkle with the melted butter. Serve in the bowls of Mushroom Soup.

Note: If you prefer to serve these dumplings with another soup, you will need 2 ounces of dried mushrooms. If they are whole Polish mushrooms, soak for 4 hours in cold water to cover, then simmer in the same water for 15–30 minutes. *Cèpes* or other dried cut mushrooms need no soaking. Simmer 15–20 minutes in water to cover. Drain the mushrooms and proceed with the recipe.

Ushki s Miasnoi ili Gribnoi Nachinkoi
TINY DUMPLINGS (*USHKI*) FOR SOUP

Ushki are small dumplings stuffed with meat or mushrooms. Like *pel'meni*, they can be boiled, but they are also delicious deep-fried in oil or sautéed in clarified butter. *Ushki* are always served in the soup.

Makes 45–50 ushki, to serve 6–8 Fr

⅓   recipe Noodle Dough (page 189)

⅓   recipe Beef Filling for *Pirog* (page 141), *or*

½   recipe Mushroom *Pel'meni* filling (page 193)

1   egg white, lightly beaten

2   tablespoons unsalted butter, melted, for boiled *ushki, or* 1 quart oil for deep-frying, *or* 1 cup clarified butter (page 617) for sautéed *ushki*

Roll out the dough as directed for Meat *Pel'meni* with Stock and cut into 1½- to 2-inch squares. Use 1 scant teaspoon of filling for each square. Brush the edges of the dough with egg white, fold over diagonally into a small triangle, and pinch firmly to seal. Bring together the points at the base of the triangle to form a loop (see illustration below). Now, turn up the third point of the triangle to round off the *ushki*.

Note: *Ushki* can also be made with a Handy Oeuvre Maker® (see page 196), as a time-saving alternative.

BOILED *USHKI*

Cook as directed for Meat *Pel'meni* with Stock, allowing 4–5 minutes cooking time for each batch. Sprinkle with melted butter and serve.

DEEP-FRIED *USHKI*

In a 10- to 12-inch Dutch oven or other heavy pot, heat 1½ inches of oil to 375°F. Gently drop as many dumplings into the pot as it will hold comfortably in one layer. Deep-fry for about 5–6 minutes, turning once with a slotted spoon, until the *ushki* are golden brown and the dough is cooked. Remove to a sieve or rack lined with 3 or 4 layers of paper towels. Serve immediately.

SAUTÉED *USHKI*

In a large heavy-bottomed skillet, heat the clarified butter, add the *ushki*, and sauté for about 2–3 minutes on each side, or until tender. Taste for doneness and serve at once.

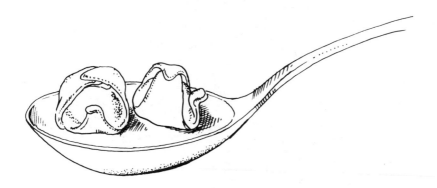

ALTERNATE METHOD FOR MAKING *USHKI* OR *VARENIKI*

The Handy Oeuvre Maker® (see illustration) can be used to make *Ushki* or *Vareniki*. After making the noodle dough and appropriate filling, the procedure is as follows:

Place a sheet of dough over the frame and put a scant teaspoon of filling in each pocket area. Place second sheet of dough over filled pockets and roll over entire surface with rolling pin. Filled dumplings will drop out ready to cook.

VARENIKI

> . . . *Two wooden bowls were standing on the floor . . . one was filled with* vareniki, *the other with sour cream.*
>
> *"Let us see," he said to himself, "how Patsiuk will eat the* vareniki. *He certainly won't want to bend down to lap them up like the dumplings; besides he couldn't—he must first dip the* vareniki *in the sour cream." He had hardly time to think this when Patsiuk opened his mouth, looked at the* vareniki, *and opened his mouth wider still. At that moment a* varenik *popped out of the bowl, splashed into the sour cream, turned over on the other side, leaped upward, and flew straight into his mouth. The only trouble Patsiuk took was to munch it up and swallow it.*
>
> —Nikolai Gogol
> "Christmas Eve"

A perennial favorite, *vareniki* are the Ukrainian version of *pel'meni.* The major differences between the two are that the dough for *vareniki* is rolled out a bit thicker than for *pel'meni*—it should be between ¹⁄₁₆ and ⅛ inch thick—and the *vareniki* are not frozen before cooking.

Filled with meat, potatoes, sauerkraut, or cheese, *vareniki* can be served as a main course for lunch or as a second course for dinner. They make a delicious dessert when filled with farmer's cheese or Morello cherries.

Vareniki are one of those cozy, homey dishes that everyone loves, and in some people they have even been known to inspire an irresistible craving. The son of the world-renowned basso Feodor Chaliapin told me that once, when he and his father were strolling along the Champs Élysée in Paris, Chaliapin suddenly announced: "I am dying for farmer's cheese *vareniki.*" *Vareniki* in Paris? Indeed, fifteen minutes later they were seated at a table in an émigré restaurant, placing an order for farmer's cheese *vareniki.*

Vareniki s Miasom

BEEF *VARENIKI*

Makes about 56 vareniki, to serve 6–8 Fr

1   recipe Noodle Dough
    (page 189), made with all-
    purpose flour

FOR THE FILLING

½ recipe Beef Filling for *Pirog* (page 135)

1 tablespoon finely chopped fresh dill to stir into the filling (*optional*)

FOR ASSEMBLING AND COOKING THE *VARENIKI*

3–4 tablespoons all-purpose flour

1–2 egg whites, lightly beaten (*optional*)

1 teaspoon salt

FOR THE GARNISH

3 tablespoons unsalted butter, melted

2 tablespoons finely chopped fresh dill

While the noodle dough is resting, mix the beef filling and the dill.

ASSEMBLING THE *VARENIKI*

On a lightly floured surface, roll out one ball of the dough into a circle 16 inches in diameter and just under ⅛ inch thick, or the thickness of the back of a knife toward the handle. Using a cookie cutter or a glass, cut out 3-inch circles, then gather up and reserve the trimmings.

In the center of each circle, place 1 tablespoon of filling, pushing it gently into a compact mound. Fold the round in half to form a semicircle and press the edges together. If they do not seal easily, brush with egg white and pinch together firmly. The edges can be left plain, or they can be pressed with the back of a fork or fluted. Whichever method you choose, be sure the *vareniki* are well sealed. As they are prepared, place them on a lightly floured surface and cover with a cloth.

COOKING THE *VARENIKI*

Prepare a *bain-marie:* place a large bowl over a pan of very hot water.

In a wide shallow pan, bring 4 quarts of water and the salt to boil. Make a final check to be sure that the edges of the dumplings are tightly sealed and immerse as many as will fit comfortably in one layer. Bring the water to a boil again and immediately lower the heat so that the *vareniki* cook just at a simmer (a vigorous boil would ruin them). In about 10 minutes they will begin to rise to the surface. Taste one to see if it is really cooked. With a slotted spoon, remove the *vareniki* to the *bain-marie* and sprinkle with melted butter to prevent them from sticking together. Shake the bowl gently to distribute the butter and cover it with a cloth. Cook the rest of the *vareniki* in the same manner.

Serve in a heated decorative bowl, garnished with chopped dill.

As the *vareniki* are cooked, sprinkle them with the melted butter. Garnish the serving dish with the chopped dill and serve the dumplings with beer.

Note: To freeze and store the uncooked Beef *Vareniki*, follow the directions given for Meat *Pel'meni* with Stock, page 193.

Vareniki can also be made with a Handy Oeuvre Maker® (see page 196), as a time-saving alternative.

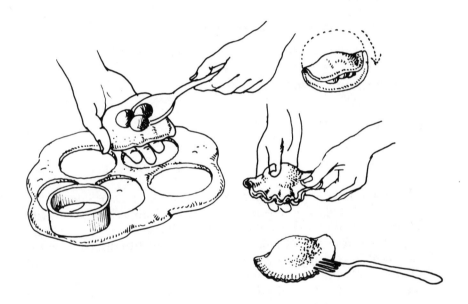

Vareniki s Kartofelem
POTATO VARENIKI

Makes about 56 vareniki, to serve 6–8 [Fr]

1   recipe Noodle Dough
     (page 189), made with all-
     purpose flour

FOR THE FILLING
1   recipe Potato Filling for
     Piroghi (page 139)

FOR ASSEMBLING AND COOKING THE *VARENIKI*
3–4 tablespoons all-purpose   1   teaspoon salt
     flour

1–2 egg whites, lightly beaten
     (*optional*)

FOR THE GARNISH
2   ounces bacon, cut into   2   medium onions, cut into
     ½-inch pieces   julienne strips

While the noodle dough is resting, make the potato filling as directed, with the following exceptions: cook the 2 ounces of bacon with the 4 ounces called for in the filling recipe, and reserve all the cracklings. Spoon out and reserve 3–4 tablespoons of bacon fat to dribble over the cooked *vareniki*. Use another 2–3 tablespoons fat to sauté the julienned onions for 8–10 minutes, or until translucent and golden. Reserve the onions for garnish. Proceed with the filling recipe, then prepare and cook the *vareniki* as described for Beef *Vareniki* (page 197). Serve the dumplings in a heated decorative bowl, sprinkling each layer with the sautéed onions and cracklings. Serve with beer.

Note: To freeze and store uncooked Potato *Vareniki*, follow the instructions given for Meat *Pel'meni* with Stock (page 193).

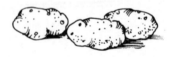

Vareniki s Kvashenoi Kapustoi

SAUERKRAUT *VARENIKI*

Makes about 56 vareniki, *to serve 6–8* Fr

1 recipe Noodle Dough
(page 189), made with all-
purpose flour

FOR THE FILLING

6 ounces pork fatback, cut
into ½-inch dice

2 medium onions, finely
chopped

2 pounds Homemade Sauer-
kraut (page 427), Claussen
sauerkraut, or French
choucroute

1 bay leaf
A small pinch of ground
allspice

1 tablespoon sugar

⅛ teaspoon freshly ground
black pepper

FOR ASSEMBLING AND COOKING THE *VARENIKI*

3–4 tablespoons all-purpose
flour

1–2 egg whites, lightly beaten
(*optional*)

1 teaspoon salt

FOR THE GARNISH

The rendered pork fatback

2 medium onions, cut into
julienne strips

The pork cracklings

While the noodle dough is resting, prepare the filling. In a heavy-bottomed skillet, over moderately low heat, cook the pork fatback until the fat is rendered and the cracklings are golden brown but still succulent enough to chew.

In another skillet, place 2 tablespoons of the rendered fat, add the chopped onions for the filling, and sauté for 8–10 minutes, or until limp and golden.

Rinse the sauerkraut in cold water if it is too sour, and squeeze out the excess liquid. Place it in a Dutch oven and add the sautéed onions, bay leaf, and allspice. Over low heat, bring the sauerkraut to a simmer, slip an asbestos mat under the pot, and cook, covered, for about 45 minutes if the sauerkraut is homemade, or for 15 minutes if it is canned.

Stir frequently to prevent the mixture from sticking to the bottom of the pot. Halfway through the cooking, remove the lid so that most of the liquid will evaporate; the sauerkraut should be juicy, but not too wet. When it is cooked, remove the bay leaf, stir in the sugar and pepper, and cool.

While the filling cools, remove and reserve separately the cracklings and 4–5 tablespoons of fat from the skillet in which the pork fatback was rendered. In the fat remaining in the skillet, sauté the julienned onions for garnish for about 10 minutes, or until translucent and golden, and reserve in the skillet.

Prepare, fill, and cook the *vareniki* as described for Beef *Vareniki* (page 197). Sprinkle the cooked dumplings with the reserved pork fat. Gently reheat the sautéed onions.

To serve, place the *vareniki* in a heated decorative bowl and sprinkle each layer with the cracklings and sautéed onions. Beer is an excellent accompaniment to this dish.

Vareniki s Tvorogom
CHEESE *VARENIKI*

Makes about 56 vareniki, *to serve 6–8*

1   recipe Noodle Dough
(page 189), made with all-
purpose flour

FOR THE FILLING

3½ cups Cheese for *Pirog* Fill-
ing (page 144) or 3½ cups
Homemade Cottage
Cheese (page 136)

3   egg yolks
½   teaspoon salt
1–2 tablespoons sugar

FOR ASSEMBLING AND COOKING THE *VARENIKI*

3–4 tablespoons all-purpose
flour

1–2 egg whites, lightly beaten
(*optional*)

1   teaspoon salt

FOR THE GARNISH

4–5 tablespoons unsalted
butter, melted

3–6 tablespoons sour cream
Sugar to taste (*optional*)

While the noodle dough is resting, make the filling; place all the ingredients in the bowl of an electric mixer fitted with the all-purpose beater and mix at moderate speed until well blended.

Prepare and cook the *vareniki* as described for Beef *Vareniki* (page 197). Sprinkle each batch as it is cooked with some of the melted butter and shake the bowl gently to distribute the butter and prevent the *vareniki* from sticking together.

Serve in a heated, decorative bowl. Pass the sour cream separately and offer sugar for those who like their dumplings sweet.

Vareniki s Vishniami
CHERRY *VARENIKI*

"What would you like?" Pulkheria Ivanovna would say. "Shall I go and tell them to bring you the cherry vareniki *I ordered them to keep especially for you?"*
"That would be nice," Afanasy Ivanovich would answer.

—Nikolai Gogol
"One-World Landowners"

Makes about 56 vareniki, to serve 6–8

FOR THE FILLING
2   pounds fresh Morello (sour) cherries, *or* 1¾ pounds canned pitted sour cherries

¾   cup sugar, for the fresh cherries

FOR THE DOUGH AND ASSEMBLY
1   recipe Noodle Dough (page 189), made with all-purpose flour
3–4 tablespoons all-purpose flour

1–2 egg whites, lightly beaten, for sealing the *vareniki* (*optional*)

FOR THE SAUCE
Sugar to taste
1   cup cherry juice

2   cups sour cream

The filling is best made with fresh Morello cherries, but if they are not available, use pitted sour cherries canned in light syrup. (Do not buy canned cherries with pits; they are too limp to be pitted and still hold together.) Drain the canned cherries and reserve 1 cup of syrup for the sauce.

If you are using fresh cherries, pit them, place in a bowl, and sprinkle the sugar over them. Allow to macerate for 3–4 hours, then pour them into a colander set over a bowl to drain for 5–10 minutes. Reserve 1 cup of the juice.

Prepare the *vareniki* as described for Beef *Vareniki* (page 197), but roll the dough a little thicker—about ⅛ inch—and cut into 3-inch circles. Prepare the pan of boiling water for cooking the *vareniki*.

Spread the cherries on a large plate and sprinkle with the flour. Place 4 cherries on the upper half of a dough round, taking care that no juice drips on the edge of the circle, or it will not seal. Fold the lower half of the round over the cherries and pinch the edges firmly to seal. Brush the edges with egg white, if necessary.

As soon as 8 or 10 *vareniki* have been sealed, cook them immediately. Taste one to test for doneness. With a slotted spoon, remove them to a dish and sprinkle with sugar. Complete the recipe, continuing to cook the dumplings in batches of 8–10. Serve as soon as they are cool and pass the sauce separately.

Make the sauce just before serving. Combine the cherry juice and the sour cream, add sugar to taste, and blend well.

Vareniki s Chernikoi

BLUEBERRY *VARENIKI*

Makes about 56 vareniki, *to serve 6–8*

FOR THE FILLING

3–3½ cups blueberries
½ cup sugar
½–1 teaspoon ground
  cinnamon

3–4 tablespoons all-purpose
  flour

FOR THE DOUGH AND ASSEMBLY

1 recipe Noodle Dough
  (page 189), made with all-
  purpose flour

1–2 egg whites, lightly beaten,
  for sealing the *vareniki*
  (*optional*)

FOR THE SAUCE

1½ cups blueberries

2 cups sour cream

Sugar to taste

Freshly squeezed lemon
juice to taste

Prepare and roll out the noodle dough as described for Cherry *Vareniki* (page 203). Just before filling the rounds, lightly toss the blueberries with the sugar and cinnamon. Spread on a plate and dust with the flour. Fill each round with a scant tablespoon of blueberries. Seal and cook as for Cherry *Vareniki*.

While the dumplings are cooling, make the sauce. Simmer the blueberries with 1½ cups water for 15 minutes, uncovered. Push the blueberries and their juice through a sieve and allow to cool. Immediately before serving, combine the blueberries with the sour cream, sugar, and lemon juice, and serve in a sauceboat.

Lenivye Vareniki

CHEESE DUMPLINGS ("LAZY *VARENIKI*")

Makes 70–80 vareniki, to serve 6–8

FOR THE DUMPLINGS

3½ pounds Cheese for *Pirog*
Filling (page 144)

2 tablespoons unsalted
butter, softened

3 egg yolks

1 cup instant-blending or all-
purpose flour

3 tablespoons sour cream

2 teaspoons sugar

1 teaspoon salt

FOR ASSEMBLING AND COOKING THE *VARENIKI*

¾ cup all-purpose flour for
dusting

1 teaspoon salt for cooking
the dumplings

FOR GARNISH

6–8 tablespoons unsalted
butter, in all

6–8 tablespoons bread crumbs

Place the dumpling ingredients in the bowl of an electric mixer and mix at medium speed for 2 minutes, or until well blended.

Dust the work surface with the all-purpose flour. (The dough is unusually moist and sticky and will absorb most of the flour.) Divide the cheese mixture into 3 parts. Place one part on the floured surface and shape into a long roll, 1¼ inches thick. With a sharp knife, cut the roll diagonally into 1¾-inch slices; they will be roughly diamond-shaped. Set the slices aside on a sheet of wax paper. Continue making cheese rolls and slices.

Melt 3 tablespoons of the butter for garnish. Prepare a *bain-marie* by placing a large bowl in a pan of very hot water.

In a 5-quart kettle, bring 3–4 quarts of water to a boil. Add 1 teaspoon of salt and carefully immerse about 12 dumplings; they should not be too crowded. Return the water to a boil, then immediately lower the heat so that the water is just at a simmer. Cook for 1–2 minutes, or until the dumplings rise to the surface. Taste one to see if it is done. Remove the dumplings with a slotted spoon, holding them over the pot long enough to drain, then place in the *bain-marie*. Spoon some of the melted butter over the dumplings. Continue cooking the rest of the dumplings.

In a small skillet, melt the remaining butter over moderate heat, add the bread crumbs, and cook until golden brown, stirring several times.

Serve the dumplings in a heated bowl sprinkled with the bread crumbs. "Lazy *Vareniki*" make a delicious breakfast, lunch, or second course for dinner.

CHAPTER 6

Fish

WITH its many rivers and seas, Russia has always been able to boast a bounty of fish. Peter the Great once wrote to one of his lieutenants: "There is so much fish in the northern Dvina that if you push an oar into the water it stands up by itself—the shoals of herring are so thick." The Volga and other rivers of the Caspian basin carried various types of sturgeon. Siberian rivers and lakes abounded in salmon. The rivers feeding both the Black and Baltic seas—and of course the seas themselves—were teeming with innumerable kinds of fish.

This natural abundance, coupled with the imposition of up to 250 days of Lent and other fast days by the Russian Orthodox Church, meant that fish was the main source of protein for two-thirds of the year.

"Although Father kept the fast during Lent," wrote Sergei Aksakov in his memoirs of life in the early nineteenth century, "his Lenten fare was diverse and quite delicious, since Ural red salmon, frozen Iletsk sturgeon, fresh caviar, and burbot were always available."

Alas, this is no longer the case. Nowadays, fresh sturgeon and salmon, two prime choices in classic Russian cuisine, are almost never seen in fish stores, and it is virtually impossible to buy trout. Other fish, such as burbot and dwarf smelts (*snetki*), which were also important in the cuisine, have become forgotten names.

Burbot, a freshwater fish of the cod family, is not to be seen on the Russian market today. Occasionally it can be found in American fish stores as ling. The burbot from northern Russia and Siberia were large, ranging from thirty to fifty pounds, while those from the southern areas weighed only about four to six pounds. Burbot is excellent for *piroghi*, *ukha*, and other dishes. Its liver, sautéed and served on croutons, was considered a great delicacy, comparable to *foie gras* in France.

Dwarf smelts, too, have disappeared from the Russian markets. These marvelous little morsels—two and a half to three inches long—were cooked in *shchi* and were eaten with bliny at Butterweek (Chapter 15). Fresh *snetki*, tender and white-fleshed, went whole into a casserole with potatoes and onions. Especially good as an hors d'oeuvre, they were dipped in batter and deep-fried for a few minutes.

The Belozyorskiye *snetki* (those caught in White Lake) were the best in Russia, and these were the ones shipped to the tsar's table. They had a secret life—from time to time it was said they disappeared from the lake and then reappeared, for no known reason. Fish merchants tried repeatedly to ship barrels of Bel-Ozero *snetki* to other lakes and ponds for farming, but they never took.

Today, as always, fish is still important in the Russian diet. Although of course fish can be bought at a fish store or a farmer's market, the choice is limited to only a few saltwater fish—predominantly whiting and cod—and, of the freshwater fish, to carp. For this reason, and also because fishing is a popular pursuit, many Russians still prefer to catch their own. They still fish as they have for decades, with bamboo rods that are rarely equipped with reels. Among the catch might be pike, bream, carp, perch, or chub.

Unlike hunting, always an aristocratic pursuit, fishing had been considered a rather common pastime until the 1840s, when Sergei Aksakov wrote a modest book called *Notes on Fishing*. It was an immediate success, and Aksakov, who had been a public official, was launched into a late but illustrious literary career. The book displays an awesome knowledge of fish, their varieties, customs, and lore, and at the same time it creates a vivid picture of Russian landscapes, of the rivers, lakes, meadows, and hills, of seasons and moods. Amateur fishing was now recognized as appropriate for a man of culture and sophistication.

Of course, passionate anglers have never cared about status, only about the sport. While traveling in Russia in 1948, John Steinbeck marveled at the patience and endurance of Russian fishermen. In winter, they fish through holes in the thick ice that covers many rivers from December through March. In 25- to 35-degree-below-zero weather, thousands of people spend their weekends sitting on small stools, each at his fishing hole, garbed in large, heavy sheepskin coats and hats, waiting for the line to jerk.

The peace and beauty of a summer morning is a great attraction to the summer angler. Anton Chekhov was such a fisherman, and some of his humorous stories—"An Amorous Carp," "The Burbot"—are based on the scenes he observed while sitting with a rod somewhere on the Yauza River near Moscow.

Chekhov's acquaintance with a peasant named Nikita Pantiukhin, who was phenomenally lucky in catching huge burbots on the Pekhorka River, inspired his well-known story, "Malefactor." Nikita made his own fishing gear and, having no money to buy weights, used the nuts that he unscrewed from the railroad at the rail joints. That it could cause an accident did not occur to him. The village policeman tried in vain to reason with him. "What harm will it do?" answered Pantiukhin. "I don't take many, just one here, one there. There's no harm in it. I know what's allowed and what isn't."

The end of the day is a wonderful time, when the angler makes a fire on the riverbank to cook the "angler's *ukha*" with the day's catch. The fish is thrown into a pot of water with an onion and, at the end of cooking, some salt and pepper—fish so fresh needs nothing more.

"Triple *ukha*" is a more complicated soup. First a stock is obtained from cooking the small, least valuable fish. That stock is strained and used for cooking the next level of fish, and in this second stock the best catch of the day is finally poached.

Considering its importance as a staple food, it is not surprising that fish was the subject of a vast body of traditional Russian culinary wisdom. For instance, in terms of nutrition, we are told:

- White-fleshed fish (pike, yellow perch, etc.) are the most digestible.
- Red-fleshed fish (salmon, trout, and others) are the most nutritious.
- Of the fatty fish (whitefish, eel, cod, and so on), fresh cod is the healthiest.

It is encouraging to know that present-day food research proves what common sense has known for a long time.

A curious piece of advice (not tested by us) on how to keep fish alive for several days, if no river water is available:

- In winter, "Place a chunk of dark bread soaked in water in its mouth and put the fish in the snow."
- In summer, "Pour a small glass of vodka or wine in its mouth, cover the fish with moss, and keep in a cold cellar."

HOW TO BUY AND STORE FISH

Fresh Fish   All fresh fish, whether whole or filleted, should be moist and firm to the touch. When you press it with your finger, the flesh should spring back. If your finger leaves an indentation, and the flesh feels soft, the fish has begun to deteriorate. Whole fish should have clear, bulging eyes, bright red gills, and a fresh, pleasant (not fishy) odor. If you do not plan to cook fish the day it is bought, it can be kept for a day or two wrapped in a plastic bag, surrounded with ice, and refrigerated. Replace the ice as it melts.

Frozen Fish   Frozen fish should be kept at 0°F or colder. To defrost, place the fish on the bottom shelf of the refrigerator for 24–36 hours. If you are short of time, you can hasten the thawing by immersing the fish in cold water. Thawing at room temperature is not recommended; the fish will deteriorate faster and lose its elasticity.

PREPARING FISH

To prepare whole fresh fish for cooking, you or your fishmonger should scale it, slit the belly from the tail toward the head, carefully remove the entrails, and cut out the gills. (The gills need not be removed if the fish has just been caught.) If the recipe calls for cooking the fish whole, do not remove the head and tail, which will keep the fish juicy while it cooks and make an attractive presentation when it is served. The fins can be left on the fish or cut off. Wash the cleaned fish well under cold running water and dry in paper towels.

If the fish is to be cooked whole or in large pieces, cut a few shallow gashes on either side of the backbone. (The skin shrinks during cooking.)

COOKING FISH

Timing A key factor in cooking fish well. When it is overcooked by even a few minutes, fish becomes dry and tasteless. Traditionally, in old Russian cookbooks, the cooking times for various fish depended on their thickness. In *James Beard's New Fish Cookery*, Beard describes the "new Canadian" method for cooking fish, which eliminates guesswork and, when applied properly, produces the tastiest, juiciest texture possible. This is the rule: to calculate the cooking time for fresh fish, allow ten minutes per measured inch of thickness (measured at the thickest point from belly to back). For example, if a trout measures 1½ inches at its thickest point, cooking time will be 15 minutes. For frozen fish, double the time.

Seasoning Fish that will be sautéed, broiled, or baked is sprinkled with ½ teaspoon of salt for each pound of fish.

If a recipe calls for seasoning the fish with lemon juice before cooking, do so immediately before cooking, otherwise the flesh will become flaky.

Poaching This is one of the favored methods of fish cookery in Russian cuisine, and many superb sauces have been devised to complement this technique. Fish stock or court bouillon is the usual poaching medium, but for freshly caught fish the rule is to poach it in salted water without further embellishment of spices or vegetables.

A fish poacher with a rack is the preferred utensil for poaching or braising, especially for large whole fish. However, instead of using a rack, the fish can be wrapped in cheesecloth and the ends of the cloth tied to the handles of the poacher to facilitate removal of the cooked fish. If you do not have a fish poacher, a deep roasting pan will do if you have a rack that will fit inside it.

If the poaching liquid will be discarded once the fish is cooked, add 2 level teaspoons of salt to each 3 cups of liquid. In recipes where the liquid will be used later as the basis for a sauce, use 1 teaspoon of salt for 3 cups of liquid. In this case, salt the fish and refrigerate for 1–2 hours before it is cooked.

Bring the poaching liquid to a boil and immerse the fish, which will immediately lower the temperature of the broth. Return almost to a boil, lower the heat to keep the liquid just at a simmer, and begin to time the cooking. For fish poached in fish stock or court bouillon, the liquid should barely cover the fish. Ladle out any excess liquid after the fish has been lowered into the poacher. If you are cooking in wine, or braising, the liquid should cover the fish halfway.

Braising   Of the two ways to braise fish—over low heat on the top of the stove or in a preheated 350°F oven—the oven method is more characteristic of Russian cuisine. Timing begins from the time the cooking liquid, with fish in it, returns to a boil. The liquid should come halfway up the fish. Basting is necessary. If the fish is braised on top of the stove, the liquid should be just under boiling point. If it is braised in the oven, the oven should be preheated to 350°F. Remove the fish from the kettle immediately it is cooked.

Sautéeing   Use oil or clarified butter. Timing begins the moment the fish is put into the pan. For fresh fish cook 6 minutes on one side (or until golden) and 4 on the other side. Double the times for frozen fish. When the fish is cooked, remove it from the skillet immediately.

Deep Frying   We do not recommend deep-frying frozen fish. Heat the oil to 375°F before frying the fish. Cook as many at one time as the pan will comfortably hold. When the fish is first lowered into the pan, the temperature will reduce to about 330°–350°F. Increase the heat slightly to bring it up to 375°F. If the fish has been dipped in batter, add 1–2 minutes to the cooking time. In the course of cooking, turn the pieces once with a slotted spoon as soon as the underside is deep golden. When done, remove from the oil immediately to prevent burning.

Baking   Bake in a preheated 425°–450°F oven. If baking in parchment paper or foil, add 5 minutes to the cooking time for fresh fish and 10 minutes for frozen fish. When cooked, remove the fish from the oven immediately.

Broiling or Grilling   For a 1-inch-thick fish, place the rack 2 inches from the source of heat. For thicker fish place proportionately farther away from the heat—up to 4 inches. Frozen fish should be at least 6 inches from the source of heat. If the thermostat automatically turns off when the temperature reaches 500°F, leave the broiler door ajar. Baste the fish while broiling. When done, immediately remove it from the broiler.

HOW TO SERVE AND GARNISH FISH

To Carve a Whole Fish Place the fish on a flat surface, belly side down. Push the back down carefully, flattening it toward the belly; the sides will bulge a little. Now, cut down to the backbone close to the head and tail, on both sides, using a very sharp knife. Lift the fillets off the bones with a spatula.

To Serve Trout An old recipe advises: "Take the skin off the poached trout, place them on an oval dish lined with well-starched, beautifully ironed linen napkins. Cover with another linen napkin to prevent the fish from cooling off too rapidly. Serve the garnishing and sauce separately."

The traditional way to serve each dish is included in each recipe.

Accompaniments Typical Russian accompaniments for fish are one or several of the following:

• new or all-purpose potatoes (the latter carved into well-rounded shapes) boiled in salted water, drenched in butter, and sprinkled with finely chopped parsley, dill, or chives

• shallots, peeled, parboiled, then sautéed in butter

• sliced and sautéed mushrooms

• sliced Marinated Mushrooms (sometimes lightly sautéed for several minutes in butter; page 438)

• pitted Greek olives

• *cornichons*

• sliced pickles, sometimes parboiled in the fish cooking liquid

• cooked crayfish or crabmeat (shrimp could substitute). For a more lavish setting, this could be combined with beluga caviar

• "white root vegetables," that is, parsley and celery roots, cut into ½-inch dice or sliced ¼ inch thick, cooked in the fish cooking liquid

• numerous salads or vegetable side dishes (see Chapter 9), for instance, cucumber, lettuce, or marinated beet salad, or beet salad with sour cream or mayonnaise, meatless Salad Olivier (page 60), and so on.

POACHING LIQUIDS

In old Russian cookbooks, there are no separate recipes for court bouillon or fish stock. Whenever a poaching liquid was used, the ingredients and cooking methods were incorporated into each recipe, which explains why there are no Russian recipe titles.

RUSSIAN COURT BOUILLON

Makes about 6 cups court bouillon

1   medium parsley root
    A 2-inch-square chunk of
    celery root, *or* 6 celery
    stalks or celery hearts
1   leek (white part only)
2   medium onions

2   bay leaves
10   black peppercorns
10   allspice berries
    Salt to taste

Clean and wash the vegetables, slice them ¼ inch thick, and place in a 4-quart pot with all the spices except the salt. Add 7 cups water, bring to a boil, cover, and simmer for 30–40 minutes. Strain the stock, discard the vegetables and spices, and add salt to taste.

FISH STOCK

Makes 7½–8 cups stock Fr

2   pounds smelts or other
    small freshwater or non-
    oily fish
1–1½ pounds fish heads,
    bones, and trimmings
    (if available)
2   carrots
3   celery stalks or celery
    hearts, *or* a 2-inch-by-3-
    inch chunk of celery root

1   medium onion
1   leek (white part only)
6   black peppercorns
3   allspice berries
2   bay leaves
2   level teaspoons salt

If frozen smelts are used, dip them in warm water and wash well. If the fish is fresh, scale, clean, and dress it (see page 210). Cut off the gills and rinse well. Slice the vegetables ¼ inch thick. Place all the ingredients, including the fish, into a 5-quart pot, add 9 cups water, and bring to a boil. Lower the heat, cover, and simmer for 30 minutes. Strain the broth through a fine sieve. This stock freezes well.

STURGEON

For Russians, sturgeon is the Rolls-Royce of fish. Its flesh is tender yet firm, it is boneless, the fillets are of generous size, and the taste exquisite. With or without sauce, it is good poached, baked, broiled, or prepared as filling for *piroghi, kulebiaka,* or *rasstegaï* (see Chapter 3).

The Caspian, Black, and Azov seas, the Siberian rivers all the way east to the Amur River, and the coastal sea waters of the Pacific offer many varieties of sturgeon—beluga, sevruga, osiotr, sterlet, and others. During the territorial expansions from the sixteenth to the eighteenth centuries, Russian conquerors in Siberia and the Far East found many treasures to attract them: precious stones, ores, and sturgeon in the Ural Mountains; gold, furs, and sturgeon in Siberia.

Sturgeon was considered a valued prize, and not only by the Russians. In 1762, when Captain Ivan Korovin landed on the Fox Islands off the Pacific coast of Siberia, local chieftains presented him with gifts of sturgeon. And Catherine the Great boasted that, in Europe, Louis XIV regularly sent his envoys to Russia to pick up deliveries of sterlet for his table.

A quintessential Russian dish, cold sturgeon with horseradish sauce, appeared on the daily menus of many nineteenth-century Moscow taverns. In the private banquet rooms of the Ermitage Restaurant, live sturgeon would be brought in a tub for the host to choose from, and the fish killed on the spot. (A gourmet will stop at nothing to achieve the perfect dish.) These banquet rooms were notorious as the playground where Moscow's fast set frolicked, and not always in the best of taste. The Red Room, for instance, was the scene of a bizarre crime in which a highly trained circus hog belonging to a renowned clown, Tanti, was cooked for and devoured by a horde of malicious gourmands.

However, the main floor of the restaurant was quite respectable. Decorated in classical style, it was often the setting of magnificent banquets, including the Alexander Pushkin centennial celebration in 1899.

For those who cooked sturgeon at home, the best place to go was the Okhotnyi Row market. During the busy holiday seasons, ermine-clad matrons in horse-drawn sleighs would stop at the stalls, then drive off with 7-foot-long, 35-pound sturgeons proudly displayed on their laps. A not unusual sight was the delivery of a beluga so large it required two carts hooked together to encompass its length.

Today, sturgeon cannot be found for sale in any of the public fish markets in Russia. Occasionally, sturgeon steak in aspic will appear on the menus of some of the better restaurants, and, if one is lucky, it may even be available when ordered.

ALTERNATIVES TO STURGEON

Sturgeon is only rarely available in the United States, although, when it can be found, it may be cheaper than salmon. Fortunately, there are a number of alternative fish which can be used in the recipes that follow, although no fish, however excellent, can be compared to sturgeon, with its unique (and superior) flavor.

Salmon, trout, halibut, butterfish, and sole—or any other white-fleshed fish—can be cooked in the same manner as sturgeon. For 4 pounds of sturgeon fillets, serving 6–8 people, substitute an equal quantity of fish steaks or fillets. For whole fish, use a 6-pound salmon or 3 large trout (1½–2 pounds each) or 6 smaller trout (¾–1 pound each).

Osetrina Varionaia v Belom Vine

STURGEON POACHED IN WHITE WINE

An old Russian cookbook gives the title of this classic dish as "Extra-ordinarily Tasty Sturgeon Poached in White Wine," and so it is, especially when the fish is poached in champagne.

Serves 6–8

4   pounds sturgeon fillets, *or* 6 sturgeon steaks, 1 inch thick (see page 216 for substitutions)
   Salt to taste
1   bottle dry white wine or champagne, *or* enough wine to cover the fish halfway

4   tablespoons unsalted butter, cut into ½-inch pieces
2   large lemons, cut into wedges with seeds removed

FOR THE HOT WINE SAUCE (*optional*)

2   tablespoons instant-blending flour
2   tablespoons unsalted butter

2   cups poaching liquid
   Salt to taste
   Lettuce leaves and lemon wedges for garnish

FOR THE ASPIC AND GARNISH (*optional*)

	The poaching liquid	6	small parsley sprigs
	Gelatin (1 tablespoon for each 2 cups of poaching liquid)	6–12	pitted Greek olives (loose, oil-cured)
6	lemon slices, cut in half and edges scalloped		

Cut the fillets into pieces about 3 inches long, sprinkle lightly with salt, and place on the rack of a fish poacher or in a chafing dish. Add enough wine to cover the fish halfway, dot with butter, and arrange lemon wedges over the fish. Cover, bring to a boil, lower the heat, and simmer until the fish is cooked, allowing 10 minutes for each inch of fish, measured at its thickest point (see page 211).

This excellent dish can be served three ways.

TO SERVE PLAIN

Sturgeon or salmon poached at the table in a chafing dish can be served without garnish as a treat for a small party. Skin the pieces of fish before cooking them. When they have been poached, using a wide fork or a spatula, lift the fillets from the cooking liquid, allowing as much broth as possible to drain off, and place on heated serving plates. (Do not discard the broth; it can be frozen and used later to poach fish or for sauces.) Serve with a lettuce or cucumber salad.

TO SERVE WITH WINE SAUCE

The fish can be served with a sauce made from the poaching liquid, which is extremely tasty. When the fish is cooked, remove the rack from the poacher and allow the fillets to drain for a moment or two. Remove the skin, then transfer the fish to a heated serving plate, cover well with foil, and keep warm while the sauce is cooking.

In an ungreased skillet, stir the flour over low heat for 2–3 minutes, or until it is dry and pale golden. Add the butter and cook until it bubbles, then gradually add the poaching liquid and continue to cook, stirring, until the sauce has thickened, about 2–3 minutes. Taste for salt. Pour into a heated sauceboat and serve separately.

Surround the fish with lettuce leaves and decorate with lemon wedges. Serve with a lettuce or cucumber salad and boiled new potatoes drenched in butter and sprinkled with chopped parsley.

TO SERVE COLD IN ASPIC

The poached fish can be served cold, covered with a splendid piquant aspic made from the poaching liquid.

Drain the fillets on the poaching rack, carefully remove the skin, and place the fish in individual deep serving dishes or on a large deep platter. Cover well and refrigerate. Strain the cooking liquid, chill it, and when it is cold, remove the fat that has risen to the top. Soften the gelatin (1 tablespoon to each 2 cups of liquid) in ¼–½ cup of cold broth and reheat the remaining broth. Add the gelatin and cook over low heat, stirring, until the gelatin has dissolved; do not allow to boil. Cool and chill the aspic until it is syrupy. Decorate the sturgeon with lemon slices, parsley sprigs, and olives. Gently pour or spoon the aspic over the fish and refrigerate for 2–3 hours, or until set.

Otvarnaia Osetrina s Sousom iz Kapersov
POACHED STURGEON WITH CAPER SAUCE

The smallest of sturgeon varieties, sterlet was valued not only for its tenderness but because it was small enough (the average length was 24 inches) to be easily transportable and could be delivered live to stores and restaurants. "Sterlet must enter the kitchen alive" was the stern rule. Many restaurants had tanks or pools to accommodate the sterlet. A few gourmets even had sterlet pools built on their estates. One such man was Arsenii Shibaev, rich in pocketbook and imagination. The garden (which he called "Riviera") behind his Moscow townhouse had a sterlet pool with flowing water and a pergola with a statue of Diana adorning the entrance. The "Riviera" was the scene of bachelors' parties in which the host introduced a caprice all his own.

No wine was put on the fully set table in the pergola. Instead, bottles of champagne, Tokay, cognacs, Madeira, and liqueurs had been hidden under the shrubs and trees, their tops wrapped in silver paper and gleaming faintly in the grass. After the first course—almost inevitably sterlet with caper sauce—"the hunt" was announced. The guests rushed to look for the bottles. Whoever found the first one barked like a dog, and a servant blew on a hunting horn. The bottle was triumphantly brought to the table, an old Gypsy entertainer sang an appropriate song (he had a special song for each type of wine), and the company proceeded with the supper. As each bottle was emptied, the guests careened around the garden looking for the next one.

These noisy "hunts" upset one of Shibaev's neighbors, who complained to the police that strange and possibly dangerous rituals were being performed. To counteract any evil, he ordered a statue of the Moscow governor to be erected in his own garden. Finally, the police prohibited the "hunts" and ordered the neighbor to remove the statue. A policeman stood guard in Shibaev's garden.

Shibaev was grief-stricken and left for the real Riviera. Nothing there made him happy. Nothing could console him, and his nostalgia for the pergola suppers soon brought him back to Moscow. He arrived late at night and immediately headed for his garden. There he found the guard and his own porter crawling around in the grass looking for abandoned bottles. "Wait, I'll crawl with you," cried Shibaev. He ordered the pool to be replenished with sterlet; suppers in the pergola resumed, but even sterlet with caper sauce, caviar, and the best wines (now served on the table) could not make up for the merriment that was gone.

Serves 6–8

1	recipe Sturgeon Poached in White Wine (page 216)	12	Marinated Mushroom caps (page 438)
1	recipe wine sauce (page 216)	2	tablespoons freshly squeezed lemon juice
12	Greek olives, pitted (loose, oil-cured)	2	tablespoons finely chopped parsley or dill
2	tablespoons capers		Salt to taste

Poach the sturgeon. When it is cooked, drain it, remove the skin, and keep warm on a heated serving dish, well covered with foil.

Prepare the wine sauce as directed. After the sauce has simmered for 2–3 minutes, add the olives, capers, mushroom caps, and lemon juice, and simmer 1–2 minutes more. Remove from the heat, add the chopped greens and salt to taste, and pour over the platter of fish.

Serve the fish accompanied by new potatoes drenched in butter and sprinkled with finely chopped parsley or fresh dill.

SAUCES AND GARNISHES FOR POACHED FISH

The following recipes include sauces and garnishes that are traditionally served with sturgeon poached in court bouillon or fish stock. However, they can be used very successfully with other poached fish fillets, especially those which have been suggested as good alternatives to sturgeon (see page 216). All the recipes yield sufficient sauce or garnish to accompany 4 pounds of poached fish fillets, or enough to serve 6–8.

Otvarnaia Osetrina

POACHED STURGEON

Serves 6–8

4 pounds sturgeon fillets or
  6 sturgeon steaks, 1-inch
  thick
Salt to taste

1 recipe Russian Court Bouil-
  lon (page 214)
2 tablespoons lemon juice

Cut the fillets into pieces about 3 inches long, sprinkle lightly with salt, and place on the rack of a fish poacher or in a chafing dish. Add enough court bouillon to cover the fish halfway, add the lemon juice. Bring to a boil, lower the heat, cover, and simmer until the fish is cooked, allowing 10 minutes for each inch of fish, measured at its thickest point (see page 211). As soon as the fish is done, remove from flame and lift fillets from poaching liquid. Skin the fillets and serve in one of the following ways.

Otvarnaia Osetrina s Khrenom

POACHED STURGEON WITH CREAMED HORSERADISH SAUCE

Serves 6–8

1 recipe cold Poached
  Sturgeon (page 220)
  lettuce leaves
  lemon wedges

  parsley sprigs
1 recipe Creamed-Style
  Horseradish (page 616)

Arrange the poached, skinned fish on serving platter decorated with lettuce leaves, lemon wedges, and parsley sprigs. Pass the horseradish separately.

Otvarnaia Osetrina s Sousom Shampinionov i Krabov

POACHED STURGEON
WITH MUSHROOM AND CRABMEAT SAUCE

The original recipe called for crayfish, a Russian favorite. Here we are substituting crabmeat.

Serves 6–8

1 recipe Poached Sturgeon (page 220)	¼ pound crabmeat (cooked, fresh, or canned), picked over for cartilage
12 mushrooms, cut into ⅛-inch slices	3 egg yolks
4 tablespoons unsalted butter, in all	1½ tablespoons freshly squeezed lemon juice
2 tablespoons instant-blending or all-purpose flour	Finely chopped parsley
2 cups poaching liquid, in all	Salt to taste

FOR THE GARNISH

12 mushroom caps sautéed for 10 minutes in 2 tablespoons unsalted butter	Lettuce leaves
12 cooked shrimps, shelled and deveined	Scalloped lemon slices
	Cooked and shelled crab legs (*optional*)

Arrange the poached fillets on a heated platter, cover with foil, and keep warm.

Dry the sliced mushrooms in paper towels. In a skillet, melt 2 tablespoons of butter and sauté the mushrooms for 7–10 minutes. Set aside in a warm place.

Following the instructions for the wine sauce on page 217, prepare the *velouté* using the flour, 2 tablespoons of butter, and 1½ cups of poaching liquid. When the sauce has thickened, remove it from the heat.

In a blender or food processor, purée the crabmeat with the remaining ½ cup of poaching liquid and reserve (see *Note*).

With a whisk, beat the egg yolks just to blend and stir in ½ cup of the sauce. (It will still be warm; take care that it does not cook the yolks.) Gradually whisk in another ½ cup of the hot sauce, stirring to heat the yolks through, then pour the mixture into the sauce together with the crabmeat purée, lemon juice, and salt to taste. Place over low heat and, whisking constantly, cook for 4–5 minutes, or until the sauce is quite thick. Remove from the heat. Add the sliced sautéed mushrooms, and stir.

To serve, pour all of the sauce over the fish, or reserve half of it to be passed separately in a heated sauceboat. Surround the fish with all the garnish ingredients in a decorative arrangement and accompany with rice.

Note: The crabmeat can also be served as a garnish, arranged in two neat piles on opposite sides of the serving platter. In this case, do not purée the crabmeat.

Osetrina ili Lososina Po-Russki

POACHED STURGEON OR SALMON WITH RUSSIAN-STYLE SAUCE

This sauce is especially good with salmon and will taste even better if the fillets are poached in Fish Stock (page 214).

Serves 6–8

1 recipe Poached Sturgeon or Salmon (page 220)

2 tablespoons instant-blending or all-purpose flour

2 tablespoons unsalted butter

1½ cups poaching liquid

3 tablespoons fresh or canned tomato sauce

3 Brined Cucumbers (page 423), Claussen Kosher Pickles, or delicatessen sour pickles, cut into ⅜-inch dice

12 Marinated Mushroom caps (page 438)

12 Greek olives, pitted

1 tablespoon capers
Salt, sugar, and paprika to taste

Place the cooked, skinned fish fillets on a heated platter, cover well with foil, and keep warm.

Prepare a velouté sauce with the flour, butter, and poaching liquid, following the instructions for the wine sauce on page 217. The sauce will be very thick; stir it often as it cooks. Stir in the tomato sauce and simmer over low heat for 3–5 minutes more, stirring constantly. Add the remaining ingredients, stir, bring to a boil, and remove from the heat. Serve in a heated sauceboat, or pour some of the sauce over the fillets. Accompany with boiled new potatoes drenched in butter and sprinkled with chopped parsley.

Osetrina s Sousom iz Greskikh Orekhov
POACHED STURGEON WITH WALNUT SAUCE

This sauce is also excellent with other hot or cold poached or baked fish.

Serves 6–8

1	recipe Poached Sturgeon (page 220)	1	tablespoon olive oil
20	shelled walnuts	1	tablespoon sugar
1	teaspoon mustard (preferably Düsseldorf or Dijon)	¼	cup wine vinegar or freshly squeezed lemon juice
2	hard-cooked egg yolks		Salt to taste
1	tablespoon bread crumbs		

Place the cooked, skinned fish fillets on a heated platter, cover well with foil and keep warm if you are serving hot; chill in the refrigerator if you are serving cold.

Chop the walnuts finely in a blender or food processor, add the remaining ingredients and blend well. If the sauce is too thick, add 2–4 tablespoons boiled water. Serve at room temperature in a sauceboat.

Otvarnaia Osetrina s Vishniovym Sousom

POACHED STURGEON WITH MORELLO CHERRY SAUCE

Serves 6–8

1   recipe Poached Sturgeon (page 220)
8   small cubes sugar moistened with 1 tablespoon poaching liquid
1½ cups poaching liquid, in all
3   tablespoons instant-blending or all-purpose flour
2   tablespoons unsalted butter
1   tablespoon olive oil

½   cup freshly squeezed or canned Morello (sour) cherry juice (see *Note*)
⅓   cup Madeira wine
⅛   teaspoon ground cloves
¼   teaspoon ground cinnamon
1–2 teaspoons freshly squeezed lemon juice (*optional*)
2   tablespoons *cornichons*
    Salt to taste

Arrange the fish fillets on a serving platter, cover with foil and keep warm; or chill, if you plan to serve it cold.

In a heavy 1½-quart saucepan, over moderate heat, melt the sugar and cook until it is caramelized and light brown. Add ½ cup of poaching liquid, bring to a boil, stir well to blend, and remove from the heat.

Prepare a velouté sauce using the flour, butter, olive oil, and remaining cup of poaching liquid, following the instructions for the wine sauce on page 217. Stir the sauce into the sugar mixture and add the cherry juice, Madeira, cloves, and cinnamon. Taste the sauce; if it is too sweet, add lemon juice as needed. Add the *cornichons* and salt to taste and bring to a boil again. Remove from the heat and serve separately in a sauceboat.

Decorate the fish fillets with lettuce leaves and parsley. If serving hot, accompany with rice. If you are serving the fish cold, accompany with a light salad.

Note: One-half cup of fresh cherry juice can be made by puréeing 1½–2 cups pitted cherries in a blender or food processor, then squeezing the purée through 4 layers of cheesecloth.

Otvarnaia Osetrina
s Tatarskm Sousom

POACHED STURGEON WITH
OLD- OR NEW-STYLE TARTAR SAUCE

Serves 6–8; makes about 1¼ cups sauce

1 recipe Poached Sturgeon
   (page 220)

OLD-STYLE TARTAR SAUCE

1 cup Mayonnaise (page 38),   3–4 tablespoons Cream-Style
   made with 1 tablespoon   Horseradish (page 616)
   vinegar   ½ teaspoon sugar

NEW-STYLE TARTAR SAUCE

1 cup Mayonnaise (page 38)   12 *cornichons*, finely chopped

Arrange the sturgeon fillets on a serving platter or on individual serving plates.

To make either of the tartar sauces, combine the ingredients for each and blend well. Serve separately.

Otvarnaia Osetrina
so Smetannym Sousom

POACHED STURGEON WITH SOUR CREAM SAUCE

Serves 6–8

1 recipe Poached Sturgeon   ½ teaspoon freshly grated
   (page 220)   lemon rind, *or* ¼ teaspoon
4 tablespoons instant-   freshly grated nutmeg
   blending or all-purpose   Salt to taste
   flour
2 tablespoons unsalted   6 lemon wedges
   butter   Lettuce leaves
1½ cups poaching liquid
¾ cup sour cream

Arrange the fish fillets on a serving platter, cover, and keep warm if you are planning to serve the dish hot; if you are serving the dish cold, chill in the refrigerator.

Prepare a velouté sauce with the flour, butter, and poaching liquid, following the instructions for the wine sauce on page 217. Add the sour cream, mix well, and bring to a boil over moderate heat. Remove from the heat and add the grated lemon rind and salt to taste.

Decorate the platter of fish with the lemon wedges and lettuce. Pour some of the sauce over the fish and serve the remainder in a sauceboat.

If served hot, accompany with boiled new potatoes dotted with butter and sprinkled with parsley. If the dish is served cold, accompany with a salad.

Otvarnaia Osetrina s Rakovymi Sheikami i Ikroi

POACHED STURGEON WITH CRAYFISH TAILS AND CAVIAR

There was a time, there was, indeed! The old Moscow residents remember the famous Griboyedov's! . . . Pike-perch cooked to order! A cheap trifle. . . . What of the sterlet, the sterlet in a silvery dish, served sliced and interlarded with crayfish tails and fresh roe?

—Mikhail Bulgakov
The Master and Margarita

Serve this opulent dish as the capstone of a memorable meal, either as an hors d'oeuvre or as the main course for a summer dinner. Use only the freshest ingredients and accompany with the finest champagne.

Serves 6–8

1 recipe Poached Sturgeon (page 220)	3–4 ounces beluga, sevruga, or ossetra caviar
6–8 ounces cooked crayfish tails or crab legs, shelled	Lettuce leaves and parsley sprigs for garnish
½ cup Mayonnaise (page 38)	6–8 lemon wedges

Cool the poached fish, remove the skin, and cut into even ½-inch slices. Arrange on a serving platter in an overlapping pattern and decorate with the crayfish tails, placing a dollop of mayonnaise underneath each piece of crayfish. Fifteen minutes before serving, remove the caviar from the refrigerator. Garnish the fish with caviar just before bringing to the table, surround with lettuce leaves and decorate with parsley and lemon wedges.

Otvarnaia Osetrina
so Svezhymi Ogurtsami

POACHED STURGEON WITH CUCUMBER GARNISH

Serves 6–8

1 recipe Poached Sturgeon (page 220)	12 Greek olives, pitted (loose, oil-cured)
1½ tablespoons capers	6–8 cucumbers (5–6 inches long), peeled and quartered lengthwise
1½ tablespoons finely chopped fresh dill	
1 lemon cut into 6 wedges	

Arrange the poached, skinned fish on a serving platter, sprinkle with the capers and chopped dill, decorate with lemon wedges and olives, and surround with cucumbers. If served hot, accompany with boiled new potatoes drenched in butter and sprinkled with dill. If served cold, no accompaniment is needed.

Osetrina Zapechonnaya s Parmezanom

BAKED STURGEON WITH PARMESAN CHEESE

Serves 6

4 pounds sturgeon fillets	⅛ teaspoon freshly grated nutmeg
Salt to taste	
4 hard-cooked egg yolks	3 tablespoons bread crumbs
1 tablespoon unsalted butter, softened	¼ pound Parmesan cheese, grated
1½ cups sour cream	2 tablespoons olive oil
2 tablespoons freshly squeezed lemon juice	

Wash the fillets, dry with paper towels, sprinkle with salt, and refrigerate for 2 hours.

Preheat the oven to 400°F.

Arrange the fish in a baking dish or casserole 3–4 inches deep. In a bowl mash the yolks, blend with the softened butter and sour cream, and add the lemon juice and nutmeg. Beat well with a whisk until completely smooth, then pour over the sturgeon.

Mix the bread crumbs with the cheese and spread evenly over the sauce. Sprinkle with the olive oil.

Bake 5–7 minutes longer than indicated on page 212 (on account of the sauce).

This dish is best served from the casserole, with boiled new or regular potatoes rolled in butter and finely chopped fresh parsley.

Pickles, *cornichons*, tart salads like Marinated Beet Salad (page 46), or a lettuce salad complement the fish very well.

SALMON

After sturgeon comes salmon. Great St. Petersburg restaurants like Felicien, Cubat, and Medved, and such taverns as the Maly Yaroslavetz and Palkin were well known for their excellent fish cuisine.

Fresh salmon garnished with mayonnaise was the favorite luncheon dish in St. Petersburg, just as poached sturgeon with horseradish was in Moscow. These preferences point up the difference between the cuisines of the two cities: the capital had a more cosmopolitan air, while Moscow, always emphatically Russian, tenderly preserved the old traditions and tastes.

Siberian rivers and coastal waters of the Pacific abounded in salmon of a great many varieties. But the largest—up to 115 pounds—and the tastiest salmon came from the Kura River in the Caucasus.

Lososina
Zapechonnaia v Fol'ge
SALMON BAKED IN PARCHMENT

Salmon prepared this way is juicy, exquisite, and elegant.

Serves 6–8

4 pounds salmon or red snapper fillets, cut into 8 pieces about 2 inches wide

¼ cup olive oil
Salt to taste
Freshly ground black pepper to taste

2 large onions, finely chopped

2 4-ounce cans sardines in oil (preferably Spanish or Portuguese)

½ cup (¼ pound) unsalted butter, softened

1 tablespoon freshly squeezed lemon juice

½ cup (¼ pound) unsalted butter, softened, for greasing the parchment paper

3–4 tablespoons finely chopped chives

6–8 circles of parchment paper or foil, each large enough to enclose 1 slice of fish

Use fresh or completely thawed salmon (see page 210 for thawing instructions).

Sprinkle the fish with the olive oil, salt, and pepper. Spread half the chopped onions on a large platter, place the salmon over the onions in a single layer, and cover with the remaining onions. Cover and refrigerate for 3–4 hours.

To prepare the sardine dressing: drain the sardines, then chop or purée them with the softened butter and lemon juice. Set aside.

Set the baking rack at the middle level of the oven and preheat the oven to 450°F.

If you are using parchment paper, butter both sides of each circle; for foil, butter only the side on which you will place the fish.

Gently scrape the chopped onions from the fish slices (see *Note*). Place a slice of fish on half of each circle of parchment. Divide the dressing into 8 equal parts and spoon over the salmon. Sprinkle with the chives. Fold over the edges of the circles to form semicircles and crimp the edges to enclose the fish, leaving enough space for steam to escape.

Place the packages on a baking sheet and bake according to the instructions on page 212, allowing 5 minutes extra because of the parchment paper.

Serve one package to each guest, or, for a more elegant presentation, remove the salmon from the parchment and arrange on a heated serving platter. Accompany with new potatoes or rice, green peas and carrots, or a salad.

Note: The onions can be sautéed or baked and served with another fish dish. Wrap well before storing.

Zharenaia Lososina
SAUTÉED SALMON STEAKS

Serves 6

6	salmon steaks cut 1 inch thick	½	cup small Marinated Mushrooms (page 438)
	Salt to taste	12	Greek olives, pitted (loose, oil-cured)
3	medium onions, finely chopped	3	*cornichons*, thinly sliced
2	tablespoons finely chopped parsley	½	cup Madeira wine
1	cup olive oil	2	tablespoons instant-blending or all-purpose flour
6	raw mushrooms cut into ¼-inch slices	2	tablespoons unsalted butter
		⅛	teaspoon paprika

Dry the salmon steaks with paper towels and arrange them in a baking pan 2 inches deep. Sprinkle with salt, cover with the onions and parsley, and pour the oil over them evenly. Cover and refrigerate for up to 4 hours, turning the steaks every 30 minutes.

Remove the steaks with a slotted spatula, gently scraping the onions back into the pan, and dry the fish on several layers of paper toweling. Strain the oil from the onions and parsley and reserve 2 tablespoons of them and all the oil separately.

Sauté the fish in 2 tablespoons of the reserved oil for 3 minutes on each side. Brush oil on a baking dish large enough to hold the fish in one layer, and place the salmon in it once it is sautéed.

Prepare the sauce: Place the raw and marinated mushrooms, olives, *cornichons* in a 1½-quart saucepan. Add the Madeira and ½ cup of water. Bring to a boil, lower the heat, and simmer, uncovered, for 10 minutes. In an ungreased heavy skillet, heat the flour, stirring continuously for 2–3 minutes, or until the flour turns pale golden. Add the butter and stir. When bubbles appear, gradually add 1 cup of boiling water, bring to a boil, lower the heat, and simmer for 2 minutes. Pour the sauce into the mushroom mixture, add the reserved chopped onions and parsley, and simmer for 10 minutes.

Set the baking rack at the middle level of the oven and preheat the oven to 375°F.

Strain ½–¾ cup of the sauce over the steaks and bake for 5–6 minutes, or until done.

Arrange the salmon on a heated serving platter, surround with the vegetables from the sauce, and strain the remaining sauce over the dish. Serve with rice.

Pozharskii Kotlety
iz Lososiny
SALMON CROQUETTES POZHARSKII

Serves 6

6   ounces 2-day-old French
    bread, crusts removed
1   cup half-and-half
2   pounds salmon fillets
1   egg
1   egg yolk
½   medium onion, grated
8   tablespoons (1 stick) un-
    salted butter, softened

Freshly ground black
    pepper to taste
A pinch of freshly grated
    nutmeg
Salt to taste
¾   cup fine bread crumbs
4   tablespoons unsalted
    butter, preferably clarified
    (page 617), melted

Soak the bread in the half-and-half for 8–10 minutes, then squeeze out the excess liquid.

Put the salmon through the meat grinder twice, the second time adding the bread. Or carefully grind the salmon and bread separately in a food processor, using the steel blade, taking care not to over grind or purée the ingredients. In the mixing bowl of an electric mixer, combine the ground fish and bread, the egg, egg yolk, onion, and 8 tablespoons of softened butter. Mix for 1 minute at low speed, then beat for 3 minutes at medium speed. Add the spices and salt and beat for 1 minute more at moderately high speed.

Spread the bread crumbs on a sheet of wax paper. In a large heavy skillet, melt the clarified butter over low heat while you make the croquettes.

Scrape the fish mixture into a bowl rinsed with cold water and, with wet hands, form into 12 oval croquettes about 4 inches long. Roll them in the bread crumbs, flattening them lightly, and sauté in the clarified butter over moderately low heat for about 10 minutes altogether, turning to brown them on all sides. The fish should be cooked through, but be careful not to burn the bread-crumb coating.

Serve hot with boiled potatoes (preferably new potatoes) and lettuce or cucumber salad or Brined Cucumbers *Malossol* (page 424).

TROUT

> *His footman spoke to him in Russian, apparently offering him a choice,*
> *and the countess settled the problem without referring to him.*
> *"As this is your first visit to Russia," she explained, "I could be sure*
> *that you have not yet tasted our Volga River trout."*
> *She was helping herself to one as she spoke, from a golden dish;*
> *Hornblower's footman was presenting a similar golden dish.*
>
> —*C. S. Forester*
>
> Commodore Hornblower

The cool, clear waters of Sevan Lake in the Armenian mountains and the ponds of the Carpathian Mountains breed the most superior trout. (The most exquisite fish, caught in the Neva River near St. Petersburg and regularly exported to France in the nineteenth century, was the salmon trout, which, alas, is no more.) A 100-year-old cookbook says that poaching is the only way to cook trout, although the book also gives recipes for sautéed, braised, and deep-fried trout. There are also a number of theories about how soon it should be cooked after it is caught—anywhere from two hours to one day. Trout is usually served whole. When it is prepared for stuffing or skewer-broiling, it is dressed through the gills and the skin is kept whole.

Poached trout was traditionally served in starched linen napkins, and small trout (about 7 inches long) are attractive served in a ring, with the tail and head curved together, which is also a practical way to poach trout if no oblong poacher is available.

"Do you want to see trout ponds?" asked a friend who was showing me around his hometown in the far western part of the Ukraine. In my twenty-five years in Moscow and Kiev, I'd never seen a trout pond, so my friend (he had exciting connections) bundled me into the office car and we set off.

The region was special. It had belonged to Hungary before being annexed by Russia after World War II, and it still had a touch of old Europe—charming and beautiful, neat.

The ponds were situated in a virgin mountain forest, and the clearing in the woods was magical. Everything was larger than life: the grass reached to one's shoulders, the wild daisies were the size of saucers, the thick, fragrant air seemed to belong to a different, better planet. The silence was overwhelming. In the rectangular pond, the trout moved pensively and aloofly.

Three large ones were caught with a net and placed in a bucket with the pond water.

The man who met us at the door of a pretty little house could have been cast as Falstaff. He was tall, fat, loud, and jovial. "Meet the last trout cook in Russia," he roared and hustled us into the kitchen. It was the best kitchen I had ever seen, with a large professional-looking stove. There were a lot of gadgets, old but shiny, whose purpose I did not know.

"Before the war, this house belonged to the retired cook of the last Austrian emperor, Franz-Josef. I paid five times the price of the house, just to be able to cook in this kitchen." "Five times!" I gasped. "Trust me only halfway," said Falstaff good-naturedly.

Everything was larger than life that day. The Last Trout Cook, who looked sixty but was eighty, told us stories of his life in prerevolutionary St. Petersburg, where he had been the chef at one of the best restaurants and had cooked trout for the court and courtiers, for Diaghilev and Rasputin, for the famous poets and actors. For us he offered to cook his two most popular recipes.

"I will now show you how to dress trout through the gills," he said, "and I will do it with my eyes closed. Watch me." He did it artistically, in three swift strokes, and then proceeded to cook, reciting recipes mixed with poems by Pushkin and Mandelstam (poetry was his other great passion), sipping wine, and enjoying himself tremendously.

"I cooked the trout on the basis of two opposing concepts," he told us at the table. "These two have been poached in a mixture of white wine, Madeira, and rum, then baked. The third one has been baked in the simplest way, with just a thin slice of salt pork fat inserted along the backbone. You will judge which way is better. I personally prefer it *au naturel*: sophisticated natures gravitate toward utmost simplicity."

False modesty was alien to our Falstaff. Yet judge for yourself—the recipes follow.

Forel' Varionaia
v Belom Vine, Madere i Rome

TROUT BAKED IN WHITE AND
MADEIRA WINES AND RUM

Serves 6

6	trout (¾–1 pound each), *or* 3 trout (1½–2 pounds each)
2	parsley roots, cut into ½-inch dice
2	medium onions, cut into ¼-inch julienne strips
2	parsnips, cut into ½-inch dice
2	celery hearts, cut into ½-inch dice
2	tablespoons unsalted butter, melted
1	cup dry white wine
½	cup Madeira wine
⅓	cup rum

2	cups Fish Stock (page 214)
2	small bay leaves and 10 allspice berries, tied in a cheesecloth bag
	Salt to taste
1	tablespoon instant-blending or all-purpose flour
1	tablespoon unsalted butter
3	cups cooking liquid (from above)

Set the baking rack at the middle level of the oven and preheat the oven to 325°F.

Wash, scale, and clean the fish, cut out the gills, and slash the skin lightly in three or four places. Place the trout on the rack of a Dutch oven and surround with the vegetables. Brush with the melted butter and pour in the wines and rum. Add Fish Stock to barely cover the trout. Add the spice bag and salt, then cover with a lid.

Bring the fish liquids to a boil on top of the stove and, as soon as you hear them bubbling, place the pot in the oven. Cook for 20 minutes for each inch of fish, measured at the thickest part. (This is a longer time than ordinarily recommended because of the lower oven temperature.)

Carefully arrange the fish on a heated platter, cover, and keep warm. Reserve the cooking liquid.

In an ungreased skillet, dry the flour for 2–3 minutes, stirring continuously. Add the tablespoon of butter and, when bubbles appear, ladle in 3 cups of strained liquid, stirring continuously. Cook for 3 minutes.

Pour one-third of the sauce over the fish and serve the rest in a sauceboat. Serve with boiled new potatoes sprinkled with finely chopped fresh dill or parsley.

Forel' Zapechonnaia s Salom
BAKED TROUT WITH BACON

Serves 6

3 trout (1½–2 pounds each),
   or 6 trout (¾–1 pound
   each)
   Salt to taste
6 strips bacon, cut into
   1-inch pieces, *or* 6 ounces
   pork fatback, cut into
   strips ½ inch wide and ¼
   inch thick

2½–3 tablespoons vegetable
   oil, in all

Preheat oven to 400°F.

Wash, scale, and clean the fish, cutting out the gills and the fins. Slash the skin lightly and make a ½- to ¾-inch incision all along the backbone (the larger the trout, the deeper the incision). Lightly salt the fish (the bacon will impart some of its saltiness). If you are using bacon, fold the strips in half lengthwise and insert them into the incisions.

Brush an oven-to-table baking or roasting pan with ½ tablespoon of oil and place the fish in the pan, brushing them with 1½–2 tablespoons more oil.

Bake the fish according to the instructions on page 212. If the skin looks dry after 5–8 minutes, brush lightly with the remaining oil.

Serve with baked or boiled potatoes placed around the fish in the pan, and accompany with a salad or marinated fruit or pickles.

Forel' Satsivi
POACHED TROUT WITH *SATSIVI* SAUCE

Serves 6

6 trout (¾–1 pound each), *or*
   3 trout (1½–2 pounds
   each)
1 teaspoon salt
3 bay leaves
8 allspice berries

2–2½ cups *Satsivi* Sauce (page
   326)

   Parsley leaves
   Lemon slices
   Pomegranate seeds
   (*optional*)

Wash, scale, and clean the fish. Cut out the gills and slash the skin lightly in 3–4 places.

Place the trout on the rack of a fish poacher, add water to cover them halfway, add the salt, bay leaves, and allspice, and braise according to the instructions on page 212.

Drain the fish and place on a serving platter. Cover with the sauce and decorate with parsley, lemon, and pomegranate seeds. Allow to cool and serve at room temperature.

Forel' Kol'chikom
TROUT RING

> *"A fish ring made of sterlet is good, too,"* put in the Honorary Justice, *closing his eyes, and then suddenly, astonishingly, with a ferocious air, he rushed from his seat, and roared at the Presiding Judge, "Pyotr Nikolaich, will you be done soon? I can't wait any longer, I just can't!"*
> *"Just let me finish!"*
> *"The deuce! I'll eat alone!"*
>
> —Anton Chekhov
> "The Siren"

Serves 6

6 trout (¾–1 pound each)	1 recipe Fish Stock (page 214; see *Note*)

Wash, scale, and clean the fish, cut out the gills, and slash the skin lightly in three or four places. Tie a piece of kitchen string around the tail of each fish, then run the ends of the string through the gills or the eyes and tie the head and tail together tightly.

Place the fish rings in two large pots, 3 fish to a pot. Poach in the Fish Stock, following the directions on page 211. When the trout are cooked, remove each one carefully from the pot, using 2 spatulas or long-tined forks. Place on individual heated dinner plates and remove the string.

Serve with boiled new potatoes, baby carrots, a lettuce or cucumber salad, or marinated grapes (page 440).

Note: The trout can also be cooked in a bottle (or more, if necessary) of light white wine, champagne, or in the white wine, Madeira, rum, and Fish Stock called for in Trout Baked in White and Madeira Wines and Rum, page 235.

Forel' na Vertele
po-Armianski
BROILED TROUT, ARMENIAN-STYLE

Serves 6

6 trout (¾–1 pound each)	Scalloped lemon slices
Salt to taste	6 heaping tablespoons
Freshly ground black	pomegranate seeds, *or* 6
pepper or paprika to taste	lemon wedges, *or* 6 table-
2 tablespoons finely chopped	spoons pomegranate or
fresh tarragon, in all	lemon juice
6 tablespoons unsalted	Whole fresh tarragon
butter, melted	leaves

Prepare a charcoal grill or preheat the oven broiler.

Wash the trout well, scale them, and remove the gills. With a long-handled spoon (a bar spoon would do) reach into the fish through the gill opening and scoop out the entrails carefully and thoroughly, without damaging the tender inner layer of flesh.

Wash the fish inside and out, blot dry and make several light gashes on the skin.

Rub salt, pepper, and 1 teaspoon of the chopped tarragon into each cavity. Pierce each trout lengthwise with a skewer and brush with melted butter.

If using a charcoal grill, oil the grill. Place the trout on the grill or the broiling rack 3 inches from the heat if they are ¾ pound each, and 4 inches from the heat if 1 pound each. Cook according to the instructions on page 212, allowing a few minutes extra for an outdoor grill. Turn the fish once in the course of cooking and brush frequently with melted butter. When done, sprinkle with salt and pepper.

Decorate with lemon slices, pomegranate seeds, and tarragon leaves. Serve with either additional pomegranate seeds or lemon wedges, or serve pomegranate or lemon juice in a sauceboat.

Leshch Farshyrovannyi Grechnevoi Kashei

BAKED BREAM STUFFED WITH KASHA

Serves 6

½ pound kasha (buckwheat groats)

3 bream or porgies (about 1½ pounds each)

Salt to taste

2 medium onions, finely chopped

6 tablespoons unsalted butter, in all

3–4 hard-cooked eggs, peeled and finely chopped

1 tablespoon all-purpose flour

2 tablespoons bread crumbs

¼ cup sour cream

Finely chopped parsley

Cook the kasha as described on page 410.

Wash, scale, and dress the fish. Cut out the gills and remove the fins and tail. Rinse, dry with paper towels, and sprinkle with salt inside and out. Refrigerate until ready to cook.

Sauté the onions in 2 tablespoons of butter over moderately low heat for about 8 minutes, or until golden. Cool. Combine with the chopped eggs, 1½–2 cups cooked kasha, and salt to taste. Stuff the cavity of each fish tightly, then close with skewers or toothpicks and string.

Preheat the oven to 375°F.

Melt 2 tablespoons of butter in a baking pan 1½–2 inches deep and arrange the fish in it in one layer. Mix the flour with the bread crumbs and scatter over the fish. Melt the remaining butter and sprinkle over the top. Bake the fish for 20–25 minutes, or until done, basting with the pan juices 2–3 times in the course of baking.

Place the fish on a heated serving platter, remove the skewers and string, cover, and keep warm until ready to serve.

Pour the pan juices into a small saucepan, add the sour cream, bring to a boil, and remove from the heat immediately. Pour the sauce over the fish. Decorate with chopped parsley and serve with the remaining kasha and homemade pickles (Chapter 10).

Paltus s Zelionym Sousom

HALIBUT WITH GREEN SAUCE

Serves 8

4 pounds halibut fillets or steaks

6 cups Russian Court Bouillon (page 214)

1 ·cup dry white wine

½ bunch of mixed parsley and dill, tied together with kitchen string

2 tablespoons instant-blending or all-purpose flour

3 tablespoons unsalted butter, in all

1½ cups fish cooking liquid

2 tablespoons chopped parsley

2 tablespoons chopped chives or scallions (green part only)

1 tablespoon chopped fresh tarragon

10 leaves spinach

4 *cornichons*

2 tablespoons capers

8 anchovy fillets, drained

Salt to taste

Decoratively cut slices of cooked or canned beets, *or* half slices of tomatoes, *or* quartered hard-cooked eggs

Parsley leaves

If you are using halibut steaks, slash through the skin in several places so that they won't curl up during cooking.

Wash the fish and place on the rack of a fish poacher. Add court bouillon barely to cover, the wine, and dill and parsley. Cover, bring to a boil, lower the heat, and cook according to the instructions on page 211. Drain the fish and keep warm. Reserve the cooking liquid.

Prepare the sauce: in a heavy ungreased skillet over low heat, stir the flour continuously for about 2–3 minutes, or until pale golden. Add 2 tablespoons of butter and continue stirring until bubbles appear, then slowly pour in 1 cup of cooking liquid, stirring until it is blended. Simmer for 2 minutes.

Combine the chopped parsley, chives, tarragon, spinach, *cornichons*, capers, and anchovy fillets in a blender or food processor fitted with steel blades. Add ½ cup poaching liquid and 1 tablespoon butter. Purée thoroughly, adding 1–2 tablespoons more stock, if necessary. Add the purée to the sauce in the skillet. Mix and taste for salt. Heat, but do not boil.

Arrange the fish on a heated platter and surround with boiled potatoes or rice. Pour the sauce over the fish in "stripes," ½ inch apart. Serve the remainder of the sauce in a sauceboat. Decorate the platter with slices of cooked beets or tomatoes or egg quarters and parsley.

Shchuka
Pod Shafrannym Sousom
POACHED FISH
WITH SAFFRON SAUCE

Serves 6

A 6-pound whole fish (pike, perch, bass, catfish, whitefish), *or* 4 1-pound fillets

Salt to taste

2   cups Russian Court Bouillon (page 214) made with a double quantity of vegetables and spices

2   cups dry white wine

¼   cup cider vinegar

All the vegetables from the court bouillon, cut into 1-inch slices

½   cup golden raisins

6   lemon slices, with seeds removed

3   tablespoons unsalted butter, in all

3   tablespoons instant-blending or all-purpose flour

½   teaspoon saffron threads

3   cups poaching liquid

2–3 tablespoons sugar

Salt to taste

If a whole fish is used, scale and dress it, and remove the gills. If you use fillets, cut them in 2½–3-inch pieces. Sprinkle with salt (salt the whole fish inside and out) and refrigerate for 2 hours.

Prepare the court bouillon.

In a fish poacher, combine the wine, vinegar, 2 cups of court bouillon, the vegetables from the bouillon, raisins, and lemon slices. Bring to a boil. Place the fish on the rack carefully, lower into the broth, and return to a boil. Lower the heat and cook according to the instructions on page 211.

Drain the fish and arrange it on a heated serving platter. Strain the vegetables, reserving 3 cups of liquid for the sauce. Surround the fish with the vegetables, cover the platter and keep it warm while you prepare the sauce.

In a heavy 1½-quart saucepan melt 2 tablespoons butter and, when it starts bubbling, add the flour and stir with a wooden spoon. Add the saffron, then slowly pour the cooking liquid into the sauce, stirring continuously. Add the sugar and simmer for 5–6 minutes, or until the sauce thickens. Add the remaining butter and, if needed, some salt.

Strain the sauce over the fish or "stripe" it with some of the sauce and serve the rest in a sauceboat. Serve with rice.

Otvarnoi Sudak Pod Sousom s Iaitsami, Maslom i Limonnym Sokom

POACHED FISH WITH EGGS, MELTED BUTTER, AND LEMON JUICE

Serves 6

6   pounds whole yellow perch, pike, or catfish, *or* 4 pounds fillets
Salt to taste
1   recipe Fish Stock (page 214)

3   hard-cooked eggs, peeled and finely chopped
Lettuce leaves or slices of pickle

Scalloped lemon slices

6   tablespoons unsalted butter, melted
1–2 tablespoons freshly squeezed lemon juice
3   tablespoons finely chopped parsley

If you are using whole fish, scale and dress them, cut out the fins carefully without damaging the flesh. Substitute the head, tail, and fins for the smelts in Fish Stock recipe. In the meantime, sprinkle the fish lightly with salt, make a few light gashes on either side, and refrigerate while you make the Fish Stock.

Place the fish on the rack in the fish poacher, add the strained fish stock to barely cover, bring to a boil, lower the heat, and cook according to the instructions on page 211.

Skin the cooked fish carefully, remove the backbone with a spatula, and arrange the fillets on a heated platter. Make a border of chopped hard-cooked eggs around the fish, surround with lettuce leaves or slices of pickle, and decorate with lemon slices.

Mix the melted butter, lemon juice, and salt to taste, and dribble a little of the mixture lightly over the fish, then sprinkle with the chopped parsley. Serve the remaining butter in a sauceboat.

Serve with boiled or mashed potatoes.

Variation   Stir the chopped eggs into the melted butter and lemon juice mixture, ladle some of the sauce over the fish, and serve the rest in a sauceboat.

Otvarnoi Karp s Ovoshchami
POACHED CARP WITH VEGETABLES

"And by way of a lining for the sturgeon, put in some beetroot, smelts, mushrooms and, you know, some turnip, carrots, beans, then add something else, I leave it to you, so that it should be richly garnished and have plenty of stuff."

—Nikolai Gogol
Dead Souls

Serves 6

A 5–6 pound whole carp, or 3 1-pound fillets (carp, butterfish, halibut, cod, or sturgeon)
Salt to taste

2 tablespoons instant-blending flour
2 tablespoons unsalted butter
1½ cups fish stock made from the head and tail
2 tablespoons raisins (*optional*)

2 celery hearts, or chunk of celery root 2 inches by 3 inches, sliced ¼ inch thick
2 parsley roots, sliced ¼ inch thick

4 medium Brined Cucumbers (page 423), Claussen Kosher Pickles, or delicatessen sour pickles, cut into ⅜-inch dice
2–2½ cups fresh or canned pickle marinade
3 cups dry white wine
1½–2 cups fish stock
½ teaspoon freshly ground white pepper
¼ teaspoon freshly grated nutmeg
Salt to taste

Boiled new potatoes
Cooked sliced carrots
8–10 sautéed mushroom caps
1 cooked beet, cut into ⅜-inch dice

Scale and dress the fish, saving the roe, if any, for another dish. Remove the fins and cut off the head and tail. Refrigerate the fish while you boil the trimmings in lightly salted water to cover for 1 hour. Strain the stock and reserve.

To make the sauce, stir the flour in an ungreased skillet on low heat continuously for 2–3 minutes, or until pale golden. Add the butter, stir until it starts bubbling, then carefully pour in 1½ cups of fish stock. Bring to a boil, lower the heat, and simmer for 2–3 minutes. Add the raisins, remove from the heat and keep warm.

Slash the skin of the fish carefully in several places (the skin shrinks during cooking). Place the fish on the rack in a fish poacher and surround with the vegetables and pickles. Combine the pickle marinade, white wine, and fish stock and pour through enough into the poacher to barely cover the fish and vegetables. Add the spices and salt to taste and cook according to the instructions on page 211.

The cooked fish should be served as quickly as possible. Drain the fish, arrange it on a heated platter, and surround with the vegetables. Pour some of the sauce over the fish and pass the remainder in a heated sauceboat. Accompany with boiled potatoes, cooked sliced carrots, sautéed mushroom caps, and cooked beets, cut into ⅜-inch dice.

Ryba Po-Novgorodski

FISH CASSEROLE, NOVGOROD-STYLE

Novgorod, in the northwest, is one of the oldest cities in Russia. It is first mentioned in *Chronicles* of 859.

Serves 8

1 large onion, cut into ⅛-inch slices	4 Brined Cucumbers (page 423), Claussen Kosher Pickles, or delicatessen sour pickles, cut into ½-inch dice
5 tablespoons unsalted butter, in all	
4 pounds fish fillets (catfish, yellow perch, halibut, white pike, or red snapper)	1 cup homemade or canned pickle marinade
Salt to taste	3 tablespoons finely chopped parsley
½ pound Marinated Mushrooms (page 438)	
¾ pound fresh or canned Morello (sour) cherries, pitted	

Sauté the onions over moderate heat in 2 tablespoons butter for 8–10 minutes, or until pale golden. Cut the fish fillets into 2½- to 3-inch pieces and sprinkle with salt.

Set the baking rack at the top level of the oven (be sure you have room for the pot) and preheat the oven to 450°F.

Grease a Dutch oven or a large heavy casserole with 1–1½ table-spoons butter and place the fish pieces in it. Sprinkle each layer with the mushrooms, cherries, pickles, and sautéed onions. Melt the remaining butter and dribble it over the fish.

Bake the fish, uncovered, for 5 minutes, or until there is a pale golden crust. Pour the pickle marinade evenly all over the fish, cover, and place over moderately low heat on top of the stove. Simmer for about 15 minutes, or until the fish is done.

Serve from the casserole or arrange on a heated platter and sprinkle with chopped parsley. Accompany with steaming rice and a lettuce salad.

Sig Tushonnyi s Khrenom
WHITEFISH BRAISED WITH HORSERADISH

Serves 8

4	pounds whitefish fillets, cut into 2½- to 3-inch slices	¼	cup fresh or canned chicken stock
	Salt to taste	6	tablespoons grated fresh horseradish root
7	tablespoons unsalted butter, melted, in all	1½	cups sour cream

Sprinkle the fish with salt and refrigerate for one hour.

Grease the rack in a Dutch oven or roasting pan with 1 tablespoon of butter and add the chicken stock. Arrange the fish and horseradish in alternate layers, sprinkling some butter over each layer of horseradish, until all the ingredients have been used. Finish with a layer of horse-radish and butter.

Cover the pot and, over moderately low heat, cook for 5 minutes. The fish will release its juices; when they begin to bubble, lower the heat, place an asbestos mat underneath the pot, and simmer according to the instructions on page 212, measuring the total thickness of all the layers of fish—not just the thickness of an individual piece. About 5–7 minutes before the fish is done, pour the sour cream over it, cover, and continue cooking.

Carefully arrange the fish on a heated platter and pour the pan juices over it. Serve with boiled potatoes dotted with butter and sprin-kled with chopped dill.

Farshyrovannaia Shchuka
BRAISED STUFFED PIKE

This is a somewhat difficult and time-consuming recipe, but the result is worth the effort.

Serves 6

A 4-pound pike
1½ teaspoons salt plus additional salt to taste
6 ounces French bread, crusts removed
1 cup milk
2 large onions, in all
3 egg yolks
2 tablespoons vegetable oil
½ teaspoon sugar

Freshly ground black pepper to taste
1 large carrot
1 large beet
2 bay leaves and 6 allspice berries, divided evenly and tied in 2 cheesecloth bags

½–1 cup Cream-Style Horseradish (page 616)

Scale the fish, wash thoroughly, and crop the fins, keeping the skin around them intact. Cut the skin around the head. Hold the head in one hand. Dip the fingers of the other hand in salt, then carefully, so as not to damage it, lift and pull the skin toward you, peeling it away from the flesh like a stocking, loosening it, if necessary, with the point of the knife. When you reach the tail, cut through the backbone, leaving the tail attached to the skin. Reserve the skin for stuffing.

Cut off and reserve the head and remove the gills. Dress the pike, wash the cavity, fillet the fish, cover, and refrigerate. Place the head and bones in a 4-quart kettle and cover with 2 quarts of water. Bring to a boil, lower the heat, and simmer, uncovered, for 1½ hours, or until the head begins to fall apart. Drain the stock and add about 1½ teaspoons salt. You should have about 1 quart of stock. Reserve.

Soak the bread in the milk for about 10 minutes, then squeeze out the excess liquid. Coarsely chop 1 onion. Grind the fish with the bread and chopped onion. Add the egg yolks, oil, sugar, salt and pepper to taste, and mix thoroughly. Stuff the skin somewhat loosely as it will shrink a little during cooking. Sew up the head opening.

Slice the remaining onion, the carrot, and beet a little more than ¼ inch thick and place in a fish poacher. Tuck the cheesecloth bags on opposite ends of the poacher, add the fish stock, and bring to a boil. Place the stuffed fish on the rack and lower it onto the bed of vegetables. Return to a boil, lower the heat, cover, and simmer for about 1½ hours.

The fish can be drained, sliced, and served at once as an entrée, or it can be cooled in the liquid and served at room temperature or cold as an hors d'oeuvre. In either case, cut the fish into 2½-inch slices, arrange on a serving platter, and surround with the vegetables from the poacher. Serve the horseradish separately.

Zharenye Ryba v Smetane
SAUTÉED FISH IN SOUR CREAM

"After you have had your soup, have the fish course served, and immediately, my friend. Of all the mute race, the finest is crucian carp, fried in sour cream. But . . . to give it true delicacy, it must be kept alive in milk for twenty-four hours."

—*Anton Chekhov*

"The Siren"

Serves 6–8

6 pounds whole crappies (about ½ pound each), *or* 4 pounds fish fillets (crappie, sole, whitefish, bass, and so on)	1 cup all-purpose flour
	6 tablespoons unsalted butter, preferably clarified (page 617)
Salt to taste	2 cups sour cream
Freshly ground black pepper to taste	Finely chopped fresh parsley (*optional*)

Wash, scale, and dress the fish, cut out the gills, and remove the fins and tails. Rinse, dry with paper towels, sprinkle with salt and pepper, and refrigerate for 1 hour. Dredge the fish in flour, shake off the excess, and sauté in butter in two or three batches, according to the instructions on page 212. As they are cooked, place the fish on a large cookie sheet, so as not to damage them.

Heat 2 or 3 skillets (enough to accommodate all the fish in one layer simultaneously), brush them with oil, and place the fish in them, leaving about 1 inch of space between each piece. Spoon the sour cream over and between the fish, and bring to a boil over moderate heat. Lower the heat and simmer the sour cream for about 5 minutes, or until it is pale golden, carefully turning the fish once with a spatula. Do not overheat, as the sour cream may separate.

Serve on a heated platter and sprinkle with chopped parsley.

Ryba Po-Moskovski

FISH CASSEROLE, MOSCOW-STYLE

Serves 10–12

12 ounces fresh mushrooms, sliced ¼ inch thick

¾ cup vegetable oil, in all

2 medium onions, sliced ⅛ inch thick

4 pounds fish fillets (whitefish, catfish, or yellow perch), cut into 2-inch pieces

Salt to taste

Freshly ground black pepper to taste

½ cup all-purpose flour

6 medium potatoes, peeled and sliced ⅛ inch thick

4 tablespoons instant-blending or all-purpose flour

2 tablespoons unsalted butter

1 cup hot water

¾ cup sour cream

½ teaspoon freshly grated lemon rind, *or*

¼ teaspoon freshly grated nutmeg

Salt to taste

¼ cup grated Parmesan cheese

In a large heavy skillet, over moderate heat, sauté the mushrooms in 2 tablespoons of oil for 10–12 minutes. Remove from the skillet and set aside. In the same pan, sauté the onions in 2 more tablespoons of oil over moderately low heat for 7–8 minutes, or until translucent. Remove from the pan and reserve separately from the mushrooms.

While the onions are cooking, sprinkle the fish with salt and pepper, roll in flour, and shake off the excess. In the same skillet in which the onions and mushrooms were cooked, sauté the fish over moderate heat in 3–4 tablespoons of oil for 3–5 minutes on each side, or according to the instructions on page 212. You may have to cook the fish in two or three batches; add more oil if necessary.

In a nonstick skillet, over moderate heat, sauté the potatoes in 2–3 tablespoons of oil for about 15 minutes, or until tender, stirring often to prevent them from sticking to the pan. Add salt to taste.

In an ungreased skillet, stir the flour over low heat for 2–3 minutes, or until it is dry and pale golden. Add the butter and cook until it bubbles, then gradually add the hot water and continue to cook, stirring, until the sauce has thickened, about 2–3 minutes.

Place the baking rack at the middle level of the oven and preheat the oven to 400°F.

Assemble the casserole: spread ½ cup of Sour Cream Sauce on the bottom of a heavy 5-quart casserole. Make a border of potatoes around the sides of the casserole and pile the fish in the center. Spread the onions over the fish, then the mushrooms, pour on the remaining sauce, and sprinkle with the Parmesan cheese. Bake for 10–12 minutes, or until the cheese is golden brown.

Serve from the casserole, accompanied by pickles, Brined Tomatoes (page 431), or a green salad.

Zapechonnaia Ryba Po-Monastyrski

BAKED FISH, MONASTERY-STYLE

Although the monasteries originally had been conceived as refuges from worldly temptations, monastery cuisine in Russia was renowned for its excellence. One reason for this was the custom of leaving donations of land and money to the monks with instructions that prayers be said for the eternal remembrance of the soul of the deceased and that remembrance banquets be given. Large monasteries had long lists of donors, some of whom had belonged to immensely wealthy familes. A donation for a "greater" commemorative banquet at the prestigious Troitsky Monastery of St. Sergius could amount to fifty rubles in 1637. In present-day tangible terms, this amount would provide a lavish twelve-course dinner with appropriate wines and other beverages for 125–150 monks (see menus, Chapter 15).

In addition to these banquets, there were festivals of the "Greater Saints" (about forty a year), namedays of the tsars, the royal family, and other VIPs, and occasional feasts sponsored by wealthy visitors. As a result, many monasteries were wealthy in land and money and were luxurious places in which to live. The "feast book" of the prominent Solovetskii Monastery at the time of Tsar Alexis (1654–1676), father of Peter the Great, lists 191 days of commemorative banquets a year. Corrupting as the donations were, they established a very good cuisine.

All this does not overshadow the fact that monasteries were also philanthropic institutions. The large monasteries, especially in times of famine, fed 600 to 700 starving adults and children daily.

But only a real saint would have been able to remember his vows of poverty and humility when faced with so much feasting and fine living.

Serves 6

3–3½ pounds fish fillets (halibut, red snapper, or whiting), fresh or completely thawed, cut into pieces 2 inches square and 1½ inches thick

Salt to taste

Freshly ground black pepper to taste

1   cup all-purpose flour

⅓   cup vegetable oil, in all

3   medium onions, finely chopped

5   tablespoons sour cream

3   tablespoons unsalted butter, in all

A 1-pound round loaf of white bread (not sour-dough)

2   tablespoons dry bread crumbs

2   tablespoons grated Parmesan cheese

Sprinkle the fish with salt and pepper, roll in flour, and shake off the excess. Reserve 1 tablespoon of flour and discard the rest. In a large heavy skillet, heat half the oil over moderate heat, then sauté the fish for 3 minutes on each side, or until golden brown. You may have to cook the fish in several batches. Reserve.

Sauté the onions in the remaining oil over moderate heat for about 7–8 minutes, or until translucent. Sprinkle them with the reserved flour and stir. Add 1 cup of warm water. Stirring continuously, bring to a boil, lower the heat, and simmer for 2–3 minutes more. Add the sour cream and return to a boil. Add 1 tablespoon of butter and salt and pepper to taste, stir, and remove from the heat. Set aside.

Place the baking rack at the upper level of the oven and preheat the oven to 250°F.

Cut off the top of the bread, leaving an opening about 6 inches in diameter. Carefully hollow out the bread, leaving only the crust. (The interior can be dried and used for making fine bread crumbs.) Grease the outside of the crust with 1½ tablespoons butter and bake the shell for 8–10 minutes to dry it. Raise the oven temperature to 350°F. Fill the shell with alternating layers of fish and sauce, beginning and ending with the sauce. Sprinkle with the bread crumbs, then with the grated cheese, and place the stuffed bread on a baking sheet greased with the remaining ½ tablespoon of butter.

Bake the bread for 15–20 minutes, or until the top of the filling is golden brown.

To serve, place the bread on a decorative serving dish. Cut into 6 wedges and accompany with a cucumber or lettuce salad, or with pickles.

Ryba v Rakovinakh

FISH IN SCALLOP SHELLS

"Where are you dining tonight, Amvrosii?"
"What a question—here, of course, my dear Foka! They will be serving
pike-perch cooked in ramekins: a virtuoso dish!"

—Mikhail Bulgakov

The Master and Margarita

Serves 6 as an hors d'oeuvre (see Note)

1½ pounds fish fillets (perch,
bass, catfish, whitefish),
cut into even 3-inch
pieces

2 tablespoons freshly
squeezed lemon juice
Salt to taste
Freshly ground black
pepper to taste

¼ cup all-purpose flour

⅓ cup olive oil

½ medium onion, finely
chopped

2 tablespoons unsalted
butter

12 mushrooms, sliced ⅛ inch
thick

2 ounces fresh or canned
crabmeat

2 tablespoons instant-
blending or all-purpose
flour

1 tablespoon unsalted butter

¾ cup half-and-half
A pinch of freshly grated
nutmeg
Salt to taste

4 tablespoons unsalted
butter, melted

2 ounces grated Parmesan
cheese, in all

Lettuce leaves

12 lemon wedges
Finely chopped parsley

12 scallop shells, about 4¼
inches or larger in
diameter
A cookie sheet

Sprinkle the fish with lemon juice, season to taste with salt and
pepper, and roll the pieces in flour. In a large skillet, heat the olive oil,
add the fish, and sauté over moderate heat for 5–6 minutes, or until
done. Remove from the heat and keep warm.

Sauté the onions in 2 tablespoons of butter for 5 minutes over moderately low heat, add the mushrooms, and continue to cook for about 7

minutes more. Add the crabmeat and salt to taste, set aside, and keep warm.

Place the baking rack at the upper level of the oven and preheat the oven to 375°F.

Prepare the sauce: in an ungreased skillet, over low heat, dry the flour, stirring continuously, for about 3 minutes, or until the flour turns pale golden. Stir in the butter, heat until bubbles appear, and slowly add the half-and-half, stirring all the time. Bring to a boil, lower the heat, and simmer for 5–6 minutes, or until the sauce thickens. Remove from the heat and stir in nutmeg and salt to taste.

Brush the scallop shells with half the melted butter, place 1 teaspoon of sauce in each shell, and sprinkle with Parmesan cheese. Cut the fish into bite-sized pieces and pile them into the shells, topping each mound with 1 tablespoon of the sautéed mushrooms and onions. Cover with another teaspoon of the sauce, sprinkle with the rest of the cheese, and dribble ½ teaspoon melted butter over each shell.

Set the shells on a cookie sheet and bake for 3–5 minutes, or until the tops are golden.

Place the shells on a bed of lettuce leaves and decorate with lemon wedges and parsley.

Note: This dish is good for breakfast, as a hot hors d'oeuvre, or as an accompaniment to *ukha* (fish soup), pages 75–76. If you would prefer to serve it as a main course, double the recipe and bake in 1-cup ramekins.

Seliodka
s Otvarnym Kartofelem
PICKLED HERRING WITH
BOILED POTATOES

Herring is salted, cured in brine, or smoked, and eaten as an hors d'oeuvre (Chapter 2) or served with hot boiled potatoes and onions for breakfast, lunch, or dinner. Only in the Baltic provinces and north Russia are fresh herring sautéed.

For many generations Latvian fishermen have been catching most of the herring, anchovies, whitefish, sprats, and eels that are found in the Russian markets. The Latvian coast is a lively area to visit—the fishmarkets are a delight, and in almost every backyard one can smell the fragrant aroma of smoked *stremiga* (sprats) or eels, hanging on a string to dry.

Serves 6

2   pickled herring (about ¾
    pound each), prepared as
    described on page 22
1   medium onion, cut into
    ⅛-inch rings
    Oil

Vinegar
2–3 pounds boiled potatoes
    (page 387)
4   tablespoons unsalted
    butter

Arrange the herring and onion rings on a platter and soak in oil and vinegar. Cook the potatoes and serve in a heated bowl. Melt the butter and pour over the potatoes, or serve in a separate dish.

This is an excellent luncheon dish when accompanied with Tomato and Cucumber Salad (pages 54–55) and black bread. Vodka or beer complement this homey food.

Tel' noie

GROUND FISH ROLL

Serves 6

3   pounds fish fillets (sole,
    flounder, or any good
    white-fleshed fish)
¾   pound stale French bread,
    crusts removed
1   cup milk
2   eggs
3   tablespoons unsalted
    butter, softened

1   medium onion, grated
½   teaspoon sugar
    Salt to taste
    Freshly ground black
    pepper to taste
1   recipe Russian Court Bouil-
    lon (page 214), heated

Coarsely grind or chop the fish fillets. Soak the bread in milk for 10 minutes, then squeeze out the excess liquid. Combine the fish, bread, eggs, butter, grated onion, and sugar in an electric mixer or by hand. Add salt and pepper to taste.

Turn the fish mixture out onto a dampened work surface. With wet hands, form a roll somewhat shorter than the fish poacher or pot in which it will be cooked. Wrap the roll in 4 layers of cheesecloth and tie at both ends and several times in the middle, loosely, with kitchen string. Carefully lower the roll onto the rack in the poacher, add court bouillon barely to cover, bring to a boil, and cook according to the instructions on page 211.

Drain the roll and tip it onto a heated platter. Remove the cheese-cloth and cut into 3-inch slices.

Serve with boiled or mashed potatoes and Brined Cucumbers (page 423) or Sauerkraut (page 427) or Beet Salad with Mayonnaise (page 47).

Pashtet iz Ryby
Zapechonnyi v Rakovinakh

FISH FORCEMEAT IN
SCALLOP SHELLS

Serves 6

2   medium onions, finely chopped

6   tablespoons unsalted butter, in all

4   fresh mushrooms, sliced

1½ pounds boned, skinned, poached smelts (or other fish used for Fish Stock, page 214, or Clear Fish Soup, page 75)

2   egg yolks

½   cup sour cream

1   cup bread crumbs, in all
    Salt to taste
    Freshly ground black pepper to taste

12–15 scallop shells
    A pastry bag fitted with a 1-inch fluted nozzle
    A large cookie sheet

Sauté the chopped onions in 2 tablespoons butter for about 7 minutes, or until translucent. Add the mushrooms and poached fish and stir. Continue to sauté over low heat for another 5–7 minutes. Remove from the heat, cool, and grind or chop coarsely. Place the mixture in the bowl of an electric mixer and add the egg yolks, sour cream, 4 tablespoons of bread crumbs, and salt and pepper. Beat for 3 minutes at medium speed, or until the forcemeat is fluffy.

Set the baking rack at the upper level of the oven and preheat the oven to 375°F.

Grease the scallop shells with butter and sprinkle with half the remaining bread crumbs. Pile the fish mixture into the pastry bag and squeeze mounds of the forcemeat into the shells. Melt the rest of the butter and sprinkle ½ teaspoon over each shell. Sprinkle with the remaining bread crumbs.

Place the shells on a cookie sheet and bake for 10–15 minutes, or until the filling is golden brown. Serve as a hot hors d'oeuvre or as an accompaniment for *ukha* (fish soup), pages 75–76.

Rybnye Kotlety
FISH PATTIES

Serves 6

1	recipe Ground Fish Roll (page 253), omitting the court bouillon	1	cup bread crumbs
		½	cup vegetable oil

Prepare the fish mixture as described for Ground Fish Roll.

With wet hands, form balls 2–2½ inches in diameter. Roll in the bread crumbs and with a spatula flatten to ¼-inch thickness. Heat the oil in a heavy skillet and sauté the patties over moderate heat for about 5 minutes on each side, or until the crusts are golden brown.

Serve as for Ground Fish Roll.

Rybnye Shariki dlia Supa
FISH BALLS FOR SOUPS

These make an excellent accompaniment for any fish-based soup (see Chapter 3).

Makes about 12–15 fish balls, to serve 6

2	dinner rolls, crusts removed	1	egg yolk
			Salt
2	pounds fish fillets (whitefish, catfish, or yellow perch)		Freshly ground black pepper
½	medium onion	2	tablespoons vegetable oil

Soak the rolls in water for 15 minutes and squeeze out the excess liquid. Coarsely grind or chop the rolls, fish, and onion. Add the egg yolk and salt and pepper to taste, and mix well. With wet hands, form into 1½-inch balls. Heat the oil in a nonstick skillet, add the fish balls, and sauté lightly.

Drop them carefully into the fish soup and simmer for 10 minutes. Serve immediately.

Rybnaia Knel'
dlia Supa

FISH QUENELLES FOR SOUPS

Makes 15–20 quenelles to serve 6

2	ounces two-day-old French bread, crusts removed
1	cup milk
1	pound fish fillets (pike, perch, or whitefish)
1	tablespoon unsalted butter
1	small onion, finely chopped
2	egg yolks
⅛	teaspoon freshly ground black pepper

¼	teaspoon ground allspice
	A pinch of freshly grated nutmeg
	Salt to taste
1	egg white
4	cups Fish Stock (page 214) or Russian Court Bouillon (page 214)

Soak the bread in the milk for 8–10 minutes, then squeeze out excess liquid. Grind or chop the fish twice, the second time with the bread. In a heavy skillet, melt the butter and sauté the onions over moderate heat for about 8 minutes, or until golden.

In the bowl of an electric mixer, combine the fish mixture, onion, egg yolks, spices, and salt. Beat at medium speed for 2 minutes.

With a whisk or in an electric mixer, beat the egg white until stiff peaks form, then fold into the fish mixture.

The fish can now be formed into a single roll and then cut into diagonal 1½-inch slices after it is cooked; or it can be formed into individual quenelles. To form and cook the roll, see meat quenelles (page 90), but instead of cooking the rolls in simmering water, use the fish stock called for in this recipe.

To make individual quenelles, bring the fish stock to a boil, ladle 1 cup of it into another pan, cover, and keep warm. Reduce the heat under the 3 cups of stock so that the liquid just simmers. Scoop up teaspoons of the fish mixture and drop them into the simmering stock; do not overcrowd the pan. Cook at just below simmering point for 5–6 minutes, or until the quenelles come to the surface. Remove them with a slotted spoon and place in the pan containing the cup of hot stock, cover, and keep warm. Continue cooking the quenelles until the mixture is used up. Transfer them to a tureen, cover with hot soup, and serve at once.

CHAPTER 7

Meat

*Candles stuck into empty flagons illuminated pewter and earthenware dishes
piled high with everything the governor-general could offer his guests: ham,
tongues, smoked geese, hares and game birds, legs of veal and pork,
sauerkraut, radishes, pickles—all of which had been sent by the contractor
Nemogorskii as a present to Menshikov.*

—*Alexei Tolstoi*
Peter the Great

BY a twist of culinary fate, the Russian entrées best known abroad are
Beef Stroganoff and Chicken Kiev: sirloin strips and chicken breasts! Ah,
how dainty, how . . . un-Russian. These choices may reflect the contemporary Western admonition to "think small," but they definitely run
against the Russian tendency to "think grand," as declared by one of
Nikolai Gogol's characters:

"If it's pork I want, I order the whole pig to be served at table; if it's mutton,
drag in the whole ram; if goose, the whole goose!"

This predilection for abundance was typical of the Russian culinary
scene for centuries, from banquets given by Ivan the Terrible, where
guests were served whole swans, geese, and peacocks (among many
other dishes), to dinners taken at an exclusive Moscow club in the early
1900s, where a whole suckling pig might be followed by roast goose with
apples.

Before the eighteenth century, the favored methods of cooking large
pieces of meat or whole birds were boiling, roasting, and braising.
Ground or minced meat was used only for *piroghi* stuffing, and small
cuts like steaks or chops were not served at all. It was the French and
German cooks, invited by the empresses Elizaveta, Anna, and Catherine
the Great, who introduced schnitzels, escalopes, pâtés, soufflés, and fri-
cassees, which the Russian grassroots school of cooking sniffed at as
"just so much fiddle-faddle."

Eventually, these novelties caught on quite successfully, but never
to the point of overshadowing the old favorites. Although in Francophile
Russia of the eighteenth and nineteenth centuries, French cuisine was
practiced with an almost religious fervor by some aristocratic households, Russian cuisine was ultimately enhanced, not altered, by foreign
influences.

The Russian provinces also contributed to the enrichment of the
cuisine. Some pork entrées were added under the influence of the Ukrainians and Bielorussians. Lamb pilaf came from Central Asian cuisine,
and lamb *shashlyks* are a staple food of the Caucasus. Poland and
Lithuania contributed versions of *Zrazy*, or stuffed beef rolls.

Economic realities of present-day Russia have brought about changes not so much in taste as in opportunity. There are permanent shortages of meat, and what is available is often of inferior quality. Tongue and liver are not seen at all, and suckling pigs grace the tables only of the privileged few.

PREPARATION OF MEAT

Larding   Larding with pork fatback is a technique often used in Russian cooking to increase the fat content of veal, game, and so on. Take the fat directly from the refrigerator or freezer (so that it will remain firm) and cut into *lardons* about ½ to 1 inch long and ¼ inch wide. The larding can be done with a special larding needle, or simply by making incisions in the meat about 1 inch deep and inserting the fat by hand.

Sauces   Russian cuisine treats meat with respect. Sauces are used for many dishes, but they are simple and never overbearing, their purpose being to complement the taste and flavor of the meat.

Many sauces are made with mushrooms or a vegetable combination of carrots, parsley and celery roots, and onion. The simplest of all is cream sauce, for which sour cream is poured over the meat toward the end of cooking to blend with the pan juices. Even the more elaborate sauces, like Morello cherry purée or caviar sauce for veal, are not meant to overpower the meat.

All Cooking Times   In the recipes that follow and in those in Chapter 8, the cooking times are given for meat or poultry at room temperature, unless an exception is clearly stated. The cooking time for meat going straight from the refrigerator to the oven or pot must be increased, and in some cases even doubled.

TESTING FOR DONENESS
The shape of a roast or the thickness of a cutlet will affect cooking time. Another factor is individual taste: what is a perfectly done steak to one person is a piece of raw meat to another. Russians prefer their meat well done. Only *shashlyks* and rack of lamb, which are part of the Transcaucasian cuisines, are cooked medium-rare. The ultimate test is to taste the meat. For smaller cuts, if it is practical, try to cook a piece that can be cut and evaluated.

A Meat Thermometer   This takes most of the guesswork out of the otherwise delicate art of roasting. Insert the thermometer in the thickest part of the meat, taking care that it touches neither bones nor stuffing.

Another Test for Doneness   Pierce the meat with a skewer or a sharp knife; the color of the juices will indicate the degree of doneness.

Although it is said that the secret of a perfect dish hovers in the air between the stove and the cook, the magic is really the combination of knowledge, experience, and a bit of inspiration.

BEEF

Zharenaia Goviadina Po-Russki
ROAST BEEF, RUSSIAN-STYLE

"Mishka, pass me that, over there." Peter pointed across the table to the roast beef surrounded by pickled apples. Lowering himself onto the bench opposite the sleeping vice-admiral, he drank a small glass of vodka slowly, as people drink when they are very tired. He picked out an apple, firmer than the rest, and munched it.

—*Alexei Tolstoi*
Peter the Great

Serves 6

2 medium carrots	1 teaspoon salt
2 parsley roots	½ teaspoon powdered ginger
2 pieces celery root, 3 inches square and 2 inches thick	6 black peppercorns and 2 bay leaves, wrapped in cheesecloth and tied with kitchen string
2 large onions	
5 tablespoons vegetable oil, in all	
3 pounds boneless beef rump roast	2–3 cups *kvas* (see *Note*), beer, or equal amounts of beef stock and red wine, in all

Place the baking rack at the middle level of the oven and preheat the oven to 325°F.

Thinly slice the carrots, parsley and celery roots, and onions. In a heavy skillet, place 3 tablespoons of oil and sauté the vegetables over moderate heat for 10 minutes, stirring often. Remove the vegetables and reserve. In the same skillet, add 2 more tablespoons of oil and heat until very hot. Add the beef and sear over high heat for 3 minutes on each side, or until brown. Sprinkle each side with salt.

Place the meat, fat side up, in a heavy roasting pan, surround with the sautéed vegetables, sprinkle with the ginger, and tuck the cheese-cloth bag into the vegetables. Baste with ½ cup of *kvas*. Insert a meat thermometer and place the roast in the oven. Baste every 20–30 minutes, or when the liquid in the pan has reduced. If the top of the roast browns too quickly, turn it and cover with foil. Roast for a total of 1½–1¾ hours, or until the meat thermometer reads 170°F for well done. Turn the oven off and leave the meat in the oven for 10 minutes. Remove the pan from the oven and allow the roast to rest for 4–5 minutes more.

Place the meat on a carving board and cut it across the grain into ¼-inch slices. Arrange the beef on a heated serving platter and surround with the roasting vegetables. Skim the fat from the pan juices, remove the spice bag, and pour over the meat and vegetables. Serve accompanied by boiled potatoes, rice, or macaroni.

Note: This original, very old recipe calls for *kvas* as the basting liquid. *Kvas*, with its tender acidity, adds to the lovely taste and succulence of the roast and also prevents the vegetables from dissolving in the sauce. The recipe for making homemade *kvas* appears on page 597; instructions for reconstituting *kvas* concentrate are on page 615. Beer or the beef stock and wine mixture are acceptable substitutes, but not very Russian.

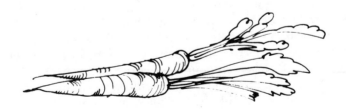

Zharenaia Goviadina
s Kartofelem Po-Russki

ROAST BEEF AND POTATOES, RUSSIAN-STYLE

"After the roast, sir, a man is full, and he goes off into a sweet eclipse. . . . The body is basking, the soul is transported."

—Anton Chekhov

"The Siren"

In this variation of Roast Beef, Russian-Style, potatoes are added to the roasting pan 30 minutes before the meat is done. Don't add the potatoes to the first recipe; they would turn hard when basted with *kvas* or beer or wine.

Serves 6

2 tablespoons vegetable oil	2 tablespoons unsalted butter
3 pounds boneless beef rump roast	1 tablespoon instant-blending or all-purpose flour
1 teaspoon salt	
2 cups fresh or canned beef stock, in all	
2 medium onions, cut into 8–10 wedges each	Portable oven thermometer
12 medium potatoes, peeled and quartered	Meat thermometer

Place the baking rack at the middle level of the oven, install the oven thermometer, and preheat the oven to 325°F.

In a heavy skillet, heat the oil until very hot. Add the roast and sear for 3 minutes on each side, or until brown. Sprinkle all over with salt.

Place the meat, fat side up, in a heavy roasting pan. Add 1 cup beef stock, insert a meat thermometer, and place the pan in the oven. After 20 minutes, baste the roast with the pan juices and continue to baste every 15 minutes. When the pan juices have reduced, add a little more beef stock. When the meat thermometer reaches 130°F, place the onions around the meat. Bake for 15 minutes, then turn the onions and add the potatoes. Continue to baste the meat, and turn the potatoes so that they roast evenly.

Roast the meat for a total of 1¾ hours, or until the meat thermometer reads 170°F. If, at that time, the potatoes are not completely cooked, remove the meat from the pan, wrap it in foil to keep the juices in, cover with a kitchen towel, and continue to roast the potatoes until they are tender. When the potatoes are ready turn off the oven, pour the pan juices into a small bowl and degrease. Reserve the roasting pan.

When the oven has cooled to 110°–120°F, return the meat to the roasting pan, still covered with foil, and place it in the oven until the sauce is ready.

In a skillet, melt the butter and add the flour, stirring well with a wooden spoon. Add the degreased liquid, bring to a boil, stirring constantly, and simmer for a few minutes, until thickened.

When the sauce is ready, place the meat on a carving board and cut into ¼-inch slices. Arrange the meat on a heated serving platter and surround with the potatoes and onions. Serve the sauce in a sauceboat.

Goviadina Po-Gusarski

BEEF, HUSSAR-STYLE

Serves 8

3½ pounds boneless beef top round roast	½ cup grated Swiss cheese
6 tablespoons unsalted butter, in all	2 egg yolks
	Salt to taste
	Freshly ground black pepper to taste
2 medium onions, finely chopped	Finely chopped parsley
1½ cups bread crumbs	

Preheat the oven to 450°F.

Wipe the roast with paper towels, then rub it with salt.

Melt 3 tablespoons butter in a heavy nonstick skillet, turn the heat to medium-high, and brown the roast for 3 minutes on all sides. Insert a meat thermometer, place the meat in a 5-quart Dutch oven or roasting pan, add 2 cups of water, and place, uncovered, in the oven.

Reduce the oven heat to 325°F and baste the meat every 20 minutes. Keep the level of the liquid at 1 inch, adding cups of water as needed. Cook for about 1½ hours, or until the meat thermometer registers 150°F.

In the meantime, prepare the stuffing: melt the remaining butter. In a bowl, combine the onions, bread crumbs, grated cheese, egg yolks, melted butter, ½ cup warm water, and salt and pepper to taste. Mix well. The stuffing should be the consistency of thick oatmeal.

Place the partially roasted meat on a board and, using a very sharp knife, make deep cuts across the grain at 1-inch intervals, stopping 1 inch short of the bottom of the meat. Pack the stuffing between the slices and

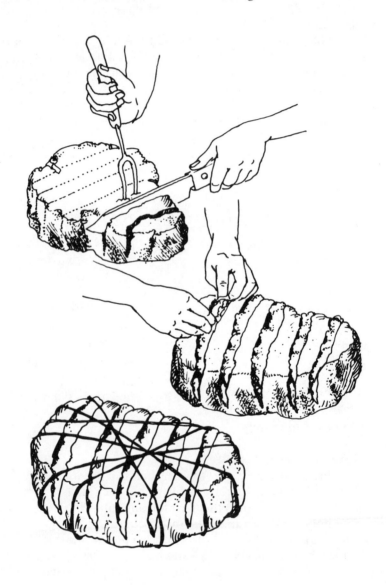

tie the roast together with kitchen string so that it will hold its shape. Return the roast to the pan, baste with the pan juices, cover, and return to the oven for 30 minutes.

Place the roast on a board, remove the string, and cut slices down to the bottom of the roast so that for each portion there is a 1-inch slice of meat covered with stuffing. Serve on a heated platter, sprinkled with finely chopped parsley. Accompany with Brined Cucumbers (page 423), Marinated Beet Salad (page 46), or Beets with Sour Cream (page 360).

Variation   A rather more elegant way of preparing this dish is to slice the partially roasted meat along the grain into thirds, stopping 1 inch short of the bottom. Divide the stuffing in half and spread between the layers. Tie the roast as nearly as possible into its original shape, using kitchen string.

To carve the roast, use an electric knife or very sharp carving knife. Cut across the grain into 1-to-1½-inch slices, holding a spatula against the end of the roast so that the slices do not separate.

Goviadina Po-Stroganovski, ili Bef Stroganov

BEEF STROGANOFF

Unlike the French, who named dishes after the chefs who devised them, the Russians have usually attached the names of famous households to their cuisine—the cooks were usually serfs. For example, we have Beef Stroganoff, Veal Orlov, and Bagration Soup. One of the few exceptions is a cutlet of poultry or veal named after Pozharskii, a famous tavern keeper (page 328).

The Stroganoff family has had more than a recipe named after it. There is a Stroganoff school of ikon painting and the Stroganoff School of Fine Arts in Moscow. According to the *Encyclopaedia Britannica*, they were "a wealthy Russian merchant family, probably of Tatar origin, that greatly contributed, particularly in the sixteenth and seventeenth centuries, to Russia's territorial expansion and economic development."

The Stroganoffs first became famous in the fifteenth century for their development of salt and iron mines, trade in furs and timber, and their sponsorship of the expedition by the cossack Yermak Timofeevich to Siberia, which enabled Ivan the Terrible to annex part of that country and pave the way for Russia's future expansion. The family helped in the ascension of the first Romanov, Mikhail, to the Russian throne, made loans to Peter the Great, were advisers to several other tsars, and held governmental posts throughout Russian history until the 1917 revolution.

The Stroganoffs were regally rewarded for their services to the crown and wound up owning incredibly vast estates east of the Volga River in the Ural Mountains and in Siberia.

The last prominent scion of the dynasty, Count Pavel Stroganoff, was a celebrity in turn-of-the-century St. Petersburg, a dignitary at the court of Alexander III, a member of the Imperial Academy of Arts, and a gourmet. It is doubtful that Beef Stroganoff was his or his chef's invention since the recipe was included in the 1871 edition of the Molokhovets cookbook (see Chapter 1), which predates his fame as a gourmet. Not a new recipe, by the way, but a refined version of an even older Russian recipe, it had probably been in the family for some years and became well known through Pavel Stroganoff's love of entertaining.

It is ironic, however, that of all the family's achievements, it was a dish of beef that made the Stroganoff name a household word all over the world.

Serves 6 generously

2	medium onions, finely chopped	2	tablespoons tomato sauce
7–10	tablespoons unsalted butter, in all	3	pounds filet mignon, filet tips, top sirloin, or boneless porterhouse steak
2	cups Brown Beef Stock (page 85) or canned beef stock, heated		Salt to taste
			Freshly ground black pepper to taste
3	tablespoons instant-blending or all-purpose flour	3	tablespoons sour cream
2	teaspoons mustard (preferably Düsseldorf or Dijon)		

In a heavy skillet, sauté the onions in 2 tablespoons of butter for 7–8 minutes, until golden. Set aside. Bring the beef stock to a boil in a 3-quart cast-iron or other heavy pan.

Place the flour in a deep skillet and stir over low heat for about 2 minutes, or until light golden. Add 2 tablespoons of butter, stir, and cook until the mixture bubbles. Remove from the heat and gradually add 1 cup hot beef stock, the mustard, and tomato sauce, stirring all the while with a wooden spoon until the sauce is smooth. Gradually stir into the sauce the rest of the beef stock, add the reserved onions, bring to a boil, remove from the heat, and reserve.

Cut the beef into ½-inch slices, place between 2 sheets of wax paper, and pound lightly with the flat side of a cleaver or a heavy knife until a scant ½ inch thick. Cut the meat into strips 2 inches long and ½ inch wide. Melt 2 tablespoons of butter in a heavy skillet over medium to high heat, add some of the beef strips, and sauté, stirring often, for 5 minutes, or until brown. Do not cook too many strips at one time, or they will literally stew in their own juices. Add more butter as needed, and continue to sauté the strips. As they are cooked, sprinkle each batch with salt and pepper and add to the sauce. When all the strips are cooked, return the sauce to a boil, immediately lower the heat, and cover. For filet mignon or tips, add the sour cream, simmer for 3 minutes, and serve. Sirloin or porterhouse should simmer for 15–30 minutes, or until the meat is tender and juicy, but do not add the sour cream until 3 minutes before the meat is ready.

SERVING

Classic Beef Stroganoff is served with Russian Fries #2 (page 390): deep-fried potato sticks twice as thick as French fries on a decorative platter.

A Russian restaurateur in San Francisco complained bitterly that Americans cannot accept as a gourmet side dish potatoes that look like the ones served in fast-food joints. "They want rice or vegetables instead, and I give them rice or vegetables—but I suffer."

Variation #1 Use 2½ pounds of meat, ¾ pound of mushrooms, and 6 tablespoons of sour cream. Omit the tomato sauce. Thinly slice the mushrooms and sauté in 2 tablespoons of butter for 10 minutes. Add to the sauce and proceed as with the original recipe.

Variation #2 Use 2 pounds of meat, ¾ pound of mushrooms, 3 cups of beef stock, ¼ cup of red wine or 2 tablespoons of freshly squeezed lemon juice, and omit the tomato sauce. Proceed as for Variation #1, adding the wine or lemon juice just before adding the meat to the sauce.

Podzharka

BEEF STEW IN TOMATO SAUCE

Serves 6 generously

4–7 tablespoons unsalted butter, in all

3 medium onions, finely chopped

2 cups Brown Beef Stock (page 85) for filet mignon or tips, *or* 3 cups stock for sirloin or porterhouse

3 Brined Cucumbers (page 423), Claussen Kosher Pickles, or delicatessen sour pickles, cut into ½-inch dice (*optional*)

1 teaspoon capers, drained

2 tablespoons tomato sauce

3 pounds filet mignon, filet tips, top sirloin, or boneless porterhouse steak

Salt to taste

Freshly ground black pepper to taste

3 cloves garlic, crushed or finely chopped

In a heavy skillet, melt 2 tablespoons of butter, add the onions, and sauté over moderate heat until golden, about 10 minutes. In a 3-quart cast-iron or other heavy pot, bring the meat stock to a boil, then add the sautéed onions, pickles, capers, and tomato sauce. Reserve.

Cut the beef into ½-inch slices, place between 2 sheets of wax paper, and pound lightly with the flat side of a cleaver or heavy knife until a little thinner. Cut the meat into strips 2 inches long and ½ inch wide.

Melt 2 tablespoons of butter over medium to high heat and sauté some of the strips, stirring often, for about 5 minutes, or until browned. Do not cook too many strips at one time; otherwise they will exude their juices and stew in them. Use more butter as needed. As the strips are cooked, sprinkle with salt and a few grinds of pepper and add to the sauce. When all the strips are added, return to a boil, lower the heat, and cover. For filet mignon or tips, simmer for 3 minutes. Sirloin or porterhouse should simmer for 15–30 minutes or until meat is tender and juicy.

The sauce should be the consistency of heavy whipping cream. To thicken, if you are using sirloin or porterhouse, remove the lid toward the end of cooking to allow the sauce to reduce. If using filets, remove them to a heated platter and keep them warm while the sauce reduces.

When the sauce is the proper consistency, stir in the garlic, cover the pot, and allow the flavors to mingle for a few minutes. Pour over the meat and serve with Russian Fries #1 (page 390) or kasha. Without either accompaniment, *Podzharka* can be served as a hot hors d'oeuvre.

Zrazy Po-Pol'ski

STUFFED BEEF ROLLS, POLISH-STYLE

Serves 6

12	slices boneless top round, ¼ inch thick and about 5 inches wide and 6 inches long	4	tablespoons unsalted butter, in all
	Salt to taste	3	cups Brown Beef Stock (page 85) or canned beef stock, in all
	Freshly ground black pepper to taste	2	tablespoons instant-blending or all-purpose flour
1	recipe any filling for beef rolls (pages 269–71)		

Place the meat slices between 2 sheets of wax paper and, with the flat side of a cleaver or a large knife, pound them lightly until they are about ⅛ inch thick. Take care to make no holes or tears. Sprinkle with salt and pepper. Place 1 heaping tablespoon of filling on each slice and, tucking in the sides, roll into ovals about 4½ inches long and 1½ inches wide. Tie with string.

In a heavy skillet, melt 2 tablespoons of butter and, over moderately high heat, brown the rolls. Place the meat in a 5-quart Dutch oven. Add ¼ cup of beef stock to the drippings in the skillet, stir up the browned bits of meat, and pour over the rolls. Add 1 cup of beef stock, cover, and simmer over medium-low heat for about 40 minutes, or until the meat is tender. During the first 30 minutes, baste occasionally with a little more beef stock.

About 10 minutes before the rolls are done, stir the flour in a dry skillet over low heat for 4 minutes, or until light golden. Add 2 tablespoons of butter, stir, and continue to cook until bubbles appear. Remove from the heat and gradually add 1 cup hot beef stock, stirring all the while with a wooden spoon, until the sauce is smooth. Return to a low heat, bring to a boil, and pour over the *zrazy*.

Serve with boiled potatoes (new potatoes are best), steamed vegetables, pickle slices, and so on.

Nachinka iz Luka dlia Zraz
ONION FILLING FOR BEEF ROLLS

Makes enough for 12 beef rolls

4   slices bacon, cut into ½-inch pieces
1   large onion, finely chopped

¾   cup bread crumbs
1   egg yolk
    Salt to taste

In a heavy skillet, fry the bacon pieces until crisp. With a slotted spoon, remove the bacon, add the onion, and sauté it in the fat until golden. In a bowl, combine the onion, bacon, pan drippings, bread crumbs, and egg yolk. Mix thoroughly. The filling should be the consistency of a thick paste; add 1 tablespoon of water, if necessary. Add salt to taste, and cool before using.

Nachinka iz Gribov dlia Zraz
MUSHROOM FILLING FOR BEEF ROLLS

Makes enough for 12 beef rolls

2 tablespoons unsalted butter

1 medium onion, finely chopped

¾ pound mushrooms, sliced

2 tablespoons instant-blending or all-purpose flour

½ cup Brown Beef Stock (page 85) or canned beef stock

2 tablespoons sour cream

1 clove garlic, crushed

Salt to taste

In a heavy skillet, melt the butter, add the onion, and sauté for 5 minutes over moderate heat. Add the mushrooms and continue to cook for 3–5 minutes. Sprinkle with the flour, stir to blend, and add the beef stock. Simmer for 10 minutes, then add the sour cream and simmer for 5 minutes more. Remove from heat, add the garlic and salt, mix, and allow to cool.

Nachinka iz Kashy dlia Zraz
KASHA FILLING FOR BEEF ROLLS

Makes enough for 12 beef rolls

1 large onion, finely chopped

1 tablespoon unsalted butter

1½ cups cooked kasha (page 410)

Salt to taste

Sauté the onion in the butter until limp and golden. Mix with the cooked kasha, add salt to taste, and cool before using.

Zrazy Po-Litovski (Ristiniay)

STUFFED BEEF ROLLS, LITHUANIAN-STYLE

Serves 6

2 ounces mushrooms

2 tablespoons unsalted butter

2 onions, finely chopped

1 cup Brown Beef Stock (page 85) or canned beef stock

½ pound stale pumpernickel bread, crusts removed and cut into pieces

1 egg yolk

Salt to taste

2 tablespoons finely chopped fresh dill

3 pounds beef top sirloin

Salt to taste

Freshly ground black pepper to taste

6 tablespoons all-purpose flour

4 tablespoons unsalted butter, in all

2 cups Brown Beef Stock (page 85) or canned beef stock, in all

1 cup sour cream

First make the filling: wash, dry, and finely chop the mushrooms. With your hands or in the corner of a kitchen towel, squeeze out the excess liquid. Melt the butter in a heavy skillet, add the mushrooms and onions, and sauté over moderate heat for 7–10 minutes, stirring from time to time. Heat the stock in a pan large enough to contain the bread. Soak the pumpernickel for a few moments over low heat and, using a skimmer or a slotted spoon, transfer the bread to the skillet with the onions and mushrooms. Mash the bread with a wooden spoon and stir well with the vegetables. Sauté for 3 minutes, stirring, then remove from the heat and add the egg yolk, salt, and dill. Mix well and cool before filling the beef slices.

Prepare the meat as described in the recipe for Stuffed Beef Rolls, Polish-Style (page 269), and season with salt and pepper. Place 1 heaping tablespoon of filling on each slice, roll up, tucking in the sides, and tie with a string. Dredge the rolls in flour and shake off the excess. Melt 2 tablespoons of butter in a Dutch oven or other large, heavy pot, add the beef rolls, and brown on all sides. Add 2 tablespoons more of butter and 1 cup beef stock. Cover and braise on medium-low heat for 20 minutes. Add another cup of stock and continue to cook for 15 minutes more. Add the sour cream and simmer for 10 minutes.

Serve with macaroni, rice, or boiled potatoes.

Otvarnaia Goviadina

BOILED BEEF

The meat used for making stock and consommé (Chapter 3) can be served as an entrée. However, even brisket, the cut preferred in this instance, will be less flavorful than beef boiled specifically for a main course because of the difference in cooking methods. Meat cooked for stock is covered with cold water, which, as it comes to a boil, leaches out the flavor. But for an entrée, the meat is lowered into boiling water, which seals in the flavor.

Serves 6

4	pounds beef brisket, shin, cross-cut shank, or other suitable cuts for boiling	1	large parsley root
		2-inch	cube celery root
1½	pounds beef and veal marrow and knuckle bones	1	large bunch of parsley leaves
1	large unpeeled onion		Salt to taste
1	carrot	2	tablespoons finely chopped fresh dill
1	leek		

To measure the water, place the meat and bones in a 7- or 8-quart stockpot, add cold water to cover, and remove the meat and bones. Bring the water to a boil, return the meat and bones, bring back to a boil, and skim well, using a fine-mesh soup skimmer or a large spoon. Lower the heat and cook, partially covered, for 1 hour. Add all the remaining ingredients except the chopped dill and return to a boil, then lower the heat and continue to simmer, partially covered, for 1½–2 hours, or until the meat is tender.

To test for doneness, pierce the meat with a skewer. If it sinks easily into the meat without resistance, and the juice seeping out is colorless, the meat is done. If it needs further cooking, test every 5 minutes to avoid overcooking, which makes the meat stringy.

Transfer the meat to a warm platter and cut across the grain into slices about ½ inch thick. Sprinkle with a few tablespoons of the cooking stock (reserve the remaining stock for sauces) and the chopped dill. Accompany with boiled potatoes, pickles, or sauerkraut, or Sauerkraut Salad Provençal (page 54) and mustard or Cream-style Horseradish (page 616).

Goviazhii Kotlety
GROUND BEEF PATTIES

This is one of the most popular Russian family dishes. It is served as a dinner entrée, a luncheon dish, and even for breakfast.

Serves 6

6   ounces stale French rolls, crusts removed

1½   pounds ground lean beef chuck (5–10 percent fat; see *Note*)

½   pound ground pork

¼   cup ice water

Salt to taste

1   clove garlic, finely chopped, *or* ⅛ teaspoon freshly ground pepper (*optional*)

1   cup bread crumbs

¼   cup vegetable oil, in all

Soak the rolls in cold water for 5 minutes, then squeeze out the excess liquid.

If you grind the beef and pork yourself, add the soaked rolls during the second grinding. If the meat is already ground, tear apart the soaked rolls and mix thoroughly with the meat. Add the ice water, salt, and garlic, and mix thoroughly by hand or in an electric mixer or food processor. Spread the bread crumbs on a sheet of wax paper. With wet hands, form 12 rolls, 4 inches long and 1½ inches thick, and roll them in the bread crumbs. Flatten with a spatula to shape into ovals a little over ½ inch thick.

Preheat the oven to 325°F.

Heat 2 tablespoons of oil in an 8-inch skillet over medium-low heat and brown 4 patties at a time, 5 minutes on one side (or until browned) and about 4 minutes on the other. As they brown, place them in a baking pan or ovenproof serving dish and cover with a towel. When all the patties are browned, remove the cloth, lower the oven heat to 275°F, and place the patties in the oven. Allow them to "sweat" for 6–10 minutes.

Russian Fries #1 (page 390) would win the countrywide poll to accompany these patties, with mashed potatoes next and kasha in third place.

Note: It is important that the fat content of the meat be 5–10 percent. If the meat is very lean, the patties will be too compact and dry.

Farshyrovannyi Rulet

GROUND BEEF ROLL

Serves 6

1	recipe filling for Ground Beef Roll (pages 276–77)	1	egg
¼	pound stale French rolls, crusts removed		Salt to taste
		½	cup ice water
1½	pounds ground beef chuck	¾	cup bread crumbs
3	tablespoons unsalted butter, in all	1	cup Brown Beef Stock (page 85) or canned beef stock
1	onion, finely chopped	2	tablespoons sour cream

Prepare the filling.

Preheat the oven to 325°F.

Soak the rolls in cold water for a few minutes and squeeze out the excess liquid. If you are grinding the meat at home, grind it three times and include the soaked rolls in the third grinding. If the butcher has ground the meat for you, tear apart the soaked rolls and mix thoroughly with the meat.

In a small skillet, melt 1 tablespoon of butter, add the onions, and sauté until transparent, about 7–8 minutes.

Combine the meat mixture, onion, egg, and salt, then add the ice water and mix thoroughly with your hands or a wooden spoon.

Sprinkle a sheet of wax paper with ¼ cup bread crumbs. Spread the meat mixture on the sheet and form into a rectangle, 10 inches wide, 12 inches long, and ½ inch thick. Spread the filling over the meat, leaving a 2-inch border of meat down the long side furthest away from you. Lift the wax paper and roll up the meat, starting from the long side nearest you.

Set the roll gently into a shallow cast-iron or heavy cast-aluminum roasting pan. If you use an aluminum baking pan, cover the bottom with foil. Grease the pan (or foil) with 1 tablespoon of butter and sprinkle with 2 tablespoons of bread crumbs. Bake the roll, seam side down.

Melt the remaining tablespoon of butter, brush the roll with it, and sprinkle with the rest of the bread crumbs.

Place the pan in the oven. After 10 minutes, baste with ⅓ cup of the beef stock. Repeat two more times. Turn the heat to 400°F and brown the roll for 5 minutes more. Brush with the sour cream and cook for a few more minutes, until the crust is golden.

SCRAMBLED EGG FILLING
FOR GROUND BEEF ROLL

5   eggs
½   cup finely chopped
     scallions
     Salt to taste

1   tablespoon finely chopped
     fresh dill and/or parsley
2   tablespoons unsalted
     butter

Beat the eggs and add the remaining ingredients except the butter. Melt the butter in a skillet, add the eggs, and cook over low heat, stirring, until the eggs are just set and not liquid.

KASHA AND ONION FILLING
FOR GROUND BEEF ROLL

6   bacon strips, cut into
     ½-inch pieces
1   large onion, coarsely
     chopped

1½ cups cooked kasha (page
     410)
     Salt to taste

In a skillet, sauté the bacon pieces until the fat is rendered but the bacon is still soft. Remove the bacon and reserve. Add the onions and sauté in the bacon fat until they are limp and golden. Mix the cooked kasha, onion, and bacon pieces, and add salt to taste.

MUSHROOM FILLING
FOR GROUND BEEF ROLL

2   tablespoons vegetable oil
1   large onion, finely
     chopped
¾   pound mushrooms, sliced
1½ tablespoons instant-
     blending or all-purpose
     flour

     Salt to taste
1   tablespoon finely chopped
     fresh dill and/or parsley

In a heavy skillet, heat the oil, add the onion, and sauté for 5 minutes over moderate heat. Add the mushrooms and continue to cook for 3–5 minutes. Sprinkle with flour, stir to blend, and cook for 2–3 minutes over low heat. Remove from the burner, add the salt and chopped herbs, mix, and allow to cool for a while.

MACARONI AND CHEESE FILLING
FOR GROUND BEEF ROLL

¼	pound macaroni	1	tablespoon unsalted butter
½	cup grated Parmesan cheese		

Cook the macaroni *al dente* (until it is tender but still firm to the bite). Drain the pasta and mix with the cheese and butter.

VEAL

Teliatina Zharenaia v Ukrope
ROAST VEAL WITH DILL

Serves 6

3	pounds boneless veal loin, leg, or rump, *or* 2 small veal fillets, rolled and tied	10–12 strips bacon
	Salt to taste	1–2 bunches fresh dill
		1 cup of beef consommé

If there are any connective tissues on the roast, make two or three shallow cuts through them. Dry the veal with paper towels and rub with salt. Cover on all sides with dill sprigs, tying them in place with kitchen string. Wrap the whole roast with bacon strips. Enclose the roast tightly in foil, seal the sides well and press, closing them firmly at the top of the roast.

Set the baking rack on the middle level of the oven and preheat the oven to 400°F.

Butter the bottom of a roasting pan and place the meat on a rack in the pan. Insert a meat thermometer in the thickest part of the roast, wrapping a piece of foil around the shaft of the thermometer where it enters the meat to ensure insulation.

Bake for 2 hours for a large single piece of meat, or for about 1 hour for the fillets. The roast is done when the thermometer reads 165°F.

Remove the pan from the oven, open up the foil, and spread it out on the sides of the pan. Remove the string and strew the bacon and dill around the roast on the foil. Add the consommé and return the roast to the oven until it is golden brown, about 10–15 minutes.

Cut the roast into slices and arrange them in an attractive overlapping pattern on a heated serving platter. Strain the sauce and pour it over the veal. Serve with Russian Fries #2 (page 390) or boiled new potatoes, and with a green vegetable.

Teliatina Po-Orlovski

VEAL PRINCE ORLOV

During the eighteenth and, particularly, the nineteenth centuries, members of the Russian aristocracy spent whole seasons and sometimes even years in France, except when Russia and France were at war. Indeed, French was the unofficial language of the Russian beau monde. With their titles and riches, often impeccable French, and always exuberant personalities, these foreign guests were welcome visitors in Paris, Nice, and elsewhere.

Several of the Russians were respected gourmands and esteemed so highly that Parisian chefs named dishes in their honor. One such *magister elegantiarum* of the cuisine was Prince Orlov.

His family came into prominence when the five Orlov brothers, all Russian army officers, helped plan and execute the coup d'etat that placed Catherine the Great on the Russian throne. Titles and fortunes were bestowed upon them. Catherine gave each brother 18,000 peasant souls, 180,000 rubles, and life pensions, and at her coronation she made them all counts. One brother, Grigory, was her lover for a time.

The next generation was also prominent on the political scene, but the third generation were sybarites, and it is one of these for whom the dish was named.

Although unknown in Russia, Veal Orlov is included here because it is associated with Russian cuisine. This is a free adaptation of the Escoffier recipe.

Serves 6

A 2½-pound roast of fillet of veal	10 strips bacon
Salt to taste	

FOR THE *SOUBISE*

1 pound medium onions, finely chopped	½ cup (¼ pound) unsalted butter, in all
10 thin strips bacon, *or* ½ pound pork fatback, thinly sliced	½ teaspoon confectioners' sugar
½ cup rice	Salt to taste
3 cups Chicken Consommé (page 88) or canned chicken consommé	Freshly ground white pepper to taste
	½ cup heavy cream

FOR THE SAUCE MORNAY

½ onion	¼–½ cup Chicken Consommé (page 88) or canned chicken consommé
A pinch of dried thyme	
Freshly ground black pepper to taste	1½ tablespoons grated Gruyère cheese
A pinch of freshly grated nutmeg	1½ tablespoons grated Parmesan cheese
2 cups half-and-half	
5 tablespoons instant-blending or all-purpose flour	1–2 fresh or canned truffles, thinly sliced
6 tablespoons unsalted butter	

Roast the veal as described in the recipe for Roast Veal with Dill (page 277), but omit the dill.

While the veal is cooking, prepare the sauces.

MAKING THE *SOUBISE* SAUCE:

Bring to a boil enough water to completely cover the chopped onions. When the water is boiling, remove the pot from the heat, add the onions, and let them steep for 3 minutes. Drain the onions and dry on paper towels.

Line the bottom of a heavy-bottomed 2-quart saucepan with the bacon strips, add the onions, rice, consommé, 2 tablespoons of butter, sugar, salt, and pepper. Cover the pot, bring to a boil, stir gently, and slip an asbestos mat under the pot. Cook over low heat for 1 hour, or until the rice is very tender. Discard the bacon and purée the rice and onions in a blender or food processor. Push the purée through a fine-mesh sieve to obtain as smooth a texture as possible. Reheat the *soubise* and stir in the remaining butter and the cream. Keep warm.

MAKING THE SAUCE MORNAY

Place the onion, thyme, ground pepper, and nutmeg in a small saucepan, add the half-and-half, and bring to a boil. Cover, remove from the heat, and leave for 10 minutes to infuse the flavors. Strain.

In a deep heavy-bottomed skillet, stir the flour over low heat for several minutes, or until light golden. Stir in 4 tablespoons of the butter and continue to cook until bubbles appear. Gradually stir in the flavored half-and-half, bring to a boil, lower the heat, and simmer for about 3–5 minutes. Add the consommé, return to a boil, lower the heat, and simmer for about 20 minutes, or until the sauce is reduced by one-third.

Stir in the cheeses and cook for a few seconds, until the cheese has melted. Add the remaining 2 tablespoons of butter, cut into small pieces, and blend well.

ASSEMBLING AND BAKING THE VEAL

When the veal has finished roasting, remove it from the oven and turn up the heat to 450°F. Allow the veal to rest for about 10 minutes, then carve a thin lengthwise slice from the bottom of the fillet and place it on an ovenproof serving dish. Cut the remaining veal into fairly thick even slices and keep them in their original sequence. Coat one side of each piece of veal with a little *soubise* and lay a slice of truffle over the *soubise*. Starting at one end of the serving dish, stack the *soubise*-covered slices together to re-form the shape of the original roast.

Coat the fillet with a thin layer of *soubise*, cover with Sauce Mornay, and glaze quickly in the oven. Serve at once.

Zharenaia Teliatina s Vishniami

ROAST LEG OF VEAL WITH MORELLO CHERRIES

Serves 6–8

A 4-pound boned leg of veal

1 pound fresh or canned Morello cherries (see Note), pitted

½ cup (¼ pound) unsalted butter

½ teaspoon ground cinnamon

2 teaspoons ground cardamon

1½ tablespoons all-purpose flour

½ cup Madeira wine

1 cup fresh or canned beef consommé

¼ cup sugar (for fresh Morello cherries), *or* ½ cup canned Morello cherry syrup, in all

Salt to taste

Dry the veal with paper towels, rub with salt, and let stand for 1 hour. Make 20–25 deep incisions all over the meat and insert a pitted cherry in each. Reserve the rest of the cherries. Insert a meat thermometer into the thickest part of the meat.

Preheat the oven to 400°F.

Butter a roasting pan and place the veal roast on the rack. Melt the remaining butter in a small saucepan and brush 2 tablespoons of it over the roast. Sprinkle the cinnamon and cardamom, and bake for 20 minutes, or until golden brown. Baste again with 2 tablespoons of butter, sprinkle with flour, and cover. Reduce the heat to 350°F and roast for 45 minutes more.

If you are using fresh cherries, place those remaining in a saucepan, add ¾–1 cup water and ¼ cup sugar, and cook for 10 minutes on low heat. Drain, reserving the cherries and the syrup separately.

Combine the Madeira wine, consommé, ¼ cup freshly prepared or canned cherry syrup, and the remaining 4 tablespoons of butter. Pour over the veal leg. Continue to cook for 1 hour more, or until the meat thermometer reads 165°F, basting every 15 minutes with the remaining ¼ cup cherry syrup.

Degrease the sauce, thin it with 1–2 tablespoons water if it has reduced too much, add the remaining cherries, and pour into a sauceboat.

Carve the veal into thick slices and arrange on a heated platter. Surround with boiled new potatoes or Russian Fries #1 (page 390) and slices of fresh cucumber.

Note: In the northern United States and in Canada, fresh Morello (sour) cherries can be found in the markets during late July and August. When they are not available, buy canned pitted Morello cherries in light syrup in the delicatessens catering to East European émigré communities. Drain the canned cherries in a colander before stuffing the veal and reserve ½ cup of syrup for the sauce.

Zharenaia Teliatina s Sousom iz Ikry
BRAISED VEAL WITH CAVIAR SAUCE

Serves 6–8

A 3–4 pound boned leg of veal

Salt to taste

¼ pound pork fatback, cut into *lardons* ¼ inch thick and ½–1 inch long

1 medium onion

1 carrot

1 parsley root

2 celery stalks

2 bay leaves

5 black peppercorns

5 allspice berries

1 cup Brown Beef Stock (page 85), plus additional stock if necessary

1 cup white wine

2 tablespoons unsalted butter

1 tablespoon instant-blending or all-purpose flour

1 tablespoon unsalted butter

1–1½ cups degreased cooking liquid

3 tablespoons beluga caviar

1 teaspoon freshly squeezed lemon juice

1 tablespoon finely grated lemon rind

Dry the meat with paper towels, rub with salt, and refrigerate for 2 hours.

Make ½-to-1-inch incisions all over the veal and fill each incision with a pork fatback *lardon*.

Cut the vegetables into thin slices and place them on the bottom of a Dutch oven (or other heavy pot with lid); add the bay leaves, peppercorns, allspice, beef stock, and wine and bring to a boil on top of the stove.

Meanwhile, melt 2 tablespoons of butter in a skillet and brown the meat on all sides. Add the meat to the vegetables, cover, and braise over low heat until tender, turning the meat two or three times. A meat thermometer inserted into the thickest part of the meat should read 160°–165°F. If necessary, add more beef stock during the cooking. When the meat is ready, remove it from the pot and wrap in foil to prevent it from drying out.

Strain, degrease, and reserve the sauce. Discard the vegetables.

Make the sauce: in a dry skillet, heat the flour over low heat for 2 minutes, or until it turns pale golden. Add the butter, stirring and cooking until the mixture bubbles. Add 1 to 1½ cups of the reserved sauce, the caviar, lemon juice, and lemon rind, and bring to a boil.

Carve the veal into thin slices and arrange on a warm platter. Either pour the caviar sauce over it or serve the sauce separately.

Serve with Russian Fries #1 (page 390) or boiled baby potatoes smothered with butter and sprinkled with finely chopped chives.

Farshyrovannaia Teliachia Grudinka

STUFFED BREAST OF VEAL

Serves 6

¾ pound one-day-old French bread, crusts removed

2 cups milk

4 tablespoons unsalted butter, softened

2 egg yolks

¼ teaspoon freshly grated nutmeg

¼ teaspoon ground paprika or freshly ground black pepper
Salt to taste

3 tablespoons finely chopped fresh dill or parsley

1 piece boned breast of veal (3–4 pounds)
Salt to taste

6 slices bacon

9 medium potatoes, peeled and cut into 8 wedges each (*optional*)

To prepare the stuffing, soak the bread in the milk for 15 minutes. Squeeze out the excess liquid; add the butter, egg yolks, seasonings, and chopped herbs to the bread and mix well.

Place the baking rack at the middle level of the oven and preheat the oven to 375°F.

Dry the veal with paper towels and rub with salt inside and out. Spread the stuffing evenly in the pocket, but do not overstuff, as the dressing will expand during braising. (See *Note* for using the remainder of the stuffing.) Close the pocket with a skewer or sew it up.

Lay the bacon strips evenly over the top of the roast and tie in place with kitchen string.

Butter a heavy roasting pan, place the veal in it on a rack, and insert a thermometer in the thickest part of the roast. Add 1 cup of water and bake for about 1½ hours, or until the thermometer reads 165°–170°F. Baste every 15 minutes, adding a little more water, if necessary.

If you are making potatoes as an accompaniment, arrange the wedges on the rack around the veal breast 45 minutes after the meat has begun cooking, and baste them when you baste the veal. When the veal is ready, if the potatoes are not yet tender, remove the veal to a heated serving plate and finish roasting the potatoes.

Untie and remove the bacon strips (see *Note*) and remove the skewer or the string from the pocket. Place the meat on a hot platter. Strain the drippings. Slice the meat ¾–1 inch thick and pour the sauce over the slices. Serve with Russian Fries #2 (page 390) and a lettuce salad.

Note: Leftover stuffing can be rolled into balls 1½ inches in diameter, dipped in bread crumbs, and roasted in the pan with the veal for the last 15 minutes of cooking. Serve with the veal.

Although the bacon is excellent eating, it is not a suitable accompaniment for this veal dish. It is a cook's bonus, to be eaten in the kitchen.

Teliachii Otbivnye

VEAL CHOPS

The host helped him to some veal chops with kidneys. And what veal chops they were, too!

"I reared that calf for two years on milk," Petukh said. "I looked after him as I would after my own son."

"I've no room left," Chichikov replied.

"There was no room in the church, but when the mayor came in room was found for him," the host retorted.

—Nikolai Gogol
Dead Souls

Serves 6

6	large or 12 small veal rib chops (3–4 pounds)	½ cup (¼ pound) unsalted butter
	Salt to taste	
¼	cup all-purpose flour	Paper frills for each chop (*optional*)
2	eggs, lightly beaten	
1	cup bread crumbs	

Ask your butcher to "French" the veal chops, that is, have the bone tips trimmed of gristle and meat. Dry the chops in paper towels, place them between 2 sheets of wax paper, and pound the meat lightly with a wooden mallet. Form them into neat shapes and sprinkle with salt. Dip the chops in flour, then in beaten eggs, and then in bread crumbs. Melt the butter in one or two skillets over medium heat, add the chops, and sauté for about 5 minutes on each side, or until golden and tender.

Because the chops are quite thin, they will cool off quickly, unless they are kept in a warming oven or on an electric hot plate after they are cooked.

When the chops are ready, attach frills on the bone tips and arrange on a warmed platter. Serve with Russian Fries #2 (page 390) and marinated fruit (Chapter 10) or pickles.

Telyachii Otbivnye Kotlety Skobelevskie

VEAL CHOPS SKOBELEV

This dish was named in honor of Mikhail Skobelev, a prominent military commander who achieved fame and recognition in 1873 at the comparatively early age of thirty. He was among those brilliant Russian officers who made the never-ending Russian expansionist policy a success. The area of Skobelev's exploits was the Khanate of Khiva and Turkistan in Central Asia. After the region was invaded and occupied with his active participation, he became the first Russian governor of the annexed province and brutally repressed several rebellions. In the Russo-Turkish War, Skobelev distinguished himself with many bold maneuvers that ensured the Russian victory. Always in the midst of the battle, seen from afar in his white uniform on his favorite white horse, he was known as the "white general" among the reverent soldiers.

A war hero and a militant pan-Slavist, Skobelev was very popular in Russia. When, at thirty-nine, he died of a heart attack in a Moscow brothel, the Russian press tactfully overlooked this detail, and all Russia mourned him as a great man.

Serves 6

10	medium white onions, thinly sliced	6	large or 12 small veal chops (3–4 pounds)
6	tablespoons unsalted butter, in all		Salt to taste
¼	teaspoon sugar		Freshly ground black pepper to taste
2	cups Chicken Consommé (page 88) or canned chicken consommé, in all	½	cup all-purpose flour
		½	cup (¼ pound) unsalted butter
2	tablespoons instant-blending or all-purpose flour		
	Salt to taste		Paper frills for each chop (*optional*)

Prepare the onion sauce first. Place the onions in a bowl, cover with boiling water, and leave for 10 minutes. Drain and dry in paper towels. In a heavy-bottomed saucepan, heat 4 tablespoons of butter, the sugar, 1 cup of consommé, and the onions. Cover and simmer for 5–8 minutes, or until the onions are translucent. Purée the mixture in a blender or food proceesor and set aside.

To finish the sauce, stir the flour over low heat in an ungreased skillet until it is golden. Add 2 tablespoons of butter, stirring with a wooden spoon, and cook until bubbles appear. Gradually add the remaining consommé. Bring to a boil, simmer for 1 minute, add salt and the puréed onions. Mix thoroughly, remove from the heat, and keep warm by placing the saucepan in another pan of very hot water.

Dry the chops with paper towels and trim the bone tips of gristle and meat. Place the chops between 2 sheets of wax paper and pound lightly with a wooden mallet or the flat side of a cleaver or a heavy knife. Form into neat shapes, rub with salt and pepper, and dredge lightly in flour. Melt the butter in 2 skillets over medium heat and sauté the chops for about 5 minutes on each side, or until golden brown and tender.

Fix the paper frills on the bone tips and arrange the chops on a warmed platter. Pour the onion sauce into a heated sauceboat and pass separately. Serve with Russian Fries #2 (page 390).

Skoblianka

VEAL STEW WITH MUSHROOMS

Serves 6

2 medium onions, finely chopped	Freshly ground black pepper to taste
6 tablespoons unsalted butter, in all	2 tablespoons instant-blending or all-purpose flour
¾ pound fresh mushrooms	
2 pounds boneless veal rump or shoulder, cut into ½-inch slices	1 cup sour cream, mixed with 1 cup water
Salt to taste	¼ cup dry white wine, *or* 1 tablespoon freshly squeezed lemon juice

In a small skillet, sauté the onions in 1 tablespoon of butter until lightly colored; reserve. Wash the mushrooms thoroughly, blot dry, and cut into ¼-inch dice. In another skillet, melt 1 tablespoon of butter and sauté the mushrooms for 5 minutes. Set aside.

Place the veal slices between 2 sheets of wax paper and, using the flat side of a cleaver or a heavy knife, pound them until they are a little thinner. Cut into strips 2 inches long and ½ inch wide. Melt 2 tablespoons of butter in a large skillet over medium to high heat, add the veal strips, and cook, stirring often, for about 5 minutes, or until browned. Do not overcrowd the skillet. Cook in 2 batches, if necessary, and add more butter, if needed. Sprinkle with salt and a few grinds of pepper.

In an ungreased skillet, stir the flour over low heat for about 2 minutes, or until light gold in color (this improves the taste of the sauce). Add 2 tablespoons of butter and continue to stir until bubbles appear. Remove from the heat and gradually add the sour cream and water mixture. Return to a boil, then pour into a heavy 3-quart saucepan. Add the mushrooms, onions, and veal, adjust the seasoning, and bring to a boil. Lower the heat and simmer the stew for 15–20 minutes, or until the meat is tender. A couple of minutes before the end of cooking, add the wine or lemon juice.

Serve with Russian Fries #1 or #2 (page 390).

LAMB

SHASHLYK

> *In a few minutes we were sitting in an old tavern, eating* shashlyk *and drinking the famous Kakhetinskoe wine which the tavern keeper deftly poured into our jugs straight from the wineskin.*
>
> —*Vladimir Gilarovskii*
> "On Foot Across the Caucasus"

Shashlyk, or shish kebab, is cooked by the oldest, simplest method: all one needs is a fire in a pit and long wooden or metal skewers. A pillar of Middle Eastern cuisine, *shashlyk* found its way to Russian hearts and menus from Georgia and Armenia, two of the Transcaucasian provinces annexed in the early nineteenth century.

Georgia, a paradise on earth by Russian standards, has gradually become a favorite resort area, and Georgian spices, fruits, and cooking techniques, especially for meat and fowl, continue to influence Russian cuisine.

Armenia, which produces the best brandy in Russia, has also contributed Karskii Shish Kebab (page 293).

As popular as *shashlyk* is today, its debut on the Moscow restaurant scene in 1870 was something of a disaster. The first tavern offering *shashlyk* soon closed for lack of business.

However, over the years an increasing number of Caucasians came to Moscow on business and as tourists. Finally, an enterprising man named Sulkhanov opened an unlicensed "*shashlyk* parlor" in the dining room of his own apartment, which happened to be in Moscow's famous tavern district. His business cards read simply, "Sulkhanov, nephew of Prince Argutinskii-Dolgorukov."

At first only his compatriots knew about the spicy, succulent *shashlyks* and wonderful Georgian wines he served, but gradually more and more Muscovites climbed the stairs to taste his specialties. When the municipal authorities found out about his illegal establishment, they fined him and closed the place down. Fortunately, Sulkhanov was hired by the Peterhof Restaurant, and it wasn't long before he was cooking for full houses again.

The best *shashlyks* in Moscow nowadays are certainly in the Aragvi Restaurant, which features Georgian food, and in the Uzbekistan Restaurant, whose cuisine is highly praised by Muscovites.

In Kiev, there are two or three small *shashlyk* parlors of a new kind— the customers buy the *shashlyks* raw, then grill them over an open wood fire on the premises. These "parlors," built in the parks of Kiev, attempt to capture the atmosphere of hunters' cabins.

You are more likely to find a genuine Karskii *shashlyk* in Georgia, Armenia, and Azerbaijan restaurants, where they have the necessary special equipment to make the dish.

Cuts of Meat   Use only the best cuts. Prime tenderloin (filet mignon) and sirloin are suitable for the Georgian beef *shashlyk*.

Armenian Karskii *shashlyk* is made with rack of lamb, and the widely known lamb *shashlyk* uses leg and shoulder cuts of lean, high-grade lamb (up to 12 months old).

Marination   Marinades can be made with different degrees of acidity. Those used for beef and older lamb contain red wine, vinegar, lemon juice, and pomegranate juice—either singly or in combination. Pomegranate juice, the noblest and gentlest marinating medium, is available in bottles in health food stores.

A rack of lamb or a *shashlyk* made from a very young lamb (the so-called hothouse or Easter lamb) is often marinated only in pomegranate juice.

A mixture of pomegranate juice, red wine, and lemon juice for beef or lamb up to 12 months old is a tasty marinade (see pages 292–93). For those who like the extra bite that vinegar gives, two other marinades are suggested, each enough for 3 pounds of meat.

RED WINE AND VINEGAR MARINADE

1   cup red wine   ½   cup olive oil

¼   cup red wine vinegar

VINAIGRETTE MARINADE

¾   cup red wine vinegar   ¾   cup olive oil

Olive oil is not found in the original Georgian or Armenian marinade recipes. However, as American meats are usually leaner, olive oil will provide a welcome addition to the marinade without modifying the basic flavor.

Grated onion, freshly ground black pepper, powdered coriander or finely chopped fresh coriander (cilantro), chopped fresh basil, oregano, sometimes ground cloves, bay leaves, or allspice, all embellish these marinades.

Different cuts of meat require different marinating times. Young, tender spring lamb may require no marination at all. Leave the meat in a cool place as it marinates and, if the marination period is longer than 6 hours, place the meat in the refrigerator. Be sure to bring the meat to room temperature before beginning to broil it.

Marination, however long, will not make tough meat tender. It will make only the highest grades of meat more tender and more flavorful.

METHOD OF COOKING

The best and most ancient way to broil *shashlyk* is over wood or grapevine embers interspersed with bunches of herbs. A purist would insist that the skewers be sticks of hardwood cleaned of bark. The best *shashlyk* I ever tasted was done deftly and lovingly at a bivouac near Teberda in the Caucasus on a romantic summer night. The modern cook may compromise by using a barbecue grill, hickory-flavored charcoal, metal skewers, and the kitchen broiler, and so on.

If you use a charcoal broiler or barbecue grill, be sure to bring it to peak heat, then wait until white ashes appear on the surface of the coals. For an automatic kitchen broiler, preheat it to its highest point, set the skewers 4 inches from the source of heat, and leave the door slightly ajar to prevent the thermostat from turning off the heat.

Thread the meat tightly on the skewers to prevent it from drying as it cooks.

Cooking time depends on the type of meat, within the range suggested for each recipe, and on the size of the meat chunks. If the barbecue grill is outdoors, the cooking might take longer.

The check for doneness is simple: remove a piece of meat from a skewer and taste it.

GARNISHING AND SERVING

• Scallions, fresh cilantro and basil leaves, quartered lemons, and sliced tomatoes are traditionally served with *shashlyks* in the Caucasus. Grilled and peeled tomatoes can be substituted for the raw ones, and thin onion rings marinated in pomegranate juice for 1 hour can replace the scallions.

• *Tkemali* and *Narsharab* sauces (pages 294 and 295) suit *shashlyks* very well, too. Instead of the sauces, marinated fruit (Chapter 10) can be served successfully, although this is a Russian rather than a Caucasian garnish. (*Tkemali* and *Narsharab* sauces are as available in Georgia and Armenia as mustard is in America.)

• Cooked rice or a rice pilaf goes well with *shashlyks*, in addition to the vegetables and greens.

• *Shashlyks* are usually served on their skewers, which are placed in a circle, their points meeting in the center of the dish to form a pyramid around the picturesquely arranged vegetables. The pieces of meat and onions are pushed off the skewers onto warmed dinner plates.

Shashlyk iz Baraniny
LAMB SHISH KEBAB

Serves 6

2   medium onions
3   pounds boneless leg or
     shoulder of lamb, cut into
     1½-to-2-inch cubes, with
     all excess fat removed

FOR THE MARINADE

3   tablespoons freshly
     squeezed lemon juice
¾   cup pomegranate juice
¼   cup red wine
½   cup olive oil
1   large onion, finely grated
1   tablespoon finely chopped
     fresh coriander (cilantro)
     or parsley

1   tablespoon finely chopped
     fresh basil
1   teaspoon freshly ground
     black pepper
1   teaspoon salt

2–3 tablespoons olive oil

Cut the onions into 8 parts: first cut in half horizontally, then cut each half into vertical quarters.

Place the cubed meat and the onion chunks in a ceramic or enameled pan together with the ingredients for the marinade. Stir, cover, and keep in a cool place for 4–6 hours.

Prepare a barbecue grill for broiling, or preheat the broiler.

Drain but do not dry the meat and onions. Reserve the marinade. Thread alternate pieces on skewers, stringing them together tightly. Brush with oil and place over white-hot charcoal embers or in the kitchen broiler 4 inches from the source of heat. Turn the skewers occasionally and broil for about 15 minutes for medium to well done, or a bit longer if you are cooking outdoors.

Sprinkle the *shashlyk* with the remaining marinade once or twice as it broils.

For serving and garnishing suggestions, see page 291.

Variation   Beef Shish Kebab, Georgian-Style
Instead of lamb, use 3 pounds of beef tenderloin or sirloin. In the marinade, substitute ½ teaspoon ground coriander for the chopped fresh basil and add 2 optional ingredients: 1 bay leaf, broken into pieces, and 2

or 3 allspice berries. Marinate the beef and onion for a minimum of 4–6 hours, and up to 48 hours, depending on how well marinated you want your *shashlyk*. Continue, following the lamb recipe.

Shashlyk Po-Karskii

KARSKII SHISH KEBAB, ARMENIAN-STYLE

Serves 6

3 pounds boned saddle of lamb

FOR THE MARINADE

1 large onion, finely grated
1 cup pomegranate juice
Juice and grated rind of ½–1 lemon
½ cup olive oil
1 tablespoon brandy
1 tablespoon finely chopped fresh coriander (cilantro)

1 tablespoon finely chopped fresh basil
1 teaspoon freshly ground black pepper
½ teaspoon ground cloves
1 teaspoon salt

Trim the meat of excess fat and cut into 1-to-1½-inch slices, 3–5 inches in diameter (or as large as the diameter of the saddle allows). The slices should be as uniform as possible.

Prepare the marinade by mixing all the ingredients in a ceramic or enameled pan, add the meat, cover, and keep in a cool place for 6–7 hours, stirring frequently.

Prepare a barbecue grill for broiling (see *Note*) or preheat the broiler.

Thread the meat tightly on skewers about 16 inrhes long, trimming the edges of the meat into an even surface. Broil for about 15 minutes, turning as necessary.

To serve and garnish, see page 291.

Note: A vertical spit is best for cooking Karskii *shashlyk*. As it is cooked, the outside layer of lamb is sliced off with a very sharp knife and is served immediately.

Sous Tkemali
TKEMALI SAUCE

Together with *Satsivi* Sauce (page 326), *Tkemali* and *Narsharab* sauces, very popular in many parts of the Caucasus, form a delightful trio. Based on fruits and nuts, they create exciting contrasts to meat and fish and are highly recommended for *shashlyks*, roast meats, and baked or grilled fish.

Makes about 1 cup of sauce

½   pound underripe prune plums (Italian plums) or other underripe sour plums

1   medium clove garlic

2   generous tablespoons finely chopped fresh coriander (cilantro)

1½   teaspoons finely chopped fresh dill

1½   teaspoons finely chopped fresh basil or tarragon

A pinch of cayenne pepper

Salt to taste

1   tablespoon freshly squeezed lemon juice (*optional*)

Pit the prune plums. (Other types of plums do not separate as easily when raw. Remove their pits later—see below.)

In a small saucepan, pack the plums tightly and add about a cup of water, or just enough to cover. Bring to a boil, lower the heat, and cook gently for 15–20 minutes, stirring often at the beginning and continuously toward the end. Strain and reserve the juice. Allow plums to cool slightly, for easy handling. Pit the plums if it was not done earlier.

Push the fruit through a sieve or purée in a blender or food processor. Add the reserved plum liquid, tablespoon by tablespoon, until the consistency approaches that of heavy cream. Add the remaining ingredients, mix, adding the lemon juice at the end if needed (the sauce should be tart, but pleasantly so). Dip a piece of *shashlyk* in the sauce and adjust to your taste.

Transfer the plum mixture to a saucepan and bring to a boil, stirring constantly. Remove from the heat, and cool.

Serve in a sauceboat with Chicken *Tapaka* (page 322) or beef or lamb *shashlyk*. *Tkemali* Sauce goes well with other meat or fish dishes—boiled, roasted, or grilled.

Sous Narsharab

NARSHARAB SAUCE

Makes about 1 cup of sauce

2⅓ cups fresh or bottled
    pomegranate juice (see
    Note)

Scant ⅔ cup sugar

This syrup is easiest made in a small saucepan that has cup measurements marked on the side.

Heat the pomegranate juice and the sugar, stirring constantly until the sugar dissolves. When the sauce comes to a boil, lower the heat, and simmer for about 30 minutes, stirring several times. The sauce should reduce to a cup. Cool.

Serve in a jug or cruet to accompany *shashlyk*, grilled fish, or grilled eggplant, as well as other meat and fish dishes.

Note: For 2⅓ cups of fresh pomegranate juice, you will need 10–11 ripe pomegranates. Cut them open, remove the seeds, and force the flesh through a sieve lined with 2 layers of dampened cheesecloth. Or you may use an electric juicer if you own one, cleaning the machine 2 or 3 times in the course of this juicing.

Variation *Narsharab* Sauce can also be made without sugar. Boil it down as described above.

Sedlo Barashka

RACK OF LAMB

Although *sedlo* translates as "saddle," rack of lamb is the equivalent cut in America.

Serves 3

1 whole rack of lamb	2 tablespoons olive oil
Salt to taste	2 medium onions, cut into 6
Freshly ground pepper to taste	wedges each (*optional*)

MARINADE

2 cups pomegranate juice	1 large onion, thinly sliced
2 tablespoons freshly squeezed lemon juice	

Ask your butcher *not* to "French" the ends of ribs, that is, not to scrape them clean. However, if you buy the rack already Frenched, wrap the ends in foil. Trim excess fat from the rack of lamb, rub with salt and pepper, and leave at room temperature for 1 hour.

To prepare the marinade, combine all the ingredients with 2 cups of water.

Place the rack in an enameled or ceramic pan, cover with the marinade, cover tightly, and refrigerate for 24–28 hours, turning occasionally.

Set the baking rack at the lower third of the oven and preheat the oven to 325°F.

Drain the meat and blot dry with paper towels. Reserve the marinade. In a skillet, heat the oil, add the meat, and brown on all sides over high heat. Place the meat, fat side up, on the rack of a heavy cast-iron or cast-aluminum roasting pan and insert a meat thermometer in the thickest part of the lamb. If you wish to serve the onion wedges, pour the fat from the skillet into the roasting pan, add ½ cup water, and arrange the onions, cut in sixths, on the roasting rack around the lamb. Set the pan in the oven and roast for about 30 minutes, basting the lamb and onions with marinade every 10 minutes. The thermometer should read 160°F for medium-rare.

Place the rack of lamb on a heated platter and carve into chops. On a separate platter, offer rice and marinated apples and plums (Chapter 10).

Uzbekskii Plov

LAMB PILAF, UZBEK-STYLE

Russian pilaf can be traced back to Uzbekistan in Central Asia, where pilaf is a beloved daily food. Each Uzbek city—Bukhara, Samarkand, Fergana, Khoresm—has its own pilaf, and there are pilafs for holidays, weddings, celebrations, as well as those for everyday fare.

The usual lamb is sometimes replaced with chicken, quail, pheasant, or horsemeat. Instead of rice, bulghur (cracked wheat) may be used. Dried apricots and raisins or quinces are added in some recipes. Paprika, dried barberries, and aniseed spice the pilaf, and saffron is sometimes thrown in for color.

Most pilafs are made with equal weights of meat, rice, and carrots and half the amount of onions. We have increased the proportion of meat in this recipe to adjust it to American tastes.

Naturally, the preparation of a recipe so old has become a ritual. This is how an Uzbek cook proceeds. First, the oil is put into a hot cast-iron kettle and heated over low heat (the kettle should not touch the flame) until a whitish haze appears over its surface. "Rock salt grains when thrown into the kettle should bounce off the surface of the oil," advises an Uzbek cookbook. A combination of various vegetable oils and animal fats is traditionally used, but sesame and sunflower seed oils are considered best.

Cubed meat and sliced carrots and onions are sautéed in the oil, layer by layer: first the meat, then the onions and, after 10 minutes, the carrots. This is called *zirvak*. The rice and water are carefully laid on top, and the pilaf is cooked without mixing the ingredients at all. Only when it is done is the pilaf gently mixed in the kettle before serving, or each layer can be spooned separately onto plates.

In Russia, parts of the ritual have been abandoned, yet with careful cooking the result is delightful and close enough to the original. In some ways, the recipe is outdated. For instance, the main reason the rice is added last is that if it touched the bottom of the pot it would burn. Teflon-coated utensils as well as asbestos pads make this measure unnecessary. Also, the vegetables flavor the rice much better when mixed with it, and that is the way the Russians now like it.

Paprika is used for pilafs outside the Central Asia area, and garlic is often included in Tadzhik pilafs (Tadzhikistan is Uzbekistan's neighbor). A whole head of unpeeled garlic is buried in the rice, and the aroma seeps out slowly, penetrating the mass of the rice. At the end of cooking the garlic is removed, but its smile lingers on.

Serves 6

3 tablespoons sesame or
   sunflower seed oil, in all
2 pounds boneless lamb
   shoulder or leg, cut into
   1- or 1¼-inch cubes
2½ teaspoons salt
3 large onions, halved and
   then sliced ¼ inch thick

4 large carrots, cut into sticks
   1½ inches long and ½
   inch thick
2 cups long-grain rice
½ teaspoon paprika

OPTIONAL INGREDIENTS

¾ cup dark raisins, *or* 1½–2
   cups dried apricots or
   prunes, washed, *or* any
   combination totaling 1½–2
   cups

   A pinch of freshly ground
   black pepper

A head of garlic, unpeeled
and washed well, *or* 5–6
peeled garlic cloves

In a heavy skillet, warm 1 tablespoon of oil over medium heat, then
sauté the lamb for about 10 minutes, or until golden brown on all sides.
Remove from the heat, sprinkle with 1 level teaspoon of salt, and reserve.

Heat 2 tablespoons of oil in a 4-quart Dutch oven over low to medium heat, add the onions and carrots and sauté for 10 minutes, or until
the carrots are tender but not mushy, stirring carefully to keep the shape
of the vegetables intact. Reduce the heat to low, add the rice and, stirring
gently, cook for 3 minutes. Add the meat, paprika, raisins or apricots or
both, and black pepper. Stir carefully, then pour in 5 cups of cold water,
increase the heat to medium, and bring to a boil. Add 1½ level teaspoons
of salt, lower the heat, and cook for 10 minutes. Slip an asbestos pad
under the pot, cook for 2 minutes more, then reduce the heat to very
low. Bury the garlic in the rice, cover the pot, and continue to simmer for
about 20 minutes. The water should be completely absorbed and the rice
dry, with each grain separate.

Remove the garlic and serve immediately.

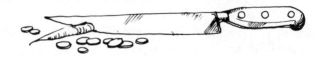

Baranii Bok s Kashei

BREAST OF MUTTON WITH
KASHA FILLING

This rustic dish is an attractive way to serve mutton breast, the humblest of cuts. Ask your butcher to trim the breast of most of its fat and to slit an opening between the ribs and the meat. If possible, have it boned too.

Serves 6

2–4 tablespoons unsalted butter (see *Note*)

2–4 medium onions, coarsely chopped (see *Note*)

2–4 cups cooked kasha (page 410; see *Note*)

¼ pound calf's liver

2 eggs

Salt to taste

2½–3 pounds boneless breast of mutton or lamb (4–4½ pounds with bone in)

Freshly ground black pepper to taste

1–2 cups fresh or canned beef stock, in all

Make the filling: in a heavy skillet, melt the butter, add the onions and sauté for 7–8 minutes, or until translucent. Stir the onions into the cooked kasha and reserve half the mixture for garnish (see *Note*). Chop the liver with a cleaver or purée in a food processor and add it to the kasha along with the eggs and salt to taste. Mix gently.

Preheat the oven to 375°F.

Wipe the roast with a damp cloth and dry with paper towels. Rub inside and out with salt and pepper, then spread the filling evenly inside the pocket and sew it up.

Place the meat on the rack of a Dutch oven or roasting pan, add 1 cup of beef stock, and roast, uncovered, basting every 7 minutes, for about 15–20 minutes, or until the top is golden. Turn the meat over and roast for 15 minutes more, basting twice, until it is golden.

Cover the mutton with foil or a lid and continue to roast for about 1 hour more, adding stock if necessary. The meat should cook for 1½–1¾ hours, or until it is tender and the juices run clear.

Remove the threads from the pocket, cut the meat into serving pieces along the rib lines, and reshape on a heated platter. Garnish with the reserved kasha, if desired. Degrease the pan juices and pour over the dish. Sauerkraut, Marinated Beet Salad (page 46), and pickles are all good accompaniments.

Note: If you wish to serve kasha as an accompaniment to the mutton as well as in the filling, cook double the amount of kasha. Sauté 4 chopped onions in 4 tablespoons of butter, add to the 4 cups of cooked kasha, and stir to mix. Use half of the mixture to stuff the mutton and reserve the other half in the top of a double boiler. About 20 minutes before the mutton is ready, place the pot over boiling water and reheat, stirring occasionally.

PORK

The village seemed little changed from Napoleon's time: houses with pretty Russian window frames, horse-drawn sleds bearing timber and hay, an old man carrying buckets of water on a yoke. And that great silence, save for the wind, of the Russian countryside. . . . As I left, the Bactura family pressed on me bread, salt pork fat, a handful of salt. I could not help thinking that Napoleon's starving soldiers, passing here, would have killed for such a gift.

—*John J. Putman*
"Napoleon," National Geographic

Pork is the most succulent, tender, and flavorful of meats. If there is one perfect roast, *buzhenina* (roast pork leg) may be it. Pork fatback is used for larding and barding; Russian Fries #2 and eggs are incomparable when cooked with it; and on a cold winter's day thinly sliced pork fatback is perfect with mustard and dark bread accompanied by baked potatoes and crisp homemade sauerkraut or pickles—a favorite meal of Ukrainian and Bielorussian peasants 300 years ago and today.

Russia has adopted a number of pork recipes from the Ukraine, where it has always comprised a large part of the cuisine. For a time, the Ukrainians turned pork into a political statement. In the sixteenth and seventeenth centuries, when the Turks and Crimean Tatars escalated their incursions against the southwestern Slavs and then moved north, Ukrainian cossacks established a voluntary military settlement and fought back. Since the aggressors were Muslims and prohibited from eating pork, the cossacks made a point of eating pork conspicuously, to spite the "infidels" and to show their disdain.

SUCKLING PIG (POROSIONOK)
The younger the suckling pig the higher it was valued on the Russian chart. A 4-pound piglet was considered to have the tenderest meat, but it

could provide only two to three servings as an entrée. A 6-pounder provided enough food for six if it was stuffed. The suckling pigs available in America generally weigh about 20 pounds, although it is still possible to find one about 10 to 15 pounds.

A suckling pig, Russian-style, can be

• boiled whole or in pieces, depending on the size, then served with horseradish and sour cream sauce;

• boiled whole or in pieces, then served in aspic: the meat is removed from the bones, pressed into an even thickness, and cut into equal-size shapes. The slices are then covered with aspic and decorated with Morello cherries and gooseberries, hard-cooked eggs, and lemon slices. This is the best method of preparing a piglet weighing up to 10 pounds:

• stuffed, wrapped in a buttered cheesecloth, then gently boiled whole;

• roasted, with or without stuffing;

• spit-roasted, with or without stuffing.

Our recipes call for a 15-pound suckling pig because this is the maximum size that will fit comfortably into most ovens. A 10-pounder would be the limit to boil whole. A pig of 20 pounds can be roasted or boiled, but only if it is cut into pieces, as described in the recipe for Suckling Pig in Aspic (page 32), or spit-roasted.

Whole suckling pig, roasted and glazed, has always been a traditional centerpiece for the Easter table and banquet menus. Boiled and sliced, served with horseradish and sour cream sauce, or set in aspic, it was a favorite restaurant luncheon dish and a prestigious hors d'oeuvre.

Zharenyi Porosionok
ROAST SUCKLING PIG

Serves 10

1	10–15-pound suckling pig	2	teaspoons salt
½	cup oil		

Set the baking rack at the lower level of the oven and preheat the oven to 400°F.

Wash the suckling pig thoroughly inside and out and dry with paper towels. Truss the front legs forward and the hind legs backward. If the pan is not large enough, truss the hind legs under the belly. If you do not have a roasting rack large enough to hold the suckling pig, cross 2 pairs of wooden chopsticks, or similar pieces of wood, on the bottom of a roasting pan and place the suckling pig on top of the chopsticks. Brush with the oil and sprinkle lightly with salt. Cover the ears and tail with foil to prevent them from burning, and place a block of wood or a balled-up piece of foil in its mouth. Insert a thermometer into the thick part of the thigh without touching a bone.

Place the roasting pan in the oven. Baste with oil after 15 minutes and continue to roast for about 10 minutes more, or until the skin is golden brown.

Lower the heat to 325°F, baste again, and continue to roast the pig for about 1½–2 hours, basting every 15 minutes.

To check for doneness, pierce the meat in the thickest part with a long, large needle. If it goes in easily with no resistance at all and the juices are colorless, not pink, the pig is done. The meat thermometer will register 165°F.

Remove the roast from the oven and make an incision in the skin and the surface layer of the meat all along the backbone, to keep the skin crisp.

TO CARVE AND SERVE THE PIG

Remove forelegs and hams; cut down the backbone and separate the ribs. Serve each person a piece of the crisp skin.

If the carving is done in the kitchen, sprinkle the pieces with salt and reassemble them to look like a whole pig. Serve on a bed of steaming Fluffy Buckwheat Kasha with Sautéed Onions and Cracklings (page 410).

Zharenyi Porosionok Farshyrovannyi
ROAST STUFFED SUCKLING PIG

"I'll order suckling pig with kasha, whole, Raspluev style," said Dalmatov, smiling heartily.

"An order of suckling pig for everyone! And will you please see to it that the pig is pink and that the crust is crisp. Tell them to sprinkle it with vodka for crispness."

—Vladimir Gilarovskii
Moscow and Muscovites

Serves 10

Wash, dry, and prepare the pig as described in the recipe for Roast Suckling Pig (page 301). If you would like to bone the pig, follow the instructions below. Make either the liver stuffing or the kasha and weigh it before you fill the cavity. Stuff the cavity loosely (the stuffing may expand as it cooks). Sew up or skewer the openings, then roast, following the directions on page 301, adding 7–10 minutes for each pound of stuffing to the total cooking time.

BONING THE SUCKLING PIG

For a more dramatic presentation, the suckling pig can be partially boned before it is stuffed. This process sounds more difficult than it actually is.

Your objective is to remove the backbone and ribs, but to leave in place the legs and head. Turn the pig on its back. With a very sharp boning knife, begin cutting and scraping against the ribs, starting with the belly cavity and working around to the backbone on either side. Being careful not to pierce the skin, work the knife between the backbone and the skin, scraping the bone free. Cut through the backbone near the tail. Leave the leg bones in place, but sever them. Cut the backbone near the head, and leave the head in place. Remove the ribs and backbone, then sew up the cavity, leaving an opening just large enough to stuff the pig. Scrape away any meat remaining on the ribs and use it for stuffing.

LIVER STUFFING FOR SUCKLING PIG

	Heart, lungs, and liver of the suckling pig	1	medium onion, coarsely chopped
1	pound calf's liver	4	eggs, beaten to blend
¼	pound French bread, crust removed		Salt to taste
½	cup milk		A small pinch freshly grated nutmeg
2	tablespoons unsalted butter	1–3	tablespoons half-and-half

Place the pig's heart in a saucepan large enough to hold all the meats, add boiling water to cover, bring to a boil again, then lower the heat and simmer for 5 minutes. Add the lungs and pig's and calf's liver and simmer for 5 minutes more. Drain the meats, discarding the water. Cut up and grind the meat. If you have no meat grinder, you may chop finely with a food processor.

Meanwhile, soak the bread in the milk for 10 minutes, then squeeze out the excess liquid. Melt the butter in a small skillet, add the onion and sauté for 7–8 minutes, or until golden. In a mixing bowl, combine the meats, bread, onions, eggs, salt, and nutmeg. If the mixture is very stiff, add the half-and-half a tablespoon at a time. The stuffing is now ready to use.

KASHA STUFFING FOR SUCKLING PIG

2   tablespoons butter
3   cups buckwheat (kasha)
    Salt

Bring 8 cups of salted water to a boil. Meanwhile, in a heavy-bottomed 3½-quart saucepan, melt the butter and sauté the kasha over low heat, stirring continuously, for 3–5 minutes, or until golden. Pour in the boiling water.

Return to a boil, lower the heat, and simmer for 12–15 minutes. Cover the pot, place an asbestos mat under it, turn down the heat to low, and simmer the kasha gently for another 30 minutes. Allow the kasha to cool off a bit before stuffing the pig.

Buzhenina

ROAST PORK LEG

And there was a cut of some roast . . . which was borne on Pegasus-wings of garlic beyond mundane speculation.

—C. S. Forester

Commodore Hornblower

This is one of the tastiest meat dishes we know. It is delicious served hot with baked potatoes, but it is at its best sliced thinly, as a cold cut, and accompanied by salads, vegetables, or marinated prunes and apples.

When buying the pork leg, ask the butcher to remove the bone so that it will be easier to slice the roast evenly before serving.

Hot: serves 10; cold: serves 16

1	pork leg (fresh ham), about 6 pounds, boned and tied	6	bay leaves, crumbled and mixed with 1 tablespoon salt and 1 level teaspoon freshly ground black pepper (see *Note*)
6	cloves garlic, peeled and cut into 4–5 slivers each		

With a long sharp knife, make deep incisions in the meat at 1-inch intervals on each side of the ham. (If the leg is 5 inches thick, make the incisions about 1½ inches deep.) Dip a garlic sliver in the spice mixture so that it is completely coated and push it as deep as possible into an incision; continue until the entire leg is stuffed. Rub the rest of the spice mixture over the leg, covering the entire surface. Refrigerate for 2–4 hours, or overnight.

Preheat the oven to 425°F.

Place the leg in a Dutch oven or roasting pan and stick a meat thermometer into the thickest part. Place in the oven, uncovered. After the first 20 minutes, turn the meat and baste it with its own juices. Continuous basting is important for the quality of *buzhenina:* because the juice seeps into the incisions, the meat stays moist inside and out. Roast another 20 minutes, or until the meat is nicely browned, then cover the pan. Total roasting time is 2–2½ hours, depending on the thickness of the leg and the pan. Turn the meat and baste it every 20 minutes.

To check for doneness, make a deep incision in the center. If the juices are still pink, continue to roast the meat for another 20 minutes. The meat thermometer should register 165°F and the cooked meat should be light beige and juicy.

Serve hot with boiled potatoes, Homemade Sauerkraut (page 427), and homemade pickles (Chapter 10). Beer complements this dish splendidly. To serve the *buzhenina* cold as an hors d'oeuvre, allow the meat to cool, then cut into ¼-inch slices.

Note: This dish is supposed to be fairly salty and spicy, but you may wish to adjust the seasonings to your own taste.

Svinye Otbivnye

SAUTÉED BREADED PORK CHOPS

Serves 6

12 small pork chops, *or* 6 large ones, bone in (see *Note*) Salt to taste	2 eggs, lightly beaten 1 cup bread crumbs ½ cup oil

Trim the bone tips of gristle and cut away excess fat around the chops. Slash the fat at the edges 2–3 times, so that the chops will not curl while sautéeing. Place the chops between 2 sheets of wax paper and with a mallet or the flat side of a cleaver, flatten until they are ½ inch thick. Salt the chops lightly, dip in the eggs, then in the bread crumbs.

Preheat the oven to 325°F.

Heat the oil in one or two large skillets and sauté the chops over medium-low heat for 5–6 minutes on each side, or until golden. Turn carefully so as not to break the crust. Once the chops are cooked on both sides, place them on a rack in a Dutch oven or roasting pan and cover. When all the chops are browned, bake them for about 10 minutes.

If you prefer to finish the chops' cooking on top of the stove instead of in the oven, add 2 tablespoons of water, cover, and cook over very low heat for 10 minutes.

Serve with asparagus tips or Braised Carrots and Green Peas (page 375) or Homemade Sauerkraut (page 427) or marinated apples and plums (Chapter 10) and Russian Fries #1 (page 390).

Note: Use the very best quality chops for this simple, delicious dish.

Zharenaia Teliachia Pechonka s Lukom

SAUTÉED CALF'S LIVER WITH ONIONS

Serves 6

2½ pounds calf's liver, cut into ½-inch slices (see *Note*)

2½ cups milk

2 medium onions

2 tablespoons unsalted butter

¾ cup all-purpose flour

¼ cup vegetable oil

Salt to taste

¼ teaspoon freshly ground black pepper

OPTIONAL SAUCE

2 tablespoons instant-blending or all-purpose flour

1 tablespoon unsalted butter

1¼ cups Chicken Consommé (page 88) or canned chicken consommé

¼ cup sour cream

Remove the filaments and the transparent membrane around the liver, or ask your butcher to do it. Rinse the liver under running water, then soak in milk to cover for 2 hours.

Cut the onions in half lengthwise, slice into half-rings a scant ¼ inch thick. Melt the butter in a skillet, add the onions, and sauté until pale golden and rather limp. Remove from the heat, but keep warm.

Dry the liver in paper towels. Place between 2 sheets of wax paper and pound lightly with a mallet or the flat side of a cleaver. Roll the liver in flour and shake off the excess. Heat the oil in a large skillet over moderate heat, add the liver, and sauté for 4–5 minutes on one side and 1–2 minutes on the other. Do not crowd the pan; if necessary, sauté the liver in 2 batches. When done, the liver should be pale pink inside and quite plump and juicy. Sprinkle with salt and pepper.

Serve the liver on a heated platter, surround with the onions, and sprinkle with the pan drippings from the liver. Accompany with Mashed Potatoes, Pickled Tomatoes, and Brined Cucumbers Malossol (Chapter 10).

If you wish to serve the sauce, prepare it as soon as the liver is cooked. In an ungreased skillet, dry the flour over low heat for about 2 minutes, or until pale golden, stirring constantly. Add 1 tablespoon of butter and stir. Remove from the heat, gradually add the consommé, stir, and return to the heat. Add the sour cream, stirring continuously, and cook for about 2–3 minutes, or until the sauce starts to bubble. In a flameproof casserole, first place the liver, then the sour cream sauce, next the onions, and finally the drippings from the skillet. Cover, bring to a boil, and simmer for 5 minutes. Serve as above.

Note: Be sure that the liver is no less than ½ inch thick; otherwise it might dry out during cooking.

Zharenye Mozgi
SAUTÉED CALF'S BRAINS

Serves 6

6	pairs calf's brains	6	black peppercorns
4½	teaspoons salt plus additional salt to taste		Finely ground black pepper
¼	cup freshly squeezed lemon juice	¾	cup all-purpose flour
1	carrot, sliced	1–2	eggs, beaten lightly until blended
1	parsley root, sliced	½	cup fine bread crumbs
1	onion, sliced	4–5	tablespoons unsalted butter, in all
2	bay leaves		

Wash the brains in cold water, pulling off as much of the membrane as you can without damaging the flesh. Soak for 30 minutes in cold water to cover. Change the water, add 2 teaspoons of salt and 2 tablespoons of lemon juice, and soak 30 minutes more. As thoroughly as possible, remove the remaining membrane and any traces of blood. Rinse and drain.

Place the vegetables, bay leaves, peppercorns, and the brains in an enameled 4-quart saucepan, add 8–10 cups of water, or enough to cover the ingredients by 1 inch, add 2½ level teaspoons of salt and 2 tablespoons of lemon juice. Bring to a boil gently over moderate heat, lower the heat, and let the liquid "shiver" for 15 minutes. Turn off the heat and allow the brains to cool in the broth. Drain them and dry in paper towels.

Sprinkle the brains with salt and a few grinds of pepper, roll in flour, dip in the beaten eggs and then in bread crumbs. Over moderate heat, melt 3 tablespoons of butter and sauté the brains for about 3 minutes on each side, or until the crust turns golden.

Serve sprinkled with 1–2 tablespoons of melted butter, accompanied by Mashed Potatoes (page 391) or Russian Fries #1 (page 390), or with green peas and carrots.

Pochki Teliachii v Madere
VEAL KIDNEYS IN MADEIRA SAUCE

This recipe, which would draw a blank gaze from the ordinary cook in Russia today, was once a very popular dish, eaten as an entrée and a hot hors d'oeuvre. Favored by gourmets in the nineteenth century, it was a specialty at—of all places—a railway station restaurant. However, both the railway station (in Tsarskoe Selo, near St. Petersburg) and the restaurant were quite special. Tsarskoe Selo ("the tsar's village") was a favorite summer residence of the last tsar's family, and the numerous high officials of Nicholas II's government and court who came on business always saved a few hours to dine on the superb *Pochki Teliachii v Madere* in the railway station restaurant.

"Never have I seen a restaurant patronized by so many bald-headed customers, all wearing decorations, all looking as though the fate of the world depended upon them," reminisced Princess Alexandra Kropotkin, a relation of the anarchist who attempted to shoot the tsar.

Serves 6

2½ pounds veal kidneys	1 tablespoon instant-blending or all-purpose flour
1 pound mushrooms	
1 teaspoon salt	
1 teaspoon freshly ground black pepper	1 tablespoon unsalted butter
5 tablespoons unsalted butter	2 cups Chicken Consommé (page 88) or canned chicken consommé
1 medium onion, finely chopped	½ cup Madeira wine
	2 tablespoons finely chopped parsley

Remove the fat and membrane covering the kidneys, halve them and cut out the white core in the center. Cut the kidneys and mushrooms into ¼-inch slices and sprinkle with salt and pepper. In a large skillet, melt the butter, add the onions, and sauté for 5 minutes over moderate heat. Add the kidneys and mushrooms, and sauté for 7 minutes, stirring often.

To make the sauce, heat the flour in an ungreased skillet over low heat, stirring constantly, for 2–3 minutes, or until light golden. Add the butter and remove the skillet from the heat. Blend the butter and flour well and gradually add the consommé, stirring constantly to keep the mixture very smooth.

Add the mushrooms and kidneys and simmer for 12 minutes. Add the Madeira wine and continue to simmer for 3–5 minutes more, or until the kidneys are tender.

Sprinkle with parsley and serve on a heated platter.

Pochki Po-Russki

KIDNEYS, RUSSIAN-STYLE

Serves 6

2½–3 pounds kidneys (veal, beef, lamb, or pork)

Salt to taste

6 tablespoons unsalted butter, in all

6 large potatoes, peeled and sliced ¼ inch thick

2 carrots, thinly sliced

2 medium onions, thinly sliced

2 parsley roots, thinly sliced

2 tablespoons instant-blending or all-purpose flour

2 tablespoons butter

2½–3 cups Chicken Consommé (page 88) or canned chicken consommé

1 large bay leaf

6 black peppercorns

6 Brined Cucumbers (page 423), Claussen Kosher Pickles or delicatessen sour pickles

2 tablespoons catsup or tomato sauce

1 clove garlic, crushed

Remove the fat and membrane covering the kidneys, halve them, and cut out the white core in the center. If you are using beef, lamb, or pork kidneys, soak them in cold water or milk to cover for 1 hour. Cut the kidneys into ¼-inch slices and sprinkle with salt. In a large skillet, melt 2 tablespoons of butter, add the kidneys, and sauté for 2 minutes on each side. You may have to cook them in 2 batches; add more butter as needed. Transfer the cooked kidneys to a 4- to 5-quart heavy Dutch oven and reserve.

In another skillet, melt 2 tablespoons of butter, add the potatoes, and sauté for several minutes, stirring. Add the potatoes to the Dutch oven. In the potato skillet if it has no burned bits on the bottom, or in a third skillet, melt the remaining butter, add the carrots, onions, and parsley roots, sauté for several minutes, and add to the Dutch oven.

To prepare the sauce, stir the flour in an ungreased skillet over low heat until pale golden. Stir in the butter, and gradually add 2 cups of consommé, stirring constantly. Add the bay leaf and peppercorns and simmer for 3–5 minutes. Strain the sauce over the contents of the Dutch oven, bring to a boil, lower the heat, and simmer, covered, for 20–30 minutes, or until the vegetables are tender. If the vegetables become too dry, add ½–1 cup consommé, as needed.

Meanwhile, quarter the pickles lengthwise and cut into ¼-inch slices. Stir them into the kidneys and simmer 5–7 minutes more. Mix in the catsup and garlic, cook 1 minute more, and serve immediately.

CHAPTER 8

Poultry and Game

CHICKEN AND TURKEY

On the average landowner's estate of past centuries, "where caring about good food comprised the first and foremost daily concern," raising perfect poultry was regarded as an art. "What subtle considerations, what knowledge and skills were applied to it!" marveled Ivan Goncharov in *Oblomov.* "Turkeys and chickens destined for birthdays or other festivities were fed on walnuts; geese were put into sacks and the sacks hung for several days before the holiday to prevent the birds from moving. This forced them to grow more tender and fat."

A connoisseur knew that May and June were perfect months for buying young chickens; June through November, capons; November through May were the months for ducks. One was never to buy a turkey below 5 pounds; one-year-old turkeys shipped from Finland and Kurland were preferable to any others.

The test of a true Russian is to know that goose goes with apples. Nitpickers may say this dish originated in Lithuania, but it became an institution in Russia.

Chickens and turkeys were often stuffed with rice, raisins, and prunes or walnuts, or bread crumbs with cream and chopped liver. When stuffing the birds, a dressing of either bread crumbs or rice combined with a dried fruit will expand while cooking, so don't fill the cavities too tightly. Sauerkraut and apples, on the other hand, reduce in volume when cooked; don't be afraid to pack either of these quite fully. A vent is not necessary, since all the liquid and steam should penetrate the meat from inside to tenderize it.

A half teaspoon of salt per pound of poultry should be used for rubbing the birds inside and out.

Trussing the poultry is important for keeping it in good shape.

When carving the birds, it is better to slice the thighs, drumsticks, and breasts than to cut through them at the joints. The slices will provide light and dark meat for each serving.

In broiling, if a Russian recipe calls for spring chickens of 1–1½ pounds each, a broiler chicken of comparable weight can be used. However, if broilers that small are not available, or if the recipe calls for braising, Cornish hens or squabs provide satisfactory alternatives.

One-pound chickens are usually served one to a person. One-and-a-half–pound chickens are cut in half lengthwise with poultry shears.

Farshyrovannaia Kuritsa (Nachinka s Iziumom)

ROAST CHICKEN WITH BREAD CRUMB AND RAISIN STUFFING

Serves 4–6

1½ cups bread crumbs
½   cup half-and-half
2   tablespoons unsalted
     butter, softened
1–2 teaspoons sugar
¾   cup seedless raisins
2   egg yolks
⅛   teaspoon ground
     cinnamon
⅛   teaspoon freshly grated
     nutmeg

Salt to taste

1   roasting chicken (about
     4½–5 pounds)
½   cup Chicken Consommé
     (page 88) or canned
     chicken consommé
Salt mixed with a pinch of
     rosemary or tarragon, to
     taste

Prepare the stuffing: in a large bowl soak the bread crumbs in the half-and-half for 10 minutes. Add all the remaining ingredients and mix well. Thicken with an additional 1–2 teaspoons bread crumbs, or thin out with 1–2 teaspoons half-and-half, if necessary.

Place the baking rack at the lower level of the oven and preheat the oven to 400°F.

Wash and dry the chicken inside and out. Stuff loosely and sew up the cavity or close with skewers. Truss and sprinkle with the seasoned salt.

Place the bird in a Dutch oven or roasting pan, breast side up, and roast for 10 minutes. Lower the heat to 350°F and roast for 35–40 minutes more, basting frequently with the pan juices. If the breast begins to brown too soon, cover with foil or a lid but remove it each time before basting. Check for doneness: if the drumstick moves easily in its socket and the thigh juices run clear, the bird is done. Let it rest for 10–15 minutes at room temperature.

Remove the chicken from the pan, pull out the strings or skewers, then scoop out the stuffing and keep it warm until serving time.

Using a sharp knife, slice the breasts and legs thinly. Serve with rice or green peas and carrots and, of course, the dressing.

Note: You may wish to make twice as much dressing and bake the extra amount in a small roasting pan for 30–40 minutes alongside the chicken. To ensure its not drying out, add basting juices occasionally and/or cover with foil. Cut in wedges or squares to serve.

Tsypliata na Maher Riabchikov

SPRING CHICKEN COOKED TO TASTE LIKE GROUSE

Serves 6

3	Cornish hens (1½ pounds each; see *Note*)	8	bacon strips
3	tablespoons juniper berries, crushed	1	tablespoon unsalted butter, softened
½	tablespoon ground allspice	3	tablespoons sour cream
1	teaspoon salt	3	tablespoons fine bread crumbs
3	tablespoons freshly squeezed lemon juice		

Wash the hens inside and out and wipe with paper towels. Mix the juniper berries, allspice, and 1 teaspoon salt. Rub the skin and cavities with the spice mixture, wrap the hens in a large piece of foil, and refrigerate for 15–24 hours.

Rinse the hens inside and out and dry again with paper towels. Sprinkle with lemon juice. Cut 2 of the bacon strips into thirds and stuff each bird cavity with 2 pieces. Wrap 2 whole strips around each breast and back. Fasten with string or toothpicks.

Preheat the oven to 375°F.

Place the hens, breast side up, in a roasting pan greased with 1 tablespoon of butter. Roast for 40–45 minutes, or until they are done. Using a bulb baster, baste the legs and wings with the pan juices every 10–15 minutes.

Unfasten the bacon strips and remove the half strips from the cavities. Brush the hens with the sour cream, sprinkle with bread crumbs, and return them to the roasting pan.

Bake 5 minutes longer, or until golden.

To serve, cut each bird in half and garnish with Russian Fries #1 (page 390) and a salad.

Note: Six 1-pound Cornish hens can be prepared and served whole. In this case, double the number of bacon strips and increase the amount of the other ingredients by half.

Variation Chickens prepared this way are excellent spit-roasted.

Kuritsa s Podlivoi iz Kryzhovnika

CHICKEN WITH GOOSEBERRY SAUCE

Serves 6

6   chicken legs (thighs and drumsticks)
Salt mixed with a pinch of powdered rosemary or tarragon to taste

2   cups slightly underripe gooseberries (see *Note*)

2   cups Chicken Consommé (page 88) or canned chicken consommé

10–12 lumps sugar, *or* 3–4 tablespoons granulated sugar (see *Note*)

2   tablespoons instant-blending or all-purpose flour

2   tablespoons unsalted butter

1   tablespoon dry white wine

Set the baking rack at the middle level of the oven and preheat the oven to 375°F.

Wipe the chicken legs with paper towels, rub them with the seasoned salt, and place in a roasting pan. Bake for 30 minutes, or until the chicken is cooked.

Meanwhile, place the gooseberries and consommé in a 2-quart saucepan, add the sugar, and bring to a boil over moderate heat. Lower the heat and simmer for 10–12 minutes, or until the fruit is tender. (The berries will fall apart if cooked too vigorously.) Drain and reserve the liquid and gooseberries separately.

In an ungreased skillet, stir the flour over low heat for about 2–3 minutes, or until pale golden. Stir in the butter and cook until it foams, then gradually pour in the reserved gooseberry liquid and the wine, stirring constantly until blended and thickened. Add the degreased chicken drippings for a more full-bodied taste.

Pour the sauce over the chicken in the roasting pan and simmer for 2–3 minutes on top of the stove.

Serve in a deep, heated platter, pour the sauce over the chicken and scatter the gooseberries over the top. Rice is a good accompaniment.

Note: Gooseberries canned in light syrup are an acceptable substitute. Drain off the syrup and reserve it. Taste a gooseberry; if it is too sweet, place the berries in a strainer and rinse briefly under running water.

Tushonaia Kuritsa
s Chernoslivom

BRAISED CHICKEN WITH PRUNES

Serves 6–8

2   roasting chickens (3½
    pounds each)
    Salt to taste

3   tablespoons unsalted
    butter, in all, plus 2 op-
    tional tablespoons un-
    salted butter

1   medium carrot

1   medium parsley root

4   celery stalks

1   medium onion

3   cups Chicken Consommé
    (page 88) or canned
    chicken consommé, in all

10   black peppercorns and 2
    bay leaves, tied in a
    cheesecloth bag

24   prunes, pitted

2   tablespoons instant-
    blending or all-purpose
    flour

2   tablespoons freshly
    squeezed lemon juice

1–2 tablespoons sugar

Wipe the chicken with paper towels and cut into serving pieces. Either sprinkle with salt or brown the pieces in a skillet in 2 tablespoons of butter, then sprinkle with salt.

Slice the carrot, parsley root, and celery ¼ inch thick and cut the onion into 8 wedges. Melt 1 tablespoon butter in a Dutch oven or heavy-bottomed pot, add the vegetables, and cook for several minutes over moderate heat until the butter begins to foam again. Add the chicken, ½ cup consommé, and spice bag, and cover. Bring to a boil, lower the heat, and simmer for 10 minutes. Turn the chicken, taking care that the pieces that were on top are now on the bottom. Add another ½ cup consommé and continue to simmer for about 35 minutes more, turning the chicken and vegetables occasionally and adding more consommé if the sauce reduces too much (but use no more than 2 cups of consommé altogether). At this point, the chicken should be almost done. Remove and discard the spice bag.

Add the prunes to the pot, cover, and simmer over low heat for 5 minutes.

In a small, ungreased skillet, stir the flour over low heat for about 2–3 minutes, or until pale golden. Add the remaining 2 tablespoons of butter, stirring continuously, and when it bubbles, slowly add 1 cup of consommé. Stir in the lemon juice and sugar and pour the sauce over the chicken in the Dutch oven. Bring just to a boil over moderate heat, then remove from the stove.

Arrange the chicken pieces on a heated serving platter, surround with the prunes, and serve the sauce in a sauceboat. Semolina (page 414) goes very well with this dish; don't be put off—it bears little resemblance to children's pudding!

Variation Braised Chicken with Mushrooms
Substitute 24 large mushrooms, sliced ½ inch thick, for the prunes. Add them to the Dutch oven with the other vegetables.

Serve with rice or boiled potatoes.

Chakhokhbili iz Kuritsy
CHICKEN *CHAKHOKHBILI* (A GEORGIAN RECIPE)

Serves 6

1 4–4½-pound chicken, cut into serving pieces, *or* 3 pounds chicken thighs, wings, and unboned breasts	2 tablespoons tomato paste
	1 tablespoon each finely chopped fresh cilantro, basil, and savory (see *Note*)
5 tablespoons unsalted butter, in all	1½ teaspoons each finely chopped fresh tarragon and mint (see *Note*)
3 medium onions, coarsely chopped	½ teaspoon paprika
1 tablespoon instant-blending or all-purpose flour	A generous pinch of mixed dried herbs: tarragon, basil, oregano, thyme, savory, saffron, fenugreek
1¼ cups Chicken Consommé (page 88) or canned chicken broth, in all	3 tablespoons finely chopped parsley, in all
6 medium tomatoes, blanched, peeled, and quartered	1 clove garlic, crushed
¼ cup dry white wine	Thin lemon slice for garnish
2 tablespoons freshly squeezed lemon juice	
Salt to taste	

Dry the chicken with paper towels. Melt 2 tablespoons of butter in a medium-sized Dutch oven, add the chicken pieces, and brown on each side for about 10 minutes. Remove the chicken and set aside. Melt 2 more tablespoons of butter in the Dutch oven, add the onions, and sauté over medium heat for 10 minutes, or until translucent.

In a small ungreased skillet stir the flour over low heat for 3 minutes, or until pale golden. Add the remaining tablespoon of butter, stirring continuously, and cook until bubbles appear. Gradually stir in 1 cup of chicken broth and cook for 2–3 minutes more. Pour the sauce over the onions in the Dutch oven, stir, then add the tomatoes, wine, and lemon juice, and bring to a boil.

Sprinkle the chicken pieces with salt and add to the pot. Cover and cook over moderate heat for 10 minutes, then add the tomato paste and ¼ cup of chicken broth or water, if necessary. Stir, cover, and continue to simmer for 10 minutes more, or until the chicken is almost cooked.

Mix the herbs and spices, reserving the garlic and 2 tablespoons of the chopped parsley, and add to the stew; simmer for 3–5 minutes. Add the garlic, cover, remove the pot from the heat and let the fragrance infuse for 3 minutes longer.

Serve with steaming rice, sprinkle with the reserved parsley, and decorate with thin lemon slices.

Note: This recipe is best made in summer when there is a wider selection of fresh herbs to choose from. Try to use at least three fresh herbs, in addition to the parsley, and add ½ teaspoon of powdered coriander if the cilantro is not available. Do not use any other dried or powdered herbs.

Kotlety Po-Kievski
CHICKEN KIEV

As the name suggests, this is a Ukrainian contribution to Russian gourmet cuisine and a recent one, dating back to the early 1900s.

The original recipe calls for a boned half chicken breast with the first wing joint still attached.

A simplified version is made without the wing bone but retains all the other subtleties of the preparation. This is how Chicken Kiev is mostly known in America.

Serves 6

½ cup (¼ pound) unsalted
   butter
3 whole chicken breasts,
   with or without wings
   attached
   Salt to taste
⅓ cup all-purpose flour

2 eggs, beaten
1½ cups fine bread crumbs
   Oil for deep frying

   Deep-frying kettle
   Deep-fat thermometer

Cut the stick of butter in half across the width: you will have two pieces, each 3¼ inches long. Cut each half lengthwise into four pieces. Freeze six of the "fingers" until you are ready to stuff the chicken. The other two pieces of butter can be used for another dish.

Prepare the chicken breasts: skin the breasts, then place them skinned side down on the work surface. With a sharp boning knife, cut through the white cartilage in the center of the breast, pick up the breast, and bend it back so that the central breastbone pops off. Work your fingers down the sides of the bone to loosen the meat, then pull out the bone and the cartilage. Split the breast down the center and, with the boning knife, cut and scrape the flesh from the rib cage and wishbone. If the wings are attached, cut off the tip and the second joint, leaving the first joint attached to the breast. Scrape the flesh on the wing bone to within an inch of the joint. Carefully cut the narrow fillet from each breast. You now have 6 half-breasts and 6 small fillets.

Place the breasts and fillets between 2 sheets of wax paper and pound with a mallet or the flat side of a cleaver or a heavy knife until the meat is about ⅛ inch thick, taking care that there are no holes in the flesh. The edges, in particular, should be pounded very thin so that they will seal easily after the breasts are stuffed.

Sprinkle with salt.

Remove the butter fingers from the freezer and place one in the center of each pounded breasts, then place a fillet over the butter. Fold the edges of the short sides of the breast over the filling and roll from the long side opposite the wing bone, completely enclosing the filling. Press the edges in, softly but firmly, so that the roll is tightly sealed.

Dip each roll in flour; give it its final oval, slightly tapered shape; then dip into the beaten egg and coat with bread crumbs. Place the breaded *suprêmes* on wax paper, cover with foil or plastic wrap, and refrigerate for 4–6 hours.

Just before serving time, add 4 inches of oil to a deep fryer and heat to 360°F. Place as many chicken rolls in the frying basket as it will comfortably hold without allowing the breasts to touch.

Fry for 6–8 minutes, or until brown on the outside and tender inside. Remove to a hot plate thickly lined with paper towels, and keep warm while you cook the remainder. Serve as soon as possible after cooking so that the rolls retain their shape and the butter does not seep out. When you first pierce the chicken with a fork, the butter should spurt out.

Traditionally, Chicken Kiev is served with shoestring potatoes and green peas topped with a dollop of butter. This is bland fare. The very gentle taste of Chicken Kiev cries for an accent. Serve with marinated fruit, such as apples and plums (Chapter 10), or with Marinated Beet Salad (page 46).

Variations Add spice to the butter filling with, for instance, crushed garlic and chopped fresh parsley and/or chives. For this option, soften the butter, mix with the seasonings, reshape into cylinders, and then freeze. Or a few dots of garlic paste could be placed on each side of the frozen butter fingers and ¼ teaspoon chopped fresh parsley and/or chives sprinkled on top just before the stuffing is enclosed.

Tsyplionok Tapaka
CHICKEN *TAPAKA*

In Georgian cuisine, spring chickens weighing 1 to 1¼ pounds are used for this dish. Depending upon their size, one serving consists of a whole or a half chicken. Rock Cornish hens or squab chickens are the right size and suit the recipe quite well.

To prepare *tapaka*, the chicken must be flattened and sautéed with a weighted lid over it (a *tapa* is a large skillet). In Georgia, a chicken cooked this way is part of an intricate dish involving sautéed or stewed vegetables and a sauce made of yogurt spiced with saffron and cinnamon. Outside Georgia, in different parts of Russia, it is the chicken *tapaka* itself, served with spicy seasonings, that has become very popular.

Serves 6

6 Cornish hens or squab chickens (1 pound each)	3 tablespoons sour cream, mixed with 3 tablespoons heavy cream
Salt to taste	
2 teaspoons paprika	¾ cup (1½ sticks) unsalted clarified butter (page 617)

FOR THE GARLIC SAUCE

3	cloves garlic, crushed or finely chopped	Salt to taste
6	tablespoons mixed, very finely chopped fresh coriander (cilantro), basil, tarragon, and chives	Parsley sprigs

To flatten each bird: make 2 deep incisions down either side of the backbone, starting from the neck and going all the way to the tail. With your fingers, break the backbone away from the keel bone (the central breastbone) and pull out both, together with the cartilage around the breastbone. Reaching through the cavity, loosen the skin around each thigh joint and cut halfway through the joints, taking care that you do not sever the thighs completely. The legs should now move freely in their joints.

Spread the bird, breast side up, cover with wax paper, and pound all over with the flat side of a cleaver or with a wooden mallet. With a sharp knife, make an incision on each side of the breast beneath the rib cage between the breast muscle and the wing. Pull the legs through the incisions in the breast so that the ends of the drumsticks show through by about ½–1 inch.

Dry each bird with paper towels, sprinkle on both sides with salt and paprika, and brush the flesh side with the sour cream mixture. If possible, cook 4 birds simultaneously, using 2 large skillets. For each bird, melt 2 tablespoons of the butter in a skillet and place the hen in it, breast side down. Cover the chicken with a lid slightly smaller than the skillet so that a heavy weight placed on top will press the chicken flat against the bottom of the skillet. (If you do not have a flat lid on which to balance weights—bricks are good—then substitute heavy-duty foil.) Sauté for about 10 minutes over a slightly lower than medium heat, being careful that the butter does not burn.

When the crust is golden, turn the chicken breast side up, brush with the sour cream mixture, and cover again with the weighted lid. Sauté for about 10 minutes more.

Transfer the cooked birds to a heated platter and keep in a warming oven while the rest are being sautéed.

To make the sauce: mix the chopped garlic with the chopped herbs, a pinch of salt, and a tablespoon of water. Or prepare *Tkemali* Sauce (page 294).

Decorate the birds with sprigs of parsley and serve either one or both sauces.

Serve with string beans or *Lobio* (page 45) or sautéed eggplant slices.

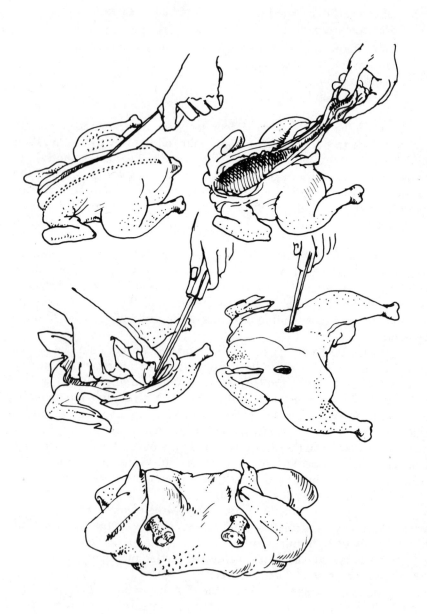

Tsyplionok Satsivi

CHICKEN *SATSIVI*

Satsivi is a cold walnut sauce whose exquisite bouquet enhances poultry, fish, or vegetables.

Chicken *Satsivi* can be served as an hors d'oeuvre, but it fully deserves to be the main course of a lunch, supper, or even a cold dinner on a hot summer day.

There are several ways of preparing the chicken: poaching in a strong bouillon, baking, or poaching until half done and then baking. This recipe will serve 6 as an hors d'oeuvre. To serve the dish as an entrée, use 4½–5 pounds of chicken parts, or two 3½-pound poached chickens.

Serves 6 as an hors d'oeuvre

3 pounds chicken thighs, wings, and unboned breasts, *or* 1 recipe Poached Chicken (page 327)

Salt to taste

Freshly ground black pepper to taste

5 tablespoons unsalted butter, melted

If you are using chicken parts, place the baking rack at the middle level of the oven and preheat the oven to 400°F.

Dry the chicken parts with paper towels, sprinkle with salt and pepper, and brush with the melted butter.

Place the pieces on a rack in a heavy roasting pan and bake for 10 minutes. Lower the oven heat to 350°F and cook for 20 minutes more, or until tender.

To poach a whole chicken, follow the instructions on page 327, increasing the size of the *bouquet garni* by half and adding ¼ teaspoon ground black pepper. Cool the chicken until it can be easily cut into neat pieces.

Arrange the chicken on a platter and serve warm or at room temperature with the sauce poured over it or passed separately in a sauceboat. If the dish is being served as an entrée, accompany with a green salad.

Sous Satsivi

SATSIVI SAUCE

Makes about 4 cups of sauce

1–2 small fresh chili peppers

3 tablespoons unsalted butter

1 medium onion, finely chopped

1 tablespoon all-purpose flour

2 cups Chicken Consommé (page 88) or Chicken Stock (page 87; see *Note*), in all

1 cup shelled and finely ground walnuts (about 6½ ounces)

1 tablespoon freshly squeezed lemon juice

2 cloves garlic, crushed or finely chopped

3 tablespoons finely chopped fresh coriander (cilantro)

A generous pinch of mixed dried herbs: tarragon, basil, oregano, thyme, savory, saffron, fenugreek (*optional*)

Seed, wash, and dry the chili peppers. Chop them very finely or pulverize. Don't let the pepper juice get into your eyes; it is hot and will burn the mucous tissues.

In a deep, large, heavy skillet or in a heavy 2-quart saucepan, melt the butter, add the onions, and sauté on medium-low heat for 5–8 minutes, or until translucent. Add the flour, stir, then gradually pour in 1 cup consommé. Bring to a boil, stirring constantly. Add the remaining ingredients, return to a boil, and immediately remove from the heat. Cool completely, but do not refrigerate.

The sauce should be a little thicker than heavy cream. If it is too thick, stir in one or two more tablespoons of consommé.

Note: If you have poached the chicken, use 2 cups of strained poaching liquid.

Variation   *Satsivi* Sauce for Fish
Grind the walnuts coarsely and use ¾–1 cup of fish stock or poaching liquid instead of chicken consommé. Makes about 3 cups of sauce.

Variation   *Satsivi* Sauce for Vegetables
Use coarsely ground walnuts and reduce the chicken stock to ¾–1 cup. Makes about 3 cups of sauce.

Kuritsa Otvarnaia
POACHED CHICKEN

*. . . The chicken in white sauce, and the white Crimean wine—everything
was superb and delicious.*

—Leo Tolstoy

Anna Karenina

A versatile dish, poached chicken can be used in any of the three
ways discussed here, or it can be cooled to room temperature and served
with *Satsivi* Sauce, page 326.

Serves 6

1	chicken (4½–5 pounds)	1	parsley root
	Salt to taste	4	celery stalks
1	onion	1	bunch of fresh dill tied in a
1	carrot		cheesecloth bag

Wash the chicken inside and out, place in a heavy-bottomed pot,
breast side down, and cover with cold water by ½ inch. Bring to a boil,
skim, add the salt, vegetables, and dill, and return to a boil. Immediately
lower the heat and simmer, partially covered, for 30–35 minutes, or until
the chicken is cooked. To check for doneness, pierce the leg with a fork.
If it goes in softly and smoothly, and the juices are colorless, the chicken
is done.

Remove the chicken from the pan, allow to rest for 10–15 minutes,
then carve into serving pieces.

The chicken can now be served as is, with potatoes, salads, and
vegetables. It can also be enhanced with a Béchamel Sauce (page 328).

Variation Poached Chicken with Sour Cream
Preheat the broiler. Place the chicken pieces skin side up in a roasting
pan and brush them with 2–3 tablespoons of sour cream. Place under
the broiler for about 5–7 minutes, or until the sour cream is pale gold
and the chicken skin is crisper.

BÉCHAMEL SAUCE

Makes about 2 cups of sauce

2 tablespoons instant-blending or all-purpose flour

2 tablespoons unsalted butter

1 cup half-and-half

½ cup Chicken Stock (page 87) or canned chicken stock

2 tablespoons mayonnaise, preferably homemade (page 38)

A pinch of freshly grated nutmeg

Salt to taste

In an ungreased skillet, stir the flour over low heat for 2–3 minutes, or until pale golden. Add the butter and continue stirring until the mixture foams. Remove from the heat and carefully pour in the half-and-half and the stock. Stir, bring to a boil, then simmer for 2–3 minutes. Turn off the heat and stir in the mayonnaise, nutmeg, and salt to taste. Serve in a sauceboat.

Pozharskii Kotlety iz Kuritsy
CHICKEN CROQUETTES POZHARSKII

A dish named after a Russian chef is a very rare occurrence in the history of Russian cuisine. Pozharskii was the chef and owner of the Pozharskii Tavern in the picturesque little town of Torzhok on the Tvertsa River. For over a century Torzhok was a station on the old post road from Moscow to St. Petersburg where travelers traditionally stopped to change horses. Everyone went to Pozharskii's tavern for his specialty—wild fowl croquettes garnished with fragrant stewed mushrooms. Word of this delicious new dish spread all over Russia, and the chef's prowess was immortalized by Alexander Pushkin, who praised Pozharskii in a casual four-line verse. *Voilà!* Pozharskii's name went down in history. In those days in Russia, nothing could be better for your public image than to be praised by the greatest poet of the land.

In a slightly simplified form, his *kotlety* have become a daily staple on the Russian table. In the early nineteenth century, Pozharskii used the meat of young, plump partridges and grouse or occasionally a veal and beef mixture. Since hazel hens and partridges cannot be bought in Russia today, twentieth-century Pozharskii *kotlety* are most often prepared with chicken meat and sometimes with veal.

Serves 6

3 ounces 2-day-old French bread, crusts removed	10–12 tablespoons unsalted butter, in all, softened
½–¾ cup half-and-half	1 egg yolk
2 pounds chicken breasts, boned and with skin removed, *or* 1 pound each chicken breasts and partridge breasts	1 tablespoon vodka or gin
	Salt to taste
	1 cup fine bread crumbs

Cut the bread into 6 pieces, soak in half-and-half for 15 minutes, then squeeze out excess liquid.

Grind the chicken twice, the second time adding the bread. (You may use a food processor if you do not own a meat grinder, but do not purée the mixture.) Add 3–5 tablespoons butter (see *Note*), the egg yolk, vodka or gin, and salt to taste. Mix well in an electric mixer or with a wooden spoon for several minutes to obtain a light, fluffy mix. Wet a board with water and on it form 12 oval croquettes, or shape them with wet hands. Roll the croquettes in the bread crumbs, then flatten slightly so that they are about 1½ inches thick.

Clarify the remaining butter: melt it over medium heat in a deep, heavy saucepan until it starts to boil. Skim off the foam and remove from the heat. Let the butter sit for 3 minutes, then carefully pour the clarified butter into another saucepan or bowl, discarding the white residue on the bottom.

Heat 3 tablespoons clarified butter in a large heavy skillet. Sauté 6 croquettes over moderately low heat for about 5 minutes on each side, or until golden. When done, they should be juicy and plump; pierced with a thin, sharp knife, they should produce a buttery, colorless juice. Remove to a hot platter and sauté the remaining croquettes.

Serve on a heated platter. Pour some melted butter over the croquettes and serve with Stewed Mushrooms in Sour Cream (page 380) and Russian Fries #1 or #2 (page 390). An alternative accompaniment is Braised Carrots and Green Peas in white sauce (page 375). However, almost any salad or vegetable goes well with this dish.

Note: The original recipe calls for a lot of butter, and considering that chicken meat is rather lean, 5 tablespoons is not too much. However, for dietary purposes, the amount can be cut to 3 tablespoons.

Kurinye Kotlety
(Vylivnye)
CHICKEN PATTIES

Makes 12–15 patties, to serve 6

6   ounces 3–4-day-old French
bread, crusts removed

2   cups milk

2½ pounds chicken breasts,
skinned, boned, and ten-
dons removed

4   egg yolks, lightly beaten

⅓–½ cup heavy cream

Salt to taste

2   egg whites

Vegetable oil for frying

2   tablespoons unsalted
butter, melted

1–1½ tablespoons finely
chopped fresh dill and
parsley

Cut the bread into pieces 2 inches long and soak in the milk for 5 minutes. Squeeze out the excess liquid.

Wipe the breasts with paper towels. Cut into 1-inch pieces, then grind twice, the second time adding the bread. If you use a food processor, take care not to purée the mixture. Place in a large bowl, add the egg yolks, cream, and salt to taste, and beat well with a wooden spoon or in an electric mixer.

Whip the egg whites until soft peaks form and fold them into the chicken mixture.

Pour oil into a heavy-bottomed skillet (it should be about ⅓ inch deep) and heat. Scoop up about ⅓ cup of the mixture and place in the skillet, flattening it lightly with a wet knife. The patty should be about 3 inches long, 2 inches wide, and ¾ inch high. Continue to form patties, spacing them about 1 inch apart in the pan. Sauté over moderate heat for about 3–5 minutes on each side, or until golden. When done, they should be tender and moist. Keep them warm while you cook the remainder.

Arrange the patties on a heated platter, sprinkle with the melted butter and chopped herbs. Almost any vegetable, Russian Fries #1 (page 390), and a green salad are excellent accompaniments.

Farshyrovannaia Indeika
STUFFED ROAST TURKEY

. . . a turkey the size of a calf, stuffed with all sorts of good things: eggs, rice, livers, and heaven knows what else . . .

—Nikolai Gogol
Dead Souls

Serves 8–10

1 8–10-pound turkey Salt to taste 10 thickly sliced strips of bacon	1 recipe Liver and Walnut Stuffing or Rice and Rai- sin Stuffing (pages 332 and 333)

Set the baking rack at the lower level of the oven and preheat the oven to 400°F.

Wash the turkey inside and out and dry with paper towels. Rub with salt inside and out. Stuff with one of the dressings but not too tightly; there should be room for the dressing to expand. Sew up the cavity or close it with skewers. Truss the bird.

Line each side of the breast with 3 strips of the bacon and secure with string. Wrap each leg with a bacon slice and tie in place. Use the remaining 2 bacon strips to line the spot in the roasting pan where the turkey back will rest. Insert a meat thermometer into the thigh, not touching the bone.

Place the turkey, breast side up, in the pan, cover loosely with foil, and roast for 45 minutes. Reduce the heat to 375°F and continue to roast for 2½–3 hours more, basting every 30 minutes with the pan drippings. The more often the turkey is basted, the juicier it will be. Remove the foil when the meat thermometer registers 145°–150°F and continue roasting. The turkey is done when the meat thermometer registers 175°F. When the thigh is pricked with a skewer, the juices should be transparent and colorless, not pink.

Remove the turkey from the oven and, while it is resting for 15 minutes, pour the pan juices into a cold shallow container and place in the freezer so the fat can be removed more easily.

Open the turkey cavity, remove the stuffing, and serve in a separate bowl. Carve the turkey and arrange the pieces on a heated platter. When the fat has solidified on the juices stored in the freezer, spoon it off, reheat the juices, and pour over the turkey.

Serve with Marinated Beet Salad (page 46) or Marinated Fruits (page 440) or Sauerkraut Salad Provençal (page 54) or Morello Cherry Purée (see Turkey Breasts with Morello Cherry Purée, page 333). For a more substantial accompaniment, Russian Fries #2 (page 390) can also be served.

Nachinka iz Teliachei Pecheni i Orekhov

LIVER AND WALNUT STUFFING

Makes enough stuffing for one 8–10 pound turkey or chicken

1 pound shelled walnuts	4 eggs, lightly beaten
2 pounds calf's liver, cut into ½-inch slices	Salt to taste
½ cup (¼ pound) unsalted butter, in all, softened	Freshly ground black pepper to taste
½ pound 1-day-old French bread, crusts removed	A pinch of freshly grated nutmeg
1 cup milk	

Chop the walnuts until the pieces are not larger than ¹⁄₁₆ inch but are coarser than powder. Reserve in a large mixing bowl. Sauté the liver in 2 tablespoons of butter for about 3 minutes on each side, or until tender. Put through a meat grinder twice, or chop finely in a food processor, while still warm. Add to the walnuts.

Soak the bread in the milk for 10 minutes, or until soft. Squeeze out excess liquid, crumble, and add to the walnuts and liver. Add the remaining ingredients and mix well.

Nachinka iz Risa i Iziuma
RICE AND RAISIN STUFFING

Makes enough stuffing for one 8–10-pound turkey or chicken

Salt to taste
2 cups long-grain rice
1 tablespoon unsalted butter
1 tablespoon sugar

1 cup raisins
4 eggs
½ teaspoon ground cinnamon

Bring 5 cups of salted water to boil in a 2½-quart saucepan, add the rice, and return to a boil. Boil for 5 minutes over moderate heat, then reduce the heat to low, cover, place an asbestos mat under the pan, and cook gently for 10–15 minutes, or until all the water is absorbed by the rice. Stir carefully, add the butter, sugar, and raisins, and let the mixture cool to room temperature. Beat the eggs lightly and add to the rice mixture with the cinnamon. Toss with a fork to mix.

File Indeiki s Vishniovym Pure
TURKEY BREASTS WITH
MORELLO CHERRY PURÉE

Serves 6

2½ pounds boneless turkey breasts, sliced ⅜ inch thick
Salt to taste
1 tablespoon Madeira wine

4 tablespoons unsalted butter
2 tablespoons Chicken Stock (page 87)

FOR THE MORELLO CHERRY PURÉE

6 cups fresh Morello (sour) cherries, *or* 2 1-quart jars Morello cherries (unpitted)
2 whole cloves and 2 cardamon seeds, tied in a cheesecloth bag

¼ teaspoon ground cinnamon
⅛ teaspoon freshly grated nutmeg
½ cup sugar

FOR THE TOAST

12 slices French bread

2 tablespoons unsalted butter

Place the slices of turkey meat between 2 sheets of wax paper and, using a wooden mallet or the flat side of a cleaver, pound lightly until they are a little less than ¼ inch thick. Sprinkle with salt and Madeira and pile into a greased bowl. Leave to marinate for 30 minutes.

Prepare the Morello cherry purée: for fresh cherries, pit the cherries and reserve 15–20 pits. In a 2½–3-quart saucepan, cook the cherries with the remaining purée ingredients, except the sugar, over low heat for about 15 minutes, or until the fruit becomes soft. If canned cherries are used, add the spices and simmer for 3 minutes in cherry juice. Drain the cherries, reserve the juice, and discard the spice bag. Push the cherries through a sieve and return them to the spiced liquid, or purée the entire mixture in a food processor. Split the reserved pits, remove the kernels, chop them finely, and bring to a boil in 1 cup of the cherry juice. Strain out the kernels, discard them and add the juice to the purée. Stir in the sugar, mixing well, then bring to a boil; remove from the heat. Pour into a decorative serving bowl and keep warm.

In a heavy skillet, melt the 4 tablespoons of butter and sauté the turkey slices, a few at a time, over moderate heat for about 3–5 minutes, or until they are cooked. Transfer them to a heated platter and keep warm while you sauté the remaining slices. When all the slices are cooked, add the chicken stock to the pan and stir to deglaze.

To make the toast, fry the bread lightly in butter.

To serve, place the bowl of cherry purée in the center of the platter, surround with the slices of turkey and bread, and dribble the pan juices over the turkey.

GOOSE

It was the opinion of the great Auguste Escoffier that goose existed for no other reason than to provide perfect *foie gras*. "Apart from this, the goose is really only good for ordinary households or bourgeois cookery," continued the *maître* haughtily.

Most Russians, however, believe that a goose's *raison d'être* is to be roasted with apples.

Henry IV of France wanted to see a chicken in the pot of every one of his subjects. Grigorii Potemkin, Catherine the Great's minister, thought this idea too humble for a Russian sovereign. Nothing less than a goose would suffice. On Catherine's tour of the newly conquered southern provinces, the same roast goose was secretly passed from one peasant's house to another on Potemkin's order. No one knows whether Catherine was taken in by this faked evidence of her people's prosperity, but she was a shrewd woman with a sharp eye for detail, and it is difficult to believe that she would mistake one goose for a succession of geese.

In his promotional zeal, Potemkin went a step further. He ordered roadsides in the vast, unpopulated parts of the steppe to be adorned with stage backdrops, which from afar looked like real villages. "Potemkin villages" became famous in Russian history, and Potemkin himself is remembered as the Barnum of Russian statesmanship.

Geese were plentiful in the Ukraine and Central Russia. According to Nikolai Gogol, every tiny Ukrainian village had an inevitable central mud puddle that, mysteriously, never dried, even in the hottest months, and always hosted a flock of local geese. Now, one hundred and fifty years later, the puddles are there, but the geese are practically gone.

Zharenyi Gus' s Iablokami
ROAST GOOSE STUFFED WITH APPLES

. . . though Stepan Arkadievitch was accustomed to very different dinners, he thought everything excellent: the herb-brandy, and the bread, and the butter, and above all the goose . . .

—Leo Tolstoy
Anna Karenina

Serves 6

1 8-pound goose
1 large onion, cut into ¼-inch strips
   Salt to taste
1 tablespoon caraway seeds
2 pounds small sour apples, peeled, quartered, and cores removed (see *Note*)

1 teaspoon dried marjoram
1 cup Chicken Stock (page 87) or canned chicken stock

FOR THE GARNISH
6 large or medium sour apples, unpeeled and cores removed (see *Note*)
12 medium potatoes
   Salt to taste

A round Dutch oven, 16 inches in diameter (see *Note*)

RENDERING THE GOOSE FAT

Pull all the goose fat from the cavity. Cut it into ½-inch dice and place in a heavy nonstick skillet. Cook slowly over low heat until the fat is rendered and the cracklings are crisp. Do not burn. Remove the cracklings with a slotted spoon and discard. Add the onion to the fat and cook over low heat for 15 minutes, or until limp and golden. Remove with a slotted spoon and reserve for another use (see *Note*). Cool the fat a bit, strain, and use for cooking the potatoes and basting the garnishing apples in this recipe. Reserve any remaining fat for another use.

COOKING THE GARNISHING APPLES AND THE GOOSE

Wipe the bird inside and out with paper towels and rub it all over with salt and caraway seeds. Let stand for 2 hours in a cool place (not the refrigerator).

If the garnishing apples are to be cooked now, preheat the oven to 350°F. Place the apples in a shallow baking pan, baste with goose fat, and bake for 30 minutes, basting every 10 minutes with more goose fat. Cover the baked apples with foil and return to the oven 5 minutes before serving.

If the apples will be cooked with the goose, add them 30 minutes before the goose has completed cooking and baste as instructed, using pan drippings, in this case.

Fifteen minutes before roasting the goose, preheat the oven to 400°F.

Brush the caraway seeds off the goose skin. Stuff the cavity with the small sour apples that have been sprinkled with marjoram (see *Note*). Sew up the cavity and truss the bird. Place in a heavy Dutch oven, pour in the stock, and roast for 1 hour. Lower the temperature to 350°F and prick the skin all over with a fork to allow the excess fat to escape. Remove some of the fat from the roasting pan with a bulb baster and save it for another use. Continue to roast the bird for 1 hour to 1 hour and 40 minutes more, or a total of about 20 minutes per pound. If the breast starts turning too brown, cover it with a piece of foil.

Check for doneness: the flesh should be soft and the leg should move easily in the joint. Insert a skewer into the bird's thigh; the escaping juices should be golden-pink, not red, and the skewer should go in easily.

If the bird is not done, reduce the temperature to 325°F and cook another 15 minutes.

ROASTING THE POTATOES

The most natural, popular, and delicious garnish for goose with apples is potatoes roasted in goose fat.

Peel the potatoes, cut each into 8 wedges, and place in a roasting pan with 1 cup of goose fat. Put in the oven 45 minutes before the goose is ready, and baste frequently. Sprinkle with salt when done.

SERVING THE GOOSE

When it is done, remove the goose from the oven and allow to rest for 15 minutes. Meanwhile, reheat the garnishing apples, if necessary.

Open the bird's cavity and remove the apple stuffing. Carve the bird into serving pieces and reassemble on a heated platter. Surround with the stuffing, garnishing apples, and potatoes.

Note: Sour apples serve not only as a tenderizer for the goose but also as a delicious garnish. In addition, they stay firm while baking, whereas sweet apples fall apart and turn mushy. Pippins, Greenings, Gravensteins, or any similar apples are a passable equivalent of the wonderful, fragrant Russian Antonovka apples. With their winy overtaste, they are the best apples for baking alone or in apple pies.

Small apples are preferred for stuffing the goose; they make a more compact filling. If small apples are not available, use 2 pounds of large ones cut into 8 instead of 4 pieces each.

For cooking the goose and the garnishing apples together, a cast-iron or other heavy round Dutch oven 16 inches in diameter is preferred. If the only pot available is large enough to contain the goose but not the apples, cook the apples in a separate roasting pan. In this case, it would be ideal to have 2 ovens to accommodate the 3 roasting pans: for the goose, potatoes, and garnishing apples. However, if you have only one oven, cook the apples first and cover them with foil to keep them warm. Reheat them in the oven 5 minutes before serving.

Note: Onions cooked in goose fat are delicious stirred into hot Mashed Potatoes (page 391) or simply reheated and spread over bread.

Zharenyi Gus' s Kashei i Gribami

ROAST GOOSE WITH KASHA AND MUSHROOMS

Serves 6

1 8-pound goose	1½ teaspoons caraway seeds
Salt to taste	

FOR THE STUFFING AND GARNISH

¼   pound cut dried *cèpes* or other white dried mushrooms, washed, or ¼ pound whole Polish dried mushrooms, soaked in cold water for 4 hours

2   tablespoons unsalted butter

1   teaspoon salt

2   cups kasha

2   medium onions, coarsely chopped

2   tablespoons vegetable oil

Remove the fat from the cavity (see *Note*), wipe the bird inside and out with paper towels, and rub all over with salt and caraway seeds. Let the bird stand for 2 hours in a cool place (not the refrigerator).

Meanwhile, prepare the stuffing: thoroughly wash the dried mushrooms, place them in a 2-quart saucepan, add 5 cups of water, and bring to a boil. Lower the heat and simmer for 20 minutes, or until the mushrooms are tender. Strain 1 quart of the liquid into another 2-quart heavy saucepan and reserve the mushrooms. Bring the mushroom liquid to a boil, add the butter, salt, and kasha. Cook, uncovered, over medium heat for 10 minutes; the kasha should have absorbed all the liquid. Reduce the heat to low, place an abestos mat under the saucepan, cover, and continue to cook for 1 hour.

Heat the oil in a skillet, add the onions, and sauté for about 8 minutes, or until golden. Chop the mushrooms coarsely and combine with the kasha. Add the onions, reserving 2 tablespoons for the finished dish. Allow the stuffing to cool before filling the goose.

Stuff the cavity fairly tightly and sew closed or secure with skewers. Reserve the remaining kasha to serve with the roasted goose.

Finish cooking the goose, following the directions for Roast Goose Stuffed with Apples (page 335).

Before carving, remove the stuffing, mix with the reserved kasha, and place in a serving bowl. Arrange the carved goose on a heated platter and sprinkle with the reserved sautéed onions.

Note: You will not need rendered goose fat for this recipe. The fat can be rendered immediately and stored for later use, or it can be well wrapped in plastic wrap and frozen.

Variation Roast Goose with Sauerkraut

For the stuffing: instead of the kasha and dried mushrooms, substitute 2 pounds of Homemade Sauerkraut (page 427) or a 28-ounce jar of the best sauerkraut available. Prepare a spice bag of 2 bay leaves and 6 allspice berries tied in cheesecloth.

Prepare the goose, rub with salt and caraway seeds, and let stand for 2 hours in a cool place, as described in the recipe for Roast Goose Stuffed with Apples (page 335).

In a 2-quart saucepan, heat the oil, add the onions, and sauté for 8–10 minutes, or until translucent. Add the sauerkraut and the spice bag and cook over low heat: 10 minutes for Homemade Sauerkraut or 5 minutes for store-bought. Stir once or twice during cooking. Remove the spice bag and allow to cool.

Stuff the bird tightly with the sauerkraut and bake as described on page 336. Reserve the remaining sauerkraut in the saucepan. Toward the end of cooking, add ¼ cup goose drippings to the saucepan, stir, and cook, covered, over low heat: 30 minutes for Homemade Sauerkraut or 10 minutes for store-bought.

When the goose has rested for 15 minutes after roasting, remove the stuffing, combine it with the sauerkraut from the saucepan, and serve in a heated bowl. Carve the goose and arrange on a heated platter. Serve with beer.

DUCK

Zharenaia Utka s Iablokami
ROAST DUCK WITH APPLES

> *"Good Lord! Take a duckling, one that has had a taste of the ice during the first frost, and roast it. Be sure to put the potatoes, cut small, of course, in the dripping-pan too, so that they become browned to a turn and soaked with duck fat. . . ."*
>
> —*Anton Chekhov*
> "The Siren"

Serves 6

2   ducks (4–5 pounds each)
Salt to taste
1½   pounds small sour apples (Greenings, Pippins, or Gravensteins; see *Note*, page 337)
1   teaspoon finely chopped fresh marjoram, *or* ⅓ teaspoon dried marjoram

6   large sour apples, unpeeled and cored
12   medium potatoes

From each bird remove the excess fat from the cavity, wipe the body inside and out with paper towels, rub it both inside and out with salt.

Peel, quarter, and core the small sour apples, and sprinkle them with marjoram. Stuff the ducks' cavities and sew up the openings.

Set the baking rack on a lower level of the oven and preheat the oven to 350°F.

Place the ducks breast side up on a rack in a Dutch oven, add 1 cup of water, and roast for 1½ hours. Prick the skin in several places with a fork every 20–30 minutes to allow the excess fat to escape. With a bulb baster, remove some of the fat as it accumulates at the bottom of the pan.

If space permits, place the large apples on the rack around the ducks 30 minutes before the ducks are completely cooked. Baste the apples several times with the drippings. If there is not enough room in the Dutch oven, bake the apples in a separate roasting pan greased with 2 tablespoons of the duck fat and baste several times with the drippings.

To test for doneness, insert a skewer in the thigh. If the escaping juices are pink and the legs move easily in the joints, the ducks are ready. Let the ducks sit on top of the stove for 15 minutes.

Carefully remove the stuffing. Carve the ducks into quarters. Arrange on a heated platter with the apple stuffing and surround with the baked apples.

Roast potatoes are also a traditional accompaniment to this dish. Follow the directions in the recipe for Roast Goose Stuffed with Apples, page 336.

GAME

"Unfortunately, I cannot share your ecstacy. I have ulcers."

"Ulcers, my dear sir, are an invention that come mostly from pride and free-thinking. Don't give it a thought. If you have no appetite or even feel sick, pay no attention and go right on eating. If the roast is a snipe or two with perhaps a partridge or a brace of fat quail, then you'll forget all about your sickness, I give you my word of honor."

—*Anton Chekhov*
"The Siren"

This enthusiasm for game is one facet of the well-known Russian passion for hunting. For an amateur hunter of romantic inclination, the pleasures of the table were an extension of the thrill of the hunt, and there was deep satisfaction in winding up the day with a feast around a fire in which a grouse or a mallard duck was baking.

Konstantin Korovin, an eminent artist and stage designer of the late nineteenth and early twentieth centuries, was also a dedicated hunter. In his memoirs, he tells of how he introduced his friend Feodor Chaliapin to this superb way to cook mallard ducks:

"After the hunt, we found the right spot on the lake shore, drew the mallards, rubbed them with salt and pepper and buried them in the sand, just a few inches beneath the surface. A fire was lit over the spot and when the ducks were done we could easily pluck them—the feathers fell off by themselves. Accompanied by brandy, it was a gourmet's treat."

Further in his memoirs, Korovin recalls an evening in a ranger's house after a hunting expedition:

"The hosts lit the stove in the adjacent kitchen, brought cups, preserves, mushrooms and pickles. The ranger poured herbal vodka in the glasses. The firewood crackled joyously in the stove. There was a sense of rightness in the crisp tablecloth, the bread, the mushrooms and pickles, in the roast ducks and the dark night; everything blended together perfectly, bringing bliss to my soul."

Hunting wolves with a dog pack was a favorite winter pastime of the gentry, for whom having a good pack was a matter of pride. But for the table, the prize was venison, wild boar, moose, or chamois. The head of a boar was a delicacy served for special occasions. For instance, among the choice of eight cold cuts recommended for Easter Sunday by a nineteenth-century connoisseur, three were furred game: roast moose, roast chamois, and the head of a wild boar.

In those days to hunt bear with a spear or a long-handled pitchfork was, as it had been for centuries, proof of a hunter's prowess. Tolstoy's favorite character in *Anna Karenina*, Konstantin Levin, kills a bear this way just before his reunion with Kitty Shcherbatsky. At dinner, surrounded by city types—politicians, intellectuals, and government functionaries—Levin feels that he is superior, a strong "natural" man, and Kitty feels it too; several days later she accepts his second proposal.

After the 1917 revolution, game became a symbol of the decadent, luxurious life, and the agitprop verse

> Eat your pineapples, munch on your grouse
> Your days are numbered, you money-bags

made grouse a politically undesirable bird. When money bags disappeared, game disappeared too.

Fifty years later, in the 1960s, a store named Gifts of the Forest opened in Moscow, but its offerings have always been meager.

In the early 1970s in Kiev, I ate wild boar and venison roasts in the newly opened Hunter's Lodge restaurant on the beautiful woodsy bank of the Dnieper River. The romantic fantasy of the hunter's life fluttered for a moment, but the fare was only decent and the politically compromised grouse was not on the menu.

PREPARING FEATHERED GAME

Even farm-raised game, which in America is more readily available than hunted game, is rather dry compared to poultry. There are several ways to counteract this:

1. Barding, that is, wrapping the breasts of a bird in thin slices of pork fatback or bacon (the breasts cook fastest and are more prone to drying out) and frequent basting of the legs and wings.

2. Larding used in combination with, or instead of, barding, or threading small strips of fat through the game.

3. Stuffing adds moisture from inside.

4. Marinating and cooking with wine were very common when most of the game in Russia was supplied by hunters. The flesh of wild game is tougher than that of the farm-raised game birds. However, even farm-raised game that is not hung for several days may be somewhat stringy, and marination can improve the texture.

5. Sauerkraut, another tenderizer, goes well with the gamy taste of pheasant, guinea fowl, or partridge.

The favorite ways to cook large fowl were roasting, braising, or sautéeing.

Before cooking, the birds were usually soaked in water or milk. Before larding, they were dipped into boiling water or chicken stock for 10–15 minutes, kept over low heat, and removed from the pot before the liquid returned to a boil.

The entrails of small birds, like snipe and woodcocks, were not discarded. Considered a treat for connoisseurs, they were sautéed, chopped, and served on toast.

The smallest birds were trussed with their heads tucked under the right wing and their legs pulled in closely to the body, while the heads and the second wing joints of the larger birds were chopped off.

Small birds, like squabs or quail (¾–1 pound), serve one person. Larger birds, like grouse or partridge (1½–2 pounds), will serve two persons. They should be cut in half lengthwise with poultry shears. Pheasants and large mallard ducks grow to about 2¼–3 pounds, and two of these can make a feast for 6 to 8 people. As with poultry, serve each person a combination of white and dark meat.

Most recipes are interchangeable, for example, those for partridge, quail, and grouse. A pheasant recipe like Pheasant, Georgian-Style (page 351) can be used for partridge and especially for larger guinea hens.

Freshly caught game should be plucked and drawn immediately the bird cools off. It should then be hung in a cool place as follows:

Pheasant	4–7 days (pluck after, not before, hanging)
Mallard duck	1–2 days
Partridge	4 days
Grouse	1 day
Woodcock	3–4 days
Snipe	3–4 days
Quail	Does not require hanging

Here is some old-time advice for hunters:

"To preserve the birds, immediately upon returning home put them in a box and cover completely with rye or wheat."

"How to keep snipe fresh from fall to January: pluck but do not draw. Wrap in fresh cabbage leaves, seal with a thick dough, put in the oven for a short while, just to allow the dough to bake. Place in a barrel, cover with rendered fat, cover, and seal with tar. The fat can be used later for lubricating the coach wheels."

Russian game recipes run the gamut from the most primitive (Grouse Baked in Clay, page 345) to the most elaborate treatments (Pheasant Golitsyn, page 349). The following recipe falls between these two extremes. It is from an old cookbook and conjures up a country kitchen.

Kholodnyi Glukhar'
COLD GROUSE

Serves 3–4

7	ounces pork fatback, cut into ⅛-inch slices	
1	large grouse (capercaillie, 2–3 pounds)	
	Salt to taste	
2	bay leaves	

3	whole cloves
½	inch cinnamon stick
1	onion, sliced
1	bottle dry red wine

Cover the bottom of a glazed ceramic jar with several slices of pork fatback. Cut the grouse into serving pieces and add them to the jar, interspersed with the salt, spices, onion, and remaining fatback. Add the bottle of red wine. Tie a cloth over the opening and seal with dough.

After you have baked your daily bread and taken it from the oven, place the grouse in the oven and leave it there overnight. (The large Russian wood-burning stoves retained the heat that had accumulated during the bread-baking, and the grouse would cook as the oven slowly cooled off.)

The next day, arrange the grouse on a platter, chill, and serve.

Riabchiki Pechonye v Gline, na Okhote

GROUSE BAKED IN CLAY

Don't pluck, just draw the birds. Put some butter and salt in the cavities and sew up. Cover the grouse with clay and put into the fire. When the clay dries up and cracks, the grouse are ready.

Remove the clay by tapping sharply with a hammer. All the feathers will come off with the clay. Other small game birds can be baked in the same manner.

Maslo iz Riabchikov k Zavtraku

GROUSE BUTTER FOR BREAKFAST

3	plump grouse or partridges (1½ pounds each)	1	tablespoon grated Parmesan cheese
6	tablespoons unsalted butter		A pinch of cayenne pepper
¾	pound whipped unsalted butter		A pinch of freshly grated nutmeg
3–4	ounces truffles, finely chopped		Salt to taste

Wipe the plucked and cleaned grouse with a damp cloth both inside and out; cut into serving pieces. In a heavy skillet, melt the 6 tablespoons of regular butter over moderate heat, add the grouse legs, and sauté for 15 minutes; then add the breasts to the pan and continue to sauté for 15 minutes more, or until tender. Remove from the heat and allow to cool.

Take the meat from the bones and chop it very finely or grind twice. Combine it with the remaining ingredients and mix well. Push the mixture through a sieve, then blend thoroughly in an electric mixer or food processor.

Transfer to a crock or bowl. If the butter is not to be used immediately, pour melted butter over the top, cover with wax paper, and store in the refrigerator.

Bring to room temperature and serve with homemade white bread (not necessarily for breakfast).

Zharenaia Dikaia Utka
s Kisloi Kapustoi

ROAST MALLARD DUCK
WITH SAUERKRAUT

Serves 6

3   medium mallard ducks
    (2–2½ pounds each; see
    Note)
1   recipe Marinade for Feath-
    ered Game (page 347)
¼   pound pork fatback cut
    into strips ⅛ inch thick
    and just over ¼ inch long

9   tablespoons unsalted
    butter, softened
    Salt to taste

1   recipe Braised Sauerkraut
    with Mushrooms (page
    366)

Wipe the plucked and cleaned birds with a damp cloth inside and out. Place in a large bowl, cover with marinade, and leave for 3–4 hours.

Set the baking rack at the middle level of the oven and preheat the oven to 450°F.

Dry the birds and lard the breasts with the pork fatback. Rub the exposed parts of the skin with some of the softened butter and sprinkle with salt. Melt the remaining butter.

Place the birds on a rack in a roasting pan and roast for 20–30 minutes, depending on the size. Mallards are considered done when they are medium rare. In the course of cooking, baste 2–3 times with the melted butter and the pan juices.

While the birds are roasting, prepare the sauerkraut and mushrooms.

Allow the ducks to rest for 15 minutes at room temperature, then cut in half with poultry shears and serve over a steaming platter of sauerkraut and mushrooms.

Note: Smaller and larger mallards can be cooked the same way. For smaller birds, marinate for 2–3 hours; marinate 6 hours and longer for larger birds. To roast the mallards, cook a smaller bird for 15–20 minutes; and up to 45 minutes for a 3-pound bird.

MARINADE FOR FEATHERED GAME

Makes 6 cups

1 teaspoon salt	1 large onion, sliced
1 teaspoon sugar	3–4 cloves garlic, finely chopped
10 whole cloves	1 teaspoon freshly grated lemon rind
10 allspice berries	
2 tablespoons juniper berries	3 cups red wine
1 tablespoon chopped fresh marjoram, *or* 1 teaspoon dried marjoram	½ cup red wine vinegar
	½ cup vegetable oil
1 tablespoon chopped fresh mint, *or* 1 teaspoon dried mint	

Bring 2 cups of water to a boil in a 1-quart saucepan, add the salt, sugar, cloves, allspice, juniper berries, marjoram, mint, and onion. Bring to a boil, lower the heat, and simmer for 10 minutes, partially covered. Remove from the heat, add the garlic and lemon rind, and allow to cool.

Blend the wine, vinegar, and oil and combine with the spice mixture. Store in the refrigerator, well covered if made ahead of time.

Perepiolki Zharennye na Vertele
SPIT-ROASTED QUAIL

A couple of fat little birds on toast followed the trout; they melted delicately in the mouth; some other wine followed the champagne.

—C. S. Forester
Commodore Hornblower

Serves 6

6 quail (¾–1 pound each)	6 1-inch slices of French bread
Salt to taste	
Freshly ground black pepper to taste	2 tablespoons unsalted butter, melted
12 juniper berries, crushed	2–3 tablespoons sour cream (*optional*)
12 strips bacon or pork fatback	

Wipe the plucked and cleaned birds with a damp cloth inside and out. Rub the cavities and skin with salt and pepper. Insert the juniper berries in the cavities and bard the quail with the bacon. Arrange on a spit and roast for about 15 minutes, or until tender. When almost done, remove the bacon, brush with the sour cream, and roast until they are brown and completely cooked.

Toast the French bread lightly and spread with the butter. Serve each bird resting on a slice of toast and accompany with buttered rice sprinkled with Parmesan cheese and/or marinated fruits or a lettuce salad.

PHEASANT

A young, 2½- to 3-pound pheasant serves 3 to 4 persons. A hen cooks in 35 minutes, a tom takes 45 minutes. Therefore, start checking for doneness after 35 minutes by piercing the thigh. If the juices are red, cook 10 minutes longer. If they are pale pink, the bird is done. Colorless juices mean the bird is well done or overdone.

Discard the entrails and the liver of the pheasant before cooking.

When serving the pheasant, be sure that each serving includes white and dark meat.

Zharenyi Fazan
ROAST PHEASANT

At the turn of the century, when game came to market still feathered and not drawn, pheasants and young peacocks were given this elaborate presentation: the cook chopped off the head and neck and, holding the head out of the pan, fried the cut surface of the neck. After the bird was roasted, a thin stick was inserted at the neck junction and the head attached, a paper frill necklace concealing the join. The tail feathers were fried in oil for a few minutes and affixed. The bird was placed on a silver platter, surrounded by marinated fruits, and served with a flourish.

Serves 6–8

2	young pheasants (2½–3 pounds each)	6	thin strips bacon or pork fatback
	Salt to taste	1	cup sour cream
¾	cup (1½ sticks) unsalted butter, in all, softened	1	cup fine bread crumbs

Place the baking rack at the middle level of the oven and preheat the oven to 375°F.

Wipe the plucked and cleaned pheasants with a damp cloth and rub the cavities with salt. Insert 1 tablespoon of butter in each cavity and tie 3 strips of bacon around each breast with kitchen string. Rub the rest of the skin with more butter. Melt 4 tablespoons of butter in a heavy roasting pan, set the pheasants on a rack in the pan, and place in the oven. Melt the remaining butter and keep warm. Baste the exposed skin with the butter and brush with sour cream every 7–10 minutes.

After 35 minutes remove the bacon, pierce the breasts in several places with a fork, and baste again with the pan juices and brush with sour cream. In 5–10 minutes, check for doneness.

Remove the roasting pan from the oven and reduce the oven temperature to 325°F. Spread the bread crumbs on a platter or sheet of wax paper. Baste the birds with the pan juices, brush with sour cream, roll in the bread crumbs and return them to the roasting pan. Bake 10–15 minutes more, or until the bread crumbs are golden brown.

Serve on a heated platter, accompanied by a lettuce salad, or serve with Russian Fries #2 (page 390) and marinated fruits (Chapter 10).

Fazan Po-Golitsynski
PHEASANT GOLITSYN

The Golitsyns, a large and distinguished family, were descendants of the fourteenth-century Lithuanian Grand Duke Gediminas. The many branches of the family produced close advisers to the Russian tsars, from Alexis, father of Peter I, to Alexander I.

A boyar, Boris Golitsyn was Peter's tutor and was later appointed head of state while Peter traveled abroad. Prince Vasilii Golitsyn was adviser and lover of Peter's bitter rival in the fight for the throne, Tsarina Sophia.

Early in the nineteenth century, the literary and political salon of Princess Golitsyn, a famous beauty, was among the most fashionable in St. Petersburg. It was her French chef of many years who, upon his return to Paris, brought with him the Golitsyn household recipe for pheasant stuffed with snipe or partridge and truffles. As often happened in Russia, a family recipe literally belonged to the family and was, therefore, never included in cookbooks. However, in Paris the dish became a success, and it is now featured in every comprehensive cookbook. The following is an adaptation of the version given in the *Larousse Gastronomique*.

Serves 6–8

5	snipes, *or* 2 large woodcocks or partridges	¾	cup (1½ sticks) unsalted butter, in all, softened
1	small carrot, quartered	1	cup half-and-half
½	onion, quartered		Salt to taste
½	parsley root, *or* 2 celery stalks, quartered		Freshly ground black pepper to taste
¼	teaspoon salt	6–9	ounces truffles, cut into small dice
1	cup white wine	2	pheasants (2½–3 pounds each)
3	juniper berries		

Bone 4 of the snipes and put the meat in a covered bowl. If woodcocks or partridges are used, leave the flesh on the wings of one of the birds.

To make a stock, disjoint the carcasses so that they take up as little volume as possible and, together with the remaining snipe or with the wings of one woodstock or partridge, place in a 3-quart saucepan. Add the remaining stock ingredients and cover with 3–4 cups of water—just barely enough to cover. Bring rapidly to a boil, lower the heat, and simmer, uncovered, for 1 hour.

Strain the stock and cook further over moderately high heat to reduce by at least one-third.

While the stock is cooking, make the filling. If the snipes' livers are available, wash and dry them, then sauté quickly in 1 tablespoon of butter. Chop.

Finely chop the reserved snipe meat or use a meat grinder. Add to the livers. Add 6 tablespoons of butter and blend with the meat mixture. Add the half-and-half, ¼ cup at a time, beating with a wooden spoon or in an electric mixer, then add salt and pepper and then fold in the diced truffles.

Wipe the pheasants inside and out with a damp cloth, stuff with the dressing, and sew up the cavities or close with skewers.

Melt the remaining butter in a large Dutch oven. Place the pheasants in the pan, cover, place over moderately low heat, and cook for about 45 minutes, basting often with the pan juices.

To test for doneness, prick one of the thighs with a skewer. If the juices are a pale pink, the bird is just ready. If the juices are clear, the bird is well done.

Serve the pheasants on a heated platter. Heat the reduced stock and pour it over the pheasants. Accompany with a lettuce salad.

Fazan Po-Gruzinski
PHEASANT, GEORGIAN-STYLE

This appears to be the first of many gourmet dishes brought to Russia from the newly conquered province of Georgia in the first half of the nineteenth century. It also reversed the usual trend by traveling from Russia to France, where it was also very popular.

Serves 5–6

2 pheasants (2½–3 pounds each)
Salt to taste
Freshly ground black pepper to taste
36 green walnuts (see *Note*)
Freshly squeezed juice of 5 oranges
Freshly squeezed juice and pulp of 2 pounds purple grapes (put through a food mill or crushed with a wooden spoon, then pushed through a wire mesh sieve)

¾ cup strong green tea, brewed with 1 tablespoon tea leaves
½ cup Malmsey or Madeira wine
¼ teaspoon freshly grated nutmeg (*optional*)
4 tablespoons unsalted butter

Wipe the plucked and cleaned birds inside and out with a damp cloth, rub the cavities with salt and pepper, and truss.

Shell and peel the walnuts, using gloves to protect your hands from long-lasting black stains.

To make the sauce, combine the juice and pulp of the oranges and grapes, the tea, wine, and nutmeg. Mix.

Meanwhile, preheat the oven to 400°F.

Melt the butter in a large Dutch oven. Place the pheasants and walnuts in the butter and sprinkle with salt and pepper. Pour in the sauce, cover the pan, and bring to a boil. Lower the heat and simmer over moderately low heat for about 40 minutes (45 minutes for a well-done bird), or until the pheasants are 5–10 minutes short of being ready. Baste with the pan juices 2 or 3 times.

Remove the cover and place the pan in the oven for 5 minutes (10 minutes for a well-done bird) to allow the breasts to take on some color.

The juices seeping out of a pierced thigh should be a very pale pink for a slightly underdone pheasant, and colorless for a well-done bird.

Place the pheasants on a heated platter and strain the gravy over them. Surround with the walnuts, and accompany with rice cooked with herbs, marinated fruits (Chapter 10), or Cucumber Salad (page 49).

Note: Green (underripe) walnuts are sometimes available in late summer. If you cannot locate them, use fresh hazelnuts. If neither is available, use regular walnuts, halved. The dish will lack the fragrance of the original but will still be delicious.

Farshyrovannye Kuropatki
BRAISED STUFFED PARTRIDGE

What is called partridge by American hunters is really a ruffed grouse. True partridges, which can be bought in specialty meat markets, are either imported from Europe or bred on farms in the United States. Either bird is delicious cooked this way.

Serves 6

3	large (1½ pounds and up each), *or* 6 small (1 pound each) plump partridges or grouse		Salt to taste
		1	tablespoon crushed juniper berries (*optional*)

FOR THE STUFFING

6	ounces French bread, crusts removed
½	cup half-and-half
3–6	partridge livers
3	chicken livers
1	medium onion, finely chopped
2	tablespoons finely chopped fresh dill
1	egg yolk
2	tablespoons unsalted butter, softened
½	teaspoon freshly grated nutmeg
	Freshly ground black pepper to taste

Bread crumbs (*optional*)
Salt to taste

3–6 bacon strips, cut in half, *or* 3–6 squares of pork fatback (3 inches square or 2 inches square)

¾ cup (1½ sticks) unsalted butter, in all

1–2 cups Chicken Consommé (page 88) or canned chicken consommé, in all

1 cup sour cream

Wipe the plucked and cleaned birds inside and out with a damp cloth, rub the cavities and skin with salt and juniper berries, cover, and set aside.

Make the stuffing: cut the bread into 6 pieces, soak them in the half-and-half for 10 minutes, and squeeze out the excess liquid. Purée the livers finely in a food processor and, if necessary, push through a sieve. Combine with the bread, onion, dill, egg yolk, butter, nutmeg, and pepper. Mix thoroughly, adding some bread crumbs, if necessary, to thicken. Add salt to taste.

Preheat the oven to 400°F.

Brush off the juniper berries and loosely stuff the partridges, allowing room for the mixture to expand. Either sew up the cavities or skewer to close. Bard the breasts with pork fatback or bacon strips. Truss.

In an ovenproof casserole heat 6 tablespoons of butter on top of the stove and brown the birds quickly, 2–3 minutes on each side. Add the remaining butter and 1 cup of consommé, cover, and place in the oven for about 30 minutes. Baste with the pan juices 2 or 3 times, adding more consommé, if necessary.

After 30 minutes, spoon the sour cream over the birds and continue to cook for 10 minutes more, or until tender. Remove the cover for the last 3–5 minutes so that the partridges will take on some color. Keep the birds warm and strain the gravy.

Place on a heated platter, smothered with the gravy, and serve with sautéed mushroom caps and Asparagus with Buttered Bread Crumbs (page 362).

Zharenye Kuropatki v Smetane
ROAST PARTRIDGE IN SOUR CREAM

Serves 6

3–6 partridges (1–1½ pounds each; see *Note*)
Salt to taste
20 juniper berries, crushed
¾ cup (1½ sticks) unsalted butter

6 tablespoons sour cream
2 tablespoons finely chopped parsley

Wipe the plucked and cleaned birds with a damp cloth both inside and out; rub the cavities and skin with salt. Insert the juniper berries in the cavities.

In a heavy skillet, melt the butter, add 1 or 2 partridges, and sauté until brown on all sides, about 10–15 minutes altogether. You may have to brown the birds in 2 or 3 batches.

Preheat the oven to 450°F.

Arrange the partridges on the rack of a Dutch oven, dribble the butter in the skillet over the birds, cover, and place in the oven. Baste with the pan juices once during the next 20–25 minutes, at which time the birds should be almost ready. Generously brush the birds with sour cream and continue to cook, covered, for about 5 minutes. Then remove the lid and roast for 3–5 minutes more, or until the birds are an appetizing brown.

Place on a heated platter, sprinkle with the parsley, and serve with Russian Fries #2 (page 390) and lettuce salad, or with marinated fruits or with Marinated Beet Salad (page 46) or Red Cabbage Salad (page 48).

Note: Grouse and quail can be roasted in the same manner. The cooking time is roughly 30 minutes for a 1-pound bird and 40 minutes for one that weighs 1½ pounds.

Zaiats ili Krolik v Smetane

HARE OR RABBIT IN SOUR CREAM SAUCE

Serves 4

1   3½-pound hare or rabbit
½   cup (¼ pound) unsalted butter
2   medium carrots
1   medium parsley root
1   medium onion
2   cups Chicken Consommé (page 88) or canned chicken consommé

10 black peppercorns, 5 allspice berries, and 2 bay leaves, tied in a cheesecloth bag
1½ cups sour cream
    Salt to taste

Wash the rabbit thoroughly, then soak in lukewarm water to cover for 1 hour. Rinse and dry in paper towels. Cut into serving pieces: drumsticks, thighs, front legs, quarter or half saddles. Melt the butter in a heavy skillet and brown the pieces for 5–7 minutes on each side.

Slice the vegetables ¼ inch thick. Place the rabbit and vegetables in a Dutch oven or other heavy pot, add the consommé and the spice bag, and bring to a boil over high heat. Reduce the heat to moderately low, cover, and simmer for about 30–40 minutes, or until the meat is slightly underdone.

Set the baking rack at the center of the oven and preheat the oven to 375°F.

Remove the rabbit to another ovenproof container and cover to prevent the meat from cooling.

Remove and discard the spice bag. Strain the vegetables, reserving ½ cup of the liquid. Purée the vegetables in a food processor or push them through a sieve. Combine the purée with the reserved cooking liquid and the sour cream. Mix well, add salt to taste, then mix gently with the meat. Bake, uncovered, for about 15–20 minutes, or until tender.

Arrange the rabbit pieces on a heated platter, serve the sauce in a sauceboat. Serve with prunes, Red Cabbage Salad (page 48), or Marinated Beet Salad (page 46).

CHAPTER 9

Vegetables, Noodles, and Cereals

IN 1817 the great Antoine Carême left his post as *chef de cuisine* at the court of Tsar Alexander I because, as he explained, "Fresh produce is available only four months in the year." At that time the tsar's kitchen boasted a variety of fruits and vegetables grown in the hothouses Catherine the Great had had built adjacent to her palace. However, for a perfectionist like Carême, "Flavor was lacking from the produce of the greenhouse."

Of course, during the winter and early spring months, only the very wealthy could afford fresh vegetables, which were either imported or grown in hothouses. "The rich Russians," a nineteenth-century traveler remarked, "strive to give the impression that they reside in one of the southern countries of Europe. . . . Green peas and asparagus are as common in Moscow around Christmas as potatoes and cabbages in other countries." But for most Russians, those foods were an unaffordable luxury.

Cabbage, cucumbers, radishes, turnips, beets, peas, carrots, sorrel, nettles, and onions were among the earliest vegetables recorded in Russia. Cabbage, for instance, was mentioned in the 1073 *Chronicles* as a popular staple. These and the beans, lentils, parsley, and celery that appeared in the early Middle Ages were the basis of Russian vegetable cuisine. Their use was, and still is, extended beyond harvest time in several ways.

Hard-root vegetables, like beets, turnips, carrots, onions, and parsley and celery roots, are stored during part of the long cold winters. Others, like mushrooms, beans, and peas, are dried; and some, like cucumbers, cabbages, and mushrooms, are pickled in several ways; in time, pickling became a Russian specialty (see Chapter 10).

As a result of increased contact with Western Europe during the eighteenth and nineteenth centuries, Russian vegetable cuisine expanded enormously. In the late eighteenth century, potatoes and tomatoes were introduced and soon became immensely popular. They were followed by spinach, scallions, asparagus, lettuce, cauliflower, French beans, and others. After the conquest of the Black Sea region, under Catherine the Great, bell peppers, eggplants, squash, and corn gradually entered the culinary scene. By the mid-nineteenth century, sophisticated Russian palates had savored most of the vegetables known to Western Europe.

As is true for fish, the diverse use of vegetables in Russian cuisine is to some extent a result of the Orthodox Church rules for the scope of Lenten fare. With meat, dairy products, and eggs excluded, it was fish, vegetables, grains, and fruits that had to carry the menus for up to three-quarters of the year.

These restrictions and those imposed by a short growing season and limited storage possibilities have produced many imaginative recipes.

COOKING METHODS

In classic Russian cuisine, these are the most characteristic ways to cook vegetables.

Poaching Liberally sprinkled with bread crumbs that have been browned in butter, the vegetable is served as a side dish or a separate course. Poached vegetables are also breaded and sautéed.

Braising in Sour Cream The vegetable is topped with chopped parsley or dill and served as a side dish.

Braising in Stock The stock is then made into a sauce for the vegetable. Such dishes can be served as a separate course with Chicken Patties (page 330), fried brains, and other light meat recipes.

Stuffing with Meat or Other Vegetables Cabbage, potatoes, bell peppers, and zucchini, among many others, are stuffed, braised, and served as a main course or an appetizer.

The recipes that follow are primarily for vegetables to be served as side dishes or main courses. For vegetables that are served as hors d'oeuvre, either alone or as part of a composite salad, see Chapter 2.

Belaia Fasol'

WHITE BEANS

Serves 6

1½ cups dried white beans
     (lima or Great Northern)
2   carrots, scraped
1   medium onion, stuck with
     2 whole cloves
1   bunch of mixed parsley
     and celery leaves, tied
     with kitchen string
1   teaspoon caraway seeds
     (*optional*)

     Salt
1   tablespoon freshly
     squeezed lemon juice
     (*optional*)
1   tablespoon finely chopped
     parsley or dill
2   tablespoons unsalted
     butter, softened

Place the beans in a heavy 3-quart saucepan, cover with cold water, and add 3 cups more water. Bring to a boil and cook for 2 minutes, uncovered. Remove from heat, cover, and let sit for 1 hour.

Place the carrots, onion, parsley and celery leaves, and caraway seeds on a large square of cheesecloth. Tie the ends of the cheesecloth together with kitchen string to form a bag and add to the beans.

Season with salt (1¼ teaspoons for each quart of water). If needed, add more water, just to cover the beans. Bring to a boil, lower the heat, and simmer, covered, for 1 hour. Check several times to see that there is enough water. Taste for doneness; the beans should be tender but not mushy. If necessary, simmer for another 10 minutes or so and taste again. Remove the cheesecloth bag and drain the beans.

Serve in a heated dish sprinkled with the lemon juice and chopped parsley and dotted with butter.

This is a fine accompaniment for beef stew, braised beef or lamb, or any meat dish with a gravy. Pour the gravy over the beans when serving.

Sviokly so Smetanoi

BEETS WITH SOUR CREAM

Serves 6

2   pounds beets
¾–1 cup sour cream
     Salt to taste

Freshly squeezed juice of
¼ lemon (*optional*)

Wash the beets thoroughly, trim the stalks to 1 inch. Do not trim the thin end of the root. Place in a pot, add cold water to cover, and bring to a boil. Cover and simmer for 30–40 minutes, or until tender. Drain and cover with cold water. When the beets are cool enough to handle, drain and blot dry. Cut off the stalks and the thin thread at the bottom, peel, and grate coarsely.

Place the beets in a saucepan, add the sour cream, and mix. Bring just to a boil, stirring often, add salt to taste, and, if desired, the lemon juice. Serve in a heated bowl.

Otvarnaia Kapusta s Maslom i Tyortymi Sukhariami
POACHED CABBAGE WITH BUTTERED BREAD CRUMBS

My brother Nikolai, sitting in his government office, dreamed of how he would eat his own cabbages, which would fill the whole yard with such a savory smell, take his meals on the green grass, sleep in the sun. . . .

—*Anton Chekhov*
"Gooseberries"

Serves 6 (see Note)

8 teaspoons salt	Several sprigs of parsley tied with kitchen string
1 firm head green or Savoy cabbage (about 2½ pounds; see *Note*)	6 tablespoons unsalted butter
1 onion	6 tablespoons bread crumbs
6–8 cups beef or chicken stock (pages 80–87)	

In a large kettle, preferably one with a steamer basket, bring to a boil 6 quarts of water and 8 teaspoons of salt. Meanwhile, trim any wilted or damaged leaves from the cabbage, cut off the stem, and cut into 6 wedges. Place the wedges in the steamer basket and submerge in the boiling water, or simply add the cabbage to the pot. Return to a boil, lower the heat, and simmer for 3 minutes. Remove the basket or drain the cabbage in a colander.

Place the onion on the rack of a Dutch oven. Add the stock and bring to a boil on top of the stove. With a slotted spoon, carefully arrange the cabbage wedges around the onion, then add the parsley. Cover, return to a boil, and cook over moderate heat for about 10 minutes for regular cabbage and about 8–9 minutes for Savoy cabbage. The cabbage should be tender but still slightly crunchy.

While the cabbage is cooking, melt the butter in a skillet. When it bubbles, add the bread crumbs and sauté over low heat, stirring continuously, until golden. Be careful not to burn the crumbs.

Drain the cabbage well and blot lightly with paper towels. (Discard the stock and onion.) Arrange on a heated platter, sprinkle with the buttered crumbs, and serve immediately.

Note: The amounts given here and below are for a separate course. If you wish to serve the vegetable as a side dish, halve the amounts. Any of these vegetables can also be served as a side dish without the bread crumbs.

Variation   Asparagus with Buttered Bread Crumbs
Trim 60 thin spears of asparagus, then poach or steam them until tender but still firm to the bite. Arrange on a heated platter and sprinkle with the hot buttered crumbs.

Variation   Green or Wax Beans with Buttered Bread Crumbs
Trim 3 pounds green or wax beans, then simmer for 6–10 minutes in 6 quarts of boiling water and 8 teaspoons salt. Drain and return the beans to the pot to dry over low heat for 2 minutes. Serve on a heated platter, sprinkled with the buttered crumbs.

Variation   Brussels Sprouts with Buttered Bread Crumbs
Soak 30–36 Brussels sprouts in cold salted water to cover for 10 minutes. Drain and trim any wilted leaves and stalk. Simmer for 10–12 minutes in 6 quarts of boiling water and 8 teaspoons of salt. The sprouts should be tender but still slightly crunchy. Drain, place on a heated platter, and sprinkle with the buttered crumbs.

Variation   Cauliflower with Buttered Bread Crumbs
Break 1–2 heads of cauliflower (3 pounds in all) into 2-to-3-inch florets, or leave whole. Cook as for Brussels sprouts, adding an optional tablespoon of sugar and allowing 10–12 minutes for florets and about 20 minutes for the whole head. Drain, arrange on a heated platter, and sprinkle with the buttered crumbs.

Tushonaia Kapusta

BRAISED CABBAGE

Braised cabbage, in any of the versions that follow, is served as a side dish with pork roast or sausages, roast beef, goose, or duck, or with frankfurters.

Serves 6

½ pound bacon strips, cut into 1-inch pieces

2 carrots, cut into ⅛-inch slices

2 onions, cut into ⅛-inch slices

1 parsley root, cut into ⅛-inch slices

1 firm head of green cabbage (2–2¼ pounds)

1–1¼ cups fresh or canned beef or chicken stock (pages 80–87)

Salt to taste

¼ cup catsup, *or* 1 tablespoon tomato paste

1 bay leaf, 5 black peppercorns, and 5 allspice berries tied in a cheesecloth bag

½ teaspoon sugar

Render the bacon in a large skillet over low heat for about 5 minutes. Discard the bacon strips. Add the sliced vegetables to the rendered fat and sauté over moderate heat, stirring several times, for about 5 minutes, or until the onions are translucent and the other vegetables are lightly browned.

Trim the damaged and wilted leaves from the cabbage, cut off the stalk, quarter the cabbage, and carve out the tough core. Cut the leaves into 1-inch squares.

Empty the contents of the skillet into a medium-size Dutch oven or heavy casserole, add the cabbage and 1 cup of stock. Sprinkle with salt, bring to a boil, cover, and simmer over low heat for 20 minutes. Stir, add the catsup and spice bag, and simmer for 10 minutes more, adding 2–3 tablespoons of stock if the cabbage is too dry. Add the sugar and stir.

Remove the spice bag and serve in a heated bowl, or arrange the cabbage around the dish it accompanies.

Kapusta Tushonaia s Iablokami
BRAISED CABBAGE WITH APPLES

Serves 6

¼   pound bacon strips, cut
into 1-inch pieces
1   firm head of green cabbage
(2–2¼ pounds)
2   onions, cut into ⅛-inch
slices
1¼ cups fresh or canned beef
or chicken stock
(pages 80–87)
Salt to taste

5   medium tart apples (Gravenstein, Greenings, or
others)
2   tablespoons instant-
blending or all-purpose
flour
1   tablespoon unsalted butter
½   teaspoon sugar
1   tablespoon freshly
squeezed lemon juice

Follow the instructions for rendering the bacon fat, browning the onion, and braising the cabbage as described in the recipe for Braised Cabbage (page 363).

While the cabbage is braising, peel, quarter, and core the apples, then cut each quarter into thirds. When the cabbage has braised for 10 minutes, add the apples, cover, and cook 15 minutes more.

In an ungreased skillet, stir the flour over low heat for 2–3 minutes, or until pale golden. Stir in the butter, heat until it bubbles, then add 7–8 tablespoons of cabbage liquid and simmer for 2 minutes. Pour the sauce over the cabbage, mix, return again to a boil, and remove from the heat. Season with sugar and lemon juice.

Variation   Braised Cabbage with Apples, Lithuanian-Style
To the ingredients for Braised Cabbage with Apples, add 1 pound of boneless pork, cut into ½-inch dice; 1 additional onion (coarsely chop all the onions instead of slicing them); and ½ teaspoon of paprika. Omit the flour, butter, sugar, and lemon juice.

After the onions have been sautéed, remove them from the skillet, add the pork to the pan and cook for 5–8 minutes over moderate heat, stirring, so that the pieces brown on all sides. Continue with the recipe, adding the paprika with the apples. Serve after the apples have cooked for 15 minutes.

Tushonaia Krasnaia Kapusta
BRAISED RED CABBAGE

Serves 6

2 tablespoons unsalted
  butter, in all

1 medium onion, finely
  chopped

  A piece of celery root, 2
  inches square and 1 inch
  thick, thinly sliced

1 parsley root, thinly sliced

1 firm head of red cabbage
  (2–2¼ pounds), shredded

1 cup fresh or canned beef
  or chicken stock
  (pages 80–87)

  Salt to taste

2–3 tablespoons vinegar

¼ cup red wine

6 allspice berries and 4
  whole cloves tied in a
  cheesecloth bag

  A pinch of sugar, *or* to
  taste

In a small skillet, melt 1 tablespoon of the butter, add the onion, and sauté over moderate heat for 7–8 minutes, or until limp and translucent.

In a 3-quart Dutch oven or other heavy pot, melt the remaining butter, add the celery and parsley roots, and sauté for 5 minutes, or until the vegetables turn golden. Add the onions, cabbage, stock, and salt to taste. Bring to a boil, then lower the heat, cover, and simmer for 20–25 minutes. The cabbage will turn a dark blue. Add the vinegar, wine, and spice bag, return to a boil, and simmer for 5–8 minutes more. Add salt and sugar to taste.

Tushonaia Kvashenaia Kapusta s Gribami

BRAISED SAUERKRAUT WITH MUSHROOMS

Serves 6

2–2½ ounces dried mushrooms

2 pounds Homemade Sauerkraut (4–5 cups, page 427), *or* a 28-ounce jar of Claussen sauerkraut, French *choucroute*, or Frenzel German Sauerkraut

1 tablespoon unsalted butter

1 medium onion, cut into ⅛-inch julienne strips

2 ounces bacon, cut into ½-inch pieces

⅛ teaspoon freshly ground black pepper

1 tablespoon catsup (*optional*)

½ teaspoon sugar

Salt to taste

Soak the dried mushrooms in cold water for 10 minutes, if you buy them thinly cut, or for 30 minutes, if whole. Drain and rinse thoroughly to remove any sand. Place them in a small saucepan, cover with 1½ cups of water, and bring to a boil. Lower the heat and simmer, uncovered, for 20 minutes. Drain and reserve the stock. Cut whole mushrooms into ½-inch pieces.

If you use homemade sauerkraut, drain it in a colander, then squeeze with your palms to remove excess liquid. If the canned sauerkraut is quite tart, place it in a colander, rinse it under running cold water for 30 seconds, and then squeeze out the liquid.

Over low heat, melt the butter in a heavy nonstick skillet, add the onions, and sauté for about 8 minutes, or until limp and translucent. Transfer the onion to a 3- or 4-quart Dutch oven or ovenproof casserole. In the same skillet, sauté the bacon over low heat for 3 minutes on each side. Add the contents of the skillet, the sauerkraut, and mushroom stock to the Dutch oven, mix, and bring to a boil over medium heat. Reduce the heat to moderately low, cover, and simmer for 20 minutes, stirring 2 or 3 times to prevent the sauerkraut from sticking to the bottom of the pot. Add the pepper and mushrooms and simmer, covered, for 15 minutes. Season with the catsup and sugar, add salt to taste, stir, and continue to simmer, uncovered, for 3 minutes. Remove from the heat.

Serve hot with pork, goose, duck, mallard duck, pheasant, and similar meats (chapters 7 and 8).

Kapustnye Kotlety
CABBAGE SCHNITZELS

Russians cannot hear the words *cabbage schnitzel* without a slightly contemptuous smile at the social pretensions of the cabbage.

The elevation of a cabbage patty to the rank of a schnitzel took place in the 1930s as part of a "positive approach" to the chronic shortage of meat.

Here is an exchange between two newlyweds, a vegetarian husband and his rebellious wife, in Ilf and Petrov's satirical novel *The Twelve Chairs*, which is about the first hungry decades of Communist rule in Russia:

> Nicki suddenly became quiet. An enormous pork chop had loomed up before his inner eye, driving the insipid baked noodles, porridge, and potatoes further and further into the background. It seemed to have just come out of the pan. It was sizzling, bubbling, and giving off spicy fumes. The bone stuck out like the barrel of a dueling pistol.
>
> "Try to understand," said Nicki, "a pork chop takes away a week of a man's life."
>
> "Let it," said Liza. "Mock rabbit takes away six months. Yesterday when we were eating that carrot entrée I felt I was going to die."
>
> "Leo Tolstoy," said Nicki in a quavering voice, "didn't eat meat either."
>
> "No," retorted Liza, hiccuping through her tears, "the count ate asparagus. . . . But when he was writing *War and Peace* he did eat meat. He did! He did! And when he was writing *Anna Karenina* he stuffed himself and stuffed himself. Just imagine him trying to write *War and Peace* on vegetarian sausages!"

All of this notwithstanding, the cabbage patties are very good either sautéed or baked served as a side dish for roast meat or served with sour cream as a separate course.

Serves 6

1	firm head green or Savoy cabbage (about 2½ pounds)	1	small bunch of parsley
		1	onion
6–8	cups beef or chicken stock (pages 80–87)		

FOR SAUTÉED SCHNITZELS

4–6	tablespoons unsalted butter	1	cup fine bread crumbs
2	eggs, lightly beaten with a pinch of salt		

FOR BAKED SCHNITZELS

2	eggs, lightly beaten with a pinch of salt	¾	cup sour cream, mixed with ¼ cup half-and-half
1	cup fine bread crumbs		Chopped fresh parsley
3	tablespoons unsalted butter, softened		

Prepare and cook the cabbage as described in the recipe for Poached Cabbage with Buttered Bread Crumbs, page 361. When the cabbage is tender, but still slightly crunchy, remove the rack from the Dutch oven and drain the wedges. When they are cool enough to handle, squeeze the wedges in the palms of your hands to remove the excess liquid, shaping gently into ovals.

TO SAUTÉ THE SCHNITZELS

Melt the butter in a heavy skillet. Dip the cabbage ovals into the beaten eggs and roll in the bread crumbs. Add to the skillet and sauté until golden on all sides. Serve immediately.

TO BAKE THE SCHNITZELS

Preheat the oven to 375°F.

Dip the schnitzels in the beaten eggs, then roll in the bread crumbs. Grease a Dutch oven or shallow roasting pan with 1 tablespoon of butter and arrange the cabbage in a single layer. Dot with the remaining butter and bake for 10 minutes, or until pale golden. Pour the sour cream and half-and-half mixture over the cabbage and bake for 10 minutes longer. Sprinkle with parsley and serve at once.

Chinionaia, ili Farshyrovannaia Kapusta
WHOLE STUFFED CABBAGE

Serves 6 as an entrée

1 recipe Ground Meat and Rice Stuffing for Vegetables (page 400)
Salt to taste

1 head of green cabbage (about 3 pounds)
3 cups fresh or canned beef stock

FOR THE SAUCE

2 tablespoons instant-blending or all-purpose flour
2 tablespoons unsalted butter
1 cup fresh or canned beef stock

1 cup sour cream
3 tablespoons tomato paste
½ teaspoon sugar
Salt to taste

Prepare the meat stuffing and reserve.

Heat a large pot of salted water. Remove any wilted or damaged leaves from the cabbage, cut out the stalk, and place in the pot of hot water. Bring to a boil and simmer for 5–7 minutes. Drain, transfer the cabbage to a large bowl of cold water, and allow to cool for a few minutes, then drain again.

Carefully pull or cut the leaves from the cabbage one at a time, cut out the tough central ribs, and stack the leaves on paper towels in the sequence in which they were removed from the head. When all the leaves are removed, turn the stacks over so that the head can be reassembled, beginning with the largest leaves.

Wet a 24-inch square of cheesecloth and spread it out on a work surface. Arrange the 4 largest leaves, overlapping them as necessary, into a circle about 16 inches in diameter. If the leaves do not overlap sufficiently in the center, fill in the gap with a small leaf. Spread the leaves with a ¼-inch layer of stuffing, leaving a 1-inch border of leaves uncovered. Arrange the next smaller 4 or 5 leaves over the stuffing (but not over the border of leaves) and spread with another layer of the filling, again leaving a 1-inch border of leaves. Continue to layer cabbage and stuffing until all the stuffing is used, making each layer smaller than the one it rests on. Press the stuffed leaves lightly with your hands, then pull up and tie the corners of the cheesecloth firmly, so that the stuffed leaves are formed roughly into the shape of a cabbage. If some of the stuffing oozes out, do not worry. Allow the cabbage to rest for 20 minutes.

In a pot large enough to hold the cabbage, bring the beef stock to a boil. Place the cabbage in the pot, return to a boil, lower the heat, and simmer for 15 minutes, partially covered.

Prepare the sauce: in a heavy ungreased skillet stir the flour over low heat for 2–3 minutes, or until pale golden. Add the butter and continue to stir until bubbles appear. Off the heat, slowly pour in the beef stock. Return to the heat, add the sour cream, stir well, and cook for 1 minute. Add the tomato paste, sugar, and salt and stir thoroughly. Remove from the heat.

Set the baking rack at the middle level of the oven and preheat the oven to 375°F.

Remove the cabbage from the beef stock and place it on a plate. Reserve the stock. Carefully cut away the cheesecloth and, using two slotted spoons, transfer the cabbage to a large casserole or Dutch oven. Pour the sauce over the cabbage and bake, uncovered, for 10–15 minutes, or until the cabbage can be pierced easily with a long needle or skewer.

Very carefully, remove the cabbage from the pot using two slotted spoons. Arrange on a heated platter. If the sauce is too thick, thin it with a little of the beef stock, then pour over the cabbage. Cut into 6 wedges and serve with rye bread, preferably pumpernickel, and beer.

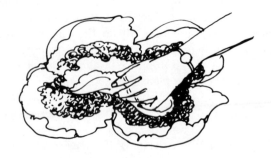

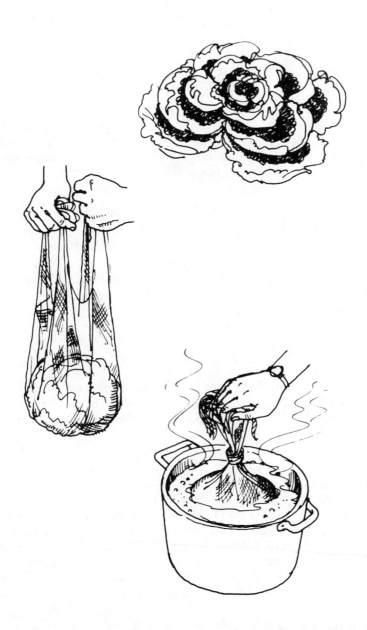

Golubtsy

STUFFED CABBAGE ROLLS WITH MEAT

This is a Ukrainian dish that has been adopted by the Russians.

Serves 6 as an entrée

1   recipe Ground Meat and
     Rice Stuffing for Vegeta-
     bles or Cooked Ground
     Meat and Rice Stuffing for
     Vegetables (page 400)

1   firm head green or Savoy
     cabbage (about 3–4
     pounds)

8   teaspoons salt

6   tablespoons all-purpose
     flour

4   tablespoons unsalted
     butter, in all

2   cups Chicken Consommé
     (page 88) or canned
     chicken consommé

¾   cup sour cream

¼   cup half-and-half

3   tablespoons catsup or
     tomato sauce

2   tablespoons finely chopped
     parsley or dill (*optional*)

Prepare the stuffing and reserve.

Cut off the cabbage stalk and remove the leaves one at a time. Choose 12 undamaged leaves that are of about equal size. Cut out the tough portion of the central rib at the bottom of each leaf and pile the leaves in a wire basket.

In a large pot, bring 6 quarts of water to a boil, add the salt, and drop the basket of leaves into the pot. Return to a boil, lower the heat, and barely simmer the leaves for 3–5 minutes, or until they are soft and pliable. Drain and place on cloth or paper towels to dry.

Divide the stuffing into 12 heaps. Place one heap on each leaf, pressing the stuffing a little to compact it. Fold two opposite side edges over the stuffing, then fold up the bottom of the leaf and roll it toward the top, pressing lightly and shaping it with your hands. Each roll should be about 4 inches long, 2 inches thick. If the leaves are sufficiently pliable, you will not have to tie the rolls, but if necessary, tie them with kitchen string.

Roll the *golubtsy* in flour and shake off the excess.

In a heavy skillet melt 3 tablespoons of butter, add the cabbage rolls, and sauté for 3–4 minutes on each side, or until pale golden. Melt the remaining tablespoon of butter in a Dutch oven or ovenproof casserole dish large enough to hold all the rolls in one layer. However, if the rolls must be arranged in two layers, be careful that they do not come apart. Add the consommé and bring to a boil. Lower the heat, cover, and simmer for 20–25 minutes for the uncooked ground meat and rice filling and 10–15 minutes for the cooked stuffing. Blend the sour cream, half-and-half, and catsup, mix well, and pour over the rolls. Simmer for 5–10 minutes more.

Arrange the cabbage rolls on a heated platter, cover with the sauce, sprinkle with chopped parsley, and serve at once.

Variation Stuffed Cabbage Rolls with Vegetables
Substitute 1 recipe of the Vegetable Stuffing (page 401) for either of the ground meat and rice stuffings.

Tushonaia Morkov'
BRAISED CARROTS

Serves 6

1½ pounds carrots, cut into scant ¼-inch slices, or left whole if they are baby carrots

2½ tablespoons unsalted butter, in all

⅜ teaspoon salt
1 teaspoon sugar
1 tablespoon finely chopped fresh dill or parsley

Place the carrots in a heavy, nonstick saucepan and add water barely to cover. Add 1½ tablespoons butter, the salt, and sugar. Bring to a boil, lower the heat, and cook, covered, for 30–40 minutes, depending upon the age of the carrots. Tasting is the best test for doneness; they should be tender, but not mushy.

Drain, serve on a heated platter, sprinkled first with the remaining butter and then with the dill or parsley.

Variations
• Replace the salted water above with chicken stock. If necessary, reduce the amount of salt.
• Add the chopped greens to the carrots 5 minutes before the end of cooking time for a stronger fragrance and more flavorful carrots.
• Add 2 teaspoons Malaga or Madeira wine to the saucepan 5 minutes before the end of cooking time.

• In an ungreased skillet, stir 1 tablespoon instant-blending or all-purpose flour over low heat for 3 minutes. Stir in 1 tablespoon unsalted butter and, when it begins to bubble, add 4–5 tablespoons of carrot cooking liquid. Stir and cook for 1–2 minutes. Shortly before the carrots are cooked, when almost all of the liquid has evaporated, add the sauce. This version is served with veal or pork chops, braised or boiled beef, liver, chicken, brains, and meat patties.

Morkov' s Imbiriom Zapechonnaia v Smetane

CARROTS BRAISED WITH GINGER AND SOUR CREAM

Serves 6

1	pound carrots, cut into scant ¼-inch slices	2	tablespoons unsalted butter, preferably clarified (page 617)
¼	teaspoon salt		
3	tablespoons sugar	¾	cup sour cream, mixed with ¼ cup half-and-half
1½	teaspoons powdered ginger		

Place the carrots in a saucepan or bowl, sprinkle with the salt, sugar, and ginger, toss, then leave for 30 minutes, or until the carrots begin to release their juices. Drain.

In a deep, heavy nonstick skillet, melt the butter. When it bubbles, add the carrots and sauté over moderate heat, stirring continuously, for about 10 minutes, or until they are deep orange.

Preheat the oven to 375°F.

Transfer the carrots to an ovenproof serving dish, cover with the sour cream and half-and-half mixture, and bake for 12–15 minutes, or until tender but not too soft.

Serve with veal, chicken, or beef.

Morkov' s Goroshkom

BRAISED CARROTS AND GREEN PEAS

This side dish is an adaptation of a German recipe, but it is so beloved by Russians that most of them consider it part of their own cuisine.

Serves 6

1 pound carrots, cut into scant ¼-inch slices	scant ½ teaspoon salt
1 tablespoon unsalted butter	¾ teaspoon sugar
¾ teaspoon sugar	
¼ teaspoon salt	1½ tablespoons instant-blending or all-purpose flour
¾ pound shelled green peas	1½ tablespoons unsalted butter
¼ pound ham, cut into ½-inch dice	7–8 tablespoons cooking liquid from the peas
2 scallions	
A bunch of mixed fresh parsley and dill, tied with kitchen string	12 slices French bread (about a scant ½-inch thick), sautéed for 2–3 minutes on one side in 3 tablespoons unsalted butter
1 tablespoon unsalted butter	

Cook the carrots with the butter, sugar, and salt as described in the recipe for Braised Carrots, page 373.

While the carrots are cooking, place the peas in a small saucepan with the ham, scallions, herb bunch, and butter. Add water barely to cover, bring to a boil, then lower the heat and simmer, uncovered, for 6–10 minutes. Start tasting for doneness after 6 minutes.

Make the sauce: in a heavy ungreased skillet stir the flour over low heat for 2–3 minutes, or until pale golden. Stir in the butter and, when it bubbles, add 7–8 tablespoons of the cooking liquid from the green peas. Stir, bring to a boil, and cook for 2–3 minutes.

Drain the carrots.

Remove the scallions, herbs, and ham from the green peas. Drain the peas well. Add the salt and sugar, stir in the sauce, and carefully mix in the carrots. Serve on a heated platter, surrounded by the toast, buttered side up.

Tsvetnaia Kapusta Obzharennaia v Iaitsakh i Tiortykh Sukhariakh

BREADED CAULIFLOWER

Serves 6

1	head cauliflower (1½ pounds)	3	tablespoons unsalted butter, in all
5¼	teaspoons salt, plus additional salt to taste	3	eggs, lightly beaten
1	teaspoon sugar (*optional*)	1	cup bread crumbs

Soak the cauliflower in cold salted water to cover for 10 minutes. Drain, trim off the leaves, and break the cauliflower into 2-to-3-inch florets. Bring 4 quarts of water to a boil in a large pot, add 5¼ teaspoons salt and the sugar. Place the cauliflower in a basket and lower it into the water. Return to a boil and boil, uncovered, over moderate heat for 10–15 minutes, or until tender but still a bit crunchy. Drain.

Melt 1½ tablespoons of butter in a large skillet. Dip the florets in the eggs, then in the bread crumbs, and sauté for 2–3 minutes on each side, or until golden. Add more butter as needed.

Serve immediately as a side dish with chicken, brains, or veal.

Baklazhany s Sousom Satsivi

EGGPLANT *SATSIVI*

This wonderful dish can be served as an hors d'oeuvre or as a separate vegetable course. If you plan to use it as an accompaniment to roast lamb, reduce the recipe by half.

Serves 6

6	small eggplants (6 inches long, 2½ inches thick), *or* 3 larger eggplants (about 7 inches long, 4½ inches thick)	1	teaspoon salt
		5–6	tablespoons vegetable oil
		1	recipe *Satsivi* Sauce for Vegetables (page 326)

Trim the stem ends from the eggplants, rinse, and dry. Cut the small eggplants lengthwise into ¾-inch slices; cut the larger eggplants crosswise the same thickness. Sprinkle the slices with salt, place them in a bowl, and press them down with a plate on which is placed a 1-pound weight. Let sit for 15 minutes, then pat dry with paper towels.

Heat 2 tablespoons oil in a large, heavy skillet, add some of the eggplant slices, and sauté over moderate heat for about 4 minutes on each side, or until golden. Drain on 2–3 layers of paper towels. Continue to sauté the eggplant, adding more oil as necessary.

Serve cold with *Satsivi* Sauce in a sauceboat.

MUSHROOMS

One of her greatest pleasures in summer was the very Russian sport of hodit' po gribi (looking for mushrooms). Fried in butter and thickened with sour cream, her delicious finds appeared regularly on the dinner table. Not that the gustatory moment mattered much. Her main delight was in the quest.

—*Vladimir Nabokov*

Speak, Memory

"The third hunt" is what V. Soloukhin, a contemporary Russian writer, calls looking for mushrooms, ranking it after game shooting and fishing.

An anthology lists 153 kinds of mushrooms found in Russian forests. Only 14 of them are not edible; 7 are outright poisonous. Of the 139 kinds left, 10 to 15 are widely known and loved.

In August and September, when warm, slow rains start soaking the vast Russian forests, hosts of mushroom hunters set off on a quest whose aesthetic and pragmatic aspects are intricately intertwined.

The silent, slowly awakening forest exudes "that special boletic reek which makes a Russian's nostrils dilate—a dark, dank, satisfying blend of damp moss, rich earth, rotting leaves," according to Nabokov.

For a city dweller, the mushroom quest has the emotional and spiritual effect of a homecoming.

Included in the saintly order of pines
We become immortal for a while
And exempted from sickness,
Epidemics and death.
                    —Boris Pasternak

Mushrooms play so prominent a role in Russian cuisine because of the exclusion of dairy products from Lenten fare. During Lent and numerous fast weeks through the year, mushroom dishes were included in the menu almost daily: mushroom *pirozhki*, rice and mushroom patties, mushroom sauce for potato patties, stewed mushrooms with potato and sour cream, fried mushrooms, borscht with mushrooms, mushroom *pelmeni*, various mushroom soups, mushroom pâté, poached salmon with mushrooms, and on, and on.

For almost all of these dishes, wild forest mushrooms were used. After the season (July through October) was over, dried mushrooms were used until the next year. Marinated and salt-pickled mushrooms contributed to the hors d'oeuvre table.

As in any hunt, skill and chance form an essential part of mushroom gathering.

The crown prince of them all, the *tawny Boletus edulis* (or King Bolete, or Cep), prefers to grow underneath old firs and pines, but it can also be spotted in a mixed forest, near birch trees and aspens. The average adult specimen is 3 to 4 inches high, with caps 3 to 4 inches in diameter. The reputation of the edulis is based on its rich flavor and firm texture. They are the choicest mushroom for a stew or *pirog* stuffing, and the young edulis are delicious marinated. They are also the best mushrooms for drying because they retain their wonderful flavor all year round and bring to a soup or a stew a taste that cannot be matched even by fresh mushrooms. In Russia, whole dried edulis strung on a thread like a necklace are sold in the markets all winter, spring, and summer. In the United States, they can be bought in select groceries as *cèpes*, usually imported from France. Those imported from Poland are more easily found in East Coast groceries.

The Aspen Scaber Stalk mushroom (*Leccinum insigne*) of the Bolete family have reddish to orange-brown caps and are called *podosinoviki* in Russian, which means the "aspen mushroom," since that is the tree they dwell under. When young they have tightly fitting bright red caps, which grow brownish and flatten a bit when the mushrooms are older. The smaller they are, the better they are for marinating. They are good both fresh and dried.

Of the same family, Common Scaber Stalks (*Leccinum Scabrum*), or *podberiozoviki*, "the birch tree mushrooms," follow the pattern of the former two, but are of a somewhat lower quality; and *maslyata, Suillus luteus*, or Slippery Jacks, which grow near pines, are the most common wild mushrooms, the easiest to find, and good fresh or preserved.

In the agarics family, the lead is taken by *ryzhyki*-"saffron milk caps" (a variety of Orange-Cater Milky, *Lactarius deliciosus*), which have coral rings decorating the caps in a most picturesque fashion. They are firm, juicy (the juice is saffron-colored, too), and are considered to be the best for salting.

Gruzdi, white shaggy-capped (or shaggy white-capped) mushrooms of the Russula family's genus *Lactarius*, are second best in some experts' opinion. (Others claim they are better.) They are the favorite mushrooms of the Siberians, who regard other varieties as unworthy of attention.

Lisichki, or "little foxes" (the *Chanterelles* or *Cartharellus cibarius*), are dark ocher from top to bottom, with festooned caps that always tilt slightly sideways, like an elegant French beret. *Chanterelles* appear earliest—in June or July—and make a delicious early mushroom stew with baby potatoes, sour cream sauce, and fresh dill.

What are simply called "mushrooms" in American markets (*Agaricus bisporus*) are known by their French name, *champignons*, in Russia. They grow wild in the country at the sites of former stables, as they need horse manure to thrive. For this reason, they are considered "unclean" in the eyes of the peasants, who largely disregard them. Commercially grown mushrooms were available only as a luxury before the 1917 revolution and almost completely disappeared thereafter. They are a fair substitute for most of the recipes that follow.

Do not under any circumstances eat any wild mushrooms without positive identification. If you have questions on the identity of a mushroom or wish to pursue mushroom hunting, The North American Mycological Association, 4245 Redinger Street, Portsmouth, Ohio, can provide suggestions for reference books and other information.

Griby Tushonye v Smetane
STEWED MUSHROOMS WITH SOUR CREAM

"Another good appetizer is stewed white mushrooms, with onion, you know, and bay leaf and other spices. You lift the lid off the dish, and the steam rises, a smell of mushrooms . . . sometimes it really brings tears to my eyes!"

—*Anton Chekhov*
"The Siren"

Serves 6

1 tablespoon unsalted butter	1 cup sour cream
1 onion, cut into julienne strips	1 teaspoon salt
1 pound mushrooms	1 clove garlic, crushed
2 tablespoons all-purpose flour	Finely chopped fresh dill or parsley
2 heaping tablespoons unsalted butter	

In a small skillet, melt the butter, add the onions, and saute for 7–8 minutes over moderate heat until limp and golden. Set aside while you prepare the mushrooms.

Using a brush, thoroughly wash the mushrooms under running water. Cut lengthwise into scant ¼-inch slices. With your hands, squeeze out any excess liquid, then roll the mushrooms in flour. Melt 2 tablespoons of butter in a deep skillet, add the mushrooms, and sauté over medium-low heat for a few minutes, until they begin to release their fluid. Add the sautéed onion and continue to sauté on medium heat for 10 minutes. Add the sour cream, salt, and garlic and simmer on low heat for 10 minutes more. Serve, sprinkled with the chopped dill, as an appetizer, side dish, or a separate course.

Kartofel' Zapechonnyi s Gribami
POTATO AND MUSHROOM CASSEROLE

Serves 6

6 medium potatoes	3 tablespoons grated Parmesan cheese
3 tablespoons vegetable oil	Finely chopped fresh dill or parsley (*optional*)
11 ounces mushrooms	
1 tablespoon unsalted butter	
3 tablespoons sour cream	
1 tablespoon mayonnaise, preferably homemade (page 38)	

Peel, rinse, and dry the potatoes, then cut them into ¼-inch slices. Heat the oil in a large heavy skillet, add the potatoes, and cook over moderately low heat for 5–7 minutes on each side, or until half-cooked.

Preheat the oven to 375°F.

Wash and dry the mushrooms thoroughly. Separate the mushroom stems and caps and slice the stems thinly.

Butter the bottom and sides of a 3-quart casserole. Spread half the potato slices on the bottom and cover with the mushroom caps, scattering the sliced stems between the caps. Place the remaining potatoes in an even layer over the mushrooms. Mix the sour cream with the mayonnaise and spread over the potatoes. Sprinkle with the cheese and bake for 30 minutes.

Sprinkle with the chopped dill or parsley, and serve from the casserole as a main course.

Farshyrovannye Shampiniony
STUFFED MUSHROOM CAPS

Serves 6

18 large mushrooms	½ teaspoon prepared mustard (preferably Düsseldorf or Dijon)
3 tablespoons freshly squeezed lemon juice	
1 large onion	1 tablespoon sour cream
4 tablespoons softened unsalted butter, in all	Salt to taste
2 tablespoons finely chopped fresh parsley	2 tablespoons bread crumbs

Wash the mushrooms thoroughly under running water. Cut or break off the stems and reserve. Place the caps in a bowl and cover with approximately 2 cups of cold water mixed with the lemon juice.

Finely chop the stems and the onion. Melt 2 tablespoons of butter in a skillet, add the chopped stems and onions, and sauté for 5 minutes, then add the parsley and cook 5 minutes more, or until the mushroom stems are tender. Remove from the heat and stir in the mustard, sour cream, and salt.

Drain the mushroom caps and blot dry with paper towels.

Preheat the oven to 375°F.

Stuff the caps with the sautéed mixture. Rub an ovenproof dish large enough to hold the caps in a single layer with 1 tablespoon of butter and place the caps in it, stuffed side up. Sprinkle with the bread crumbs, dot with the remaining butter, and bake for about 15 minutes, or until the crumbs are golden. Serve hot or cold as a side dish or an appetizer.

Gribnye Kotlety

MUSHROOM PATTIES

Serves 6

1	pound mushrooms		Salt to taste
6	tablespoons vegetable oil, in all	2	eggs, lightly beaten
		1	cup bread crumbs
1	large onion, cut into julienne strips		
		¾	cup sour cream
6	ounces two-day-old French bread, crusts removed		

Wash the mushrooms and place them in a heavy-bottomed saucepan. Add ½ cup of water, bring to a boil, lower the heat, and simmer, uncovered, for 15 minutes, or until tender. Heat 1 tablespoon of oil in a small skillet, add the onion, and sauté for 7–8 minutes, or until transparent. Tear the bread into pieces and soak it in cold water for 10 minutes.

Strain the mushrooms. When they are cool enough to handle, squeeze out the excess liquid. Squeeze the excess water from the bread. Grind or blend together the mushrooms, bread, onion, and salt. Stir in the eggs and mix well. Refrigerate for 1 hour to firm the mixture.

Shape into 12 oval patties 3–4 inches long and dip into the bread crumbs. In a large heavy skillet, heat the remaining oil, add the patties, and fry for 3–4 minutes on each side, or until golden brown and heated through.

Garnish with sour cream.

Gribnoi Sous iz Sushonykh Gribov

MUSHROOM SAUCE MADE WITH DRIED MUSHROOMS

Makes about 1 cup sauce

8   whole dried mushrooms,
    or 6 tablespoons dried cut
    cêpes or other dried cut
    white mushrooms
1   tablespoon unsalted butter
½   medium onion, finely
    chopped

1   tablespoon instant-
    blending or all-purpose
    flour
    Salt to taste
1   tablespoon sour cream
    (*optional*)

If whole dried mushrooms are used, wash them thoroughly, then soak in cold water to cover for 4 hours. Drain and rinse again. Place in a saucepan, add 2 cups of water, and bring to a boil. Lower the heat and cook, covered, over low heat for about 30 minutes, or until the mushrooms are tender. Strain and reserve 1 cup of stock. Cool the mushrooms and chop finely.

If cut dried mushrooms are used, rinse them, place in a saucepan, add 1½ cups of water, bring to a boil, lower the heat, and cook, covered, on low heat for 15–20 minutes, or until tender. Strain, reserve 1 cup of stock, and cool the mushrooms.

Melt the butter in a saucepan, add the onions, and sauté for 10 minutes, or until limp and golden. Add the flour, mix thoroughly, and gradually add the mushroom stock, stirring continuously. Add the mushrooms, stir, bring to a boil, lower the heat, and simmer for 1–2 minutes. Remove from the heat, add salt to taste and sour cream, and stir to blend.

Serve with potato patties or other potato dishes, kasha, meat patties, and simple roasts.

Farshyrovannyi Luk

STUFFED ONIONS

Serves 6

6   large white or yellow
    onions, unpeeled
    Salt to taste

1   cup plus 2 tablespoons
    half-and-half, in all
¾   pound ground lamb or
    beef
2   eggs
2   tablespoons unsalted
    butter, melted
3   tablespoons bread crumbs

1   clove garlic, crushed, *or* a
    pinch of freshly grated
    nutmeg
    Salt to taste

12 bacon strips
2   cups Brown Beef Con-
    sommé (page 86) or
    canned beef consommé
1   recipe Caper Sauce
    (page 385)

Parboil the onions in boiling salted water for 5 minutes. Drain, cool, and peel. Cut off the tops and carefully scoop out the centers with a spoon, leaving shells about ½ inch thick.

Prepare the stuffing: chop the scooped-out onion centers and place in a saucepan with ¾ cup of half-and-half. Bring to a boil, lower the heat, and simmer, uncovered, for 15–20 minutes, or until very soft. Purée in a blender or food processor.

Combine the ground meat with the onion purée, eggs, melted butter, bread crumbs, the remaining half-and-half, crushed garlic, and salt. Mix well. If too thick, add 1 or 2 tablespoons half-and-half, and mix again.

Set the baking rack in the middle of the oven and preheat the oven to 375°F.

Stuff the onion shells. Wrap each onion in 2 strips of bacon placed over the top at right angles to each other and tie with kitchen string. Place the onions in a casserole, add the consommé, and cover. Bake for 40 minutes, or until tender.

Using a slotted spoon, transfer to a heated platter. Serve as a separate course with the caper sauce in a sauceboat.

Sous iz Kapersov

CAPER SAUCE

Makes 1 cup of sauce

1½ tablespoons instant-blending or all-purpose flour

1 tablespoon unsalted butter

1½ cups Chicken Consommé (page 88) or canned chicken consommé

1 tablespoon capers

1 teaspoon freshly squeezed lemon juice

Salt to taste

2 teaspoons finely chopped parsley leaves and/or dill

In an ungreased skillet, stir the flour over moderate heat until it is golden. Add the butter, stir, and, when it bubbles, pour in the consommé. Stir to blend well and cook over low heat until reduced by one-third, about 10 minutes. Add the capers and return to a boil. Slowly add the lemon juice, stir, simmer for 10 seconds, and take off the heat. Add salt to taste and the parsley and serve hot with the stuffed onions or with poached or broiled fish.

Pasternak so Smetanoi

BRAISED PARSNIPS WITH SOUR CREAM

Serves 6

3 cups Brown Beef Stock (page 85) or canned beef stock

1 onion

1 parsley root

1 celery heart

6 parsnips, washed and trimmed

½ teaspoon salt

2½ tablespoons unsalted butter, in all

1½ tablespoons instant-blending or all-purpose flour

1½ cups sour cream

Pour the beef stock into a 3-quart saucepan, add the onion, parsley root, and celery heart, and bring to a boil. Add the parsnips and the salt and return to a boil. Lower the heat, cover, and simmer for about 30 minutes, or until the parsnips are almost tender. A sharp knife should pierce a parsnip with slight resistance. Drain and cool the parsnips. Peel them and cut into ¼-inch slices. Discard the other vegetables.

Grease a casserole with 1 tablespoon of butter and place the parsnips in it in a single layer.

Set the baking rack at the middle level of the oven and preheat the oven to 375°F.

In a heavy ungreased skillet, over low heat, stir the flour until pale golden. Add the remaining butter and stir until bubbles appear. Add the sour cream, and bring to a boil, stirring constantly. Pour the sauce over the parsnips and bake for about 10 minutes, or until the parsnips are tender and the sour cream turns pale golden.

Serve as an accompaniment to beef, lamb, chicken, duck, or game.

POTATOES

During the Maytime storms, when streams of water gushed noisily past the blurred windows, threatening to flood their last refuge, the lovers would light the stove and bake potatoes. The potatoes steamed, and the charred skins blackened their fingers. There was laughter in the basement, and in the garden the trees would shed broken twigs and white clusters of flowers after the rain.

—Mikhail Bulgakov
The Master and Margarita

The introduction of potatoes to Russia late in the eighteenth century is said to have involved a plot—by the best plotter in Russian history, Catherine the Great. An enlightened woman, she was an enterprising promoter of those European novelties she thought would be good for Russia. For instance, in order to overcome the reluctance of the population to smallpox inoculation, she courageously submitted herself to it first.

Although potatoes were a major crop in Ireland, the rest of the Continent offered resistance to the new vegetable. In Germany potatoes were grown for cattle, but the only humans to feed on them were prisoners. In France rumors circulated that potatoes caused leprosy. And in Russia landowners and peasants believed they were poisonous until, by Catherine's order, fences were built around the potato fields, and large notices were posted which prohibited the theft of these valuable tubers. The scheme worked, and soon potatoes replaced turnips as the peasants' basic vegetable.

Potatoes were stuffed with meat and cooked with mushrooms in sour cream; Bielorussian, or White Russian, pancakes made from grated raw potatoes became a popular Jewish dish (*latkes*) for the Hanukkah holiday; but the simplest preparations—plain potatoes baked or boiled in their skins—seem to have the highest emotional value for Russians.

"Having eaten breakfast with the farmhands in the servants' room— a breakfast of hot potatoes and black bread sprinkled with damp, coarse salt—I delight in the feel of the smooth leather saddle beneath me as I ride through the village of Vyselki on the way to the hunt," wrote Ivan Bunin in "Antonov Apples."

Baked potatoes evoke crisp autumn mornings and a healthy, tranquil rustic life. They are never served in Russian restaurants, being a pleasure reserved for the home or a picnic. Because potatoes are never baked wrapped in foil, the skins turn into a tasty crust. When baked in cinders, the ashes are brushed off, and the delicious smell of wood and smoke is added to the joy of eating the crust.

Otvarnoi Kartofel'
BOILED POTATOES

Serves 6

2	pounds boiling potatoes	1	tablespoon finely chopped parsley, dill, or chives
	Salt to taste		
2	tablespoons unsalted butter		

Round new potatoes, about 1½ inches in diameter, are best for this dish. The second choice is oval new potatoes, up to 2½ inches long. Larger, all-purpose potatoes, up to 3½ inches long, are quartered before cooking, but since they begin to crumble at the edges when overcooked, they do not make as attractive a presentation.

Peel the potatoes and trim them into uniform shapes. Place in boiling salted water to cover, return to a boil, and cook for 15–20 minutes, or until they can be easily pierced with a sharp knife. Drain and return to the pot. Over low heat, dry out the potatoes for 3–4 minutes. Dot the potatoes with the butter and sprinkle with the chopped greens, then very gently shake the pot to distribute the butter and greens evenly. Serve immediately.

Variation Potatoes Cooked in Cream
Add 2 cups half-and-half to the list of ingredients. Prepare potatoes as described, but cook for only 10–12 minutes after the water has returned to a boil. Meanwhile, scald the half-and-half. Drain the potatoes, return them to the pot, add the half-and-half and ½ teaspoon of salt, and bring to a boil. Lower the heat and simmer for 5 minutes for new potatoes and 8–10 minutes for older ones, or until the potatoes are tender. Shake the pot several times during cooking to rotate the potatoes in the cream.

Molodoi Otvarnoi Kartofel' so Smetanoi i Ukropom
BOILED NEW POTATOES WITH SOUR CREAM AND DILL

Unlike regular potatoes, a dish of boiled new potatoes in their skins is a meal in itself and is considered a perfect summer supper or breakfast. On the market for a short 2–3 weeks in the year—in late June or July when they are only 1½ to 2½ inches in diameter and have not begun to mature—they are one of the seasonal favorites that Russian gourmets anticipate for eleven and a half months of the year.

Serves 6

1	cup sour cream		Salt
¼	cup half-and-half	3	tablespoons unsalted butter, melted
3	pounds new potatoes (about 1½ inches in diameter)	2	tablespoons finely chopped dill or parsley

Mix the sour cream and half-and-half thoroughly and keep in a sauceboat at room temperature until serving time.

Scrub the potatoes well, rinse, and place them in a pot. Add cold water to cover and 1¼ teaspoons of salt for each quart of water. Bring to a boil, lower the heat, and simmer for about 20 minutes, or until tender but very slightly underdone. Drain the potatoes and return to the pot. Over low heat, dry out the potatoes for 3–4 minutes.

Pour the hot melted butter all over the potatoes and sprinkle with the chopped dill or parsley. Very gently shake the pot to distribute the butter and greens evenly.

Serve in a heated, covered serving bowl or tureen. Spoon the potatoes into individual bowls and pass the sour cream sauce.

Pechonyi Kartofel'
BAKED POTATOES

1   medium-to-large baking
    potato per person
    Vegetable oil to brush on
    the potatoes (*optional*)

    Salt to taste (optional)
1   tablespoon unsalted butter
    for each potato

Set the baking rack at the middle level of the oven and preheat the oven to 425°F.

Wash the potatoes thoroughly and prick with a fork in a few places. If you wish, brush with oil and sprinkle with salt.

Bake for 1¼–1½ hours, or until soft to the touch and fork-tender.

Prick with a fork in a few more places and arrange the potatoes on a dish lined with a linen napkin. Serve with salt and butter. For other suggestions, see Chapter 15, Russian Menus.

Variation Baked Potatoes with Pork Fatback
Instead of butter, the baked potatoes can be garnished with either cold or fried pork fatback. Use 6–12 ounces of fatback, cut into thin strips about ½ inch wide. To serve cold, cut the strips into 4-inch pieces and arrange on a platter. Pass Dijon or Düsseldorf mustard separately.

For fried pork fatback, cut the strips into 1-inch pieces and fry in a heavy skillet over low heat for 4–5 minutes, or until pale golden. Split the potatoes lengthwise and pour the fat over the tops. Sprinkle the potatoes with the pieces of fried fatback.

Zharenyi Kartofel'

RUSSIAN FRIES #1

Serves 6

6   medium boiling potatoes
4   tablespoons unsalted clarified butter (page 617) or oil

Salt to taste

1   tablespoon finely chopped fresh dill or parsley

Peel and rinse the potatoes, and cut in half lengthwise. Cut crosswise into scant ¼-inch slices. Blot them dry with a towel.

Melt the butter in 2 large heavy skillets (preferably nonstick). When it bubbles, add the potatoes and spread in a single layer. Sauté over moderate heat for 5–6 minutes, or until the slices are golden on the bottom. Take care that the slices do not stick together or to the bottom of the pan, and that the butter does not burn. With a spatula turn the slices and sauté for another 4–5 minutes on the other side, then sprinkle lightly with salt. Turn the potatoes again, sprinkle with salt, lower the heat, and continue to cook for about 10 minutes more, or until the slices can be pierced easily with a knife.

Sprinkle with the chopped dill and serve immediately.

RUSSIAN FRIES #2

6   medium baking potatoes
Oil for deep-frying, or rendered goose fat combined with oil, or rendered pork fatback

Salt to taste

Deep-frying pot
Deep-fat thermometer

Peel the potatoes, rinse, cut into 8 wedges, and blot dry with a towel.

In a deep-frying pot, heat 2 inches of fat to 375°F. Lower half the potatoes into the fat with a slotted spoon, or use a wire basket. Fry for 8–10 minutes, or until tender. Drain and blot dry on a cookie sheet lined with 3 layers of paper towels. Sprinkle with salt, place on a heated serving platter, and keep warm. (Or you may keep the cooked potatoes warm by placing the platter in a very low oven.) Cook the remaining potatoes in the same manner. Serve at once.

Kartofel'noie Piure

MASHED POTATOES

Serves 6

2   pounds baking potatoes,
    peeled and quartered
5½ tablespoons unsalted
    butter, in all, softened
½   cup half-and-half plus an
    optional 2–3 tablespoons
    more

Salt to taste
2   tablespoons finely chopped
    fresh dill, parsley, or
    chives

Cook, drain, and dry the potatoes as described in the recipe for
Boiled Potatoes (page 387), with one exception: cook the potatoes for
20–25 minutes, or until quite soft but not mushy. A fork should pierce
them easily.

Mash the hot potatoes in a potato ricer, or purée with a potato
masher, then push through a sieve. Using a wooden spoon, beat in 4
tablespoons of softened butter, half-and-half, and salt, if needed. Blend
until the potatoes are very smooth and fluffy. To test, push the purée
with a spoon. It should yield to the spoon easily but still keep its shape.

Brush the cooking pot with 1 tablespoon of butter and return the
purée to the pot. Beating with a wooden spoon, warm the potatoes over
moderate heat until very hot. Be careful not to let the potatoes burn, or
the dish will be ruined.

Serve immediately, topped with the remaining softened butter. Pass
the chopped greens separately.

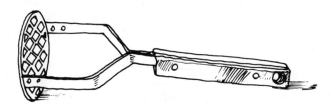

Kartofel' Farshyrovannyi Miasom
POTATOES STUFFED WITH MEAT

Serves 6

18 medium baking potatoes (about 3½ inches long), *or* 9 large baking potatoes (about 5½–6 inches long)

1 recipe Meat Stuffing for Potatoes (page 401)

2–3 large onions, cut into scant ¼-inch slices

6 tablespoons unsalted butter, in all

2 pounds carrots, coarsely grated

Salt to taste

Freshly ground black pepper to taste

4 bay leaves, each broken into quarters

1½–2 cups Chicken Consommé (page 88) or canned chicken consommé

1½ cups sour cream

1 cup half-and-half

A Dutch oven about 8 inches high and 8 inches in diameter (see *Note*)

To prepare a 3½-inch potato, cut a ¼-inch slice from one end to provide a firm base. Cut approximately ¾ inch off the other end, leaving a piece of potato about 2½ inches long. Larger potatoes, 5½–6 inches long, should be trimmed ¼ inch at each end and then cut in half crosswise, leaving 2 pieces, each about 2½ inches high.

Peel each potato, then scoop out a shell about a scant ½ inch thick. A dinner knife with a rounded tip is useful for this operation. You should now have a potato cup about 2½ inches high and a scant ½ inch thick. As you prepare each potato, place it in a bowl of cold water to prevent discoloration.

Bring to a boil enough salted water to cover the shells, add the shells, and simmer for 5 minutes. Carefully remove them with a slotted spoon, and allow to drain until they are cool enough to handle.

FILLING AND COOKING THE POTATOES

Fill each shell with about 1½–2 tablespoons of the stuffing, pressing it into the cup with your fingers, and forming a gentle mound on top. Sauté the onions in 2 tablespoons of the butter.

Preheat the oven to 375°F.

Place half the stuffed potatoes in a well-greased Dutch oven (see *Note*). The shells should be tightly packed. Spread half the onions over the potatoes, then half the grated carrots. Sprinkle with salt, pepper, and half of the bay leaves. Repeat the 4 layers, then pour 1½ cups of consommé over the top. Dot with the remaining butter, cover the pot, and bake for about 15 minutes. Add ½ cup of consommé, if necessary, and bake for 10 minutes more.

Thoroughly blend the sour cream and half-and-half, add to the pot, and bake for 5–15 minutes longer or until tender. To check for doneness, remove one potato: the bottom of the shell and the stuffing should be soft and well cooked.

To serve, carefully scoop out the top layer of carrots with a slotted spoon (discard the bay leaves) and arrange around the edge of one side of a warmed platter. Remove a layer of the potatoes and onions and arrange them within the carrot border. Distribute the remaining carrots and stuffed potatoes on the other half of the platter and pour the remaining juices generously over the dish. Serve immediately.

Note: You will need a casserole with a cover, or a Dutch oven, large enough to hold two tightly packed layers of potatoes placed on their ends, or vertically. Based on the capacity of the pot you intend to use, either increase or decrease the number of potatoes used for the recipe.

Kartofel'nye Kotlety s Gribnym Sousom
POTATO PATTIES WITH MUSHROOM SAUCE

Serves 6

2½ pounds baking potatoes, peeled

3 egg yolks

1 cup instant-blending flour, in all, *or* ¼ cup all-purpose flour plus ¾ cup bread crumbs

Salt to taste

½ cup oil

12 mushroom caps sautéed for 5–8 minutes in 1 tablespoon unsalted butter

24 short parsley sprigs

1 recipe Mushroom Sauce Made with Dried Mushrooms (page 383)

In a large kettle, bring to a boil enough salted water to cover the potatoes, add the potatoes, and boil for 20–25 minutes, or until tender but not mushy. A fork should pierce them easily. While they are still hot, put the potatoes through a ricer, or purée them with a potato masher and push through a sieve. Beat in the egg yolks, ¼ cup of flour, and salt to taste. Using a wooden spoon, beat the ingredients until smooth and fluffy.

Divide the mixture into 12 parts and shape each into an oval croquette. Roll in the remaining flour or in the bread crumbs. Flatten with a spatula until about ½ inch thick and pat into a neat oval shape.

Heat the oil in a large skillet, add the croquettes, and sauté over moderate heat for 3–4 minutes on each side, or until golden brown.

Serve on a heated platter decorated with the mushroom caps and parsley. Pass the mushroom sauce separately. This dish is always served as a separate course.

Variation   Potato Patties with Sour Cream
Omit the mushroom caps and mushroom sauce and use only fresh dill or parsley for decoration. Pass 1 cup of sour cream in a sauceboat.

Kartofel'naia Zapekanka s Miasom
POTATO AND MEAT CASSEROLE

Serves 6

2½ pounds baking potatoes, peeled

3 egg yolks

Salt to taste

2 tablespoons unsalted butter, softened

5 tablespoons bread crumbs

½ recipe Meat Stuffing for Potatoes (page 401)

½ cup sour cream blended with a scant ¼ cup half-and-half

12 mushroom caps sautéed for 5–8 minutes in 1 tablespoon unsalted butter

1 tablespoon finely chopped fresh dill or parsley

1 recipe Mushroom Sauce Made with Dried Mushrooms (page 383)

Cook and mash the potatoes as described in the recipe for Potato Patties with Mushroom Sauce (page 394). Beat the mashed potatoes with the egg yolks and salt to taste until smooth and fluffy.

Preheat the oven to 375°F.

Generously grease a 3-quart casserole with the butter and sprinkle with 3 tablespoons bread crumbs. Spread half the potato mixture over the bottom in an even layer, cover with the meat stuffing, then with the remaining potato mixture, and top with the sour cream mixture, reserving 2 tablespoons.

Bake for 20–25 minutes, brushing once with a tablespoon of the reserved sour cream mixture. Five minutes before the casserole is ready, brush the top with the remaining sour cream mixture and sprinkle with the remaining bread crumbs.

Decorate with the mushroom caps and parsley. Serve immediately as a separate course with the mushroom sauce in a sauceboat.

Deruny, ili Draniki

POTATO PANCAKES

This dish is from Bielorussian, or White Russian, cuisine. *Deruny* make a very tasty accompaniment for braised meat with a lot of gravy, or for Stewed Mushrooms with Sour Cream (page 380).

Makes about 24 pancakes, to serve 6

2½ pounds baking potatoes	1 level teaspoon baking soda
A scant 1 cup all-purpose flour	⅓ cup oil
Salt to taste	1 cup sour cream

Peel, rinse, and dry the potatoes. Grate them finely. Add the flour, salt, and baking soda and mix well. Fry the pancakes immediately as the potatoes discolor very quickly.

Heat 1 tablespoon of oil in a skillet. For each pancake scoop up about ¼ cup of the mixture with a spoon and carefully place in the skillet. Pat into shape: each pancake should be about 3–3½ inches long, 2¼ inches wide, and a scant ½ inch thick. Fry for 3–4 minutes on each side, or until done. They should be crisp on the outside and juicy inside. Keep them on a hot plate until all the pancakes have been fried.

Serve immediately on a heated platter. Pass sour cream separately.

Tykvennaia Kasha

PUMPKIN PORRIDGE

Cooked with either semolina or rice, the pumpkin can be served as a separate course for breakfast, lunch, or supper.

Serves 6

1½ pounds pumpkin, peeled and cut into 1-inch cubes	2 tablespoons unsalted butter
1 cup milk	6–12 teaspoons sugar, *or* 6 teaspoons honey
Salt to taste	
3 tablespoons semolina, *or* ½ cup short-grain rice	

PUMPKIN COOKED WITH SEMOLINA

Place the pumpkin in a heavy saucepan, add ½ cup of water, and bring to a boil. Lower the heat and simmer, covered, for 30 minutes, or until tender. Purée in a blender or push through a potato ricer. Return the pumpkin to the saucepan, add the milk and salt to taste, mix well, and bring to a boil. Add the semolina, stir, and return to a boil. Lower the heat and simmer for 2–3 minutes. Stir in the butter and serve. Pass the sugar or honey separately.

PUMPKIN COOKED WITH RICE

Cook and purée the pumpkin as just described. Return the purée to the saucepan, stir in the cup of milk, salt to taste, and rice, then stir and return to a boil. Set an asbestos mat under the saucepan and, over moderate heat, simmer the porridge, uncovered, for 10 minutes. Add the butter, cover, and continue to cook for 12–15 minutes, or until the rice is soft. Serve as above.

Repa s Sousom iz Malagi
TURNIPS WITH MALAGA WINE SAUCE

Serves 6

6 young white turnips (6–7 ounces each)	1 cup Malaga or other sweet dessert wine of good quality
1 tablespoon instant-blending or all-purpose flour	2 teaspoons sugar
1 tablespoon unsalted butter	Salt to taste
2 cups Brown Beef Stock (page 85) or canned beef stock, in all	

Trim, peel, and cut the turnips into 1-inch cubes. Blanch in boiling salted water to cover for 2 minutes. Drain immediately, immerse in a bowl of cold water, and drain again.

In a heavy skillet, stir the flour over low heat for 2 minutes, stir in the butter and, when bubbles appear, gradually add ½ cup of beef stock, stirring continuously. Add the turnips and the remaining beef stock. Bring to a boil, cover, and cook over moderate heat for 15–20 minutes, or until the turnips are almost tender and the sauce has reduced considerably. Add the wine, sugar, and salt to taste, and cook, uncovered, for 5 minutes more, or until the turnips are completely tender.

Serve as an accompaniment to beef, lamb, or veal.

Kabachki Farshirovannye Miasom i Risom

ZUCCHINI STUFFED WITH MEAT

Serves 6

6   large zucchini (about 8
    inches long and 3 inches
    in diameter)
1   recipe Cooked Ground
    Meat and Rice Stuffing for
    Vegetables (page 400)
3   tablespoons unsalted
    butter
2   cups Chicken Stock
    (page 87) or canned
    chicken stock

½   cup sour cream
½   cup catsup or tomato sauce
1   cup pan juices
    Salt to taste

1   tablespoon finely chopped
    fresh dill or parsley

Wash the zucchini, trim off both ends and discard, peel and cut what remains into 3 pieces. With a sharp knife, hollow out the centers, leaving 2½-inch-long "pipes" with ½-inch shells. Stuff each segment tightly with the filling.

Place the baking rack at the middle level of the oven and preheat the oven to 375°F.

Melt the butter in a Dutch oven large enough to accommodate all the shells in one layer, tightly packed. Arrange the zucchini in the pot, pour chicken stock over them, cover, and bake for 15 minutes, or until the squash begins to look translucent and is tender.

Mix the sour cream with the catsup in a bowl, thin with 1 cup of pan juices, add salt to taste, and pour over the squash. Cover and continue to cook for 10 minutes more, or until completely tender.

Carefully remove the stuffed zucchini from the pan and transfer to a heated platter. Pour the sauce over them, sprinkle with the parsley, and serve as a separate course.

Ovoshchnoe Ragu
VEGETABLE RAGOUT

Serves 6

1	medium eggplant (about 7 inches long)	1	cup string beans, cut into 1-inch pieces
6	tablespoons olive oil, in all	½	red bell pepper, seeded and cut into ¼-inch strips
2	medium carrots, peeled and cut into ¼-inch slices, *or* 6 whole baby carrots	6	new boiling potatoes, *or* 3 regular boiling potatoes, peeled and cut into 1¼-inch cubes
2	medium parsley roots, peeled and cut into ¼-inch slices	2	medium tomatoes
3	celery stalks, scraped and cut into ¼-inch slices	½	cup shelled green peas
12	pearl onions, *or* 1 large onion, peeled, halved, and cut into scant ¼-inch slices		Salt to taste
		2	tablespoons tomato paste, *or* ½ cup catsup
1	zucchini (about 7 inches long and 2 inches in diameter), cut into ½-inch dice		Paprika or freshly ground black pepper to taste
		1	large clove garlic, crushed
			Finely chopped fresh parsley

Peel the eggplant and slice across into ½-inch circles, place in a colander, and sprinkle with salt to taste. Cover the eggplant with a plate and weight the plate. Leave for 30 minutes. Pat the eggplant dry with paper towels, then cut into ½-inch dice and reserve.

In a large, heavy skillet, heat 3 tablespoons of oil, add the carrots, parsley root, celery, and pearl onions, and sauté over moderate heat for about 10 minutes, or until lightly browned, stirring occasionally. If you are using 1 large onion instead of the pearl onions, sauté it in a separate skillet in 1 tablespoon of oil over moderate heat for 10–12 minutes, or until limp and pale golden, and decrease the oil for sautéeing the other vegetables to 2 tablespoons.

In a large, heavy skillet, heat the remaining oil and sauté the eggplant, zucchini, string beans, and bell pepper for about 3 minutes, stirring as needed. With a slotted spoon, remove the contents of both (or all three) skillets to a large Dutch oven or casserole. Keep to one side (do not wash and put away) the skillet in which the carrots were sautéed.

Drop the potatoes into a pot of boiling water and simmer for 8 minutes. Drain and add to the Dutch oven. Season with salt and cook slowly over moderate heat, covered, for about 20 minutes, stirring two or three times in the course of cooking. In the meantime, drop the tomatoes into boiling water, leave for 20–30 seconds, and place in cold water. Peel, core, quarter, and squeeze out excess moisture from the tomatoes. Cook 5–7 minutes in the oil in which the carrots were sautéed, stirring often to prevent them from sticking. Add the tomatoes, green peas, and tomato paste to the Dutch oven, mix gently, and continue to cook for 6–8 minutes, or until the green peas and potatoes are tender. Season with paprika or black pepper and the crushed garlic. Sprinkle with parsley leaves and serve hot or at room temperature.

Like *ratatouille*, this ragout can be served as a separate course, but it also makes a splendid side dish for pork, lamb, beef roasts, or frankfurters.

Nachinka iz Miasa i Risa dlia Ovoshchei

GROUND MEAT AND RICE STUFFING FOR VEGETABLES

2 tablespoons unsalted butter	2 tablespoons finely chopped fresh dill or parsley
1 medium onion, finely chopped	Freshly ground black pepper to taste
¾ pound ground lean beef chuck	Salt to taste
¾ pound ground pork	½ cup ice water
1 cup uncooked rice (preferably "Uncle Ben's")	

In a small skillet, melt the butter, add the onion, and sauté for 5–8 minutes, or until translucent. In a bowl, combine the onions with the remaining ingredients, and mix well. Use to stuff cabbage leaves, zucchini, eggplant, onions, and so on.

Variation Cooked Ground Meat and Rice Stuffing for Vegetables
Substitute the following ingredients: for the ground raw meat, substitute 1½ pounds ground cooked beef (it should contain 10–15 percent fat); for the raw rice, substitute 1½ cups cooked rice; use ½ cup Chicken Consommé (page 88) or canned chicken consommé instead of ice water. Follow the instructions above.

Nachinka iz Miasa dlia Kartofelia

MEAT STUFFING FOR POTATOES

4 tablespoons unsalted butter, in all
1 pound ground cooked beef chuck
2 teaspoons finely chopped onion
4 tablespoons bread crumbs
2 tablespoons Brown Beef Consommé (page 85) or canned beef consommé

2 tablespoons sour cream
1½ tablespoons finely chopped fresh parsley and dill
Freshly ground black pepper to taste
Salt to taste

In a heavy skillet, melt 2 tablespoons of butter, add the ground meat and onions, and sauté briskly for 5 minutes. In another skillet, melt the remaining butter, add the bread crumbs, and brown them lightly, stirring constantly. In a bowl, combine the contents of both skillets with the remaining ingredients and mix well.

Nachinka iz Ovoshchei dlia Pertsa i Golubtsov

VEGETABLE STUFFING

3 medium carrots
6–8 ounces celery root
2 parsley roots
5–7 tablespoons olive oil, in all

2 large onions, finely chopped
Salt to taste
Freshly ground black pepper to taste

Scrape the carrots, celery and parsley roots, and cut into ¼-inch dice. In a heavy skillet, heat 1½–2 tablespoons of oil, add the carrots, and sauté slowly for about 15 minutes, or until half-cooked, stirring often. In another skillet, sauté the celery and parsley roots in 1½–2 tablespoons of oil for 15 minutes. Sauté the onions until golden in 2–3 tablespoons of oil, stirring often. Combine the ingredients in a bowl. Add salt and pepper and mix well. Use to stuff bell peppers and cabbage leaves.

NOODLES

Marina: Now we'll live again like we used to. . . .
It's a long time since I've tasted noodles.
Telegin: It's a long time since anybody tasted noodles.
I like a good noodle as well as anybody.

—Anton Chekhov
Uncle Vanya

Domashniaia Lapsha
HOMEMADE NOODLES

Makes about 1 pound dried noodles

1   recipe Noodle Dough
    (page 189)
1   generous teaspoon salt
1   scant tablespoon unsalted
    butter (*optional*)

On a floured board, roll out one ball of dough as thin as possible, that is, slightly thinner than ⅟₁₆ inch. Do not tear. Carefully place the sheet of dough on a kitchen towel and leave to dry for 15–20 minutes. Meanwhile, roll out the other ball in the same manner.

On a floured board, cut the first sheet of dough into strips 2–2½ inches wide, using a sharp knife. Stack 3–4 strips and cut in half. Pile one half on top of the other and cut across ⅛ inch wide for milk soups; ⅟₁₆ inch wide for consommés; and ³⁄₁₆ wide for casseroles.

Spread the noodles on cloth towels to dry. Store in tightly covered containers.

To cook 10–12 ounces of noodles, bring 4 quarts of water to a boil in a 7-quart pot. Add 1 generous teaspoon of salt and drop in the noodles. Reduce the heat to moderate until the water returns to a boil, then reduce the heat so that the water boils very gently. Cook the noodles for 10–12 minutes, or until tender but not mushy. Taste for doneness.

Pour the noodles into a colander and rinse under cold running water, shaking the colander to drain.

If the noodles are to be served as a side dish, melt 1–2 teaspoons of butter in the empty pot, return the noodles to the pot, and, stirring gently and continuously, cook for 3 minutes or so over moderate heat, or until completely heated through.

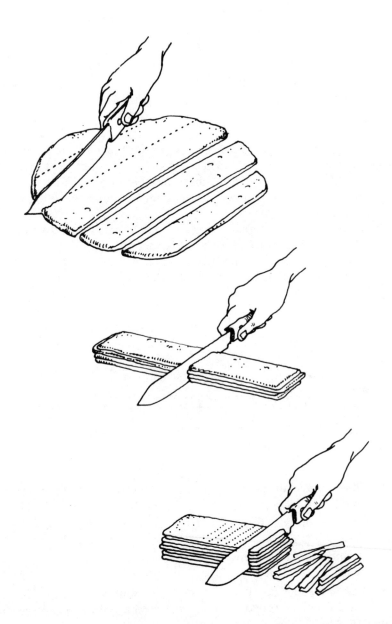

Lapsha s Molokom
MILK AND NOODLE SOUP

Serves 6

¾   pound Homemade Noo-
dles (page 402) or pack-
aged egg noodles

1   generous teaspoon salt

1½   quarts milk

3   teaspoons unsalted butter,
in all

Sugar to taste (*optional*)

In a 7-quart pot, bring 4 quarts of water to a boil and add a generous teaspoon of salt. Drop the noodles into the water, reduce the heat a little until the water returns to a boil, then lower the heat so that the water boils very gently. Cook the noodles for about 5 minutes, or until they are half done. Drain.

In a 2½–3-quart saucepan, bring the milk to a boil, add the noodles, and cook for 5 minutes more, or until tender.

Serve the milk and noodles in soup plates, adding ½ teaspoon butter to each serving. Pass salt and sugar separately.

This soup is served for lunch or as the first course of a vegetarian dinner.

Zapekanka iz Lapshy s Miasom
MEAT AND NOODLE CASSEROLE

Serves 6

3   tablespoons unsalted
butter, in all

1   medium onion, chopped
finely

1½   pounds cooked ground
beef

6   hard-cooked eggs, peeled
and finely chopped

1   tablespoon finely chopped
fresh dill

Salt to taste

10   ounces Homemade Noo-
dles (page 402) or pack-
aged noodles

2   eggs, lightly beaten

Salt to taste

4–5 tablespoons unsalted
butter

3   tablespoons bread crumbs

1   teaspoon finely chopped
fresh dill

First, make the filling: melt 2 tablespoons of butter in a skillet, add the onions, and sauté over moderate heat for 7–8 minutes, or until translucent and pale golden. Add the ground meat and the remaining tablespoon of butter and cook, covered, for about 3 minutes, stirring once. In a bowl, combine the chopped eggs, dill, meat mixture, and salt to taste. Reserve.

Cook the noodles following the instructions on page 402. Drain and mix gently with the beaten eggs. Taste for seasoning.

Set the baking rack at the middle level of the oven and preheat the oven to 375°F.

Generously butter the bottom and sides of an oven-to-table casserole or roasting pan and sprinkle with the bread crumbs. Spoon half the noodles into the casserole, smooth them into an even layer, cover with the meat mixture, and top with the remaining noodles. Dot with 1 tablespoon of butter and bake, uncovered, for 20–25 minutes.

Dot with the remaining butter and sprinkle with dill. Serve hot.

Zapekanka iz Lapshy s Shampinionami
NOODLE AND MUSHROOM CASSEROLE

Serves 6

6½ tablespoons unsalted butter, in all	1 medium onion, finely chopped
1 pound mushrooms, cut into scant ¼-inch slices	¾ pound Homemade Noodles (page 402) or packaged noodles
¼ cup sour cream, in all	
Salt to taste	2 eggs, lightly beaten
Freshly ground black pepper to taste	3 tablespoons bread crumbs

In a heavy skillet, melt 2 tablespoons of butter, add the mushrooms, and sauté over moderate heat for about 8 minutes. Add 2 tablespoons of sour cream and cook for 2 minutes longer. Season with salt and pepper, and reserve. In another skillet, melt 1 tablespoon of butter, add the onion, and sauté over moderate heat for 8–10 minutes, or until translucent.

Cook the noodles as described on page 402. Drain and mix gently with the mushrooms, onion, remaining sour cream, and eggs.

Set the baking rack at the middle level of the oven and preheat the oven to 375°F.

Generously butter the bottom and sides of an oven-to-table casserole or roasting pan. Sprinkle with the bread crumbs and add the noodle mixture. Smooth the surface, dot with the remaining butter, and bake, uncovered, for 20 minutes.

Serve from the casserole for breakfast, lunch, or dinner.

Makarony Po-Flotski

MACARONI, NAVY-STYLE

Serves 6

5 tablespoons unsalted butter, in all	¼ teaspoon freshly ground black pepper
2 medium onions, halved lengthwise and cut into scant ¼-inch julienne	¾ pound macaroni
	1–2 tablespoons finely chopped fresh dill or parsley (*optional*)
1 pound cooked ground beef	
Salt to taste	

In a skillet, melt 3 tablespoons of butter, add the onions, and sauté over moderate heat for 10–12 minutes, or until translucent and golden. Mix in the ground meat, salt, and pepper, and cook for 3 minutes, covered, stirring once. Reserve.

Cook the macaroni according to the instructions on the package, drain, and return to the pot. Add the remaining butter and warm over low heat, shaking the pot 2 or 3 times to distribute the butter evenly. Toss the macaroni with the meat mixture, sprinkle with dill, and serve in a heated bowl.

Lazanki

PASTA DIAMONDS

Makes about 1 pound lazanki

1 recipe Noodle Dough (page 189)

Roll out the dough as directed on page 000 and cut into strips ¾ inch wide. Stack several strips and cut them diagonally into ¾-inch diamond-shaped segments.

Dry and cook as for noodles, page 402.

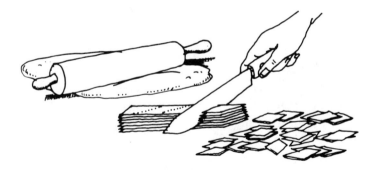

Lazanki s Tvorogom i Smetanoi
NOODLE AND CHEESE CASSEROLE

Serves 6

10 ounces *lazanki*, or Pasta Diamonds (page 406)	1 cup sour cream
¾ pound Cheese for *Pirog* Filling (page 144), or Homemade Cottage Cheese (page 136)	3 egg yolks
	Salt to taste
	1½ tablespoons unsalted butter, in all
	3 tablespoons bread crumbs

Set the baking rack at the middle level of the oven and preheat the oven to 375°F.

Cook the *lazanki* as described on page 402.

Crush the cheese with a fork and combine it with the *lazanki*, sour cream, and egg yolks. Mix gently and add salt to taste.

Grease the bottom and sides of an oven-to-table casserole or roasting pan with 1½ teaspoons of butter. Sprinkle well with bread crumbs. Add the noodle mixture, smooth the surface, and dot with 1 tablespoon butter.

Bake, uncovered, for 20–25 minutes, and serve from the casserole for breakfast, lunch, or dinner.

Kliotski

DUMPLINGS

Serves 6

5 tablespoons milk	¾ teaspoon salt, in all
5 tablespoons unsalted butter, melted	1 egg, separated
¼ cup instant-blending or all-purpose flour	1 egg yolk
	1 tablespoon finely chopped parsley

Combine the milk and melted butter in a heavy saucepan, bring to a boil, and gradually add the flour and ½ teaspoon salt, beating continuously with a whisk. Continue to beat until the dough leaves the sides of the pan. Remove from the heat. Cool for 5 minutes, then blend in the egg yolks, one at a time, beating continuously. Whip the egg white until stiff peaks form, then fold it and the parsley leaves into the dough.

Bring 1 quart of water to a boil, add ¼ teaspoon salt and, using a teaspoon dipped in cold water, scoop up ½ teaspoon of the dough and shake gently into the water. Continue dropping as many dumplings into the water as the pan will comfortably hold, dipping the teaspoon in cold water each time just before scooping up the dough. Cook for 2–3 minutes, or until the dumplings rise to the surface. Remove with a slotted spoon and add to any tureen of soup you may be serving.

Kliotski are especially good with vegetable soup.

CEREALS

Outside the straw hut a pit is dug and a fire started. A magnificent meal of millet and bacon is set to cook at noon. . . .

—Ivan Bunin

"Antonov Apples"

Kashas, that is, cereals, are among the oldest Russian foods and continue to play an important part in the diets of the not-so-wealthy. The grains most often eaten are buckwheat (*grechnevaia kasha*, which has become known in America as *the* kasha), whole, medium-ground, or finely ground; millet; and oats. Semolina and rice were traditionally more popular in cities than in villages, semolina because it is a product of the more expensive wheat, and rice because most of it has been imported since the sixteenth century when trade with China was developed. Ironically, it is now more readily available than the native buckwheat.

For lunches or suppers, Russians eat their cereals with milk (sometimes called "milk soup") or as a thin porridge (*razmaznia*).

For dinner, cereals can be made into a thick soup or stew, such as Millet and Bacon Soup (*Kulesh*, page 107), or served as a side dish—for instance, Fluffy Buckwheat Kasha (page 410), which goes well with beef, pork, and fish; or Semolina (page 414), which is delicious served with Braised Chicken with Prunes (page 318).

And, of course, buckwheat kasha and rice are widely used in fillings for *piroghi*, *kulebiaki*, fish, goose, and so on.

Rice and semolina are also the basis for several very popular desserts, the most famous of which is Semolina Guriev (page 570).

BUCKWHEAT KASHAS

Packaged roasted buckwheat groats are widely available in supermarkets and can be bought whole as well as medium- or fine-ground. Health food stores usually sell the groats loose and uncooked. Our recipes use roasted buckwheat. Anyone who has made kasha with whole, uncooked buckwheat knows that, although it has a far richer flavor, it must cook for five hours in the oven.

It is the kasha made with whole buckwheat groats (*iadritsa*) that is considered the genuine article in Russia. It is eaten with butter or with sautéed onions and cracklings (see page 410); as a side dish with meats or fish; in milk soups; as an accompaniment for *shchi*; or mixed with other ingredients as various fillings. ·

Medium buckwheat groats are called *prodel* and are usually served as a side dish or a separate course—with milk (milk soup) or with butter—for lunch or breakfast.

Fine groats (*smolenskaia krupa*) are used for Fluffy Buckwheat Kasha (page 410) and Kasha Porridge (page 412).

Rassypchataia Grechnevaia Kasha

FLUFFY BUCKWHEAT KASHA

Use whole, medium, or fine buckwheat groats. Depending on the texture, you will need different amounts of liquid.

1 cup uncooked groats makes 2–2½ cups cooked
1½ cups uncooked groats makes 3–3⅓ cups cooked

Groats	Boiling Liquid for 1 Cup of Groats	Boiling Liquid for 1½ Cups of Groats
Whole	2½ cups	3¾ cups
Medium	2¼ cups	3⅜ cups
Fine	2 cups	3 cups

½ lightly beaten egg, for fine-ground kasha

1–1½ cups buckwheat groats

Boiling water, fresh or canned chicken stock, or consommé

Salt to taste

1½–2 tablespoons, plus an optional 1–1½ tablespoons unsalted butter

For fine-ground kasha, mix ½ beaten egg with the groats, place in a heavy ungreased skillet (preferably nonstick), and cook over low heat, stirring constantly, for 8–10 minutes, or until dry. Remove from the heat and press out all the lumps with a wooden spoon. Whole and medium-ground groats need no special preparation.

Place the groats in a heavy 3- to 4-quart pan and add the boiling liquid, salt to taste, and 1½–2 tablespoons butter. Stir and boil over medium heat for 7–8 minutes. Insert an asbestos mat under the pan, cover tightly, lower the heat, and simmer gently for 45 minutes for fine groats or 1 hour for medium or whole groats, or until tender. Salt to taste. If the kasha is to be mixed with other ingredients—for a filling, for example—toss gently with a fork, not with a spoon, to keep the grains fluffy.

If the kasha is being served plain, top with butter.

Variation Buckwheat Kasha with Sautéed Onions and Cracklings
Finely chop 1 medium onion, or cut it into julienne strips. Cut 6 ounces of bacon strips or pork fatback into 2-inch pieces. In a heavy skillet, render the bacon for 7–8 minutes over moderate heat and remove the cracklings with a slotted spoon. Reserve. Add the onions to the skillet and sauté for 10–12 minutes over low heat, or until limp and golden. Top the bowl of kasha with the cracklings, onions, and hot bacon fat.

Molochnyi Sup s Grechnevoi Kashei
MILK AND KASHA SOUP

Serves 6

1 recipe Fluffy Buckwheat Kasha (page 410), made with 1½ cups whole buckwheat groats cooked in water

3 cups milk, heated to boiling
Salt to taste
1 tablespoon unsalted butter

Spoon the cooked kasha into 6 heated bowls and cover with ½ cup boiling milk for breakfast, lunch, or supper. Add salt and ½ teaspoon of butter for each bowl. Serve each.

Krutaia Grechnevaia Kasha Zapechonnaia v Dukhovke
BAKED KASHA FOR *SHCHI* OR BORSCHT

Serves 6

1½ cups roasted whole buckwheat groats
3¾ cups Chicken Consommé (page 88) or canned chicken consommé, heated to a boil

1½ tablespoons unsalted butter
Salt to taste

Preheat the oven to 350°F.

Place the groats in a 3- to 4-quart ovenproof dish, add the remaining ingredients, and stir. Cover tightly, and place in a baking pan filled with about 1 inch of hot water. Bake for 2–2½ hours, or until tender, adding more hot water to the baking pan if needed. Cut into small squares and serve on bread plates to accompany borscht or in the soup bowl as a garnish for *shchi*.

Note: This is how raw, untreated buckwheat kasha is cooked, although the cooking time is increased to 5 hours.

Razmaznia iz Prodela ili Smolenskoi Krupy

KASHA PORRIDGE

Serves 6

6   cups water, *or* 3 cups milk
    and 3 cups water

1   cup roasted medium or
    fine buckwheat groats

    Salt to taste

1   cup half-and-half

2   tablespoons unsalted
    butter

    Sugar to taste (*optional*)

Bring the water or water and milk to a boil in a heavy 3-quart sauce-pan. Add the groats and salt and bring to a boil over medium heat, stirring with a wooden spoon. Insert an asbestos mat under the pan and turn the heat to moderately low, so that the kasha simmers. Cover tightly and cook gently for 25–30 minutes, or until tender. Add the half-and-half, stir, and cook slowly for 5–7 minutes more.

Serve in heated bowls and top each serving with 1 teaspoon of butter. Pass the sugar separately.

Rassypchataia Risovaia Kasha

FLUFFY BOILED RICE

1   quart water, *or* chicken
    stock, *or* chicken or beef
    consommé

    Salt to taste

1½ cups long-grain rice

1½–2 tablespoons unsalted
    butter (*optional*)

In a 3½- to 4-quart saucepan, bring the liquid to a boil, adding salt, if needed. Add the rice, return to a boil, and cook over medium heat for 5–7 minutes. Insert an asbestos mat underneath the pan and lower the heat so that the rice barely simmers. Cover the pan tightly and cook for 20–23 minutes. At the end of the cooking, the rice should be fluffy, with every grain separate.

Serve the rice with butter or with the gravy from the dish it accompanies.

Molochnyi Sup s Risom
MILK AND RICE SOUP

Serves 6

1 cup long-grain rice	1 tablespoon unsalted butter
5 cups milk	Sugar to taste (*optional*)
Salt to taste	

In a 3- to 4-quart saucepan, bring 1½ cups of lightly salted water to a boil. Add the rice, return to a boil, and cook over medium heat for 5–7 minutes. Insert an asbestos mat underneath the pan and reduce the heat so that the rice barely simmers. Cover the pan tightly and cook for 12–15 minutes. In another saucepan, bring the milk to a boil. When the rice has absorbed all the water, add the milk, return to a boil, lower the heat, and simmer for 10 minutes, or until the rice is tender, stirring from time to time.

Add salt to taste. Top each serving with ½ teaspoon butter and pass the sugar.

Risovye Kotlety
RICE PATTIES

Makes 15–18 patties, to serve 6

1½ cups short-grain rice	Salt to taste
3 tablespoons instant-blending or all-purpose flour	¾ cup bread crumbs
	6 tablespoons unsalted butter
1 egg	1 cup sour cream
2 egg yolks	

Place the rice in a strainer and rinse under running cold water. Put in a heavy 3-quart pan, add 3 cups cold water, and bring to a brisk boil over medium heat. Insert an asbestos mat under the pan and lower the heat so that the rice boils gently, or simply turn the heat to very low. Cover tightly and cook for 20–23 minutes. Do not stir or the rice will become gooey.

Allow the rice to cool, then add the flour, egg, egg yolks, and salt, mixing with a fork. Generously sprinkle a wooden board with the bread crumbs. Scoop up about ¼ cup of the rice mixture with a spoon and drop onto the board. With a spatula, turn the patties over in the crumbs and shape into neat ovals, about 3½ inches long, 2½ inches wide, and about ¾ inch thick.

Melt the butter in a heavy skillet, add the patties, and sauté over moderate heat for about 3–4 minutes on one side, then 2–3 minutes on the other, or until a pale golden crust forms. Sauté the patties in 2–3 batches.

Serve on a heated platter and pass the sour cream separately.

Kasha Mannaia Rassypchataia
SEMOLINA

Serves 6

1   cup semolina (see *Note*)
     Salt

Place the semolina in a large, ungreased nonstick skillet and, stirring constantly with a wooden spoon, dry it over low heat for 5–7 minutes, or until pale golden. Do not let it burn.

Place the semolina in a 2-quart saucepan, add salt to taste, and, stirring continuously with a wooden spoon, pour in 2 cups of boiling water. When thoroughly and smoothly mixed, place over low heat, insert an asbestos mat under the pan, and cook slowly for 10 minutes, uncovered. When the semolina is done, it should be beige-colored, soft, and dry. Run a fork through the semolina to make a smoother mixture.

Serve in a heated bowl as an unusual and very tasty accompaniment to stews, braised meat, and fowl.

Note: Semolina, a finely ground cereal made from durum wheat, is used mainly in pasta or as the basis for *gnocchi*. It is available in Italian groceries or in those catering to the eastern European émigré community.

KUTIA

Kutia is an ancient ritual cereal. The original version, made with wheat-berries, poppy seeds, and honey, was traditionally served at funeral banquets because, according to old beliefs, it provides the soul with the only food it needs: a fragrance of honey. The more modern version of kutia is made with rice and flavored with almonds and raisins.

Kutia is a necessary part of the Christmas Eve table where, presented in a bowl nestled in two or three handfuls of hay, it symbolizes the Nativity in the manger. Because Christmas Eve is still a fast day, the *kutia* is accompanied by almond milk. (See page 609 for the full Christmas Eve menu; there is no special Christmas Day dinner.)

In the Russian Orthodox Church, Christmas is second in importance to Easter. But in the secular life of the nineteenth century, it was celebrated as a joyous and flamboyant holiday. Christmas vacation was an unending series of entertainments. In Moscow, the young people flocked to the spacious Zoological Gardens, where they coasted down ice slopes in sleds and skated around well-tended ice rinks. Daily lunches and dinners were inevitably followed by dances, charades, and vaudeville shows.

The peak of the season was the Christmas ball (in the vernacular, *iolka*—"the fir tree party") at the Moscow Nobility Club (now the House of Trade Unions), where up to two thousand children and young people gathered in a ballroom whose magnificently decorated fir tree reached up to the ceiling. When the children had received their presents and left, the young people danced until the wee hours of the morning to music played by the best Moscow orchestras. This ball touched off a series of *iolkas* in private homes. A large—always large—fir or pine tree was decorated on the afternoon of the ball and presents were arranged for everyone. The children would be allowed in for a glimpse of the tree, and when the guests began to arrive, an orchestra or a pianist would start the evening off with a bravura march while the candles on the tree were being lighted.

After the publication in Russia of Charles Dickens's *A Christmas Carol*, the tradition of an annual Christmas story was established, and newspapers hunted for suitable tales to be printed in the December 25 issue. The king of the genre was a well-known writer and raconteur, Aleksandr Kuprin, who often managed to unearth real-life Christmas stories, like "A Pianist for Hire."

It was 1885 and the evening of the Christmas ball at the home of an aristocratic Moscow family. The father was known as one of the most hospitable figures in the city, and the honor of the family dictated that their *iolkas* be the most resplendent in town. Half an hour before the guests were due to arrive, the host realized that, through an oversight, no orchestra had been commissioned for the ball. In a panic, a maid was sent around to various addresses of pianists who had advertised in the newspapers. The first guests were arriving when the maid returned with a fourteen-year-old boy, Yuri Azagarov, in tow. He claimed he could play all the popular dances as well as Beethoven sonatas, Chopin waltzes, and Liszt rhapsodies. To prove himself, the pale, fragile boy played Liszt's Rhapsody Number 2, and the host sighed with relief— here was a talent. Anton Rubinstein, a famous composer and pianist, happened to be among the guests. From that day on, he guided and helped Azagarov in his musical career. When the story appeared in the Christmas issue of the *Odessa News* some years later, in 1894, Rubinstein had just died and Azagarov was being hailed throughout Russia as a talented new composer.

Starinnaia Kutia iz Pshenitsy s Makom i Miodom
RITUAL WHEATBERRY AND POPPY SEED CEREAL

Serves 6

1 cup poppy seeds
1 pound wheatberries (see *Note*)
½ teaspoon salt
3–4 tablespoons honey

Morello (sour) cherries, or strawberries or raspberries from preserves (see Chapter 10), for decoration

Cover the poppy seeds with hot water and soak overnight.

Bring 3 quarts of water to a boil. Rinse the wheat, place in a 5-quart pot, and add the boiling water. Bring to a boil, strain the wheat, and rinse with cold running water.

Preheat the oven to 325°F.

Bring 3½ quarts of water to a boil in a large Dutch oven, add the wheat and ½ teaspoon of salt, cover tightly, and bake for 4 hours, or until tender. Remove from the oven and cool.

Strain the poppy seeds and put through a meat grinder three times.

In a small saucepan, gently warm the honey, stir in the poppy seeds, then add the mixture to the wheat. Mix thoroughly, add ⅓ cup of boiled and cooled water, and mix again.

Serve the *kutia* in a bowl and decorate with the cherries, strawberries, or raspberries.

Note: Wheatberries can be purchased in health food stores. They resemble dark grains of rice and, when cooked, have a nutty, earthy flavor.

Kutia iz Risa i Iziuma
RITUAL RICE AND RAISIN CEREAL

Serves 6

1 cup long-grain rice	¼ cup sugar, in all
3 tablespoons chopped toasted almonds	1½ cups cold Almond Milk (page 538)
3 tablespoons raisins	

Cook the rice in 2⅔ cups of boiling water, following the instructions for Fluffy Boiled Rice, page 412. Place the rice in a large bowl and allow to cool, then add 2–3 tablespoons of boiled and cooled water, the almonds, raisins, and 3 tablespoons of sugar, tossing gently with a fork. Shape the mixture into a neat mound in a deep platter or a bowl, and sprinkle with 1 tablespoon of sugar.

If hay is available, spread several handfuls of it on the table to form a "nest" for the bowl and serve the almond milk in small individual glasses.

CHAPTER 10

Pickles and Preserves

Everything in Agafia Matvievna's establishment smacked of opulence and domestic sufficiency. . . . Hams hung from the ceiling of the storeroom, also cheeses, loaves of sugar, dried fish, bags of nuts and strings of dried mushrooms. On a table stood tubs of butter, pots of sour cream, baskets of apples, and God knows what else besides. It would require the pen of a second Homer to describe in full and in detail all that had accumulated in the various corners and on the various floors of this little nest of domestic life. As for the kitchen, it was a palladium of activity on the part of the mistress and her efficient assistant, Anisia.

—Ivan Goncharov
Oblomov

PICKLES

There are two basic methods of pickling in Russian cuisine. The modern one is similar to pickling the way Americans know it, and involves marinating the fruit or vegetable in a vinegar solution with or without a heat treatment. In America, the Claussen pickles and sauerkraut sold in bottles are made this way. In Russia, cucumbers, tomatoes, apples, plums, and other fruits are treated in this manner.

The older, better-loved method of pickling is fermenting, also known as brining, salting, or salt-pickling. No vinegar is used nor is any cooking involved. The vegetables or fruits are immersed in salted water, usually with herbs and spices, and left to ferment for several weeks at a temperature somewhat lower than normal room temperature. The result is delicious. The fermenting juice of brined tomatoes is not overpowered by the addition of vinegar, and without a boiling-water bath, fresh sauerkraut brined with cranberries, carrot slices, caraway seeds, and apples remains crisp, firm, and prickly on the tongue. The disadvantage of this method is that the brined vegetables are more perishable. Here's some old advice to prevent spoilage:

"For crisp, firm, and long-lasting sauerkraut, pick the cabbage from the fields just before the first frosts strike, and store it in the cellar until the next new moon. On the day of the new moon, shred and brine the cabbage. For cucumbers the last quarter of the moon is the proper time for brining."

The preferred container for salt-pickling is an oak barrel, scalded and rubbed with marjoram, savory, and black currant leaves and then lined with horseradish leaves, garlic, and dill. After it has been filled with cucumbers and brine and plugged and tarred, the barrel should be either "buried in the cellar floor, sunk in the river, or imbedded in the icehouse."

Most country estates were equipped with all that was necessary for processing and storing large amounts of fruits and vegetables. Cauliflowers and garlands of onions and garlic were hung from the ceiling of the pantry. Beets and carrots rested in sand boxes and tubs, and jars with preserves lined the shelves. The icehouse, a large hole, often as big as a room, dug in the ground underneath the pantry, was replenished with fresh ice in early spring, and the ice was stored, covered with straw, for the summer.

Self-sufficiency was a basic tenet of Russian rural life. Tolstoy wrote about the ideal of the diligent, prudent housewife busying herself with jars, crocks, and barrels. "All these delicacies were of Anisia Fiodorovna's preparing, cooking, or preserving. . . . All seemed to smell and taste, as it were, of Anisia Fiodorovna. All seemed to recall her buxomness, cleanliness, whiteness, and cordial smile." The ideal lingers on. Even today, working wives and mothers find time to do pickling and preserving. They pride themselves on the success of a jar of outstanding gherkins and might give a special tea just to serve a new batch of bilberry preserves.

BRINING

Pulkheria Ivanovna's housekeeping consisted in continually locking up and unlocking the storeroom, and in salting, drying, and preserving countless masses of fruits and vegetables. Her house was like a laboratory.

—Nikolai Gogol
"Old-World Landowners"

Nothing could be simpler than the age-old method of salt-pickling.

1. The vegetable or fruit, flavorings, and herbs are prepared and then placed in the pickling jar or barrel.

2. A brine is made of noniodized salt and, preferably, artesian well or mountain spring water (although tap water will do) and poured over the contents of the jar.

3. A saucer or wooden board is placed over the pickles (the closer in size to the jar opening the better), and a weight put on top of it. See that the vegetables are completely submerged.

4. The mouth of the jar is covered with cheesecloth and the jar placed in a shaded, well-aired spot, a patio, for instance, whose temperature is 64°–68°F. Every day (for as long a time as instructed in the recipe) any scum is removed and the mouth of the jar is wiped clean.

5. After this initial period, the pickles are refrigerated or placed elsewhere, as instructed, until the fermentation process is complete.

EQUIPMENT

Oaken Containers   These should be about 1 gallon in size. If these are unavailable, plain glass jars have an advantage: one can see clearly what is going on. A wide-mouthed, cylindrical 1-gallon jar is best. Thoroughly wash and dry the jar and lid.

A Saucer   You'll need a saucer or a round wooden board slightly smaller than the diameter of the jar opening, to "ride" on top of the fruits or vegetables and support a weight.

A Weight   This will be placed on top of the saucer or board in order to keep the vegetables submerged in the liquid. A coffee can with a tight lid is a good choice because you can fill it with water for extra weight and reduce the amount of water when a lighter weight is needed.

Several Layers of Cheesecloth   This is placed over the mouth of the jar, or over the weight, to protect the pickles. The cheesecloth is secured around the jar with string.

PRESERVATIVES

The success of salt-pickling depends on slow, gradual fermentation at cool temperatures. During fermentation, salt acts as a preservative. If the initial storage area has a temperature higher by 2 or 3 degrees than that suggested in the recipes, the amount of salt should be increased from 3 percent to 4 percent, from 5 percent to 6 percent, and so on (the exact percentage is given for each recipe). If the temperatures are higher than that, chances are that fermentation will be too rapid and the result may be limp, slippery, mushy pickles—not good at all!

Other important and traditional preservatives are oaken containers and oak leaves, which have tanning qualities; sour cherry leaves, which help keep the vegetables firm; horseradish leaves and black currant leaves, which, in addition to their scent, have aseptic properties.

STORAGE

Store brined fruits and vegetables on the lowest shelf of the refrigerator. Once they are ready to eat, they will keep for about a week.

Solionye Ogurtsy
BRINED CUCUMBERS

Supper that night began with water glasses of vodka, with pickles and home-baked black bread. . . .

. . . And at two-thirty in the morning we had the following meal: glasses of vodka, and pickles again, and fried fish which had been caught in the village pond. . . .

—*John Steinbeck*
A Russian Journal

These cucumbers are used for cooked dishes, such as soups and sauces, and are also served plain as a side dish or an hors d'oeuvre.

Makes about 1 gallon of pickles

4–5 pounds medium Kirby (pickling) cucumbers (3½–4 inches long, 1–1¼ inches thick)	2–3 branches fresh tarragon
1 bunch mature dill plants, seeds included	5–7 tablespoons plain (noniodized) salt per 2 quarts artesian well, mountain spring, or tap water
2 ounces horseradish root	
1 medium head garlic	Salt-pickling equipment (page 422)
½ ounce fresh hot red pepper, seeded	

PREPARING THE CUCUMBERS

Wash the cucumbers under running water and place in a bowl. Cover with ice water and enough ice to keep them cold for 10 hours.

Drain the cucumbers and trim both ends so that the brine will more easily penetrate the flesh.

ASSEMBLING THE PICKLES

Rinse the dill and divide in half. Scrub and rinse the horseradish and slice thinly. Peel and halve the garlic.

Fold half the dill into a ring to fit the bottom of the jar. Strew half the horseradish, garlic, red pepper, and ⅓ of the tarragon on top. Arrange half the cucumbers upright in the jar, packing them in tightly. Place the second third of the tarragon on top, then pack in the rest of the cucumbers in the same manner. Over them, layer the remaining dill, horseradish, garlic, pepper, and tarragon.

Combine the salt and water, stirring until the salt dissolves (see *Note*) and pour the brine into the jar. The cucumbers and herbs should be fully submerged. Cover with the saucer and weight down with a jar or can filled with water. Cover the mouth of the jar with 2 layers of cheesecloth and tie in place with kitchen string.

FERMENTATION AND STORAGE

For the first 2–3 days, keep the cucumbers on a well-aired shaded patio or similar spot with a temperature of 64°–68°F.

Check to see that the brine still covers the cucumbers. If not, add brine in the same proportions (1¼–1¾ tablespoons of salt to 1 pint of water). Cover the jar with its lid and refrigerate at 32°–38°F.

During the next 10–14 days, see that the brine does not become too cloudy (there is always some degree of cloudiness due to the fermentation process) and that there is no mold. If either does happen, replace the brine, rinse the upper layer of dill, wipe the mouth of the jar and close again.

Store the pickles on the lowest shelf of the refrigerator. They will keep for up to 1 week.

Note: The percentage of salt in this brine is 5.5–6.5 percent.

Malosol'nye Ogurtsy
BRINED CUCUMBERS MALOSSOL

Malossol (which means "little salt") cucumbers are very good as an hors d'oeuvre, and they go well with cold cuts, meat entrées, fish, and potato dishes.

24 Kirby (pickling) cucumbers (3½–4 inches long and 1–1¼ inches thick, about 5½ pounds)	3½ tablespoons plain (non-iodized) salt per 2 quarts artesian well, mountain spring, or tap water
1 ounce horseradish root	
1 bunch mature dill plants, seeds included	Salt-pickling equipment (page 422)
6–12 cloves garlic	
¼ pound parsley, sour cherry, and/or black currant leaves (*optional*)	

Prepare the cucumbers following the instructions for Brined Cucumbers (page 423).

Rinse the dill and divide in half. Scrub and rinse the horseradish and slice thinly. Peel and halve the garlic. Wash the various leaves.

Fold half of the dill into a ring and place in the bottom of the jar. Strew half the horseradish and garlic and ⅓ of the leaves on top. Arrange half of the pickles upright, packing them tightly. Place ⅓ of the leaves on top, then pack in the rest of the cucumbers in the same manner. Top with layers of the remaining horseradish, dill, garlic, and leaves.

Combine the salt and water, stirring until the salt dissolves (see *Note*). Pour the brine into the jar. The contents should be fully covered. Place the saucer inside the jar and, to weight it down, place a small rock or a water-filled covered jar on top. Cover the mouth of the jar with 2 layers of cheesecloth and secure with kitchen string.

Leave the cucumbers for 3–4 days in a cool, airy room whose temperature is about 64°–68°F.

Remove the scum as it appears and wash the mouth of the jar daily. After 3–4 days, when the most active fermentation has subsided a little, remove the weight and the lid. Cover the jar with its own lid and refrigerate. In 1–2 days the malossol cucumbers will be ready to eat. Because there is less salt in the brine than in Brined Cucumbers, malossol cucumbers should be eaten sooner.

Store the pickles on the lowest shelf of the refrigerator for 4–5 days, after which they will become either too salty (and turn into regular brined cucumbers) or, more likely, too soft and almost mushy.

Note: The percentage of salt in this brine is 2.8–3.0 percent.

Ogurtsy Solionye v Tykve
CUCUMBERS BRINED IN A PUMPKIN

"And these are big pumpkins: It's the first time I have pickled them. . . . I don't know what they'll be like. I learned the secret from Father Ivan. First of all, you must lay some oak leaves in a tub and then sprinkle with pepper and saltpeter and then put in the flower of the hawkweed—strew them in with the stalks uppermost."

—Nikolai Gogol
"Old-World Landowners"

Served directly from the pumpkin, these cucumbers make a spectacular addition to the hors d'oeuvre table. The pumpkin, which imparts a special sweet touch to the pickles, is discarded when all the cucumbers have been eaten.

Makes about 1 gallon of pickles

1   pumpkin, 12–14 inches in diameter

5–6 pounds Kirby (pickling) cucumbers (3½–4 inches long and 1–1¼ inches thick)

1   bunch mixed herbs (marjoram, tarragon, savory, and others), rinsed and dried

7–8 tablespoons plain (noniodized) salt for the cucumbers, plus 2 tablespoons salt for each quart artesian well, mountain spring, or tap water for the brine

A tub, with lid, large enough to contain the pumpkin

Prepare and soak the cucumbers as described in the recipe for Brined Cucumbers, page 423.

Clean, wash, and dry the exterior of the pumpkin. Cut off enough of the top in one piece (and reserve it) so that you can get your hand into the pumpkin. Scoop out the pulp, leaving a shell about 1½ inches thick.

Arrange the cucumbers upright inside the pumpkin and intersperse them with half the herbs. Sprinkle with 7–8 tablespoons of salt. Place the remaining herbs on top of the cucumbers and replace the pumpkin lid. Attach it with toothpicks.

Place the pumpkin in a tub or ceramic jar large enough to contain it. Dissolve 2 tablespoons of salt for each quart of artesian well or spring water. Pour the brine into the tub so that the pumpkin is completely immersed. Leave it for 3–4 days in a well-aired, shaded spot at a temperature of 64°–68°F. Then place the tub in a cold cellar (40°–50°F). Cover with cheesecloth, tucking the ends in the tub, then cover the tub with a lid. The cucumbers will be ready within 1–2 months after being stored in the cellar. During this time, remove the scum every 3–4 days and, at the same time, press the outside of the pumpkin with your finger. If it has become even slightly soft, transfer the cucumbers and brine to another container, cover tightly, and store in the refrigerator for about 1 week.

Kvashenaia Kapusta
BRINED CABBAGE, OR HOMEMADE SAUERKRAUT

The kitchen maids are chopping cabbage, and I listen to the rhythmic, staccato tapping of their flashing knives and their harmonious country songs that are both sad and gay. . . .

—Ivan Bunin
"Antonov Apples"

The best sauerkraut is made from white cabbages which, in Russia, are harvested late in the fall, during the cool weather just before the first frosts.

Russian sauerkraut has a very high vitamin C content. Long before it was known that vitamins existed, or what they were, it was noted that the consumption of sauerkraut prevented scurvy. By the early eighteenth century, Russian ships were provisioned with barrels of sauerkraut for long voyages.

Except for grand occasions, when she loved to outdo any other European monarch in lavishness, Catherine the Great existed on sauerkraut with rye bread, black coffee, and rusks. She shared her love of sauerkraut with Potemkin. However, Potemkin finished his meals with a salted goose and three chickens.

This recipe, in which cabbage is combined with cranberries, brined apples, carrots, and caraway seeds, makes a sauerkraut that is good for salad or as a side dish for beef or pork roasts, poultry and game.

Makes about 3 quarts of sauerkraut

5   pounds white cabbage,
    plus an *optional* 1 pound
    of cabbage
¼   pound carrots, coarsely
    grated or thinly sliced
1   apple, cored and sliced
    into 12–16 wedges
½–1 cup cranberries
2   tablespoons caraway seeds
2–2¼ tablespoons plain
    (noniodized) salt

Salt-pickling equipment
    (page 422)
A tamp or long-handled
    wooden mallet
A stick ½ inch in diameter
    and 2–3 inches longer
    than the height of the jar,
    or a long-handled
    wooden spoon

Wash the 5 pounds of cabbage, trim off the outer leaves, and reserve 1–2 leaves. Cut the cabbage in half, cut out the core and the coarse outer ribs, and cut into ⅛-inch shreds. Place the cabbage in a bowl and add a slightly heaping teaspoon of noniodized salt for each pound of shredded cabbage. Rub the salt in with your hands to break up the cabbage and to stimulate it to release its juices. Place as much cabbage in the jar as it will hold, adding it in layers and sprinkling each layer with a proportionate amount of carrots, fruit, and caraway seeds. Press down with the tamper. As the level of the cabbage reduces, keep adding the cabbage, carrots, and fruits until all are used up. Cover with clean cabbage leaves and then with the saucer. Be sure the cabbage is completely submerged in its own juices. Weight down with a rock or a water-filled covered jar.

Cover with 2 layers of cheesecloth and keep in a shaded spot at a temperature of 65°–72°F. During the following days, the cabbage will settle and begin to ferment. Two to three times a day during the next 2–3 days, pierce the cabbage to the very bottom of the jar with the stick or with the handle (not the bowl end) of the wooden spoon, to allow the gases accumulating in the cabbage to escape. If you wish to add more cabbage as the mixture settles, do so in the same proportion to salt, caraway seeds, and fruits as above.

Four to five days after brining has begun, the sauerkraut should be past the more active period of fermentation. Taste it, and if it is already tart, and there is no gassy flavor or odor, place the sauerkraut on the lowest shelf in the refrigerator.

After 1–2 days of refrigeration the sauerkraut can be used in Sauerkraut Salad Provençal (page 54) or as a side dish. For braising or for stuffing a goose, it should mature a little longer, about another week in the refrigerator.

Variation Homemade Sauerkraut for Soups
Omit the apples, cranberries, and caraway seeds. Leave for 2–3 days in the refrigerator before using.

Note: White (not green) fresh cabbage is juicy and will produce enough liquid for the brine, in which case follow the cooking procedure above; the result will be a crisp sauerkraut. However, if the cabbage looks old and somewhat dried out, it can be treated in either of two ways:

1. Place the shredded cabbage in a colander, rinse it under very cold running water, shake the colander to drain off as much water as possible, and proceed with the recipe as described above.

2. Disregard the salting instructions in the master recipe. Rub the cabbage with only 1½ tablespoons of salt. Dissolve the remaining salt in ½ cup of water and sprinkle this brine over each layer of the cabbage as you tamp it down in the jar.

The percentage of salt to shredded cabbage is 2 percent.

Solionye Griby
SALT-PICKLED, OR BRINED, MUSHROOMS

In a village north of Moscow, I was present at the ritual of preparation for these mushrooms. Juniper twigs were placed in a plain oaken ten-gallon tub, and the tub was then half-filled with boiling water. The tub was covered for several minutes to allow it to absorb the fragrance of the juniper and to become sterilized by the water. Sometimes stones that have been heated in a stove are thrown into the tub to produce a stronger steam. When emptied, the tub smelled delicious.

Makes 2–2½ cups

1 pound small mushrooms (caps no larger than 1½ inches in diameter)	2 cloves garlic, cut into ½-inch slices
2 tablespoons plain (non-iodized) salt	¼ bunch dill, roughly chopped
½ teaspoon black peppercorns	Horseradish, black currant, or sour cherry tree leaves (*optional;* see *Note*)
½ teaspoon caraway seeds	

Thoroughly wash and dry the uniform, firm white mushrooms, then trim the stems to ½ inch. Mix the peppercorns, caraway seeds, garlic, and dill. Pack the mushrooms tightly, caps up, in a wide jar, crock, or unpainted wooden tub. Sprinkle each layer with salt and every other layer with the spice and herb mixture. Finish with a layer of mushrooms.

Put a round wooden board or a plate directly on top of the mushrooms and weight it down with a heavy stone or a covered jar filled with water. Place the container in a dry spot at room temperature (68°–70°F) for 1–2 days, then refrigerate. The mushrooms will release their juices, which will mix with the salt to become brine. In several days, the mushrooms will settle somewhat and you can add more to the container.

The mushrooms will be ready to eat in 10–14 days. They are the perfect accompaniment for vodka. Store on the lowest shelf of the refrigerator for up to 2 weeks.

Note: Obviously not everyone will have access to black currant and sour cherry tree leaves. We make do without them, and the mushrooms still taste fine.

Variation Salt-Pickled Mushrooms with Onion
Omit the caraway seeds, peppercorns, garlic, and dill. Add 1 medium onion, finely chopped, and ½ teaspoon freshly ground black pepper. Mix together the onion, pepper, and 2 tablespoons of salt. Prepare and pack the mushrooms as described. Sprinkle each layer of mushrooms with the onion mixture, then complete the recipe.

Solionye Pomidory

BRINED TOMATOES

Makes 1 gallon of brined tomatoes

20–22 medium tomatoes (about 3½ pounds), approximately 2½ inches in diameter, *or* 4½–5 pounds cherry tomatoes

1 bunch mature dill plants, seeds included

A chunk of horseradish root, about 2 inches long and ¾ inch wide

6–10 cloves garlic

Leafy tops of 3–4 celery stalks

6–8 sprigs parsley or tarragon

½ fresh hot red pepper, seeded

¼ cup plain (noniodized) salt for each 2 quarts artesian well or mountain spring water

Salt-pickling equipment (page 422)

Select medium tomatoes that are not fully mature. They can be at any stage from yellow-green to red. Cherry tomatoes, which make an especially fine garnish, should be ripe but firm. Rinse the tomatoes.

Rinse the dill and divide in half. Scrub and rinse the horseradish and slice thinly. Peel and halve the garlic. Wash the various leaves.

Follow the instructions for Brined Cucumbers *Malossol* (page 424), but do not weight the saucer, just cover it with one layer of cheesecloth.

Leave in a cool, airy room at a temperature of about 68°–70°F for 6–8 days, by which time most of the active fermentation should have subsided. Refrigerate for about 1 week. The brined tomatoes are now ready to eat.

Store on the lowest shelf of the refrigerator for up to 2–3 weeks.

Mochonye Iabloki

BRINED APPLES

At the markets, white tubs filled with brined apples interspersed with cranberries lined the long counters, and a Moscow student chomped a cold, golden apple unreservedly, showing with pride his affiliation: eating brined apples during the Butterweek had been a time-honored tradition among students in Moscow.

—Aleksandr Kuprin
The Cadets

Brined apples are exquisite and make a beautiful accompaniment to roast meat. Use juicy, tart apples that stay white during cooking, such as Macintosh or Gravenstein.

Makes 1 gallon of pickled apples

3　pounds apples (each about 2½–3 inches in diameter), ripe and undamaged

3　quarts artesian well, mountain spring, or tap water

3½ tablespoons sugar

1¾ tablespoons salt

6　tablespoons rye flour

½　bunch tarragon leaves

2　ounces sour cherry leaves (*optional*)

Salt-pickling equipment (page 422)

Wash and dry the apples; do not peel them.

Bring the water to a boil, add the sugar and salt, stir until dissolved, then remove from the heat.

In a bowl, stir 1 cup of cold tap water into the rye flour, stirring continuously to blend it well. Pour the mixture into the pot with the boiled water and sugar mixture, stir well to blend, and allow to cool.

Strew some of the tarragon and sour cherry leaves on the bottom of the pickling jar. Arrange a layer of apples lying on their sides, then another layer of leaves and then more apples, and so on, finishing with a layer of leaves. Pour in as much syrup as necessary to cover the contents and refrigerate the remaining syrup. Put a plate or board over the apples, submerging them, and top with a 1½-pound weight. Cover the jar with 2 layers of cheesecloth and tuck the ends into the jar.

During the first several days, the level of the syrup will reduce as it is absorbed by the apples. Add enough syrup daily to keep the apples covered.

Set the jar in a bowl to catch any foam (caused by fermentation) that may splash out. Keep the jar at 66°–74°F for 5–6 days, or until the most active fermentation begins to subside. Then place in a cool cellar or shaded place in a temperature not higher than 50°F for 30–40 days. At that time the apples will be ready to eat.

Store on the lowest shelf of the refrigerator for up to 1 week.

Solionye Limony
SALT-PICKLED LEMONS

Lemons
1 tablespoon plain (non-
iodized) salt to each cup
of artesian well, mountain
spring, or tap water

Select medium-size, undamaged, ripe lemons with thin skins. Wash and dry the lemons and pack into a cylindrical jar. Dissolve the salt in the water and pour into the jar to cover the lemons completely. Set a saucer or wooden board into the jar and put a weight on top to keep the lemons immersed in the solution. Cover the mouth of the jar with 2 layers of cheesecloth and tie in place with kitchen string. Keep in a cool place or refrigerate. In 2–3 weeks the lemons will be ready.

Serve with game or fish, sliced thinly.

Store on the lowest shelf of the refrigerator for up to 1 month.

Mochonye Arbuzy
BRINED WATERMELON

Only small ripe watermelons, not exceeding 3½ pounds each, should be used for this recipe. In Russia they are grown on the Don River steppes and in the south of the Ukraine. I ate them there long ago, but still remember the incomparable, cool, prickling, sweet-and-sour taste.

In Vladimir Gilarovskii's boundless memoirs, where food is never forgotten, he recalls a horse-cab ride through winter Moscow. His companion in the cab was Chekhov, who was holding in his hands a brined watermelon wrapped in a leaking paper bag. After ten minutes, Chekhov's fingers were freezing and, stopping the cab, he presented the watermelon to a policeman. "Here, take it, but . . . watch out, it's a bomb!"

It was then the peak of Russian terrorist activities (Tsar Alexander II had been mortally wounded by a bomb). The policeman rushed to the precinct house, where everyone was so terrified that no one noticed that the slowly thawing package reeked of brined watermelon. Before an explosives expert could be found, the fire brigade was summoned. Their chief, a Don cossack, Bespalov, rushed into the deserted room. The astonished firemen, following their valiant leader, saw him stop suddenly, inhale deeply, and then leap at the "bomb." "It's ours, from the Don!" he yelled, peeling off the strips of wet paper. "I know it by smell." The pleas of the precinct chief to leave the watermelon behind as "inviolable material evidence" were futile. "I have not eaten this in years," said Bespalov firmly, and he took it home.

Wash the watermelons, put them in a clean, unpainted barrel, and cover with a cold brine made with 1 cup of plain, noniodized salt for each 10 quarts of artesian well or mountain spring water (see *Note*). For fragrance, add 1 ounce each of cloves and cinnamon stick. Place a round wooden board over the watermelons and weight it down with a 2- to 3-pound stone. Cover with 2 layers of cheesecloth and tie in place with kitchen string. Keep the barrel in a cool cellar at a temperature of about 32°–41°F.

In 40–50 days, the watermelons will be ready to eat as an hors d'oeuvre.

Store on the lowest shelf of the refrigerator for up to 1 week.

Note: The percentage of salt in the brine is about 5 percent.

MARINATING

The basic technique for marinating vegetables is very similar to that for salt-pickling. The major difference is in the marinade, which is not a brine, but a vinegar solution prepared in advance. Because of the vinegar, the vegetables and fruit will keep much longer.

Vegetables are prepared exactly the way they are for salt-pickling; the special preparation of fruit is described on page 439.

Osnovnye Marinady
BASIC VEGETABLE MARINADES

For 2 quarts of marinade, to cover 5–6 pounds of cucumbers (to fit into a 1-gallon, wide-mouthed glass jar), the proportions are as follows:

WEAK MARINADE

6½ cups boiling water	3 tablespoons sugar
1½ cups 5 percent white wine vinegar	2 tablespoons plain (non-iodized) salt

STRONG MARINADE

6 cups boiling water	¼ cup sugar
2 cups 5 percent white wine vinegar	2 tablespoons plain (non-iodized) salt

SEASONINGS FOR SPICED MARINADE

6 bay leaves	5 whole cloves
20 black peppercorns	5 cloves garlic
20 allspice berries	

SEASONINGS FOR HERB MARINADE

1 bunch mature dill plants, seeds included	10 cloves garlic
5 sprigs tarragon	5 bay leaves
10 sprigs parsley	½ hot red pepper, seeded
5 tablespoons thinly sliced horseradish root	

Marinovannye Ogurtsy
MARINATED CUCUMBERS

Makes 1 gallon of pickled cucumbers

5½ pounds Kirby (pickling) cucumbers (3½–4 inches long and 1–1¼ inches thick)

1 recipe Weak Marinade (page 435)

1 recipe Seasonings for Spiced Marinade (page 435)

Salt-pickling equipment (page 422)

Prepare and soak the cucumbers as described in the recipe for Brined Cucumbers, page 423. Combine the ingredients for the weak marinade, bring to a boil, and remove from the heat. Allow to sit until warm.

Arrange half the cucumbers in the jar, upright and tightly packed, strewn with half the spices. Tightly pack the second layer of cucumbers, and then sprinkle with the remaining spices. Cover the ingredients with the warm marinade. Place a wooden board or a platter over the pickles and weight down with a stone or a water-filled, covered glass jar. Cover with 2 layers of cheesecloth and tie in place with kitchen string.

Set the jar in a shaded place at 50°–54°F for 2–3 days. Remove the weight and wipe the mouth of the jar. Cover with the lid of the jar and refrigerate for 3–5 days, at which time the pickles will be ready to be eaten.

Store the pickles on the lowest shelf of the refrigerator for up to 3 weeks. If the jar has been opened, check every 2–3 days and remove any scum as it appears.

Variation   Marinated Cucumbers with Herbs
Prepare as above but replace the Seasonings for Spiced Marinade with the Seasonings for Herb Marinade (page 435). Distribute the herbs as directed in the recipe for Brined Cucumbers *Malossol* (page 424).

Variation   Prepare as for Marinated Cucumbers with Herbs, but substitute Strong Marinade (page 435) for Weak Marinade. Keep in a shaded place at 50°–54°F for 5–7 days, when the cucumbers will be ready to eat.

Nezhinskie Ogurchiki
NEZHIN GHERKINS

These crunchy pickles originated in Nezhin, a small Ukrainian city northeast of Kiev. They can be served as a side dish to accompany cold cuts, meat entrées, fish, and potatoes, but they are their best as an hors d'oeuvre.

Makes 1 gallon of gherkins

4–8 dozen gherkins (2–2½ inches long, and a maximum of 1 inch in diameter)

2 quarts tarragon vinegar

2½ tablespoons plain (non-iodized) salt

A piece of celery root 2 inches square and 3 inches thick, with stalks and leaves, *or* 4–5 celery stalks with leaves

1 large or 2 medium parsley roots, with stalks and leaves

2 sprigs tarragon

1 seeded red bell pepper, halved

Salt-pickling equipment (page 422)

Prepare the gherkins as described in the recipe for Brined Cucumbers, page 423. Soak the cucumbers in ice water for 3–4 hours.

Bring the vinegar to a boil. Remove from the heat, add the salt, and stir until it dissolves (see *Note*). Allow to cool.

Cut the celery and parsley roots from the stalks. Reserve the leaves. Wash and slice the roots ½ inch thick. Wrap each red pepper half with the reserved leaves.

Arrange ¼ of the vegetables, 1 sprig of tarragon, and a pepper package on the bottom of the jar. Make 3 layers of gherkins over the vegetables. Continue layering the vegetables and gherkins until all are used up, finishing with a layer of vegetables, the remaining sprig of tarragon, and the second pepper package.

Pour the cooled brined vinegar into the jar with the gherkins and vegetables, put on the lid, and be sure that the gherkins are submerged. Leave at room temperature. The next day, check to see if the level of the marinade has dropped; if it has, add more marinade. Seal and refrigerate for 3–4 weeks. The gherkins will keep for up to 3 months after they are ready, if they remain sealed. Once they have been opened, check for scum and remove it as it forms.

Note: The percentage of salt in this vinegar brine is 2.7–3 percent.

Marinovannye Griby

MARINATED MUSHROOMS

Commercially grown mushrooms can be marinated, as well as wild ones. Any kind of mushrooms marinated in the Russian manner will taste better than its commercial counterpart because of the difference in the quality of the marinades.

Makes 2–2½ cups of mushrooms

1	pound mushrooms, small, white, and firm, with stems trimmed to ¼ inch
1	teaspoon salt for blanching the mushrooms
1	cup 5 percent white vinegar
¾	cup water
2	whole cloves

2	bay leaves
3	black peppercorns
2	whole allspice
1	teaspoon sugar
1	tablespoon salt
1	clove garlic, cut into slivers
1	tablespoon olive oil

Wash and dry the mushrooms. In a saucepan, bring 1 quart of water to a boil, and add the mushrooms and salt. Return to a boil and simmer for 2 minutes. Drain and cool.

Place the mushrooms, caps up, in a jar with a tightly fitting lid. Fill the jar almost to the top.

In a saucepan, combine all the remaining ingredients except the garlic and the olive oil, bring to a boil, and skim if necessary. Remove from the heat, add the garlic, and cool.

Pour the marinade over the mushrooms. Carefully pour in the olive oil to form a protective coating, cover tightly, and refrigerate.

The mushrooms will be ready after 3 days, but they taste much better after a week. Stored on the bottom shelf of the refrigerator, they will keep for 3–4 weeks.

Marinovannye Griby, Prigotovlennye iz Konservirovannykh Gribov, Prodavaemykh v Amerikanskikh Magazinakh

SHORTCUT MARINATED MUSHROOMS

You can also add a Russian touch to commercially marinated mushrooms using the following recipe:

	1-pound can or bottle marinated mushrooms	6	allspice berries
		6	whole cloves
3	cloves garlic, peeled and cut into slivers	3	tablespoons fine sugar
3	bay leaves		

Combine all the ingredients in a jar with a tightly fitting lid. Allow to marinate for at least 2 days in the refrigerator.

GENERAL INSTRUCTIONS FOR MARINATING FRUIT

1. For the marinades for all the fruits and berries use 5 percent apple cider vinegar.

2. Only apples and pears need blanching proper. They are peeled, sliced, and cored, then immersed in a boiling syrup called Blanching Syrup (the proportion of water to sugar as indicated in the chart). The syrup is returned to a boil and simmered gently for as long as indicated in the chart. The time depends upon the ripeness of the fruit.

After blanching, drain the fruit, immerse immediately in cold water, and leave for 5 minutes. Drain again and allow to cool completely.

Peaches must be blanched for 1 minute in boiling-hot water off the heat. Immediately afterward dip them in very cold water and peel.

3. Plums and apricots should be pricked with a toothpick in 6 or 8 places to prevent their skins from bursting while they soak in the marinade.

4. To prepare the marinade, combine in an enameled saucepan all the ingredients listed on the chart. Bring to a boil, remove from the heat, and allow to cool: completely or only a little, according to the chart.

5. Arrange the fruit in the jar, cover with the marinade, put on the lid, and refrigerate. In one week, the fruit will be ready to eat.

6. Store on the lowest shelf of the refrigerator. Peaches will keep for about 10 days; all others can be stored for up to 2 months, and even longer.

7. Serve with cold meats as an hors d'oeuvre, or with most roast meats, and *shashlyk*.

MARINATED FRUITS

Makes 1 quart of pickled fruit

Fruit	Amount (in Pounds)	Preliminary Treatment	Blanching Syrup* Water	Sugar	Blanching Time
Apples	1½	Peel, quarter, core	2 cups	2 cups	Simmer in boiling syrup for 5–7 minutes
Apricots	1½	Prick with a toothpick	No blanching needed	----	
Grapes	1–1½	Pick the grapes off the stems (the jar will contain 1½ pounds) or pickle in small clusters (the jar will contain about 1 pound)	No blanching needed	----	
Morello (Sour) Cherries	1½	Pit	No blanching needed	----	
Peaches	1½	----	No blanching needed		Immerse in boiling water (off the heat) for 1 minute. Do not simmer. Dip in cold water. Peel. Halve.
Pears	1½	Peel, halve or quarter, core	2 cups	1 cup	Simmer in boiled syrup for 5–7 minutes
Plums	1½	Prick with a toothpick	No blanching needed	----	

*Dissolve sugar in water and bring to a boil.

Spices for Marinating Fruits:

	Set #1	Set #2
	6 allspice berries	Ingredients of Set #1,
	5 whole cloves	plus 10 cardamon pods,
	1-inch cinnamon stick	shelled
	¼-inch chunk nutmeg	

| Marinade | | | | | Temperature of Marinade When | Varieties and |
syrup	vinegar	spices	water	sugar	Filling the Jar	Characteristics
¾ cup	¾ cup	Set #1	----	----	Cool	Gravenstein—firm, undamaged; Golden Delicious, when green, quite underripe, and undamaged
----	¾ cup	Set #2	¾ cup	¼–⅓ cup	Hot, but not boiling	Firm, undamaged, underripe
----	1 cup	Set #1	2 cups	2 cups	Hot, but not boiling	Large, seedless, undamaged, and firm
----	1 cup	Set #1	2 cups	2 cups	Hot, but not boiling	Ripe, but firm, undamaged
----	¾ cup	Set #2	¾ cup	¼–⅓	Hot, but not boiling	Firm, undamaged, underripe
1 cup	½ cup	Set #1	----	----	Cool	Bartlett, Bosc; firm, undamaged, underripe
----	¾ cup	Set #2	¾ cup	⅓–½ cup	Hot, but not boiling	Prune (Italian) plums; firm

PRESERVES, JAMS, AND CONFECTIONS

All day . . . Auntie Dasha spent in making cherry preserves in the
garden . . . with a very serious face as though she were performing a
religious rite. . . . The garden smelt of hot cherries. The sun had set, the
charcoal stove had been carried away, but the pleasant, sweetish smell still
lingered in the air.

—*Anton Chekhov*
"At Home"

AMERICANS regard forests as "wilderness," but Russians go to the forests as to a treasure trove. The vision of Russia as a snow-covered plain called Siberia is far from the truth.

Even in the harsh climate of the Russian European north, tundra and forests offer bilberries, blueberries, and cranberries at no charge.

As for the vast woods of Central Russia, the variety of berries is stunning—wild raspberries and strawberries, field strawberries, blackberries, and many others. For Russians, berry picking is one of the charms of the forest, and this pleasure cuts across all social barriers.

"Life at Livadia in 1909 and later was simple and informal," reminisced Anna Viroubova, lady-in-waiting to the last tsar's family, in her *Memoirs of the Russian Court*. "We walked, rode, bathed in the sea, and generally led a healthy country life, such as the tsar, an outdoor man and lover of nature, enjoyed to the utmost. We roamed the woods gathering wild berries and mushrooms, which we ate at our alfresco teas."

Most wild berries make delicious preserves. Wild strawberries and field strawberry preserves are unsurpassable in fragrance. At one time they were also believed to have curative powers. "The peasant women were bringing in the wild strawberries by the bucket," wrote Sergei Aksakov. "Mother took them as medicine several times a day, so that when the berries were harvested, she had almost no other food."

Whitish pink, extremely tender field strawberries were the source of a rare brand of cultivated strawberries known as "pineapple strawberries." In the 1950s we had them delivered from a village near Kiev every June. Our preserves were our great pride, until one very cold winter the patches were destroyed by frost.

The old, overgrown, picturesquely neglected gardens inhabited by pale, brooding beauties are romantic symbols of the past. So much of Russian life was acted out against their backdrop that they seem an indelible part of the nineteenth century.

More practical were the perfectly tended, luscious orchards remembered by Sergei Aksakov: ". . . apple trees sagged under the burden of brightly colored fruit. Some branches were tied to the trunk, or propped up, to help them bear the enormous weight of the apples." An estate orchard rarely had trees lined up for easy care. The fruit trees blended with maple and linden avenues, flower beds, gravel paths with springs, and rivulets cascading in between.

Traditionally, the fruit was turned into preserves and jams, and during the summer months, orchard estates all over Russia teemed with the bustle of jam and preserve making. Even today in the era of small kitchens, it is still a serious ritual and indicates how important preserves are in the cuisine.

Preserves are considered far superior to jams and differ from them in that each berry or piece of fruit must hold its original shape and be suspended in thick, translucent syrup. Preserves are served almost every time tea is served, which is often. Chekhov writes how ". . . lovely Pelageya, stepping noiselessly on the carpet and smiling softly, handed tea and preserves on a tray . . ." and about a happily married couple who "drank tea at home, with fancy breads and preserves of various kinds. . . ." D. Mackenzie Wallace noted that whenever he called upon a merchant at home, "After the customary greetings were exchanged, glasses of tea with slices of lemon and preserves were brought in by way of refreshment."

To magnify the beauty of the garnet red of Morello cherries, the golden amber of pear wedges, the light emerald of gooseberries—preserves are served in cut glass bowls. They accompany tea and milk, enhance desserts, garnish crêpes and pancakes, and the syrup is used for a number of creams, ice creams, and other dishes.

Jams are rarely eaten spread on bread or toast. They are used instead as filling for *piroghi*, *ponchiki* (doughnuts), *blinchiki*, and for spreading on cake layers, and so on.

Through the mid-nineteenth century, about a third of the preserves was processed further into various confections, sweetmeats, brandied fruits, *pastila*, dried preserves, and many other delicacies. In fact, a Russian estate kitchen of the past was a combination of Smucker's Jams, Fanny Farmer's, and See's Candies.

If this creates a general picture of efficient farming and husbandry, it is the wrong impression. In fact, because the orchard was most often run by an estate manager under the supervision of the mistress of the house, it was usually the only well-run part of a landed estate. The rest was under the formal supervision of the master of the house who, more often than not, refused to condescend to involve himself with such mundane matters. He deemed a man's proper occupations to be war, hunting, cards, and fornication. It is not difficult to see why, in the decades following 1861, as the serfs were gaining emancipation, the Russian nobility soon became impoverished: the gentry was unable to turn their land holdings into profitable enterprises. Many "cherry orchards" were sold to entrepreneurs. After the revolution in 1917 they, too, were gone, and fruit production rapidly declined. However, in small city kitchens, the hectic days of preserve making can still bring the modern working woman a reminder of the bucolic past.

NOTES ABOUT MAKING PRESERVES

Selection Fruits and berries selected for preserves should be uniform in size, of equal ripeness, and absolutely undamaged. If possible, they should be picked on the same day. The best fruits for preserves are those picked after several days of warm, dry weather. Picked after a rainy spell, fruits, and especially berries, are watery and may lose their shape and taste in the preserving process. Pick fruits and berries after the dew has dried, as wet fruits bruise more easily.

Of course, if bought at the market, one can only seek the most perfect specimens.

Ripeness Pears, plums, apricots, gooseberries, and some other fruits and berries should be bought or harvested somewhat underripe. Strawberries, cherries and sour cherries, raspberries, black currants, and peaches should be *just ripe*, never overripe.

Cooking Utensils For centuries an untinned copper preserving pan, placed on a tripod over a charcoal stove, was considered the ideal utensil for preserving. For the "resting" period, the partially cooked preserves were removed to a faience or stone container. Nowadays, a low, wide, heavy-bottomed nonstick pan makes the best substitute. A skimming ladle is essential.

How Much to Cook at One Time The optimal amount of fruit or berries to be preserved in one batch is 2 to 3 pounds, cooked in a 6- to 7-quart pot, or one large enough to allow for the foam's bubbling up during cooking.

Yield As a rule of thumb, the yield for preserves and jams can be calculated by the amount of sugar used: 1 pound of sugar will make about 1 pound of preserves; 1½ pounds of sugar will yield about 1½ pounds of preserves.

Cooking Techniques Depending on the juiciness and texture of the fruits and berries, and on how much syrup one wants, the preserves may be cooked with or without water. They can also be cooked in one or several stages, with or without lemon juice, and so on. Of the several possible methods of cooking, we have chosen the one which, in our opinion, gives the best results.

Sugar Syrup   If a recipe calls for sugar syrup, cook it as follows: put the required amount of sugar indicated in the recipe in a clean nonstick saucepan, add the required amount of hot water, and stir until the sugar dissolves. Bring to a boil and cook for 2 minutes, skimming with a skimming ladle. The sugar syrup is now ready to be used.

Sugar as a Preservative, and Sugar Content   In jams and preserves, sugar acts as a preservative (in addition to its role as taste enhancer). The usual proportion is 1–1½ pounds of sugar for each pound of fruit, depending upon how much fructose and acid there is in the fruit. If you prefer to use less sugar, you can reduce the amount by ¼ pound for each pound of fruit. However, the preserves will ferment and become moldy more quickly, a point to be considered because Russian-style preserves are not sterilized after they are put up in jars. If the preserves are to be eaten soon after cooking, the sugar can be reduced, but to be on the safe side, keep them refrigerated.

Acids, Alcohols, and Pectins   Both sugar and acid have a firming effect on fruits and berries. For some preserves—for instance, peaches and quince—lemon juice is often added to offset the sweetness (⅛ teaspoon crystalline citric acid can replace 1 tablespoon of lemon juice).

Very tender berries, like raspberries or gooseberries (which, though firm, have been slashed open for seeding), can be treated with grain alcohol or vodka.

Pectins are not used in making Russian preserves.

Cooking in Several Stages   When cooking is done in more than one stage, the pattern is as follows:

Each stage consists of *cooking time*, which begins when the boiling syrup is combined with the fruit, and *resting time*, usually repeated several times. During the resting times, cover the pot with a layer of cheesecloth to keep out the flies.

Skimming   To skim, rock the preserving pan gently with a circular motion so that the scum gathers in the center of the pan. This motion also promotes a better saturation of the fruits with the syrup.

Tests for Doneness   First is the spoon test, applied when the indicated cooking time is coming to an end, or when the fruit shows the proper signs of doneness (described in each recipe) and/or the syrup begins to thicken.

Dip a clean, dry, cool spoon into the preserving kettle and hold the spoonful of syrup over a dry, cool saucer, turning the spoon so that the syrup runs off the side. If the two drops, one coming from the tip of the spoon and the other from the handle, slowly run toward the center, blend, and fall as one heavy drop, which holds its shape and does not run easily on the saucer, the preserves are probably done. It is not necessary to remove the preserves from the heat.

When the preserves pass the first test for doneness, perform the freezer test, to be on the safe side.

Remove the pan from the heat. Spoon 3–4 teaspoons of the preserve syrup into a clean, dry, cool saucer and place in the freezer. If, in 2–3 minutes, there is a thin skinlike film on the syrup, the preserves are done. If there is no film, continue to cook the preserves, and check again in 10 minutes. It is important not to overcook the preserves, which would kill the scent of the fruit and impart a flavor of carmelized sugar.

Filling Jars, Capacity of Jars, Scalding, and Storing Preserves should be cooled to room temperature before filling the jars. Jams, on the other hand, are put into the jars while hot. One-pint Mason jars are the most useful size. They should be sterilized, covered, and cooled before they are filled.

An old custom recommends covering preserves and jams with a round piece of white paper that has been soaked in alcohol (vodka or brandy) before sealing with a lid.

Once filled and sealed, the jars do not undergo a boiling-water bath.

Store preserves and jams in the refrigerator.

Abrikosovoe Varenie

APRICOT PRESERVES

2–3 pounds apricots

1   pound sugar
1½ cups water } for each pound of apricots

The apricots will be cooked with water in 3 stages, over the course of 2 days.

Select uniform, firm, somewhat underripe apricots. Wash them, snip off any stalks, and discard any imperfect fruit. Cut the apricots in half or cook them whole. If whole, pierce them in several places with a wooden toothpick, especially at the stalk end, then blanch in boiling water for 2–3 minutes; do not blanch halved apricots.

In the preserving kettle, make a sugar syrup following the instructions on page 445.

Drop the apricots into the boiling syrup and cook 3 times. First stage: 6–10 minutes, then rest for 8 hours; second stage: 6–10 minutes, then rest for 8 hours; third stage: boil until done. Skim each time immediately after cooking.

Test, cool, fill sterilized jars, and store as described on pages 445–46.

Varenie iz Chornoi Smorodiny
BLACK CURRANT PRESERVES

2–3 pounds black currants

1 pound sugar ⎫
1½ cups water ⎬ for each pound of currants
⎭

Select undamaged, large, ripe but firm berries. Remove the currants from the clusters, discard the imperfect ones, strip the stalks, and trim the pedicles (the dried remnants of flowers) with scissors. Wash several times.

Bring the water to a boil in a large pot. Place the berries in a colander and immerse in the boiling water; remove the pot from the heat, and let sit for 5 minutes. Drain.

In a 6- to 7-quart preserving kettle, cook the sugar syrup following the instructions on page 445. Add the currants to the boiling syrup, return to a boil, lower the heat, and simmer for 30–40 minutes, or until done. Test for doneness, skim, cool, fill sterilized jars, and store as described on pages 445–46.

Variation Black Currant Preserve for Pies
Make the syrup using ¾ pound of sugar and ¾ cup of water for each pound of currants. Proceed as above.

Vishniovoe Varenie

MORELLO (SOUR) CHERRY PRESERVES #1

Morello, or sour, cherries are tart and very juicy. They grow in Central Russia and in the Ukraine, while the sweet cherries, to which they are related, prefer a warmer climate and abound in Moldavia, in the southern Ukraine, and the Crimea. Morello cherries are delicious eaten fresh, in compotes, pies, and *vareniki*, and as the base for sauces to accompany veal, sturgeon, and other dishes. Morello cherry preserves are a Russian favorite, and, as a matter of fact, the fruit is so popular that the correct translation of Chekhov's *The Cherry Orchard* is *The Morello Cherry Orchard*.

In North America, Morello cherries are grown in the northern United States and in Canada. Russian émigrés who live in the southern states miss them.

We know of several Russian families in California who travel to Seattle each summer just to make Morello cherry preserves.

"What about our local cherries?" a California-born American friend inquired.

"Cherries?" they exclaimed in disbelief, shocked by his ignorance. "They can't hold a candle to Morello cherries. Too sweet. . . ."

2–3 pounds Morello (sour) cherries	1 pound sugar for each pound of cherries

For this recipe the cherries are cooked without water in 3 or 4 stages, over 2 days, a method that suits very juicy cherries.

Choose very juicy, large, tart Morello cherries that are firm, ripe, and undamaged. Discard all imperfect fruit. Wash, remove the stalks, and pit the cherries.

Place half the cherries in one layer in a large enameled, pottery, or glass bowl and cover with half the sugar. Make another layer of cherries, cover with the remaining sugar, and refrigerate for 4–5 hours. Gently transfer the cherries, sugar, and the accumulated juice into the preserving kettle, bring to a brisk boil, lower the heat, and simmer for 20–25 minutes, or until the sugar dissolves. Remove from the heat and let rest overnight.

In the morning, return to a brisk boil, lower the heat, and simmer for 8–10 minutes. Skim, following the instructions on page 445, and let rest for 4 hours.

For the third stage, return to a brisk boil, lower the heat slightly (the heat should be somewhat higher than for the slow simmering of the second stage), and cook for 5–7 minutes. If, at this point, the syrup is thick and the cherries evenly distributed in it, make the spoon test (see pages 445–46) and, if it is satisfactory, remove the kettle from the heat and make the freezer test. If the preserves are ready, skim, cook, fill sterilized jars, and seal, as described on pages 445–46.

However, if, after the third stage, the preserves are not ready, remove them from the heat and let rest for 4 hours.

For the fourth stage, return the preserves to a boil, lower the heat slightly so that they simmer, and cook for 4–5 minutes, or until done. Make the spoon and freezer tests and complete the recipe.

Variation Morello (Sour) Cherry Preserves #2
The cherries are cooked with water in 3 or 4 stages over the course of 2 days. This method is preferred for less juicy cherries. Using 1 pound of sugar and 1 cup of water for every pound of cherries, make syrup as described on page 445. Cook the preserves as directed above.

Varenie iz Zelionovo Kryzhovnika
GOOSEBERRY PRESERVES

"Country life has its conveniences," he would sometimes say. "You sit on the veranda and you drink tea, while your ducks swim on the pond, there is a delicious smell everywhere, and . . . and the gooseberries are growing."

—*Anton Chekhov*
"Gooseberries"

In this story of dreams that go sour when they materialize, the protagonist's life ambition was to buy land, build a house, and grow gooseberries. He worked hard for many years and at long last achieved what he wanted—he had his own gooseberries in his own garden. The gooseberries were very tart, but he munched them anyway, determined to be happy. Their symbolic role notwithstanding, gooseberries have been and continue to be much loved in Russia. For preserves, sour gooseberries do not present a problem because they are best when underripe.

2–3 pounds gooseberries
    About 1 cup vodka or grain
    alcohol

10–12 sour cherry tree leaves
    (*optional*)

1½ pounds sugar
1   cup water } for each pound of gooseberries

Choose even, very firm, slightly underripe, undamaged green gooseberries. Discard all imperfect berries, rinse, and trim off the stalks and pedicles (the dry remnants of flowers) with scissors. Make small incisions at the stalk end and, using a toothpick or a thin skewer, remove the seeds. Allow the berries to dry, place in a bowl, and cover with the vodka or alcohol. Set aside for 1 hour, then drain in a colander.

Put the sour cherry tree leaves in a 2-quart saucepan, cover with water, bring to a boil, and boil for 2–3 minutes. Discard the leaves. Place the colander of gooseberries over another 2-quart pot and pour over them the boiling water in which the leaves were blanched. Place the colander over the empty pan and pour the hot water over the fruit again. Repeat once more.

Cool the gooseberries under cold running water.

In the preserving kettle, prepare a sugar syrup, following the instructions on page 445. Pour the gooseberries into the kettle and return to a brisk boil. Remove from the heat for 2–3 minutes. Repeat 2 times, then simmer over low heat for 30–40 minutes, or until done.

Test for doneness (pages 445–46), then skim, cool, fill sterilized jars, seal, and store as described on pages 445–46.

Persikovoe Varenie

PEACH PRESERVES

2–3 pounds peaches
    Salt and vinegar according
    to instructions

1   pound sugar
1½ cups water } for each pound of peaches

2–3 teaspoons freshly
    squeezed lemon juice

Select uniform, undamaged peaches, which are ripe but firm. Put them in a colander and immerse for 1 minute in boiling water, and then in cold water. Peel immediately, cut in half, remove the pits, and, with a grapefruit spoon or other sharply pointed spoon, remove the dark, rough pit bed. To prevent discoloration, place the prepared peaches in cold water, to which has been added 1½ teaspoons each of salt and vinegar for each quart of water. When all the peaches have been prepared, put them into a bowl or pan, add boiling water to cover, and leave for 5–6 minutes.

In the preserving kettle, cook the sugar syrup as described on page 445. Drain the peaches, place them in the syrup, add the lemon juice, and bring to a brisk boil. Lower the heat and simmer for about 20 minutes, or until the freezer test shows that the preserves are done.

Skim, cool, fill sterilized jars, seal, and store following the instructions on pages 445–46.

Varenie iz Grush
PEAR PRESERVES

2–3 pounds pears

¾ pound sugar ⎫
1½ cups water ⎬ for each pound of pears
¼ teaspoon vanilla ⎭

The pears will be cooked with water and sugar in 3 or 4 stages, over the course of 2 days.

Choose firm, uniform, undamaged, underripe pears. Prepare and blanch them as for Marinated Pears, page 439. Cool under running cold water. Drain and place in the preserving kettle.

Prepare the sugar syrup following the instructions on page 445, and, while it is hot, pour it over the pears. Bring to a brisk boil, lower the heat, and simmer for 5–7 minutes. Remove from the heat and set aside to rest for 6–7 hours.

Repeat the cooking process once more and let stand overnight. Repeat a third time. If at this point the pears have turned translucent, remove them with a slotted spoon, shaking slightly to allow as much syrup as possible to drain back into the pan. Reserve the pears. Simmer the syrup until it reduces to the thickness described for the spoon test (pages 445–46) and turns dark golden. Return the pears to the syrup, bring to a boil, remove from the heat, and skim. If the pears are *not* translucent by the end of stage three, let them rest for 6 hours and cook again before thickening the syrup.

Stir in the vanilla.

Skim, cool, fill sterilized jars, and seal as directed on pages 445–46.

Slivovoe Varenie

PLUM PRESERVES

2–3 pounds Italian (prune)
    plums

1	cup sugar	} Sugar syrup for the first cooking stage, for each
¾	cup water	} pound of plums

¾	cup sugar	} Sugar syrup for the second to the fourth cooking
⅓	cup water	} stages, for each pound of plums

The plums will be cooked with water in 4 stages, over the course of 2 days.

Select undamaged, uniform, ripe but firm plums. Wash and halve them, then remove the pits.

In the preserving kettle, cook the sugar syrup for the first stage as described in the instructions on page 445. Add the plums to the boiling syrup, remove from the heat, and let sit for 8 hours. During this period, the plums should absorb as much of the syrup as possible. Either shake the kettle lightly every 30 minutes or, if this is inconvenient, place a very clean china dinner plate (stoneware would be too heavy) upside down over the plums so that they are pressed toward the bottom of the kettle and prevented from popping up.

Cook the sugar syrup for the second through the fourth stages. While it is boiling, add it to the plums in the preserving kettle. Return to a boil, lower the heat, and simmer for 8–10 minutes. Skim and let rest again for 8 hours. Repeat for the third stage. For the fourth stage, cook 8–10 minutes, or until done.

Test for doneness, skim, cool, fill sterilized jars, seal, and store as described on pages 445–46.

Aivovoe Varenie

QUINCE PRESERVES

2–3 pounds quinces

$\left.\begin{array}{l} 1\frac{1}{2} \text{ cups water} \\ 1 \quad \text{pound sugar} \end{array}\right\}$ for each pound of quinces

2–3 teaspoons freshly
squeezed lemon juice

This preserve is highly regarded for its exquisite fragrance. The fruits will be cooked in water and sugar in 4 stages, over the course of 2 days.

Select ripe, uniform, undamaged fruits. Rub them with a rough towel to remove the down. Peel and reserve the peeled fruit in cold water. Combine the peelings (the most aromatic part of the fruit) and as much water as you will need for the syrup (based on the weight of the fruit) in a saucepan. Bring to a boil and cook for 10 minutes, then drain, reserve the liquid, and discard the peelings.

Quarter the peeled quinces, core, and cut each quarter into 3 pieces. Place them in a saucepan with plain water to cover, bring to a boil, lower the heat, and simmer for 15–20 minutes. Drain and discard the liquid.

In the meantime, in the preserving kettle, combine the sugar and the reserved water from the peelings and cook the sugar syrup as described on page 445. Place the quinces in the syrup and let stand for 3–4 hours.

Add the lemon juice and cook the preserves 4 times for 7–8 minutes each time, with an 8-hour rest period between cooking stages (see Pear Preserves, page 451). Skim immediately after each cooking.

Test for doneness, cool, fill sterilized jars, seal, and store as described on pages 445–46.

Malinovoe Varenie

RASPBERRY PRESERVES #1

2   pounds raspberries, approximately

½   cup vodka or grain alcohol

1¼   pounds sugar ⎫
¾   cup water   ⎬ for each pound of raspberries
                  ⎭

The raspberries will be cooked with water and sugar in 3 stages over the course of 1 day.

Choose even, uniform, undamaged raspberries that are ripe but not overripe. Discard all the imperfect berries. Do not wash the berries; instead, spread the raspberries in one layer on paper towels and sprinkle the vodka over them. Shake the paper towels lightly to expose the bottoms of the raspberries to the alcohol. Place in a bowl and refrigerate for 1 hour.

In the preserving kettle, prepare the sugar syrup and, while it is still hot, carefully drop in the raspberries. Shake the pan gently so that the raspberries are completely immersed in the syrup and set aside for 2 hours. Shake the pan several times during this period.

Over high heat, bring the preserves to a brisk boil, lower the heat, and simmer slowly for 8–10 minutes. Remove from the heat, skim, and set aside for 2 hours. Repeat exactly for the second cooking stage.

For the third stage, bring to a boil over high heat, lower the heat, and simmer for 12–15 minutes, or until done. Test for doneness as described on pages 445–46, being sure to take the pan off the heat during the freezer test. Cool, fill sterilized jars, and seal following the instructions on pages 445–46.

RASPBERRY PRESERVES #2

1–1½ pounds raspberries
1¼   pounds sugar for each
        pound of raspberries

Discard any damaged berries. In a large nonstick or enameled saucepan (not copper or aluminum), make a single layer of about half the berries. Cover the berries with half the sugar, then make another layer of berries, and cover with the remaining sugar. Refrigerate the berries overnight. In the morning, bring to a brisk boil, lower the heat, and simmer for 20–25 minutes. The berries should start turning translucent. Make the spoon test (pages 445–46), and if it is satisfactory, remove the kettle from the heat and make the freezer test. If necessary, cook the preserves for 5 minutes more, or until the syrup tests done. Skim, cool, fill sterilized jars, and seal as instructed on page 446.

Klubnichnoe Varenie
STRAWBERRY PRESERVES

2–3 pounds strawberries
    (1–1¼ inches in
    diameter)

1¼ pounds sugar }
1 cup water   } for each pound of strawberries

The berries will be cooked in 3 stages over the course of 1 day.

Choose fresh, undamaged, meaty, dry, fragrant berries, uniform in size. Discard any imperfect berries. Wash in a colander, drain well, then snip off the stems and leaves. In the preserving kettle, prepare the sugar syrup following the instructions on page 445.

Add the strawberries to the hot sugar syrup and set aside for 3–4 hours. Bring to a brisk boil, lower the heat, and simmer for 5–7 minutes. Watch closely to see that the rising foam does not overflow the pot. Remove from the heat, skim, and set aside for 3 hours.

Return to a boil, lower the heat, and simmer for 5–7 minutes. Remove from the heat. Rock the preserving kettle gently so that the scum gathers in the center of the pan, then skim with a slotted spoon or skimming ladle and, with a dampened cheesecloth, wipe the insides of the pan to remove any remaining scum. Set aside for 3 hours.

For the final cooking stage, return to a boil, lower the heat, and simmer for about 15–20 minutes, or until the berries are done: they will be translucent and hang suspended in the syrup. Test for doneness following the instructions on pages 445–46. Give the berries a final skimming, cover the pan with 2 layers of cheesecloth, and allow to cool completely.

Fill sterilized jars, seal, and store as described on pages 445–46.

Zemlianichnoe i Polianichnoe Varenie
WILD OR FIELD STRAWBERRY PRESERVES

2–3 pounds wild or field
strawberries (½ inch in
diameter)
2 tablespoons vodka or grain
alcohol

1½ pounds sugar ⎫
1 cup water ⎬ for each pound of strawberries

Select even, undamaged, firm, ripe berries. Spread the berries in one layer on paper towels and sprinkle the vodka over them. Shake the paper gently to expose the undersides of the berries to the alcohol.

For macerating the berries overnight, you will need 1 cup of sugar for each pound of berries, taken from the total amount of sugar to be used in the syrup. In a glass or ceramic bowl, make a layer of some of the berries and sprinkle with some of the macerating sugar. Continue to layer the berries and sugar until both are used up. Refrigerate overnight.

In the preserving kettle, make the sugar syrup with the remaining sugar and water following the instructions on page 445. Drop the berries and their juices into the kettle, shake to distribute them evenly, and bring to a brisk boil. Lower the heat and simmer for 10 minutes. Take the pan from the heat, rock it with a circular motion to redistribute the fruit, and return to the heat to simmer for another 10 minutes. Rock, simmer for 10 minutes, and rock again. By this time the berries should be translucent.

Test for doneness as described on pages 445–46. If the preserves are not ready, cook 5 minutes more and test again.

Skim, cool, fill sterilized jars, seal, and store according to the instructions on pages 445–46.

Abrikosovoe Povidlo
APRICOT JAM

1 pound apricots

½–¾ cup sugar ⎫
1 teaspoon freshly squeezed ⎬ for each cup of cooked apricots
lemon juice ⎭ and their juices

Select ripe, soft, undamaged apricots. Rinse, drain well, split, remove the pits, and place on the rack of a well-scrubbed Dutch oven. Add ½ cup of water. Over moderate heat, bring to a boil, lower the heat, cover, and cook gently for 15–20 minutes, or until the apricots are soft. Measure the fruit and juice, making a note of the volume, and place in a preserving pan or return to the Dutch oven (remove the rack). Bring to a boil, lower the heat, and simmer for 15–20 minutes. Add the sugar and mix well. Measure the level of the jam with a wooden stick or a spoon handle. Insert an asbestos mat under the pan, adjust the heat so that the jam simmers, and cook, stirring frequently with a wooden spoon, until the jam is reduced by one-quarter. Add the lemon juice 7–10 minutes before the end of cooking time.

While the jam is still hot, fill hot, dry, sterilized jars, cover with gauze or cheesecloth, and allow to cool at room temperature for 24 hours, or until completely cool and covered with a natural skin.

Seal and store in a cool, dry place.

Slivovoe Povidlo

PLUM JAM

10 pounds Italian (prune) plums, approximately	½ pound sugar for each 6 cups puréed plums

Select ripe, undamaged Italian plums. Wash them, drain, split in half, pit, and place in a large enameled pan or Dutch oven. Dip a clean stick or spoon handle into the pan and mark the level of the plums. The pan should be no more than two-thirds full.

Preheat the oven to 350°F. Cover the pan and place in the oven. As soon as the plums start to boil (they will make a bubbling noise), lower the heat to 325°F. Cook for an hour, stir the plums well with a wooden spatula or spoon, and continue to cook for 1½–2½ hours more, stirring several times. Turn off the heat, but leave the plums in the oven. After 30 minutes, remove the lid and let the plums rest for 24 hours.

Stir the cooked plums and measure their level in the pan. If the level is at half the original height or slightly lower, and there is still a lot of juice in the pan, cover and continue to cook in a preheated 325°F oven for 2 hours more. The plums by now should be a dark-colored purée and reduced to one-third of the original level. Turn off the heat, remove the lid, and let the purée rest in the oven for 12 hours.

Measure the purée and, for each 6 cups of purée, add ½ pound of sugar. Return the purée and sugar to the pan. Put an asbestos mat on the burner, turn the heat to moderate, and bring the jam to a boil. Lower the heat so that the jam barely simmers (shivers) and cook, stirring frequently, because at this stage it has a tendency to stick to the bottom of the pan and burn. The jam is ready when it falls off a spoon in one chunk, and, when heaped on a saucer, it holds its shape. Do not cool the jam but immediately fill hot sterilized jars, cover with gauze or cheese-cloth, and let cool at room temperature overnight. As it cools, a well-cooked jam develops a skin that acts as an additional preservative.

Seal and store in a cool, dry place.

CONFECTIONS

> *After dinner everyone moved to the drawing room, where two tables were set with sweets. On one table was an elaborate china set for dry preserves sitting on a gilt tray painted with brightly colored flowers. The set consisted of oblong little china drawers sliding in and out of china partitions. Each drawer was filled with candied fruits—raspberries, wild strawberries, and blackberries. The central, round box contained dried rose petals.*
>
> —*Sergei Aksakov*
> "The Family Chronicles"

ALTHOUGH many kinds of candies, chocolates, and bonbons are available in American stores today, the homemade confection still holds some charm. These sweetmeats and candied fruits are unpretentious, wholesome, and do not contain artificial preservatives. Children, more than anyone else, love to make sweets at home.

Homemade confections will add authenticity to a Russian tea party and are also used in a number of Russian desserts and cakes.

Smokvy, ili Kievskoe Sukhoe Varenie
CANDIED FRUITS OR DRY PRESERVES, KIEV-STYLE

Candied fruits are eaten as candies and used for decoration of various desserts. They are made from preserved berries or fruit wedges. The firmer the fruits, the better they will taste as candies.

Prepare the preserves following the recipes on pages 446–56, with some adjustments:

- Lower the amount of sugar to ½–¾ pound for each pound of fruit or berries.

- Prepare thick preserves, using the no-water method for juicy berries like raspberries, Morello cherries, wild strawberries, and so on, *or* make the preserves with a small quantity of water, if the fruits or berries are "meaty" like gooseberries or pears.

- When using the sugar syrup, combine ½ cup of sugar and ¾ cup of water. Cook the syrup and fruit in one stage for about 25 minutes (regardless of other instructions), or until they pass the tests for doneness.

You will need a large sieve or a flat piece of wire mesh on which the fruit can drain in one layer. With a slotted spoon, remove the fruit or berries from the preserve jar and place in the sieve. Put the sieve over a pan containing hot water so that the syrup drains off the fruit.

Divide the remaining syrup in the preserve jar in half. One half will be used in this recipe, the other half can be reserved to use with pancakes, ice cream, or other desserts.

Preheat the oven to warm (200°–250°F). Have ready a small bowl of sugar.

When the fruit is thoroughly drained of syrup, spear each berry or piece of fruit with a wooden toothpick, dip in the sugar, and place on a cookie sheet. When the sheet is filled, bake for 2–3 hours. Dip each piece of fruit in the reserved syrup, then in sugar, and return to the oven to dry for another 2–3 hours. Repeat once or twice more, or until the texture of the fruit is firm but still succulent, or according to your own taste.

Tsukaty iz Apelsinovoi Korki
CANDIED ORANGE PEEL #1

Although the actual labor for this recipe is minimal, that labor is stretched out over the course of 8 days.

½ pound orange peel (3–4 oranges) 1 pound sugar, in all

Wash and dry the oranges. Peel the rind, leaving the white pith attached to the fruit, and cut into 2- to 3-inch pieces. Soak in water to cover for 3 hours. Drain, place in a saucepan, cover with water, and simmer until completely soft, about 30 minutes.

For the syrup, combine ½ pound of sugar and 1 cup of water in a saucepan and bring to a boil. Remove from the heat and cool.

Drain the peel and place between two layers of paper towels. Flatten with a rolling pin, pressing hard. Immerse the peel in the syrup and leave for 3 days.

Drain, reserving the syrup. Add ¼ pound of sugar (½ cup plus 2 tablespoons) to the syrup and bring to a boil. Again immerse the peel in the syrup and this time leave for 2 days.

Drain, reserving the syrup. Add the remaining ¼ pound of sugar to the syrup, bring to a boil, pour over the peel, and leave for 2 days.

Preheat the oven to 225°F.

Remove the peel from the syrup and set aside. Boil the syrup until it is reduced and very thick. Dip each piece of peel in the syrup, drain, place on a cookie sheet, and when all the pieces of peel are ready dry them in the oven for 1 hour.

Dip the peel in the syrup again, drain, and again dry for 1 hour in the oven. Repeat several times, until the peel has an ⅛-inch coating of syrup.

Store in a tightly covered jar.

Variation   Candied Orange Peel #2
This is a somewhat faster method. For ½ pound of orange peel, reduce the sugar to ¼ pound (½ cup plus 2 tablespoons). Soak the orange peel in water for 6 days, changing the water twice each day. Drain and cook on medium heat in fresh water until soft, about 15–20 minutes. Drain, pat dry.

Combine the sugar and ½ cup of water, bring to a boil, drop the peel into the syrup, and simmer until the syrup begins to cling to the peel. Dry on wax paper and store in a tightly covered jar.

Vysushennaia Limonnaia Korka
DRIED LEMON RIND

Peel lemon zest, without the white pith, with a sharp knife or vegetable peeler. Dry the peel in the sun for 2–3 days, or place in a preheated 200°F oven, until it is brittle and breaks easily. Store in a tightly covered jar. Use for infusing vodkas and other drinks, or, pounded in a mortar or ground, for pastries and desserts.

CHAPTER 11

Bliny and Blinchiki

BLINY

Their peaceful life was firmly grounded
In the dear ways of yesteryear,
And Russian bliny fair abounded
When the fat Shrovetide spread its cheer.

—*Aleksandr Pushkin*
Evgeni Onegin

To paraphrase a well-known biblical truism, there is a time to count calories and a time to make bliny. Although bliny can be served year round, they are particularly appropriate in February, during the festival of *Maslenitsa* ("Butterweek"), the equivalent of Mardi Gras. Marking the beginning of spring after a long, cold, snowy winter, Butterweek was traditionally celebrated with intensity and joie de vivre. This is when the *blin* (singular form) becomes more than a delicious meal: it becomes a meaningful symbol. Aleksandr Kuprin, a Russian writer who lived at the turn of the century and was a great gourmet and connoisseur of tradition, wrote about this spring carnival celebration:

> Butterweek dates back to pagan times. Ten days before it actually begins, all of Moscow eats rolls baked in the shape of larks, with little wings, sharp beaks, and eyes made of raisins: the lark heralds the coming of spring, the return of blue skies. Then suddenly, with the first day of Butterweek, everyone switches to bliny, which represent the Sun God. The *blin* is as round and as golden as the all-warming sun. The piping-hot *blin* is smothered with melted butter. The *blin* is the symbol of fine days, abundant crops, fulfilled marriages, and healthy children. . . .
>
> How many bliny were consumed in Moscow during Butterweek, no one could estimate, for the figures would be astronomical. You could have started with hundredweights, progressed to tons, and wound up with six-masted cargo ships. And in order for the bliny to go down easily, each one was accompanied by vodkas of forty kinds and forty flavors. There was the classical one, flavored by black currant buds, fragrant as an orchard; and anisette; and those vodkas in which soaked caraway seeds or absinthe. There was a medicinal vodka extracted from Saint-John's-wort; not to speak of those flavored with birch-tree buds, or poplar buds, or lemon rind, or paprika.

At Okhotnyi Row, the central city market in old Moscow, street vendors sold hot bliny so fast that even in the cold weather the bliny did not have time to cool off. Once the batch sold out, the vendors immediately rushed back to the production kitchen where each cook baked five bliny simultaneously in a special contraption—five skillets welded together in the shape of a pentagon, which efficiently utilized space on the solid top of a Russian wood-burning stove.

Very popular also were "Iegorovskie Bliny" with such flavorings as sautéed onions or salt-cured fish (see Flavored Bliny, page 466), which were to be had at the Nizok Tavern. The owner, Iegorov, introduced a novelty: he ordered a Russian stove built right in the dining area, where patrons could now observe the fresh bliny as they were made and then served straight from the hearth, day and night. Iegorov's bliny were thought to be among the best in Moscow.

There are a number of misconceptions about what bliny are and how they should be served.

Bliny are medium-thin pancakes, that is, slightly thicker than crêpes but thinner than ordinary breakfast pancakes, and 5 to 7 inches in diameter. Many American cookbooks say that bliny should be small—perhaps 2 inches in diameter—and one dictionary even defines *bliny* as "small pancakes." This is not correct, according to Russian tradition. A 2- to 3-inch Russian pancake is not a *blin*; it is an *oladia* (page 481), and it has nothing to do with Butterweek. Some books mistakenly tell you to bake bliny on a griddle. Bliny should be cooked in a 5- to 7-inch skillet—preferably a cast-iron pan used only for bliny or crêpes—and should be the same size as the pan.

The most popular way of serving bliny is to pile 3 or 4 on each plate and pass bowls of melted butter and sour cream to everyone at the table. As the hors d'oeuvre for an elegant dinner (see the Butterweek menus, Chapter 15), bliny are served with caviar and melted butter, but not sour cream. Some American cookbooks and restaurants suggest serving *bliny* with caviar *and* sour cream. In Russia this combination would be as appealing as shrimp with caramel custard! Bliny are garnished with melted butter and then eaten with either sour cream *or* caviar, never both on the same *blin*.

For a superb luncheon, make bliny the central dish, preceded by various hors d'oeuvres. Best of all is to serve several platters of fish: caviar, smoked salmon or whitefish, herring, barbecued cod, and so on, and accompany each piece of fish with a *blin*. For an intermission in this tasting ceremony, serve the bliny with a bowl of simple sour cream as a pleasant contrast for the palate.

While vodka is not absolutely necessary as an accompaniment to bliny, the carnival spirit would lose a lot without it. Vodkas flavored with paprika or lemon rind or caraway seeds seem to go best with bliny (see Chapter 14 for instructions).

A festive atmosphere is very important to a bliny party. To create a spring-carnival mood, use bright colors for linens, dishes, and table decorations.

The grand finale for a bliny party is a strong, hot tea served (if possible) from a samovar with sliced lemon, preserves, and candies. After bliny, cakes and pastries would be too rich and heavy, and most fruits are not congenial. If you must serve a dessert, the lightest of all is an Apple Pie, Russian-Style (page 547).

Bliny

BASIC BLINY

"And won't you have some bliny?" In answer to this Chichikov rolled up three of them together and, having dipped them in melted butter, dispatched them into his mouth. Only after he had gone through this performance three times, did he ask his hostess to order his carriage harnessed.

—Nikolai Gogol
Dead Souls

THESE are the bliny that were eaten during Butterweek. They are suitable served as an hors d'oeuvre or a main course, and they go well with the full range of garnishes.

Makes 25–30 bliny, to serve 6

FOR THE BATTER

1½ cakes compressed yeast, *or* 1½ packages active dry yeast

4 teaspoons sugar, in all

3½ cups all-purpose or instant-blending flour, in all

1 egg

1 egg yolk

1 scant teaspoon salt

2½ cups milk, in all

4 tablespoons unsalted butter, melted and cooled until just warm

1 tablespoon vegetable oil

FOR GARNISH

2 cups sour cream, *or* 6 ounces salmon, beluga, or ossiltra caviar, *and/or* 1 pound smoked salmon, smoked mackerel, herring, barbecued cod, or other smoked or salt-cured fish

½ cup (¼ pound) unsalted butter, melted

FOR COOKING THE BLINY

A 1½-inch cube pork fatback, *or* 4 tablespoons melted unsalted butter, preferably clarified (page 617)

A crêpe pan, 5–7 inches in diameter

PROVING THE YEAST

For compressed yeast, place the yeast in a small bowl, rub it with ½ teaspoon of the sugar, and add 1 tablespoon of warm water (95°–100°F).

For active dry yeast, in a small bowl, stir the yeast with 3 tablespoons of warm water (100°–115°F) and add ½ teaspoon of sugar and an optional 1 tablespoon of the flour. Stir until well mixed.

Set the bowl in a warm place—in an unlit oven with a pilot light, in a draft-free spot with a temperature of 82°–88°F, or in a larger bowl containing lukewarm water (90°F). Let sit for 10–15 minutes, or until the mixture is foamy and has risen perceptibly.

MAKING THE BATTER

In the bowl (5-quart capacity) of an electric mixer, beat the egg and the egg yolk, then stir in the remaining flour and sugar, the salt, and 1½ cups of milk. Beat until smooth: 1 minute with the electric mixer, or 3–4 minutes with a wooden spoon.

Add the yeast and beat for 1½ minutes with an electric mixer, or 5 minutes with a spoon. Beat in the butter and oil. When the batter is smooth, cover the bowl with a cloth and set it to rise in a warm place (82°–88°F) until doubled in bulk, about 1 hour.

When the batter has risen, warm the remaining milk until hot (170°–180°F) and pour it quickly into the batter—this is called "scaring the bliny." Immediately stir the batter with a wooden spoon. Cover with a cloth and set to rise again for 30–40 minutes.

While the batter is rising for the second time, prepare the fish garnishes and set them out on the table. Melt the butter for garnish just before all the bliny are ready.

COOKING THE BLINY

To keep the cooked bliny hot while the rest are being made, prepare a *bain-marie*: place a large bowl in a larger pan of very hot water. Or, if you prefer, set the oven thermostat at warm and have a heated platter ready.

Heat the crêpe pan over moderate to medium-low heat. Spear the cube of pork fatback with a fork and, in one or two sweeping motions, film the pan. Or brush the pan with melted butter. Using a spoon or a ladle with a 2-tablespoon capacity, scoop up the batter from the top and pour it all at once into the pan. Tilt the pan so that the batter covers the entire bottom of the pan and cook until the *blin* is golden, a little over a minute. Turn with a spatula and cook until golden on the other side, about 30 seconds, then transfer to the *bain-marie* and cover with a kitchen towel or place on the heated platter, cover with a towel, and keep warm in the oven. Continue cooking the bliny until all the batter is used, greasing the pan once for each pancake.

Since bliny lose their charm when cool, serve as soon as possible.

Bliny s Pripiokami
FLAVORED BLINY

One of the oldest ways to enhance the flavor of bliny is to sprinkle the batter, after it has been poured into the skillet, with finely chopped scallions, smoked fish, or sautéed onions. Use 1 recipe Basic Bliny (page 464) or Buckwheat and Wheat Bliny (page 469). Serve the flavored bliny with melted butter and, if desired, sour cream.

Makes about 30 bliny

Variation   Scallion-Flavored Bliny
Use the white and half of the green parts of 2 bunches of young scallions. Chop very finely and sprinkle each *blin* with 1 teaspoon of scallions. If desired, combine the scallions with 5 hard-cooked eggs, peeled and finely chopped, and double the amount sprinkled on each pancake.

Variation   Smoked Fish-Flavored Bliny
Finely chop ½ pound of firm-fleshed boned smoked fish (eel, mackerel, trout, or others) and sprinkle each pancake with 1 teaspoon of fish.

Variation   Sautéed Onion-Flavored Bliny
Finely chop 2 onions and sauté in 2–3 tablespoons unsalted butter for 10 minutes, or until golden and limp. Sprinkle each *blin* with 1 teaspoon of onion.

Krasnye Bliny
FINE BLINY

These were the bliny served in wealthy households. With the added leavening of beaten egg whites and heavy cream, they are fluffier, richer, and more delicate than Basic Bliny. Bake them as quickly as you can, once the batter is ready, using 2 skillets, if possible.

Makes 25–30 bliny, to serve 6

1½ cakes compressed yeast, *or* 1½ packages active dry yeast

1   heaping tablespoon sugar, in all

3½ cups instant-blending or all-purpose flour

2½ cups warm milk (105°–110°F)

1   scant teaspoon salt

2   egg yolks

4   tablespoons unsalted butter, melted and cooled until just warm

1   egg white

½   cup heavy cream

Garnishes for Basic Bliny (page 464)

Pork fatback or butter for baking the bliny (page 465)

Prove the yeast following the instructions on page 465. In the bowl of an electric mixer or a 5-quart mixing bowl, combine 1½ teaspoons sugar, then flour, warmed milk, salt, and yeast mixture. Beat on low speed for 1 minute with the electric beater, or for 3–4 minutes with a wooden spoon. Cover with a cloth and set in a warm place to rise until doubled in bulk, about 1 hour. Mix the egg yolks and remaining sugar and add to the batter. Add the butter and beat for 3 minutes at moderate speed with an electric beater, or for 6–8 minutes with a spoon. Separately whip the egg white until soft peaks form and whip the heavy cream until quite stiff.

Transfer the batter to a larger bowl, if necessary, and fold in the cream and then the egg white. Set in a warm place, cover with a cloth, and leave to double in bulk again (about 40–45 minutes).

Prepare the garnishes and cook the bliny as described on page 465.

Grechnevye Bliny
BUCKWHEAT BLINY

The first bliny were made with buckwheat flour, which itself is of Russian origin. Buckwheat bliny have the characteristic buckwheat flavor and are darker in color and a bit firmer in texture than those made with wheat flour.

Makes 25–30 bliny, to serve 6

1⅓ cakes compressed yeast, *or* 1⅓ packages active dry yeast

3½ teaspoons sugar, in all

4   cups buckwheat flour

2   cups warm milk (105°–110°F), plus 1½ cups hot milk (140°F–150°F), for scalding the batter

2   tablespoons unsalted butter, melted and cooled until just warm

1   teaspoon salt

2   eggs, lightly beaten

Garnishes for Basic Bliny (page 464)

Pork fatback or butter for cooking the bliny (page 465)

Combine the yeast with ½ teaspoon sugar and ¼ cup of warm water and set in a warm place for 10 minutes (see the instructions on page 465). In the large bowl (5-quart capacity) of an electric mixer, combine the flour, 2 cups of warm milk, butter, and raised yeast and beat for 2 minutes at low speed. Cover with a cloth and set in a warm place (86°–88°F), until doubled in bulk, about 1 hour. Add the salt, remaining sugar, and eggs, and beat for 2 minutes at moderate speed. Add 1 cup of hot milk, beat for 30 seconds, and, if the batter is quite thick and the beater moves with some difficulty, add half the remaining hot milk and continue to beat for 30 seconds more. Add the rest of the milk, if needed, and beat for 30 seconds.

Pour the batter into a larger bowl to allow for rising, cover with a cloth, and place in a warm spot again. In about 40–45 minutes the batter will be doubled in volume. Do not stir the batter again.

Prepare the garnishes and cook the bliny as in the recipe for Basic Bliny on page 465.

Polovinnye Bliny (Oparnye)
BUCKWHEAT AND WHEAT BLINY

This batter is leavened in the old-fashioned way—with a sponge.

Makes 25–30 bliny, to serve 6

2 cups buckwheat flour	1 teaspoon salt
3½–4 cups milk, in all	2 cups instant-blending or all-purpose flour
1½ cakes compressed yeast, *or* 1½ packages active dry yeast	
1½ tablespoons sugar, in all	Garnishes for Basic Bliny (page 464)
4 tablespoons unsalted butter, melted	Pork fatback or butter for cooking the bliny (page 465)
5 eggs, separated	

Prepare the sponge: place the buckwheat flour in a bowl and stir in 1 cup of cold milk. Warm 2 cups of milk to 180°F and gradually add to the flour mixture. Cool the mixture to 105°F. Rub the yeast with ½ teaspoon sugar and, stirring continuously, add it to the sponge. Cover with a cloth and set in a warm place for 10–15 minutes, or until doubled in bulk.

Blend the yolks with the remaining sugar.

In the mixing bowl of an electric mixer, combine the sponge, melted butter, egg yolks, salt, and the instant-blending or all-purpose flour. Beat at low speed until well blended and smooth, then raise the speed to moderate and beat for 2 minutes. If this job is done by hand, beat with a wooden spoon for 5–7 minutes after the mixture is well blended. If the batter is too thick, add half the remaining milk and beat for 1 minute (2–3 minutes manually). If needed, add the rest of the milk and beat another minute.

Whip the egg whites until stiff peaks form, then fold into the batter, gently but thoroughly. Pour gently into a larger bowl to allow for rising, cover with a cloth, and set to rise in a warm place for 40–45 minutes, or until doubled in volume.

Prepare the garnishes and make the *bliny* according to instructions in the Basic Bliny recipe, page 465.

Skorospelye Gurievskie Bliny
BLINY, GURIEV-STYLE (BAKING POWDER BLINY)

Makes 24–26 bliny, to serve 6

4   eggs, separated
2   tablespoons sugar
3½ cups instant-blending or
    all-purpose flour
1   level teaspoon salt
½   cup (¼ pound) unsalted
    butter, melted and cooled
    until warm

3   cups buttermilk
2   teaspoons baking powder

4   tablespoons unsalted
    butter, for baking the
    bliny

Place the egg yolks and sugar in the large bowl of an electric mixer and beat until blended. Add the flour, salt, melted butter, and buttermilk and mix at the lowest speed until blended, then beat for 2 minutes at moderate speed. Add the baking powder, mix thoroughly, and set aside. In another bowl beat the egg whites until stiff and fold into the batter gently but thoroughly.

Cook the bliny immediately, as described on page 465.

BLINCHIKI

Blinchiki, or Russian-style crêpes, are very thin unleavened pancakes, about 7 to 8 inches in diameter. A nonstick frying pan and a plastic spatula are the preferred cooking utensils, although a cast-iron crêpe pan, like the one used for bliny, is also acceptable. For mixing the batter, an electric hand mixer, blender, or food processor is desirable, but a whisk will also do the job very well.

After it is mixed but before the egg whites are folded in, the batter should be the consistency of heavy cream. At this point let the batter rest for at least 1 hour. If, at the end of the rest period, it has thickened somewhat, add a few tablespoons of milk to thin it out slightly. Then fold in the egg whites.

The frying pan should be just filmed with butter or pork fatback, with no excess grease floating in it. When making crêpes for stuffing or for a crêpe loaf with meat, the best way to grease the pan is to spear with a fork a 1½-inch cube of pork fatback and cover the bottom of the pan in one or two circular sweeping motions, quickly but thoroughly. For crêpes that are to be stuffed or garnished with cheese or preserves, film the pan with butter, preferably clarified butter, using a pastry brush.

Grease the pan twice for each crêpe: once before the batter is poured in, the second time when the crêpe is turned.

Crêpes to be stuffed are cooked on one side only; later, the stuffing is placed on the cooked side, and the crêpe is rolled and browned on the uncooked side.

To measure the batter for each crêpe, pour 2½ tablespoons of batter into a ladle, note the level, pour it into the pan to see whether the amount is correct. Add or pour out excess batter while making the first crêpe. Very soon you will be scooping up the right amount of batter automatically. Pour the batter into the pan all at once, then quickly tilt the pan so that the batter spreads evenly in a very thin layer. Brown the crêpe on one side for 30–60 seconds, or until it is pale golden. Then flip it over onto a wooden board or a plate, baked side up. Stack the crêpes as they are done.

If the crêpes are being cooked on both sides, lift them with a spatula, quickly grease the pan, and bake on the other side for about 15 seconds, or until the edges curl away from the sides of the pan. Flip over onto the board and stack as they are cooked.

Once the *blinchiki* are baked, they can be finished in a number of ways.

1. The crêpes are baked on one side, filled with meat or cheese, rolled up, and browned in butter. Serve as a main course for any meal. Meat crêpes are also very good as an accompaniment for soup—stocks, consommés, borscht, and others.

2. Crêpes *pirozhki* are *blinchiki* stuffed with meat or brains, then rolled in bread crumbs and browned in butter. They are served only with soup.

3. To make crêpe loaves, brown the *blinchiki* on both sides, spread with meat, cheese, or fruit filling, and stack in a soufflé dish. Bake and cut into wedges. Crêpe loaves filled with meat are served as a main course or as an accompaniment to soup. Cheese and fruit loaves are eaten as desserts.

4. *Blinchiki* that have been baked on one side can be spread with jam, folded in quarters, browned in butter and served with tea or as a dessert.

5. For crêpe pie, *blinchiki* are spread with a sweet filling, folded, and baked with a meringue topping.

Blinchiki, ili Nalistniki

BLINCHIKI (CRÊPES) #1

This is an old recipe. The crêpes are very tender and should be cooked on only one side.

Makes 24 8-inch crêpes, to serve 6

2   eggs, separated
½   teaspoon sugar
½   teaspoon salt
2   tablespoons unsalted butter, melted
3   cups milk
2   cups all-purpose flour

A 1½-inch cube pork fat-back, *or* 2 tablespoons melted unsalted butter, preferably clarified (page 617), for baking the *blinchiki* (see *Note*)

An 8-inch nonstick frying pan or cast-iron crêpe pan

In a mixing bowl or blender, beat the yolks with the sugar and salt and, continuing to beat, add the melted butter, milk, and, little by little, the flour. Beat until well blended and quite smooth, the consistency of heavy cream.

Cover the batter and let sit for 1–1½ hours at room temperature. Beat the egg whites until soft peaks form and fold into the batter.

Heat the frying pan over moderate heat and film with fatback.

With a ladle, pour 2½ tablespoons of the batter into the pan, tilting the pan to spread the batter evenly. Cook over moderate heat for a minute, or until pale golden on the underside (see *Note*). Flip the *blinchiki* baked side up onto a wooden board. Stir the batter from time to time to keep the mixture smooth and continue baking the *blinchiki* until the batter is all used. Stack the *blinchiki* as they are cooked.

Note: If the crêpes are to be used for loaves, bake 1 minute on one side and 30 seconds on the other. In this case, you will need 4 tablespoons of butter for greasing the pan (if butter is being used). The 1½-inch cube of pork fatback will be enough.

Blinchiki, ili Nalistniki
BLINCHIKI (CRÊPES) #2

Crêpes made with this contemporary recipe are more elastic, do not tear so easily, and take a shorter time to cook. Use this recipe when the *blinchiki* must be cooked on both sides.

Makes 24 8-inch crêpes to serve 6

2	cups all-purpose flour	3	tablespoons oil (see *Note*)
2	cups milk	½	teaspoon sugar
1	cup water	½	teaspoon salt
4	eggs, separated		

Prepare the batter and cook as directed in the recipe for *Blinchiki #1* (page 472).

Note: If the crêpes are baked in a nonstick frying pan, do not grease the pan: this oil in the batter will be sufficient to keep the crêpes from sticking. However, if desired, the pork fat or butter can be used as in *Blinchiki #1*.

Miasnaia Nachinka Dlia Blinchikov
MEAT FILLING FOR CRÊPES

Makes enough filling for 24 8-inch crêpes

1	tablespoon unsalted butter	1	tablespoon finely chopped fresh dill
1	medium onion, finely chopped		Freshly ground black pepper to taste
1	pound boiled beef chuck, ground		Salt to taste
2	hard-cooked eggs, peeled and finely chopped		
¼	cup Chicken Consommé (page 88) or canned chicken consommé		

Melt the butter in a skillet, add the onions and sauté over medium-low heat for 8–10 minutes, or until golden and limp. Combine with the remaining ingredients and mix well.

Variation For fragrance and spice, use 2 ounces of thinly sliced pork fatback instead of butter. In a skillet, render the fatback over moderate heat and remove the cracklings when they are translucent and still soft. Grind with the meat. Sauté the onions in the rendered fatback, combine all the ingredients, and mix well.

Nachinka iz Mozgov
dlia Blinchatykh Pirozhkov i Pirogov
CALF'S BRAINS FILLING FOR CRÊPES

Makes 1 crêpe loaf or 24 crêpe pirozhki

1 pound calf's brains	A dash of Düsseldorf or
2 tablespoons unsalted butter, softened	Dijon mustard
	Freshly ground black
1 tablespoon vinegar or freshly squeezed lemon juice	pepper to taste
	Salt to taste
1–2 tablespoons finely chopped fresh dill	

Cook the brains as described on page 143. Cool, chop finely, and mix well with the remaining ingredients.

Tvorozhnaia Nachinka dlia Blinchikov
CHEESE FILLING FOR CRÊPES

Makes enough filling for 24 8-inch crêpes

1½ pounds Cheese for *Pirog* Filling (page 144), or Homemade Cottage Cheese (page 136)	3 egg yolks
	2 tablespoons sugar
	4 tablespoons unsalted butter, softened
1½ tablespoons instant-blending or all-purpose flour	½ teaspoon vanilla extract

In a mixing bowl or a blender, combine all the ingredients. Beat until smooth and fluffy.

Blinchiki s Miasom

MEAT CRÊPES

Serves 12 as a soup accompaniment, or 6 as a main meal

1 recipe Meat Filling for
Crêpes (page 473)

1 recipe *Blinchiki #1*
(page 472), baked on one
side

4 tablespoons unsalted
butter, preferably clarified
(page 617)

2 tablespoons finely chopped
fresh dill (*optional*)

Parsley sprigs

Place about 2 tablespoons of filling in a rectangular mound across the browned side of the crêpe, about 2 inches from the edge closest to you. Fold the right and left sides over the filling toward the center, then fold up the side closest to you, and roll up the crêpe.

Melt some of the butter in a large skillet and, over moderate heat, brown the crêpe rolls in batches. Place them in the skillet seam side down, then turn and brown on other side. Keep warm while you brown the rest of the rolls.

Arrange the rolls on a heated platter lined with a starched linen napkin. Sprinkle with chopped dill and decorate with parsley sprigs.

To serve with soup, place 2 rolls for each person on individual bread plates and serve with chicken or beef stock or consommé, borscht, *shchi*, and other soups.

Blinchatyi Pirog
s Miasom ili Teliachimi Mozgami

CRÊPE LOAF WITH MEAT OR CALF'S BRAINS

Serves 6

4–5 tablespoons unsalted
butter, in all

3 tablespoons bread crumbs

1 recipe Meat Filling for
Crêpes (page 473) or
Calf's Brains Filling for
Crêpes (page 474)

16–18 *Blinchiki #2* (page 473),
baked on both sides

1 tablespoon finely chopped
fresh dill or parsley
(*optional*)

Grease the bottom and sides of a soufflé dish, 8 inches in diameter and 5 inches high, with 2 tablespoons of butter. Sprinkle generously with bread crumbs.

Prepare the filling, adding an extra tablespoon of melted butter, if needed, for a smoother texture.

Preheat the oven to 350°F.

Place a crêpe on the bottom of the dish and spread with ¼ inch of filling. Place another crêpe over the filling, press down lightly but firmly, and spread with another layer of filling. Continue until the dish is full, ending with a crêpe. It is important that the layers reach the top of the dish, otherwise it may be difficult to unmold the loaf. Dot with about 1½ tablespoons of butter.

Bake for 15–20 minutes. Remove from the oven and cool for about 10 minutes, until the filling firms up.

Run a long, sharp knife around the edge of the dish, being careful not to damage the loaf. Shake the dish gently to help loosen the bottom of the loaf. Cover the dish with a large heated platter and quickly turn it upside down, so that the loaf falls onto the dish. If the uppermost crêpe is damaged, carefully remove it and sprinkle the layer of meat filling with chopped dill or parsley. Cut into wedges and serve hot.

Pirozhki iz Blinchikov s Miasom ili Mozgami

CRÊPE PIROZHKI WITH MEAT OR BRAINS

Serves 12 as a soup accompaniment

1 recipe *Blinchiki* #1 (page 472), baked on one side	½ cup (¼ pound) unsalted butter, in all
1 recipe Meat Filling for Crêpes (page 473) or Calf's Brain Filling for Crêpes (page 474)	2 egg yolks
	2 teaspoons vegetable oil
	1 cup bread crumbs
	Parsley sprigs (*optional*)

Fill and roll the crêpes as described on page 475.

Melt and cool 2 teaspoons of butter, then combine with the egg yolks and oil and beat lightly. Dip the crêpe rolls in the egg mixture and coat with bread crumbs. Melt the remaining butter in a large skillet and brown the rolls in several batches. As the crêpes are cooked, transfer them to a heated platter and keep warm. Serve 2 to a person on bread plates as an accompaniment to soups: chicken or beef stock or consommé, borscht, *shchi*, Bagration Soup, and others (see Chapter 3). If desired, decorate each plate with parsley sprigs.

Blinchiki s Tvorogom
CHEESE CRÊPES

Serves 6

1	recipe *Blinchiki* #1 (page 472), baked on one side	4	tablespoons unsalted butter, preferably clarified (page 617)
1	recipe Cheese Filling for Crêpes (page 474)		Vanilla sugar (page 620) or plain granulated sugar
		3–6	tablespoons sour cream

Fill and roll up the crêpes as described on page 475. Heat some of the butter in a large skillet and brown the rolls on all sides. As the crêpes are browned, transfer them to a heated platter and keep warm while you brown the remaining crêpes.

Sprinkle with vanilla sugar and serve on a starched linen napkin placed on a heated platter. Flip the ends of the napkin over the crêpes to keep them warm. Garnish with sour cream served in a sauceboat.

Blinchatyi Pirog s Tvorogom
CRÊPE PIE WITH CHEESE

Serves 6

1	recipe *Blinchiki* (Crêpes) #2 (page 473), baked on both sides	¾	cup vanilla or lemon sugar (page 620) or plain sugar, in all
3	tablespoons unsalted butter, in all	6	egg whites
1	recipe Cheese Filling for Crêpes (page 474)	1	teaspoon grated lemon or orange rind
¼	cup heavy cream		Candied raspberries, Morello cherries, wild strawberries, or other candied fruit, preferably homemade (Chapter 10)
¼	cup finely chopped candied orange peel, preferably homemade (pages 459–60; *optional*)		

Grease the bottom and sides of an oven-to-table baking pan, 9 inches wide and 14 inches long, with 2 tablespoons of butter.

In the bowl of an electric mixer, combine the cheese filling with the heavy cream, candied orange peel, and ½ cup of vanilla sugar. Beat until well blended and fluffy.

Preheat the oven to 350°F.

Spread 2 tablespoons of cheese dressing on a crêpe, leaving a ¼-inch border. Fold the crêpe into a 4-inch-square envelope: bring the opposite sides of the crêpe over the filling to overlap by ⅓–½ inch in the center, then fold up the top and bottom to meet in the center. Repeat with all the crêpes. Arrange 6 crêpes, seam side down, on the bottom of the baking pan and cover with the remaining crêpes stacked in even layers. Dot each crêpe in the top layer with ½ teaspoon of butter.

Bake for 15 minutes. Remove from the oven and reduce the temperature to 275°F.

Beat the egg whites until soft peaks form. Add the remaining vanilla sugar and continue to beat until stiff peaks form. With a spatula, cover the sides of the pie with half of the egg whites. Pile the remaining meringue into a pastry bag fitted with a 1-inch fluted nozzle and decorate the top of the pie. Sprinkle with the grated rind and bake for about 10 minutes, or until the meringue is light golden. Decorate with candied berries or fruit wedges and serve at once.

Variation Crêpe Pie with Lemon

Grate 2 teaspoons of lemon rind and spread 1 teaspoon on wax paper to dry out. For the filling, combine ½ cup of sugar with the remaining teaspoon of lemon rind and mix well. Spread each crêpe with 1½ teaspoons of the mixture, fold, stack in the baking dish, dot with butter and bake. Beat the egg whites with ¼ cup of lemon sugar and decorate the baked crêpes as described above. Sprinkle the meringue with the reserved lemon rind and bake for 10 minutes. Serve immediately.

Karavai iz Blinchikov
s Iablokami "Belaia Shapochka"
CRÊPE LOAF WITH APPLES "WHITE RIDING HOOD"

Serves 6

6–8 tablespoons unsalted
   butter, in all

3   tablespoons bread crumbs

12–15 tart medium apples
   (Gravenstein, Pippin,
   underripe Golden
   Delicious, and others)

16–18 *Blinchiki* #2 (page 473),
   baked on both sides

¾   cup vanilla sugar
   (page 620), in all

6   egg whites

¼   cup sliced almonds
   Candied raspberries, wild
   strawberries, or other candied fruits, preferably
   homemade (Chapter 10)

Preheat the oven to 350°F.

Grease the bottom and sides of a soufflé dish, 8 inches in diameter and 5 inches high, with 2 tablespoons of butter. Sprinkle generously with bread crumbs.

Peel, core, and cut the apples into ⅛-inch slices. Place a crêpe on the bottom of the pan and arrange over it an even layer of apple slices. Dot with butter and sprinkle with 1–1½ teaspoons of vanilla sugar. Continue layering crêpes, apples, butter, and sugar until the soufflé dish is full. Finish with a crêpe that has been lightly greased on both sides.

It is important that the pan be filled to the top, otherwise it may be difficult to unmold the loaf. (There may be a crêpe or two left over—a bonus for the cook.)

Bake the loaf for 30–40 minutes. Remove from the oven and cool for 10–15 minutes to firm up the filling; lower the oven temperature to 275°F.

Slide a long, sharp knife around the loaf to separate it from the pan. Cover the pan with a large ovenproof serving dish and quickly invert it, shaking the pan a bit to help the loaf slide onto the dish.

Beat the egg whites until soft peaks form. Add the remaining vanilla sugar (about ¼ cup) and continue to beat until stiff peaks form. With a spatula, spread the sides and the top of the loaf with the egg whites, forming a dome. Sprinkle with sliced almonds. Bake for 10 minutes, or until the meringue starts turning golden.

Decorate with the candied fruit, cut into wedges, and serve immediately.

Variation Crêpe Loaf with Cheese
Use Cheese Filling for Crêpes (page 474) instead of apples and proceed as above.

Blinchiki s Povidlom

JAM CRÊPES

These are delicious served with tea or as a light dessert. Depending on the character of the meal, serve 2, 3, or 4 crêpes to each person.

Serves 6–12

1   recipe *Blinchiki #1*
(page 472), baked on both
sides

2   cups plum or apricot jam,
preferably homemade
(pages 457 and 456)

3   tablespoons unsalted
butter

¼   cup sugar mixed with cinnamon, or lemon sugar
(page 620)

Spread the jam on the browned side of the crêpes, fold each in quarters, and brown in butter on both sides as described on page 472. Keep the cooked crêpes warm while browning the rest.

Sprinkle with sugar and arrange on a starched linen napkin placed on a heated platter.

Variation   Crêpes with Preserves
Fold each unfilled crêpe in quarters and brown in butter on both sides, as described on page 472. Keep the cooked crêpes warm while browning the remainder. Sprinkle very lightly with ⅛ cup of vanilla-flavored sugar (page 620) and arrange on a starched linen napkin placed on a heated platter. Decorate with Candied Fruits or Dry Preserves, Kiev-Style (page 458), of which candied raspberries or wild strawberries make the best choice, and pass 2 cups of raspberry, wild strawberry, or any other berry preserves separately in a decorative bowl (see Chapter 10).

Oladii na Drozhzhakh, ili Pyshki

SMALL RAISED PANCAKES (OLADII)

Makes 35–40 oladii, to serve 6

2 cakes compressed yeast, *or* 2 packages active dry yeast

2 tablespoons sugar, in all

5 cups all-purpose flour

1 teaspoon salt

3½ cups milk or half-and-half, warmed

3 eggs, lightly beaten

3 tablespoons unsalted butter, melted and cooled until just warm

8–10 tablespoons unsalted clarified butter (page 617), *or* ½ cup vegetable oil, for frying the *oladii*

6 tablespoons sour cream or honey

In a small bowl, combine the yeast with ½ teaspoon of sugar, add ¼ cup of warm water (105°F), and set in a warm place for 10–15 minutes, or until the mixture rises perceptibly.

In a large mixing bowl, combine the flour, salt, remaining sugar, milk, and eggs and mix well with an electric beater or a wooden spoon. Add the yeast mixture and beat at moderate speed for 3 minutes with the electric beater, or for 6 minutes by hand. Add the melted butter and continue to beat 1 minute by machine or 2–3 minutes manually.

Remove the batter to a larger pan, if necessary, cover with a cloth, and set in a warm, draft-free place until doubled in volume, about 1–1½ hours. Pat down with a wooden spoon and let the batter double again, about 30–35 minutes.

Prepare a *bain-marie* by placing a large bowl in a larger pan of very hot water.

Heat a large nonstick skillet and melt some of the clarified butter in it. Use ¼ cup of batter for each pancake and space them 1 inch apart in the pan. Bake over moderate or slightly lower than moderate heat for about 2 minutes on the first side and 1½ minutes on the other, or until the pancake is golden. Each *oladia* should be about 3 inches long and 2 inches wide.

To keep them warm, place the baked pancakes in the *bain-marie* and cover with a cloth.

Serve in a decorative bowl lined with a starched linen napkin with the ends flipped over the pancakes to keep them warm. Pass sour cream and/or honey separately. (The *oladii* are eaten with one garnish, never a combination of the two.)

Skorye Oladii

SHORTCUT *OLADII*

Makes 24–26 oladii, to serve 6

4   eggs, separated
2   tablespoons unsalted
     butter, softened
3½ cups all-purpose flour
1   level teaspoon baking soda
½   teaspoon salt
1   tablespoon sugar
2   cups buttermilk or kefir

¾   cup (1½ sticks) unsalted
     clarified butter (page 617),
     or ¾ cup vegetable oil, for
     frying the *oladii*

6   tablespoons sour cream or
     berry preserves

Blend the egg yolks with the softened butter. In a mixing bowl, combine the flour, baking soda, salt, and sugar. Add the buttermilk and beat to blend (in an electric mixer, use the lowest speed). Add the yolks and butter and beat at a higher speed until blended and smooth, about 1½–2 minutes.

Prepare a *bain-marie* by placing a large bowl in a larger pan of very hot water and use it to keep the *oladii* warm.

Beat the egg whites until stiff peaks form. Fold into the batter and immediately begin frying the pancakes as directed on page 481.

Serve piled on a heated dish. Pass the sour cream in a sauceboat and/ or berry preserves in a separate bowl.

CHAPTER 12

Bread

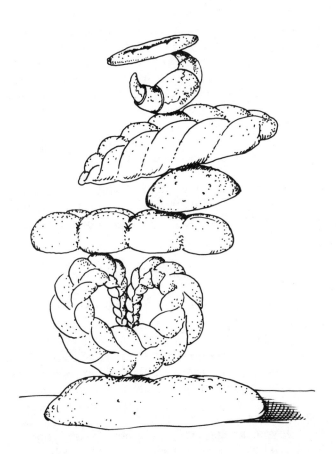

TODAY, with Russia so dependent on American and Australian grain, it is hard to believe that, up to the 1917 revolution, Russia was the breadbasket of Europe. The best wheat was grown in the Ukraine and southern provinces, and the rye flour from Russia's central and north-central regions was valued very highly. Not only was grain produced in large quantities for export, but bread was consumed prodigiously within the country, too. Dark bread, brown or black, made with rye flour, was mainly eaten by the poor, while various white breads, baked with finely milled wheat flour, were considered more fit for the privileged. But the division was not really that strict—there were many among the affluent who considered whole rye bread healthiest, Catherine the Great among them.

Large country estates usually had a white bakery and a black bakery, and fresh bread was baked daily. In fact, in old cookbooks, recipes for dishes requiring comparatively low cooking temperatures start with a characteristic instruction: "Put in the oven after the breads have been taken out."

Russian breads are full-bodied and quite distinctive in flavor, with no sour aftertaste. The white breads are not difficult to re-create in the United States, but dark breads present a problem, first because rye flour is milled differently in the two countries, and second, because making the starter requires experience.

The yeast dough recipes in this chapter and in Chapters 4 and 13 can be made in an electric mixer or kneaded by hand. We use a heavy-duty electric mixer with a 5-quart bowl. Use of the sculptured dough hook attachment produces best results. If you knead the dough manually, to achieve the desired texture the kneading time will be about double that for the hook, provided that the kneading is quite vigorous.

Zakvaska #1

DARK RYE BREAD STARTER

Rye bread starter (or, in its finished state, the "sour") takes time to make, but fortunately it need be done only rarely. Recipes from early cookbooks advise: "Take a handful of starter from yesterday's barrel of bread dough." Peasants moving into a new house would start their bread with the "sour" presented by neighbors. Of course, today in Russia, except in isolated villages, bread is made in bakeries, as it is in the United States. If you can get the "sour" from a bakery, your task will be much easier. But if you should want to start from scratch, this is how it is done.

Makes about 1½ cups of starter (see Note)

2 teaspoons naturally dried caraway seeds (see *Note*)

12–13 tablespoons rye flour plus 1 *optional* teaspoon rye flour

⅛–¼ teaspoon compressed yeast, *or* a pinch active dry yeast

The starter takes about two days to complete. In a shallow bowl, scald the caraway seeds with ⅔ cup of warm (85°F) water and infuse, covered, for 24 hours. Drain, reserve ¼ cup of the liquid, and mix it well with 4–5 tablespoons rye flour. Cover with a cloth and let the mixture ferment at 85°F for 3–4 hours. The starter should swell up and its surface should be cracked. Add ¼ cup of rye flour and as much water as necessary to give the starter the consistency of cooked cornmeal. Mix well, cover, and let ferment for 3–4 hours more at 85°F. Repeat this process once more.

At this point, the starter should be well fermented, with the bubbles emitting a strong odor. If fermentation is slow, crumble the compressed yeast, dissolve in 1 teaspoon of warm water, add 1 teaspoon of rye flour, and stir into the starter. Let sit, covered with a cloth, for 3–4 hours at 85°F.

Note: The starter needs very little yeast to achieve fermentation. The 1½-cup yield is based on the smallest possible measurements of yeast: ⅛ teaspoon of compressed yeast, or a pinch of dry yeast. To complete the "sour," you will need only ½ cup of this starter; discard the rest.

It is important to the success of the fermentation that the caraway seeds be naturally dried, that is, not oven-dried. A baker might be persuaded to sell you some from his stock.

Zakvaska #2

DARK RYE BREAD "SOUR"

Makes about 4 cups of "sour"

½ cup Dark Rye Bread Starter (page 485)

2 cups rye flour

Combine ½ cup of starter with 2 cups of rye flour and 1½ cups of water. Mix well and let sit in a warm place (80°–85°F) for 4 hours.

Of the 4 cups of "sour" made in this recipe, you will need 9½ tablespoons for the rye bread recipes that follow and ½ cup to reserve and use as the starter for the next "sour." Discard the remaining "sour."

To reserve the ½ cup of "sour," place it in a small jar, cover tightly, and refrigerate for up to 1 month. To make a new "sour," follow the directions above, using ¼ cup of reserved "sour," 1 cup of rye flour, and ½ cup of water. Again reserve ½ cup for a new starter to continue the chain.

Moskovskii Khleb

DARK RYE BREAD, MOSCOW-STYLE

Makes two 8-inch loaves

½   cake compressed yeast, *or* 1 teaspoon active dry yeast

9½ tablespoons Dark Rye Bread "Sour" (page 485)

1½ tablespoons vegetable shortening

5¼ cups dark rye flour

6½ tablespoons dark malt syrup (available in health food stores)

¼   teaspoon corn syrup

1   teaspoon salt

½   teaspoon caraway seeds (*optional*)

Butter for greasing mixing bowl

Oil for greasing baking pans

½   teaspoon caraway seeds for sprinkling on the un-baked loaves

½   teaspoon potato starch for brushing on the breads

2   loaf pans, 8½ inches long, 4½ inches wide, and 4 inches high

Dissolve the yeast in 2¼ cups warm water (95°F). In the large bowl of an electric mixer combine the "sour," shortening, rye flour, malt and corn syrups, salt, and optional caraway seeds and mix at low speed for 2 minutes with the all-purpose beater. Replace the beater with the dough hook and continue to beat at moderately low speed for 13 minutes, or knead manually in a large, deep bowl for half an hour. Butter a large bowl and turn the dough around in it until it is greased all over. Cover with a cloth and let rise in a warm place (80°–85°F) for about 1 hour, or until visibly puffed.

On a lightly floured work surface, divide the dough in half, cover with a cloth, and let rest in a warm place (80°–85°F) for 40–45 minutes. The dough should now have grown in bulk by about one-third.

Do not punch the dough down. Instead, shape each piece into a rectangle and, as you do so, some of the air will be pressed out.

Oil the baking pans and place the breads in the pans. Cover with a cloth and let rise in a warm, draftless place (80°–85°F) for ¾–1¼ hours or until the loaves rise slightly over the top of the loaf pans.

Place one baking rack at the middle level of the oven and another rack near the bottom of the oven. Preheat the oven to 425°F.

Brush the tops of the breads with water and sprinkle with caraway seeds. With a thin skewer, pierce each loaf to the bottom in 3 places along its length. Place the pans in the oven in the center of the middle rack. At one side of the bottom rack, place a flat, large baking pan half-filled with water to create steam. After 5 minutes remove the pan of water, lower the heat to 375°F, and continue baking the breads for about 1¼ hours, or until dark brown.

Turn out onto a cake rack. Dilute the potato starch with 2 tablespoons of water and brush on the breads. Cool the breads and let mature for 4–6 hours.

Borodinskii Khleb

DARK RYE BREAD BORODINSKII

Borodinskii bread is, in my opinion, the best Russian dark bread. It is very dark and tastes slightly sweet and the coriander adds a delightful piquancy to the flavor bouquet.

Makes two 8-inch loaves

9½ tablespoons Dark Rye Bread "Sour" (page 485)

1½ tablespoons vegetable shortening

¼ cake compressed yeast, *or* ½ teaspoon active dry yeast

4½ cups whole dark rye flour

1 cup less 2½ tablespoons unbleached all-purpose flour

¼ cup dark malt syrup

¾ teaspoon salt

2½ tablespoons sugar

1 tablespoon corn syrup

¾ teaspoon ground coriander (*optional*)

½ teaspoon whole coriander for sprinkling on unbaked loaves

½ teaspoon potato starch for brushing on breads

2 loaf pans, 8½ inches wide, 4½ inches wide, and 4 inches high

Make the dough and bake the loaves as described in the recipe for Dark Rye Bread, Moscow-Style.

Tiomnye Lepioshki Derevenskie
DARK COUNTRY FLAT BREAD

In the kitchen the women put on a show, too. The fire roared in the new white oven, and the flat cakes of good rye bread were baking. . . .

—*John Steinbeck*

A Russian Journal

These appetizing breads are quickly made and quickly eaten. Their rich, robust flavor makes them perfect for a weekend breakfast.

Makes 14–16 breads

1 tablespoon unsalted butter for greasing baking sheets	1 teaspoon salt
2 tablespoons all-purpose flour for flouring baking sheets	½ cup (¼ pound) unsalted butter, softened
	Up to ½ cup all-purpose whole wheat flour for flouring work surface
2 large eggs	
1 cup buttermilk	
½ cup sour cream	1½ tablespoons unsalted butter, softened, *or* 2–3 tablespoons sour cream, for brushing the baked breads
3½ cups (14 ounces) whole wheat flour	
2 tablespoons sugar	
1½ teaspoons baking powder	2 baking sheets, 15 inches long and 10 inches wide
½ teaspoon baking soda	

Place the baking rack at the middle level of the oven and preheat the oven to 350°F.

Grease the baking sheets with butter and dust lightly with whole wheat flour.

In the large bowl of an electric mixer, combine the eggs, buttermilk, and sour cream. Add the flour, sugar, baking powder, baking soda, and salt and mix at low speed with a dough hook for 2 minutes. Add the softened butter and beat at moderate speed for 3 minutes. Switch to medium speed and knead for 6–7 minutes, or until the dough peels off the hook and off your fingers when you knead it once or twice by hand. Turn the dough out onto a lightly floured work surface, divide into two parts, and swiftly roll out each ⅓ inch thick (see *Note*). Cut out 4-inch circles, arrange them on the baking sheets, and prick each with a fork in 5 or 6 places. Shape the trimmings into 2-inch balls, roll out into 4-inch circles, ¼ inch thick, place on the baking sheet, and prick with a fork.

Bake for about 25 minutes or until the flat breads are grayish beige, soft, and done. Brush with the butter or sour cream and pile 4 or 5 high in a bread basket lined with a napkin. Cover with the corners of the napkin and serve hot with butter, or serve at room temperature.

Note: Waste no time while forming the flat breads as they can begin to rise even before they are baked because of the leavening power of the baking soda and baking powder in combination with the buttermilk.

SHAPED WHITE BREADS: *KALACH* AND *SAIKA*

Kalach and *saika* are shaped white breads, the *kalach* resembling a stylized round padlock or woman's purse, and the *saika* being a simple oval bread, about 7 inches long and 4 inches wide.

The most famous baker in prerevolutionary Russia was Ivan Filippov. His establishment in Moscow not only provided the best breads in that town but also shipped them to St. Petersburg and to the largest cities in Siberia. Filippov was especially famous for his dark rye bread, as well as for *kalachi* and *saiki*. He himself attributed his success to the choice of ingredients. He picked rye flour of the highest quality produced in Tambov province, southeast of Moscow. Instead of going to wholesalers, he sent his buyers directly to the mills, where they supervised the process and delivered flour that was superior to any other found on the market. Filippov also believed that Moscow water was especially beneficial for rye bread. Indeed, bread baked in St. Petersburg according to his recipes never tasted as good as his Moscow breads. As a result, he was called upon to cater a variety of breads for the court, sending them nightly to St. Petersburg by train. "The Neva water won't do," he explained. But most of all, he was a hard worker, a perfectionist, and a good businessman. However, all these qualities would not have saved him from shame and ruin if his wits had not been quick, as they proved to be at a crucial moment of his career.

One morning he was summoned to the dining room of Moscow Governor-General Zakrevskii, an imperious and despotic man, who had Filippov's *saiki* delivered daily for his morning tea. The governor-general was sitting at the dining table, red with fury, and was pointing at a slice of *saiki* with a dark "inlay" suspiciously reminiscent of a cockroach.

"What is this, you bastard? A cockroach?"

"Not at all, Your Excellency," mumbled Filippov, "just a raisin," and swallowed the treacherous slice.

"*Saiki* do not come with raisins!" announced Zakrevskii peremptorily.

"May I humbly insist that they do, Your Excellency!"

Filippov rushed to the bakery, dumped a tray of raisins into the dough that had been prepared for *saiki*, mixed it—and "in an hour he was treating the governor-general to fresh *saiki* with raisins," recorded the chronicler.

Raisin *saiki* became an overnight success and were soon included in the shipments of twisted breads, *kalachi*, and dark loaves, which were frozen immediately upon baking and sent to other cities, including Irkutsk and Barnaul in Siberia, thousands of miles away. The frozen breads were thawed in a most ingenious manner: wrapped in a wet cloth, then put in the oven, and—*voilà!*—served as if just baked.

Drozhzhevoe Testo #3

YEAST DOUGH #3

Makes enough dough for 6 kalachi *or* saiki, *or for 16–18 flat breads*

1½ packages active dry yeast	2 eggs
1 pound (3¾–4 cups) plus 2 tablespoons all-purpose flour, sifted	4 tablespoons unsalted butter, melted and cooled until just warm
5 teaspoons sugar, in all	Butter for greasing mixing bowl
¾ teaspoon salt	
1¼ cups milk, boiled and cooled to 110°–115°F	

Prove the yeast: stir it with 2 tablespoons of flour, ½ teaspoon of sugar, and 2–3 tablespoons of warm water (110°–115°F) in a small bowl, then place in a slightly larger bowl of warmer water (120°F) for 10–15 minutes.

In the large bowl of an electric mixer, combine the sifted flour, salt, and sugar, add the risen yeast and the warm milk and mix with the all-purpose beater at low speed for 2 minutes. Add the eggs and continue to beat for 1 minute. Add the warm melted butter and beat at low speed for 1–2 minutes, then switch to medium speed and beat for 10–12 minutes, or until the dough is smooth and silky and peels off the beater as soon as the mixer is turned off. After kneading 2–3 times by hand, the dough should peel off your fingers, proof that it can be set to rise. If the dough is still sticky, beat for 2–3 minutes more and test again.

Generously butter a large bowl and roll the dough around in it so that it is greased on all sides. Cover the bowl with a cloth, wrap in a terry cloth towel, and set to rise in a warm draft-free place (78°–82°F) for 1–1¼ hours, or until doubled in bulk. Slide your hand underneath the dough, lift it 2 feet over the bowl, and let it fall. Repeat, cover, and let rise again for about 30 minutes, or until doubled in bulk. The dough is now ready to be worked (see recipes, pages 490–95).

Kalachi

KALACHI

The word *kalach* is derived from the pan-Slavic *kolo*, which means circle. These padlock- or purse-shaped breads are made of dough similar to *brioche* but somewhat less sweet. *Kalachi* are at their best served hot with butter for morning tea, but they are equally good eaten with any meal.

Makes 6 kalachi

2 tablespoons unsalted butter for greasing baking sheets	1½ teaspoons unsalted butter, cut into six ¼-teaspoon pieces and chilled
3 tablespoons all-purpose flour for flouring baking sheets	1 egg white, lightly beaten
	3 baking sheets, 15 inches long and 10 inches wide
Up to ½ cup all-purpose flour for flouring work surface	
1 recipe Yeast Dough #3 (page 490)	

Butter 2 of the baking sheets and dust with flour, and shake off the excess flour.

On a lightly floured work surface, divide the dough in half, then cut each half into 3 equal parts and shape into balls.

Cover 5 balls of dough with a cloth and set aside. Roll out 1 ball into a circle about 6½–7 inches in diameter. Using an inverted salad plate, 6 inches in diameter, as a pattern and with a very sharp knife cut a neat circle and reserve the trimmings (see *Note*). Place a 3-inch round cookie cutter 1½ inches in from the edge farthest from you and press lightly to make an outline. With a sharp knife, cut around the top half of the circle (nearest the edge) through the dough, forming a flap. Place 1 piece of the cold butter on the lower half of the 4-inch circle and fold down the flap over the butter and pinch to seal.

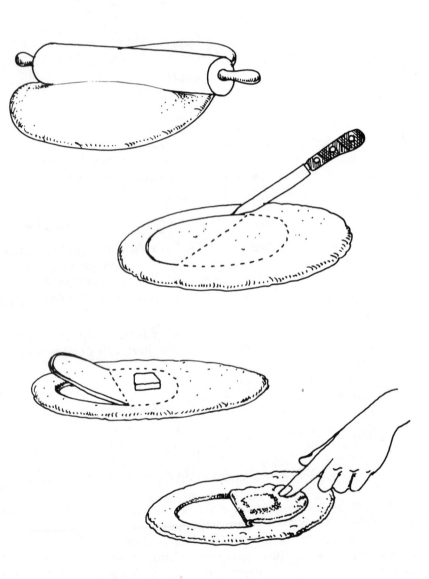

The finished *kalach* now looks like a padlock or a purse with a handle. Place it on a baking sheet. Roll out and shape 3 more balls of dough, placing 2 *kalachi* on each baking sheet.

Set the baking sheets in a warm draft-free place (78°–82°F) for about 25 minutes, or until the *kalachi* are swollen but not doubled in bulk.

Set the baking rack at the middle level of the oven and preheat the oven to 375°F.

Bake the *kalachi* for 20–25 minutes, or until pale golden and cooked through. Remove from the oven, brush the flap (A) and the "handle" (B) with egg white, and sift a little flour through a sieve over the white. Return to the oven for 3 minutes more, so that the flour adheres to the breads but does not acquire color.

As soon as the first 4 breads have been put in the oven, prepare the 2 remaining *kalachi* and bake on the third baking sheet.

Serve the bread hot or at room temperature. Baked *kalachi* can be frozen after they have cooled.

Note: Roll up the trimmings into 1 or 2 balls and make into Flat Breads, following the instructions on page 493.

Saiki

SAIKI

Saiki are served at any meal, usually sliced.

Makes 6 saiki

1 tablespoon unsalted butter for greasing baking sheets	1 recipe Yeast Dough #3 (page 490)
2 tablespoons all-purpose flour for flouring baking sheets	1 egg, lightly beaten
Up to ½ cup all-purpose flour for flouring work surface	2 baking sheets, 15 inches long and 10 inches wide

Butter the baking sheets, dust with flour, and shake off the excess flour.

On a lightly floured board, divide the dough into halves, cut each half into 3 equal parts, and shape into balls. Roll each ball into an oval about 7 inches long and 4 inches wide. Place 3 breads on each baking sheet, spacing them 1 inch apart. Set to rise in a warm draft-free place (78°–82°F) for about 25 minutes.

Set the baking rack at the middle level of the oven and preheat the oven to 375°F.

Brush the *saiki* with the beaten egg, then, with a sharp knife, make an incision ⅓ inch deep along the length of each bread.

Bake for 25 minutes, or until the crust is golden and the bottom dry. Cool the *saiki* on a cake rack. Serve sliced. The cooled *saiki* can be frozen.

Variation   Raisin *Saiki*
Incorporate ½ cup of raisins into the yeast dough at the end of kneading. Proceed with the recipe.

Lepioshki

FLAT BREADS

Makes 16–18 flat breads

1½   tablespoons unsalted butter for greasing baking sheets

3   tablespoons all-purpose flour for flouring baking sheets

Up to ½ cup all-purpose flour for flouring work surface

1   recipe Yeast Dough #3 (page 490)

1   egg yolk, lightly beaten with ½ teaspoon each oil and water for egg glaze

1–2 tablespoons unsalted butter, melted

3   baking sheets, 15 inches long and 10 inches wide

Butter the baking sheets, dust with flour, and shake off the excess flour.

On a lightly floured work surface, cut the dough in half, set aside one half, and cover. Divide the other piece into 2 pieces and roll out each to a scant ¼-inch thickness. Cut out 4-inch circles and place them on the baking sheets 1½ inches apart. Roll out the trimmings and cut out 2 or 3 more circles. Set the breads to rise in a warm place (78°–82°F) for 20 minutes, or until they have swollen somewhat but not doubled in bulk. Roll out the remaining dough and cut into 4-inch circles. They will be ready to bake when the first batch comes out of the oven.

Set the baking rack at the middle level of the oven and preheat the oven to 375°F.

Brush the flat breads with egg glaze and bake for 12–15 minutes, or until pale golden. Brush with melted butter and serve hot or at room temperature, with butter.

Variation   Onion Flat Breads
Cut 2 large onions into ⅛-inch strips and sauté over medium-low heat in 3 tablespoons unsalted butter for 10–12 minutes, or until limp and translucent. When the flat breads have risen, brush them all over with lightly beaten egg white (instead of the egg glaze) and top each bread with 1 tablespoon of sautéed onions spread into a 3-inch circle. Bake the breads. When they are removed from the oven, brush the borders around the onions with melted butter. The onion breads make a nice rustic addition to a hearty lunch.

Lepioshki-Skorospelki
QUICK FLAT BREADS

> Stepanida, the cook, brought in flat wheat cakes on a cast-iron skillet; they continued to sizzle on the table.
> Father ate a hot cake—"Stepanida, you are a sweetheart!"—ate another one—"Stepanida, you are precious!"—took a mouthful of tea with cream, smoothed out his mustache and screwed up one eye.
> "And now," he said, "listen how I nearly drowned."
>
> —Alexei Tolstoi
> "Nikita's Childhood"

Makes 14–15 breads

1 recipe Yeast Dough #3 (page 490) that has risen only once	2 baking sheets, 15 inches long and 10 inches wide
3–4 tablespoons unsalted butter	

Allow the yeast dough to rise only once. On a lightly floured work surface, roll out the dough ¼ inch thick and cut out 4-inch circles. Roll out the trimmings and cut out more flat breads. The breads will be cooked immediately, without rising.

Melt the butter in a heavy nonstick skillet and fry the breads for about 3–4 minutes on each side, or until pale golden and cooked through. Serve hot with butter for breakfast, tea, or supper, with milk or buttermilk.

Pletionka s Makom

BRAIDED WHITE BREAD

Makes 2 loaves

1 cake compressed yeast, *or* 1 package active dry yeast	Up to ½ cup all-purpose flour for flouring work surface
1 pound high-gluten white or bread flour (see *Note*)	
2½ tablespoons sugar	1 egg, lightly beaten
1½ teaspoons instant dry milk	1 teaspoon poppy seeds
¾ teaspoon salt	
1 medium egg	2 baking sheets, 12 inches long and 8 inches wide
1⅔ tablespoons vegetable oil	
1 tablespoon unsalted butter for greasing baking sheets	

Dissolve the yeast in 1 cup less 3 tablespoons warm water (95°F). In the large bowl of an electric mixer, combine all the dry ingredients for the dough, then add all the liquid ingredients. Mix at low speed for 2 minutes with the all-purpose beater, replace it with the dough hook, and beat for 13 minutes more at moderately low speed, or knead manually for a half hour. The dough should be elastic and silky.

Butter a large bowl, and turn the dough into it so that it is filmed with butter on all sides. Cover with a cloth and let sit in a warm, draft-free place (78°–82°F) for about 1 hour, or until doubled in bulk. Turning the dough over in the bowl, knead once or twice on 4 sides, cover, and let rise again until doubled in bulk, about 30–40 minutes. Turn the dough onto a lightly floured work surface, shape into a ball, and cut in half. Cover one half with a cloth and set aside. Divide the other half into thirds, and roll each piece into a 1-inch-thick rope tapered at both ends. Pinch one end of each strand together firmly and braid, then pinch together at the other end. Set on a greased baking sheet. Repeat with the reserved dough.

Cover the breads with a cloth and set to rise in a warm, draft-free place (78–82°F) for about 1–1¼ hours, or until doubled in bulk.

Fifteen minutes before the end of rising, set the baking rack at the middle level of the oven and preheat the oven to 350°F.

Brush the breads with the beaten egg, sprinkle with the poppy seeds, and let sit for 5 more minutes. Bake for 40–45 minutes, or until golden brown. Cool on cake racks.

Note: The best flour for this recipe is the high-gluten white flour used by bakers. If there is a bakery near you, ask the owner if he will sell you some. Otherwise, use the packaged bread flour now sold in super-markets.

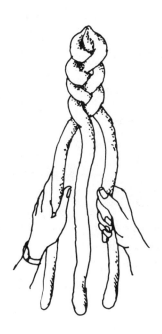

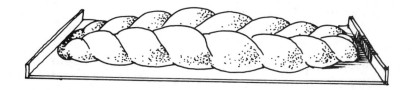

Drozhzhevoe Testo #4

YEAST DOUGH #4

Makes 1 Krendel', 32–36 Tea Buns, and 32 medium or 48 small Cinnamon Crescents

1 cake compressed yeast, *or* 1 package active dry yeast

1 cup plus ½ teaspoon sugar, in all

4½–5 cups instant-blending or all-purpose flour

5 egg yolks, at room temperature

1¼ cups warm half-and-half (110°–115°F)

¾ teaspoon salt

1 cup (½ pound) unsalted butter, melted and cooled to lukewarm

FLAVORINGS

ENHANCEMENTS

For Krendel'

1 teaspoon vanilla extract

⅛ teaspoon almond extract

⅛ teaspoon ground cardamom

¼ cup golden raisins, washed, patted dry, and left on paper towels

¼ cup finely chopped (⅛-inch pieces) candied orange peel, preferably home-made (pages 459–60)

For Cinnamon Crescents

1 teaspoon vanilla extract

For Tea Buns

1 teaspoon vanilla extract

⅛ teaspoon ground cardamom

⅓ cup golden raisins, washed, patted dry, and left on paper towels (*optional*)

Prove the yeast by mixing it in a cup with ½ teaspoon of sugar and 3 tablespoons of warm water (95°–110°F), then placing it in a bowl containing warmer water (105°–110°F) for 10–15 minutes.

In the bowl of an electric mixer combine the flour, yolks, warm half-and-half, salt, and remaining sugar. Beat with the all-purpose beater at moderately low speed for about 2 minutes. Add the proved yeast and continue to beat at the same speed for 2 minutes more. Add the butter gradually and mix at low speed for 1–2 minutes, or until blended.

Add the appropriate flavorings (see list above) and mix for 1 minute at moderately low speed.

Replace the beater with a dough hook, switch the speed smoothly to medium, and beat the dough for about 10–12 minutes, stopping for 2 minutes halfway through to allow the motor to cool. The dough should be smooth and silky, have a nice sheen, and should peel off the hook the moment rotation stops. If necessary, beat for 3–5 minutes more. Check the dough for elasticity, pinch off a walnut-sized ball and roll it between your palms into a thin roll. If the roll is easily made and can be pulled even thinner without breaking, there is enough flour in the dough. Otherwise, add ½ cup of flour and beat the dough with the dough hook at medium speed for 5 minutes longer, or until the flour is completely blended.

Generously grease a 7- or 8-quart bowl or pot with butter and turn the dough around in it so that it is greased on all sides. Cover with a cloth, wrap the pot in a terry cloth towel, and let sit in a warm, draft-free place (76°–82°F) for 1½–2 hours, or until the dough is doubled in bulk.

Slide your hand underneath the bulk of the dough, raise it about 12–15 inches in the air, and drop it back into the bowl. Repeat.

Add the enhancements where appropriate (see list above), and knead the dough in the bowl by hand for 2–3 minutes, or until the enhancements are well distributed. Cover, wrap the pot again, and let rise at room temperature (70°–72°F) for about 40–50 minutes, or until doubled in bulk.

The dough is now ready to be worked (see recipes, pages 500–506).

Krendel'

KRENDEL'

A footman tendered him a cup of tea, with a plate of krendels. He tried to subdue his nervousness, and to unbend; but in the act of unbending he seized such a handful of krendels, rusks, and sugared buns that a girl tittered and the rest of those present gazed at the pile with unconcealed interest.

—*Ivan Goncharov*
Oblomov

Krendel' is a large pretzel-shaped sweet yeast bread, studded with raisins and candied orange peel. It is the most venerable of the sweet breads and a Russian alternative to a birthday cake. Its dough is fragrant, soft, and heavenly in every way. Served as a birthday cake, with candles placed all along its curve, *krendel'* looks quite spectacular.

Small *krendels*, the size of pretzels, are served with tea or coffee instead of or together with tea buns and cookies.

Serves 8–10

½ tablespoon unsalted butter for greasing baking sheet

1 tablespoon all-purpose flour for flouring baking sheet

Up to ½ cup all-purpose flour for flouring work surface

1 recipe Yeast Dough #4 with Flavorings and Enhancements for *Krendel'* added (page 498)

1 egg yolk mixed with ½ teaspoon each oil and water, for the glaze

2 tablespoons sugar

3 tablespoons chopped blanched almonds

A baking sheet 15 inches long and 10 inches wide

Butter the baking sheet, dust with flour, and shake off excess flour.

Clear and lightly flour a very large work surface, ideally about 45–50 inches long. Turn the dough out and form it into a long roll, about 45–50 inches long. This is best accomplished by starting in the middle. Roll the dough back and forth against the work surface with your palms, moving your hands from section to section until the center of the dough is 25–30 inches long and 3½ inches thick. If you do not have a very long work surface, keep the ends of the dough curved up while you work the middle. Once the center is formed, lift up one end and roll it between your palms until it is about 10 inches long and tapers to 1½ inches at the very end. Repeat with the other end.

On the baking sheet, form the roll into the shape of a capital "B," as shown in the illustration, with the long edge of the roll about 2 inches from the edge of the baking sheet. Starting about 8 inches from the ends, twist the thin ends of the roll together and rest them over the thick center of the roll, tucking the tips underneath the roll. Cover the *krendel'* with a cloth and leave to rise at room temperature (70–72°F) for about 30 minutes, or until visibly swollen but not doubled in bulk.

Set the baking rack at the middle level of the oven and preheat the oven to 375°F.

Brush the *krendel'* with egg glaze, let it dry for 5 minutes, brush with glaze again, sprinkle with the sugar and almonds, and bake for 45–50 minutes, or until a rich golden color. If, toward the end of baking, the almonds and sugar are browning too quickly, cover the *krendel'* loosely with foil.

Remove from the oven and leave the *krendel'* on the baking sheet for 10–15 minutes, then transfer it to a cake rack, cover with a napkin, and cool completely.

Serve the cake on a large elegant tray and slice it at the table. If it is being used as a birthday cake, place small candles along the curves of the "B."

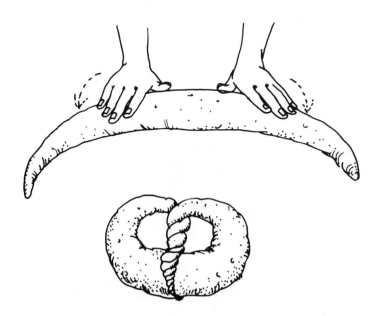

Variation   Braided *Krendel'*

Divide the dough into thirds and roll out each part into a strand 60 inches long that is thicker in the center than at the ends. Pinch 3 ends together firmly and braid the strands. Pinch together at the other end. Form the braid into a capital "B" on the baking sheet, and tuck the ends of the braid underneath the center of the *krendel'*.

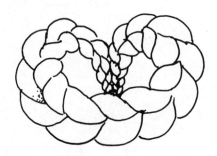

Bulochki k Chaiu

TEA BUNS

No doubt all storms passed by this peaceful room, which smelt pleasantly of vanilla and cardamoms, used for spicing buns, and where the armchairs and sofas were already in their summer linen covers, and the clock on the wall ticked slowly.

—*Alexei Tolstoi*

Peter the Great

Makes 32–36 tea buns [Fr]

1½ tablespoons unsalted butter for greasing baking sheets

3 tablespoons all-purpose flour for flouring baking sheets

Up to ½ cup all-purpose flour for flouring work surface

1 recipe Yeast Dough # 4 with Flavorings and En-hancements for Tea Buns added (page 498)

1 egg yolk beaten with ½ teaspoon each oil and water for egg glaze

¼ cup all-purpose flour

2 tablespoons unsalted butter, chilled and cut into small pieces

3 tablespoons sugar

⅛ teaspoon vanilla extract

3 baking sheets, 15 inches long and 10 inches wide

Butter the baking sheet, dust with flour, and shake off excess flour.

On a large lightly floured work surface, divide the dough in half. Form each piece into a roll about 4 inches in diameter, cover one with a towel, and set aside while you work with the other piece. Using your hands, roll the dough back and forth until it is 2½ inches in diameter and 40–45 inches long. (If your work surface is not large enough to accommo-date a roll this long, cut the dough into quarters instead of in half, and form each piece into a roll 20–22½ inches long and 2½ inches thick.) Cut the roll into 2½-inch slices, shape each slice into a ball, and place on the baking sheet, 1 inch apart. Set the sheet in a warm place (78°–80°F) for 20 minutes, or until the buns are visibly puffed.

While the buns are rising, prepare the topping: put the flour into a small bowl, add the butter, and sugar; wash hands with very cold water, quickly wipe them, and rapidly rub between your palms until the mixture has the texture of bread crumbs. Sprinkle on the vanilla and mix with a fork. Refrigerate for 20 minutes.

When the buns have risen for 20 minutes, brush with egg glaze. Mix the chilled topping with a fork and sprinkle each bun with ½ teaspoon of topping.

Set the baking rack at the middle level of the oven and preheat the oven to 375°F.

Bake the buns for 5 minutes, lower the heat to 350°F, and bake for 7–10 minutes more, or until golden and cooked. To prevent the topping from burning, cover the sheet loosely with foil about 10 minutes after the buns have begun baking.

While the first batch of buns is in the oven, begin working with the second piece of dough.

Remove the baking sheet from the oven. Either serve the buns hot in a napkin-lined bowl, or transfer them to cake racks, cover with a layer of cheesecloth to keep the crusts soft, and cool. The tea buns can be frozen after they have cooled.

Pliushki

CINNAMON CRESCENTS

Makes 32 medium or 48 small crescents

1½ tablespoons unsalted butter for greasing baking sheets

3 tablespoons all-purpose flour for flouring baking sheets

Up to ½ cup all-purpose flour for flouring work surface

1 recipe Yeast Dough #4 with Flavoring for Cinnamon Crescents added (page 498)

4 tablespoons unsalted butter, melted

¼ cup sugar mixed with 2 tablespoons ground cinnamon

1 egg yolk mixed with ½ teaspoon each oil and water for egg glaze

3 baking sheets, 15 inches long and 10 inches wide

Butter the baking sheets, dust with flour, and shake off excess flour. On a lightly floured work surface, form the dough into a ball, divide into quarters, and form each piece into a ball. Cover 3 of the balls with a cloth. Roll the fourth piece into a circle about 14 inches in diameter and ⅛ inch thick. Brush it with melted butter, using a pastry brush, and sprinkle with 1–1½ tablespoons of the sugar-cinnamon mixture. With a sharp knife, cut into 8 or 12 pie-shaped wedges. Roll up each segment, starting from the wide curved edge and finishing with the point. Bend the roll slightly from the ends to form a crescent or, if you prefer, leave it straight.

As the crescents are formed, place them on the baking sheet 1½ inches apart. Cover with a cloth and set in a draft-free place somewhat warmer than room temperature (76°–82°F) to rise for about 20 minutes, or until visibly puffed.

After you set the pastries to rise, preheat the oven to 375°F, and, while the first batch is rising, start making the second batch.

By the time the second batch is on a baking sheet, the first batch should be risen and ready for baking. Brush the pastry with egg glaze and bake for about 15 minutes for larger crescents, or 11–12 minutes for smaller ones, or until they are a rich golden color. Touch the side of a crescent with your finger: if your finger sinks in too easily, open up the crescent to see whether the dough is cooked. If it is still too moist, that is, if it becomes pasty under light pressure, return to the oven for 2–3 minutes more (1–2 minutes for the smaller ones). When the crescents are done, touch and break open another one to feel the texture. This will help you test the next batches.

Continue to form and bake crescents.

Let cool on racks and serve at room temperature. They are best eaten on the same day they are baked, or they can be frozen after they have cooled.

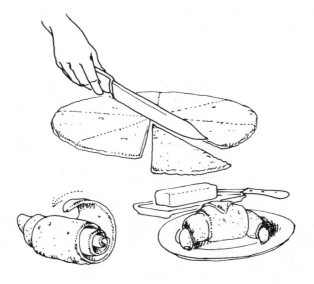

Kulich

EASTER CAKE

On Friday the smells of vanilla and cardamom filled the house: the cook began baking Easter cakes. By the evening ten tall babas and squat kulichi were lying on Mother's bed, under fresh towels.

—*Alexei Tolstoi*

Nikita's Childhood

Traditionally, the *kulich*, a cylindrical cake with a domed top, is baked on Easter Eve, late in the day, and is taken to church for blessing. It is set out on the table after the midnight service early on Easter morning and not eaten until later in the day. The cake's texture and taste are best when the cake is a day old.

Yields 3 cakes

2   packages active dry yeast

6½–6¾ cups plus 1 tablespoon instant-blending or all-purpose flour, in all

1½   cups plus 1 teaspoon sugar

5   large egg yolks

1¼   cups milk, scalded and cooled to 120°F

¾   teaspoon salt

1   cup (½ pound) unsalted butter, melted and cooled to about 105°–115°F

2   large egg whites

⅛–¼ teaspoon ground cardamom and ¼ teaspoon each lemon and vanilla extracts

or

⅛   teaspoon powdered saffron dissolved in 2 tablespoons rum

or

¼   teaspoon almond extract and 3 tablespoons sliced roasted almonds

⅓   cup raisins, washed, patted dry, and left on paper towels (*optional*)

¼   cup finely diced candied fruits (*optional*)

1–2 tablespoons plus 3 tablespoons unsalted butter, in all, for greasing mixing bowl and baking forms

½   cup fine bread crumbs

1   egg yolk beaten with ½ teaspoon each oil and water for egg glaze

2   tablespoons melted unsalted butter for brushing on the baked cakes

Confectioners' sugar to sprinkle on the top of the baked cakes

3   1-pound smooth-sided coffee cans or other smooth-sided baking forms, about 4 inches in diameter and 5–5½ inches high each

To prove the yeast, mix it in a small bowl with 1 tablespoon of the flour and 1 teaspoon of the sugar. Add 6 tablespoons of warm water (105°–115°F), mix well, and set in a warm place, as described on page 124, for 10–15 minutes.

In the bowl of an electric mixer fitted with the all-purpose beater, beat the egg yolks with the sugar at moderately low speed for 1 minute; switch to moderately high speed and continue to beat for 4 minutes, or until the mixture turns whitish and a ribbon forms when the beater is lifted. Reduce the speed to low, gradually add the milk, and mix at low speed for 1–2 minutes. Add the salt and 6½ cups flour. Replace the beater with a dough hook and mix the dough at moderately low speed for 2 minutes or knead manually for 4 minutes.

Now add the risen yeast and beat at medium speed for 9 minutes, stopping twice for 2-minute intervals, beginning after 3 minutes of beating, to let the motor rest. Add half the warm butter and continue to beat for 4 minutes. Rest for one minute, add the remaining butter, and beat for 4 minutes more. Let the dough rest for 2 minutes. Touch the dough with your fingers; if it sticks, add ¼ cup more flour, beat for 4 minutes, and let rest for 2 minutes.

In the meantime beat the egg whites until soft peaks form. Add the egg whites and one of the three sets of flavorings to the dough and mix at low speed for 1 minute, then at medium speed for 4–5 minutes, or until the dough acquires a silky texture, falls off the hook as soon as the mixer is turned off, and comes away easily from the sides of the bowl. Another indication that the dough can be set to rise is that when you knead it several times with your hand, the dough peels off your fingers easily. If these tests show that the dough is not ready, continue to beat at medium speed for 2–3 minutes more. If the raisins and candied fruits are going to be added to the cake, mix them in now, gently and thoroughly, to distribute them evenly.

Generously butter a large bowl or a pot large enough to permit the dough to double in bulk. Turn the dough around in the bowl so that it is completely filmed with the butter, cover with a cloth, and leave at room temperature, in a draft-free place, for 2–3 hours, or until more or less doubled in bulk (see page 124 for tests to see if the dough has risen sufficiently).

Slide a hand under the dough, lift it about 1 inch over the top of the bowl, and drop it into the bowl. Repeat. This will deflate the dough considerably, so that the large air bubbles will burst and the finished dough will be the proper, smooth texture and contain even, tiny bubbles. Cover with the cloth again and let rise for about 1–1½ hours, or until it reaches the same volume as at the end of the first rising.

Butter the sides and bottoms of the baking forms, sprinkle them with bread crumbs, and shake out the excess crumbs. Place enough dough in each pan to come ½ inch higher than halfway up the sides.

Set the baking rack on the second level from the bottom and preheat the oven to 350°F.

Set the forms near the warm oven to rise for about 20 minutes; it should now be about three-quarters of the way up the pan. Brush the tops of the cakes with egg glaze and bake for 20 minutes. Increase the heat to 375°F and bake 40–50 minutes more. Plunge a wooden or bamboo skewer into a cake. If it comes out dry, the cake is done.

Put a large soft pillow (see *Note*) on the counter and cover with kitchen towels. Tilt the forms over the cushion and let the cakes slide out onto the pillow. After 15–20 minutes, turn them over. When cool, put them on large plates covered with lace napkins or doilies, brush the tops with butter so that they look lacquered, and sprinkle with confectioners' sugar if desired. They can also be topped with Soft Glaze (page 509).

To slice, first cut off the top horizontally, then cut the cake into round slices about ½–¾ inch thick. Leftover *kulich* can be sliced and left to dry for 3–4 days. Serve these delicious rusks with tea.

Note: The practice of cooling the *kulich* on a soft pillow is not a quaint folk custom. The cake is so tender that, placed on a hard surface, the sides or top would flatten. The *kulich* should always cool resting on its sides, never on its bottom. When completely cooled, the cake can be served upright.

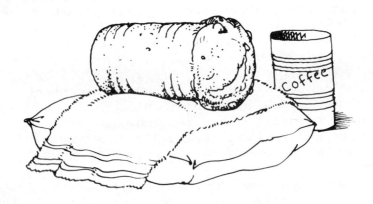

Osnovnaia Pomada

BASIC SOFT GLAZE

Makes 2 cups of glaze

3 cups sugar	1–2 tablespoons rum, brandy,
5 tablespoons light corn syrup	kirsch, or other liqueur
2 teaspoons unsalted butter plus 1 *optional* teaspoon butter to film the glaze	A candy thermometer

In a heavy saucepan, bring the sugar and 1 cup of water to a boil, stirring constantly. Lower the heat, skim with a skimmer, and simmer 20–25 minutes or until the syrup reaches the "soft ball" stage, 236°–238°F (a drop of the syrup shaken into a glass of cold water will form into a ball that is soft to the touch). Skim, add the corn syrup, stir, return to a boil, and skim again, if necessary. Remove from the heat and place the saucepan in a large bowl of crushed ice to cool the syrup fast. Take care that no water splashes into the pan of syrup. When the syrup cools to 90°–100°F, pour it into the bowl of an electric mixer and beat with an all-purpose beater at low speed 10–12 minutes. Stop the machine, sprinkle very lightly with water to prevent the top from hardening, and let it set 15–20 minutes. Beat again at low speed a minute or two. Turn the syrup into another bowl, cover with wet parchment paper or dot lightly with tiny bits of butter, which will gradually spread and cover the surface with a protective film (to prevent the surface from hardening). Let the syrup mature at room temperature for 6 to 24 hours; the glaze now can be used immediately or refrigerated, covered, for many weeks.

Before using, put into a double boiler, heat to about 115°–125°F, and stir in the butter (this will add shine) and the liqueur. Spread the glaze by pouring it over the surface of the cake then smoothing with a spatula. Small pastries, such as Sponge Dough Pastries (page 520), are dipped into the glaze, and the glaze is then smoothed out with a brush or spatula or by hand.

Variation   Chocolate Soft Glaze
Add 4–6 ounces of melted unsweetened chocolate and 1–2 tablespoons of Vanilla-Flavored Confectioners' Sugar (page 620) to the glaze when softening it before use; you might wish to omit the rum or brandy. Mix well, heat, and use as described.

Variation   Coffee Soft Glaze
Add ½ cup very strong coffee to the glaze as it reheats, or 2–3 table-

spoons instant coffee dissolved in ½ cup of water, or 2 tablespoons of coffee liqueur plus enough strong coffee, if needed, to add the desired color. Omit the rum or brandy, if you wish.

Baba Zavarnaia

BABA

Like *kulich*, *baba* is a tall, round-topped sweet bread, but it has a lighter texture and is baked in a larger form. While *kulich* is a ritual Easter cake, there are over forty recipes for *baba*, which is a year-round dessert. Since the primary meanings of the word *"baba"* range from "a woman" to "a peasant woman" to the colloquial "broad," it is not surprising to find recipe titles like "a plump *baba*," "a very capricious *baba*," and "a *baba* for friends."

Sprinkled with rum (an innovation attributed to the eighteenth-century Polish king Stanislas I. Leszczynski, an epicure of renown), *Baba au Rhum* became the rage in Europe. Although Russians appreciated the innovation, they also continued to love all the original forty variations, of which we give our favorite.

Serves 12

4½ cups instant-blending or all-purpose flour, in all

1 cup half-and-half

1 cake compressed yeast, *or* 1 package active dry yeast

1 cup plus 2 teaspoons sugar, in all

6 large eggs

1 teaspoon vanilla extract

½ teaspoon rum extract

⅛ teaspoon ground cardamom

½ cup (¼ pound) unsalted butter, melted and cooled to about 115°F

1 egg yolk beaten with ½ teaspoon each oil and water for egg glaze

A smooth-surfaced baking form 6 inches in diameter and 7 inches high (a smooth-surfaced 3-pound coffee can, for instance)

First, make a sponge batter: put 1 cup flour in the bowl of an electric mixer; bring the half-and-half to a boil, pour it over the flour, mix well, and allow to cool.

In a mug, mix the yeast with 2 teaspoons sugar and add 2 tablespoons warm water (95°F). Place the mug in a bowl of warmer water (110°–115°F) and leave for 10–15 minutes. When the flour and half-and-half are lukewarm (85°–95°F), add the risen yeast and beat with the all-purpose beater at low speed for 1 minute. Butter a large bowl and turn the sponge in it, so that it is filmed with butter on all sides. Cover with a cloth and set to rise in a warm place (78–80°F) for 1–1½ hours, or until the sponge is doubled in bulk.

Combine the eggs and sugar in the bowl of the electric mixer and beat the balloon beater at medium high speed for 2 minutes, then at maximum speed for 3 minutes. Add the vanilla and rum extracts, cardamom, remaining flour, and the risen sponge, and beat at moderate speed for 1 minute, then at medium high speed for 5 minutes. Add the warm butter and beat at moderate speed for 1 minute, and then at moderately high speed for 5 minutes (stop for 3 minutes to let the motor cool), then beat for 3 minutes more at moderately high speed.

Butter the baking pan, fill it with the dough, and set in a warm place (78°–82°F) to rise for about 1–1¼ hours, or until doubled in bulk. About 15 minutes before the *baba* fills the form, preheat the oven to 375°F. When the *baba* is doubled in bulk, brush the top with egg glaze. Place a shallow baking sheet with ¼-inch sides (a jelly roll pan, for example) upside down on the bottom of the oven. Set the *baba* on the sheet in the center of the oven and bake for 45–50 minutes, or until the top is golden and a skewer inserted into the *baba* comes out clean. Continue to bake for 3–5 minutes more, place the baking pan on a cake rack, and leave for 5–7 minutes. Slide a knife around the *baba* to separate it from the sides of the form, and turn it out onto the cake rack, now covered with several layers of cloth towels. Let the *baba* cool on one side for 10 minutes, then turn it over and let it cool on the other side for 10 minutes. Finally, set the *baba* upright on the rack and cool it completely. *Baba* is served whole and then cut in horizontal slices. It is very good with tea or coffee.

CHAPTER 13

Desserts

IN its abundance and richness, the Russian dessert table has traditionally been the counterpoint to the hors d'oeuvre table.

Semolina Guriev, honey cakes, paskha, *kisels'*, and desserts made with yeast and dough and short pastry are the oldest original creations of Russian pastry cooks. European desserts were introduced by the French, Italian, and Austrian bakeries that opened in the larger Russian cities beginning in the early nineteenth century. Over the years, the sponge cakes, meringues, and cream puffs these bakeries provided to affluent households were influenced by local taste, and they acquired an inimitably Russian character. For instance, in its homemade version, the Napoleon was transformed into a cake made with five or six layers of short pastry sandwiched together with custard cream.

Professionally baked and decorated cakes and pastries, even today, sport swirling flower garlands and other excesses made of butter cream and chocolate, a tradition that goes back to those splendid times when the baroque was considered the epitome of luxury. Russian desserts cannot be judged by the cakes and pastries now found in grocery stores and bakeries in Russia. Some of them are good, but most suffer, not from bad recipes but from the shortage of necessary ingredients and lack of attention to detail. Generally, homemade cakes are of far superior quality.

Note: Chapter 11 contains recipes for dessert crêpes and Chapter 5 for dessert *vareniki*.

A FEW WORDS ABOUT EQUIPMENT, INGREDIENTS, TECHNIQUES, AND PROCEDURES FOR MAKING CAKES AND PASTRIES

Electric Mixers A heavy-duty electric mixer with a large bowl is well suited to making doughs and batters. An all-purpose beater and a balloon whip comprise a standard set of equipment.

The yeast dough recipes in this chapter and in chapters 4 and 12 can be made in an electric mixer with a sculptured dough hook for best and quickest results. If you do not have a mixer with a dough hook attachment, you can knead the dough manually but it will take twice the time required if the dough hook is used, provided that the kneading is quite vigorous.

The balloon whip attachment on the heavy-duty mixer is best for the second stage of creaming butter and sugar. If you don't have this attachment, the all-purpose electric beater may take a little less time to produce a light and fluffy mixture.

We refer to mixing speeds descriptively because different mixers may have different scales: some offer 6 speeds, others offer 9. This is how the descriptive speeds we recommend correspond to the 9-speed scale of a Kenwood electric mixer:

Description	Speed
Low	1
Moderately low	2–3
Medium	4
Moderately high	5–6
High	7–8
Maximum	9

The Oven   To be sure that the temperature of your oven is the one called for in the recipe, hang an additional oven thermometer on the middle rack and always check it against the oven thermostat. Preheat the oven 15 to 20 minutes before setting the baking sheets or pans to bake.

Because many tests for doneness rely on evaluation of the color of the dessert, if your oven has a light, the tint of the bulb may influence your judgment. When the recipe specifies that the color be light golden or beige, check the color both inside and outside the oven and, if the oven bulb is misleading, replace it.

Types of Flour   We call for four types of wheat flour in making cakes and pastries: all-purpose, instant-blending, cake (low gluten content), and high-gluten flour (see page 618). The first three are easily found in groceries and supermarkets, but high-gluten flour might require some investigation, although some groceries now stock "bread flour," which is high in gluten. Otherwise, ask your local baker if he will sell you some or if he will direct you to another source.

The Ribbon Test   is used for egg yolks beaten with sugar, or occasionally it is applied to batters. After 4 to 8 minutes of beating at high speed with the balloon whip, scoop up a large spoonful of the egg-and-sugar mixture and hold it about 1 foot over the bowl, then tip the spoon. If the mixture falls in a continuous flow about 1 inch wide and piles up in folds before blending into the rest of the eggs, the ribbon test has been met.

To Melt Chocolate,   place it in the top of a double boiler over simmering water. Keep the water at a slow simmer and stir the chocolate from time to time as it melts. Watch carefully: chocolate burns easily. As soon as it has melted, remove the chocolate from the heat and stir until smooth.

To Line a 9-Inch Spring-Form Pan,   cut out a 12-to-13-inch circle of wax paper, center it over the pan, and press it into the pan. Flatten the folds around the sides of the form and trim the top of the paper, if necessary.

Testing for Doneness   There are many ways to tell that a cake or bread is cooked to the point desired: color, height, dryness of surface and bottom, even fragrance. However, the most widely used test for doneness of sponge cakes and yeast breads and cakes is to pierce the cake with a thin wooden skewer or toothpick. Partially open the oven door, quickly but gently insert the skewer into the cake close to its center, then remove the skewer and close the oven door immediately. Feel the end of the skewer; if there is any sign of moisture or if tiny crumbs adhere to the skewer, the cake must bake longer. If the skewer is dry, the cake is done.

To Toast Nuts   Nuts taste better and are infinitely more fragrant when toasted. As a rule, the larger the whole nuts or pieces, the longer it takes to toast them. However, the degree to which they are dry when bought will also affect the time needed to achieve perfect toasting. Taste the nuts halfway through toasting to check that they are not turning bitter or becoming too dark or dry. Preheat the oven to 275°F. Spread the shelled nuts out on a baking sheet and bake for the time suggested. Stir 2–3 times so that the nuts brown evenly.

	Time
Walnut halves or quarters, hazelnuts, cashews	12–15 minutes
Whole blanched almonds	10–12 minutes
Slivered blanched almonds	5–7 minutes
Thinly sliced blanched almonds (used mostly for decoration)	3–5 minutes
Coarsely or finely chopped nuts	3–5 minutes

CAKES

MAKING SPONGE CAKE BATTER

Sponge cakes are much loved in Russia. The texture of a good homemade Russian sponge cake differs somewhat from its American counterpart. The Russian cake does not crumble, although it is very tender, and it is a bit pliable because the texture is very fine, especially in Basic Sponge Cake.

The success of a sponge cake depends to a large degree on how quickly and well the egg whites and egg yolks have been whipped and blended. Here are some suggestions:

1. Eggs can be separated more easily when they are cold, but they can be beaten to greater volume if they are at room temperature. So separate into two mixing bowls right out of the refrigerator and leave at room temperature for 20 minutes before beating. (See also page 514.)

2. To add sugar to beaten egg whites, add one-half to two-thirds of the sugar when the whites are stiff, beat for another 1½–2 minutes, then add the remaining sugar and beat until incorporated.

3. When a recipe specifies that the egg yolks and sugar be beaten to form a ribbon, see page 515.

4. Some recipes call for stirring the egg yolks briefly with a pinch of salt, which will give the cake a deep yellow color.

5. Whatever the sequence of blending yolks, whites, and flour, it is important that the job be performed swiftly but gently. Whipped egg whites are fragile and deflate easily. If possible, have someone assist at this stage—one person sifts the flour into the egg mixture while the other folds it in. Some experts recommend folding in literally by hand to achieve the best volume, a rubber or wooden spatula or a wooden spoon being the next best implement.

This process is usually accomplished in several stages and should be complete within 1½–2 minutes, but it should not exceed 3 minutes.

ASSEMBLING AND DECORATING SPONGE CAKES

1. For best results, sponge cakes should be baked the day before they are filled and decorated. However, they can be filled and decorated 4 to 6 hours after baking. After the cake has cooled completely, cover it with a clean cloth or wrap it very loosely in plastic wrap until it is ready to cut, fill, and decorate. Do not refrigerate the cake at this point.

2. Before filling the cake soak the bottom layer in Rum Syrup for 5 minutes.

3. The classic fillings and icings for Russian-style sponge cakes are any variation of Butter Cream or Cream "Charlotte," and there are variations to suit every taste. For example, the Basic Sponge Cake (it's about 1½ to 2 inches thick) can be sliced in half horizontally and filled with Coffee Cream "Charlotte" and iced with Coffee Cream "Charlotte" with Hazelnuts. Or it can be filled with Chocolate Butter Cream and iced with Chocolate Cream with Walnuts. Plain Butter Cream filling and Chocolate Butter Cream icing or Coffee Butter Cream icing make dramatic taste combinations. For a cake with a fruit flavor, you can use a good quality apricot jam that is not too sweet for a filling and Lemon Butter Cream for icing.

4. Butter Cream and Cream "Charlotte" should be at room temperature when filling and icing the cake. A spatula is a necessary tool for spreading the cream into even layers a scant inch thick. Jam filling should be spread to a thickness of ¼ inch. The sides and top of the cake should be spread with a relatively thin layer of icing.

5. If a Butter Cream or Cream "Charlotte" is used for decorating the cake, a pastry bag fitted with a fluted nozzle is needed to produce

designs and patterns. Candied Fruits, dried apricots soaked in brandy and dipped in chocolate, or glazed walnuts are delicious as well as attractive additional decorations. If you do not have a pastry bag the icing can be enhanced with chopped walnuts or sliced almonds sprinkled generously over the top of the cake. Chocolate leaves, flowers, or other decorative chocolate shapes that are sold in better candy stores pair nicely with Chocolate Butter Cream icing and significantly simplify the task of decorating a sponge cake.

6. Sponge cakes filled and iced with Butter Cream or Cream "Charlotte" should be refrigerated for 2 to 3 hours before serving so the cream hardens and the cake absorbs some of its moisture. The cake tastes best then, too. It can be refrigerated for 12–24 hours and still be very good.

Osnovnoi Biskvit

BASIC SPONGE CAKE

This is a cake of many virtues: it is fragrant, soft, and springy. It has a fine texture, excellent body, does not crumble, and stays moist for a long time, all of which make it a splendid base for many fillings and toppings. This basic recipe can be adapted to include chocolate, coffee, or lemon flavorings as the variations below indicate.

Makes one 9-inch cake

4 large eggs, separated and at room temperature	A 9-inch round spring-form baking pan
A pinch of salt	Wax paper for lining pan
⅔ cup sugar, in all	1–2 teaspoons butter for greasing wax paper
¼ teaspoon cream of tartar	
⅔ cup cake flour, sifted	
1 teaspoon vanilla extract, freshly grated lemon rind, *or* ½ teaspoon almond extract	

Place the baking rack at the middle level of the oven and preheat the oven to 350°F.

Line a 9-inch spring-form pan with wax paper (page 515) and butter the paper.

In a large bowl, using a wooden spoon, vigorously beat the egg yolks with a pinch of salt for 30 seconds.

Whip the whites at high speed with an electric beater until soft peaks form, add ¼ cup of sugar, and continue beating at high speed for 2 minutes. Add another ¼ cup of sugar and beat until stiff peaks form; add the remaining sugar and beat for 3 minutes more at high speed. By now, the whites will be a very thick mass. Add the cream of tartar and beat at high speed for 30 seconds.

Combining the yolks, whites, and flour should be done gently, thoroughly, and efficiently. Altogether the mixing should take not more than 2–3 minutes. Have the sifted flour ready, either returned to the sifter or in a fine sieve.

Scoop one-quarter to one-third of the whites into the yolks and gently fold them in with a rubber spatula or a large wooden spoon. Sift 1–2 tablespoons of flour through a fine sieve into the yolks (to speed the process, push it through the sieve with a spoon), and gently fold in the flour. Continue adding the whites and the flour alternately. If you have someone with you who can sift the flour into the bowl, you might wish to mix with your hands and not with a spoon.

Add the vanilla or one of the other flavorings with the last portion of egg whites, and mix in gently and swiftly.

Fill the spring-form pan evenly with the batter. With a wooden skewer, check that the depth of the layer is even. Bake for 20–22 minutes, or until the top is pale golden. Plunge a skewer into the cake. If the skewer comes out clean, the cake is done.

Remove from the oven, loosen the sides of the form, and place the cake, still on the bottom of the form, on a cake rack, and peel the wax paper down from the sides to aid even cooling. After about 1 hour, when the cake has cooled completely, remove it very gently from the bottom of the cake pan, invert it on a flat surface, and peel the wax paper off the bottom.

Let sit for at least 4 hours before filling and decorating (see page 517).

Variation Chocolate Sponge Cake
Add 1–1½ tablespoons of unsweetened cocoa or 2 ounces of melted and cooled unsweetened chocolate (page 515) to the egg yolks. Flavor with vanilla or almond extract.

Variation Coffee Sponge Cake
Before mixing the batter, mix 1½ teaspoons of instant coffee with 1 tablespoon of boiled water and blend thoroughly, or use 3 tablespoons very

strong coffee and add 1 more tablespoon of cake flour. Omit the almond extract. Add the coffee in 2 stages while folding the egg whites and flour into the egg yolks.

Variation   Lemon Sponge Cake
Add 1½ tablespoons of freshly squeezed lemon juice and ½ teaspoon of freshly grated lemon rind to the egg yolks. No additional flavorings are necessary.

Biskvitnye Pirozhnye
SPONGE CAKE PASTRIES

Makes 8 pastries

2 tablespoons unsalted butter for greasing baking pans	Chopped toasted nuts (page 516; *optional*)
2 tablespoons all-purpose flour for dusting baking pans	Glazed Walnuts (page 538; *optional*)
1 recipe Basic Sponge Cake (page 518)	2 baking pans, 8 inches square each
1 recipe Chocolate Butter Cream or Coffee Butter Cream (page 534)	

Preheat the oven to 350°F. Butter and lightly flour the baking pans.

Distribute the cake batter evenly between the 2 pans and bake for about 15 minutes, or until the top is pale golden and a skewer inserted into the cake comes out clean. Follow cooling instructions for sponge cakes (page 519).

When the cake is ready to slice and fill (page 517), spread 1 cup of the butter cream on one of the layers with a spatula, cover with the second layer, and spread the top with ⅔ cup of cream. Using a very sharp knife, trim the edges and cut the cake into rectangles 4 inches long and 2 inches wide. Fill a pastry bag fitted with a fluted nozzle with the remaining butter cream and decorate the tops of the pastries. Garnish with nuts, if desired.

Kofeiny' Biskvitnyi Rulet

COFFEE CREAM ROLL

Serves 10

4	large eggs, separated and at room temperature	⅓	cup blanched sliced almonds, toasted (page 516)
6	tablespoons plus ½ teaspoon sugar, in all		
6	tablespoons all-purpose flour, sifted	1	baking pan, 15 inches long and 10 inches wide
¼	teaspoon vanilla extract		Wax paper or parchment paper for lining baking pan
⅔	recipe Coffee Cream "Charlotte" (page 536), at room temperature	1½	tablespoons unsalted butter for greasing paper

Set the baking rack at the middle level of the oven and preheat the oven to 400°F.

Line the baking pan with wax paper or parchment paper and grease the paper generously with butter.

Beat the yolks with ¼ cup of sugar with an electric beater at low speed for 30 seconds. Switch to high speed and beat for 7–8 minutes, or until the mixture is very thick, whitish, and passes the ribbon test (page 515). Gradually add the flour and vanilla extract, and beat until blended, about 30 seconds. Using an electric mixer or a hand eggbeater, whip the egg whites until soft peaks form. Beating continuously, gradually add 1½ tablespoons of sugar and whip until stiff peaks form. Very carefully fold one-third of the yolk mixture into the whites, using a spatula. Fold in the remaining egg yolks.

Pour the batter into the baking pan, spreading it evenly, and place it in the oven. Do not open the oven door for 11–13 minutes, or until the cake turns golden. Test for doneness (page 516). Remove the cake from the oven and let sit for 5 minutes, then invert it onto a rack. Strip the paper off the bottom of the cake, turn it face side up on the rack, and sprinkle with 2 teaspoons of granulated sugar. Cover with a piece of wax or parchment paper and roll up the cake from one of the short ends to give you a roll about 2½ inches thick and 10 inches long. Cool the roll on a wooden board for several hours or overnight.

Unroll the cake gently, spread 1½ cups of cream over it, and roll up again. Place on a board seam side down, spread the remaining cream on the top and sides of the roll, and decorate with the almonds. Transfer to a serving platter and refrigerate for 1–2 hours to firm up the butter cream.

Note: Instead of coffee cream and almonds, the cream roll can be filled and decorated with any of the "Charlotte" creams found on pages 535–36.

Osnovnoi Orekhovyi Biskvit
WALNUT SPONGE CAKE

Makes one 9-inch cake

4 large eggs, separated and at room temperature	A 9-inch round spring-form pan
A pinch of salt	Wax paper for lining pan
⅛ teaspoon almond extract	1–2 teaspoons butter for greasing wax paper
½ cup sugar, in all	
⅓ cup cake flour, sifted with ¾ teaspoon baking powder	
½ cup walnuts, toasted (page 516) and finely chopped	

Set the baking rack at the middle level of the oven and preheat the oven to 350°F.

Line the spring-form pan with wax paper (page 516) and grease the paper.

In a large bowl, using a wooden spoon, stir the egg yolks vigorously with a pinch of salt for 30 seconds. Add the almond extract, stir, and reserve. With an electric beater, whip the egg whites at high speed until soft peaks form, add 3 tablespoons of sugar, and continue to whip at high speed for 2 minutes. Add 2 tablespoons more of sugar, whip until stiff peaks form, add the remaining sugar, and beat 3 minutes longer. By now the egg whites should be a dense mass.

When folding the whipped egg whites, the flour, and walnuts into the egg yolks, it is essential that you work quickly but thoroughly. This process should take about 2–3 minutes altogether.

Scoop a large heaping spoonful of the whipped egg whites over the egg yolks and fold in gently with a wooden spoon or a rubber spatula.

Then, using a slow, gentle, upward motion, alternately fold in a heaping tablespoon of the whipped egg whites, half the sifted flour and baking powder, the walnuts, half the remaining egg whites, the remaining flour and baking powder, and the rest of the egg whites, thoroughly but lightly combining all ingredients. Fold this mixture into the batter.

Fill the pan, distributing the batter evenly (check the depth of the layer with a wooden skewer). Bake for 23–24 minutes, or until the cake turns pale beige and tests done with a skewer. Remove from the oven and follow the cooling instructions for sponge cakes, page 518. Because of the weight of the walnuts, this cake might shrink a bit to a height of about 1¼ inches.

Note: Like Basic Sponge Cake (page 518), Walnut Sponge Cake can be served several ways: sliced horizontally, filled, and decorated; or served whole as a single layer in combination with a layer of Basic Sponge Cake or Chocolate Sponge Cake, the 2 layers sandwiched together with an appropriate butter cream.

Smetannik

WALNUT SPONGE CAKE WITH SOUR CREAM FILLING

Serves 8–12

8 large eggs, separated and at room temperature
⅛ teaspoon salt
3 tablespoons honey
¾ cup sugar
⅔ cup cake flour, sifted with 1½ teaspoons baking powder
1 cup finely chopped toasted walnuts (page 516)

1 cup heavy cream
¼ cup sugar
¾ cup sour cream
2 tablespoons wild strawberry or cherry liqueur

¾ teaspoon lemon extract

¾–1 cup coarsely chopped toasted walnuts (page 516)
12 small strawberries or Morello (sour) cherries from preserves

2 9-inch round spring-form pans
Wax paper for lining pans
2 tablespoons unsalted butter for greasing wax paper

Set the baking rack at the middle level of the oven and preheat the oven to 350°F.

Line the baking pans with wax paper (page 515) and grease the paper.

In a large bowl, using a wooden spoon, stir the egg yolks vigorously with the salt and honey for 1 minute. Then follow preparation and baking instructions for Walnut Sponge Cake (page 522).

When ready to fill, whip the cream with an electric beater until soft peaks form, add the sugar, and continue to whip until well blended and dense. In a small bowl, beat the sour cream for 15 seconds with the liqueur and lemon extract and, using a wooden spoon or spatula, fold into the whipped cream.

To assemble the cake: spread 1 cup of filling over one of the layers, sprinkle with one-third of the walnuts, and cover with the top layer. Spread the top of the cake with most of the remaining cream, using ½–¾ cup for icing the sides of the cake. Sprinkle the top and the sides with the remaining walnuts. Decorate with the strawberries or cherries. Refrigerate for 1–2 hours before serving.

Biskvitnyi Abrikosovyi Tort
APRICOT SPONGE CAKE WITH LEMON BUTTER CREAM FILLING AND RUM SYRUP

Serves 8

16 dried apricots
¾ cup Rum Syrup (page 538)
2 ounces unsweetened chocolate
1 Basic Sponge Cake (page 518)
¾ cup apricot jam, preferably Smucker's low-sugar apricot jam, or any similar apricot jam that is not too sweet

2½ cups Lemon Butter Cream (page 534), at room temperature
24 blanched toasted whole almonds (page 516)

Soak the dried apricots in Rum Syrup for 24 hours. Drain, reserving the syrup. Set the apricots to dry on a plate for about 2 hours, or until the surface is dry, turning once in the course of drying. Melt the chocolate following the instructions on page 515 and dip one end of each apricot into it. Let dipped apricots cool on the edge of a plate until the chocolate hardens.

To assemble the cake: cut the sponge cake in half horizontally into 2 even slices, using a serrated knife. Sprinkle the bottom slice with reserved Rum Syrup and place on a large plate. Spread the jam on the cut surface of the top slice and neatly place it on the bottom slice.

Be sure the Lemon Butter Cream is soft and fluffy. Reserve about ½ cup for decoration, then spread the remainder over the top and sides of the cake, using a spatula.

With a pastry bag filled with the reserved Lemon Butter Cream and fitted with a ¼-inch fluted nozzle, make a border around the top of the cake. Arrange chocolate-dipped apricots and toasted almonds in flower patterns on top of the cake.

Refrigerate the cake for 1–2 hours, or until the butter cream has hardened. The cake will keep in the refrigerator for up to 24 hours, but it tastes best when it is fresh.

Bol'shoi Shikoladnoi Tort
GRAND CHOCOLATE CAKE

Serves 12

1 Basic Sponge Cake (page 518)

1 Walnut Sponge Cake (page 522)

2 recipes (6 cups) Butter Cream (page 533)

3 ounces unsweetened chocolate, melted (page 516)

1 tablespoon brandy, cherry, or chocolate liqueur

⅓ cup toasted chopped walnuts (page 516)

2¼ teaspoons unsweetened cocoa powder

1 recipe Rum Syrup (page 538)

1 cup toasted chopped walnuts (page 516)

12 Glazed Walnuts (page 536)

Follow instructions for preparing and baking sponge cakes.

FLAVORING THE BUTTER CREAMS

Reserve ½ cup of plain Butter Cream for the final decoration.

Make a Chocolate Butter Cream with the remaining 5½ cups of Butter Cream, the melted unsweetened chocolate, and the brandy, following the instructions on page 533.

Place 2 cups of the chocolate cream in a small bowl, add the ⅓ cup of chopped walnuts, and stir to mix. Reserve.

Measure 1½ cups of the chocolate cream and stir the cocoa powder into it. Set aside.

You should now have: ½ cup of plain butter cream, 2 cups of chocolate-walnut butter cream, 2 cups of chocolate cream, and 1½ cups of enriched chocolate cream.

ASSEMBLING THE CAKE

Using a serrated knife, carefully slice the Basic Sponge Cake in half horizontally. Sprinkle the bottom layer with the Rum Syrup and let soak for 5 minutes, then spread over it 1 cup of the chocolate-walnut butter cream. Place the walnut cake over the bottom layer and spread with the remaining chocolate-walnut cream, then top with the remaining layer of Basic Sponge Cake. Using a spatula, cover the sides of the cake with 1¼ cups of chocolate cream, then spread the top with the remaining ¾ cup of chocolate cream. Fill a pastry bag fitted with a large fluted nozzle with the enriched chocolate cream and decorate the top of the cake using either of the illustrations as a guide. Fill another pastry bag (or wash and re-use the same bag) with the plain butter cream and decorate the top of the cake with rosettes.

Press the chopped walnuts around the sides of the cake, arrange the glazed walnut halves over the top, and refrigerate for 1–2 hours.

Variation   Grand Truffle Cake

Use Chocolate Sponge Cake (page 519) instead of the Basic Sponge Cake and proceed as directed.

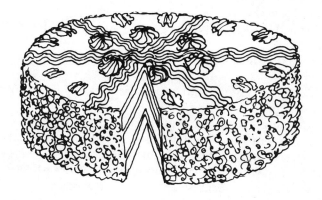

Kievskii Tort

KIEV CAKE

Serves 8

4½ tablespoons high-gluten or all-purpose flour

1   scant cup plus ¼ cup sugar, in all

1   cup whole cashews, walnut quarters, or slivered almonds (do not toast)

7   large egg whites, at room temperature

½   teaspoon vanilla extract

2¼ cups Chocolate Butter Cream (page 534) or Chocolate Cream "Charlotte" (page 535)

Candied fruits for decoration (pineapple, orange peel, pears, and so on)

2   9-inch round spring-form pans
     Wax paper to line pans

2   tablespoons unsalted butter for greasing pans

Set the baking rack in the lower third of the oven and preheat the oven to 275°F.

Line the 9-inch forms with wax paper (page 516) and grease the paper with butter.

Sift the flour and combine with 1 scant cup of sugar and the nuts.

Make the meringues the day before assembling the cake. In the bowl of an electric mixer fitted with the whip attachment, or beating by hand, beat the egg whites at maximum speed until soft peaks form, then beat for 15 seconds more. Still beating, add 1 tablespoon of the remaining sugar, whip for 30 seconds, add another tablespoon of sugar, and continue to beat until stiff peaks form. Lower the speed to moderate, add the remaining sugar and vanilla extract, and beat for 1 minute. Disengage the bowl from the mixer and, with a spatula, fold in the flour mixture gently but swiftly. Spread the batter evenly in the form: there should be about 1 inch of meringue in each form. Bake for 2 hours and 15 minutes. Test for doneness: if at this point the cakes peel off the wax paper easily and the bottoms are firm, they are done. If the bottoms are soft, continue to bake for 10 minutes more, test again, and, if necessary, bake for 5 minutes longer. Turn off the heat and let cakes sit in the oven a minimum of 3 to 4 hours or overnight.

Set the cakes with the wax paper still attached on a cake rack and let cool for 15–20 minutes. Remove spring-form and peel the wax paper off when ready to assemble the cake.

Spread ½ cup of chocolate cream on one layer and cover with the second layer. With a spatula, cover the top and sides of the cake with approximately 1¼ cups of chocolate cream, reserving about ½ cup for decoration. Fill a pastry bag fitted with a fluted nozzle with the reserved chocolate cream and decorate the top. Enhance the decoration with candied fruits. Serve immediately or refrigerate for up to 24 hours.

Medovaia Kovrizhka
OLD RUSSIAN HONEY CAKE

Honey cakes are among the oldest known Russian cakes. *Kovrizhka* are soft, dense, and only about 1 to 1½ inches high. Two cakes are usually sandwiched together with jam.

Serves 8–12

1–2 teaspoons unsalted butter for greasing baking pan

2 tablespoons all-purpose flour for dusting baking pans

⅓ cup sugar

⅛ teaspoon salt

2½ level teaspoons baking soda

½ teaspoon ground cloves

½ teaspoon ground cinnamon

¼ teaspoon ground cardamon

1½ cups sunflower or other vegetable oil

1½ cups eggs (about 8 large eggs)

¾ cup plus 2 tablespoons honey

1½ cups warm water

3½ cups (1 pound) rye flour

¼ cup plum, Morello cherry, or other jam, preferably homemade (see Chapter 10)

2 baking pans, each 8 inches square, *or* 1 baking pan, 12 inches square

Preheat the oven to 275°F.

Grease and flour the baking pans and shake out the excess flour.

Combine the sugar, salt, soda, cloves, cinnamon, cardamon, oil, eggs, honey, water, and flour. Mix with an electric beater at the lowest speed for 1 minute, gradually switch to medium speed, and beat for a total of 15 minutes, stopping after 5 minutes and then after 10 minutes to rest the machine. Stop the machine and watch the surface of the dough. If bubbles about ½ inch in diameter begin to appear on the surface and more are coming, let the dough rest for 10 minutes. If there are no bubbles, beat for 5 minutes more, or until the bubbles appear. Let the batter rest for 10 minutes.

Pour the batter into the prepared pans; it should be ½ inch deep. Bake for 1 hour, or until the crust is deep golden (test for doneness, page 516).

Remove from the oven and let sit for 10 minutes, then turn out onto a cake rack. Cool the cake, turning it over once in 10–15 minutes. When cool, spread the jam on top of one of the layers, cover with the other cake, and serve. If one 12-inch-square pan is used, cut the cake in half and layer the two halves with jam.

Covered with plastic wrap, the cake will keep for 2 days at room temperature or 4 days in the refrigerator.

Prianiki Tyl'skie
TULA SPICE CAKES

Prianiki are flat or hemispherical spice or gingerbread cakes with a design pressed into their beautifully glazed surfaces. Various localities in central Russia had their own versions of the recipe, which were then imprinted with special designs. The old boards used for printing the designs can be seen in several regional museums. *Prianiki* were very popular—a necessary stock item in every village general store or city grocery. And a barrel of *prianik* dough was included in every well-to-do bride's trousseau.

Yields about 24 cakes

2 teaspoons unsalted butter for greasing wax paper lining of baking sheets	4¼ cups all-purpose flour, sifted with 2½ teaspoons baking soda
1¼ cups sugar	Up to ½ cup all-purpose flour for dusting work surface
5 tablespoons butter, softened	
6 tablespoons honey	2 eggs, lightly beaten, for brushing the dough before baking
½ teaspoon ground cinnamon	
⅛ teaspoon ground cloves	2 baking sheets, 15 inches long and 10 inches wide
⅛ teaspoon each freshly grated nutmeg and ground cardamon	Wax paper for lining baking sheets

Preheat the oven to 475°F.

Line the baking sheets with wax paper and butter very lightly.

Combine the sugar with 1½ cups minus 1½ tablespoons of water and, stirring continuously, bring to a boil. Skim, boil for 2–3 minutes, remove from the heat, and skim again if necessary. Cool the syrup to room temperature.

Combine the butter, honey, sugar syrup, and spices. Mix with an electric beater at low speed for 3–5 minutes, or until well blended. If you have a dough hook attachment, beat with it at low speed for 15 minutes. If you knead the dough manually it will take about 30 minutes of vigorous kneading to reach the desired consistency.

Turn the dough out onto a generously floured work surface. Shape the dough into 2 equal-sized rectangular "bricks." Roll out each "brick" into a rectangular layer that is slightly less than ½ inch thick, brush them with the beaten eggs, and let dry for 2–3 minutes.

Cut dough layers into rectangles 3½ inches long and 2 inches wide. Traditionally, the tops of the cakes are embossed with a floral design and the word *Tula*. Wooden boards with floral designs can be found in some cookware specialty stores and in mail order catalogs. If you have none available, make a simple geometric design like the one in the illustration (page 531) on the tops of half of the rectangles, using a fork or a pastry comb. Transfer the rectangles to the prepared baking sheets and bake in the lower third of the oven for 6–8 minutes or until golden brown and cooked through.

Cool the cakes on a rack, cover with a clean cloth, and let rest overnight. Then spread the undecorated layers with jam and cover with the decorated layers.

Stored in a covered container, the cakes can be kept for up to 2 weeks at room temperature.

Keks Stolichnyi

POUND CAKE

In contrast to the American pound cake, which calls for equal amounts of butter, sugar, and flour, the Russian version uses equal weights of butter, sugar, and raisins and one-third more flour. This produces a densely textured cake whose deep yellow color contrasts richly with the dark raisins.

Makes 2 9-inch loaves

2 tablespoons unsalted butter for greasing loaf pans	5 extra-large eggs, at room temperature
1 pound (3¾ cups) cake flour	1 teaspoon vanilla extract
1 teaspoon baking powder	¾ pound (2 cups) dark seedless raisins
A pinch of salt	1 tablespoon vanilla-flavored confectioners' sugar (page 620), sifted
1½ cups (¾ pound) unsalted butter, softened	
¾ pound (1½ cups plus 1 tablespoon) sugar	2 9-inch loaf pans

Preheat the oven to 350°F. Butter the loaf pans.

Sift the flour with the baking powder and salt and set aside.

Combine the softened butter and the sugar, beat with an electric beater at low speed for 30 seconds, then at moderately high speed for 5–6 minutes, or until the mixture is fluffy and the sugar has dissolved. Add the eggs and the vanilla extract and beat at low speed for 1 minute, then switch again to moderately high speed and beat for 1 minute more. Beating at low speed, add the flour mixture gradually over the course of 2 minutes. Add the raisins and mix for 1 minute. Fill the loaf pans and bake for 50 minutes to 1 hour. Test for doneness (page 516). Cool in the pans on cake racks, remove from the pans, and sprinkle with the flavored confectioners' sugar, sifting it onto the cakes through a sieve. Serve with tea, coffee, dessert wines, or champagne. Or serve with Strawberry or Raspberry Dessert (page 571), any of the *kisels'* (pages 559–60), Apples in Custard Cream (page 567), Vanilla Custard (page 574), or any of the fruit compotes (pages 561–63).

FILLINGS, SAUCES, AND TOPPINGS FOR CAKES, PIES, PASTRIES, AND OTHER DESSERTS

Slivochno-Maslianyi Krem
BUTTER CREAM

This is the basic recipe for the variations that follow: Chocolate Butter Cream, Chocolate Butter Cream with Walnuts and Almonds, Coffee Butter Cream, Coffee Butter Cream with Hazelnuts, and Lemon Butter Cream.

Makes about 3 cups

2 cups half-and-half	2½ tablespoons brandy or rum
A scant ¾ cup sugar	½ teaspoon vanilla extract
1 cup (½ pound) unsalted butter, cut into 16 pieces and left at room temperature for 30 minutes	

In a small, heavy saucepan (preferably with cup measurements marked on the inside), combine the half-and-half with the sugar and bring to a boil over moderate heat. Turn the heat to low and allow the mixture to simmer for about 40 minutes, or until it is reduced to about 1 cup. It should be thicker than heavy cream and golden in color.

Beat the softened butter in the bowl of an electric mixer with an electric beater at low speed for 5–7 minutes. Change to the balloon whip if you have the attachment, add the brandy and vanilla extract, and, beating at low speed, gradually add the condensed half-and-half. Beat for 2 minutes, switch smoothly to moderate speed, beat for 3 minutes, then switch speed to moderately high and beat for 5 more minutes, or until the cream is light, fluffy, and the taste of butter has disappeared.

The cream can be used immediately as is or enhanced with chocolate, coffee, or lemon flavoring, as well as with nuts (see Variations below). Stored in a tightly covered jar, it can be refrigerated for up to 2–3 weeks. Before using, leave the cold butter cream at room temperature for about an hour, or until it regains its light texture. Use to fill sponge cakes (pages 518–24), Cream Rolls (page 521), and Kiev Cake (page 528).

Variation   Chocolate Butter Cream
Chocolate can be added to the basic Butter Cream recipe in two ways: either stir in 3 tablespoons of unsweetened cocoa (the best imported quality available) or use 2¾ ounces of unsweetened chocolate. In the latter case, melt the chocolate in the top of a double boiler or in a small metal bowl or saucepan lowered into a larger pan with simmering water. Cook over low heat, and watch the chocolate to see that it does not burn. Remove from the heat and place the bowl or saucepan into a bowl containing cold water and 3–4 ice cubes. Let sit for several minutes until the chocolate cools but has not begun to harden. Add the chocolate to the butter cream with an optional 1 tablespoon of cherry liqueur and beat with an electric mixer for 2 minutes at moderate speed. Store as above.

Variation   Chocolate Butter Cream with Walnuts and Almonds
If you are using fresh Chocolate Butter Cream, substitute ½ teaspoon of almond extract for the vanilla extract. If using cream already made, beat in ⅛ teaspoon of almond extract with an electric mixer for 2 minutes at moderate speed. Add ⅓ cup chopped toasted walnuts and ½ cup of powdered toasted almonds (see To Toast Nuts, page 516), mixing at low speed for 1 minute, or until the nuts are evenly distributed. Use immediately.

Variation   Coffee Butter Cream
Into 1 recipe of plain Butter Cream (page 533), beat 3 tablespoons of very strong cooled coffee, or 2 teaspoons of instant coffee mixed with 1½ teaspoons of warm water. Add an optional 2 teaspoons of coffee or apricot liqueur, and, if desired, 2 tablespoons of confectioners' sugar. Beat with an electric mixer for 2 minutes at moderate speed.

Variation   Coffee Butter Cream with Hazelnuts
Mix the Coffee Butter Cream with 1 cup chopped hazelnuts with an electric mixer at low speed for 1 minute, or until the nuts are evenly distributed. Use immediately.

Variation   Lemon Butter Cream
Combine 1 recipe plain Butter Cream (page 533), 2 tablespoons of lemon juice, 1½ teaspoons of lemon extract, and an optional 2 teaspoons of lemon or orange liqueur, and beat with an electric beater at medium speed for 1–2 minutes, or until well blended. Use at once.

Vanil'nyi Krem Sharlot

VANILLA CREAM "CHARLOTTE"

This is the basic recipe for the series of equally delicious variations that follow: Chocolate Cream "Charlotte," Chocolate Cream "Charlotte" with Walnuts, Coffee Cream "Charlotte," Coffee Cream "Charlotte" with Hazelnuts, and Orange Cream "Charlotte."

Makes about 3 cups

A generous ⅔ cup milk
½ cup sugar
1 large egg
1 cup (½ pound) unsalted butter, cut into 1-inch pieces and left at room temperature for 30 minutes

2 tablespoons brandy, cognac, or rum
1 teaspoon vanilla extract
½ teaspoon rum extract

Bring the milk to a boil and let cool to 170°F. Combine the sugar and the egg and beat with an electric beater at low speed for 1 minute, then at moderate speed for 2 minutes. Put the mixture into a heavy 1½-quart saucepan and, stirring constantly, gradually add the hot milk. Continuing to stir, bring the mixture to a boil over moderate heat, turn the heat to moderately low, and boil slowly for 4–5 minutes. Remove from the heat and cool to room temperature.

Whip the butter, brandy, and vanilla and rum extracts with an electric beater for 5–7 minutes at low speed. By now the butter and custard mixtures should be the same temperature and consistency. Using the balloon whip attachment if you have one, at medium speed, gradually add the milk mixture. Increase to high speed and beat for 7–10 minutes, or until light and fluffy.

This cream must be used immediately or cooled, covered tightly, and refrigerated for up to 1 week. If refrigerated, leave at room temperature for 1 hour before using.

Use to fill sponge cakes (pages 518–24), Cream Rolls (page 521), and Kiev Cake (page 528).

Variation   Chocolate Cream "Charlotte"
Make Vanilla Cream "Charlotte" but with no vanilla. If it has been refrigerated, remove from the refrigerator and leave at room temperature for 1 hour, or until light and fluffy. Chocolate can be added in two ways: either beat in 3 tablespoons of the best imported unsweetened cocoa available *or* use 2¾ ounces of unsweetened chocolate, melted (page 515) and cooled. Add the cooled chocolate to the basic Vanilla Cream

"Charlotte" together with an optional 1 tablespoon of chocolate or cherry liqueur and heat in the bowl of an electric mixer for 2 minutes at moderate speed.

Variation   Chocolate Cream "Charlotte" with Walnuts
The chocolate cream should be either freshly made or, if refrigerated, removed from the refrigerator and left at room temperature for 1 hour, or until light and fluffy.

Mix a generous ⅓ cup of chopped toasted walnuts (page 516) into the cream until the nuts are evenly distributed. This cream is best used immediately, without refrigeration, to retain the distinctive toasted smell and taste of the walnuts.

Variation   Coffee Cream "Charlotte"
Use 1 recipe Vanilla Cream "Charlotte" (page 535), either freshly made or, if refrigerated, left at room temperature for 1 hour, until light and fluffy. To the cream add either 3 tablespoons of very strong coffee, cooled, or 2 teaspoons of instant coffee dissolved in 1½ tablespoons of warm water, plus 2 optional teaspoons each of confectioners' sugar and coffee or apricot liqueur. In the bowl of an electric mixer, beat the mixture at moderate speed for 2 minutes, or until well blended.

Variation   Coffee Cream "Charlotte" with Hazelnuts
Make as for Coffee Butter Cream with Hazelnuts (page 536), but use Coffee Cream "Charlotte."

Variation   Orange Cream "Charlotte"
Beat 1 recipe of Vanilla Cream "Charlotte" (page 535) in the bowl of an electric mixer at moderate speed, gradually adding 2 tablespoons of freshly squeezed orange juice, 1 tablespoon of orange liqueur, ½ teaspoon of lemon extract, and 3 tablespoons of candied orange peel, preferably homemade (page 459). Continue to beat for 2 minutes, or until well blended. The orange cream will taste best if used immediately.

Zavarnoi Vanil'nyi Krem

CUSTARD CREAM

Makes 3 cups

3 cups half-and-half	1 cup less 2 tablespoons sugar
2 inches vanilla bean, halved lengthwise	2 tablespoons unsalted butter, softened, for blending into the cream *(optional)*
4 tablespoons plus 1 scant teaspoon instant-blending or all-purpose flour	
3¾ teaspoons potato starch	1 tablespoon unsalted butter
6 extra-large egg yolks	

In a 2-quart saucepan, bring the half-and-half and the vanilla bean to a boil. Remove from heat, cover, and infuse for 10–15 minutes, wrapped in a towel to retain the heat.

Meanwhile, sift the flour with the potato starch.

Beat the yolks with the sugar with an electric beater until they form a ribbon, about 7–8 minutes (see page 515). Remove the bowl from the mixer and sift the flour-starch mixture into the bowl, stirring with a whisk until blended. Strain the still hot half-and-half (150°–160°F; if necessary, heat it again but not to a boil), and, beating continuously with the whisk, gradually pour the moderately hot half-and-half into the bowl.

Pour the mixture into the saucepan and, over low heat, continuously stirring and scraping the bottom with the whisk, bring to boiling point and simmer for 1 minute. The custard should by now be nicely thickened.

Remove from the heat and stir in the optional 2 tablespoons of butter for a smoother texture. Lightly brush the surface of the custard with 1 tablespoon of butter to prevent a skin from forming. (It is easier to use a stick of butter straight from the refrigerator.) This custard cream will keep, well covered, in the refrigerator for up to 2 days. Use to fill sponge cakes (pages 518–24), Cream Puffs (page 552), Napoleons, Russian-Style (page 550).

Sladkaia Nachinka iz Tvoroga

SWEET CHEESE FILLING

1 tablespoon sour cream	¾ pound Cheese for *Pirog* Filling (page 144), or Homemade Cottage Cheese (page 136)
2 tablespoons unsalted butter, softened	
2 egg yolks	¼ teaspoon salt
¼ cup sugar	½ teaspoon vanilla extract
1 tablespoon plus 1 scant teaspoon instant-blending or all-purpose flour	Grated rind of ¼ lemon
	1 tablespoon raisins (*optional*)

Combine the sour cream, butter, egg yolks, and sugar, and beat with an electric beater at medium speed for 5–6 minutes. Add the flour and beat 2 minutes more. Add the remaining ingredients and continue to beat for 3 minutes more, or until completely blended.

Use to fill Sweet Cheese *Pirog* (page 543), Sweet Cheese Pie (page 548), or Sweet Cheese *Vatrushki* (page 545).

Glazirovannye Gretskie Orekhi

GLAZED WALNUTS

¼ cup sugar

1½ tablespoons water

8 undamaged, uniform walnut halves

In a small, heavy saucepan, combine the sugar and water. Bring to a boil over moderate heat, swirling the saucepan continuously, and boil for about 1 minute, or until the liquid clarifies. Stop swirling, cover the saucepan, and increase the heat to high and boil for 2–3 minutes more, or until large bubbles appear. Remove the lid and continue to boil, swirling the pan again. Very soon the syrup will caramelize and become light golden brown, with a silky shine. Remove from the heat and immerse the walnuts in the caramel, removing them quickly with a fork. Let dry on a plate brushed with oil.

Romovyi Sirop dlia Promochki Tortov

RUM SYRUP

Makes about ⅓ cup of syrup

1 tablespoon sugar

3 tablespoons water

4 teaspoons rum

⅛ teaspoon rum extract

Bring the sugar and water to a boil and simmer, covered, for 1 or 2 minutes. Let cool and stir in the rum and rum extract.

Mindal'noe Moloko

ALMOND MILK

Because milk, like other dairy foods, was excluded from the roster of foods allowed during times of fasting in Russia, almond milk became unusually important as a basis for Almond *Kisel'*, Almond Sauce, and many desserts. Almond milk based on water was served traditionally with *Kutia*, a ritual Christmas cereal. During nonfasting times, almond milk was frequently made with a milk or even a cream base, just to give the milk a special touch of almond and a velvety texture. Several pieces of bitter almond were traditionally used for flavoring, and sweet almond was added for body. Since bitter almond is not easily available in America, almond extract is used.

Makes 6 cups

3	cups blanched almonds	6	tablespoons sugar, or more to taste
6	cups milk or water (see *Note*)	½	teaspoon almond extract

In a food processor fitted with the metal blade, grind 1 cup of almonds at a time, gradually adding 4–8 teaspoons of water, if necessary, to keep the nuts from oozing their oil. Or pound 1 cup of nuts at a time in a mortar, adding the water. Spoon the ground almonds into a saucepan and grind the rest in 2 batches. When all the nuts are in the saucepan, add 6 cups of milk or water, bring to a boil, stirring often, lower the heat, and simmer for 2–3 minutes. Line a colander with 4 layers of cheesecloth and place the colander over a bowl. Pour the almond milk into the colander, twist the cheesecloth around the residue, and squeeze out as much liquid as possible into the bowl. Add enough boiled water to make 6 cups, add the sugar, stir until it dissolves, then flavor with the almond extract.

Note: Christmas Eve is a fast day, and because milk products are prohibited on fast days, use a water base for the almond milk if it is to be served with either of the two versions of the ritual Christmas Eve cereal (*Kutia*, pages 416–17).

Mindal'naia Podliva
ALMOND SAUCE

Makes 3 cups of sauce

1	cup blanched almonds	1	tablespoon instant-blending flour
3	cups half-and-half, in all		
4	large egg yolks	½	teaspoon almond extract
5	tablespoons sugar	1	teaspoon unsalted butter

Follow the procedure for grinding almonds as described in Almond Milk (page 538), using half-and-half instead of milk or water and omitting the sugar. Drain over a saucepan and keep warm over very low heat.

Beat the egg yolks with the sugar with the balloon whip attachment if you have one, or with an electric beater, at maximum speed, for 2–3 minutes, or until whitish, thick, and smooth. Add the flour, beat at moderate speed for 30 seconds, add the remaining cold half-and-half, mix for 30 seconds at moderate speed, and, still beating, gradually add the warm Almond Milk. Return the mixture to the saucepan and, stirring with a whisk or a wooden spoon, bring to a boil, then remove from the heat. Add the almond extract, stir, touch the surface with a butter stick straight out of the refrigerator, using approximately 1 teaspoon of butter. Or cut 1 teaspoon of cold butter into small pieces and distribute over the surface. Let the sauce cool and use to garnish puddings, *kisels'* (pages 559–60), and other desserts.

Shokoladnyi Sous

CHOCOLATE SAUCE

Makes about 1½ cups

2 ounces unsweetened chocolate	1 egg yolk
1 cup milk or half-and-half	2 tablespoons sugar

Melt the chocolate following the instructions on page 516. In a second saucepan, bring the milk to a boil, then gradually stir into the melted chocolate and let cool until about 160°F. In a small bowl, beat the egg yolk with the sugar for 5–7 minutes or until pale and fluffy. Stirring continuously, gradually add the milk and chocolate mixture to the yolk and sugar. Pour into a saucepan and cook over very low heat, beating with a whisk for 2–3 minutes or until the mixture thickens, but do not boil. Cool to room temperature. Serve with Milk *Kisel'* or Almond *Kisel'* (pages 559–60) and other desserts, either at room temperature or cold.

PIES AND FILLED PASTRIES

Rassypchatoe Testo #3 so Smetanoi

SHORT PASTRY #3

¼ cup sour cream
3   extra-large egg yolks
½   cup sugar
½   teaspoon vanilla extract
¼   teaspoon salt
1   pound (3¾–4 cups)
    instant-blending or all-
    purpose flour

1½ teaspoons baking powder
1   cup (½ pound) unsalted
    butter, softened

In the bowl of an electric mixer, combine the sour cream, egg yolks, sugar, vanilla extract, and salt, and mix with an all-purpose beater at moderately low speed for 1 minute. Add the flour, baking powder, and softened butter. Beat at low speed for 1 minute, switch to moderate speed, and beat for 2 minutes, or until well blended. Shape into a ball, cover with plastic wrap, and refrigerate for 1 hour, after which the dough will be ready to use.

Pesochnoe Testo #4

SHORT PASTRY #4

(For Napoleons, Russian-Style, for jam-filled pies, etc.)

1½ cups (¾ pound) unsalted
    butter, softened
1   pound (3¾–4 cups)
    instant-blending or all-
    purpose flour

1   tablespoon freshly
    squeezed lemon juice
3   large egg yolks

Beat the softened butter for 1 minute at moderately high speed with an electric beater. Add flour to the butter and beat at moderately low speed for 1 minute. Combine the lemon juice with ⅓ cup of ice water and add with the egg yolks to the butter-and-flour mixture. Replace the all-purpose beater with a dough hook and beat for 3 minutes at moderately high speed. Form into a ball, wrap in plastic, and refrigerate for 1 hour, after which the dough will be ready to use.

Note: See Chapter 4 for Short Pastry recipes #1 and #2.

Zavarnoe Testo

CREAM PUFF PASTE

1 cup all-purpose flour, sifted

¼ teaspoon salt

1 teaspoon sugar

1 cup water or milk, *or* ½ cup milk and ½ cup water

½ cup (¼ pound) unsalted butter

1 cup eggs (4 extra-large, *or* 5 large eggs plus 1 yolk), lightly beaten

Combine the flour with the salt and sugar.

In a heavy saucepan, bring to a boil 1 cup of water or milk and the butter. Off the heat, immediately add all the flour mixture at once and swiftly mix with a wooden spoon until blended. Return to moderate heat and, continuing to beat with the spoon, cook for 1½–2 minutes, or until the paste begins to clear the sides of the saucepan and the spoon, then remove from the heat. Pour ⅓ cup of eggs into the hot paste, beat them in briskly with a wooden spoon for 30 seconds, or until well blended, then add another ⅓ cup of eggs, beat in, and add the remaining eggs, taking care to blend in completely. The paste is now ready to be worked.

Pirog iz Drozhzhevogo Testa s Tvorogom
SWEET CHEESE *PIROG*

Makes 1 pie to serve 6–8

1   recipe Sweet Cheese Filling
    (page 537), made with
    2–3 tablespoons raisins

Up to ½ cup all-purpose
flour for dusting work
surface

½   recipe Yeast Dough #4
    (page 498)

1   egg yolk mixed with ½ tea-
    spoon each oil and water
    for glaze

2   teaspoons unsalted butter,
    melted, for brushing the
    baked *pirog*

A 3-sided baking pan, 11
inches long and 7 inches
wide (see page 119), *or* a
round tart pan with a re-
movable bottom, 10 inches
in diameter

Make the cheese filling, allowing time to prepare the cheese. Make up the dough.

Set the baking rack at the middle level of the oven and preheat the oven to 375°F. Butter the bottom and sides of the baking pan.

Turn out the dough on a lightly floured work surface. Roll out an oval measuring about 18 inches long and 14 inches wide. Center the pan on the dough and, allowing for a 2-inch border all around, cut away the excess dough; if the pan measures 11 inches by 7 inches, the pastry should measure 15 inches by 11 inches. Roll the trimmings into a ball. Drape the rectangle of dough over the rolling pin and place in the pan so that the dough goes 2 inches up the sides. Spread the filling in the pan and smooth and press it evenly and gently.

To make the lattice: using your hands, roll the ball of trimmings into a long rope, or several ropes, as close as possible to ⅟₁₆ inch thick. For the rectangular pan, you will need 4 pieces 8 inches long and 4 pieces 4 inches long. For the round pan, you will need 2 pieces 10 inches long and 4 pieces 7 inches long. Arrange the ropes of dough over the top of the pie, as shown in illustrations. Fold down the border of dough over the lattice and filling, flattening and pinching it at the corners, or making neat folds of dough if you use a tart pan. Press the edges with the tines of a fork or pinch the edges into a decorative ropelike design.

Set to rise in a warm draft-free place (78°F–82°F) for 30 minutes, or until the dough has visibly puffed. Brush well with egg glaze and bake for about 30 minutes, or until dark golden. Brush with butter, cover with a cloth, and leave for 10 minutes. Slide off the baking pan onto a cake rack or remove the bottom from the tart pan and slide the pie onto the cooling rack. Cut with a serrated knife when serving.

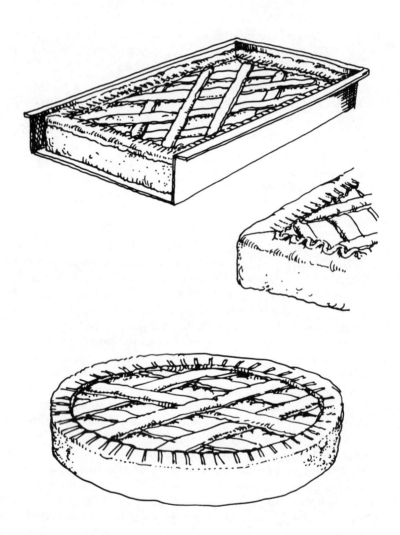

Vatrushki s Tvorogom
SWEET CHEESE *VATRUSHKI*

Makes 12 vatrushki *to serve 6*

1   recipe Yeast Dough #4
    (page 498)
1   recipe Sweet Cheese Filling
    (page 537)
1   egg yolk lightly beaten
    with ½ teaspoon each oil
    and water for egg glaze
1   tablespoon unsalted butter,
    melted, for brushing the
    baked *vatrushki*

A cookie sheet
1½ tablespoons unsalted
    butter for greasing baking
    pan
1   tablespoon all-purpose
    flour for dusting baking
    pan

Up to ½ cup flour for dusting work surface

Prepare and bake following the instructions for *Vatrushki* (page 183).

Pirog s Makom
POPPY SEED ROLL

Serves 6–12

3⅓ cups poppy seeds
½   cup sugar
3   tablespoons honey
⅓   cup raisins
1   egg white
    Freshly grated rind of ⅔
    lemon
2   tablespoons chopped can-
    died orange peel, prefer-
    ably homemade
    (page 459)
½   recipe Yeast Dough #4
    (page 498)
1   egg yolk beaten with ½
    teaspoon each oil and
    water for egg glaze

1   teaspoon unsalted butter,
    melted, for brushing on
    the baked roll

A 3-sided baking pan, 15
inches long and 10 inches
wide (see page 119)
1½ tablespoons unsalted
    butter for greasing baking
    pan
1   tablespoon all-purpose
    flour for dusting baking
    pan

Up to ½ cup flour for dusting work surface

When planning to make this recipe, remember that the poppy seeds for the filling must be soaked overnight. Make the filling before setting the dough to rise, or while the dough is rising.

Place the poppy seeds in a 1½-quart bowl. Add boiling water to cover the poppy seeds by 1 inch, cover the bowl and let sit overnight. Drain, cover again with boiling water, and leave covered for 2 hours. Drain well and grind the poppy seeds in a meat grinder 3 times, or pulverize in a food processor until the poppy seeds are a thick whitish mass. Add the remaining ingredients and mix thoroughly.

Set the baking rack at the middle level of the oven and preheat the oven to 375°F. Butter the baking pan, dust with flour, and shake out the excess flour.

Turn the dough out on a lightly floured work surface. Shape the dough into a ball and roll out into a sheet 14 inches square and ⅛ inch thick. Spread the poppy seed filling to within ½ inch of the edges of the pastry and roll up jelly roll–style. Place the roll seam side down, fold the ends under, and pinch to seal well. Gently transfer the roll to the baking sheet, cover with a cloth, and set in a warm place (78°F–80°F) to rise for 30 minutes. Brush with egg glaze, let dry for 5 minutes, brush again with egg glaze, and bake for 30–40 minutes, or until dark golden brown. Remove from the oven and brush with the melted butter. Cover with a cloth and leave for 10 minutes, then transfer to a rack and allow to cool, still covered with the cloth.

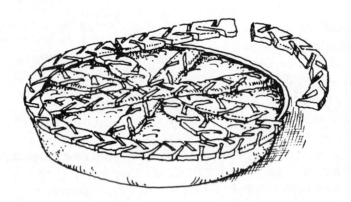

Iablochnyi Pirog
APPLE PIE, RUSSIAN-STYLE

This pie can also be filled with Morello cherries, apricots, prune plums, or the Sweet Cheese Filling, as the variations following this recipe indicate.

Serves 8

1 tablespoon unsalted butter for greasing the pan

Up to ½ cup all-purpose flour for dusting work surface

1 recipe Short Pastry #4 (page 541)

3–4 large tart apples (Pippins, Granny Smiths, Greenings, Gravensteins)

1 tablespoon freshly squeezed lemon juice

¼ cup sugar mixed with the freshly grated rind of ½ lemon

1 egg white, lightly beaten

1 tablespoon unsalted butter, melted

2 tablespoons vanilla-flavored confectioners' sugar (page 620), sifted

A 9-inch spring-form pan

Butter the spring-form pan.

Prepare the dough and reserve one-quarter of it for another recipe. Pinch off about a quarter of the remaining pastry and set aside. On a lightly floured work surface, roll out the large piece of dough into a circle 14 inches in diameter and about ⅓ inch thick. Trim to a neat 13-inch circle. Drape the pastry over the rolling pin, place over the baking pan, and press gently into the pan with your fingers so that the pastry adheres to the form.

Roll out the reserved pastry into a rectangle or square ⅛ inch thick. Cut out 9 strips about ¾ inch wide and 9 inches long. Decorate each strip with a herringbone pattern by making diagonal cuts on either side, as illustrated. Set aside.

Set the baking rack at the middle level of the oven and preheat the oven to 375°F.

Peel, core, and quarter the apples and cut into slices a scant ¼ inch thick. Drop them into a bowl of cold water to which has been added 1 tablespoon of lemon juice. Drain and dry thoroughly before using. Arrange the slices in the pie shell and sprinkle with the sugar and lemon rind. Using 4 of the herringboned strips, form the lattice as illustrated.

Fold down over the lattice the rim of pastry still projecting above the filling. Brush the pastry rim with beaten egg white, then gently press over it the remaining herringboned pastry strips, as shown in the illustration. Curve the strips as you fit them to the border and attach them neatly to each other.

Bake for 12–15 minutes, lower the heat to 350°F, and bake for 8–10 minutes more, or until the crust is light beige and a bit soft to the touch. Remove from the oven, remove the sides of the pan, and let cool, still on the bottom of the baking pan, on the cake rack. After the cake has cooled somewhat, but while it is still warm, brush the lattice with melted butter and sprinkle with flavored confectioners' sugar through a sieve. The sugar will melt into the apple filling but remain visible on the lattice.

Carefully slide the cake off the metal bottom onto a serving platter and let cool completely. To serve, cut into 8 wedges with a serrated knife.

Variations   Apple Meringue Pie
Instead of a lattice, top the apple pie with a meringue: 10 minutes before the pie has finished baking (the pastry pinched off for the lattice should be added to the quarter recipe of dough already reserved), whip 3 egg whites until soft peaks form, add 1½ tablespoons of sugar, beat until stiff peaks form, add ½ teaspoon of freshly grated lemon rind, 1½ tablespoons more sugar, and 1⅛ teaspoons of cream of tartar, then beat for 2 minutes, or until quite dense. Remove the pie from the oven but do not turn off the heat. Pile the beaten egg whites into a large pastry bag fitted with a wide fluted nozzle, then cover the top of the pie with decorative swirls of meringue. Return the pie to the oven and bake for 5–7 minutes, or until the peaks of the meringue turn very pale golden. Let cool as described above.

Variations   Morello Cherry, Apricot, or Prune Plum Pie
For the Morello (sour) cherry filling, pit 1¼ pounds of cherries, sprinkle with ¼ cup plus 1 tablespoon sugar, and let sit for 30 minutes. Drain in a colander, sprinkle with 2 tablespoons plus 1½ teaspoons all-purpose flour, and fill the pie. Make a lattice top crust. Bake as for Apple Pie, Russian-Style.

For apricot or prune plum filling, halve and pit 1½ pounds of the fruit. Sprinkle the bottom crust with 2 tablespoons of bread crumbs, arrange the apricot or prune halves in concentric circles, beginning at the outer edge of the pie, top with the lattice, and bake as above.

Variation   Sweet Cheese Pie with Short Pastry
When you make the crust, add ½ teaspoon of vanilla extract with the lemon juice. Fill the pie with 1 recipe of Sweet Cheese Filling (page 537) to which 2 tablespoons of raisins have been added. Prepare the lattice crust and bake as above.

Korzinochki s Nachinkoi iz Chernosliva i Mindalia

PASTRY BASKETS WITH PRUNE AND ALMOND FILLING

Makes 15 baskets

½ cup Madeira or Marsala wine

½ cup sugar

1½ cups pitted prunes, finely chopped

1 cup blanched almonds, toasted (page 516) and chopped finely (to the size of rice grains)

Grated rind of 1½ lemons

¼ teaspoon ground cinnamon

1½ tablespoons unsalted butter for greasing muffin tin

Up to ½ cup all-purpose flour for dusting work surface

1 recipe Short Pastry #3 (page 541)

½ cup syrup from Raspberry or Morello Cherry Preserves (pages 454 and 448)

1 tablespoon potato starch

¼ teaspoon almond extract

3 extra-large egg whites, at room temperature

1 tablespoon sugar

15 1-cup muffin forms

Dried beans for baking the baskets

A round cookie cutter, 4 inches in diameter

First, prepare the filling: in a small saucepan, bring to a boil the wine and sugar, stirring until the sugar dissolves. Simmer on low heat for 5–7 minutes, then let cool. Combine all the remaining filling ingredients in the saucepan, mix well to blend, and place over low heat for several minutes, stirring continuously, until the mixture thickens. Set aside.

Preheat the oven to 350°F. Lightly grease the muffin forms with butter.

Divide the dough (which has been refrigerated for 1 hour) into 3 equal parts and on a lightly floured work surface roll out each about ⅜ inch thick. Cut out 4-inch circles, shape the trimmings into a ball, roll out again, and cut out more 4-inch circles. You should have about 15 circles.

Place them in the muffin forms, pressing gently but firmly to shape the baskets. Put 1 tablespoon or so of dried beans into each basket and bake for 9–10 minutes, or until the baskets are pale golden and more than half cooked.

While the baskets are baking, prepare the meringue topping: combine the preserves syrup with the potato starch, mix well, and add the almond extract. In an electric mixer, or with a hand whisk, beat the egg whites until soft peaks form, add half the sugar, and continue to beat until stiff peaks form. Add the remaining sugar and whip for 1½ minutes more, or until quite dense. Gently and swiftly fold the egg whites into the syrup until blended. Fit a large pastry bag with a wide fluted or plain nozzle and fill the bag with the meringue. Reserve.

When the baskets have baked for about 10 minutes, remove from the oven, quickly spoon into each about 1½–2 tablespoons of the prune filling, then squeeze a nicely shaped peak onto each heap of filling. Return to the oven for 5–7 minutes, or until the peaks are golden. Remove from the oven, let sit for 10 minutes, then take the baskets out of the muffin forms and cool on a a cake rack. The pastries will keep for up to 2 days at room temperature.

Tort Napoleon

NAPOLEON, RUSSIAN-STYLE

This was my favorite cake when I was a child, which may explain my preference for it as an adult over the French original. The Russian version differs both in pastry and filling.

Serves 8–10

1	recipe Short Pastry #4 (page 541)	2	tablespoons vanilla-flavored confectioners' sugar (page 620)
1	recipe Custard Cream (page 536) Up to ½ cup all-purpose flour for dusting work surface and baking sheets	2	baking sheets, 15 inches long and 10 inches wide

Set the baking rack at the middle level of the oven and preheat the oven to 375°F.

Divide the ball of pastry in half, then cut each half into three equal parts and shape into balls. Wrap and refrigerate four balls, then wrap the fifth and let it sit at room temperature while working with the sixth.

On a lightly floured work surface roll out the dough ⅛ inch thick into a piece large enough from which to cut either a circle 9 inches in diameter or a rectangle 12 inches long and 8 inches wide (depending on the size and shape you find most appropriate). Cut out the pastry. Dust the baking sheet with flour, drape the dough over the rolling pin, and place it on a baking sheet. Repeat this procedure with the ball of pastry left at room temperature.

Prick the sheets of dough all over with a fork and bake for about 10 minutes, or until pale beige. When done, turn the layers out very gently onto several layers of cloth, which will cushion the fragile pastry sheets. Let cool.

While the first 2 sheets of pastry are baking, roll out and shape the next 2 and, as soon as the baking sheets have cooled a bit, dust them with flour and proceed with the baking. Continue in the same manner with the last 2 balls of pastry. Form all the pastry trimmings into a ball, roll out as thinly as possible, and bake as above. This will be for crumbs to top the cake.

When all the pastry has been baked and cooled, reserve the last sheet baked and the least successful of the previous 6 sheets for making crumbs to top the Napoleons. This leaves 5 layers to be filled.

Place one pastry sheet on a serving plate or preferably a cake dish with a cover and, with a spatula, spread ½ cup of cream over it. Cover with another pastry sheet and fill, and continue until the 5 sheets are stacked. Cover the fifth sheet with a thinner film of cream. Using the spatula, cover the sides of the cake with a thin layer of cream, smoothing neatly. Crumble the reserved pastry sheets into little pieces and sprinkle them over the cake. Sift the flavored confectioners' sugar over the cake.

Refrigerate for at least 12 hours and up to 24 hours so that the layers have time to absorb some of the cream. Slice the cake while still cold, so the cream will not squeeze out, then leave at room temperature for 30 minutes to 1 hour. This way, too, you can hide a slice in the refrigerator for your coffee the next morning.

Zavarnye Pirozhnye

CREAM PUFFS

Russians prefer their cream puffs somewhat softer than the French do. Instead of scraping out any undercooked dough while the pastries are still hot (the French method), the Russians allow the puffs to cool completely before scraping them out, which makes them moister. The cream puffs currently sold in bakeries in Russia are usually filled with butter cream of far from the best quality. Among the homemade cream puffs, those filled with custard cream are the favorites.

Makes 12 cream puffs

1   tablespoon unsalted butter for greasing baking sheets or muffin tin

1   recipe Cream Puff Paste (page 542)

vanilla-flavored confectioners' sugar (page 620)

1   recipe Custard Cream (page 536), *or* 2½ cups Custard Cream folded into ¾ heavy cream, whipped

2   baking sheets, 12 inches long and 8 inches wide, or a 12 1-cup muffin pan

Make the Cream Puff Paste and use while it is still warm. To do this, preheat the oven to 425°F before starting to make the paste. Butter the muffin pan or the baking sheets. A muffin pan is obviously preferable because it shapes the bottom of the puffs better.

Fit a ¾-inch plain round nozzle to a pastry bag, fill with the dough, and squeeze out mounds 2 inches wide and 1 inch high (about 2 tablespoons) into each muffin form. If regular baking sheets are used, leave 2 inches between the mounds. If there is no pastry bag available, use a heaping tablespoon of dough for each cream puff.

Lightly sprinkle each mound with the flavored confectioners' sugar. Bake for 15 minutes, reduce the heat to 400°F, and bake for 10 minutes more. Without turning off the heat, open the oven door 1 inch and insert a spoon handle between the door and the oven to keep the door lightly ajar. After 5–6 minutes the puffs should be golden. Transfer them to a cake rack to cool.

With a serrated knife, make a horizontal slash across the center of the puff, cutting halfway through (do not cut further because the top might fall off). Using your fingers, carefully scrape out any undercooked, moist dough inside the puff. Fill each puff with about ¼ cup Custard Cream or the combination of custard cream and whipped cream. Sprinkle with the vanilla-flavored confectioners' sugar through a sieve and serve.

"COOKIES" AND DOUGHNUTS

Iziumnye Sukhariki
RAISIN RUSKS

Raisin Rusks are actually rather soft cookies shaped like oval rusks. Eat them as soon as possible after baking, as they will not keep well for more than a day.

Makes about 48 cookies

1½ tablespoons unsalted butter for greasing baking sheet

1 cup golden raisins

3 cups cake flour

¾ cup sugar

7 tablespoons unsalted butter, melted and cooled until just warm

2 teaspoons baking powder

2 large eggs

1 teaspoon freshly grated lemon rind

1–2 tablespoons half-and-half (*optional*)

Up to ½ cup all-purpose flour for dusting work surface

1 egg yolk beaten with ½ teaspoon each vegetable oil and water for egg glaze

A baking sheet, 15 inches long and 10 inches wide

Set the baking rack at the middle level of the oven and preheat the oven to 375°F.

Butter the baking sheet.

Put the raisins through a meat grinder or grind them together with 1–2 tablespoons of the flour in a food processor fitted with the metal blade. In the bowl of an electric mixer, combine the flour, sugar, butter, and baking powder, add the eggs, grated lemon rind, and ground raisins. Mix with an all-purpose beater at low speed, switch to moderate speed, and beat for about 2 minutes to make a dense, well-blended dough. If all the flour has not blended into the body of the dough, add the half-and-half and continue to beat for 2–3 minutes.

Turn the dough out on a lightly floured work surface. Shape into a ball, divide in half, and form each piece into a roll about 14 inches long, 2 inches wide, and 1¼ inches thick.

Place both rolls on the baking sheet, spacing them at least 1 inch from the edges of the pan amd from each other. Brush twice with the egg glaze and bake for 20–25 minutes, or until the tops of the rolls are shiny and dark golden. Insert a skewer or a toothpick into one of the rolls. If the skewer comes out clean, the rolls are done.

Remove from the oven and leave on the baking sheet for 10 minutes. With a sharp serrated knife, cut each roll in half at a 45° angle; this will make it easier to transfer the pieces to a cutting board. Cut the rolls into ½-inch slices at the same 45° angle. Each slice should be an oval about 3½ inches long, 1¼ inches wide, and ½ inch thick.

Arrange the slices on a platter and allow to cool. Keep in a dry place and eat within 24 hours.

Pirozhnoe "Kartoshka"

RUM BALLS

Makes 16–18 rum balls

1⅔ cups ground toasted walnuts (page 516), sifted

1⅔ cups dry sponge cake crumbs, sifted

⅓ cup confectioners' sugar, sifted

4 ounces unsweetened chocolate, melted (page 515)

¾ cup unsweetened evaporated milk or heavy cream

3 tablespoons rum

1 teaspoon rum extract

¼ cup ground toasted walnuts, sifted, for coating the rum balls

16–18 corrugated foil or paper cups

In a bowl, combine all the ingredients except the ¼ cup of ground walnuts and mix thoroughly until well blended. Scoop up about ¼ cup of the mixture and shape into a ball. Spread the ¼ cup of ground walnuts on wax paper, roll the rum ball in the nuts, and place in a corrugated paper cup. Continue until all the mixture is used. Refrigerate for 2–10 hours.

Khvorost

"BRUSHWOOD" (DEEP-FRIED COOKIES)

Makes 42–48 cookies to serve 10–12

4 large egg yolks
1½ tablespoons rum or vodka
¼ cup sugar
2¾–3 cups all-purpose flour
1½ teaspoons baking powder

Vegetable oil for deep-frying

⅓ cup vanilla-flavored confectioners' sugar (page 620), sifted
A 1½-quart cast-iron deep fryer
A deep-fat thermometer

Combine the egg yolks, rum, ½ cup of water, and sugar and mix at low speed with an electric beater for 1 minute. Add 2¾ cups of flour and the baking powder all at once and beat at low speed for 1 minute and then at medium speed for 2–3 minutes, or until the dough begins to peel off the sides of the bowl. Remove the dough from the bowl, divide into 2 parts, shape one into a ball, cover with plastic wrap, and set aside. Shape the other half into a ball, cover with a cloth, and let sit for 10 minutes.

Fill the deep-frying pan with 4 inches of vegetable oil. Insert a deep-fat thermometer and heat slowly.

Remove the cloth from the second ball of dough. On a lightly floured board, roll out the dough ⅟₁₆ inch thick and cut into strips 1 inch wide and 4–5 inches long. Make a 1-inch-long incision in the center of each strip and pull one end through it, as illustrated.

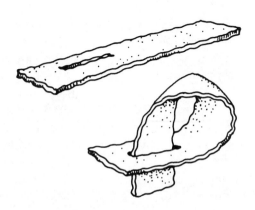

Increase the heat under the oil to bring the temperature rapidly to 350°F. Drop several strips into the fat, regulating the heat so that the temperature does not drop or increase beyond 375°F. Fry until the strips turn golden on one side, turn them over with a fork, and cook until golden on the other side, 2–3 minutes altogether.

Remove the cookies with a slotted spoon and place on a cake rack lined with 3 layers of paper towels. Fry and drain the rest of the strips. Take the pan off the heat. Roll out the remaining dough, cut into strips as described, and return the pan to the heat. Cook and drain the cookies as described.

When cool, arrange the "Brushwood" on a serving platter and generously sift over them the flavored confectioners' sugar.

Ponchiki s Povidlom ili Vareniem
FILLED DOUGHNUTS

You can use Yeast Dough #2 for these doughnuts, but they taste best when made with this egg- and butter-rich brioche-like pastry flavored with rum.

Makes 25 large doughnuts filled with preserves or 50 small doughnuts filled with jam

FOR THE DOUGH

1	cake compressed yeast, *or* 1 package active dry yeast
⅓	cup plus ½ teaspoon sugar, in all
4	egg yolks at room temperature
1½	cups milk, scalded and cooled to 125°F
3¾	cups instant-blending or all-purpose flour
½	teaspoon salt

1	tablespoon rum
1	teaspoon vanilla extract
½	cup (¼ pound) unsalted butter, melted and cooled until warm (about 90°F)
1	tablespoon unsalted butter for greasing mixing bowl
	Up to ½ cup all-purpose flour for dusting work surface

FOR THE FILLING

1 cup fruit from Raspberry, Black Currant, or Morello Cherry Preserves (pages 454, 447, and 448), drained overnight, and 2–3 tablespoons unseasoned bread crumbs or sponge cake crumbs, sifted, *or* 1 cup thick raspberry or Morello cherry jam

Vegetable oil for deep-frying

3–4 tablespoons confectioners' sugar, sifted (*optional*)

A 2½-inch round cookie cutter

A deep-fryer, about 1½–2 quarts

A deep-fat thermometer

MAKING THE DOUGH

Prove the yeast in a small bowl or cup with ½ teaspoon of sugar and 2 tablespoons of warm water (95°F). Place in a larger bowl containing warmer water (110°–115°F) and let rise for 10–15 minutes.

Beat the egg yolks with the remaining sugar with the balloon whip attachment, if you have one, or with an electric beater at moderately low speed for 2 minutes, then at maximum speed for 4–5 minutes. Replace the whip with an all-purpose beater and, with the machine at low speed, gradually add the milk and beat for 30 seconds. Add the flour, salt, and risen yeast and beat at low speed for 2 minutes, then at medium speed for 4–5 minutes. Add the rum, vanilla, and warm butter and continue to beat at medium speed for 5–6 minutes. The dough should be elastic but not too soft; it should peel off your fingers after 1–2 kneadings by hand.

Grease a large bowl with butter, put the dough in the bowl, and turn to grease on all sides. Cover with a cloth, wrap in a terrycloth towel, and set to rise in a warm place (78°–82°F) for 1½–2 hours.

As soon as the dough doubles in bulk, divide in half and, on a lightly floured work surface, roll out both pieces ¼ inch thick. (Although flour is necessary to roll out the dough, use as little as possible; excess flour on the surface of the doughnuts will burn during the deep-frying.)

FILLING THE DOUGHNUTS WITH PRESERVES

With a 2½-inch cookie cutter, lightly imprint circles next to one another on one sheet of dough, but do not cut through. Place ½–¾ teaspoon of filling in the center of each outlined circle. It is important that the filling be placed precisely in the center of the circle, otherwise the doughnuts will be lopsided. Drape the second sheet of dough over the rolling pin and place over the first sheet. The mounds will show where to cut out the doughnuts, using the same 2½-inch cookie cutter. With a pastry brush, brush excess flour off the doughnuts. Turn them carefully and brush the other side.

Wash your hands to remove all flour, dry them thoroughly, and grease them with a little vegetable oil. Shape the doughnuts into perfect balls, seeing to it that they are well sealed, pinching when necessary. Place on an oiled baking sheet.

FILLING THE DOUGHNUTS WITH JAM

Cut out 2½-inch circles and place ½–¾ teaspoon of jam in the center. Wash, dry, and grease your hands. Carefully pick up a circle of dough from underneath without touching the top (if the edges become oily, they will not seal properly) and place it in the palm of the other hand. Curl your hand slightly and bring the edges of the circle together, pinching firmly to seal. As the *ponchiki* are formed, keep them on an oiled baking sheet.

FRYING THE DOUGHNUTS

When the baking sheet has been filled, cover with a cloth and place it in a warm, draft-free place (78°–82°F) for 12–15 minutes. In the meantime, fill a heavy cast-iron or cast-aluminum pan with vegetable oil to a depth of 4 inches and heat to 375°F. Carefully lower 6–8 doughnuts (or as many as the pan can comfortably hold) into the oil and cook for about 2 minutes, or until golden. (When the doughnuts are first dropped into the oil, the temperature will drop; raise the heat slightly to maintain a temperature of 375°F.) Turn with a slotted spoon and cook for about 1½ minutes on the other side, or until golden brown. While the second side is cooking, the first side will continue to deepen in color so that the doughnuts will be evenly colored. Remove a *ponchik* from the oil with the slotted spoon and break open to see if the dough inside has been baked through. If not, increase the cooking time by about 30 seconds on each side.

Take the doughnuts out with a slotted spoon, tongs, or a fork, and let drain for several minutes on a rack lined with several layers of paper towels. Serve warm or cold, as they are or with the confectioners' sugar sifted over them through a sieve.

KISELS', COMPOTES, AND OTHER DESSERTS

Compotes and *kisels* have been popular desserts for centuries. Kholodtsy, cold semiliquid deserts made with fruits or custard, are refreshing and look very appetizing served in dessert bowls or flat champagne glasses. They were favorites at dance and garden parties and are still well-loved in Russia today.

Molochnyi Kisel'

MILK *KISEL'*

Serves 6

1½ quarts milk, in all
8 tablespoons sugar, in all
¾ cup potato starch, sifted
1 teaspoon vanilla or almond extract

Syrup from homemade Raspberry Preserves #1 (page 454) or Chocolate Sauce (page 540)

In a heavy 2-quart saucepan, bring 1 quart of milk to a boil, add 6 tablespoons of sugar, stir, and remove from the heat. Combine the starch with the remaining 2 cups of milk in a bowl, stir thoroughly so that there are no lumps, and, stirring continuously, pour the hot milk into the bowl. Return the mixture to the saucepan and, continuing to stir, bring to a boil, lower the heat, and simmer for 1–2 minutes.

Remove from the heat, stir in the vanilla extract, and pour into individual dessert bowls. Sprinkle with the remaining sugar to prevent a skin from forming and refrigerate until cold and thick.

Before serving, garnish with raspberry syrup or chocolate sauce.

Mindal'nyi Kisel'

ALMOND *KISEL'*

Serves 6

3 cups blanched almonds
6 cups water or milk
½ cup plus 2 tablespoons sugar
1 cup potato starch, sifted
½–¾ teaspoon almond extract

Raspberry or strawberry syrup from preserves (Chapter 10) or Chocolate Sauce (page 540) for garnish (*optional*)

Grind the almonds in a food processor 1 cup at a time or pulverize them by hand in a mortar, adding 1–2 tablespoons of cold water 3–4 times during the pounding to prevent the almonds from oozing oil.

Place the ground almonds in a heavy 3-quart saucepan, add 4 cups of water or milk, bring to a boil, stirring often, then lower the heat and simmer for 2–3 minutes. Line a colander with 4 layers of cheesecloth and place it over a saucepan. Pour in the almond mixture, letting the liquid drain into the saucepan. Wrap the almonds in the cheesecloth and twist the cloth, squeezing out as much almond milk as possible. Discard the almonds. Add ½ cup of sugar and stir until dissolved. Combine the sifted potato starch with the remaining 2 cups of cold water or milk, stir so that there are no lumps, and pour into the saucepan with the almond milk. Stirring constantly, bring the mixture to a boil, lower the heat, and simmer for 1–2 minutes. Remove from the heat, add the almond extract, pour into dessert bowls, and sprinkle with the remaining 2 tablespoons of sugar to prevent a skin from forming. Refrigerate. Serve cold, garnished with raspberry or strawberry syrup or chocolate sauce.

Kisel' iz Iagod

BERRY KISEL'

Kisel' is a smooth, cold dessert which can be served in bowls or, if diluted with milk, as a delicious drink. Kisel' is often made with fresh fruit juice (sometimes with the pulp added) or with milk or almonds.

Serves 6

1	quart strawberries, raspberries, or blackberries, or a combination	6	cups milk or half-and-half, or 1 cup milk or half-and-half, or 6 tablespoons whipped cream
1	cup sugar		
6	tablespoons potato starch		

Hull, wash, and dry the berries. Purée in a blender or food processor, then push through a fine sieve into a bowl, reserving the juice and the pulp.

Put the pulp into a 3-quart saucepan, add 1½ quarts of water and all but 1–2 tablespoons of the sugar and stir the mixture. Stir the potato starch into the bowl of berry juice.

Bring the pulp mixture to a boil and vigorously stir in the starch-juice mixture. Return to a boil and remove from the heat.

When cooled somewhat, pour the *kisel* into dessert bowls or glasses or a decorative serving bowl. Sprinkle with the remaining sugar to prevent a skin from forming, then refrigerate for 1 hour.

Kisel' can be served as is or accompanied with glasses of milk or half-and-half; or several tablespoons of milk or half-and-half can be stirred into each bowl to create a marbled effect; or top each serving with a tablespoon of whipped cream.

Variation Thick Berry *Kisel'*
Use ½ cup of potato starch.

Kompot iz Fruktov
MIXED FRUIT COMPOTE

Serves 6

1	large apple (McIntosh, Jonathan, Golden Delicious, or other fragrant juicy apple)	Rind of ¼ orange (with no pith attached), cut into strips 1 inch long and ¼ inch wide
2	firm, ripe pears (Bosc is good)	6–8 tablespoons sugar, in all
6	firm, ripe apricots	2 tablespoons sweet vermouth

Peel and core the apple and pears and cut into wedges. Cut the apricots in half and pit.

In a 3-quart saucepan, bring to a boil 6 cups of water, the pears, 6 tablespoons of sugar, and the orange rind, lower the heat, and simmer for 10 minutes. Add the apple wedges and simmer for 10 minutes more, then add the apricots and simmer for 5 minutes. Remove from the heat. Taste and, if necessary, add 1–2 tablespoons of sugar. Cool, add the wine, and refrigerate for 1 hour.

Distribute the fruits and liquid evenly in 6 dessert bowls or tall glasses placed on saucers. Use regular teaspoons for the dessert bowls or long-handled spoons for the glasses.

Note: The apricots can be replaced with:
1. 6 plums (Italian [prune] plums are preferable)
2. 1 cup pitted sweet cherries; add them after the apples have simmered for 5 minutes
3. 1 cup Morello (sour) cherries; add them after the apples have simmered for 8 minutes and simmer for 7 minutes more.

Kompot iz Sukhofruktov
DRIED FRUIT COMPOTE

Serves 6

¾ cup dried pears
½ cup dried apples
½ cup dried apricots or
   prunes
¼ cup raisins

½ cup sugar, in all
   Rind of ½ lemon (yellow
   part only), cut into strips
   1 inch long and ¼ inch
   wide

Rinse the fruit. Soak the pears in a 3-quart saucepan in 5 cups of water for 2 hours. In a separate bowl, soak the apples in 3 cups of water for 1 hour.

Bring the pears and their water to a boil, adding ¼ cup of sugar and the lemon rind, lower the heat, and simmer for 15 minutes. Add the apples and their water and the remaining sugar and continue to cook for 10 minutes, then add the apricots and raisins and simmer for another 10 minutes, or until all the fruits are tender.

Cool and refrigerate for 1 hour.

Serve in dessert bowls or in glasses placed on saucers.

Kompot iz Iagod
BERRY COMPOTE

Serves 6

½ cup sugar
   Rind of ¼ lemon (yellow
   part only), cut into strip
   1 inch long and ¼ inch
   wide
1 quart firm, ripe strawberries

1 cup raspberries
2 tablespoons freshly
   squeezed lemon juice

In a 3- to 4-quart saucepan, bring to a boil 5½ cups of water, the sugar, and lemon rind. Meanwhile, wash and hull the strawberries. Add the strawberries and raspberries to the boiling syrup, return to a boil, lower the heat, and simmer for 3 minutes. Remove from the heat, add the lemon juice, cool, then refrigerate for 1 hour.

Distribute the berries evenly among 6 dessert bowls or 6 tall glasses on saucers. Serve with regular teaspoons for the dessert bowls or long-handled spoons for the glasses.

Variation   Morello Cherry Compote
Instead of strawberries, use 1 pound of Morello (sour) cherries, pitted. Use the raspberries or omit, as desired. Simmer the fruit for 7–8 minutes.

Syrnaia Paskha I

PASKHA #1

There are not too many Russian recipes using cottage cheese, but it still has an important place in the cuisine. Cheese desserts, which are among the earliest found in Russian cooking, are sweetened pastes enhanced with butter, cream, and egg yolks, then flavored with raisins, candied fruits, lemon rind, almonds, syrups from preserves, and beaten into a fluffy creamlike mass. Depending upon how and when they are served, they can be eaten as a simple lunch snack or an elaborate dessert.

The crown of cheese desserts is *paskha*, traditionally made for the Easter feast. *Paskha* is traditionally made in the shape of a pyramid. However, if a *paskha* mold is not available, use a flower pot.

Serves 12

3½ pounds Cheese for *Pirog*
   Filling (page 144), or
   Homemade Cottage
   Cheese (page 136)

½ cup (¼ pound) unsalted
   butter, softened

3 egg yolks

1 cup sugar

½ teaspoon salt

½ cup sour cream

1½ teaspoons freshly grated
   lemon rind

½ cup raisins

½ cup candied orange peel,
   preferably homemade
   (page 459), cut into strips
   ¼ inch wide

½ teaspoon vanilla extract
   (*optional*)

½–1 cup candied fruits and
   candied orange peel,
   diced; and whole
   almonds, tossed to blend

A 3-quart *paskha* mold, or a
   clay, ceramic, or plastic
   flower pot, 6 inches in
   diameter and 6 inches
   high
Cheesecloth for lining
   mold or pot

The prepared cheese should be completely smooth, with no grains at all. If there are any lumps, purée the cheese in a food processor or push it through the sieve again.

Combine the butter, egg yolks, sugar, and salt and beat with an electric beater at moderate speed for 3–4 minutes. Add the sour cream and beat for 2 minutes more. Change to the all-purpose beater, add the cheese, and mix at moderate speed for 2–3 minutes, or until fluffy. Beat in the lemon rind, raisins, ½ cup of orange peel, and vanilla.

Line a carefully washed, new, plastic or ceramic flower pot with 2 layers of wet cheesecloth. Make the lining as smooth as possible. Pack in the cheese mixture compactly. Cover first with the ends of the cloth and then with a flat saucer or a round flat piece of plastic. Place a 2-pound weight on top of the lid and set the pot on a rack over a bowl in a cool place for 18–24 hours. The whey seeping out through the hole in the flower pot should flow freely into the bowl.

Remove the weight, unfold the ends of the cheesecloth, hold a serving platter firmly over the pot, and with a quick motion, turn the pot upside down, shaking lightly if necessary so that the *paskha* slides out onto the plate. Remove the cloth.

Decorate with candied fruits, almonds, and raisins. Edible flowers like candied violets or nasturtiums also look very festive.

Refrigerate the *paskha* until 15–30 minutes before serving time. Cut into wedges and serve with coffee or tea.

Syrnaia Paskha II (Zavarnaia)

PASKHA #2

Serves 12

3½ pounds Cheese for *Pirog* Filling (page 144) or Homemade Cottage Cheese (page 136)

6 egg yolks

¾ cup (1½ sticks) unsalted butter, softened

1½ cups sugar

1 cup blanched almonds, finely ground

1 cup raisins

½ teaspoon almond extract

1 cup heavy cream

¼–½ cup thinly sliced blanched almonds

A 3-quart *paskha* mold, *or* a plastic ceramic or clay flower pot, 6 inches in diameter and 5 inches high

The prepared cheese should be perfectly smooth, with no grains whatsoever. If necessary, blend the cheese in a food processor or push through a sieve or a potato ricer.

Combine the egg yolks, butter, and sugar and whip with an electric beater at moderate speed for 3–4 minutes, then at maximum speed for 2 minutes. Add the ground almonds, raisins, and almond extract and beat with an all-purpose attachment at moderately low speed until well blended. In another bowl, whip the cream until stiff and add to the cheese mixture. Blend at low speed.

Place the mixture in a heavy saucepan and warm over low heat, stirring continuously with a wooden spoon and scraping the bottom to prevent the mixture from sticking. As soon as bubbles appear at the sides of the pan, remove from the heat and place the saucepan in a bowl filled with ice. Stir continuously until the mixture begins to cool. When completely cool, pack into the mold, following the directions for *Paskha* #1 (page 564).

Unmold after 18–24 hours. To garnish the *paskha*, press the sliced almonds into the top and around the sides 1 inch below the top. Or press the nuts into the cake all around the base and to a depth of 1 inch. In any case, leave some of the surface uncoated; the contrast between the plain surface and the almond coating is lovely.

Sharlotka Po-Russki

APPLE CHARLOTTE, RUSSIAN-STYLE

On Christmas Eve the dinner was served late and in a hurry. The children ate only a dessert, a charlotte. The bustle enveloped the household.

—Alexei Tolstoi

Nikita's Childhood

Here is an enigma: Charlotte Russe is not Russian and is not known inside Russia. But there are various Russian charlottes which are unknown outside Russia.

To unravel this mystery, we must begin with the original French charlotte, which was made by lining a cylindrical form (the charlotte mold) with slices of white bread that had been dipped in butter. The mold was filled with a combination of thick apple purée and fried bread cubes, topped with a layer of bread slices, and then baked.

This was the charlotte introduced to Russia by eighteenth-century French chefs. In the Russian adaptation, the apple purée was replaced with slices of raw apple alternating with an egg-and-cream sauce and slices of bread soaked in cream.

The dessert called Charlotte Russe was created by Antoine Carême on his return to France in the early nineteenth century. No longer a baked pudding, it was made by lining a mold with ladyfingers, filling it with Bavarian cream, and chilling until the cream sets. This dish is unknown in Russia.

Apple Charlotte, Russian-Style makes a fine main dish for a light lunch or supper and is, of course, a delicious dessert.

Serves 6

1½ tablespoons unsalted butter for greasing pan

3 tablespoons bread crumbs

4 large egg yolks

½ cup sugar

2½ cups half-and-half

¾ teaspoon rum extract

9–10 cups cubed stale French bread

2 pounds apples (Golden Delicious, McIntosh, or Rome) peeled, cored, and thinly sliced

4 tablespoons unsalted butter, cut into ¼-inch pieces

3–4 tablespoons honey or raspberry, strawberry, or Morello (sour) cherry preserves (for homemade preserves, see Chapter 10)

An oven-to-table dish or a baking dish, 12 inches long and 8 inches wide

Set the baking rack at the middle level of the oven and preheat the oven to 350°F.

Butter the baking pan and sprinkle with bread crumbs.

In the bowl of an electric mixer fitted with the whip attachment, or beating by hand, beat the yolks and sugar at high speed for 3 minutes. Reduce the speed to low and gradually add the half-and-half and then the rum extract, mixing until blended.

Combine the bread cubes and sliced apples in a bowl, gently stir in the egg mixture, and let sit for 10–12 minutes. Transfer to the prepared baking dish, dot with pieces of butter, and bake for 30–35 minutes, or until the charlotte comes away from the sides of the pan, the crust turns golden, and a skewer inserted in the pudding comes out clean.

If the charlotte has been baked in an oven-to-table dish, it can be served in the dish, hot or cold, garnished with honey or preserves. If an ordinary pan has been used, cut the hot charlotte into slices and serve on individual plates. If you wish to serve it cold, invert the pan over a large serving platter while the charlotte is still warm and allow it to cool.

Charlotte is very good as a dessert or as a snack with tea, coffee, or milk.

Iabloki v Kreme

APPLES IN CUSTARD CREAM

Serves 6

6 medium apples (Golden Delicious, McIntosh, Jonathan, and others)

3 tablespoons freshly squeezed lemon juice

3 large egg yolks

½ cup sugar

3 tablespoons instant-blending flour

1 quart rich milk, *or* 1 pint milk and 1 pint half-and-half

½ teaspoon vanilla extract

3 tablespoons berries drained from raspberry, strawberry, or Morello (sour) cherry preserves, preferably homemade (Chapter 10)

Peel the apples, core, and cut each into 8 wedges. Put in a saucepan, add ½ cup of water and the lemon juice, bring to a brisk boil, lower the heat, and simmer, covered, for 15–20 minutes, carefully turning the wedges 2–3 times. Remove from the heat, drain in a colander, and set aside to cool.

Make the custard cream: in the bowl of an electric mixer, using the whip attachment, beat the egg yolks with the sugar at moderate speed for 3 minutes. Gradually add the flour, beat for 10 seconds, pour in 1 cup of milk, and beat for 2 minutes more. In a small saucepan, bring the remaining milk (or half-and-half) to a boil. Remove the bowl of egg yolks from the mixer and gradually add the hot milk, stirring with a whisk, so that they are well blended. Pour the mixture into a heavy-bottomed 2-quart saucepan and, stirring continuously with a wooden spoon, bring to a boil over low heat. Simmer not longer than 1 minute, remove from the heat, cool, then add the vanilla, mix thoroughly, and pour into individual dessert bowls or a serving bowl. Arrange the apple slices over the top, decorate with berries, and refrigerate until serving time.

Kholodets iz Iablok

APPLE DESSERT WITH CINNAMON AND WINE

This dessert is similar to heavy cream in consistency and, for an informal family meal, it can be served in glasses.

Serves 10–12

6 apples (about 2 pounds; use Gravenstein, Granny Smith, McIntosh)	3 cups dry red wine
1-inch cinnamon stick	¾ cup sugar
Rind of ½ lemon, cut into julienne strips	Freshly squeezed juice of ½ lemon
2 tablespoons light white wine	¼ cup bread crumbs

Peel, core, and slice the apples. Place them in a heavy saucepan with 1⅔ cups of water, the cinnamon, and lemon rind, bring to a boil, lower the heat, and simmer for 15–20 minutes, or until tender. Strain, reserving the liquid. Discard the cinnamon, then purée the pulp and lemon in a blender or food processor. Combine with the reserved liquid and add the wines, sugar, lemon juice, and bread crumbs, stirring until the sugar dissolves. Refrigerate. Serve in dessert bowls accompanied by pastries, pound cake, sponge cake, and so on.

Malinovyii, Klubnichnyii Vishniovyi Vozdushnyi Pirog
FRUIT PRESERVE SOUFFLÉ

This is an elegant dessert and one that is very easy to make. If the syrup flavoring is mixed in advance and the egg whites left at room temperature, it takes only a few minutes to whip the meringue and assemble the soufflé. Because the syrup is the only flavoring in the dessert, it is important that the preserves be of the best quality—either homemade or a superior brand of commercially prepared preserves.

Serves 6

1	tablespoon unsalted butter for greasing baking dish	¼	teaspoon vanilla extract
1	cup syrup from raspberry, strawberry, or Morello (sour) cherry preserves, preferably homemade (Chapter 10)	6	extra-large egg whites, at room temperature
		2	tablespoons sugar, in all
2	tablespoons potato starch		A 2- to 2½-quart casserole or soufflé dish

Set the baking rack at the middle level of the oven and preheat the oven to 375°F.

Butter the baking dish.

In a large bowl, stir the syrup from the preserves with the potato starch and vanilla extract. Using the electric mixer or beating by hand, whip the egg whites until soft peaks form, add 1 tablespoon of sugar, and beat until stiff peaks form. Add the remaining sugar and whip for 2 minutes more, or until quite dense. Gently but swiftly, in 3–4 steps, blend the whipped egg whites into the syrup, folding them in with a wooden spoon or spatula.

Spread a little over three-quarters of the mixture in the baking dish. Fill a pastry bag fitted with a large fluted nozzle with the remaining meringue. Decorate the soufflé with peaks and rosettes, working as quickly as possible so that the egg whites are not deflated.

Bake for 7–10 minutes, or until the peaks turn pale golden. Serve immediately.

Gurievskaia Kasha s Orekhami i Vareniem

SEMOLINA GURIEV

Serves 6

1½–2 quarts half-and-half

½ cup semolina

A pinch of salt

10–11 ounces walnuts, toasted (page 516)

15 blanched almonds, toasted (page 516)

3 tablespoons sugar, in all

½ teaspoon almond extract

3 tablespoons bread crumbs, in all

1 cup drained berries or fruits from preserves, preferably homemade (Chapter 10)

A shallow 8-cup baking dish

A 2–2½-quart casserole

Set the baking rack in the upper third of the oven and preheat the oven to 375°F.

Pour 6 cups of half-and-half into a shallow baking dish and bake for 10–15 minutes; a golden skin will form on the cream. With a fork, skim off the skin onto a large plate. Reserve the skins. Continue to bake the cream, and when another skin forms after about 5 minutes, skim it off. Continue baking and skimming until you have 10–12 skins accumulated on the plate. Add more half-and-half if necessary to maintain the original level.

Remove the cream from the oven, lower the baking rack to the middle level, and reduce the temperature to 350°F.

Stirring continuously over low heat on top of the stove, blend the semolina and a tiny pinch of salt into the cream and cook for 5–7 minutes over medium-low heat. Add the nuts, 2 tablespoons of sugar, and the almond extract and mix thoroughly.

Generously butter a 2- to 2½-quart oven-to-table casserole and sprinkle with 1½ tablespoons of bread crumbs. Make 3–4 layers of all the ingredients as follows: semolina, cream skins, drained berries and/or fruits from preserves (raspberries, Morello [sour] cherries, pears, strawberries, and so on). Repeat until the ingredients are used up, ending with a layer of semolina. Reserve a few berries for decoration. Sprinkle the semolina with the remaining bread crumbs and sugar and bake for 15–20 minutes. Cool and refrigerate. Serve cold.

Note: For the final baking, the dessert can be layered in 6 individual 2-cup ovenproof bowls. Place the bowls on a baking sheet and bake for 12 minutes. Serve cold.

Krem iz Vzbitykh Slivok
WHIPPED CREAM DESSERT

Serves 6

2   tablespoons (2 packages)
    gelatin
2   cups heavy cream
½   cup sugar
    Freshly grated rind of
    ½ lemon, *or* ¼ teaspoon
    vanilla extract

1   tablespoon grated
    unsweetened chocolate

A 4–5-cup mold

Dissolve the gelatin in ½ cup of hot water and allow to cool. When it is almost cool, whip the cream in an electric mixer at maximum speed until soft peaks form, add the sugar and lemon rind, and continue to beat until almost stiff. Still beating, gradually add the gelatin and beat until stiff. Rinse a 4–5-cup mold with cold water, pack the mold with whipped cream, and refrigerate for 2–3 hours, or until firmly set.

To serve, dip the mold in hot water for 3–4 seconds, cover with a serving platter, and with a quick motion, invert them so that the cream slips out of the mold and onto the plate. Serve sprinkled with grated chocolate.

Note: Instead of using a large mold, the dessert can be refrigerated in individual serving bowls or glasses. Pack the whipped cream and gelatin mixture into a large pastry bag fitted with a ¾-inch fluted nozzle. Squeeze the cream out into 6 dessert bowls or glasses, refrigerate, and sprinkle with the chocolate before serving.

Kholodets iz Klubniki ili Maliny
STRAWBERRY OR RASPBERRY DESSERT

Serves 6–8

8–10 cups raspberries or
    strawberries
2   cups water, boiled and
    then chilled

2   cups light dry red wine
    Freshly squeezed juice of
    ½ lemon
1–1½ cups sugar

Reserve 1 cup of perfect berries. Purée the remaining berries in a blender or food processor, add the remaining ingredients except the reserved berries, and mix until the sugar is dissolved. Chill and serve in dessert bowls topped with the fresh berries. Serve with sponge cake, pastries, pound cake, and so on.

Gogol'-Mogol'
GOGOL'-MOGOL'

Mysteriously named, *Gogol'-Mogol'* is an eggnog-like concoction made of raw egg yolks beaten with sugar, lemon juice, and cognac. It is considered the best remedy for a singer's sore throat. Without the cognac, it can be served to children.

In *"Gogol'-Mogol',"* Alexander Kuprin recorded the story his friend Feodor Chaliapin used to tell about himself.

A young and unsophisticated lad, Chaliapin was singing in church choirs when he was offered his first public solo appearance at a philanthropic ball. "Don't be nervous, my dear," said the organizer. "With your voice you need not be. Just have a *gogol'-mogol'* before the concert."

"The problem was," said Chaliapin, "I didn't know what a *gogol'-mogol'* was, and I was too shy to ask. I had a friend by the name of Tsepetovich, a good singer, but down on his luck and a bit of a drunk.

"I dropped in on him, blabbing on about my upcoming debut—boasting like a child—and finished proudly, 'I will have to take *gogol'-mogol'* before the performance.'

" 'Big deal,' said Tsepetovich. 'Anyone can have *gogol'-mogol'*. Get yourself eggs, cognac, sugar, and lemons, and there's your *gogol'-mogol'*. And now will you please relieve me of your annoying company.'

"Before the concert I was shaking with anxiety, but I bought a pint of cognac, half a pound of sugar, five hard-boiled eggs, and two lemons, and dutifully gobbled it all. When I went on stage I was slightly drunk from the cognac and was so confused that the first few lines came out in a whisper. When I sang it this way, it was suddenly apparent that this was the only way to deliver those lines. With the third line, fortunately, my voice returned to me. It was a wonderful sensation—for the first time I felt my voice fill the hall and shake it. It seems to me that I have never sung so well again.

"At the final note the audience rose and gave me a standing ovation. That was how it all started."

Serves 6

12 egg yolks
9 tablespoons sugar
2 tablespoons brandy
2 teaspoons orange liqueur
2 tablespoons freshly
squeezed lemon juice
(*optional*)

Grated rind of 3 lemons, in all
18 ladyfingers

Combine the egg yolks and sugar in the bowl of an electric mixer and beat at low speed for 1 minute. With a rubber spatula, scrape up any sugar that may have stuck to the bottom of the bowl. Beat for 10 seconds more, gradually turning to maximum speed, then beat for 3–4 minutes, or until the mixture is pale yellow and thick. Add the brandy, liqueur, lemon juice, and grated rind of 2 lemons, and beat at maximum speed for 4 minutes, or until the mixture is very thick. Refrigerate for 30 minutes or more, up to 2–3 hours.

Serve in wide champagne glasses or dessert bowls. Sprinkle with the remaining grated lemon rind and place 3 ladyfingers in each bowl.

Detskii Gogol'-Mogol' s Klubnikoi
STRAWBERRY GOGOL'-MOGOL' FOR CHILDREN

Serves 6

4–5 cups strawberries, hulled
12 egg yolks

9 tablespoons sugar
18 ladyfingers

Reserve 6 of the ripest strawberries for decoration.

Purée the remaining berries in a blender or food processor and set aside.

Beat the egg yolks and sugar in a bowl and follow the instructions for *Gogol'-Mogol*. When the mixture is pale yellow and thick, add the puréed strawberries and continue to beat at maximum speed for 4–5 minutes, or until the mixture is very thick. Refrigerate for 15 minutes.

Serve in dessert bowls, decorate with the reserved strawberries, whole or sliced. Place 3 ladyfingers in each bowl or serve them separately.

Vanil'nyi Kholodets

VANILLA CUSTARD

Dessert custards evoke a special nostalgia: one variety or another was always served at summer garden parties.

Serves 6–8

1½ quarts half-and-half	½–1 cup almond, chocolate, or
2 inches vanilla bean, split	coffee ice cream
6 extra-large egg yolks	
1 cup sugar	

In a heavy saucepan, bring the half-and-half to a boil and remove from the heat. Immerse the vanilla bean in the cream, cover, and infuse for 1 hour. Using an electric mixer, whip the egg yolks with the sugar until the mixture meets the ribbon test (page 515). Strain the half-and-half into a saucepan and heat it to about 130°F. Pour 1 cup into the egg mixture, stirring or beating with a whisk continuously, then pour the mixture back into the saucepan of half-and-half. Bring almost to a boil over moderate heat, stirring constantly with a whisk, lower the heat, and simmer for 30 seconds, or until the custard thickens.

Let cool until warm, pour into a serving bowl or individual dessert bowls or flat champagne glasses, and refrigerate. Before serving, decorate with small balls of ice cream.

This dessert goes well with sponge cakes and pound cake.

Variation   Vanilla Custard with Strawberries or Raspberries
Instead of serving the custard with ice cream, prepare the following garnish: whip ½ cup of heavy cream until stiff, add 2 tablespoons of vanilla-flavored sugar (page 620), and blend in well. Distribute the custard in individual serving bowls. Pack the cream into a pastry bag fitted with a ½-inch fluted nozzle and decorate the custard. Top each serving with 1 or 2 medium strawberries or 4 or 5 raspberries.

Variation   Chocolate Custard
Melt 4–6 ounces of unsweetened chocolate (page 515), combine with the scalded half-and-half, cool to about 130°F, and proceed with the recipe.

Variation   Coffee Custard
Reduce the half-and-half to 5 cups, scald it, then combine with 1 cup of very strong coffee. Cool to about 130°F and proceed with the recipe, adding an additional ¼ cup of sugar.

CHAPTER 14

Beverages

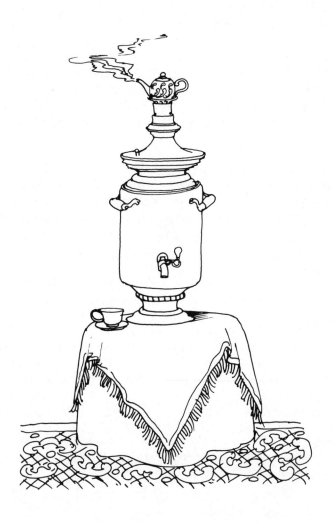

THE RUSSIAN TEA CEREMONY

Tea was introduced to Russia in the eighteenth century through trade with China by way of the Siberian tracts and through the influence of Central Asia. From Mongolia came the samovar—a practical invention: an efficient, portable, self-heating kettle (samovar means "the thing that cooks by itself"). It has become an emblem for the custom of tea drinking, and nowadays, when water is boiled on top of the stove in a prosaic kettle, the samovar still often sits proudly as a centerpiece of the Russian tea ceremony.

The samovar is an urn with a wide pipe running through the center. A fire of charcoal or pine cones is lit at the bottom and heats the water in the samovar. In early times, the kitchen would have an outlet for an L-shaped pipe to draw out the smoke. When the water had boiled, the samovar was brought to the dining room, and the essence was brewed. A small, chunky teapot was rinsed with hot water, ½–1 teaspoon of tea leaves for each cup was thrown in, and the water (just off the boil) was added. The teapot was set on top of the samovar to keep warm. After several minutes of infusion, about ⅛ cup of essence for each serving was poured into cups, or glasses in glass holders, and diluted with hot water from the samovar. A teapot containing essence and a samovar with water was called "a pair of tea," and that was how one ordered it in tea rooms and taverns.

A predecessor of the tea bag was used in the late nineteenth century for children's and students' parties. Tea leaves were placed in a gauze bag, tied with string, and dipped in the samovar after the water had stopped boiling, a brewing method that was considered practical but not elegant.

That tea drinking has become a Russian institution will be clear after a casual glance through *Young Years of Bagrov, Jr.*, and *The Family Chronicle*, early-nineteenth-century memoirs by Sergei Aksakov. Tea is being consumed endlessly. Plans are made for "after morning tea" or "before evening tea"; tea is served to unexpected guests, at parties, as a refreshment in sultry weather, to warm the blood during frosts. Even when the carriage stops by the roadside for a snack during a journey, the samovar is set up for tea.

A photograph of Sergei Eisenstein as a small boy shows him seated at a morning tea, a typical Russian breakfast of a roll, a cube of butter, cheese, a plateful of hot sausages and mashed potatoes, and a glass of steaming tea. *Buterbrody* (Open Sandwiches, page 41) are also popular accompaniments for tea at any time of day.

The evening tea could be an informal party or just a daily family gathering.

In the early 1900s it was the vogue among the upper classes of St. Petersburg, and almost a point of honor, to pile the dessert tea table with six kinds of cake. "I could get by with five kinds of cake and a plate of petits fours," recalled Princess Kropotkin, "but it was not *quite* the right thing. Each kind of cake—chocolate, hazelnut, wild strawberry, and others—came from a different baker, and soon all the coachmen knew the well-worn paths crisscrossing the city to the six bakeries." While the bakeries are long gone, some of the recipes are still remembered and can be found in Chapter 13.

Piroghi, *pirozhki*, and *vatrushki* (Chapter 4), and *prianiki* (honey cake, page 529) were typical accompaniments for tea in a more Russophile or middle-class milieu.

Tea was also served with preserves, usually homemade (Chapter 10)—two or three kinds at least, if a household wanted to retain its self-respect. The preserves were served in cut-glass saucers. Or the preserves were put into the teacups instead of sugar. Thin slices of lemon, cream, and rum were other popular supplements. A purely dessert tea was served with pastries, chocolates, candies, sweetmeats, honey.

In the tsar's palace, the family tea was served at five. Contrary to expectations of royal glamour, it was the dullest meal possible, as described by Anna Viroubova, the lady-in-waiting closest to the empress.

> Tea was a meal in which there was never the slightest variation—the same little white-draped table with its silver service, the glasses in their silver standards, and plates of hot bread and butter and a few English biscuits, never anything new, never any surprises in the way of cakes or sweetmeats. The only difference in the imperial tea table came during Lent, when butter and bread disappeared and a small dish or two of nuts were substituted. The empress often gently complained, saying that other people had much more interesting teas, but she, who was supposed to have almost unlimited power, was in reality quite unable to change a single deadly detail of the routine of the Russian court, where things had been going on almost exactly the same for generations.
>
> Every day at the same moment the door opened and the emperor came in, sat down at the tea table, buttered a piece of bread, and began to sip his tea. He drank two glasses every day, never more, never less, and as he drank he glanced over his telegrams and newspapers.

In less exalted households, however, tea time was a joyous gathering, an evening meal where family and friends, with much talking and laughter, gathered around a table laden with good things to eat.

Outdoor tea parties were organized in the first days of May in Sokolniki, then a suburb of Moscow, set in beautiful woods.

"It was a real fête," reminisced the artist Konstantin Korovin. "I used to go with Anton Chekhov and his brother Nikolai. Right under the trees, rows of tables were covered with cloths and the samovars gleamed invitingly. There was an abundance of breads, buns, *pirozhki*, *krendels*. Vendors were selling whitefish, smoked sturgeon, salmon, sausage, fresh cucumbers, radishes. . . . Friendly women at the samovars treated us to fine rye bread and sausages, which we ate while we sipped tea with cream."

In some nineteenth-century offices where the atmosphere was not too formal, a samovar was a permanent fixture, like a coffeemaker in an American office, and customers and employees could treat themselves freely.

Merchants had their own style of drinking tea. Patriarchal, conservative, bearded, and dressed in traditional dark-colored, long-waisted coats (*poddiovki*), they would meet in their favorite taverns. They balanced their saucers precariously on five fingers spread wide to form a pedestal, and some would sip tea from the saucer through a lump of sugar held between their teeth.

In peasant homes, the samovar always had a special place of honor, symbolizing as it did the well-being of the family. Chekhov tells in his story "Peasants" of the profound humiliation of a poor old man when his samovar is taken away by the village elder for debts. "It was hopelessly dreary in the hut without the samovar. Better if the elder had carried off the table, the benches, all the pots—it would not have seemed so empty."

It will come as no surprise that healing qualities have been attributed to tea. For instance, during the epidemic of 1893 it was the belief of the locals in southern Russia that drinking lots of hot tea would ward off cholera. Even today, strong hot tea with raspberry preserves is the most popular family medicine against the common cold.

Tea is still Russia's favorite nonalcoholic drink, and it is still served in the traditional ways, only with less elegance and variety in the foods it accompanies.

The tea drunk in Russia is imported from India or Ceylon, or it is homegrown Georgian or Krasnodarskii tea. Both exported and homegrown teas usually lack fragrance, possibly because of careless storage. While at home artful brewing can compensate for this shortcoming, the same care is not taken in restaurants, where this kind of tea is served weak and devoid of taste or aroma.

Chai Po-Russki

TEA, RUSSIAN-STYLE

Of course, the better the tea you use, the better the cup of tea. The best you can buy are Russian Caravan, English Breakfast, Earl Grey, and Ceylon (unblended). I like to combine, in equal proportions, Earl Grey and English Breakfast.

Bring water to a boil and rinse the teapot with some of it. Add to the pot 1 level teaspoon of tea leaves per person plus one "for the pot." When the water is at a boil, turn off the heat under the kettle and, just after the water has stopped boiling, add 1 cup of water per person to the pot. Let the brew infuse for 3–4 minutes. (Some people cover the sprout with a linen napkin, but this is an affectation.)

Pour the tea into the glasses or cups and replenish the teapot with half the original amount of fresh water just off the boil. This provides a second cup for half the tea drinkers. Because some people do not like their tea so strong, keep a samovar or kettle of boiling-hot water handy to weaken the tea as needed. This is the Russian "pair of tea"—strong tea essence and water to thin it with, according to each taste.

Tea with Lemon   Add a thin slice of lemon to each cup after the tea is poured.

Tea with Cream   Add a tablespoon of cream to each cup of hot strong tea.

Tea with Rum   (or Russian tea, as it is known outside Russia). Add 1–2 teaspoons good rum to a cup of hot strong tea. It is very good sweetened. Lemon slices are optional. All good tea is bracing, but this is especially so.

Menus for tea parties of various kinds are given in Russian Menus, Chapter 15.

Kafe-Gliase
ICED COFFEE

Coffee has become quite popular in Russia and is usually served hot, either black or with milk, cream, or whipped cream. Iced coffee is an ideal drink for hot summer evenings, garden parties, and summer buffets.

Serves 6

5½ cups medium-strong black coffee
¼   cup half-and-half
2   tablespoons sugar
2   tablespoons liqueur (Amaretto di Saronno, Kahlua, apricot liqueur, or other liqueur)

6   scoops vanilla ice cream
1   tablespoon grated semi-sweet chocolate

Combine the coffee, half-and-half, and sugar in a pitcher and refrigerate for 2 hours, or until quite cold. Add the liqueur, stir, and pour into 6 tall glasses. Top each with a ball of ice cream, sprinkle with grated chocolate, and serve.

Variation   Iced Coffee with Whipped Cream
As is true for Iced Chocolate (page 581), coffee can be served with whipped cream instead of ice cream. Increase the sugar to ¼ cup and divide 1 cup of whipped cream among the 6 glasses.

Goriachii Shokolad
HOT CHOCOLATE

Serves 6

12 ounces unsweetened chocolate
¼   cup sugar

6   tablespoons half-and-half
6   tablespoons whipped cream

Melt the chocolate in the top of a double boiler over simmering water. Thin with ¼ cup of hot water, stirring with a wire whisk, then add

1 quart of boiling water, mix, and bring to a boil. Remove from the heat, add the sugar, stirring to dissolve, then stir in the half-and-half. Pour into 6 cups and top with the whipped cream. Serve alone or with pastries, such as *Baba* (page 510) or *Krendel'* (page 500). If serving with a sweeter type of pastry, reduce the sugar to 2 tablespoons.

Shokolad-Gliase
ICED CHOCOLATE

This is a luxurious cold drink, suitable for any occasion. Accompanied by plain sponge cake or pound cake, it makes an excellent finishing touch to a formal luncheon.

Serves 6

12 ounces unsweetened chocolate, melted (page 515)
¼ cup sugar
¼ cup half-and-half
2 tablespoons liqueur (Cheri-Swiss, Amaretto di Saronno, Kirsch, or similar liqueur)

1 cup whipped cream
1 tablespoon grated semi-sweet chocolate

Using the chocolate, sugar and 5 cups of water, make Hot Chocolate as instructed on page 580. Pour into a pitcher with the half-and-half and refrigerate for 2 hours, or until quite cold. Stir in the liqueur, pour into 6 tall glasses, and top each with 2½ tablespoons of whipped cream. Sprinkle with grated chocolate and serve.

Kliukvennyi Mors
CRANBERRY WATER

Serves 12

2 pounds cranberries
⅓ pound sugar

⅓ pound honey

In a 4-quart pot, cover the cranberries with 2 quarts of water and bring to a boil. Lower the heat, simmer for 10–12 minutes, then strain through a fine sieve, pushing the berries through the sieve with a wooden spoon, or purée the strained cranberries using a blender, food processor, or a sieve and add to the juice. Add the sugar, honey, and enough boiled water (about 2–3 cups) to make 3 quarts altogether. Heat, stirring constantly to completely blend.

Pour into a pitcher, or pitchers, and refrigerate. Serve cold as a refreshing drink.

Limonnaia Shipuchka
SPARKLING LEMON DRINK

Makes about 2½ quarts

4	sugar cubes	1	ounce white rum
2	lemons	1	tablespoon golden raisins
2	cups sugar		
2	quarts mountain spring water		

Rub the sugar cubes against the lemon rind, so that the sugar absorbs the aromatic oils. Peel the lemons, cut in half, remove the seeds, and combine the pulp with the 2 cups of sugar, sugar cubes, and water in a 3-quart jar. Tie 1 layer of cheesecloth over the jar, then leave in the sun for a total of 12 days. Should it rain during this period, remove the jar to a warm place (85°F) until the sun is out again. Or keep the jar indoors in a sunny spot. Strain first through 4 layers of cheesecloth, then through a white flannel cloth that has been rinsed with boiling water, and then squeeze to remove excess liquid.

Pour the drink into thick bottles with tightly fitting corks, add several raisins and some rum to each, and seal. Leave in a cool place, such as a wine cellar or basement, for 24 hours, then refrigerate for 2 weeks.

Serve this refreshing drink in tall glasses.

VODKA: GETTING A TASTE OF LIFE

Marina: Where is the doctor?
Vanya: In there.
Marina: And you've been drinking with him? Why?
Vanya: I get a taste of life that way, that's why.

—*Anton Chekhov*
Uncle Vanya

"Drinking is Russia's joy, and we cannot do without it." This pronouncement is attributed to Saint Vladimir, prince of Kievan Russia during the tenth century, who otherwise was a statesman of vision and common sense. Yet another Russian statesman of vision and common sense, Peter the Great, often arranged huge drinking bouts which lasted a week. He would drink himself into a stupor and demand that his guests do the same. To prevent anyone from leaving, he would station guards at all exits from the palace and force his guests, regardless of rank, sex, and age, to toast the tsar's health continuously. "Happy was the man who managed to slip out through the garden," observed a historian.

The post of Royal Valet to Empress Elizabeth, Peter's daughter, brought with it such privileges as being provided "every second day with a mug of vodka, every third day a mug of wine, and 4 mugs of beer daily." This amounted to 8 quarts of vodka, 6 quarts of wine, and 60 quarts of beer per month.

Drinking continues to be Russia's need, joy, sorrow, and ruin. D. Mackenzie Wallace, who studied Russia in the 1870s, and Robert G. Kaiser, who was there 100 years later, were similarly struck by the amount of liquor consumed. A recent effort to encourage Russians to drink cocktails, which are presumably less alcoholic, was regarded as quite ridiculous—a watering down of the good stuff, something not worthy of a real man. The favorite Russian cocktail continues to be the Polar Star: take ½ glass of vodka, add another ½ glass of vodka, and stir thoroughly.

While it might seem that the word *vodka* is a derivation of the Russian word *voda*, meaning water, etymologists claim that both *vodka* and *whisky* have come down through "translation loans" from the Latin *aqua vitae*—water of life.

Vodka was known in Russia over one thousand years ago. It can be distilled from grains, sugar beets, and sugar. Foreign ambassadors at the court of Ivan the Terrible praised the "Moscow *aqua vitae*" as a drink of great strength and purity. Russian vodkas are usually 80-proof, that is, they contain 40 percent alcohol, with some brands having as much as 45 percent.

Russians drink vodka straight but sometimes follow it with cold water or with beer.

The Stolichnaya imported to the United States is considered in Russia to be the best purified, although the Stolichnaya that is kept for domestic use is inferior. Other local brands are of even poorer quality, which makes the Russian hangover a far more serious affair than its American counterpart. Needless to say, it does not deter anyone from drinking.

Smirnoff is an old label that was among the best during the nineteenth century. It was considered the appropriate accompaniment to caviar.

Rotgut, or *samogon*, is the home brew made in every Russian village in defiance of state monopoly laws. Sundays, state holidays, saints' days, weddings, and so on, are celebrated by downing the stuff in liberal quantities.

FLAVORED VODKAS

Pulkheria Ivanovna was most attractive to me when she was taking a guest in to lunch. "This," she would say, taking a cork out of a bottle, "is vodka distilled with milfoil and sage—if anyone has a pain in the shoulder blades or loins, it is very good; now this is distilled with centaury—if anyone has a ringing in the ears or a rash on the face, it is very good; and this now is distilled with peach stones—take a glass, isn't it a delicious smell? If anyone getting up in the morning knocks his head against a corner of the cupboard or a table and a bump comes up on his forehead, he has only to drink one glass of it before dinner and it takes it away entirely; it all passes off that very minute, as though it had never been there at all."

—Nikolai Gogol
"Old-World Landowners"

Flavored vodkas have always been popular: scores have been produced, and from a culinary point of view they are the perfect complement to Russian foods. Some brands, like Starka and Ierofeich, Petrovskaia, and Okhotnichia vodkas, are infused with anywhere from 3 to 40 flavors—sage, heather honey, angelica root, ginger root, anise, juniper berries, Crimean apple and pear leaves, mint, young shoots of mountain ash, nutmeg and nutmeg blooms, vanilla, cinnamon, cardamom, cloves, and others. Some of the flavors are infused during the distilling process, others later.

In addition to vodkas with composite flavors, there are superb vodkas with a single flavoring—such as lemon or caraway seed or buffalo grass, which can be infused quite easily at home. The flavoring is immersed in the vodka for several days to several weeks, and the vodka is then strained and sealed. It will have acquired an attractive color along with flavor.

The distinguished English Club in nineteenth-century Moscow had its own flavored vodkas that were drawn under the guidance of the club's menu supervisor, Shablykin. Once a man of independent means, he was reputed to have spent his wealth on luxurious food and drink and now had to earn his living. Shablykin's menus were composed of the best of everthing: the first fresh beluga caviar in season or the first sterlet and *balyk* (smoked sturgeon) could be tested at the English Club before they appeared in any other restaurant in town. Shablykin knew when Ostende, Crimean, or Fleksburg oysters tasted best, and when their quality was at its peak they were served at the English Club. The club vodkas were also flavored according to season: in early spring with birch tree buds, in mid-spring with black currant buds, and so on.

Zubrovka

BUFFALO GRASS VODKA

We downed a glass of ice-cold Smirnoff vodka followed by Achuevsk caviar; more vodka, followed by beluga caviar and tiny rasstegaï *with burbot liver; the English vodka was accompanied by the fried brains and buffalo-grass-flavored vodka went with Salad Olivier.*

—*Vladimir Gilarovskii*
Moscow and Muscovites

Buffalo grass flavors vodka with a light scent of vanilla and meadowland.

Makes 1 quart

2–3 blades buffalo grass (see
    Note)

1   quart vodka

Add the buffalo grass to the vodka, seal, and leave at room temperature for three days or more, or until the vodka has acquired a distinctive fragrance and taste. Strain through several layers of cheesecloth, reseal, and refrigerate before serving.

Alternatively, do not strain the vodka; instead, keep the buffalo grass in the bottle for an authentic effect.

Note: Buffalo grass is available in stores that sell herbs. It can be ordered by the ounce ($3.00 per ounce) from Aphrodisia, 282 Bleecker St., New York, New York 10014.

Tminnaia Vodka

CARAWAY SEED VODKA

Makes 1 quart

2 tablespoons caraway seeds	1 quart vodka

Mix the caraway seeds and vodka, seal, and leave for 1 week or more at room temperature. Strain through several layers of cheesecloth, reseal, and refrigerate before serving.

Limonnaia ili Apelsinnaia Vodka

LEMON- OR ORANGE-FLAVORED VODKA

Makes 1 quart

Rind of ½ lemon or orange	1 quart vodka

Mix the peeled rind and the vodka, seal, and leave for 1 week or more at room temperature. Strain through several layers of cheesecloth, reseal, and refrigerate before serving.

Variation   Quick Lemon- or Orange-Flavored Vodka
Use the peeled rind of 1 lemon or orange, and leave for 3–4 days at room temperature.

Pertsovka #1

PEPPER VODKA #1

Makes 1 quart

1   small hot red pepper,   1   quart vodka
    seeds removed

Mix the pepper and vodka and proceed as above.

Pertsovka #2

PEPPER VODKA #2

Makes 1 quart

2–3 black peppercorns, split   1   quart vodka
2–3 allspice berries, split

Add the spices to the vodka and proceed as above.

HOMEMADE FRUIT BRANDIES AND LIQUEURS

". . . spiced brandy, if it's homemade, is better than the finest champagne. After the very first glass your whole being is a mirage, as it were, and it seems to you as if you aren't at home, in your own armchair, but somewhere in Australia, that you are astride a downy ostrich—"

—Anton Chekhov
"The Siren"

NASTOIKI (FRUIT BRANDIES)
Fruit brandies can be served with desserts or with tea or coffee. Fruity and fragrant, they are a delicious accompaniment to tea with sweet breads like *Pliushki, Krendel', or Baba.*

TO MAKE FRUIT BRANDY

1. Combine ripe, undamaged fruit or berries with the best quality (highly purified) vodka; pour into clean, dry, glass containers that have tight seals and store in a cool place for 3 weeks to several months.

2. When ready to serve, strain the brandy through several layers of cheesecloth, or another good filter, until it is transparent.

3. Add the brandy to the hot syrup prepared as follows:

Hot Sugar Syrup

In a large, deep, enameled pot combine 2 cups sugar with ½ cup water per quart of brandy for use as a lighter brandy—if a heavier brandy is desired, use 4 cups sugar. Bring the mixture to a boil. Remove from the heat completely to a place away from the stove or any open fire. Skim the surface of the brandy.

4. After the brandy has cooled pour into bottles, tightly seal or cork, and store in a wine cellar, basement, or other cool place.

Ochen' Staraia Vishniovaia Nastoika-Zapekanka

MORELLO CHERRY BRANDY

5 pounds Morello (sour) cherries	2 2-gallon jars with tight lids or corks
5 bottles Smirnoff vodka (750 ml each)	2 baking or cookie sheets
2–4 cups sugar per quart of brandy, measured after straining	

Set the baking rack at the middle level of the oven and preheat the oven to 150°F.

Remove the stalks from the cherries, rinse, and dry. Line the baking sheets with wax paper, spread the cherries on them in a single layer, and bake for 2–3 hours, or until the cherries are somewhat wilted and wrinkled. Remove the cherries from the oven and cool.

Put the cherries in one of the 2-gallon jars. Add 2½ bottles of vodka, shaking gently to settle the fruit. Seal with a tight lid or cork, set in a cool place (50°–52°F; a wine cellar or basement would do). After 10 days, strain the liquid into a second jar, seal tightly with a lid or cork, and return to the cool spot. Pour 1½ bottles over the cherries in the first jar, and reseal, and leave in a cool place for 2 weeks, then strain into a second jar and seal with a tight lid or cork. Return to the storage spot. Add the remaining bottle of vodka to the cherries in the first jar, seal, and infuse for 7 weeks. Strain through 4 layers of cheesecloth into the second jar and discard the cherries. Then strain the contents of the second jar through the cheesecloth filter. Measure the brandy.

Prepare a sugar syrup and add the brandy as described on page 588. Pour into bottles, seal tightly, and store in a cool place. This heady brandy improves with time; it can be stored for 1–1½ years.

Nastoika iz Rozovykh Lepestkov

ROSE BRANDY

25–30 roses, fully opened	4 cups sugar
3 bottles Smirnoff vodka (750 ml each)	

Remove the rose petals and place in a large jar. Add the vodka, seal the jar tightly, and set in a warm place (76°–80°F) for 2–3 weeks. When the liquid turns golden, strain it carefully through 4 layers of cheesecloth.

In a 4-quart pot, make a syrup with the sugar and ½ cup of water and add the brandy as described on page 588. Cool. Pour into bottles, seal tightly, and keep in a cool place for 4–6 months.

Skorospelaia Nastoika iz Chornoi Smorodiny
QUICK BLACK CURRANT BRANDY

Ah, what black currant brandy the priest treated me to! Start selling this brandy in Paris—I tell you the French will go crazy!

—*Alexei Tolstoi*
"Nikita's Childhood"

5 pounds black currants	2–4 cups sugar per quart of
1½–2 bottles Smirnoff vodka	brandy, measured before
(750 ml each)	straining

Preheat the oven to 180°–200°F.

Remove the stalks from the berries, rinse, and dry. Add 1 cup of water and the currants to a large Dutch oven, cover, and warm in the oven for about 3 hours, or until the juice begins to ooze from the berries. Add ½ cup of water once or twice in the course of warming. Remove the berries from the oven, add the vodka, cover tightly and infuse for 5–6 hours, or overnight. Strain the contents through a sieve into a bowl without pressing or stirring the fruit.

Measure the brandy. Then prepare a sugar syrup and add the brandy as described on page 588.

Decant into bottles and refrigerate. In two days' time, the brandy is ready. Serve at room temperature.

FRUIT LIQUEURS

Homemade fruit liqueurs (*nalivki*) are made by adding sugar to fruits or berries and letting the mixture ferment. The finished liqueur will be about 36–40 proof and, stored properly, will keep for 6 months. See page 591 for choice of fruits.

The Jar and Water Lock   You will need a 4-gallon jar. To provide an outlet for the gases caused by fermentation, and at the same time to prevent oxygen from reaching the fermenting fruit (which would destroy the alcohol that results from fermentation), a "water lock" has to be made. The jar used for making *nalivki* should have a tightly fitting cork. In the cork should be a hole about ¼ inch wide. Insert a plastic or rubber tube, ¼ inch in diameter and 1 yard long, into the opening in the cork and put the other end of the tube into a glass filled with water. The gases will escape through the tube and, since the other end of the tube is in water, no air will enter the jar.

Nalivki are very popular, and many families, especially in the provincial areas of Russia, White Russia (Bielorussia), and the Ukraine, make them. Morello cherries, strawberries, and raspberries are among the favorites.

Once the liqueur is made, the alcohol-soaked berries are delicious, too; dipped in chocolate, they are like candies, but for grown-ups only.

PRECAUTIONS FOR MAKING FERMENTED DRINKS

If you are planning to make any of the fruit liqueurs, the *kvas*, or meads, even the Sparkling Lemon Drink, bear in mind that all fermented drinks made by amateurs and bottled at home present the possibility of danger when they are stored. If the fermentation process has not been completed by the time the drink is bottled, the pressure of accumulating gases can force the cork out of the bottle or can shatter the container. Take the following precautions:

1. Follow the recipe closely.

2. When making fruit liqueurs, you must always use an enameled, glass, or non-metal lined pot.

3. Use thick glass bottles or jars with secure, tight corks that are not too large, so that their impact if they shatter would be negligible.

4. Keep fermented drinks in a cool place, such as a wine cellar or a cool basement; the best storage temperature is 46°–52°F.

5. While storing sealed fermented drinks, keep them away from open fire, the gas heater, or refrigerator, or any source of heat and/or light that might be damaged in an accident.

Klubnichnaia Nalivka

STRAWBERRY LIQUEUR

Makes about 2–3 quarts of liqueur

10 pounds strawberries, ripe and undamaged	3 pounds sugar

Prepare a 4-gallon glass jar with a water lock as described on page 590. Hull the strawberries and place them in the jar. Top with the sugar and tie 2 layers of cheesecloth over the mouth of the jar. Set the jar in the sun—either outdoors or on a cabinet near a window with a southern exposure. After 2–3 days, when foam forms on the surface, remove the cheesecloth and seal the jar with the cork and water lock. Move the jar to the shade (68°–70°F).

Fermentation usually takes 12–15 days and is complete when no more bubbles come to the surface. Strain the liqueur through 4 layers of cheesecloth, reserving the berries, and strain again if the liquid is not clear enough.

Pour the *nalivka* into bottles, seal tightly, keep in a cool, dark place (see page 591, step 4) for 6–8 months, at which time it will be ready to drink.

Variation   Raspberry Liqueur
Substitute 10 pounds of raspberries for the strawberries. Fermentation begins on the third or fourth day and ends in about 3 weeks.

Variation   Morello Cherry Liqueur
Pit 10 pounds of Morello (sour) cherries and proceed as for Strawberry Liqueur. Fermentation begins on the fourth or fifth day and ends in 30–35 days.

MEADS, *KVAS*, AND OTHER DRINKS

> [Tsar Ivan] was well pleased, and at parting changed caps with the fellow, and bid him meet him next morning in the palace and there, said he, "I will bring thee a good cup of vodka and mead."
>
> —"The Tsar and the Thief"
>
> (Russian folktale)

Meads were among the first-known alcoholic beverages in Russia and are as old as the practice of collecting honey. Ancient Greek travelers described a honey-based intoxicating drink of Slavs. A tenth-century Lavrentii Chronicle mentions a gift of barrels of mead presented to Kievan Russia's Grand Princess Olga by a neighboring tribe of Drevliane for the funeral banquet for her husband, Prince Igor, in 945 A.D. This was ironic in that Prince Igor had been killed by the Drevliane while he attempted to collect tribute in their lands. Princess Olga accepted the gift of mead, then retaliated harshly for her husband's death. She was the first prominent woman ruler in Russian history and also the first Christian among Kievan rulers as well as the first canonized saint. It was Olga's grandson, Saint Vladimir, who finally "baptized Russia" several decades later.

The original main ingredients of mead were honey and hops. But the later addition of spices and fruit juices and some improvements in technology have produced a multitude of Russian meads. At the feasts of Ivan the Terrible, prince's mead, boyars' mead, currant mead, raspberry mead, monastery mead, and others were just a few among an extensive inventory.

Monastyrskii Miod

MONASTERY MEAD

Makes about 6½ quarts (20–24 proof)

3½ pounds honey
2 ounces dried hops

1 teaspoon loose tea leaves (page 579)

In an 8-quart pot, stir 5 quarts of water and the honey; measure the level of the liquid in the pot with a stick. Cover and bring to a boil, lower the heat, and simmer for 3 hours. Toward the end of this time, bring another 1–2 quarts of water to a boil in another pot or kettle. Wrap the hops in cheesecloth with a pebble (to weight them) and immerse in the pot, adding enough boiling water for the liquid to reach the original water level as measured. Remove from the heat. When the mixture has cooled to about 80°F, strain into a glass jar of at least 3-gallon capacity; that is, the mead should not come higher than three-quarters of the way up the jar, to allow for its foaming up. Cover the mouth of the jar with a layer of cheesecloth and tie in place.

Set in a warm place (76°–78°F; in summer the jar can be placed in the sun), then wrap the jar in a warm cloth. In 2–3 days the mead will begin to ferment and will continue for about 3–5 weeks. When no more bubbles rise to the top and fermentation has ended, make strong tea: 1 teaspoon leaves plus 1 cup of boiling water, left to infuse for 3–4 minutes. Strain the tea and add to the mead.

Pour the mead carefully into a pot, trying not to disturb the sediment. Strain through a white cotton flannel cloth rinsed with boiling water. Repeat this straining, if necessary, until the mead is completely transparent.

Pour into bottles, seal tightly, and store in a cool place (pages 590–91). Although the mead can be served immediately, it will be even more delicious in 6–12 months.

Monastery Mead can be served instead of beer, although its underlying sweet taste makes it inappropriate as an accompaniment for some foods such as fish or meat. But it goes well with *Pirozhki*, *Piroghi*, and with some poultry and game dishes such as Braised Chicken with Prunes (page 318), Braised Stuffed Partridge (page 352), or Spit-Roasted Quail (page 347). Once the bottle has been opened and resealed, the mead should be drunk within 1–2 weeks.

Medok

LIGHT MEAD

Makes 3½ quarts (about 60 proof)

1½	pounds honey	2	whole cloves
1	chunk fresh ginger, about ½ teaspoon	1	egg white, beaten with a fork
¼	teaspoon freshly grated nutmeg	1	cake compressed yeast, *or* 2 teaspoons active dry yeast
	1-inch stick cinnamon		

In a 6-quart pot, bring to a boil the honey and 3 quarts of water; measure the level of liquid with a stick. Simmer for 15 minutes, lower the heat, and then add the spices and egg white. Simmer for 1½–2 hours, or until the liquid is reduced by one-quarter (use a stick to measure level). The mead should be clear, and the spices and egg white should have risen to the surface. Remove from the heat and cool to about 80°F.

Strain through 2 layers of cheesecloth into a jar that has a tightly fitting cork (page 590). Rub the yeast with 1 tablespoon of the mead, then add to the jar of mead, which should now have reduced in temperature to 76°–78°F. Stir, cover with a warm cloth folded several times, and keep in a warm place (76°–78°F).

When the mead stops fermenting, in about 15–20 days, seal with a cork and leave the jar in a cool cellar or basement for about 6 months.

Pour the mead carefully into a pot, trying not to disturb the sediment, then strain first through 4 layers of cheesecloth and then through a cotton flannel cloth that has been rinsed with boiling water. Pour into jars or bottles with tight-fitting corks and keep in a cool cellar or basement.

Serve instead of beer (see page 594).

KVAS

Their kvas *they needed like fresh air. . . .*

—*Aleksandr Pushkin*
Eugene Onegin

Kvas is a lightly fermented drink usually made either of dried bread or fruit that is mixed with yeast and sugar. *Kvas* is bottled before the process of fermentation stops, so the cork of the bottle should fit tightly and be well secured. The first illustration shows the type of loop used in Russia. American bottles like the ones shown in the second drawing are supposedly self-sealing, but it would not hurt to fasten them anyway. *Kvas* made from concentrate is not to be stored, even in a cool place, for longer than 2 weeks. *Kvas* made from scratch should be drunk within 2–3 days. For other precautions, see page 591.

A well-made *kvas* is a delicious drink, and Russians consider it the best summer refreshment. It is fizzy, but less harsh than soda, and its sweet-and-sour taste is far subtler than that of colas. However, *kvas* is tricky to make at home and needs some practice and strict temperature control for it to come out perfect. Most important to the preparation of *kvas* is using the proper rye bread—one that does not include any grain but rye. Oats or other grains will turn the fermenting liquid bitter.

In Russia during the summer bread *kvas* is sold from large tanks that are installed on busy corners. Passersby drink it on the spot, and families from the nearby houses send messengers with pitchers to have the *kvas* for the evening.

Like kefir and yogurt, *kvas* is said to improve digestion and metabolism. Russian dieticians claim that it also favorably affects the functions of the nervous and cardiovascular systems.

Russians have been producing *kvas* for at least one thousand years. It was a drink loved by tsars and peasants alike. Peasants and the city poor sometimes had to subsist exclusively on bread and *kvas*. Mikhail Lomonosov, the first prominent Russian scientist and a peasant by birth, reminisced about his "unspeakable poverty" as a student: "With a daily allowance of three kopecks, all I could have by way of food was half a kopeck's worth of bread and half a kopeck's worth of *kvas*. . . . I lived like this for five years, yet did not forsake study."

In wealthy households, various kind of *kvas* were made either with rye bread or with currants, raspberries, lemons, apples, pears, Morello cherries, bilberries, and lingonberries, among others. In Russian steam baths, *kvas* was sometimes splashed on red-hot stones to provide an enriched, soft, fragrant steam smelling of fresh bread—a favorite of Peter the Great, it is said.

In the United States there are two types of *kvas* concentrate that can be bought at the groceries catering to the Russian émigré community: dry extract and thick bottled concentrate. Using the concentrate, you can be surer of better results than when making *kvas* from scratch. See that you are given English-language instructions with whichever kind you buy.

Khlebnyi Kvas

BREAD *KVAS*

Bread *kvas* is more than a refreshing drink, it is also used for two delicious cold soups, *Okroshka* (page 109) and *Botvinia* (page 110) and as a basting liquid for roasted meats.

Makes 5 quarts

1 pound rye bread (see *Note*), cut into ¼-inch slices	1 tablespoon all-purpose flour
1½ cups sugar, in all	½ cup fresh mint leaves, *or* 1 teaspoon mint extract (*optional*)
1 package dry active yeast	

Preheat the oven to 325°F.

Dry the bread in the oven for about 30 minutes, or until the slices turn golden but are not burned. Cool, then chop into ¼-inch pieces in a blender or food processor.

Bring 4 quarts of water to a boil, then cool to 175°F. Add the bread, stirring with a spatula, cover, and leave in a warm place (76°–78°F) for 1 hour. Strain, reserving both bread and liquid.

Bring 2½ quarts of water to a boil and, when cooled to 175°F, add to the bread. Cover with a lid and leave in a warm place again for 1½ hours. Strain, discarding the bread and combining both batches of liquid.

In a heavy, nonstick skillet, continuously stir ¼ cup of the sugar with 1 tablespoon of water until golden brown (be careful not to burn it). Remove from the heat, gradually blend in ½ cup of reserved liquid, and stir into the rest of the liquid.

Stir a cup of water with the remaining sugar in a small saucepan, bring to a boil, lower the heat, and simmer for 10 minutes, skimming once or twice. Stir this syrup into the reserved liquid. If necessary, this liquid should now be brought to 75°F.

Mix the yeast with the flour, combine with 1 cup of liquid, and return this mixture to the pot. Cover the mint leaves with boiling water, cover with a lid, and leave for 2 hours. Strain and add the infusion to the pot, or add the mint essence.

Cover the pot with 2 layers of cheesecloth and leave in a warm place (73°–78°F) for 8–12 hours or overnight. When fermentation has ended, cool the *kvas* to 50°–54°F, pour into bottles, seal tightly, and refrigerate for 24 hours. Serve now or keep in the refrigerator for 2–3 days.

Note: Be sure the bread is made only with rye flour, not a combination of flours, and that it contains no food additives or preservatives.

Limonnyi Kvas

LEMON *KVAS*

Makes about 2½ quarts of kvas

1 lemon	2 tablespoons golden raisins
4–5 tablespoons light molasses	Rind of ½ lemon (yellow only)
1 cake compressed yeast	
2 tablespoons sugar	
1 tablespoon instant-blending or all-purpose flour	

Wash and dry the lemon, cut into ¼-inch slices (including the peel), remove the seeds, and place in a 1-gallon jar with a tightly fitting lid or cork. Add the molasses and 2½ cups of boiling water, cover tightly, and leave at room temperature for 24 hours.

Bring 1½ cups of water to a boil and cool to room temperature. Rub the yeast with the sugar and flour, add ¼ cup of the lemon and molasses solution, and mix. Add to the jar together with the raisins, lemon rind, and the 1½ cups of boiled water. Mix, cover with several layers of cloth, and set in a warm place (76°–78°F). In several hours, the fermentation should start; in about 24 hours, when the raisins and lemon slices have risen to the surface, strain the *kvas* through 4 layers of cheesecloth. Wet a cotton flannel cloth with boiled water and strain the *kvas* through it. Pour into bottles, seal tightly (page 591), and refrigerate for 5 days. The *kvas* is now ready to be served as a refreshing drink.

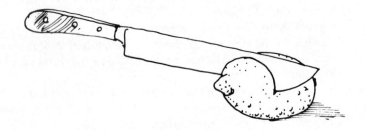

Zhzhonka, ili Krambambuli
FLAMED PUNCH

Colonel A. D. Suvarov, retired cavalryman, was a passionate hunter, inter-
ested only in shooting game, in horses, the theater, and frequent junkets,
which always included a flaming punch.

—*Vladimir Gilarovskii*
My Wanderings

"The monks who had drunk *Krambambuli* / Were all accepted to heaven," went a nineteenth-century students' song. The favorite winter drink of students, army officers, and the smart young set, *zhzhonka*, or *krambambuli*, was traditionally made on New Year's Eve. When it was flamed, the lights were turned out, and everyone made a wish for the future and a New Year's resolution.

Even more than in the past, New Year's Eve today in Russia is a holiday of exceptional charm and magic. The decades since the revolution have largely stripped Russian life of religious holidays and imposed revolutionary celebrations instead. Much is eaten and drunk on May 1 (International Day of Proletarian Solidarity) and on November 7 (anniversary of the 1917 Revolution) because they are decreed holidays, but for many of the celebrants there is not much food for the heart in these festivities. New Year's is really the only nationwide holiday with meaning for everyone.

The night-long celebration is filled with music, champagne, dancing, and light-hearted declarations of love.

Since the adjustment in 1918 of the old-style Russian Julian calendar to the worldwide Gregorian calendar, Russian Orthodox Christmas falls on January 7 (December 25 on the Julian calendar). Nowadays only a few stubborn believers light the Christmas tree on January 6, with the rest of the population incorporating the Christmas tree as part of the New Year's celebration. Gifts are placed under the tree late at night, and the children find them on the morning of January 1, when the parents, exhausted after the revelry, are sound asleep.

Begin the punch the day before you plan to serve it, and assemble it when the guests are gathered. In Russia the sugar lumps (which are four times larger than American sugar cubes) are placed on a metal grill, which is set over the punch bowl.

Serves 16–18

10 whole cloves
    2-inch stick cinnamon
½ teaspoon freshly grated
    nutmeg
    Rind of 1 orange (orange
    part only)
    Rind of 1½ lemons, in all
    (yellow part only)
2   quarts white Burgundy,
    Moselle, or other dry
    white wine, in all
16–18 whole blanched almonds
16–18 pitted prunes
    A 2-inch slice fresh pine-
    apple; skin, eyes, and
    core removed
¼ pound golden raisins
3½ ounces Candied Orange
    Peel #1 (page 459), cut
    into small dice

16–18 pitted cherries from
    homemade Morello
    Cherry Liqueur
    (page 592; *optional*)
1   quart Tea Russian-Style
    (page 579)
2⅛ pounds lump sugar
3   cups white rum
1   cup cognac
½ freshly squeezed orange
    juice
¼ cup freshly squeezed
    lemon juice

A 6-quart flameproof
    punch bowl
A coarse-mesh metal sieve

Place in a 1-quart saucepan the cloves, cinnamon, nutmeg, orange rind, rind of ½ lemon, and 2 cups of white wine. Bring to a boil, remove from the heat, cover, and leave overnight.

The next day, preheat the oven to 350°F.

Spread the almonds on a baking sheet and dry in the oven for 10–15 minutes, or until pale golden and fragrant. When cool, stuff one in each prune. Cut the pineapple and the remaining lemon rind into 1-inch pieces.

Twenty minutes before assembling the *krambambuli*, arrange the lemon rind, prunes, pineapple, raisins, candied orange peel, and cherries in the punch bowl. Make the tea, keeping it hot by covering the pot and wrapping it in a kitchen towel. Do not put the tea on a hot plate where it might reduce and become bitter.

Strain the infused wine into a 3-quart saucepan, discarding the spices. Add the remaining white wine, bring to a point just below a boil over moderate heat, and pour into a large warmed pitcher.

FINAL ASSEMBLY

Have all the ingredients ready on the table. Place the sugar in the sieve and set the sieve over the punch bowl. Pour the rum over the sugar and ignite with a long fireplace match. Turn the lights down at this moment while the sugar melts and trickles into the bowl and the flame dies out. Turn up the lights, add the hot wine, cognac, orange and lemon juices, and tea to the bowl, and mix with a ladle. Serve the fruits and punch into warmed glasses on saucers with spoons.

Sbiten'
HOT SPICED HONEY DRINK

Steam rose from the wooden roofs, from the drying street; the puddles were bottomless wells of blue. Bells were ringing; it was Sunday, the first Sunday after Easter. Street vendors selling pies and hot sbiten' *cried their wares.*

—*Alexei Tolstoi*
Peter the Great

Sbiten' is a very old drink made with honey and spiced with ginger, cloves, and nutmeg, then braced with vodka. Before the reign of tea in Russia, which began in the seventeenth century, *sbiten'* and *vzvarets* (mulled wine) were the primary party drinks. To accompany them, "chasers" of two kinds were served: for men, such appetizers as caviar, smoked sturgeon, *pirozhki*, brined mushrooms; for women, candied apple mousse, dried preserves, Kiev-style, candied fruits, nuts, raisins, and so on.

During long Russian winters, *sbiten'* was also the favorite drink of the man in the street, and it became the third estate's equivalent of mulled wine. Street vendors sold it to freezing cabbies, to the civilian army of office clerks, to merchants. It could be bought from booths as well, where it was continuously heated in samovars. In summer it was replaced by *kvas* as a popular drink.

Sbiten' is good to serve with *pirozhki* and other hearty dishes.

Serves 6

12	whole cloves		1-inch stick cinnamon
1½	teaspoons coarsely chopped fresh ginger root		Rind of ½ lemon
⅛	teaspoon freshly grated nutmeg	½	cup vodka
		6	tablespoons honey

Place the spices and lemon rind in a small bowl, pour the vodka over them, and cover tightly with plastic wrap. Infuse at room temperature overnight, then strain through 4 layers of cheesecloth.

In a 2-quart saucepan, boil the honey with 5½ cups of water, stirring until the honey is completely blended. Remove from the heat, add the spiced vodka, and pour into mugs.

CHAPTER 15

Russian Menus

IT may surprise some people to learn that the way we serve food today, in restaurants and at home, is called *Service à la Russe* and that during the 1850s it supplanted the outdated *Service à la Française*.

Service à la Française was a remnant of medieval times: it was conducted in three stages and included several dozen dishes in each stage. Thus, several each of hors d'oeuvre, soups, and fish dishes were on display as the guests arrived. Although covered and kept on hot plates, the food inevitably was cold and congealed by the time the guests were able to begin eating. The second stage of the banquet heralded complicated, decorated cold roasts, vegetable dishes, and so on, and the third stage consisted of desserts. From an organizational and gastronomic point of view, to say nothing of effort and expense, this style had outlived itself.

Antoine Carême had become acquainted with *Service à la Russe* when he was *chef de cuisine* to Tsar Alexander I in the early part of the nineteenth century. He observed that if the dishes were served one after another in the sequence in which they were to be eaten, and if the number of dishes was reduced to, say, 12 from the 32 or 48 he ordinarily served at state banquets, the quality of each dish could be improved considerably. However, the change threatened something very close to Carême's heart.

A connoisseur and admirer of Neoclassic architecture, Carême considered table decoration an extension of architecture and mounted his outstanding creations on elaborate bases imitating Greek vases, classic temples, and colonnades. These structures were executed with amazing precision and at incredible cost. Carême's passion for architecture rivaled the simplicity of his culinary genius.

Service à la Russe did away with elaborately mounted presentation of the food at table in favor of presenting individual servings. Carême, though, clung to the tradition of *Service à la Française*, remarking, "The Russian manner is certainly beneficial to good cooking, but our service in France is much more elegant and of a far grander and more sumptuous style."

But times and traditions were changing. By the time Félix Urbain-Dubois, another distinguished French chef, returned to France in the 1850s after twenty years in Russia, he was convinced that the time had come to change from the visually magnificent French manner of serving meals to the comparatively simpler Russian fashion. It was Urbain-Dubois who urged these reforms in his influential book *La Cuisine Classique*, which he wrote with Emile Bernard.

In a formal version of *Service à la Russe*, each group of 10 or 12 guests is served by one waiter, who brings individual plates, course by course. He serves on the left and removes the plate from the right. The wines are poured from the right. Instead of ornate decorations covering roasts, pâtés, aspics, and any other available surface, the emphasis is on elegant presentation of individual servings. The table is decorated with a centerpiece of fruit or flowers. The order of serving guests is indicated by the hostess. In a more intimate setting, the host carves the roast and fills the plates, which are then passed around by the guests.

Escoffier gave the final touches to *Service à la Russe* and made it an accepted way to serve in Europe. Compare this typical menu of a dinner given by Escoffier at the venerable Carlton Hotel with the menu of a Russian banquet twenty-five years earlier that follows.

ESCOFFIER'S DINNER MENU

Bliny and Caviar

Borscht

Saumon Hollandaise

Caille à la Grecque

Selle de Chevreuil Poivrade

Purée de Marrons

Croquette Duchesse

Mousse de Jambon Alsacienne

Poussin Périgourdine

Salade

Asperges vertes

Biscuit aux violettes

Friandises

Fraises Wilhelmina

Fruits du Cap

A NINETEENTH-CENTURY BANQUET MENU

Zakuski

Sterlet *Ukha* Made with Champagne*   Rice and Egg *Pirozhki*

or

Bagration Soup   Cheese Toasts*

Sherry, Madeira, Marsala, White Port

Beef Hussar-Style
Port, Médoc, Château Lafite-Rothschild, Red Port

Poached Sturgeon with Walnut Sauce
Sauternes, Rhine wine, Moselle, Chablis, White Burgundy

Asparagus with Hollandaise Sauce*
Malaga, Tokay, Château d'Yquem

Crab Salad
Malaga

Spring Chickens Cooked to Taste Like Grouse, *or*
Roast Stuffed Chickens
Lettuce Salad with Sour Cream Dressing
Champagne

Whipped Cream Dessert, *or* Wild Strawberry Cream

Cheese   Fruits

Coffee and tea   Cognac, rum, and liqueurs

FIVE NINETEENTH-CENTURY FAMILY DINNERS

Dinner #1

Hors d'oeuvre table
Ukrainian Borscht with Onion *Vatrushki*
Stuffed Breast of Veal
Potato Patties with Mushroom Sauce
Poached Fish with Saffron Sauce, *or* Halibut with Green Sauce
Mixed Fruit Compote

Coffee and tea   Pastries   Cakes   Cognac, rum, and liqueurs

*No recipe for this dish appears in this book.

Dinner #2

Hors d'oeuvre table
"Green *Shchi*"
Crêpe *Pirozhki* with Meat or Brains
Sturgeon in Aspic
Stuffed Onions
Roast Pheasant
Apples in Custard Cream

Coffee and tea   Pastries   Cakes   Cognac, rum, and liqueurs

Dinner #3

Hors d'oeuvre table
Chicken Consommé with *Pel'meni*
Braised Chicken with Prunes
Stewed Mushrooms with Sour Cream
Boiled New Potatoes with Butter and Chopped Greens
Milk *Kisel'* with Chocolate Sauce

Coffee and tea   Cognac, rum, and liqueurs

Dinner #4

Hors d'oeuvre table
Tomato Purée with Stuffed Tomatoes
Hot Calf's Brains Salad
Braised Veal with Caviar Sauce
Pineapple Ice Cream*

Coffee and tea   Coffee Cream Roll   Cognac, rum, and liqueurs

Dinner #5

Hors d'oeuvre table
Cold Vegetable and *Kvas* Soup (*Okroshka*)
Rack of Lamb
Green Beans with Buttered Bread Crumbs*
Salmon Croquettes Pozharskii

Coffee and tea   Apple Pie   Cognac, rum, and liqueurs

*No recipe for this dish appears in this book.

TRADITIONAL HOLIDAY MEALS

MASLENITSA (MARDI GRAS) DINNER #1
Bliny with Garnishes   Caraway seed, Buffalo grass, and lemon vodkas
Consommé with Madeira or Sherry
Poached or Sautéed Sturgeon   Cooked vegetables
Turkey Breasts with Morello Cherry Purée
Dried Fruit Compote, *or* Vanilla Custard
Coffee and tea

MASLENITSA (MARDI GRAS) DINNER #2
Bliny with Garnishes   Caraway seed, Buffalo grass, and lemon vodkas
Spicy Meat Soup (*Selianka*)
Fish in Aspic
Braised Stuffed Partridge   Cooked vegetables
Apple Dessert
Coffee and tea

EASTER MEAL
Butter Shaped as a Lamb*
Baked Ham*
Stuffed Roast Turkey
Cold-cut platters: roast venison,* roast veal, roast stuffed grouse,*
roast pork leg, stuffed wild boar head*
Cold-cut accompaniments: black bread, mustard, Cream-Style
Horseradish, vinegar, olive oil, watercress salad,* Marinated Beet Salad
Painted Eggs*
Vodkas
Paskha   *Kulich*   *Babas*
Pineapple and raspberry jellies*
Coffee and tea   Cakes   Fruit liqueurs and dessert wines

EASTER DINNER
Consommé
All the dishes still left from the Easter meal

*No recipe for this dish appears in this book.

CHRISTMAS EVE DINNER
Almond Soup with Sago*
Kasha and Mushroom Roll Made with Strudel Dough
Fish *Rasstegaï*†

Sturgeon in Aspic
Sautéed Whitefish*
Poached Sturgeon with Creamed Horseradish Sauce
Poached Carp with Mushroom Sauce
Vareniki with Cabbage Filling*
Brined Cucumbers
Ritual Rice and Raisin Cereal (*Kutia*)
Dried Fruit Compote
Cranberry *Kisel'*
Doughnuts with Jam†
Tea

SIX TRADITIONAL DINNERS FOR LENT
AND FAST DAYS

For the hors d'oeuvre table, serve fish, mushrooms, and pickled, brined, and fresh vegetables.

Dinner #1

Vegetarian Sauerkraut Soup
Fish Croquettes with New Potatoes
Poached Asparagus
Almond *Kisel'* with Raspberry Syrup

Dinner #2

Spicy Fish Soup (*Selianka*)
Rice Patties with Sautéed Mushrooms
Sautéed Salmon with Caper Sauce
Apple Strudel*

*No recipe for this dish appears in this book.
†The yeast dough would be prepared in accordance with fast-day rules by omitting the eggs and substituting oil for the butter and water for the milk.

Dinner #3

Botvinia
Bliny with Caviar[†]
Sautéed Mushrooms
Raspberry Compote

Dinner #4

Vegetarian Borscht
Cucumber Salad
Fish in Aspic
Small Raised Pancakes (*Oladii*)

Dinner #5

Clear Fish Soup (*Ukha*)
Fish *Rasstegaï*[†]
Rice and Raisin pudding served with Almond Milk
Fruit Preserve Soufflé

Dinner #6

Mushroom and Noodle Soup
Fish, Novgorod-Style
Pirozhki with Kasha and Burbot Soft Roe[*]
Prune Compote

FIVE MENUS FOR FESTIVE DINNERS

Any of these menus will serve splendidly for a birthday party, New Year's Eve dinner, or other occasion worthy of celebration. For each menu, a *zakuski* table with a number of different appetizers can replace the single hors d'oeuvre. Suitable vegetables are suggested at the end of each main-course recipe. The meals should be accompanied by the appropriate wines and completed with coffee, tea, and liqueurs.

Dinner #1

Sturgeon in Aspic
Chicken Consommé   Meat or Rice and Egg *Pirozhki*
Beef Stroganoff, *or* Veal Chops, *or* Roast Veal with Dill, *or*
Beef, Hussar-Style
Apples or Pears with Custard Cream and Raspberry Preserves

---

[*]No recipe for this dish appears in this book.
[†]The yeast dough would be prepared in accordance with fast-day rules by omitting the eggs and substituting oil for the butter and water for the milk.

Dinner #2

Hot Calf's Brains Salad

Clear Fish Soup (*Ukha*) Classic Russian *Kulebiaka*

Roast Stuffed Chicken Lettuce Salad with Sour Cream Dressing

Apple Pie, Russian-Style

Dinner #3

Salad Olivier

Clear Beet Soup Stuffed Eggs Baked in Eggshells

Salmon Baked in Parchment

Lettuce Salad with Sour Cream Dressing New Potatoes

Crêpe Pie with Cheese

Dinner #4

Caviar, smoked sturgeon (*balyk*) or smoked eel

Bagration Soup Cheese Toasts*

Roast Pheasant

Russian Fries #2 Marinated apples, plumes, and grapes

Strawberry or Raspberry Ice Cream

Grand Chocolate Cake, *or* Rum Balls

Dinner #5

Cold Poached Sturgeon with Creamed Horseradish Sauce, *or*
Cold Poached Salmon with Mayonnaise

Spicy Meat Soup (*Selianka*)

Sautéed Calf's Brains, *or* Chicken Kiev with
Braised Carrots and Green Peas

Strawberry Dessert, *or*
Vanilla Custard with Strawberries and Raspberries

*No recipe for this dish appears in this book.

MENUS FOR FOUR SPECIAL PARTIES

RUSTIC RUSSIAN PARTY

This menu is appropriate for a winter lunch or an early supper in the country or in town, and is especially good after outdoor sports—whenever one wants to warm up and fill up.

Caraway Seed Vodka, *or* Pepper Vodka, *or* beer

Smoked mackerel, *or* smoked herring

Roast Pork Leg (*Buzhenina*)

Baked Potatoes with thinly sliced pork fatback

Sauerkraut Salad Provençal

Meat or Cabbage *Pirozhki*

Tea   Lemon   Homemade confections, *or* preserves

PEL'MENI *LUNCH*

This is a good, earthy meal. Because *pel'meni* are frozen before cooking, they can be prepared much earlier and cooked only 15 minutes before serving.

Vodkas and beer or mead

Smoked fish, *or* smoked herring

Cooked Vegetables Vinaigrette

Siberian Meat Dumplings (*Pel'meni*)

Berry Kisel' with Whipped Cream

Tea   Lemon   Preserves   Homemade confections

Vatrushki, or Filled Doughnuts

GARDEN PARTY DINNER FOR HOT SUMMER DAYS

Baked Tomatoes with Mushrooms

Cold Green *Shchi*   Meat *Pirozhki*

Veal Kidneys with Madeira Sauce, *or*

Trout Baked in White and Madeira Wines and Rum

Gogol'-Mogol', *or* any of the desserts listed as "sweet refreshments"

Iced Coffee *or* Iced Chocolate

SWEET REFRESHMENTS FOR A SUMMER GARDEN PARTY
Strawberry or Raspberry Dessert   Apples in Custard Cream
                    Morello Cherry Compote
Custards   Whipped Cream
          Kvas, Iced Coffee *or* Iced Chocolate
Cranberry Water   Sparkling Lemon Drink

CLASSIC RUSSIAN EVENING TEA

Cover the dinner table with a tablecloth and place the samovar on a small serving table. See page 576 for how to brew the tea.

Cold cuts: ham, turkey or chicken breast, cooked or pickled tongue, cold veal, grouse, hare, and others

Thinly sliced cheeses: Swiss, Jarlsberg, Danish Havarti, Edam, and others

Spreads and compound butters, such as Grouse Butter, Chopped Liver, Calf's Liver and Mushroom Pâté, and Garlic Cheese

Breads for cold cuts, cheese, and spreads, thinly sliced and cut no larger than 3 inches square

Decoratively carved or molded unsalted butter

Sweet breads, *babas*, fancy rolls, cookies, pastries, and so on, served in decorative dishes or platters

Preserves served in cut-glass bowls, with small cut-glass or china saucers for individual servings

Morello (sour) cherry, strawberry, and raspberry syrups to sweeten and flavor tea (*optional*)

Cream   Sugar   Thinly sliced lemon   Rum   Homemade liqueurs

Fresh fruits decoratively displayed, served with separate fruit plates and fruit knives

Sliced oranges sprinkled with sugar several hours prior to the tea, then arranged on a decorative platter in an overlapping design

Berries colorfully arranged in bowls and on grape leaves

TEA WITH PIROGHI AND PIROZHKI

A party that captures the essence of Russian cuisine in a less formal way, this menu makes for an entertaining, heartwarming lunch or early supper. A samovar and the highest quality tea will enhance the occasion.

The *piroghi* look best served on wooden trays, the *pirozhki* in woven baskets. A ceramic, faïence, or china tea set is most appropriate—in a bright floral design, bright solid colors, or polka dots.

Meat *Pirog*

Rice-and-Egg *Pirozhki*

Poppy-Seed Roll *or* Cheese *Pirog*

Krendel'

Cinnamon Crescents (*Pliushki*)

Doughnuts (*Ponchiki*)

DESSERT TEA

Use your best china and a silver or silver-plated tea urn for this tea. The dessert tea is, of course, an international pastime, but the Russian touches are rum served in the tea, and preserves used to decorate the cakes, which should be "of Russian descent."

Grand Chocolate Cake, *or* Apricot Sponge Cake, *or*
Coffee Roll, *or* Sponge Pastries

Cream Puffs, *or* Napoleon, Russian-Style

Kiev Cake

Morello Cherry Pie, *or* Apple Pie, Russian-Style

Pound Cake *or* Raisin Rusks

A Guide to Ingredients
Used in Russian Cooking

BEVERAGES

Kvas   A popular Russian drink for centuries. It is a lightly fermented sour-sweet mixture made from dark bread or fruits. *Kvas* is also used as the base for two classic soups, *Okroshka* and *Botvinia* (pages 109 and 110) and for roasting beef (page 261).

   Kvas can be made following the recipes on pages 597 and 598, or it can be reconstituted from *kvas* concentrate or *kvas* extract, which can be purchased in food stores catering to the Russian émigré community (pages 621–22). In Russian Cyrillics the label will read КОНЦЕНТРАТ КВАСНОГО СУСЛА.

   For 1 quart of *kvas*, dilute 2 tablespoons of the ferment concentrate in 1 quart of warm water (100°–110°F), add 1/3 cup of sugar and 1/4 of a yeast cake, and cover the top of the container with cheesecloth. Keep in a warm place (90°–95°F) for 18–20 hours. The *kvas* is ready when it becomes transparent and tickles the tongue. Cover tightly, cool, and keep refrigerated.

Pomegranate Juice   Really the noblest marinade base, it is widely used as such in Transcaucasian cuisine for making *shashlyk* and rack of lamb. Pomegranate juice can be bought in health food stores and some supermarkets. It is not to be confused with Pomegranate Drink or Cocktail, which usually contains only 30 percent wholesome juice and is inappropriate for marinating meats.

BREAD
   Russian bread is much more substantial than American breads. Try to find a bakery that sells Eastern or Central European foods. The closest American brands are Felix pumpernickel and Pritikin breads, found in health food stores. For white breads, use French rolls and other French breads.

CONDIMENTS

Two favorite and often-used condiments are mustard and creamed horseradish. They are a standard fixture on every table.

Mustard   Düsseldorf- and Dijon-style mustards correspond best to those used in Russia. Mustard is served with roasts, pork and veal chops, cold cuts, beef patties, beef tongue, and other meat dishes, but never with fish or poultry.

Cream-Style Horseradish   Russian horseradish condiment is similar to American cream-style horseradish, but sweeter because it contains sugar. To make 1 cup of Russian-style horseradish, add 1 tablespoon each of sugar and beet juice or canned beet liquid to an 8-ounce jar of white horseradish and stir to blend.

Several classic Russian dishes are served exclusively with creamed horseradish: suckling pig, cold poached sturgeon, meat in aspic, and stuffed pike. Generally speaking, horseradish is very compatible with fish and cold meats.

DAIRY PRODUCTS

Sour Cream   Russian sour cream is thinner than the commercial packaged varieties found in American stores. When the sour cream is served as an uncooked topping for hot dishes like *vareniki* or *blinchiki*, the difference is not very important. However, if it is to be cooked, some adjustments should be made, since American sour cream has a higher fat content and separates more quickly when it cooks. It also boils down too quickly. Therefore,

1. Buy only real sour cream, never nondairy or other adulterated brands.
2. Blend 3 or 4 parts sour cream to 1 part half-and-half, depending upon the consistency desired.
3. The half-and-half sour cream sold in some stores is a good substitute.
4. Don't let sour cream cook too long. Try to avoid reheating sauces containing sour cream, but if it is necessary, do so over low heat.

Cottage Cheese, Pot Cheese, Farmer's Cheese, and Hoop Cheese   The farmer's cheese that is sold in large slabs, solid and rather moist, comes closest to the cottage cheese commonly sold in many parts of Russia. Because the American cheese is a little leaner, sour cream or heavy cream and/or butter should be added when the cheese is used in cooking. Prepare the cheese for cooking by rubbing it through a sieve, pushing it through a ricer once or twice, or grinding it in a meat grinder (see page 144).

American pot cheese should be well drained and rubbed through a sieve before being used in fillings and pastes. Small- or large-curd cottage cheese must be drained for 6–8 hours, wrapped in cheesecloth, and then pressed for several hours until solid. Detailed instructions for the preliminary treatment of farmer's cheese, pot cheese, hoop cheese, and cottage cheese are given on page 144. Homemade Cottage Cheese, page 136, can be eaten fresh or used in cooked dishes.

Fresh Butter Unsalted, or sweet, butter is used in traditional Russian cuisine and is called for in the recipes presented in this book.

Clarified Butter This is best for sautéeing because it does not burn as easily as unclarified butter.

To clarify unsalted butter, melt it in a heavy nonstick skillet over low heat. Skim off the foam and carefully pour the butter into a jar or a saucepan, leaving in the skillet as much of the milky residue as possible. Let cool, then refrigerate overnight, or until quite firm. Make 3–4 ½-inch holes all the way to the bottom of the jar. Carefully tilt the jar to pour off the liquid residue at the bottom. The clarified butter can be stored, well covered, in the refrigerator for 2–3 weeks and used as needed.

FISH

Fresh Sturgeon To Russian tastes, this is in a class by itself far above all other fish, can be bought fresh when in season and sometimes frozen out of season. Ask the best local fishmonger when it is available or call International Gold Star Trading Co. in Brooklyn, N.Y. at (212) 522-1545. This company specializes in catering fish to the Russian émigré community.

Smoked Sturgeon A delicious appetizer that can be found in many delicatessens throughout the country.

Pickled Herring "Schmaltz" herring is the closest to Russian pickled herring. It is sold in some delicatessens and stores in Central and East European communities here in the U.S.. Another substitute is smoked mackerel, which can be used in most recipes except those for Chopped Herring and Marinated Herring (see above telephone number for inquiries (pages 24 and 23).

FLOUR

Traditional Russian cuisine used rye, wheat, and buckwheat flours.

Unbleached Rye Flour   Used for rye bread and flat cakes, it produces a darker, somewhat coarser dough.

Wheat Flour   Of the types of wheat flour, instant-blending *krupchatka* was considered far superior to all-purpose flour for making yeast dough, cakes, and sauces. An American equivalent is the free-flowing Wondra, widely available in groceries and supermarkets. *Krupchatka* is no longer available in Russia. All-purpose flour can be substituted for the instant-blending variety.

Buckwheat Flour   Used for making certain varieties of bliny, it can be bought in health food stores.

High-Gluten or Low-Gluten Flour   Recommended for some cakes and pastries, depending on the kind of dough. Consult your local baker, who might be persuaded to sell you some, or will be able to direct you to a source.

FRUIT

Apples   Russian cuisine uses tart, or sweet-and-sour apples, close in quality to McIntosh, Pippin, Granny Smith, underripe Golden Delicious, and so on. When they are baked, the flesh should remain white. In Russia, Antonov apples are the best for this purpose, but so far we have not found an exact equivalent in America.

Morello (sour) Cherries   Tart, very juicy, softer than sweet cherries, Morello cherries make wonderful preserves, compotes, dry preserved, filling for *vareniki* and *piroghi*. Available fresh in the northern United States and Canada during the summer, they are also sold as preserves or packed in syrup at gourmet food shops and Central and Eastern European stores here. Canned cherries are used only for fillings and sauces; their cooking time is half that for fresh Morellos.

Cranberries   In Russia only wild cranberries are known—they have a thin skin and are very juicy. American cranberries should not be used raw in such dishes as Sauerkraut Salad Provençal. Instructions for cooking are given in corresponding recipes.

HAMS
Hams available in German, Hungarian, and Russian delicatessens are most reminiscent of Russian hams—Schwartzwald schinken, Westphalian ham, and so on.

HERBS AND VEGETABLES

Fresh Parsley Leaves   In Russian cooking, one of the most popular herbs for decorating meats, fish, soups, and vegetables is Italian flat parsley, which apparently in some areas of the United States is dubbed "Jewish parsley." The curly parsley commonly found in supermarkets has a tougher texture, and if this is the only parsley available, scald it with hot water for several minutes before serving time. Blot dry, chop, and serve immediately. To enhance its flavor, mix in some chopped dill.

Fresh Dill   Another favorite Russian herb. Used for flavoring salads, soups, fish, and meat dishes, for brining cucumbers and tomatoes, for decoration, and so on. It is very easy to grow, if you have your own herb garden.

Parsley Root and Celery Root   Can be found at farmers' markets and supermarkets. A medium parsley root is the size of a large carrot. If unavailable, substitute a bunch of parsley divided into two. At the beginning of cooking, add one-half to the pot, then for the last 10 minutes of cooking, add the second half. For stews, use celery hearts instead of the parsley root.

Celery root is a chunky, knobby vegetable, about 4 inches in diameter. It must be peeled before using. Substitute one or more celery hearts for the necessary flavoring. Again, for soups it is best to use half the prescribed amount of celery hearts at the beginning of cooking and the second half close to the end, to refresh the flavor. Celery stalks can also be used for this purpose, but their fragrance is weaker than either the heart or the root.

Mushrooms   In Russia, wild mushrooms are gathered late in summer and in the fall by peasants who sell some fresh, and dry others for use during the winter. Commercially grown mushrooms are virtually unavailable, so that dried mushrooms are used in most recipes. The equivalent in America are Polish, French, or Italian dried mushrooms (*Boletus edulis*). Other light-colored dried mushrooms are acceptable.

Generally, fresh mushrooms are preferable to the dried. However, commercially grown mushrooms are less juicy than most wild varieties, and in salt-pickling or brining, for instance, some extra brine should be added to compensate.

PICKLED FOODS

Sauerkraut   Homemade sauerkraut (page 427) is the only kind used in authentic Russian recipes. However, for cooked dishes, canned sauerkraut is an acceptable substitute. Cut the cooking time in half at least, as the canning process partially cooks the sauerkraut and the vinegar solution in which it is packed makes it look softer. If the solution is acidic, it should be drained and rinsed. West German or French brands are the closest to the homemade variety, or use Claussen or another comparable American brand.

In any dish in which the sauerkraut is not cooked at all, such as Sauerkraut Salad Provençal (page 54), only fresh will do.

Pickles   These are widely used in Russian cuisine, both as a separate accompaniment to a number of dishes or chopped and combined with the other ingredients. In addition to pickled (marinated) cucumbers, brined cucumbers and Malossol cucumbers are very popular. Claussen Kosher pickles and some German, Hungarian, Polish, and Rumanian canned pickles are good substitutes for the homemade variety. The loose pickles sold in many delicatessens are also close enough to the brined and Malossol cucumbers. Recipes for homemade pickles are in Chapter 10.

SUGAR

Lemon-Flavored   To make this, bury a generous-sized piece of thinly pared lemon peel in a tin with granulated or confectioners' sugar. Replace the lemon peel with a fresh one when it dries out.

Vanilla-Flavored   Slice a vanilla bean in half and bury it in a tin of granulated or confectioners' sugar. When the bean loses its fragrance, replace it with another.

Where to Buy Russian Foods

UNITED STATES

California

Hollywood

Ron's Supermarket
5270 Sunset Blvd.
Hollywood, CA 90027

Los Angeles

Europa Deli
7610 Santa Monica Blvd.
Los Angeles, CA 90046

International Food
7754 Santa Monica Blvd.
Los Angeles, CA 90046

Santa Monica Food House
7416 Santa Monica Blvd.
Los Angeles, CA 90404

San Francisco

G & M Deli
4605 Gary Blvd.
San Francisco, CA 94118

Grisha's Deli
2590 Mission
San Francisco, CA 94110

Illinois

Galina's Deli
2226 West Devon Avenue
Chicago, IL 60026

Galina's Deli
2740 West Devon Avenue
Chicago, IL 60026

Three Sisters Delicatessen
2854 West Devon Avenue
Chicago, IL 60659

New Jersey

Shop and Save
1244 Hamilton Avenue
Trenton, NJ 08629

New York

Fish Town
414 Brighton Beach Avenue
Brooklyn, NY 11235

Gold Star Smoked Fish
570 Smith Street
Brooklyn, NY 11231

Ohio

Harry's Deli
2072 South Taylor Road
Cleveland Heights, OH 44118

Pennsylvania

International Mini Market
10185 Verree Road
Philadelphia, PA 19116

CANADA

Finchurst Deli, Ltd.
4911 Bathurst Street
Willowdale, Ontario

For those who reside outside the
areas listed above, contact:
International Gold Star Trading
Co., 570 Smith St., Brooklyn, NY
11231, (212) 522-1545, for a store in
your area.

INDEX

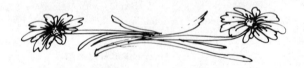